Brian Greene

Der Stoff, aus dem der Kosmos ist

Raum, Zeit und die Beschaffenheit der Wirklichkeit

Aus dem amerikanischen Englisch
von Hainer Kober

Pantheon

Die amerikanische Originalausgabe erschien 2004
unter dem Titel »The Fabric of the Cosmos«
bei Alfred A. Knopf, New York.

Verlagsgruppe Random House FSC-DEU-0100
Das für dieses Buch verwendete FSC-zertifizierte
Papier *EOS* liefert Salzer, St. Pölten.

Der Pantheon Verlag ist ein Unternehmen
der Verlagsgruppe Random House GmbH.

1. Auflage
Mai 2006

Satz: Ditta Ahmadi, Berlin
Druck und Bindung: GGP Media GmbH, Pößneck
Printed in Germany
ISBN-10: 3-570-55002-8
ISBN-13: 978-3-570-55002-1

www.pantheon-verlag.de

Für Tracy

Inhalt

Vorwort

Raum und Zeit nehmen unsere Fantasie gefangen wie kein anderer wissenschaftlicher Gegenstand. Aus gutem Grund. Sie bilden den Schauplatz der Wirklichkeit, die eigentliche Struktur des Kosmos. Unsere gesamte Existenz – alles, was wir tun, denken und erfahren – findet in irgendeiner Raumregion während irgendeines Zeitintervalls statt. Doch die Wissenschaft ringt noch immer um das Verständnis dessen, was Raum und Zeit tatsächlich sind. Sind sie wirklich physikalische Realitäten oder einfach nützliche Ideen? Wenn sie real sind, sind sie dann fundamental, oder bestehen sie aus irgendwelchen grundlegenderen Bestandteilen? Was bedeutet es, dass Raum leer ist? Hat die Zeit einen Anfang? Besitzt sie einen Pfeil, das heißt, fließt sie unabänderlich aus der Vergangenheit in die Zukunft, wie unsere Alltagserfahrung nahe legt? Können wir Raum und Zeit manipulieren? Im vorliegenden Buch betrachten wir dreihundert Jahre leidenschaftlicher wissenschaftlicher Forschung, die sich um Antworten – oder zumindest Ansätze von Antworten – auf solche grundlegenden, aber vertrackten Fragen nach der Natur des Universums bemüht.

Unsere Reise führt uns wiederholt zu einer anderen, eng verwandten Frage, die so umfassend wie schwierig ist: Was *ist* Wirklichkeit? Wir Menschen haben nur Zugang zur inneren Erfahrung der Wahrnehmung und des Denkens, wie sollen wir uns also ein wahrheitsgemäßes Bild von der Außenwelt machen? Philosophen schlagen sich schon lange mit diesem Problem herum. Filmemacher haben es publikumswirksam mit der Beschwörung künstlicher Welten abgehandelt, die durch präzise Nervenreizungen hervorgerufen werden und nur in der Vorstellung ihrer Protagonisten existieren. Und Physiker wie ich sind sich sehr wohl bewusst, dass die Wirklichkeit, die wir beobachten – Materie, die sich auf der Bühne von Raum und Zeit entwickelt –, vielleicht wenig oder gar nichts mit der Wirklichkeit dort draußen zu tun hat. Trotzdem nehmen wir die Beobachtungen ernst, denn sie sind alles, was wir haben. Wir wählen empirische Daten und das Bezugssystem der Mathematik, nicht schrankenlose Fantasie oder rigorose Skepsis, als unsere Richtschnur und suchen nach den einfachsten und dennoch möglichst weit reichenden Theorien, um die Ergebnisse heutiger und künftiger Experimente erklären beziehungsweise vorhersagen zu können. Diese Bedingungen schränken unsere Theorien erheblich ein. (Im vorliegenden Buch werden Sie beispielsweise nicht die Vermutung finden, ich könnte ein »Gehirn im Tank« sein, in einer Nährflüssigkeit schwimmen, an Tausende von Elektroden angeschlossen sein und auf Grund deren Reizwirkung lediglich *denken,* dass ich gerade an diesem Text schriebe.) Doch in den letzten hundert Jahren haben physikalische Entdeckungen den Schluss nahe gelegt, dass unsere Alltagsvorstellung von der Wirklichkeit grundlegend revidiert werden muss. Diese Forschungsergebnisse sind so spektakulär, verlangen unserem Verstand so viel ab und schütteln unsere Paradigmen so gründlich durch, dass sie es mit den abenteuerlichsten Science-Fiction-Fantasien aufnehmen können. Ihre revolutionären Konsequenzen werden uns auf den folgenden Seiten ständig begleiten.

Viele der Fragen, mit denen wir uns hier beschäftigen, bereiteten schon Aristoteles, Galilei, Newton, Einstein und zahllosen anderen Denkern und Forschern Kopfzerbrechen. Da dieses Buch bestrebt ist, dem Leser Wissenschaft in ihrer Entstehung zu vermitteln, werden wir nachverfolgen, wie die Fragen in einer Generation für endgültig beantwortet erklärt, in der nächsten wieder aufgegriffen und von den Wissenschaftlern der folgenden Jahrhunderte ständig neu gefasst und verfeinert wurden.

Bei der verblüffenden Frage beispielsweise, ob vollkommen leerer Raum einer weißen Leinwand gleicht, eine reale Gegebenheit oder nur eine abstrakte Idee ist, werden wir beobachten, wie das Pendel der wissenschaftlichen Meinung hin- und herschwingt zwischen Isaac Newtons Erklärung im siebzehnten Jahrhundert, der Raum sei real, Ernst Machs Schlussfolgerung im neunzehnten, er sei es nicht, und Einsteins spektakulärer Neuformulierung der Frage im zwanzigsten, als er Raum und Zeit miteinander verschmolz und Mach weitgehend widerlegte. Es folgen weitere Entdeckungen, die der Frage abermals eine andere Gestalt geben, indem sie die Bedeutung von »leer« neu definieren. Danach ist der Raum stets von so genannten Quantenfeldern besetzt und möglicherweise von einer diffusen Energie durchdrungen, der kosmologischen Konstanten – einem modernen Nachhall jener alten und in Misskredit geratenen Vorstellung vom Äther, der den Raum erfüllt. Mehr noch, wir betrachten anschließend, wie moderne Experimente im All bestimmte Eigenschaften der Machschen Schlussfolgerungen bestätigen könnten, die mit Einsteins allgemeiner Relativitätstheorie übereinstimmen und anschaulich belegen, wie faszinierend und vielfach verflochten die wissenschaftliche Entwicklung ist.

In unserer eigenen Epoche stoßen wir auf die tröstlichen Erkenntnisse, die uns die inflationäre Kosmologie bezüglich des Zeitpfeils vermittelt, das reichliche Angebot der Stringtheorie an zusätzlichen Raumdimensionen, die radikale These der M-Theorie, dass der Raum, in dem wir existieren, nur ein Splitter sei, der in einem größeren Kosmos schwebe, und der aktuellen Spekulation, nach der das Universum vielleicht lediglich ein kosmisches Hologramm ist. Wir wissen noch nicht, ob diese jüngeren theoretischen Vorschläge stimmen. Doch ganz gleich, wie ungeheuerlich sie klingen, wir nehmen sie ernst, weil sie an den Wegen liegen, auf die uns unsere hartnäckige Suche nach den fundamentalen Gesetzen des Universums geführt hat. Eine seltsame und unvertraute Wirklichkeit kann nicht nur aus der blühenden Fantasie von Science-Fiction-Autoren erwachsen, sondern auch aus den neuesten Forschungsergebnissen der modernen Physik.

Das vorliegende Buch ist in erster Linie für Leser bestimmt, die nur wenig oder keine formalen physikalischen Kenntnisse besitzen, deren Interesse an den großen Zusammenhängen des Universums aber so wach ist, dass sie bereit sind, sich mit einer Anzahl komplexer und schwieriger Konzepte auseinander zu setzen. Wie in meinem ersten Buch, *Das elegante Universum,* halte ich mich eng an die entscheidenden wissenschaftlichen Begriffe, während ich die mathematischen Einzelheiten durch Metaphern, Analogien, Geschichten und Abbildungen ersetze. In den schwierigsten Abschnitten des Buches warne ich die Leser vor und gebe denen, die beschließen, diese eingehenderen Erörterungen zu überspringen oder zu überfliegen, kurze Zusammenfassungen. Auf diese Weise sollte jeder Leser in der Lage sein, die Chronologie der Entdeckungen nachzuvollziehen und nicht nur einen Eindruck vom gegenwärtigen Weltbild der Physik zu gewinnen, sondern auch zu verstehen, wie und warum sich dieses Weltbild durchgesetzt hat.

Das Buch dürfte auch für Studenten, erfahrene Leser populärwissenschaftlicher Bücher, Lehrer und Leute vom Fach von einigem Interesse sein. Zwar behandeln die Anfangskapitel das notwendige, aber allgemein bekannte Hintergrundwissen der Relativitätstheorie und Quantenmechanik, doch die Ausrichtung auf die Körperlichkeit von Raum und Zeit ist ein etwas ungewöhnlicher Ansatz. Die folgenden Kapitel beschäftigen sich mit einem breiten Spektrum von Themen – dem Bellschen Theorem, Delayed-Choice-Experimenten, Quantenmessungen, beschleunigter Expansion, der Möglichkeit, in der nächsten Generation von Teilchenbeschleunigern Schwarze Löcher zu erzeugen, bizarren Wurmloch-Zeitmaschinen, um nur einige zu nennen –, und dort können sich auch fachlich vorbelastete Leser im Hinblick auf eine Reihe der faszinierendsten und meist diskutierten wissenschaftlichen Vorstöße auf den Stand der Forschung bringen.

Einige der Ergebnisse, über die ich berichte, sind umstritten. Bei Problemen, die noch offen sind, habe ich die entscheidenden Aspekte im Haupttext erörtert. Bei strittigen Punkten, in denen meiner Meinung nach bereits ein größerer Konsens erzielt worden ist, habe ich die abweichenden Auffassungen in die Anmerkungen verbannt. Einige Forscher, vor allem solche, die Minderheitenstandpunkte vertreten, werden an manchen meiner Urteile vielleicht Anstoß nehmen, doch ich habe mich im Haupttext und in den Anmerkungen um eine ausgewogene Darstellung bemüht. In den Anmerkungen können besonders sorgfältige Leser auch vollständigere Erläuterungen, Klärungen und Einschränkungen zu Aspekten nachlesen, die ich im Text vereinfacht dargestellt habe. Außerdem finden sich dort mathematische Erläuterungen zu den Ausführungen des Haupttextes, der auf alle Gleichungen verzichtet. Im Glossar lassen sich einige der spezielleren wissenschaftlichen Begriffe rasch nachschlagen.

Selbst ein Buch von dieser Länge kann das riesige Gebiet von Raum und Zeit nicht erschöpfend behandeln. Ich habe mich daher auf die Aspekte konzentriert, die mich interessieren und die ich für notwendig halte, um ein vollständiges Bild von der Wirklichkeit zu entwerfen, das sich aus den Ergebnissen der modernen Naturwissenschaft ergibt. Natürlich kommt in vielen dieser Entscheidungen mein persönlicher Geschmack zum Ausdruck, daher möchte ich mich bei all denen entschuldigen, die der Meinung sind, ihre eigene Arbeit oder ihr bevorzugtes Forschungsfeld seien nicht hinreichend berücksichtigt worden.

Bei der Arbeit an dem vorliegenden Buch hatte ich das Glück, mich auf die Rückmeldungen vieler interessierter Leser stützen zu können. Raphael Kasper, Lubos Motl, David Steinhardt und Ken Vineberg lasen verschiedene Versionen des gesamten Manuskripts, manchmal mehrfach, und unterbreiteten viele, detaillierte und kluge Vorschläge, die erheblich zur Klarheit und Genauigkeit der Darstellung beitrugen. Ihnen möchte ich herzlich danken. David Albert, Ted Baltz, Nicholas Boles, Tracy Day, Peter Demchuk, Richard Easther, Anna Hall, Keith Goldsmith, Shelley Goldstein, Michael Gordin, Joshua Greene, Arthur Greenspoon, Gavin Guerra, Sandra Kauffman, Edward Kastenmeier, Robert Krulwich, Andrei Linde, Shani Offen, Maulik Parikh, Michael Popowits, Marlan Scully, John Stachel und Lars Straeter lasen das ganze Manuskript oder Teile davon, und ihre Kommentare waren für mich außerordentlich nützlich. Sehr hilfreich waren die Gespräche mit Andreas Albrecht, Michael Bassett, Sean Carrol, Andrea Cross, Rita Greene, Alan Guth, Mark Jackson, Daniel Kabat, Will Kinney, Justin Khoury, Hiranya Peiris, Saul Perlmutter, Koenraad Schalm, Paul Steinhardt, Leonard Susskind, Neil Turok, Henry Tye, William Warmus und Erick Weinberg. Besonderen Dank schulde ich Raphael Gunner, dessen unbestechlicher Sinn für eine überzeugende Argumentation und dessen Bereitschaft, meine verschiedenen Ansätze einer konstruktiven Kritik zu unterziehen, von unschätzbarem Wert für mich waren. Eric Martinez war ein kritischer und unermüdlicher Beistand in der Herstellungsphase des Buches, und Jason Severs hatte wunderbare Einfälle, als er die Abbildungen schuf. Ich danke meinen Agenten Katinka Matson und John Brockman. Zu großem Dank verpflichtet bin ich auch meinem Lektor Marty Asher, der mir immer wieder mit Ermutigung, Rat und klugen Einsichten zur Seite stand und so die Qualität der Darstellung erheblich verbessert hat. Außerdem möchte ich meiner Lektorin bei Siedler, Andrea Böltken, meinem Übersetzer Hainer Kober und Markus Pössel, der die deutsche Übersetzung wissenschaftlich betreut hat, meinen Dank ausdrücken. Sie alle haben dafür gesorgt, dass die deutsche Ausgabe auf hervorragende Weise sowohl den Ton des amerikanischen Originals trifft als auch dem wissenschaftlichen Gehalt gerecht wird.

Während meiner beruflichen Laufbahn ist meine wissenschaftliche Forschung finanziell unterstützt worden vom US-Energieministerium, der National Science Foundation und der Alfred P. Sloan Foundation. Hiermit sei ihnen für ihre Hilfe gedankt.

SCHAUPLATZ DER WIRKLICHKEIT

WEGE ZUR WIRKLICHKEIT

Raum, Zeit und warum die Dinge sind wie sie sind

Keines der Bücher im alten, staubigen Bücherschrank meines Vaters war verboten. Doch während ich heranwuchs, sah ich nie, dass jemand eines herausnahm. Die meisten waren voluminös: eine umfangreiche Kulturgeschichte, die Werke der abendländischen Literatur, nicht weniger imposant, und viele andere, an die ich mich nicht erinnere. Fast schienen sie verwachsen mit den Regalbrettern, die sich unter der jahrzehntelangen Last ein wenig bogen. Doch ganz oben im höchsten Fach stand ein schmales Bändchen, das hin und wieder meine Blicke auf sich zog, weil es so fehl am Platze zu sein schien wie Gulliver bei den Riesen in Brobdingnag. Heute weiß ich nicht mehr so recht, warum ich so lange gewartet habe, bevor ich einen Blick hineinwarf. Vielleicht, weil die Jahre dafür sorgten, dass ich die Bücher weniger als Lesestoff betrachtete denn als Familienerbstücke, die man aus der Ferne bewundert. Doch schließlich wich die Ehrfurcht jugendlicher Unbekümmertheit. Ich holte mir das schmale Bändchen herunter, wischte den Staub ab und schlug es auf der Seite eins auf. Schon die ersten Zeilen waren, um es vorsichtig auszudrücken, verblüffend.

»Es gibt nur ein wirklich ernstes philosophisches Problem: den Selbstmord«, so begann das Buch. Ich zuckte zusammen. Und weiter hieß es: »... ob die Welt drei Dimensionen und der Geist neun oder zwölf Kategorien habe – kommt erst später.« Fragen dieser Art, so erläuterte das Buch, seien Teil eines Spiels, mit dem sich die Menschheit beschäftige, würden aber erst Aufmerksamkeit verdienen, wenn das eine, entscheidende Problem gelöst sei. Bei dem Buch handelte es sich um den *Mythos von Sisyphos* von Albert Camus, dem aus Algerien stammenden französischen Philosophen und Nobelpreisträger. Nach einigen Augenblicken schmolz der eisige Klang der Worte im Licht des Verständnisses. Ja, natürlich, dachte ich. Endlos kann man dieses bedenken und jenes analysieren, doch die wirkliche Frage lautet, ob all das Denken und Analysieren einen davon überzeugen kann, dass das Leben es wert ist, gelebt zu werden. Darauf läuft alles hinaus. Alles andere sind zweitrangige Einzelheiten.

Meine Zufallsbegegnung mit Camus' Buch muss in einer sehr empfänglichen Phase stattgefunden haben, denn mir sind diese Worte eindringlicher im Gedächtnis geblieben als alles, was ich sonst gelesen habe. Immer wieder habe ich mir vorgestellt, wie verschiedene Menschen, die ich traf, von denen ich hörte oder die ich im Fernsehen sah, diese Frage aller Fragen wohl beantworten würden. In der Rückschau erwies sich für mich jedoch die zweite Behauptung – über die Rolle des wissenschaftlichen Fortschritts – als besonders interessant. Zwar bejahte Camus das Bemühen an sich, die Struktur des Universums zu verstehen, verwarf jedoch, soweit ich es beurteilen konnte, die Möglichkeit, dass ein solches Verständnis irgendetwas an unserem Urteil über den Wert des Lebens ändern könnte. Nun war meine Jugendlektüre des Existenzialismus vermutlich so kenntnisreich wie die Beschäftigung mit romantischer Poesie, die man Bart Simpson, dem ungehobelten Sohn der berühmten Comic-Familie »Die Simpsons«, zutrauen würde – trotzdem hatte ich den Eindruck, Camus' Schlussfolgerung gehe an der Sache vorbei. Dem angehenden Physiker kam es so vor, dass sich das Leben nur angemessen würdigen ließ, wenn man zuvor den Schauplatz des Lebens verstanden hatte: das Universum. Ich weiß noch, dass ich dachte, wenn die Menschheit in Höhlen tief unter der Erde lebte und ihr die Entdeckung all dessen, was uns vertraut ist, noch bevorstünde – die Erdoberfläche, das strahlende Sonnenlicht, eine Meeresbrise und die Sterne, die sich dahinter erstrecken –, oder wenn die Evolution einen anderen Verlauf genommen hätte und uns bislang nur der Tastsinn zur Verfügung stünde, so dass all unsere Erkenntnis aus den taktilen Eindrücken von unserer unmittelbaren Umgebung erwüchse, oder wenn die geistige Entwicklung des Menschen in der frühen Kindheit abbräche, so dass unsere emotionalen und analytischen Fertigkeiten nie über die eines Fünfjährigen hinausgelangten – kurzum, wenn unsere Erfahrungen uns nur ein armseliges Bild der Wirklichkeit vermittelten, wäre unsere Würdigung des Lebens erheblich eingeschränkt. Wenn wir schließlich unseren Weg an die Erdoberfläche fänden, wenn wir irgendwann doch die Fähigkeit erwerben würden, zu sehen, zu hören, zu riechen und zu schmecken, oder wenn unser Geist sich endlich seiner Fesseln entledigte und sich normal entwickelte, dann würde sich unsere kollektive Auffassung vom Leben und vom Kosmos zwangsläufig von Grund auf ändern. Unser zuvor beeinträchtigtes Bild von der Wirklichkeit hätte uns diese fundamentalste aller philosophischen Fragen in einem ganz anderen Licht gezeigt.

Aber Sie könnten natürlich vorbringen: Na und? Sicher, jeder nüchtern Urteilende käme zu dem Schluss, dass wir vielleicht nicht alles vom Universum wissen, dass uns nicht jede Einzelheit über das Verhalten der Materie und die Funktionen des Lebens bekannt ist, dass wir aber doch mit den groben Pinselstrichen auf der Leinwand der Natur vertraut sind. Natürlich hat Camus Recht, so könnten Sie fortfahren, wenn er meint, dass der physikalische Fortschritt, etwa die Erkenntnis, wie viele Dimensionen der Raum hat, oder der neuropsychologische, beispielsweise die genaue Erforschung der Gehirnstrukturen und ihrer Funktionen, überhaupt jeder Fortschritt auf den vielen wissenschaftlichen Feldern wichtige Einzelheiten liefert, jedoch keinen nennenswerten Beitrag zu unserer Bewertung des Lebens und der Wirklichkeit beisteuert. Die Wirklichkeit ist einfach das, wofür wir sie halten; die Wirklichkeit wird uns durch unsere Erfahrung offenbart.

Mehr oder weniger ist das ein Wirklichkeitsverständnis, das viele von uns haben, wenn auch nur unausgesprochen. Für mich jedenfalls ist diese Vorstellung im Alltag maßgeblich. Wir sind durch das Bild, das die Natur unseren Sinnen unmittelbar präsentiert, leicht zu verführen. Doch in den Jahrzehnten, die seit meiner ersten Bekanntschaft mit Camus' Text verstrichen sind, habe ich erfahren, dass die moderne Wissenschaft eine andere Geschichte erzählt. *Die* zentrale Botschaft, die uns die naturwissenschaftliche Forschung der letzten hundert Jahre vermittelt hat, lautet, dass die menschliche Erfahrung häufig ein unzuverlässiger Leitfaden ist, wenn wir die wahre Natur der Wirklichkeit suchen. Unmittelbar unter der Oberfläche des Alltäglichen liegt eine Welt, die wir kaum erkennen. Anhänger des Okkulten, Jünger der Astrologie und Menschen mit religiösen Überzeugungen, die von einer Erfahrung jenseits der Erfahrung berichten, sind aus ganz unterschiedlichen Blickwinkeln zu ähnlichen Schlüssen gelangt. Doch mir geht es um etwas anderes. Ich habe die Arbeit einfallsreicher Neuerer und unermüdlicher Forscher im Sinn – jener Wissenschaftler und Wissenschaftlerinnen, die Schicht um Schicht von der kosmischen Zwiebel abgeschält, Rätsel um Rätsel gelöst und ein Universum offen gelegt haben, das zugleich überraschend, unvertraut, aufregend, elegant und ganz anders ist, als irgendjemand erwartet hatte.

Diese Erkenntnisse sind alles andere als bloße Einzelheiten. Bahnbrechende physikalische Entdeckungen haben uns zu grundlegenden Korrekturen an unserer Vorstellung vom Kosmos gezwungen und tun es auch weiterhin. Ich bin heute ebenso wie vor Jahrzehnten davon überzeugt, dass Camus die Frage nach dem Wert des Lebens zu Recht als die wichtigste und letzte bestimmt hat; doch die Einsichten der modernen Physik haben mich auch davon überzeugt, dass der Versuch, das Leben aus der Perspektive der Alltagserfahrung zu beurteilen, der Betrachtung eines van Gogh durch eine leere Colaflasche gleicht. Die moderne Naturwissenschaft hat einen Angriff nach dem anderen gegen das Augenscheinliche geführt, das wir aus unseren rudimentären Wahrnehmungen ableiten, und gezeigt, dass diese häufig nur eine verschwommene Vorstellung von der Welt vermitteln, die wir bewohnen. Während Camus also die physikalischen Fragen ausklammerte und als sekundär abtat, bin ich mittlerweile der Meinung, dass sie von vorrangiger Bedeutung sind. Für mich sorgt die physikalische Realität sowohl für den Schauplatz als auch für die Beleuchtung, damit wir uns überhaupt mit Camus' Frage auseinander setzen können. Den Wert der Existenz zu beurteilen, ohne die Einsichten der modernen Physik zu berücksichtigen, das wäre so, als ränge man im Dunkeln mit einem unbekannten Gegner. Indem wir unser Verständnis für die wahre Natur der physikalischen Realität vertiefen, überarbeiten wir das Bild, das wir von uns und unserer Erfahrung des Universums haben.

Das zentrale Anliegen dieses Buches besteht darin, einige der bekanntesten und wichtigsten Korrekturen an unserem Bild von der Wirklichkeit zu erklären, mit besonderem Augenmerk auf jene Erkenntnisse, die mit dem uralten Bemühen der Menschheit zu tun haben, Raum und Zeit zu verstehen. Von Aristoteles bis Einstein, vom Astrolabium bis zum Hubble-Weltraumteleskop, von den Pyramiden bis zu den modernen Observatorien auf hohen Bergen – Raum und Zeit haben das Denken geprägt, seit das Denken begann. Mit dem Beginn des modernen wissenschaftlichen Zeitalters ist die Bedeutung von Raum und Zeit immens gewachsen. Während der letzten dreihundert Jahre haben die Fortschritte in der Physik Raum und Zeit als höchst verblüffende und faszinierende Konzepte offenbart, als Konzepte, die von einzigartiger Bedeutung für die Analyse des Universums sind. Ferner haben diese Fortschritte gezeigt, dass Raum und Zeit ganz oben auf der Liste der jahrhundertealten Konstrukte stehen, die von der modernen Forschung einer so unglaublichen Revision unterzogen wurden.

Für Isaac Newton waren Raum und Zeit einfach Gegebenheiten: Sie bildeten eine passive und universelle kosmische Bühne, auf der sich die Ereignisse des Universums abspielten. Für Gottfried Wilhelm von Leibniz waren »Raum« und »Zeit« schlicht Vokabeln, die Beziehungen bezeichneten – wo sich Objekte befanden und wann Ereignisse stattfanden. Nicht mehr. Bei Albert Einstein dagegen wurden Raum und Zeit zum Rohmaterial, das der Wirklichkeit zugrunde liegt. Durch seine Relativitätstheorien brachte Einstein unsere Vorstellungen von Raum und Zeit in Bewegung und führte uns vor Augen, welche entscheidende Rolle sie in der Entwicklung des Universums spielen. Seither sind Raum und Zeit die glitzernden Juwelen der Physik. Sie sind zugleich vertraut und geheimnisvoll. Die vollständige Erklärung von Raum und Zeit ist zur größten Herausforderung der Physik, zu ihrer begehrtesten Trophäe geworden.

Die Entwicklungen, mit denen wir uns in diesem Buch befassen, sind mit der Struktur, dem Gewebe von Raum und Zeit auf vielfältige Weise verflochten. Einige Ideen stellen Merkmale von Raum und Zeit in Frage, die jahrhunderte- oder gar jahrtausendelang als so grundlegend galten, dass sie jedem Zweifel enthoben schienen. Andere versuchen eine Verbindung zwischen unserer theoretischen Auffassung von Raum und Zeit und den Eigenschaften herzustellen, die sich unserer Alltagserfahrung erschließen. Wieder andere werfen Fragen auf, die in den engen Grenzen unserer alltäglichen Wahrnehmung nicht zu beantworten sind.

Es wird wenig von der Philosophie (und gar nicht vom Selbstmord und dem Sinn des Lebens) die Rede sein. Doch in unserem wissenschaftlichen Bemühen, die Geheimnisse von Raum und Zeit zu lösen, werden wir uns von nichts und niemandem einschränken lassen. Von den kleinsten Flecken und frühesten Augenblicken des Universums bis zu seinen größten Ausdehnungen und seiner fernsten Zukunft werden wir Raum und Zeit in Umgebungen untersuchen, die uns teils vertraut und teils völlig fern sind, und dabei mit unbestechlichem Auge nach seiner wahren Natur forschen. Da die Geschichte von Raum und Zeit noch auf ihre vollkommene Beschreibung wartet, werden wir zu keinen endgültigen Urteilen gelangen. Aber wir werden eine Reihe von Ideen kennen lernen – teils äußerst fremdartig, teils zutiefst befriedigend, teils experimentell bestätigt, teils vollkommen spekulativ –, die uns zeigen werden, wie weit unser Verstand in seinem Bemühen gelangt ist, die Struktur des Kosmos zu erfassen und mit der Textur der Wirklichkeit in Kontakt zu kommen.

Klassische Wirklichkeit

Die Historiker sind sich nicht einig, wann genau das moderne wissenschaftliche Zeitalter begonnen hat, aber als Galileo Galilei, René Descartes und Isaac Newton ihre Ansichten äußerten, war es bereits in vollem Gange. Damals wurde die neue wissenschaftliche Auffassung ständig erweitert, als man in den irdischen und astronomischen Daten Muster entdeckte, die den Menschen immer deutlicher vor Augen führten, dass all dem Kommen und Gehen des Kosmos eine Ordnung zugrunde liegt, die sich logischem Denken und mathematischer Analyse erschließt. Diese Pioniere des modernen wissenschaftlichen Denkens vertraten die Auffassung, dass die Geschehnisse im Universum, richtig betrachtet, nicht nur erklärbar, sondern auch vorhersagbar sind. Damit war das Vermögen der Wissenschaft, Aspekte der Zukunft schlüssig und quantitativ vorherzusagen, zu Tage getreten.

Die ersten wissenschaftlichen Studien konzentrierten sich auf Dinge jener Art, die man im Alltag sehen oder erfahren kann. Galilei ließ Gewichte von einem schiefen Turm fallen (so will es jedenfalls die Legende) und beobachtete

Kugeln, die eine schräge Ebene hinabrollten. Newton beschäftigte sich mit fallenden Äpfeln (so heißt es zumindest) und der Umlaufbahn des Mondes. Alle diese Untersuchungen hatten das Ziel, das erwachende wissenschaftliche Ohr auf die Harmonien der Natur einzustimmen. Gewiss, die physikalische Realität lieferte den Stoff für die Erfahrung, doch die Herausforderung lag darin, sich einen Reim auf den Rhythmus und die Regelmäßigkeit zu machen. Viele besungene und unbesungene Helden trugen zu den raschen und eindrucksvollen Fortschritten bei, aber Newton stahl ihnen allen die Schau. Mit einer Hand voll mathematischer Gleichungen fasste er alles zusammen, was über die Bewegungen auf der Erde und im Himmel bekannt war, und steckte damit die Grenzen dessen ab, was später als *klassische Physik* bezeichnet werden sollte.

In den Jahrzehnten nach Newton wurden seine Gleichungen zu einem komplizierten mathematischen System ausgebaut, das ihren Geltungsbereich und praktischen Nutzen erheblich erweiterte. Nach und nach wurde die klassische Physik zu einer hoch entwickelten und ausgereiften wissenschaftlichen Disziplin. Doch hinter all diesen Fortschritten strahlten hell und klar wie ein Leuchtzeichen Newtons ursprüngliche Einsichten. Selbst heute noch, mehr als dreihundert Jahre später, findet man Newtons Gleichungen weltweit an den Wandtafeln bei physikalischen Einführungskursen, auf den Flugplänen, mit denen die NASA die Bahnen von Raumfahrzeugen berechnet, und eingebettet in die komplizierten Berechnungen modernster Forschungsvorhaben. Newton fasste eine Vielzahl physikalischer Phänomene in einem einzigen theoretischen Rahmen zusammen.

Allerdings stieß Newton, während er seine Bewegungsgesetze aufstellte, auf ein schwieriges Hindernis, das für unsere Geschichte von besonderer Bedeutung ist (Kapitel 2). Jeder weiß, dass sich Dinge bewegen können, doch wie verhält es sich mit dem Schauplatz, auf dem die Bewegung stattfindet? Was soll damit schon sein, wird jeder von uns antworten, das ist der Raum. Worauf Newton entgegnen würde: Und was ist der Raum? Ist Raum eine reale physikalische Gegebenheit oder eine abstrakte Idee, die aus dem menschlichen Bestreben erwächst, den Kosmos zu verstehen? Newton war klar, dass diese Schlüsselfrage beantwortet werden musste, weil sich die Gleichungen zur Beschreibung der Bewegung als bedeutungslos erweisen mussten, wenn er nicht einen klaren Standpunkt zur Bedeutung von Raum und Zeit bezog. Verstehen braucht Kontext, Einsicht muss verankert werden.

Und so formulierte Newton in seinen *Principia Mathematica* mit ein paar kurzen Sätzen eine Vorstellung von Raum und Zeit, in der er diese zu absoluten und unwandelbaren Größen erklärte und das Universum dergestalt mit einem unbeweglichen und unwandelbaren Schauplatz versah. Laut Newton bilden

Raum und Zeit ein unsichtbares Gerüst, das dem Universum Gestalt und Struktur verleiht.

Nicht alle waren damit einverstanden. Einige wandten überzeugend ein, es sei ziemlich sinnlos, einer Sache Existenz zuzuschreiben, die man weder fühlen noch greifen, noch beeinflussen könne. Aber die Aussagekraft der Newtonschen Gleichungen im Hinblick auf Erklärung und Vorhersage brachte die Kritiker zum Schweigen. Während der nächsten zweihundert Jahre herrschte Newtons absoluter Begriff von Raum und Zeit vollkommen unangefochten.

Relativistische Wirklichkeit

Das klassische Newtonsche Weltbild war ansprechend: Es beschrieb die Naturerscheinungen mit verblüffender Genauigkeit, und die Einzelheiten seiner Beschreibung – die Mathematik – passten weitgehend zur Erfahrung. Wenn man etwas anstößt, erhöht es sein Tempo. Je kräftiger man eine Kugel wirft, desto härter der Aufprall, mit dem sie eine Wand trifft. Drückt man auf etwas, spürt man den Gegendruck, den es ausübt. Je mehr Masse etwas besitzt, desto stärker seine Gravitationsanziehung. Alle diese Dinge gehören zu den grundlegenden Eigenschaften der natürlichen Welt, und wenn Sie sich mit Newtons Theorie befassen, finden Sie diese Dinge in seinen Gleichungen ausgedrückt, klar wie der junge Morgen. Anders als beim unergründlichen Hokuspokus der Kristallkugel waren für jeden, der eine minimale mathematische Vorbildung besaß, Wesen und Wirkung von Newtons Gesetzen offensichtlich. Die klassische Physik lieferte der menschlichen Intuition eine exakte Grundlage.

Newton hatte zwar die Gravitation in seinen Gleichungen berücksichtigt, doch erst in den sechziger Jahren des neunzehnten Jahrhunderts erweiterte der schottische Wissenschaftler James Clerk Maxwell den theoretischen Rahmen der klassischen Physik so, dass er auch die elektrische und magnetische Kraft einbeziehen konnte. Dazu brauchte Maxwell zusätzliche Gleichungen, und diese setzten ein höheres Maß an mathematischer Vorbildung voraus, wollte man sie vollständig verstehen. Seine Gleichungen waren jedoch in jeder Hinsicht ebenso erfolgreich bei der Erklärung der elektrischen und magnetischen Erscheinungen wie Newtons Gleichungen bei der Beschreibung der Bewegung. Ende des neunzehnten Jahrhunderts sah es so aus, als wären die Geheimnisse des Universums den Fähigkeiten des menschlichen Verstandes nicht mehr gewachsen.

Tatsächlich herrschte nach der erfolgreichen Eingliederung der Elektrizität und des Magnetismus allgemein der Eindruck, die theoretische Physik stehe kurz vor dem Abschluss. Die Physik, so war zu hören, werde bald ein erledigtes

Forschungsfeld sein, mit Gesetzen wie in Stein gemeißelt. 1894 erklärte der angesehene Experimentalphysiker Albert Michelson: »Die meisten der großen Grundprinzipien sind eindeutig bewiesen.« Dann zitierte er einen »bedeutenden Wissenschaftler« – bei dem es sich, wie allgemein angenommen wird, um den britischen Physiker Lord Kelvin handelt –, der erklärt habe, nun bleibe nichts weiter zu tun, als ein paar hintere Dezimalstellen zu bestimmen.[1] Im Jahr 1900 merkte Kelvin selbst allerdings an, er sehe »zwei Wolken« am Horizont, die eine habe mit den Eigenschaften der Lichtbewegung, die andere mit bestimmten Aspekten der Strahlung zu tun, die erwärmte Objekte aussenden,[2] doch wurde im Großen und Ganzen angenommen, dies seien bloße Einzelheiten, die zweifellos rasch geklärt sein würden.

Zehn Jahre später sah alles anders aus. Wie erwartet, wandte man sich umgehend den beiden Problemen zu, die Kelvin angesprochen hatte, allerdings erwiesen sie sich keineswegs als zweitrangig. Jedes löste eine Revolution aus, und jedes machte eine grundlegende Revision der Naturgesetze erforderlich. Die klassischen Begriffe von Raum, Zeit und Wirklichkeit – die sich seit Jahrhunderten nicht nur bewährt, sondern auch unserem intuitiven Weltverständnis so exakt entsprochen hatten – wurden verworfen.

Die Relativitätsrevolution, welche die erste der Kelvinschen »Wolken« betraf, dauerte von 1905 bis 1915; in diesem Zeitraum entwickelte Albert Einstein seine spezielle und allgemeine Relativitätstheorie (Kapitel 3). Während er sich mit den Rätseln der Elektrizität, des Magnetismus und der Lichtbewegung auseinander setzte, erkannte Einstein, dass Newtons Raum-Zeit-Konzept, der Hauptpfeiler der klassischen Physik, so nicht stimmen konnte. 1905 fand er im Laufe weniger Wochen höchst intensiver Arbeit heraus, dass Raum und Zeit nicht unabhängig und absolut sind, wie Newton angenommen hatte, sondern miteinander verflochten und in einer Weise relativ, die aller alltäglichen Erfahrung spottet. Rund zehn Jahre später versetzte Einstein Newtons Theorie den Todesstoß, indem er die Gesetze der Gravitationsphysik revidierte. Dieses Mal bewies er nicht nur, dass Raum und Zeit Teile eines einheitlichen Ganzen sind, sondern zeigte auch, dass sie über ihre Verzerrung und Krümmung an der kosmischen Entwicklung mitwirken. Statt als starre und unwandelbare Strukturen wie in Newtons Theorie erwiesen sich Raum und Zeit in Einsteins Entwurf als flexibel und dynamisch.

Die beiden Relativitätstheorien gehören zu den kostbarsten Errungenschaften der Menschheit. Mit ihnen hob Einstein Newtons Wirklichkeitsbegriff aus den Angeln. Obwohl in Newtons Physik vieles von dem, was wir physikalisch erfahren, mathematisch erfasst zu werden schien, erwies sich die Wirklichkeit, die sie beschreibt, nicht als die Wirklichkeit unserer Welt. Wir leben in einer relativistischen Wirklichkeit. Doch da die Abweichungen zwischen klassischer und relativistischer Realität nur unter extremen Bedingungen zu Tage treten (im Wesentlichen, wenn Geschwindigkeit und Gravitation extrem werden), erweist sich Newtons Physik in vielen Situationen noch immer als eine exakte und nützliche Näherung. Nützlichkeit und Wirklichkeit sind allerdings höchst unterschiedliche Maßstäbe. Wie wir sehen werden, haben sich die Eigenschaften von Raum und Zeit, die vielen von uns zur zweiten Natur geworden sind, als Trugbilder einer falschen Newtonschen Perspektive herausgestellt.

Quantenwirklichkeit

Die zweite Anomalie, die Lord Kelvin erwähnte, löste die Quantenrevolution aus, eine der größten Erschütterungen, denen das moderne Weltbild des Menschen jemals unterworfen war. Als das Feuer erlosch und der Rauch sich verzog, war der Lack der klassischen Physik auf dem nun zutage tretenden Gefüge der Quantenrealität verbrannt.

Es zählt zu den wesentlichen Eigenschaften der klassischen Physik, dass sich, wenn wir die Orte und Geschwindigkeiten aller Objekte zu einem bestimmten Zeitpunkt kennen, mit Hilfe der Newtonschen Gleichungen und ihrer Maxwellschen Aktualisierungen die Aufenthaltsorte und Geschwindigkeiten dieser Objekte auch zu jedem anderen beliebigen Zeitpunkt in der Vergangenheit oder Zukunft bestimmen lassen. Die klassische Physik erklärt unzweideutig, Vergangenheit und Zukunft seien in die Gegenwart eingeätzt. Diese Eigenschaft haben sowohl die spezielle als auch die allgemeine Relativitätstheorie mit ihr gemein. Obwohl die relativistischen Konzepte von Vergangenheit und Zukunft differenzierter als ihre vertrauten klassischen Pendants sind (Kapitel 3 und 5), werden sie durch die Gleichungen der Relativitätstheorie, bei vollständiger Kenntnis der Gegenwart, ebenso vollständig bestimmt.

Doch in den dreißiger Jahren des zwanzigsten Jahrhunderts sahen sich die Physiker gezwungen, ein vollkommen neues Begriffsschema einzuführen: die so genannte *Quantenmechanik*. Ganz unerwartet stellten sie fest, dass nur die Quantengesetze in der Lage waren, eine Vielzahl von Rätseln zu lösen und ein Fülle von Daten zu erklären, die sich in den neuen atomaren und subatomaren Forschungsfeldern ergaben. Doch nach den Quantengesetzen können Sie noch so genau messen, wie sich die Dinge heute verhalten – Sie werden bestenfalls in der Lage sein, die *Wahrscheinlichkeit* vorherzusagen, dass sich die Dinge zu einem gegebenen Zeitpunkt in der Zukunft oder in der Vergangenheit auf diese oder jene Weise verhalten. Laut der Quantenmechanik ist das Universum *nicht* in die Gegenwart eingeätzt, sondern nimmt an einem Glücksspiel teil.

Obwohl immer noch umstritten ist, wie diese Ergebnisse im Einzelnen zu interpretieren sind, stimmen die meisten Physiker darin überein, dass die Wahrscheinlichkeit tief in die Struktur der Quantenrealität eingeflochten ist. Während die menschliche Intuition – und ihre Erscheinungsform in der klassischen Physik – eine Wirklichkeit entwirft, in der die Dinge stets eindeutig entweder so *oder* so sind, beschreibt die Quantenmechanik eine Wirklichkeit, in der die Dinge manchmal von einem Dunstschleier umgeben sind, in dem sie teils so *und* teils so sind. Exakt werden die Dinge nur, wenn eine entsprechende Beobachtung sie zwingt, auf die Quantenmöglichkeiten zu verzichten und sich auf ein bestimmtes Ergebnis festzulegen. Welches Ergebnis auf diese Weise zustande kommt, lässt sich jedoch nicht vorhersagen – wir können nur die Wahrscheinlichkeiten angeben, dass sich die Dinge so oder so entwickeln.

Das ist, offen gesagt, ein bisschen seltsam. Wir sind nicht an eine Wirklichkeit gewöhnt, die mehrdeutig bleibt, bis sie wahrgenommen wird. Doch damit ist die Seltsamkeit der Quantenmechanik noch nicht erschöpfend beschrieben. Mindestens genauso erstaunlich ist ein Merkmal, das auf einen Artikel zurückgeht, den Einstein 1935 mit zwei jüngeren Kollegen, Nathan Rosen und Boris Podolsky, schrieb. Eigentlich war der Artikel als Angriff auf die Quantentheorie gedacht.[3] Angesichts der verwickelten Wege der späteren wissenschaftlichen Entwicklung hat Einstein in dem Artikel aus heutiger Sicht als einer der ersten beschrieben, dass in der Quantenmechanik – nimmt man sie beim Wort – etwas, was Sie hier tun, *instantan*, das heißt augenblicklich, mit etwas verknüpft sein kann, was dort geschieht, egal, wie weit es entfernt ist. Einstein hielt solche instantanen Verbindungen für lächerlich und meinte, der Umstand, dass sich derartige Schlüsse aus der Mathematik der Quantentheorie ableiten ließen, zeige, dass die Theorie gründlich überarbeitet werden müsse, bevor sie eine annehmbare Form erreiche. Als jedoch in den achtziger Jahren theoretische und technische Fortschritte diese vermeintlichen Quantenabsurditäten exakten Experimenten zugänglich machten, bestätigten die Ergebnisse, dass es durchaus eine instantane Verbindung zwischen Ereignissen geben kann, die sich an weit entfernten Orten zutragen. Unter untrüglichen Laborbedingungen geschah tatsächlich, was Einstein für absurd hielt (Kapitel 4).

Was diese Merkmale der Quantenmechanik für unser Wirklichkeitsbild bedeuten, ist Gegenstand der aktuellen Forschung. Viele Wissenschaftler, darunter auch ich, betrachten sie als Teil einer radikalen Aktualisierung der Bedeutung und Eigenschaften des Raums durch die Quantenmechanik. Normalerweise folgt aus räumlicher Trennung physikalische Unabhängigkeit. Wenn Sie Einfluss auf das Geschehen auf der anderen Seite eines Fußballfelds nehmen wollen, müssen Sie sich dorthin begeben oder zumindest jemanden oder etwas dorthin schicken (den Trainerassistenten, ein Schallmuster, erzeugt von Ihrer Stimme und übertragen von tanzenden Luftmolekülen, einen Lichtstrahl, der die Aufmerksamkeit eines der Beteiligten erregt und so fort), um Ihren Einfluss geltend zu machen. Wenn Sie nichts davon tun – wenn Sie die räumliche Isolierung fortbestehen lassen –, können Sie nicht auf die Ereignisse einwirken, weil der dazwischen liegende Raum sicherstellt, dass keine physikalische Verbindung besteht. Diese Auffassung wird von der Quantenmechanik in Zweifel gezogen, da diese, zumindest unter bestimmten Umständen, die Möglichkeit beweist, dass Dinge sich über die räumliche Beschränkung hinwegsetzen. Weitreichende Quantenverbindungen können die räumliche Trennung überwinden. Zwei Objekte können im Raum weit voneinander getrennt sein, doch für die Quantenmechanik ist es, als wären sie eine einzige Einheit. Mehr noch, infolge der von Einstein entdeckten engen Verknüpfung zwischen Raum und Zeit besitzen die Quantenverbindungen auch zeitlich Tentakeln. Wir werden in Kürze einige raffinierte und wirklich höchst wundersame Experimente kennen lernen, mittels deren unlängst zahlreiche verblüffende räumlich-zeitliche Wechselbeziehungen erforscht wurden – Beziehungen, die auf der Quantenmechanik beruhen und die, wie wir sehen werden, das klassische, intuitive Weltbild, das viele Menschen noch haben, radikal in Frage stellen.

Trotz dieser vielen eindrucksvollen Erkenntnisse bleibt eine sehr grundlegende Eigenschaft der Zeit – dass sie eine Richtung zu haben scheint, die von der Vergangenheit in die Zukunft führt –, für die weder die Relativitätstheorie noch die Quantenmechanik bislang eine Erklärung geliefert haben. Stattdessen ist der einzige überzeugende Fortschritt bislang auf einem physikalischen Forschungsfeld erzielt worden, das als *Kosmologie* bezeichnet wird.

Kosmologische Wirklichkeit

Die wahre Natur des Universums zu erkennen, hat die Physik immer als eine ihrer Hauptaufgaben angesehen. Es lässt sich kaum eine anspruchsvollere Herausforderung für unseren Verstand und unsere Vorstellungskraft denken als die Einsicht, die wir im Laufe der letzten hundert Jahre gewonnen haben: dass die Wirklichkeit, die wir erleben, nur einen schwachen Abglanz der Wirklichkeit vermittelt, die ist. Aber die Physik hat auch die ebenso wichtige Aufgabe, die Elemente der Wirklichkeit zu erklären, die wir tatsächlich erfahren. Unser Eilmarsch durch die Geschichte der Physik mag den Eindruck erwecken, als wäre das bereits erreicht, als würden für das alltägliche Erleben die Errungenschaften der Physik aus der Zeit vor dem zwanzigsten Jahrhundert genügen. Das stimmt zwar bis zu einem gewissen Grade, doch selbst wenn es um Alltägliches geht, sind wir weit davon entfernt, unsere Erfahrung vollständig erklären zu können. Zu den Merkmalen, die sich bislang einem vollständigen Verständnis entzogen haben, zählt eines, das mit einem der unergründlichsten Rätsel der modernen Physik zu tun hat: das Rätsel, das der große britische Physiker Sir Arthur Eddington den *Zeitpfeil* nannte.[4]

Wir nehmen es als selbstverständlich hin, dass die Dinge sich in der Zeit in eine bestimmte Richtung entwickeln. Eier brechen, aber »entbrechen« nicht, Kerzen schmelzen, aber »entschmelzen« nicht, Erinnerungen haben wir an die Vergangenheit, aber nicht an die Zukunft, Menschen altern, aber »entaltern« nicht. Diese Asymmetrien beherrschen unser Leben. Die Unterscheidung zwischen vorwärts und rückwärts in der Zeit ist ein bestimmendes Element der Erfahrungswirklichkeit. Würden Vorwärts und Rückwärts in der Zeit die gleiche Symmetrie erkennen lassen, die wir an Links und Rechts oder Hin und Zurück wahrnehmen, wäre die Welt nicht wiederzuerkennen. Eier entbrächen ebenso oft, wie sie brächen; wir hätten genauso umfangreiche Erinnerungen an die Zukunft wie an die Vergangenheit; Menschen entalterten ebenso oft, wie sie alterten. Gewiss, eine solche zeitsymmetrische Wirklichkeit wäre nicht unsere Wirklichkeit. Doch woher kommt die Asymmetrie der Zeit? Was ist für diese fundamentalste Eigenschaft der Zeit verantwortlich?

Denn es erweist sich, dass die bekannten und anerkannten Gesetze der Physik keine solche Asymmetrie zeigen (Kapitel 6): Jede Zeitrichtung, vorwärts und rückwärts, wird von den Gesetzen völlig gleich behandelt. *Das ist der Ursprung eines großen Rätsels.* In den fundamentalen Gleichungen der Physik gibt es keinen Anhaltspunkt dafür, dass sie eine Zeitrichtung anders als die anderen behandeln, und das befindet sich in völligem Gegensatz zu allem, was wir erleben.[5]

Obwohl wir uns hier mit einem höchst vertrauten Merkmal unseres Alltags beschäftigen, sind wir, um die überzeugendste Lösung für diese Abweichung zwischen grundlegender Physik und grundlegender Erfahrung zu finden, dazu gezwungen, uns dem unvertrautesten aller Ereignisse zuzuwenden – dem Anfang des Universums. Diese Idee stammt aus dem Werk von Ludwig Boltzmann, einem bedeutenden Physiker des neunzehnten Jahrhunderts, und ist seither von vielen Forschern weiterentwickelt worden, vor allem von dem britischen Mathematiker Roger Penrose. Wie wir sehen werden, haben möglicherweise besondere physikalische Bedingungen zu Beginn des Universums (eine extrem geordnete Umwelt während oder kurz nach dem Urknall) der Zeit eine Richtung eingeprägt, so wie eine Uhr, wenn man sie aufzieht und dadurch ihre Feder in einen extrem geordneten Ausgangszustand bringt, in die Lage versetzt wird, vorwärts zu ticken. Folglich legt das Zerbrechen eines Eis – im Gegensatz zu seinem »Entbrechen« – in einem Sinne, den wir noch erläutern werden, Zeugnis von den Bedingungen bei der Geburt des Universums vor rund vierzehn Milliarden Jahren ab.

Diese unerwartete Verbindung zwischen alltäglicher Erfahrung und frühem Universum erklärt zwar bis zu einem gewissen Grade, warum sich Ereignisse in der Zeit in die eine Richtung entwickeln, aber nie in die umgekehrte, das Rätsel des Zeitpfeils wird jedoch auch durch diese Verknüpfung nicht gelöst. Sie verlagert das Rätsel nur in den Bereich der *Kosmologie* – der Lehre vom Ursprung und der Entwicklung des gesamten Kosmos – und zwingt uns herauszufinden, ob das Universum tatsächlich die extrem geordneten Anfänge hatte, die diese Erklärung des Zeitpfeils verlangt.

Die Kosmologie gehört zu den Themen, welche die Menschheit seit frühester Zeit faszinieren. Kein Wunder, denn wir sind Geschichtenerzähler, und welche Geschichte könnte großartiger sein als die Schöpfungsgeschichte? Während der letzten Jahrtausende haben die religiösen und philosophischen Überlieferungen mit einer Fülle von Vorschlägen aufgewartet, wie alles – das Universum – angefangen haben könnte. Auch die Naturwissenschaft hat sich im Laufe ihrer langen Geschichte an der Kosmologie versucht. Doch erst Einsteins Entdeckung der allgemeinen Relativitätstheorie bezeichnete den Beginn der modernen wissenschaftlichen Kosmologie.

Kurz nachdem Einstein seine allgemeine Relativitätstheorie veröffentlicht hatte, wendeten er und andere sie auf das Universum als Ganzes an. Innerhalb weniger Jahrzehnte führten ihre Untersuchungen zu dem theoretischen Ansatz der so genannten *Urknallmodelle*, die viele astronomische Beobachtungen befriedigend erklären (Kapitel 8). Mitte der sechziger Jahre ergaben sich weitere Belege für die Urknallkosmologie, als Beobachtungen zeigten, dass ein fast gleichförmiger Schleier von Mikrowellenstrahlung den Raum durchdringt – unsichtbar für das bloße Auge, aber leicht messbar für Mikrowellendetektoren –, und zwar genau so, wie die Theorie es vorhersagte. In den siebziger Jahren, nachdem man zehn Jahre lang eingehender und mit beträchtlichem Erfolg erforscht hatte, wie die Bestandteile des Kosmos auf extreme Temperaturveränderungen reagieren, sicherten sich die Urknallmodelle endgültig ihren Rang als maßgebliche kosmologische Theorie (Kapitel 9).

Ungeachtet ihrer Erfolge wies die Theorie erhebliche Mängel auf. Sie vermochte nicht so recht zu erklären, warum der Raum als Ganzes die Form aufwies, die sich in detaillierten astronomischen Beobachtungen zeigte, und konnte nicht plausibel machen, warum die Temperatur der Mikrowellenstrahlung, die seit ihrer Entdeckung intensiv erforscht wurde, am ganzen Himmel so gleichförmig erscheint. Von besonderer Bedeutung für die Geschichte, die wir erzählen, ist der Umstand, dass die Urknallmodelle keinen zwingenden Grund anzugeben vermochten, warum das Universum in seinen allerersten Anfängen einen so extrem geordneten Zustand aufgewiesen haben könnte – was die Erklärung des Zeitpfeils ja voraussetzt.

Diese und andere offene Fragen wurden Ende der siebziger und Anfang der achtziger Jahre zum Anlass eines entscheidenden theoretischen Fortschritts – der *Inflationsmodelle* oder auch *inflationären Kosmologie* (Kapitel 10). Diese Modelle ergänzen die Urknallkosmologie durch die Annahme einer extrem kurzen Phase erstaunlich rascher Expansion in den frühesten Augenblicken des Universums (danach hätte die Größe des Universums um einen Faktor größer als eine Million Billionen Billionen in weniger als einer millionstel milliardstel milliardstel Sekunde zugenommen). Wie deutlich werden wird, kann dieses verblüffende Wachstum des jungen Universums viele der Fragen beantworten, die die Urknallmodelle noch offen ließen – etwa die nach der Form des Raums und der Gleichförmigkeit des Mikrowellenhintergrunds und ansatzweise auch die, warum das frühe Universum so extrem geordnet gewesen sein könnte. Damit wurden unsere Bemühungen, die astronomischen Beobachtungen und den von uns allen empfundenen Zeitpfeil zu erklären, ein gutes Stück vorangebracht (Kapitel 11).

Doch trotz dieser wachsenden Erfolge hütete auch die inflationäre Kosmologie zwei Jahrzehnte lang ein peinliches Geheimnis. Wie die Urknallmodelle stützt auch sie – die diese Modelle modifiziert – sich auf die Gleichungen, die Einstein im Rahmen seiner allgemeinen Relativitätstheorie entwickelt hat. Zwar bezeugen Bände voller Fachartikel, wie erfolgreich Einsteins Gleichungen große und massereiche Objekte exakt beschreiben können, doch wissen die Physiker seit langem, dass eine genaue theoretische Analyse mikroskopisch kleiner Objekte – wie es das beobachtbare Universum im Alter von einem Sekundenbruchteil war – nicht ohne die Quantenmechanik auskommt. Das Problem liegt jedoch darin, dass eine Vermischung der Gleichungen der allgemeinen Relativitätstheorie mit denen der Quantenmechanik zu desaströsen Ergebnissen führt. Die Gleichungen werden sinnlos, was uns daran hindert, genau zu bestimmen, wie das Universum geboren wurde und ob bei seiner Geburt die Bedingungen vorlagen, die erforderlich waren, um den Zeitpfeil zu erklären.

Ohne Übertreibung lässt sich behaupten, dass diese Situation ein Albtraum für jeden theoretischen Physiker ist: Es fehlen die mathematischen Werkzeuge, um einen wichtigen Bereich zu analysieren, der Experimenten nicht zugänglich ist. Da Raum und Zeit so eng mit diesem besonders unzugänglichen Bereich – dem Ursprung des Universums – verflochten sind, können wir Raum und Zeit nur vollständig verstehen, wenn wir Gleichungen finden, welche die extremen

Bedingungen in den frühesten Augenblicken des Universums bewältigen – enorme Dichten, Energien und Temperaturen. Das ist ein Ziel von höchster Bedeutung, das sich, wie viele Physiker meinen, nur erreichen lässt, wenn es gelingt, eine so genannte *vereinheitlichte Theorie* zu entwickeln.

Vereinheitlichte Wirklichkeit

Im Laufe der letzten Jahrhunderte haben Physiker unser Verständnis der natürlichen Welt durch den Nachweis zu verdichten versucht, dass unterschiedliche und scheinbar unvereinbare Erscheinungen in Wirklichkeit von einem einzigen System physikalischer Gesetze bestimmt werden. Für Einstein wurde das Ziel der Vereinheitlichung – ein möglichst breites Spektrum von Erscheinungen mit möglichst wenig physikalischen Prinzipien zu erklären – zur Lebensaufgabe. Mit seinen beiden Relativitätstheorien vereinigte Einstein Raum, Zeit und Gravitation. Doch dieser Erfolg ermutigte ihn lediglich, größer zu denken. Er träumte davon, einen einzigen, allumfassenden theoretischen Rahmen zu finden, der es ihm ermöglichen würde, ausnahmslos alle Naturgesetze zusammenzufassen. Diesen Rahmen nannte er *vereinheitlichte Theorie*. Zwar kam hin und wieder das Gerücht auf, Einstein hätte seine einheitliche Theorie gefunden, doch bei näherem Hinsehen entbehrten die Behauptungen der Grundlage. Einsteins Traum erfüllte sich nicht.

Durch seine ausschließliche Konzentration auf die vereinheitlichte Theorie in den letzten dreißig Jahren seines Lebens isolierte Einstein sich von den herrschenden Meinungen und Richtungen in der Physik. Viele jüngere Wissenschaftler betrachteten diese einseitige Suche nach der größten aller Theorien als Verbohrtheit eines großen Mannes, der in seinen letzten Jahren den falschen Weg eingeschlagen hatte. Doch in den Jahrzehnten seit Einsteins Ableben hat eine wachsende Zahl von Physikern seine unvollendete Suche wieder aufgenommen. Heute gehört das Forschen nach einer vereinheitlichten Theorie zu den wichtigsten Tätigkeitsfeldern der theoretischen Physik.

Wie die Physiker seit vielen Jahren wissen, ist das größte Hindernis für die Entwicklung einer vereinheitlichten Theorie der grundsätzliche Konflikt zwischen den beiden wichtigsten Errungenschaften der Physik im zwanzigsten Jahrhundert: der allgemeinen Relativitätstheorie und der Quantenmechanik. Zwar werden beide Theorien in der Regel auf ganz verschiedene Bereiche angewendet – die allgemeine Relativitätstheorie auf große Dinge wie Sterne und Galaxien, die Quantenmechanik auf kleine Dinge wie Moleküle und Atome –, dennoch erheben beide Theorien den Anspruch, universell zu sein, also für alle Bereiche zu gelten. Doch wie oben erwähnt, produzieren die Theorien jedes

Mal, wenn sie zusammen angewendet werden, unsinnige Ergebnisse. Wird beispielsweise die Quantenmechanik in Verbindung mit der allgemeinen Relativitätstheorie eingesetzt, um die Wahrscheinlichkeit zu berechnen, mit der ein auf Gravitation beruhender Prozess stattfindet, beläuft sich das Ergebnis nicht auf eine Wahrscheinlichkeit von 24, 63 oder 91 Prozent, sondern die kombinierten Gleichungen bringen eine *unendliche* Wahrscheinlichkeit hervor. Das heißt jedoch nicht, dass die Wahrscheinlichkeit so hoch ist, dass Sie beruhigt Ihr ganzes Geld darauf setzen könnten. Wahrscheinlichkeiten von mehr als 100 Prozent sind sinnlos. Rechnungen, die eine unendliche Wahrscheinlichkeit ergeben, zeigen einfach, dass die vereinigten Gleichungen der allgemeinen Relativitätstheorie und der Quantenmechanik vollkommen aus dem Ruder gelaufen sind.

Die Forschung weiß von dieser Spannung zwischen der allgemeinen Relativitätstheorie und der Quantenmechanik seit mehr als fünfzig Jahren; gleichwohl fühlten sich lange Zeit nur sehr wenige Wissenschaftler bemüßigt, nach einer Lösung zu suchen. Stattdessen bedienten sich die meisten der allgemeinen Relativitätstheorie nur, um große und massereiche Objekte zu untersuchen, während sie die Quantenmechanik ausschließlich auf die Analyse kleiner und leichter Objekte anwandten. So hielten sie beide Theorien auf »Sicherheitsabstand« voneinander und damit die latente Feindseligkeit zwischen ihnen in Schach. Im Laufe der Jahre haben diese Entspannungsbemühungen zu erstaunlichen Fortschritten in unserem Verständnis des jeweiligen Bereichs geführt; einen dauerhaften Frieden zwischen den »Einflusssphären« haben sie nicht hervorgebracht.

Einige ganz wenige Teilgebiete – physikalische Extremsituationen, die zugleich massereich und winzig sind – liegen direkt in der entmilitarisierten Zone und verlangen daher die gleichzeitige Anwendung der allgemeinen Relativitätstheorie und der Quantenmechanik. Das Zentrum eines Schwarzen Lochs, in dem ein ganzer Stern unter dem eigenen Gewicht zu einem winzigen Punkt zusammengepresst wurde, und der Urknall, in dem wir uns das gesamte beobachtbare Universum zu einem Klümpchen komprimiert denken, das weit kleiner als ein einzelnes Atom ist, sind zwei der bekanntesten Beispiele. Ohne eine erfolgreiche Vereinigung von allgemeiner Relativitätstheorie und Quantenmechanik würden das Ende kollabierender Sterne und der Ursprung des Universums auf immer ein Rätsel bleiben.

Viele Forscher waren bereit, diese Bereiche beiseite zu lassen oder die Arbeit daran zumindest aufzuschieben, aber einige mochten nicht so lange warten. Ein Konflikt in den bekannten Gesetzen der Physik bedeutete, dass sich hier eine tiefere Wahrheit entzog, und das genügte, um besagte Wissenschaftler um ihren Seelenfrieden zu bringen. Doch diejenigen, die ins kalte Wasser sprangen, mussten feststellen, dass es tief war und reißend. Lange Zeit gab es wenig

Fortschritte. Die Sache sah trostlos aus. Dennoch wurde die Zähigkeit derer belohnt, die in ihrem Entschluss nicht wankten und an dem Traum festhielten, die allgemeine Relativitätstheorie und die Quantenmechanik zu vereinheitlichen. Heute stürmt die Forschung auf den Wegen vorwärts, die diese Entdecker anlegten, und schickt sich an, eine harmonische Fusion der Gesetze des ganz Großen und des ganz Kleinen zu bewerkstelligen. Der Ansatz, den viele für den verheißungsvollsten halten, ist die *Superstringtheorie* (Kapitel 12).

Wie wir sehen werden, ist der Ausgangspunkt der Superstringtheorie eine neue Antwort auf eine alte Frage: Welches sind die kleinsten, unteilbaren Bestandteile der Materie? Jahrzehntelang lautete die konventionelle Antwort, die Materie bestehe aus Elementarteilchen – Elektronen und Quarks –, die man als Punktteilchen ohne Ausdehnung und innere Struktur modellieren könne. Die konventionelle Theorie behauptet – und sieht sich darin durch Experimente bestätigt –, dass sich diese Teilchen in unterschiedlicher Weise zu Protonen, Neutronen und der bunten Vielfalt von Atomen und Molekülen zusammenfügen, aus der alle Dinge unserer Alltagswelt bestehen. Die Superstringtheorie entwirft ein anderes Bild. Zwar stellt sie nicht in Abrede, dass Elektronen, Quarks und die anderen in Experimenten offenbarten Teilchenarten eine Schlüsselrolle spielen, erklärt aber, diese Elementarteilchen seien keine Pünktchen. Laut Superstringtheorie besteht jedes Teilchen aus einem winzigen Energiefaden, rund hundert Milliarden Milliarden mal kleiner als ein einzelner Atomkern (und damit viel zu klein für unsere heutigen Experimentaltechniken) und wie eine winzige Saite geformt. Genau wie eine Violinsaite verschiedene Schwingungsraster aufweisen kann, deren jedes einem anderen Ton entspricht, so weisen auch die Fäden der Superstringtheorie verschiedene Schwingungsmuster auf. Diese Schwingungen entsprechen allerdings nicht verschiedenen Tönen, sondern, wie die Theorie interessanterweise behauptet, verschiedenen Teilcheneigenschaften. Ein winziger String mit einem ganz bestimmten Schwingungsmuster hat danach genau die Masse und elektrische Ladung eines Elektrons. Nach der Theorie *wäre* eine solche schwingende Saite sogar das, was wir herkömmlicherweise als Elektron bezeichnen. Ein winziger String, der eines der anderen Schwingungsmuster aufwiese, hätte je nach den Details der Schwingung die erforderlichen Eigenschaften, um sich als Quark, Neutrino oder irgendein anderes Elementarteilchen herauszustellen. Alle Teilchenarten sind in der Superstringtheorie vereinheitlicht, weil jedes einem anderen Schwingungsmuster des gleichen fundamentalen Gebildes entspricht.

Der Übergang von Pünktchen zu Saiten, die so klein sind, dass sie aussehen wie Pünktchen, mag dem unvoreingenommenen Leser vielleicht nicht als weltbewegender Perspektivenwechsel erscheinen. Und doch verhält es sich so. Aus solchen bescheidenen Anfängen gewinnt die Superstringtheorie ihre Fähigkeit, die allgemeine Relativitätstheorie und die Quantenmechanik zu einer einzigen, in sich schlüssigen Theorie zusammenzufassen und die bösartigen unendlichen Wahrscheinlichkeiten zu umgehen, an denen bisher alle Vereinheitlichungsbemühungen scheiterten. Und als wäre das noch nicht genug, hat sich die Superstringtheorie auch als so breit gefächert erwiesen, dass sich alle Kräfte der Natur und alle Erscheinungsformen der Natur zu einem einzigen Teppich verknüpfen lassen. Kurzum, die Superstringtheorie ist ein heißer Kandidat für die von Einstein ins Auge gefasste vereinheitlichte Theorie.

Das sind kühne Behauptungen, die, würden sie sich bewahrheiten, einen gewaltigen Schritt nach vorn bedeuteten. Doch das erstaunlichste Merkmal der Superstringtheorie, eines, das sicherlich Einsteins Puls beschleunigt hätte, sind die enormen Auswirkungen, die sie auf unser Verständnis von der Struktur des Kosmos hat. Wie wir sehen werden, ist die in der Superstringtheorie vorgeschlagene Fusion von allgemeiner Relativitätstheorie und Quantenmechanik mathematisch nur sinnvoll, wenn wir unserer Vorstellung von der Raumzeit eine weitere Revolution zumuten. Statt der drei räumlichen und der einen zeitlichen Dimension unserer Alltagserfahrung verlangt die Superstringtheorie *neun* räumliche Dimensionen und eine zeitliche Dimension. In einer noch tragfähigeren Version der Superstringtheorie, der so genannten *M-Theorie*, sind es sogar *zehn* räumliche und eine zeitliche Dimension – ein kosmisches Substrat mit insgesamt elf Raumzeitdimensionen. Da wir diese zusätzlichen Dimensionen nicht sehen, teilt uns die Superstringtheorie mit, *dass wir bisher nur einen kläglichen Ausschnitt der Wirklichkeit wahrgenommen haben.*

Natürlich könnte der Mangel an Beobachtungsbelegen für die Extradimensionen auch bedeuten, dass es sie nicht gibt und dass die Superstringtheorie falsch ist. Doch wäre diese Schlussfolgerung außerordentlich übereilt. Schon Jahrzehnte vor der Entdeckung der Superstringtheorie haben visionäre Wissenschaftler, darunter auch Einstein, erwogen, dass es neben den räumlichen Dimensionen, die wir sehen, weitere geben könnte, und sich überlegt, wo diese sich befinden mochten. Diese Ideen haben die Stringtheoretiker weiterentwickelt und sind zu dem Schluss gekommen, die zusätzlichen Dimensionen könnten so eng aufgerollt und damit so klein sein, dass sie auch mit unseren hoch entwickelten technischen Geräten nicht zu sehen sind (Kapitel 12). Die andere Möglichkeit wäre, dass sie zwar groß, aber mit den Methoden, die wir für die Beobachtung des Universums verwenden, nicht zu erfassen sind (Kapitel 13). Beide Szenarien hätten weitreichende Konsequenzen. Durch ihren Einfluss auf die Stringschwingungen halten die geometrischen Formen der winzigen aufgewickelten Dimensionen vielleicht Antworten auf einige unserer grundlegendsten Fragen bereit – etwa, warum unser Universum Sterne und Planeten besitzt. Und der Raum, den die großen zusätzlichen Raumdimensionen böten, könnte noch bemerkenswertere Möglichkeiten eröffnen: andere, nahe gelegene Welten, nicht nahe im gewöhnlichen Raum, sondern nahe in den Extradimensionen – Welten, von denen wir bislang nichts bemerkt haben.

Mag die Idee solcher Extradimensionen auch kühn sein, so ist sie doch kein Hirngespinst. Vielleicht wird sie sich schon in Kürze empirisch überprüfen lassen. Denn wenn es die Extradimensionen gibt, könnten sie schon in der nächsten Beschleunigergeneration für spektakuläre Ergebnisse sorgen, etwa die erste Synthese eines Schwarzen Lochs von Menschenhand oder die Erzeugung einer riesigen Vielfalt neuer, noch nie entdeckter Teilchenarten (Kapitel 13). Diese und andere exotische Resultate könnten die ersten Belege für Dimensionen jenseits der direkt sichtbaren sein und uns dem Beweis, dass die Superstringtheorie die lange gesuchte vereinheitlichte Theorie ist, einen Schritt näher bringen.

Sollte sich die Superstringtheorie als richtig erweisen, müssten wir uns zu der Einsicht bequemen, dass die uns vertraute Wirklichkeit nur ein zarter Schleier ist, der über eine dicht und reich gewebte kosmische Struktur gebreitet ist. Im Gegensatz zu Camus' Behauptung wäre die Erkenntnis, wie viele Raumdimensionen es gibt – und insbesondere die Entdeckung, dass es deren mehr als drei sind –, weit mehr als ein wissenschaftlich interessantes, aber letztlich belangloses Detail. Die Entdeckung von Extradimensionen würde zeigen, dass das ganze Spektrum menschlicher Erfahrung uns über einen grundlegenden und wesentlichen Aspekt des Universums völlig im Unklaren gelassen hat. Außerdem würde sie nachdrücklich für die Annahme sprechen, dass selbst Eigenschaften des Kosmos, die wir für unmittelbar zugänglich gehalten haben, unseren Sinnen weitgehend entzogen sind.

Vergangene und künftige Wirklichkeit

Mit der Entwicklung der Superstringtheorie verbindet sich die Hoffnung der Forschung, wir könnten eines Tages über einen theoretischen Rahmen verfügen, der selbst den extremsten Bedingungen, die unser Universum zu bieten hat, gewachsen ist. Damit wären wir in der Lage, mit unseren Gleichungen weit zurückzublicken und in Erfahrung zu bringen, wie sich die Dinge in dem Augenblick verhielten, als das uns bekannte Universum begann. Bislang hat noch niemand genügend Geschick im Umgang mit der Theorie bewiesen, um sie schlüssig auf den Urknall anwenden zu können, doch die kosmologischen Konsequenzen der Superstringtheorie zu verstehen, ist eines der vordringlichen Ziele gegenwärtigen Forschens. Im Laufe der letzten Jahre haben Forscher aus aller Welt ein intensives Forschungsprogramm auf dem Gebiet der Superstring-Kosmologie vorangetrieben. Ihr Bemühen hat neue kosmologische Entwürfe hervorgebracht (Kapitel 13), aus denen sich neue Möglichkeiten ergeben, die Theorie mit Hilfe astrophysikalischer Beobachtungen zu überprüfen (Kapitel 14), und erste Hinweise darauf geliefert, welche Rolle die Theorie bei der Erklärung des Zeitpfeils spielen könnte.

Da der Zeitpfeil einerseits eine grundsätzliche Rolle im alltäglichen Leben spielt und anderseits aufs engste mit dem Ursprung des Universums verknüpft ist, befindet er sich in einer einzigartigen Position zwischen der Wirklichkeit, die wir erleben, und der subtileren Wirklichkeit, die wir an den Fronten der modernen Forschung zu entdecken suchen. Insofern durchzieht die Frage des Zeitpfeils wie ein roter Faden viele der Entwicklungen, die wir erörtern, und wird in den folgenden Kapiteln immer wieder auftauchen. Das kann eigentlich nicht überraschen. Unter den vielen Einflussfaktoren, die unser Leben bestimmen, gehört die Zeit zu den maßgeblichsten. Je größer das Geschick, das wir im Umgang mit der Superstringtheorie und ihrer Erweiterung, der M-Theorie, erwerben, desto tiefer werden wir in die kosmologischen Rätsel eindringen und sowohl den Ursprung wie den Pfeil der Zeit immer klarer in den Blick bekommen. Wenn wir unserer Fantasie freien Lauf lassen, können wir uns sogar ausmalen, eines Tages durch die Raumzeit zu navigieren und Welten zu erkunden, die heute noch weit jenseits unserer technischen Möglichkeiten liegen (Kapitel 15).

Natürlich ist es außerordentlich unwahrscheinlich, dass wir jemals diese Fähigkeit entwickeln. Doch selbst wenn es uns nie gelingt, Raum und Zeit zu kontrollieren, ist Wissen bekanntlich eine Macht für sich. Unsere Erkenntnis der wahren Natur von Raum und Zeit wäre Zeugnis dessen, zu welchen Leistungen der menschliche Verstand in der Lage ist. Endlich würden wir begreifen, was es mit Raum und Zeit auf sich hat – diesen stummen, immer gegenwärtigen Markierungen der äußersten Grenzen menschlicher Erfahrung.

Erwachsen in Raum und Zeit

Als ich vor vielen Jahren die letzte Seite des *Mythos von Sisyphos* beendete, war ich überrascht, dass der Text alles in allem ein Gefühl des Optimismus vermittelte. Schließlich gehört der Bericht über einen Mann, der dazu verurteilt ist, einen Stein einen Hügel hinaufzurollen, wohl wissend, dass der Stein wieder hinunterrollen wird, so dass er gezwungen ist, ihn wieder hinaufzubugsieren, nicht zu der Art von Geschichten, bei denen man ein Happy End erwartet. Trotzdem schöpft Camus tiefe Hoffnung aus Sisyphos' Fähigkeit, seinen freien

Willen zu beweisen, sich gegen unüberwindliche Hindernisse zu stemmen und seinen Überlebenswillen zu behaupten, obwohl er zu einer absurden Aufgabe in einem gleichgültigen Universum verurteilt ist. Camus meint, dadurch, dass Sisyphos auf alles verzichte, was jenseits seiner unmittelbaren Erfahrung liegt, und aufhöre, nach tieferem Sinn und Inhalt zu suchen, triumphiere er.

Ich war sehr beeindruckt von Camus' Fähigkeit, dort Hoffnung zu entdecken, wo die meisten anderen nur Verzweiflung gefunden hätten. Doch schon damals – und noch viel weniger in den Jahrzehnten danach – vermochte Camus mich nicht mit seiner Behauptung zu überzeugen, ein tieferes Verständnis des Universums mache das Leben weder interessanter noch lebenswerter. Während Camus Sisyphos zu seinem Helden erkor, machte ich die großen Wissenschaftler zu den meinen: Newton, Einstein, Niels Bohr und Richard Feynman. Nachdem ich Feynmans Beschreibung einer Rose gelesen hatte – in der er erläuterte, dass er den Duft und die Schönheit der Blume zu würdigen wisse wie jeder andere, dass aber seine physikalischen Kenntnisse dieses Erlebnis außerordentlich intensivierten, weil er auch das Wunder und die Herrlichkeit der zugrunde liegenden molekularen, atomaren und subatomaren Prozesse einbeziehen könne –, war ich den Naturwissenschaften auf immer verfallen. Mich verlangte nach dem, was Feynman beschrieb: das Leben und das Universum auf allen möglichen Ebenen zu erfahren, nicht nur auf denen, die unseren unzulänglichen menschlichen Sinnen zufällig zugänglich sind. Die Suche nach den tiefsten Geheimnissen des Kosmos wurde zu meinem Lebensinhalt.

Als ich mich später ernsthaft und beruflich mit der Physik beschäftigte, wurde mir rasch klar, wie naiv ich als Schüler in meiner Begeisterung für die Physik gewesen war. Im Allgemeinen verbringen Physiker ihre Arbeitszeit nicht damit, Blüten in einem Zustand kosmischer Andacht und Träumerei zu betrachten. Vielmehr sind wir überwiegend damit beschäftigt, uns mit komplexen mathematischen Gleichungen herumzuschlagen, die wir auf Wandtafeln kritzeln. Oft sind die Fortschritte nur mühsam. Vielversprechende Ideen führen meist in Sackgassen. Das liegt im Wesen wissenschaftlicher Forschung. Doch selbst in Zeiten minimaler Fortschritte habe ich festgestellt, dass die Mühe, die ich in Überlegungen und Berechnungen investierte, das Gefühl einer engeren Verbindung mit dem Kosmos in mir hervorrief. Mir ist klar geworden, dass sich das Universum nicht nur dadurch erkennen lässt, dass man seine Geheimnisse löst, sondern auch dadurch, dass man sich in sie vertieft. Antworten und Lösungen sind großartig, Antworten, die durch Experimente bestätigt werden, noch besser. Doch selbst Antworten, die sich letztlich als falsch erweisen, entspringen einem tiefen Interesse für den Kosmos, einem Interesse, das ein ganz besonderes Licht auf die Fragen – und damit auch auf das Universum selbst –

wirft. Selbst wenn der Stein, der mit einem bestimmten wissenschaftlichen Forschungsvorhaben verbunden ist, wieder in die Ausgangsposition zurückrollt, haben wir trotzdem etwas gelernt und weitere, wertvolle Erfahrungen mit dem Universum gesammelt.

Natürlich zeigt die Wissenschaftsgeschichte, dass der Stein unserer kollektiven wissenschaftlichen Forschung – mit Beiträgen zahlloser Wissenschaftler aller Kontinente und Jahrhunderte – nicht den Berg hinabrollt. Im Gegensatz zu Sisyphos beginnen wir nicht bei null. Jede Generation übernimmt den Stab von der vorangegangenen, würdigt die harte Arbeit, Einsicht und Kreativität ihrer Vorgänger und stößt den Stein ein Stück weiter den Berg hinauf. Neue Theorien und genauere Messungen markieren den wissenschaftlichen Fortschritt, der auf dem aufbaut, was vorher erreicht wurde. So gut wie nie wird Tabula rasa gemacht, die Tafel ganz abgewischt. Daher ist unsere Aufgabe ganz und gar nicht absurd oder sinnlos. Wenn wir den Stein den Berg hinaufrollen, unterziehen wir uns der höchsten und vornehmsten Aufgabe: Wir erkunden den Ort, den wir unsere Heimat nennen, offenbaren die Wunder, die wir entdecken, und geben unser Wissen weiter an die, die nach uns kommen.

Für eine Tierart, die nach kosmischer Zeitrechnung gerade erst den aufrechten Gang gelernt hat, ist die Aufgabe wahrhaft gewaltig. Doch während der letzten dreihundert Jahre haben unsere Gedanken und Geräte auf unserem Weg von der klassischen zur relativistischen, zur quantenmechanischen Wirklichkeit und schließlich zur Erkundung der vereinheitlichten Wirklichkeit riesige Ausdehnungen von Zeit und Raum erfasst und uns näher als jemals zuvor an eine Welt herangeführt, die sich als geschickte Meisterin der Verstellung erwies. Während wir damit fortfuhren, den Kosmos langsam zu demaskieren, haben wir jene Vertrautheit entwickelt, die sich nur im Licht der Wahrheit einstellt. Diese Erkundungsphase ist noch lange nicht abgeschlossen, trotzdem haben viele das Gefühl, als habe unsere Art endlich das Ende der Kindheit erreicht.

Gewiss, es hat lange gedauert, bis wir hier, in den Außenbezirken der Milchstraße, endlich erwachsen wurden.[6] Auf die eine oder andere Weise erkunden wir unsere Welt und betrachten wir den Kosmos seit Tausenden von Jahren. Doch über weite Strecken dieses Zeitraums haben wir nur kurze Abstecher ins Unbekannte unternommen und sind jedes Mal etwas klüger, aber weitgehend unverändert zurückgekehrt. Es bedurfte der Kühnheit Newtons, um die Fahne der modernen Wissenschaft aufzupflanzen und nicht zurückzukehren. Seither sind wir immer höher gestiegen. Und alle unsere Reisen begannen mit einer einfachen Frage.

Was ist Raum?

2

DAS UNIVERSUM UND DER EIMER

Ist Raum eine menschliche Abstraktion oder eine physikalische Gegebenheit?

Es kommt nicht häufig vor, dass ein Wassereimer zum Hauptgegenstand einer dreihundertjährigen Debatte wird. Doch ein Wassereimer, der Sir Isaac Newton gehörte, ist kein gewöhnlicher Eimer, und ein kleines Experiment, das er 1689 beschrieb, hat seither einige der bedeutendsten Physiker der Welt nachhaltig beeinflusst. Das Experiment sieht folgendermaßen aus: Man nehme einen Eimer, der mit Wasser gefüllt ist, hänge ihn an ein Seil, verdrehe das Seil, soweit es geht, und lasse es los, damit es sich wieder aufdreht. Zunächst beginnt der Eimer zu rotieren, doch das Wasser im Inneren bleibt weitgehend unverändert. Die Oberfläche des stationären Wassers ist still und glatt. Nun dreht sich der Eimer immer schneller, woraufhin die Bewegung nach und nach durch Reibung auf das Wasser übertragen wird und das Wasser ebenfalls zu rotieren beginnt. Dabei nimmt die Wasseroberfläche eine konkave Gestalt an – an den Rändern höher und in der Mitte tiefer, wie in Abbildung 2.1 dargestellt.

Das ist das Experiment – auf den ersten Blick nicht gerade weltbewegend, doch wenn man ein bisschen darüber nachdenkt, zeigt sich, dass dieser Eimer voll rotierendem Wasser außerordentlich verwirrend ist. Die Lösung des Problems, die uns in dreihundert Jahren noch nicht gelungen ist, gehört zu den wichtigsten Voraussetzungen, um die Struktur des Universums verstehen zu können. Wenn wir erkennen wollen warum, müssen wir uns etwas Hintergrundwissen aneignen, aber es ist der Mühe wert.

Relativität vor Einstein

»Relativität« verbinden wir mit Einstein, dabei reicht der Begriff viel weiter zurück. Galilei, Newton und viele andere waren sich sehr wohl bewusst, dass *Geschwindigkeit* – das Tempo und die Bewegungsrichtung eines Objekts – relativ ist. Um ein modernes Beispiel zu nehmen: Aus der Sicht des Schlagmanns kann ein gut geworfener Baseball sich mit 150 Kilometern pro Stunde nähern.

Abbildung 2.1 Die Oberfläche des Wassers ist zunächst flach und bleibt so, bis der Eimer zu rotieren beginnt. Anschließend fängt auch das Wasser an zu rotieren, woraufhin seine Oberfläche konkav wird und es bleibt, solange das Wasser rotiert, selbst als der Eimer seine Bewegung verlangsamt und ganz zum Stillstand kommt.

Aus der Sicht des Baseballs nähert sich der *Schlagmann* mit 150 Stundenkilometern. Beide Beschreibungen sind richtig: Es ist einfach eine Frage der Perspektive. Nur relativ erlangt Bewegung Bedeutung: Die Geschwindigkeit eines Objekts lässt sich lediglich in Beziehung zu einem anderen Objekt angeben. Das haben Sie sicherlich schon einmal erlebt. Wenn der Zug, in dem Sie sitzen, neben einem anderen steht und Sie eine relative Bewegung sehen, können Sie nicht auf Anhieb sagen, welcher Zug sich tatsächlich auf den Gleisen bewegt. Galilei beschrieb diesen Effekt anhand von Booten, den Fortbewegungsmitteln seiner Zeit. Lassen Sie eine Münze auf einem Schiff fallen, das mit gleichmäßiger Geschwindigkeit fährt, wird sie Ihren Fuß treffen, als stünden Sie auf festem Land. Aus Ihrer Perspektive dürfen Sie mit Fug und Recht behaupten, dass Sie in Ruhe sind und das Wasser am Rumpf des Schiffes vorbeirauscht. Da Sie sich aus Ihrer Sicht nicht bewegen, entspricht die Bewegung der Münze relativ zu Ihrem Fuß genau derjenigen, die stattgefunden hätte, bevor Sie an Bord gingen.

Natürlich gibt es Umstände, unter denen Ihre Bewegung intrinsisch zu sein scheint, Bedingungen, unter denen Sie sie spüren und offenbar ohne Rückgriff auf äußerliche Vergleiche erklären können, dass Sie sich bewegen. Das ist der Fall bei *beschleunigter* Bewegung, bei der Sie schneller werden und/oder Ihre Richtung verändern. Wenn das Boot, auf dem Sie sich befinden, plötzlich schlingert, sein Tempo verlangsamt oder beschleunigt, den Kurs ändert oder in einen Strudel gerät und sich wie rasend dreht – dann wissen Sie, dass Sie sich bewegen. Sie bemerken das, ohne hinauszublicken und Ihre Bewegung mit irgendeinem Bezugspunkt zu vergleichen. Selbst mit geschlossenen Augen wissen

Sie, dass Sie sich bewegen, weil Sie es fühlen. Während Sie also Bewegung mit konstantem Tempo auf geradliniger Bahn nicht fühlen können – in der Sprache der Physiker definieren diese beiden Bedingungen zusammengenommen die *Bewegung mit konstanter Geschwindigkeit* –, können Sie *Veränderungen* Ihrer Geschwindigkeit durchaus spüren.*

Doch wenn Sie einen Augenblick darüber nachdenken, werden Sie feststellen, dass daran etwas merkwürdig ist. Was ist an Veränderungen der Geschwindigkeit so besonders? Wenn Geschwindigkeit etwas ist, das seine Bedeutung nur durch Vergleiche gewinnt – dadurch, dass wir sagen, *dieses* bewegt sich in Hinblick auf *das* –, warum sind dann Geschwindigkeitsveränderungen etwas anderes und haben auch ohne Vergleiche Bedeutung? Könnte es sein, dass sie *doch* eines Vergleichs bedürfen? Könnte eine Art impliziter oder verborgener Vergleich jedes Mal am Werk sein, wenn wir uns auf beschleunigte Bewegung beziehen oder sie erfahren? Damit schneiden wir eine Frage von zentraler Bedeutung an, weil sie, was überraschen mag, mit den schwierigsten und wichtigsten Problemen von Raum und Zeit zusammenhängt.

Mit seinen Erkenntnissen über die Bewegung, insbesondere über den Umstand, dass sich die Erde selbst bewegt, zog Galilei sich den Zorn der Inquisition zu. Descartes, bemüht, ein ähnliches Schicksal zu vermeiden, legte sein Bewegungskonzept in seinen *Principia Philosophiae* vorsichtiger in einem mehrdeutigen theoretischen Rahmen nieder, der nicht standhielt, als Newton ihn rund dreißig Jahre später einer näheren Überprüfung unterzog. Descartes sprach von Objekten, die gegen Veränderungen ihres Bewegungszustands Widerstand leisten: Etwas, das bewegungslos ist, bleibt demnach bewegungslos, bis jemand oder etwas es zwingt, sich zu bewegen. Etwas, das sich geradlinig mit konstantem Tempo bewegt, behält diese Bewegung bei, bis jemand oder etwas es zwingt, die Geschwindigkeit zu verändern. Was aber, so fragte Newton, bedeuten diese Begriffe »bewegungslos« oder »geradlinig mit konstantem Tempo« tatsächlich? Bewegungslos oder konstantes Tempo in Hinblick auf was? Bewegungslos oder konstantes Tempo von welchem Standpunkt? Wenn die Geschwindigkeit nicht konstant ist, in Hinblick auf was oder auf wessen Standpunkt ist sie dann nicht konstant? Descartes hat bestimmte Aspekte der Bedeutung von Bewegung völlig richtig erfasst, doch Newton erkannte, dass er entscheidende Fragen ausgeklammert hatte.

Newtons Wunsch nach Wahrheit war so unbändig, dass er sich einmal eine

* Den englischen Sprachgebrauch imitierend, werden wir unter *Tempo* (speed) im Folgenden den Geschwindigkeitsbetrag verstehen, der keinerlei Information über etwaige Richtungsänderungen enthält. Konstante *Geschwindigkeit* (velocity) soll dagegen, wie beschrieben, immer auch eine gleich bleibende Bewegungsrichtung bedeuten (A. d. Ü.).

stumpfe Nadel zwischen Auge und Augenhöhle schob, um die Anatomie des menschlichen Sehorgans zu untersuchen; so kompromisslos, dass er später als königlicher Münzmeister die Höchststrafe gegen Fälscher verhängte und mehr als hundert von ihnen zum Galgen verurteilte. Für falsche oder unvollständige Beweisführungen hatte er kein Verständnis. Er beschloss, die Sache richtig zu stellen. Das veranlasste ihn, den Eimer einzuführen.[1]

Der Eimer

Als wir den Eimer zuletzt betrachteten, rotierten sowohl er als auch das Wasser darin, wobei die Oberfläche des Wassers konkav geformt war. Die Frage, die Newton aufwarf, lautete: *Warum* nimmt die Wasseroberfläche diese Form an? Warum schon, sagen Sie, weil das Wasser rotiert. So, wie wir spüren, dass wir gegen die Seitenwand eines Autos gepresst werden, wenn es eine scharfe Kurve fährt, so wird das Wasser gegen die Eimerwand gepresst, wenn es rotiert. Und der einzige Weg, der dem zusammengepressten Wasser offen steht, führt nach oben. Bis zu einem gewissen Punkt ist diese Argumentation schlüssig, aber sie geht am Kern von Newtons Frage vorbei. Er wollte wissen, was es bedeutet, wenn wir sagen, das Wasser rotiert: Rotieren in Hinblick auf was? Newton ging es um die eigentliche Grundlage der Bewegung, daher war er keineswegs bereit, sich der Annahme anzuschließen, eine beschleunigte Bewegung wie die Rotation sei irgendwie der Notwendigkeit externer Vergleichsmaßstäbe enthoben.*

Nahe liegend ist die Annahme, man könnte den Eimer selbst als Bezugsobjekt wählen. Doch dieser Erklärungsversuch schlägt fehl, wie Newton zeigt: Anfangs, wenn der Eimer seine Drehbewegung aufnimmt, liegt eindeutig eine *relative* Bewegung zwischen dem Eimer und dem Wasser vor, weil das Wasser zunächst weiter in Ruhe verharrt. Die Oberfläche des Wassers bleibt flach. Ein wenig später dann, wenn das Wasser rotiert und *keine* relative Bewegung zwischen dem Eimer und dem Wasser vorliegt, ist die Wasseroberfläche konkav. Mit dem Eimer als Bezugsobjekt erhalten wir also genau das Gegenteil dessen, was wir erwarten: Wenn eine relative Bewegung vorliegt, ist die Wasseroberfläche flach, und wenn wir keine relative Bewegung haben, ist die Oberfläche konkav.

Tatsächlich können wir Newtons Eimerexperiment noch einen kleinen Schritt weiter führen. Da der Eimer seine Rotationsbewegung fortsetzt, ver-

* Die Begriffe *Zentrifugal-* und *Zentripetalkraft* werden gelegentlich verwendet, um eine Rotationsbewegung zu beschreiben. Doch das sind nur Etiketten. Wir wollen verstehen, warum die Rotationsbewegung überhaupt irgendeine Kraft hervorruft.

dreht sich das Seil erneut (jetzt in die andere Richtung) und veranlasst den Eimer, seine Drehbewegung zu verlangsamen und vorübergehend zum Stillstand zu kommen, während das Wasser in seinem Inneren weiter rotiert. Zu diesem Zeitpunkt ist die relative Bewegung zwischen dem Eimer und dem Wasser die *gleiche* wie ganz am Anfang des Experiments (abgesehen von dem belanglosen Unterschied der Drehung im Uhrzeigersinn beziehungsweise gegen den Uhrzeigersinn), doch die Form der Wasseroberfläche ist *anders* (vorher flach, jetzt konkav). Daraus folgt zweifelsfrei, dass diese relative Bewegung die Oberflächenform nicht erklären kann.

Nachdem Newton den Eimer als maßgebliches Bezugssystem für die Wasserbewegung ausgeschlossen hatte, nahm er kühn den nächsten Schritt in Angriff. Man stelle sich, so sein Vorschlag, eine andere Version des Experiments mit dem rotierenden Eimer vor, eine, die weit draußen im kalten, vollkommen leeren Weltraum ausgeführt werde. Wir können das Experiment nicht exakt wiederholen, da die Form der Wasseroberfläche teilweise von der Anziehungskraft der Erdschwere abhängt und da in dieser Version des Experiments die Erde nicht vorhanden ist. Also schaffen wir uns ein praktikableres Beispiel: Stellen wir uns einen riesigen Eimer vor – groß wie irgendeine Attraktion in einem Vergnügungspark – und Homer Simpson, den Vater der Simpson-Familie, als furchtlosen Astronauten, der an die Innenwand des Eimers geschnallt ist. (Newton verwendete ein anderes Beispiel; er schlug zwei zusammengebundene Steine vor, aber der entscheidende Punkt bleibt derselbe.) Das aufschlussreiche Zeichen dafür, dass der Eimer rotiert – die Entsprechung zum Wasser, das nach außen gedrückt wird und eine konkave Oberfläche formt –, ist Homers *Empfinden*, dass er gegen die Innenseite des Eimers gedrückt wird, dass sich seine Gesichtshaut spannt, sein Magen leicht zusammenzieht und sein Haar (beide Strähnen) in Richtung Eimerwand gezogen wird. Hier erhebt sich die Frage: Was könnte denn im *vollkommen* leeren Raum – ohne Sonne, ohne Erde, ohne Doughnuts, ohne irgendwas – das »Etwas« sein, das den Bezugspunkt für die Rotation des Eimers bildet? Da wir uns den Raum abgesehen vom Eimer und seinem Inhalt als vollkommen leer vorstellen, hat es den Anschein, als gäbe es dort einfach nichts, was als dieses Etwas dienen könnte. Newton sah das anders.

Seine Antwort bestand darin, den höchsten und letzten Behälter als relevantes Bezugssystem zu setzen: *den Raum selbst*. Er schlug vor, den unsichtbaren, leeren Schauplatz, der uns alle umgibt und in dem alle Bewegung stattfindet, als reale, physikalische Gegebenheit aufzufassen, und nannte ihn *absoluten Raum*.[2] Wir können den absoluten Raum nicht greifen oder berühren, nicht schmecken, riechen oder hören, dennoch behauptete Newton, der absolute

Raum sei etwas, und zwar das Etwas, welches das letztgültige Bezugssystem für die Beschreibung von Bewegung liefere. Ein Gegenstand sei wahrhaft in Ruhe, wenn er sich in Hinblick auf den absoluten Raum in Ruhe befinde. Ein Gegenstand sei wahrhaft in Bewegung, wenn er sich in Hinblick auf den absoluten Raum in Bewegung befinde. Newtons wichtigste Schlussfolgerung aber war die, dass ein Gegenstand wahrhaft beschleunige, wenn er in Bezug auf den absoluten Raum beschleunige.

Von dieser Überlegung ausgehend, erklärte Newton das irdische Eimerexperiment folgendermaßen: Zu Beginn des Experiments rotiert der Eimer in Hinblick auf den absoluten Raum, das Wasser ist jedoch in Hinblick auf den absoluten Raum in Ruhe. Daher ist die Wasseroberfläche flach. Wenn das Wasser die Bewegung des Eimers übernimmt, rotiert es in Hinblick auf den absoluten Raum, daher wird die Oberfläche konkav. Verlangsamt der Eimer seine Bewegung, weil das Seil sich immer fester zusammendreht, setzt das Wasser seine Drehbewegung fort – die Drehbewegung relativ zum absoluten Raum –, weshalb die Oberfläche konkav bleibt. Während also die relative Bewegung zwischen dem Wasser und dem Eimer die Beobachtungen nicht erklären kann, ist die relative Bewegung zwischen dem Wasser und dem absoluten Raum dazu durchaus in der Lage. Der Raum selbst liefert das Bezugssystem, welches die Bewegung definiert.

Der Eimer ist lediglich ein Beispiel. Die Überlegung ist natürlich weit allgemeiner. Wenn Sie in einem Auto eine scharfe Kurve fahren, fühlen Sie laut Newton die Geschwindigkeitsveränderungen, weil Sie in Hinblick auf den absoluten Raum beschleunigen. Nimmt das Flugzeug, in dem Sie sitzen, beim Start Tempo auf, spüren Sie, wie Sie in Ihren Sitz gepresst werden, weil Sie relativ zum absoluten Raum beschleunigen. Drehen Sie auf Schlittschuhen eine Pirouette, fühlen Sie, wie Ihre Arme nach außen gezogen werden, weil Sie in Hinblick auf den absoluten Raum beschleunigen. Wenn jemand nun aber in der Lage wäre, die gesamte Eisbahn um Sie zu drehen, während Sie in Ruhe blieben (die idealisierte Situation reibungsloser Schlittschuhe vorausgesetzt) – wodurch die gleiche relative Bewegung zwischen Ihnen und dem Eis entstünde –, würden Sie nicht spüren, wie Ihre Arme nach außen gezogen werden, weil Sie in Hinblick auf den absoluten Raum nicht beschleunigten. Um sicher zu gehen, dass Sie nicht durch die irrelevanten Einzelheiten von Beispielen abgelenkt werden, die sich am menschlichen Körper orientieren, können wir auch Newtons zwei Steine betrachten, die zusammengebunden im leeren Raum herumwirbeln: Das Seil spannt sich, weil die Steine relativ zum absoluten Raum beschleunigen. Der absolute Raum ist die letzte Instanz in allen Fragen der Bewegung.

Doch was ist der absolute Raum tatsächlich? Zunächst versuchte Newton, der Frage auszuweichen und Argumentation durch Affirmation zu ersetzen. So heißt es am Anfang der *Principia* lapidar: »Zeit, Raum, Ort und Bewegung als allen bekannt, erkläre ich nicht.«[3] Und: »Der absolute Raum bleibt, vermöge seiner Natur und ohne Beziehung auf einen äußeren Gegenstand, stets gleich und unbeweglich.« Der absolute Raum ist also, wie er ist, und das auf ewig. Doch es gibt Hinweise darauf, dass Newton nicht ganz zufrieden damit war, einfach die Existenz und Bedeutung von etwas zu erklären, das man nicht direkt sehen, messen oder beeinflussen kann. Newton:

> Die wahren Bewegungen der einzelnen Körper zu erkennen, und von den scheinbaren scharf zu unterscheiden, ist übrigens sehr schwer, weil die Theile jenes unbeweglichen Raumes, in denen die Körper sich wahrhaft bewegen, nicht sinnlich erkannt werden können.[4]

Daher bringt uns Newton in eine etwas missliche Lage. Er räumt dem absoluten Raum eine vorrangige und zentrale Rolle bei der Beschreibung des grundlegenden und wesentlichsten Elementes der Physik – der Bewegung – ein, lässt es aber bei einer vagen Definition bewenden und gesteht ein, dass ihm selbst nicht wohl dabei ist, ein so wichtiges Ei in ein so merkwürdiges Nest zu legen. Viele haben sein Unbehagen geteilt.

Raum-Schlamassel

Einstein hat einmal gesagt, wenn wir Wörter wie »rot«, »hart« oder »enttäuscht« verwendeten, wüssten wir alle im Prinzip, was damit gemeint sei. Doch bei Worten wie »Ort« oder »Raum«, »deren Verknüpfung mit dem seelischen Erlebnis weniger unmittelbar ist, besteht eine weitgehende Unsicherheit der Deutung«.[5] Diese Unsicherheit reicht weit zurück: Die Auseinandersetzung mit der Bedeutung des Raums fand schon in der Antike statt. Demokrit, Epikur, Lukrez, Pythagoras, Platon, Aristoteles und viele ihrer Nachfolger haben im Laufe der Jahrhunderte in der einen oder anderen Weise mit der Bedeutung von »Raum« gerungen. Gibt es einen Unterschied zwischen Raum und Materie? Existiert der Raum unabhängig von der Anwesenheit materieller Dinge? Gibt es so etwas wie leeren Raum? Schließen sich Raum und Materie gegenseitig aus? Ist Raum endlich oder unendlich?

Seit Jahrtausenden verbinden sich philosophische Analysen des Raums häufig mit theologischen Fragen. Gott, so meinten manche Denker, sei allgegenwärtig, eine Idee, die dem Raum göttlichen Charakter verleiht. Dieses Argument wurde von Henry More vertreten, einem Theologen und Philosophen des siebzehnten Jahrhunderts, von dem einige meinen, er habe vielleicht zu Newtons Mentoren gezählt.[6] Er glaubte, dass der Raum, wäre er leer, nicht existieren könnte, vertrat aber auch die Ansicht, das sei eine unwichtige Beobachtung, weil der Raum, selbst wenn er bar aller materiellen Objekte sei, mit Geist gefüllt wäre, so dass er *nie* vollkommen leer sei. Newton selbst machte sich eine Version von Mores Idee zu Eigen, indem er meinte, der Raum sei mit »spiritueller Substanz« und materieller Substanz gefüllt, fügte aber vorsichtigerweise hinzu, ein solcher spiritueller Stoff könne »kein Hindernis für die Bewegung der Materie bilden; so wenig, als wäre ihm nichts im Wege«.[7] Der absolute Raum, erklärte Newton, sei das Sensorium Gottes.

Derartige philosophische und religiöse Grübeleien über den Raum können faszinierend und anregend sein, aber es fehlt ihnen, wie Einstein in dem oben zitierten Einwurf vorsichtig anmerkt, an kritischer Schärfe und deskriptivem Vermögen. Trotzdem erwächst aus solchem Diskurs eine grundsätzliche und präzise formulierte Frage: Sollen wir dem Raum eine unabhängige Wirklichkeit zuschreiben, wie wir es bei anderen, gewöhnlicheren materiellen Objekten tun, wie etwa dem Buch, das Sie gerade in Händen halten, oder sollen wir uns den Raum als ein rein sprachliches Mittel zur Beschreibung von Beziehungen zwischen gewöhnlichen materiellen Objekten vorstellen?

Der bedeutende deutsche Philosoph Gottfried Wilhelm von Leibniz, ein Zeitgenosse Newtons, war der festen Überzeugung, dass der Raum nicht in irgendeinem herkömmlichen Sinne existiere. Vom Raum zu sprechen, das sei einfach eine bequeme Art zu verschlüsseln, wie sich die Dinge relativ zueinander verhielten. Ohne die Objekte *im* Raum, so Leibniz, hätte dieser keine unabhängige Bedeutung oder Existenz. Stellen Sie sich das Alphabet vor. Es liefert eine Reihenfolge für 26 Buchstaben – das heißt, es legt Beziehungen fest wie die, dass *a* neben *b* steht, *d* sechs Buchstaben vor *j* und *x* drei Buchstaben nach *u* kommt. Doch ohne die Buchstaben hat das Alphabet keine Bedeutung – es hat keine »über-buchstäbliche«, unabhängige Existenz. Stattdessen entsteht das Alphabet mit den Buchstaben, für deren lexikographische Beziehungen es sorgt. Leibniz behauptete, Gleiches gelte für den Raum. Der Raum habe keine Bedeutung außer derjenigen, als natürliche Sprache für die Bezeichnung der Beziehungen zwischen dem Ort eines Objektes und dem eines anderen zu dienen. Wenn alle Objekte aus dem Raum entfernt würden – der Raum vollkommen leer wäre –, besäße er so wenig Bedeutung wie ein Alphabet ohne Buchstaben.

Für diese so genannte *relationistische* Position führte Leibniz zahlreiche Argumente an. Beispielsweise meinte er, wenn der Raum wirklich als Entität existiere, als Hintergrundsubstanz, hätte Gott entscheiden müssen, wohin in diese Substanz er sein Universum stellen wollte. Doch wie hätte Gott, dessen Entscheidungen alle eine vernünftige Rechtfertigung hätten und niemals zufällig oder willkürlich erfolgten, in der Lage sein sollen, einen Ort in der Leere eines solchen Raums von einem anderen Ort zu unterscheiden, da sie doch alle gleich wären? Für das wissenschaftliche Ohr klingt dieses Argument ein bisschen dünn. Wenn wir allerdings das theologische Beiwerk entfernen, wie Leibniz selbst es in Beweisführungen an anderer Stelle tat, sehen wir uns schwierigen Problemen gegenüber: An welchem Ort im Raum befindet sich das Universum? Wenn sich das Universum in seiner Gänze drei Meter nach links oder rechts bewegte – dergestalt, dass alle relativen Positionen der materiellen Objekte unbeschadet blieben –, wie sollten wir es merken? Wie schnell bewegt sich das gesamte Universum durch die Substanz des Raums? Wenn wir grundsätzlich außer Stande sind, den Raum oder Veränderungen im Raum zu entdecken, wie können wir dann behaupten, dass er tatsächlich existiert?

An diesem Punkt mischte sich Newton mit seinem Eimer ein und veränderte den Charakter der Debatte entscheidend. Zwar war auch Newton der Meinung, dass sich bestimmte Merkmale des absoluten Raums nur schwer oder vielleicht auch gar nicht direkt beobachten lassen; er vertrat aber die Auffassung, die Existenz des absoluten Raums habe gewisse Konsequenzen, die beobachtbar seien: Beschleunigungen, wie sie sich in Fällen wie dem des rotierenden Eimers zeigten, seien Beschleunigungen relativ zum absoluten Raum. Daher sei die konkave Form des Wassers eine Konsequenz der Tatsache, dass der absolute Raum existiere. Wenn man aber, so Newton weiter, irgendeinen schlüssigen Beweis für die Existenz von etwas habe, wie indirekt auch immer, dann sei die Debatte damit entschieden. Durch einen klugen Schachzug verlagerte Newton die Auseinandersetzung über die Natur des Raums von der Ebene philosophischer Spekulation auf die wissenschaftlich überprüfbarer Daten. Mit greifbarer Wirkung. Nicht lange danach sah sich Leibniz zu folgendem Eingeständnis gezwungen: »Ich bin allerdings auch der Meinung, dass es einen Unterschied zwischen einer absoluten, wahren Bewegung eines Körpers und einer einfachen relativen Änderung seiner Lage bezüglich anderer Körper gibt.«[8] Das war keine Kapitulation vor Newtons absolutem Raum, aber doch ein schwerer Schlag für die radikale relationistische Position.

Während der nächsten zweihundert Jahre riefen die Argumente, die Leibniz und andere dagegen ins Feld führten, dass man dem Raum eine unabhängige Realität zuschrieb, kaum ein Echo in der wissenschaftlichen Gemeinschaft hervor.[9] Stattdessen schlug das Pendel kräftig zugunsten der Newtonschen

Raumauffassung aus: Seine Bewegungsgesetze, auf den Begriff des absoluten Raums gegründet, beherrschten die wissenschaftlichen Vorstellungen. Sicherlich war der Umstand, dass es diesen Gesetzen so gut gelang, die Beobachtungen zu beschreiben, der ausschlaggebende Grund für ihre Akzeptanz. Verblüffend ist jedoch, dass Newton selbst all seine physikalischen Erkenntnisse nur als Bausteine einer tragfähigen Grundlage für seine, wie er selbst meinte, wirklich wichtige Entdeckung betrachtete: den absoluten Raum. Newton war es nur um den Raum zu tun.[10]

Mach und die Bedeutung des Raums

Als Halbwüchsiger liebte ich ein Spiel, das ich oft mit meinem Vater spielte, während wir durch die Straßen von Manhattan gingen. Einer von uns blickte sich um, wählte ein bestimmtes Geschehen aus – einen Bus, der vorbeifuhr, eine Taube, die auf einem Fensterbrett landete, einen Mann, der aus Versehen eine Münze fallen ließ – und beschrieb, wie es aus einer ungewöhnlichen Perspektive aussehen würde, etwa aus derjenigen eines Busrades, der Taube im Flug oder des zu Boden fallenden Vierteldollarstücks. Die Aufgabe bestand darin, sich eine ungewohnte Beschreibung anzuhören – zum Beispiel: »Ich wandle auf einer dunklen zylindrischen Oberfläche, umgeben von niedrigen, grob strukturierten Wänden, und vom Himmel herab kommt ein wildes Gestrüpp weißer Ranken« – und herauszufinden, dass es die Perspektive einer Ameise auf einem Hot Dog war, das ein Straßenverkäufer mit Sauerkraut garnierte. Obwohl wir mit dem Spiel aufhörten, lange bevor ich meinen ersten Physikkurs belegte, war es zumindest mitverantwortlich dafür, dass ich ziemliches Unbehagen verspürte, als ich Newtons Gesetze kennen lernte.

Das Spiel forderte dazu heraus, die Welt aus verschiedenen Blickwinkeln zu betrachten, und verdeutlichte, dass eines so gültig war wie das andere. Laut Newton steht es Ihnen zwar frei, die Welt aus jeder beliebigen Perspektive zu betrachten, aber diese verschiedenen Blickwinkel sind keineswegs gleichberechtigt. Aus dem Blickwinkel einer Ameise auf dem Schlittschuh eines Eisläufers rotieren das Eis und das Stadion. Aus dem Blickwinkel eines Zuschauers auf der Tribüne dreht sich der Eisläufer. Die beiden Standpunkte scheinen gleich gültig zu sein, gleichberechtigt, sie scheinen in der symmetrischen Beziehung zu stehen, dass jeder in Hinblick auf den anderen rotiert. Doch laut Newton ist eine dieser Perspektiven richtiger als die andere, denn wenn es *wirklich* der Eisläufer ist, der sich dreht, werden seine Arme nach außen gezogen, ist es hingegen *wirklich* das Stadion, das sich dreht, bleiben die Arme des Eisläufers, wo sie sind. Newtons absoluten Raum zu akzeptieren hieß, den Begriff einer absoluten Beschleunigung zu akzeptieren und, vor allem, eine absolute Antwort auf die Frage zu akzeptieren, wer oder was wirklich rotiert. Ich mühte mich zu verstehen, wie dies möglich sein sollte. Jede Quelle, die ich zu Rate zog, ob Lehrbuch oder Lehrer, gab die gleiche Auskunft: Relative Bewegung spielt nur eine Rolle, wenn man eine Bewegung mit konstanter Geschwindigkeit betrachtet. Immer wieder fragte ich mich, warum um alles in der Welt die beschleunigte Bewegung so verschieden sein sollte. Warum sollte die *relative* Beschleunigung nicht, wie die relative Geschwindigkeit, der einzige relevante Aspekt sein, wenn man eine Bewegung mit nicht konstanter Geschwindigkeit betrachtete? Die Existenz des absoluten Raums wollte es anders, aber das erschien mir äußerst merkwürdig.

Sehr viel später erfuhr ich, dass im Laufe der letzten hundert Jahre viele Physiker und Philosophen mit demselben Problem – teils laut, teils still – gerungen hatten. Obwohl Newtons Eimer eindeutig zu zeigen schien, dass der absolute Raum die eine Perspektive gegenüber der anderen bevorzugt (wenn einer oder etwas in Hinblick auf den absoluten Raum rotiert, dann rotiert er oder es *wirklich*, sonst nicht), waren viele mit dieser Lösung nicht zufrieden und bemühten sich auch weiterhin um eine andere. Abgesehen von dem intuitiven Empfinden, dass keine Perspektive »richtiger« als eine andere sein sollte, und vom überaus einleuchtenden leibnizschen Argument, dass nur relative Bewegung zwischen materiellen Objekten eine Bedeutung habe, veranlasste das Konzept des absoluten Raums viele Denker zu der Frage, wie es sein kann, dass der absolute Raum zwar die Bestimmung wahrhaft beschleunigter Bewegung, wie im Falle des Eimers, ermöglicht, nicht aber die Feststellung wahrhafter Bewegung mit konstanter Geschwindigkeit. Falls es den absoluten Raum wirklich gibt, muss er eigentlich einen Bezug für *alle* Bewegung liefern, nicht nur für die beschleunigte Bewegung. Wenn es den absoluten Raum wirklich gibt, warum lässt er uns dann nicht erkennen, wo wir uns, absolut betrachtet, befinden, so dass wir andere materielle Objekte nicht mehr als Bezugspunkte verwenden müssen, um unsere Position zu bestimmen? Und wenn der absolute Raum wirklich existiert, wie kommt es dann, dass er auf uns einwirken kann (indem er beispielsweise unsere Arme nach außen zieht, wenn wir uns drehen), während wir offenbar keine Möglichkeit haben, ihn zu beeinflussen?

Obwohl diese Fragen in den Jahrhunderten nach Newton hin und wieder debattiert wurden, schlug erst Mitte des neunzehnten Jahrhunderts der österreichische Physiker und Philosoph Ernst Mach eine kühne, hellsichtige und außerordentlich folgenreiche neue Auffassung vom Raum vor – eine Auffassung, die unter anderem großen Einfluss auf Albert Einstein ausüben sollte.

Um Machs Überlegungen zu verstehen – oder genauer, eine moderne Lesart von Ideen, die häufig Mach zugeschrieben werden* –, wollen wir einen Augenblick zum Eimer zurückkehren. Etwas ist merkwürdig an Newtons Argument. Das Eimerexperiment verlangt nach einer Erklärung, warum die Oberfläche des Wassers in der einen Situation flach und in der anderen konkav ist. Also untersuchten wir die beiden Situationen und erkannten, dass der entscheidende Unterschied zwischen ihnen darin besteht, dass das Wasser im einen Fall rotierte, im anderen nicht. Entsprechend haben wir die Form der Wasseroberfläche dadurch zu erklären versucht, dass wir uns auf ihren Bewegungszustand beriefen. Doch genau da liegt der Haken: Bevor Newton den absoluten Raum einführte, hatte er einzig den Eimer als mögliches Bezugsobjekt für eine Relativbewegung des Wassers in Betracht gezogen, und das führt, wie wir gesehen haben, nicht zu einer Lösung. Es gibt allerdings auch andere natürliche Bezugspunkte, anhand deren sich die Wasserbewegung definieren lässt, beispielsweise das Labor, in dem die Experimente stattfinden – der Fußboden, die Decke und die Wände. Wenn wir es einrichten könnten, das Experiment an einem sonnigen Tag auf einem offenen Feld durchzuführen, könnten die Gebäude oder Bäume in der Umgebung oder der Boden unter unseren Füßen das »stationäre« Bezugssystem liefern, mit dem wir bestimmen, ob das Wasser rotiert. Und wenn es uns gelänge, dieses Experiment im All schwebend vorzunehmen, würden wir die fernen Sterne als stationäre Bezugspunkte wählen.

Das führt zu folgender Frage: Könnte Newton den Eimer zu rasch beiseite gelegt und daher die relative Bewegung zu leichtfertig außer Acht gelassen haben, an der wir uns in der Wirklichkeit orientieren würden, etwa der zwischen Wasser und Labor, zwischen Wasser und Erde oder zwischen Wasser und den Fixsternen am Himmel? Wäre es denkbar, dass eine solche relative Bewegung die Form des Wasser *doch* erklären könnte und uns der Notwendigkeit enthöbe, den Begriff des absoluten Raums einzuführen? Solche und ähnliche Fragen stellte sich Mach in den siebziger Jahren des neunzehnten Jahrhunderts.

Um Machs Standpunkt besser zu verstehen, können Sie sich vorstellen, Sie schweben im All, fühlen sich ruhig, bewegungs- und schwerelos. Sie blicken hinaus und sehen die fernen Sterne, und auch sie erscheinen vollkommen in Ruhe. (Es ist ein echter Zen-Augenblick.) Doch dann schwebt jemand vorbei,

* Es ist strittig, welche Ansicht Mach im Einzelnen zu den folgenden Überlegungen vertrat. Einige seiner Schriften sind nicht ganz eindeutig, und manche seiner angeblichen Ideen entstammen eigentlich späteren Interpretationen seines Werks durch andere. Da er von diesen Deutungen gewusst zu haben scheint und sie nie korrigiert hat, meinen manche, er sei mit diesen Schlussfolgerungen einverstanden gewesen. Doch um der historischen Genauigkeit Genüge zu tun, sollten Sie jedes Mal, wenn ich schreibe »Mach meint« oder »Machs Ideen«, die Lesart wählen: »Die vorherrschende Interpretation eines von Mach angeregten Ansatzes …«

packt Sie und versetzt Sie in rotierende Bewegung. Sie werden zwei Dinge bemerken. Erstens: Ihre Arme und Beine werden von Ihrem Körper fortgezogen, und wenn Sie sie lassen, fliegen sie nach außen. Zweitens: Wenn Sie die Sterne anblicken, sind diese offenbar nicht mehr in Ruhe. Vielmehr scheinen sie in großen Bögen durch den fernen Himmel zu kreisen. Ihre Erfahrung offenbart Ihnen also eine enge Verknüpfung zwischen dem Gefühl, dass eine Kraft auf Ihren Körper einwirkt, und der Wahrnehmung einer Bewegung relativ zu den fernen Sternen. Behalten Sie diesen Umstand im Gedächtnis, während wir versuchen, das Experiment in einer anderen Umgebung zu wiederholen.

Stellen Sie sich nun vor, Sie wären von der Schwärze eines *völlig* leeren Raums umfangen: keine Sterne, keine Galaxien, keine Planeten, keine Luft, nichts als vollkommene Schwärze. (Ein wirklich existenzieller Augenblick.) Werden Sie es dieses Mal merken, wenn Sie zu rotieren beginnen? Werden Sie spüren, wie Ihre Arme und Beine nach außen gezogen werden? Unsere Alltagserfahrung sagt Ja: Jedes Mal, wenn wir vom Nichtrotieren (ein Zustand, in dem wir nichts spüren) zum Rotieren wechseln, spüren wir den Unterschied, weil unsere Extremitäten nach außen gezogen werden. Doch das letzte Beispiel unterscheidet sich von allen unseren bisherigen Erfahrungen. In dem Universum, das wir kennen, gibt es immer andere materielle Objekte, entweder ganz nah oder zumindest weit weg (beispielsweise ferne Sterne), die uns als Bezugspunkte für unsere Bewegungszustände dienen können. Im letzten Beispiel dagegen haben Sie absolut keine Möglichkeit, durch Vergleiche mit anderen materiellen Objekten zwischen »nicht rotieren« und »rotieren« zu unterscheiden; es gibt *keine* anderen materiellen Objekte. Mach nahm sich diese Beobachtungen zu Herzen und ging noch einen riesigen Schritt weiter. Er äußerte die Vermutung, dass in einem solchen Fall auch keine Möglichkeit bestünde, einen Unterschied zwischen verschiedenen Rotationszuständen zu *spüren*. Genauer, Mach vertrat die Auffassung, in einem ansonsten leeren Universum *gebe* es keinen Unterschied zwischen Rotation und Nichtrotation – gebe es die Begriffe Bewegung oder Beschleunigung nicht, weil keine Orientierungspunkte für Vergleiche vorhanden seien –, daher seien Rotieren und Nichtrotieren dasselbe. Wenn man Newtons zusammengebundene Steine in einem ansonsten leeren Universum rotieren ließe, dann, so Mach, bliebe das Seil schlaff. Würden Sie sich in einem ansonsten leeren Universum im Kreise drehen, flögen Ihre Arme und Beine nicht nach außen und die Flüssigkeit in Ihren Ohren bliebe unverändert, das heißt, Sie würden gar nichts fühlen.

Das ist eine tiefsinnige und kluge These. Um sie richtig zu begreifen, müssen Sie sich ernsthaft und vorbehaltlos auf das Beispiel einlassen: Malen Sie sich die schwarze, gleichförmige Stille des vollkommen leeren Raums aus. Sie ist nicht wie ein dunkles Zimmer, in dem Sie den Boden unter Ihren Füßen spüren oder in dem sich Ihre Augen allmählich an den schwachen Lichtschein gewöhnen, der von außen durch die Tür oder das Fenster dringt. Vielmehr stellen wir uns vor, dass es *nichts* dergleichen gibt, keinen Fußboden und absolut kein Licht, an das sich Ihre Augen gewöhnen könnten. Egal, wohin Sie greifen oder blicken, Sie fühlen und sehen absolut nichts. Sie sind umfangen von einem Kokon gleichförmiger Schwärze, ohne materielle Anhaltspunkte, die Ihnen zum Vergleich dienen könnten. Ohne solche Orientierungspunkte, meinte Mach, würden die Begriffe von Bewegung und Beschleunigung ihre Bedeutung einbüßen. Es ist nicht nur so, dass Sie einfach nichts spüren würden, wenn Sie rotierten, Machs These ist viel grundsätzlicher. In einem ansonsten leeren Universum, sagte er, sei überhaupt nicht zu unterscheiden, ob Sie bewegungslos stehen oder gleichförmig rotieren.*

Damit wäre Newton natürlich nicht einverstanden gewesen. Er behauptete, selbst ein vollständig leerer Raum besitze noch *Raum*. Obwohl Raum nicht direkt greifbar sei, biete er doch etwas, relativ zu dem man entscheiden könne, ob sich materielle Objekte bewegten. Doch erinnern wir uns, wie Newton zu dieser Schlussfolgerung gelangte: Als er über die Rotationsbewegung nachdachte, *nahm er an*, dass die Resultate, die wir aus dem Labor kennen (die Wasseroberfläche wird konkav; Homer wird gegen die Eimerwand gepresst; Ihre Arme werden nach außen gezogen, wenn Sie rotieren; das Seil strafft sich zwischen zwei zusammengebundenen Steinen, die rotieren), auch gültig wären, wenn wir die Experimente im leeren Raum ausführen würden. Diese Annahme veranlasste ihn, im leeren Raum nach etwas zu suchen, relativ zu dem die Bewegung definiert werden konnte, und das Etwas, das er dabei entdeckte, war der Raum selbst. Mach stellte diese zentrale Annahme entschieden in Abrede: Er vertrat die Auffassung, was im Labor passiere, würde im vollkommen leeren Raum nicht geschehen.

Mach war der Erste, der es seit mehr als zweihundert Jahren wagte, Newtons Werk ernsthaft in Zweifel zu ziehen. Jahrelang erschütterte das die physi-

* Obwohl ich menschliche Beispiele mag, weil sie eine unmittelbare Verbindung zwischen der Physik, die wir erörtern, und den angeborenen Empfindungen herstellen, gibt es einen Nachteil: unsere Fähigkeit, willkürlich einen Teil unseres Körpers relativ zu einem anderen zu bewegen, sogar einen Teil unseres Körpers als Bezugspunkt für die Bewegung eines anderen zu verwenden (wie jemand, der einen Arm relativ zum Kopf kreisen lässt). Ich spreche ausdrücklich von einer *gleichförmigen* Rotation – einer Rotation, bei der alle Körperteile gemeinsam kreisen –, um derartige überflüssige Komplikationen zu vermeiden. Wenn ich also über die Rotation Ihres Körpers spreche, stellen Sie sich wie Newton zwei Steine vor, die durch ein Seil zusammengebunden sind, oder eine Eiskunstläuferin in der Schlussphase ihrer Wettkampfkür: Alle Teile Ihres Körpers rotieren gleich schnell.

kalische Gemeinschaft (und auch danach noch: 1909 verfasste Wladimir Iljitsch Lenin, damals in London lebend, eine philosophische Broschüre, die unter anderem Aspekte der Machschen Arbeit erörterte[11]). Aber wenn Mach Recht hätte und es den Begriff des Rotierens in einem ansonsten leeren Universum nicht gäbe – eine Sachlage, die Newtons Rechtfertigung des absoluten Raumes aufhöbe –, müssten wir immer noch das irdische Eimerexperiment erklären, in dem das Wasser eine konkave Form annimmt. Wie würde Mach die Form des Wassers erklären, ohne den absoluten Raum zu bemühen – also ohne zu behaupten, dass der absolute Raum etwas sei? Die Antwort ergibt sich aus einem einfachen Einwand gegen Machs Überlegungen.

Mach, Bewegung und die Sterne

Vergegenwärtigen Sie sich ein Universum, das nicht vollkommen leer ist, wie Mach es postulierte, sondern in dem stattdessen eine Hand voll Sterne über den Himmel verteilt sind. Wenn Sie nun Ihr Rotationsexperiment im All durchführen, liefern die Sterne – auch wenn sie aus der enormen Entfernung nur wie stecknadelgroße Lichtpunkte erscheinen – einen Anhaltspunkt zur Beurteilung Ihres Bewegungszustands. Wenn Sie anfangen, sich zu drehen, entsteht der Eindruck, dass die fernen Lichtpunkte um Sie herumkreisen. Da die Sterne ein visuelles Bezugssystem liefern, das es Ihnen ermöglicht, Rotieren von Nichtrotieren zu unterscheiden, ist zu erwarten, dass Sie das Rotieren auch empfinden. Doch wie können ein paar ferne Sterne einen derartigen Unterschied bewirken, wie kann ihre An- oder Abwesenheit als eine Art Schalter funktionieren, der die Empfindung des Rotierens an- oder abschaltet (oder, allgemeiner, die Empfindung einer beschleunigten Bewegung)? Wenn Sie eine Drehbewegung in einem Universum mit lediglich ein paar fernen Sternen spüren können, bedeutet das doch vielleicht, dass Machs Idee einfach falsch ist – vielleicht würde man dann auch, wie Newton angenommen hat, die Empfindung des Rotierens in einem leeren Universum spüren.

Mach lieferte eine Antwort auf diesen Einwand: In einem leeren Universum spürt man nichts, wenn man rotiert (genauer gesagt, gibt es noch nicht einmal den Begriff von Rotieren versus Nichtrotieren). Am anderen Ende des Spektrums, in einem Universum, das bevölkert ist mit all den Sternen und anderen materiellen Objekten, die in unserem realen Universum existieren, spüren Sie die ziehende Kraft an Ihren Armen und Beinen, wenn Sie sich tatsächlich im Kreise drehen. (Versuchen Sie es!) Und – jetzt kommt der springende Punkt – in einem Universum, das weniger Materie als das unsere enthielte, läge die Kraft, die Sie beim Rotieren empfänden, zwischen nichts und dem, was Sie in unserem

Universum spüren. Das heißt, die Kraft, die Sie empfinden, ist proportional zur Materiemenge im Universum. In einem Universum mit einem einzigen Stern spürten Sie nur eine winzige Kraft auf Ihren Körper einwirken, sobald Sie sich zu drehen begännen. Bei zwei Sternen wäre die Kraft ein bisschen stärker, und so ginge es fort, bis Sie zu einem Universum gelangten, dessen Materieinhalt dem des unseren entspräche und in dem Sie die gewohnte, mit der Rotation verbundene Kraft ungeschmälert empfänden. Nach dieser Auffassung entsteht die Kraft, die Sie infolge der Beschleunigung fühlen, als Gemeinschaftseffekt, als Kombination der Teileinflüsse all der anderen Materie im Universum.

Wiederum gilt die These für alle Arten beschleunigter Bewegung, nicht nur für die Rotation. Wenn das Flugzeug, in dem Sie sich befinden, auf dem Rollfeld beschleunigt, wenn das Auto, in dem Sie sitzen, mit quietschenden Bremsen hält, wenn der Fahrstuhl, mit dem Sie fahren, seine Aufwärtsbewegung beginnt, manifestiert sich nach Machs Ideen in der Kraft, die Sie verspüren, der kombinierte Einfluss aller Materie, aus der das Universum besteht. Wäre mehr Materie vorhanden, empfänden Sie eine größere Kraft. Gäbe es weniger Materie, empfänden Sie geringere Kraft. Und gäbe es überhaupt keine Materie, verspürten Sie gar nichts. Daher spielen in Machs Überlegungen nur relative Bewegung und relative Beschleunigung eine Rolle. *Sie empfinden Beschleunigung nur, wenn Sie relativ zur durchschnittlichen Verteilung der anderen im Kosmos vorhandenen Materie beschleunigen.* Ohne andere Materie – ohne irgendwelche Vergleichsmaßstäbe – gäbe es keine Möglichkeit, so Mach, Beschleunigung zu erfahren.

Für viele Physiker ist das eine der verheißungsvollsten Hypothesen, die in den letzten 150 Jahren vorgebracht wurden. Generationen von Physikern fanden die Vorstellung zutiefst beunruhigend, die unberührbare und ungreifbare Struktur des Raums solle tatsächlich etwas sein – ein Etwas, das substanziell genug sei, um das letzte und absolute Bezugssystem für die Bewegung zu liefern. Vielen erschien es absurd oder zumindest wissenschaftlich unverantwortlich, den Begriff der Bewegung von etwas abhängig zu machen, das so vollständig unseren Sinnen, jeder Wahrnehmung entzogen ist, dass es ans Mystische grenzt. Trotzdem schlugen sich dieselben Physiker mit der Frage herum, wie sie Newtons Eimer denn sonst erklären sollten. Machs Einsichten riefen Aufregung hervor, weil sie die Möglichkeit einer neuartigen Antwort erkennen ließen, einer Antwort, in der der Raum nicht mehr ein Etwas war, einer Antwort, die zum relationistischen Raumbegriff zurückführte, den Leibniz vertreten hatte. Der Raum hat nach Machs Ansicht große Ähnlichkeit mit demjenigen, den sich Leibniz vorstellte – er ist die Sprache, in der sich die Beziehung zwischen dem Ort des einen Objekts und dem eines anderen ausdrücken lässt. Doch wie ein Alphabet ohne Buchstaben hat der Raum keine unabhängige Existenz.

Mach contra Newton

Ich lernte Machs Ideen im Vorstudium kennen, und für mich waren sie ein Geschenk des Himmels. Hier stieß ich endlich auf eine Theorie des Raums und der Bewegung, die alle Perspektiven wieder gleichberechtigt nebeneinander gelten ließ, denn Bedeutung hatten nur relative Bewegung und relative Beschleunigung. Anstelle des Newtonschen Bezugssystems der Bewegung – jenem unsichtbaren Ding, das Newton absoluten Raum nannte – schlug Mach ein konkretes Bezugssystem vor, erkennbar für alle, die Augen haben zu sehen: die Materie, die im Weltall verteilt ist. Ich war mir sicher, dass Mach Recht hatte. Und ich erfuhr, dass meine Reaktion durchaus kein Einzelfall war. Ich reihte mich damit in eine große Zahl von Physikern ein, darunter Albert Einstein, die von Machs Ideen auf Anhieb begeistert waren.

Hat Mach Recht? Ist Newton beim Wirbeln seines Eimers so schwindelig geworden, dass es in Hinblick auf den Raum nur noch zu einer recht verwirrten Schlussfolgerung gereicht hat? Gibt es Newtons absoluten Raum, oder ist das Pendel endgültig zur relationistischen Perspektive zurückgeschwungen? In den ersten Jahrzehnten, nachdem Mach seine Ideen vorgeschlagen hatte, konnten diese Fragen nicht beantwortet werden; überwiegend deshalb, weil Machs These keine vollständige Theorie oder Beschreibung war, denn er hatte nie angegeben, *wie* der Materieinhalt des Universums den vorgeschlagenen Einfluss ausüben soll. Wenn er tatsächlich Recht hat, wie können dann sowohl die fernen Sterne als auch das Haus nebenan zu Ihrem Empfinden beitragen, dass Sie rotieren, wenn Sie sich im Kreis drehen? Ohne einen physikalischen Mechanismus zu bezeichnen, der für den praktischen Teil dieser Annahme zuständig war, ließen sich Machs Ideen nicht genauer untersuchen.

Aus unserem modernen Blickwinkel lautet eine vernünftige Vermutung, dass die Einflüsse, die in Machs These eine Rolle spielten, etwas mit der Gravitation zu tun haben könnten. In den folgenden Jahrzehnten erregte diese Möglichkeit Einsteins Aufmerksamkeit, und er bezog bei der Entwicklung seiner eigenen Gravitationstheorie, der allgemeinen Relativitätstheorie, viel Inspiration aus Machs These. Als die volle Bedeutung der Relativitätstheorie allmählich klar wurde, hatte sich die Frage, ob der Raum etwas sei – ob die absolutistische oder relationistische Auffassung des Raums richtig sei –, in einer Weise gewandelt, die alle bis dahin herrschenden Vorstellungen von der Beschaffenheit des Universums umstürzte.

3

RELATIVITÄTSTHEORIE UND DAS ABSOLUTE

Ist Raumzeit eine Einsteinsche Abstraktion oder eine physikalische Gegebenheit?

Einige Entdeckungen geben Antwort auf Fragen. Andere sind von so weit reichender Bedeutung, dass sie die Fragen in einem völlig neuen Licht erscheinen lassen und zeigen, dass Dinge, die vorher als Rätsel galten, durch mangelndes Wissen falsch wahrgenommen wurden. Sie könnten Ihr Leben damit verbringen – wie es in der Antike einige taten –, sich zu fragen, was geschieht, wenn Sie den Rand der Erde erreichen, oder sich auszumalen, wer oder was auf der Unterseite der Erde lebt. Doch wenn Sie erfahren, dass die Erde rund ist, erkennen Sie, dass die genannten Rätsel nicht gelöst, sondern einfach belanglos geworden sind.

In den ersten Jahrzehnten des zwanzigsten Jahrhunderts machte Albert Einstein zwei Entdeckungen von enormer Tragweite. Die erste bewirkte einen radikalen Umbruch unserer Vorstellungen von Raum und Zeit. Einstein riss das starre, absolute Bauwerk ein, das Newton errichtet hatte, und erbaute seinen eigenen Turm, in dem er Raum und Zeit auf vollkommen neue und unerwartete Weise miteinander verband. Als er fertig war, war die Zeit so mit dem Raum verflochten, dass man die Wirklichkeit der einen nicht mehr ohne die des anderen ins Auge fassen konnte. Damit hatte sich im dritten Jahrzehnt des zwanzigsten Jahrhunderts die Frage nach der Materialität des Raums überlebt. In Einsteins theoretischer Neufassung wurde daraus, wie wir gleich hören werden: Ist die *Raumzeit* ein Etwas? Mit dieser scheinbar leichten Abwandlung veränderte sich unser Verständnis vom Schauplatz der Wirklichkeit von Grund auf.

Ist leerer Raum leer?

Das Licht spielte die Hauptrolle in dem Relativitätsdrama, das Einstein Anfang des zwanzigsten Jahrhunderts schrieb. Und James Clerk Maxwell hatte mit seinen Werken die Bühne für Einsteins spektakuläre Einsichten bereitet. Mitte des neunzehnten Jahrhunderts entdeckte Maxwell vier leistungsfähige Gleichungen, die zum ersten Mal einen strengen theoretischen Rahmen für das Verständnis von Elektrizität, Magnetismus und ihre enge Beziehung schufen.[1] Maxwell entwickelte diese Gleichungen im Zuge seiner eingehenden Beschäftigung mit der Arbeit des englischen Physikers Michael Faraday, der Anfang des neunzehnten Jahrhunderts in Zehntausenden von Experimenten bislang unbekannte Eigenschaften der Elektrizität und des Magnetismus zutage gefördert hatte. Faradays entscheidender Durchbruch war das Konzept des *Feldes*. Dieses Konzept, das später von Maxwell und vielen anderen Forschern erweitert wurde, hatte während der letzten zweihundert Jahre einen enormen Einfluss auf die Entwicklung der Physik und liegt vielen der kleinen Rätsel zugrunde, denen wir im Alltag begegnen. Wie kommt es, dass die Sicherheitsschleuse eines Flughafens, ohne Sie zu berühren, erkennen kann, ob Sie Metallgegenstände mit sich führen? Wie kann ein Kernspintomograph, ein Gerät, das außerhalb Ihres Körpers bleibt, ein detailliertes Bild von Ihrem Inneren anfertigen? Wie ist es zu erklären, dass sich die Kompassnadel dreht, bis sie nach Norden zeigt, obwohl sie anscheinend durch nichts angestoßen wird? Üblicherweise beruft man sich zur Beantwortung der letzten Frage auf das Magnetfeld der Erde, und das Konzept der magnetischen Felder hilft auch bei der Beantwortung der beiden ersten Beispiele.

Nichts vermittelt eine bessere intuitive Vorstellung von einem magnetischen Feld als der Grundschulversuch, bei dem Eisenfeilspäne in der Nähe eines Stabmagneten ausgestreut werden. Wenn man die Späne ein wenig schüttelt, ordnen sie sich zu einem regelmäßigen Muster von Linien an, die am Nordpol des Magneten beginnen, ausholende Bögen beschreiben und am Südpol enden, wie in Abbildung 3.1 dargestellt. Das von den Eisenspänen beschriebene Muster ist ein direkter Beweis dafür, dass der Magnet ein unsichtbares Etwas hervorruft, das den Raum um ihn herum durchdringt – ein Etwas, das beispielsweise auf kleine Eisenteile eine Kraft ausüben kann. Dieses unsichtbare Etwas ist das *magnetische Feld*. Intuitiv stellen wir es uns als eine Art Nebel oder Essenz vor, die eine Raumregion durchdringen und dadurch eine Kraft ausüben kann, die über die materielle Grenze des Magneten hinausreicht. Ein magnetisches Feld bedeutet für einen Magneten dasselbe wie Soldaten für einen Diktator oder die Buchprüfer für die Innenrevision: Einfluss über die eigenen physischen Grenzen hinaus, was die Möglichkeit schafft, Kraft draußen im »Feld« auszuüben. Daher bezeichnet man ein magnetisches Feld auch als Kraftfeld.

Diesem durchdringenden, raumfüllenden Vermögen verdanken magnetische Felder ihre Nützlichkeit. Das magnetische Feld eines Metalldetektors auf einem Flughafen dringt durch Ihre Kleidung und veranlasst Metallgegen-

Abbildung 3.1 Eisenfeilspäne, die in der Nähe eines Magneten ausgestreut werden, markieren sein magnetisches Feld.

stände, ihre eigenen Magnetfelder zu erzeugen – Felder, die dann ihrerseits wieder einen Einfluss auf den Detektor ausüben, woraufhin er einen Alarmton ausstößt. Das magnetische Feld des Kernspintomographen dringt in Ihren Körper ein und richtet dabei die Eisenmagnetfelder bestimmter Atome parallel zueinander aus. Das wiederum erlaubt es, die Magnetfelder dieser Atome individuell nachzuweisen und daraus ein Bild der inneren Gewebe zu gewinnen. Das Magnetfeld der Erde dringt durch das Kompassgehäuse und dreht die Nadel so, dass sie sich infolge uralter geophysikalischer Prozesse fast genau in Nordsüdrichtung einpendelt.

Magnetfelder sind eine vertraute Feldart, doch Faraday untersuchte auch einen anderen Typus: das *elektrische Feld*. Dieses Feld bringt Ihren Wollschal zum Knistern, lässt Ihre Hand zurückzucken, wenn Sie in einem Zimmer mit Teppichfußboden einen Türknauf aus Metall anfassen, und bringt Ihre Haut zum Prickeln, wenn Sie sich während eines kräftigen Gewitters im Gebirge aufhalten. Und wenn Sie während eines solchen Gewitters zufällig einen Kompass zu Rate zögen, würden Ihnen die wilden Ausschläge der Kompassnadel bei nahen Blitzeinschlägen deutliche Hinweise auf eine enge Wechselbeziehung zwischen elektrischen und magnetischen Feldern geben – eine Beziehung, die der dänische Physiker Hans Ørsted entdeckte und Faraday gewissenhaft experimentell untersuchte. Genau wie die Entwicklung des Aktienmarktes die des Rentenmarktes und diese wiederum die anderer Märkte beeinflusst, so können, wie man herausfand, Veränderungen in einem elektrischen Feld Veränderungen in einem Magnetfeld bewirken, die wiederum Veränderungen im elektrischen Feld hervorrufen können und so fort. Maxwell entdeckte die mathematischen Grundlagen dieser Wechselbeziehungen, und seine Gleichungen zeigten, dass elektrische und magnetische Felder miteinander verflochten sind wie die Strähnen in Rastazöpfen. Daher nannte man sie schließlich *elektromagnetische* Felder und den von ihnen ausgeübten Einfluss *elektromagnetische* Kraft.

Heute sind wir ständig in ein Meer von künstlich erzeugten elektromagnetischen Feldern getaucht. Ihr Handy und Ihr Autoradio überbrücken riesige Entfernungen, weil die elektromagnetischen Felder, die von Telefongesellschaften und Radiosendern ausgestrahlt werden, beeindruckend große Raumregionen erfüllen. Gleiches gilt für drahtlose Internetverbindungen; Computer können sich in das gesamte World Wide Web über elektromagnetische Felder einloggen, deren Schwingungen uns überall umgeben – sogar direkt durch uns hindurchgehen. Natürlich war die elektromagnetische Technik zu Maxwells Zeit weit weniger entwickelt, dennoch war seinen Kollegen klar, dass er Großes geleistet hatte: In der Sprache der Felder hatte Maxwell gezeigt, dass Elektrizität und Magnetismus, obwohl ursprünglich als verschieden betrachtet, in Wirklichkeit nur verschiedene Aspekte einer einzigen physikalischen Realität sind.

Später werden wir es noch mit anderen Arten von Feldern zu tun bekommen – Gravitationsfeldern, Feldern der Kernkräfte, Higgs-Feldern und so fort –, und es wird sich immer deutlicher zeigen, dass das Feldkonzept von zentraler Bedeutung für die moderne Formulierung physikalischer Gesetze ist. Doch im Augenblick verdanken wir auch den nächsten entscheidenden Schritt im Fortgang unserer Geschichte Maxwell. Denn als er seine Gleichungen genauer analysierte, stellte er fest, dass Veränderungen oder Störungen elektromagnetischer Felder sich wellenartig mit einer bestimmten Geschwindigkeit ausbreiten: mit gut einer Milliarde Kilometern pro Stunde (genauer: 300 000 Kilometer pro Sekunde). Da dies genau der Wert war, der sich in anderen Experimenten für die Lichtgeschwindigkeit ergeben hatte, erkannte Maxwell, dass das Licht wohl nichts anderes war als eine elektromagnetische Welle, und zwar eine elektromagnetische Welle, welche die richtigen Eigenschaften hat, um mit den chemischen Stoffen in unserer Netzhaut wechselzuwirken und uns so die Sinnesmodalität des Sehens zu ermöglichen. Diese Leistung machte Maxwells bereits herausragenden Entdeckungen noch bemerkenswerter: Er hatte die Kraft, die durch Magneten hervorgerufen, den Einfluss, der durch elektrische Ladungen ausgeübt, und das Licht, das von uns im Universum wahrgenommen wird, miteinander verknüpft – allerdings nicht, ohne damit eine äußerst schwierige Frage aufzuwerfen.

Wenn wir erklären, dass die Lichtgeschwindigkeit 300 000 Kilometer pro Sekunde beträgt, lehrt uns die Erfahrung – und unsere bisherige Erörterung –, dass es sich um eine bedeutungslose Aussage handelt, wenn wir nicht angeben, relativ *wozu* diese Geschwindigkeit gemessen wird. Merkwürdigerweise ergaben Maxwells Gleichungen nur diese Zahl, 300 000 Kilometer pro Sekunde, ohne einen solchen Bezugspunkt zu nennen oder sich in ersichtlicher Weise auf ihn zu stützen. Es war etwa so, als gäbe jemand den Veranstaltungsort einer Party mit 22 Kilometer nördlich an, ohne den Referenzort zu nennen, ohne anzugeben, nördlich von *wo*. Die meisten Physiker, auch Maxwell selbst, versuchten, die Geschwindigkeit, die aus seinen Gleichungen hervorging, folgendermaßen zu erklären: Die uns vertrauten Wellen, etwa Meereswellen oder Schallwellen, werden von einer Substanz, einem Medium, übertragen. Meereswellen werden vom Wasser übertragen, Schallwellen von der Luft. Dabei wird die Geschwindigkeit dieser Wellen *relativ zum Medium* angegeben. Wenn wir also sagen, dass die Schallgeschwindigkeit bei Zimmertemperatur 1224 Kilometer pro Stunde beträgt (auch als Mach 1 bezeichnet, nach eben jenem Ernst Mach, dem wir schon begegnet sind), meinen wir, dass die Schallwellen sich in einer ansonsten ruhenden Luft mit dieser Geschwindigkeit ausbreiten. Natürlich nahmen die Physiker daher an, dass sich auch Lichtwellen – elektromagnetische Wellen – in einem bestimmten Medium bewegen müssten, einem Medium, das zwar nie gesehen oder entdeckt worden sei, aber trotzdem existieren müsse. Um diesem unsichtbaren, das Licht übertragenden Stoff den gebührenden Respekt zu erweisen, gab man ihm auch einen Namen: *Lichtäther* oder einfach *Äther*. Letzteres war Aristoteles' Sammelbezeichnung für die magische Substanz, aus der seiner Meinung nach alle Himmelskörper bestanden. Um diese Annahme mit Maxwells Resultaten zur Deckung zu bringen, ging man davon aus, dass seine Gleichungen implizit den Standpunkt eines Beobachters einnähmen, der sich relativ zum Äther in Ruhe befinde. Die 300 000 Kilometer pro Sekunde, die sich aus seinen Gleichungen ergeben, wären also die Lichtgeschwindigkeit relativ zum ruhenden Äther.

Wie Sie unschwer erkennen können, besteht eine auffällige Ähnlichkeit zwischen dem Lichtäther und Newtons absolutem Raum. Beide erwuchsen sie aus dem Bemühen, ein Bezugssystem für die Definition der Bewegung zu finden. Beschleunigte Bewegung führte zum absoluten Raum, die Bewegung des Lichts zum Lichtäther. Tatsächlich betrachteten viele Physiker den Äther als säkulare Version des göttlichen Geistes, von dem Henry More, Newton und andere den absoluten Raum durchdrungen wähnten. (Newton und manche seiner Zeitgenossen verwendeten sogar das Wort Äther zur Beschreibung des absoluten Raums.) Was ist der Äther aber *tatsächlich*? Woraus besteht er? Woher kommt er? Gibt es ihn überall?

Dieselben Fragen wurden jahrhundertelang über den absoluten Raum gestellt. Doch während der vollständige Machsche Test für den absoluten Raum die Rotation in einem vollkommen leeren Universum verlangte, konnten die Physiker zur Klärung der Frage, ob es den Äther tatsächlich gebe, durchaus praktikable Experimente vorschlagen. Wenn Sie beispielsweise durchs Wasser auf eine entgegenkommende Wasserwelle zuschwimmen, nähert sich die Welle rascher. Schwimmen Sie von der Welle fort, nähert sie sich Ihnen langsamer. Entsprechend müsste, wenn Sie sich durch den hypothetischen Äther auf eine ankommende Lichtwelle zu- oder von ihr fortbewegen, die Annäherung der Lichtwelle schneller oder langsamer als mit 300 000 Kilometern pro Sekunde erfolgen. Aber als Albert Michelson und Edward Morley 1887 die Lichtgeschwindigkeit maßen, ermittelten sie eine Geschwindigkeit von exakt 300 000 Kilometer pro Sekunde, *unabhängig von ihrer eigenen Bewegung oder der der Lichtquelle.* Man ließ sich alle möglichen schlauen Argumente einfallen, um diese Ergebnisse zu erklären. Vielleicht, so meinten einige, hätten die Experimentatoren den Äther unwissentlich mit sich gezogen, während sie sich bewegten. Andere vermuteten, die Ausrüstung hätte sich auf dem Weg durch den Äther verzerrt und dadurch die Messungen entstellt. Mit einer einleuchtenden Erklärung konnte jedoch erst Einstein in Gestalt seiner bahnbrechenden Entdeckungen aufwarten.

Relativer Raum, relative Zeit

Im Juni 1905 schrieb Einstein einen Artikel mit dem unspektakulären Titel »Zur Elektrodynamik bewegter Körper« und machte damit endgültig allen Spekulationen über die Existenz des Lichtäthers ein Ende. Mit einem Schlag revolutionierte er außerdem unsere Vorstellung von Raum und Zeit. Die Ideen formulierte Einstein während eines äußerst schöpferischen Zeitraums von fünf Wochen im April und Mai 1905, doch die Fragen, die er dort klärte, beschäftigten ihn seit mehr als zehn Jahren. Als Jugendlicher hatte er sich gefragt, wie wohl eine Lichtwelle aussähe, wenn man sie exakt mit Lichtgeschwindigkeit verfolgte. Da Sie und die Lichtwelle mit exakt der gleichen Geschwindigkeit durch den Äther rauschen würden, hielten Sie genau Schritt mit dem Licht. Daher, so schloss Einstein, müsste das Licht aus Ihrer Perspektive aussehen, als würde es sich nicht bewegen. Sie müssten in der Lage sein, den Arm auszustrecken und sich eine Hand voll bewegungsloses Licht zu greifen, als wäre es frisch gefallener Schnee.

Doch hier liegt das Problem. Es erweist sich nämlich, dass Maxwells Gleichungen dem Licht nicht gestatten, in Ruhe zu sein – auszusehen, als wäre es bewegungslos. Natürlich gibt es keinen glaubhaften Bericht von jemandem, dem es tatsächlich gelungen wäre, sich eines Klumpen stationären Lichts zu bemächtigen. Der jugendliche Einstein fragte sich also, wie mit diesem scheinbaren Paradox zu verfahren sei.

Zehn Jahre später präsentierte Einstein der Welt die Antwort in Gestalt seiner speziellen Relativitätstheorie. Über die geistigen Wurzeln von Einsteins Entdeckung ist viel diskutiert worden; eine entscheidende Rolle spielte zweifellos sein unerschütterlicher Glaube an die Einfachheit. Einstein wusste, dass es zumindest in einigen Experimenten nicht gelungen war, Beweise für die Existenz des Äthers zu finden.[2] Warum sollte man sich abmühen, um einen Fehler in den Experimenten zu entdecken? Einfacher sei eine andere Erklärung: Die Experimente hätten keinen Äther gefunden, weil es keinen Äther gebe. Da Maxwells Gleichungen, welche die Bewegung des Lichts – die Bewegung elektromagnetischer Wellen – beschreiben, sich auf kein solches Medium beriefen, kämen Experiment und Theorie zum selben Schluss: Licht brauche im Gegensatz zu irgendwelchen anderen jemals beobachteten Wellenarten kein Medium, von dem es übertragen werden müsse. Das Licht sei ein einsamer Reisender. Licht könne sich im leeren Raum ausbreiten.

Doch was sollen wir dann mit Maxwells Gleichungen anfangen, aus denen sich für das Licht eine Geschwindigkeit von 300 000 Kilometer pro Sekunde ergibt? Wenn kein Äther existiert, der einen ruhenden Bezugspunkt liefert, was ist dann der Bezugspunkt für die Interpretation dieser Geschwindigkeit? Wieder setzte sich Einstein über alle Konvention hinweg und antwortete mit äußerster Einfachheit. Wenn Maxwells Theorie keinen ruhenden Bezugspunkt liefere, sei die einfachste Deutung, dass wir keinen brauchten. *Die Lichtgeschwindigkeit beträgt,* so erklärte Einstein, *300 000 Kilometer pro Sekunde relativ zu allem und jedem.*

Das ist sicherlich eine einfache Aussage und eine, die gut zu der oft Einstein zugeschriebenen Maxime passt: »Man sollte alles so einfach wie möglich machen, aber nicht einfacher.« Leider klingt sie völlig verrückt. Wenn Sie hinter einem sich entfernenden Lichtstrahl herlaufen, sagt uns der gesunde Menschenverstand, dass die Geschwindigkeit des enteilenden Lichtes aus Ihrer Perspektive weniger als 300 000 Kilometer pro Sekunde betragen muss. Laufen Sie hingegen auf einen näher kommenden Lichtstrahl zu, sollte die Geschwindigkeit des Lichts dementsprechend höher sein als 300 000 Kilometer pro Sekunde. Sein Leben lang hat Einstein den gesunden Menschenverstand in Frage gestellt und damit auch hier keine Ausnahme gemacht. Überzeugend argumentierte er, dass Sie, egal, wie schnell Sie sich auf einen Lichtstrahl zu- oder von ihm fortbewegen, stets 300 000 Kilometer pro Sekunde messen werden – kein bisschen schneller, kein bisschen langsamer, gleichgültig, unter welchen Umständen. Damit war das Paradox zweifellos gelöst, das ihn als Halbwüchsiger beschäftigt hatte: Maxwells Theorie lässt kein ruhendes Licht zu, weil Licht *nie* ruhend ist. Unabhängig von Ihrem Bewegungszustand, ob Sie hinter einem Lichtstrahl herjagen, vor ihm davonlaufen oder einfach bewegungslos dastehen – das Licht behält seine ein für allemal festgelegte und unveränderliche Geschwindigkeit von 300 000 Kilometern pro Sekunde bei. Aber wir fragen natürlich, wie es kommt, dass sich Licht so merkwürdig verhalten kann.

Denken wir einen Augenblick über Geschwindigkeit nach. Geschwindigkeit wird gemessen, indem man die Entfernung, die ein Objekt zurücklegt, durch die Zeit teilt, die es dafür braucht. Es ist ein Maß für den Raum (die zurückgelegte Entfernung) geteilt durch ein Maß für die Zeit (die Dauer der Bewegung). Seit Newton hatte man sich den Raum als eine absolute, reale Gegebenheit vorgestellt, die »ohne Beziehung auf einen äußeren Gegenstand« existiert. Danach müssen Messungen des Raums und räumlicher Distanzen absolut sein: Egal, wer die Entfernung zwischen zwei Dingen im Raum misst, wenn die Messungen mit der erforderlichen Sorgfalt vorgenommen werden, müssen die Ergebnisse stets übereinstimmen. Und obwohl wir es noch nicht direkt angesprochen haben, behauptete Newton das Gleiche auch von der Zeit. Seine Beschreibung der Zeit in den *Principia* erinnert stark an die Formulierung, die er für den Raum verwendet: »Die ... Zeit verfliesst an sich und vermöge ihrer Natur gleichförmig, und ohne Beziehung auf irgendeinen äußeren Gegenstand.«[3] Laut Newton gibt es also einen universellen, absoluten Zeitbegriff, der überall und immer gültig ist. In einem Newtonschen Universum werden die Zeitmessungen immer übereinstimmen, wenn sie sorgfältig genug vorgenommen werden, ganz gleich, wer misst, wie viel Zeit ein Geschehen in Anspruch genommen hat.

Diese Annahmen über Zeit und Raum entsprechen unserer alltäglichen Erfahrung und liegen deshalb der Schlussfolgerung des gesunden Menschenverstands zugrunde, wonach die Bewegung des Lichts langsamer erscheinen müsste, wenn wir hinter ihm herlaufen. Stellen wir uns dazu vor, Bart Simpson, der gerade ein neues, mit Atomkraft betriebenes Skateboard geschenkt bekommen hat, beschließt, sich den ultimativen Kick zu geben und einen Lichtstrahl zu fangen. Obwohl er zu seiner Enttäuschung feststellen muss, dass die Höchstgeschwindigkeit des Skateboards lediglich 200 000 Kilometer pro Stunde beträgt, ist er entschlossen, sein Bestes zu geben. Seine halbwüchsige Schwester Lisa steht mit einem Laser bereit; sie zählt rückwärts von 11 (der Lieblingszahl ihres Helden Schopenhauer), und als sie bei 0 ankommt, zischen Bart und der Laserstrahl davon. Was sieht sie? Nun, in jeder Sekunde, die verstreicht, sieht Lisa das Licht 300 000 Kilometer zurücklegen, während Bart nur 200 000 Kilometer schafft, daher schließt Lisa völlig zu Recht, das Licht müsse sich von Bart mit einer Geschwindigkeit von 100 000 Kilometern pro Sekunde entfernen. Lassen Sie uns jetzt Newton in die Geschichte einführen. Seine Theorie verlangt, dass Lisas Beobachtungen über Raum und Zeit insofern absolut und universell sind, als jeder, der diese Messungen vornähme, zu den gleichen Ergebnissen käme. Für Newton waren solche Fakten über die Bewegung durch Raum und Zeit so objektiv wie die Rechnung zwei plus zwei gleich vier. Laut Newton müsste Bart also zum gleichen Ergebnis kommen wie Lisa und berichten, dass der Lichtstrahl sich mit einer Geschwindigkeit von 100 000 Kilometern pro Sekunde von ihm entfernt habe.

Doch als Bart zurückkehrt, erklärt er stattdessen niedergeschlagen, dass sich das Licht, ganz gleich, was er getan habe, um so viel wie möglich aus seinem Skateboard herauszuholen, stets mit 300 000 Kilometern pro Sekunde von ihm entfernt habe und kein bisschen langsamer geworden sei.[4] Falls Sie Bart aus irgendeinem Grund misstrauen, denken Sie daran, dass in den letzten hundert Jahren Tausende von sorgfältigen Experimenten durchgeführt wurden, in denen die Lichtgeschwindigkeit mit Hilfe von beweglichen Quellen und Empfängern gemessen wurde, und dass alle diese Experimente Barts Beobachtungen hundertprozentig bestätigen.

Wie ist das möglich?

Einstein fand es heraus, und die Antwort, die er entdeckte, ist eine logische, aber sehr scharfsinnige Fortführung unserer bisherigen Überlegungen. Offenbar, so sein Ausgangspunkt, hat Bart andere Ergebnisse bei der Messung von Entfernungen und Zeiträumen erzielt als Lisa, das heißt, die Werte, mit denen er ausrechnet, wie schnell das Licht vor ihm zurückweicht, unterscheiden sich von ihren. Lassen wir uns das durch den Kopf gehen. Da Geschwindigkeit nichts anderes als Entfernung geteilt durch Zeit ist, gibt es für die Tatsache, dass Bart in Bezug auf die Geschwindigkeit, mit der das Licht ihm enteilte, zu einem anderen Ergebnis kommt als Lisa, beim besten Willen keine andere Erklärungsmöglichkeit. Newtons Ideen über den absoluten Raum und die absolute Zeit, so Einsteins Schluss, seien daher falsch. Experimentatoren, die sich, wie Bart und Lisa, relativ zueinander bewegen, erzielen keine identischen Werte, wenn sie Entfernungen und Zeitintervalle messen. Das war Einsteins Erkenntnis. Ihre verwirrenden Experimentaldaten zur Lichtgeschwindigkeit lassen sich nur erklären, wenn ihre Wahrnehmung von Raum und Zeit sich unterscheidet.

Raffiniert, aber nicht boshaft

Die Relativität von Raum und Zeit ist eine verblüffende Schlussfolgerung. Ich kenne sie seit mehr als 25 Jahren, trotzdem versetzt sie mich immer wieder in Verwunderung, wenn ich mich still hinsetze und über sie nachdenke. Aus der abgedroschenen Feststellung, dass die Lichtgeschwindigkeit konstant ist, schließen wir, *dass Raum und Zeit im Auge des Betrachters liegen.* Jeder von uns trägt seine eigene Uhr mit sich, sein eigenes Registriergerät für das Verstreichen der Zeit. Alle diese Uhren gehen gleichermaßen genau, doch wenn wir uns relativ zueinander bewegen, stimmen diese Uhren nicht mehr überein. Sie gehen nicht mehr synchron; sie messen zwischen denselben zwei gegebenen Ereignissen verschiedene Zeitintervalle. Gleiches gilt für die Entfernung. Jeder von uns trägt seine eigene Messlatte mit sich, sein eigenes Registriergerät für Entfernungen im Raum. Jede Messlatte ist gleich genau, doch wenn wir uns relativ zueinander bewegen, stimmen diese Messlatten nicht mehr überein. Sie messen verschiedene Entfernungen zwischen Schauplätzen zweier bestimmter Ereignisse. Würden sich Raum und Zeit nicht auf diese Weise verhalten, wäre die Lichtgeschwindigkeit nicht konstant und hinge vom Bewegungszustand des Beobachters ab. Doch sie *ist* konstant. Raum und Zeit *verhalten* sich auf diese Weise. Raum und Zeit passen sich in genau abgestimmter Weise aneinander an, so dass die Beobachtung der Lichtgeschwindigkeit immer das gleiche Ergebnis hervorbringt, unabhängig von der Geschwindigkeit des Beobachters.

Die quantitativen Einzelheiten zu verstehen – wie genau diese Unterschiede in den Messungen von Zeit und Raum zustande kommen – ist etwas komplizierter, setzt aber nur die Algebra der Sekundärstufe voraus. Anspruchsvoll ist Einsteins spezielle Relativitätstheorie nicht, weil ihre Mathematik besonders komplex wäre, sondern weil ihre Ideen äußerst fremd sind und im Widerspruch zu unserer Alltagserfahrung zu stehen scheinen. Doch sobald Einstein die entscheidende Erkenntnis gewonnen hatte – die Einsicht, dass er mit Newtons mehr als zweihundert Jahre altem Begriff von Raum und Zeit brechen müsse –, hatte er keine Mühe, die Einzelheiten zu ergänzen. Er konnte exakt nachweisen, wie die Entfernungs- und Zeitmessungen eines Beobachters sich von denen eines anderen unterscheiden müssen, damit sichergestellt ist, dass alle Messungen einen identischen Wert für die Lichtgeschwindigkeit ergeben.[5]

Ein klareres Bild dessen, was Einstein herausgefunden hat, können wir gewinnen, wenn wir uns vorstellen, dass Bart schweren Herzens den Auflagen der Straßenverkehrsordnung nachkommt und sein Skateboard so abrüstet, dass es der Geschwindigkeitsbegrenzung von 100 Kilometern pro Stunde (rund 28 Meter pro Sekunde) genügt. Als er mit seiner neuen Höchstgeschwindigkeit nordwärts fährt – lesend, pfeifend, gähnend und nur gelegentlich einen Blick auf die Straße werfend – und sich dann auf einen Highway einfädelt, der in nordöstliche Richtung führt, beträgt seine Geschwindigkeit in nördliche Richtung *weniger* als 100 Stundenkilometer. Der Grund liegt auf der Hand. Anfänglich kam sein gesamtes Tempo der nördlichen Richtung zugute, doch nun, wo er die Richtung geändert hat, trägt ein Teil des Tempos zu seiner Bewegung in die östliche Richtung bei, so dass für die Fahrt nach Norden ein bisschen weniger Tempo bleibt. Diese außerordentlich einfache Idee macht es uns leichter, die entscheidende Erkenntnis der speziellen Relativität zu begreifen. Hier ist sie:

Wir sind daran gewöhnt, dass sich Objekte durch den Raum bewegen können. Doch es gibt noch eine andere Art von Bewegung, die ebenso wichtig ist: Objekte bewegen sich auch durch die Zeit. In diesem Augenblick zeigt das Ticken Ihrer Armbanduhr und der Wanduhr, dass Sie sich samt allem, was sich in Ihrer Umgebung befindet, unablässig durch die Zeit bewegen, ständig unterwegs von einer Sekunde zur nächsten und wieder zur nächsten. Newton glaubte, die Bewegung durch die Zeit sei vollkommen getrennt von der Bewegung durch den Raum – er meinte, diese beiden Bewegungsarten hätten nichts miteinander zu tun. Doch Einstein fand heraus, dass sie auf das engste miteinander verknüpft sind. Tatsächlich ist *die* revolutionäre Entdeckung der speziellen Relativitätstheorie die folgende: Wenn Sie etwas anschauen, zum Beispiel ein geparktes Auto, das von Ihrem Blickwinkel aus ruhend ist – das heißt, sich nicht durch den Raum bewegt –, erfolgt seine *gesamte* Bewegung durch die Zeit. Das Auto, sein Fahrer, die Straße, Sie, Ihre Kleidung – alles bewegt sich vollkommen synchron durch die Zeit: Sekunde folgt auf Sekunde im gleichförmigen Verstreichen der Zeit. Doch wenn das Auto davonfährt, wird ein Teil seiner Bewegung durch die Zeit *umgelenkt*, umgewandelt in Bewegung durch den Raum. So wie sich Barts Tempo in nördliche Richtung verlangsamte, als er einen Teil seiner nördlichen Bewegung in östliche Bewegung umwandelte, so verlangsamt sich das Tempo des Autos durch die *Zeit*, wenn es einen Teil seiner Bewegung durch die Zeit in Bewegung durch den *Raum* umwandelt. Das heißt: Das Vorankommen des Autos in der Zeit verlangsamt sich, und damit *verstreicht die Zeit für das bewegte Auto und seinen Fahrer langsamer als für Sie und alles, was in Ruhe bleibt.*

Das ist in Kürze die spezielle Relativitätstheorie. Wir können sogar noch ein bisschen genauer werden und die Beschreibung einen Schritt weiterführen. Durch die verlangte Abrüstung blieb Bart nichts anderes übrig, als die Höchstgeschwindigkeit auf 100 Stundenkilometer zu begrenzen. Das ist wichtig für unsere Geschichte, weil er das nordöstliche Abbiegen durch eine entsprechende Temposteigerung hätte ausgleichen und auf diese Weise das gleiche Tempo Richtung Norden beibehalten können. Doch infolge des Umbaus konnte er seinen Skateboardmotor noch so quälen, seine Gesamtgeschwindigkeit – die Vereinigung aus dem Tempo nach Norden und dem Tempo nach Osten – blieb auf maximal 100 Kilometer pro Stunde beschränkt. Als er daher seine Bewegungsrichtung ein bisschen nach Osten veränderte, bewirkte er damit zwangsläufig ein vermindertes Tempo Richtung Norden.

Ein ähnliches Gesetz verkündet die spezielle Relativitätstheorie für alle Bewegung: *Die vereinigte Geschwindigkeit der Bewegung eines beliebigen Objekts durch den Raum und seiner Bewegung durch die Zeit ist immer exakt gleich der Lichtgeschwindigkeit.* Zunächst wird Ihnen diese Aussage instinktiv gegen den Strich gehen, da wir alle an die Idee gewöhnt sind, dass nichts außer dem Licht sich mit Lichtgeschwindigkeit fortbewegen kann. *Doch diese vertraute Idee betrifft nur die Bewegung durch den Raum.* Wir sprechen jetzt über ein verwandtes, aber komplexeres Phänomen: Die kombinierte Bewegung eines Objekts durch Raum und Zeit. Dabei ist, wie Einstein entdeckte, entscheidend, dass die beiden Bewegungsarten immer komplementär sind. Wenn das geparkte Auto, das Sie betrachten, davonrast, passiert in Wirklichkeit Folgendes: etwas von seiner Lichtgeschwindigkeitsbewegung wird aus Bewegung durch die Zeit in Bewegung durch den Raum verwandelt, *so dass die kombinierte Gesamtgeschwindigkeit unverändert bleibt.* Eine solche Umlenkung bedeutet ohne jeden Zweifel, dass sich die Bewegung des Autos durch die Zeit verlangsamt.

Betrachten wir ein Beispiel: Hätte Lisa Barts Uhr sehen können, während er mit 200 000 Kilometern pro Sekunde dahinschoss, hätte sie erkennen können, dass seine Uhr etwa zwei Drittel so schnell tickte wie ihre eigene. Für je drei Stunden, die auf ihrer Uhr angezeigt worden wären, hätte sie nur zwei auf Barts verstreichen sehen. Seine rasche Bewegung durch den Raum hätte ihm einen empfindlichen Tempoverlust bei seiner Reise durch die Zeit gebracht.

Mehr noch, die Höchstgeschwindigkeit durch den Raum ist erreicht, wenn die gesamte lichtschnelle Bewegung durch die Zeit vollständig zu einer lichtschnellen Bewegung durch den Raum geworden ist – was erklärt, warum es unmöglich ist, sich mit mehr als der Lichtgeschwindigkeit durch den Raum zu bewegen. Das Licht, das sich immer mit Lichtgeschwindigkeit im Raum ausbreitet, ist insofern ein Sonderfall, als es diese Richtungsänderung komplett vollzogen hat. Und wie genau nach Westen zu fahren keine Bewegung für eine Fahrt nach Norden übrig lässt, so lässt die Bewegung mit Lichtgeschwindigkeit durch den Raum keine Bewegung für die Reise durch die Zeit übrig! Die Zeit kommt zum Stillstand, wenn sich etwas mit Lichtgeschwindigkeit durch den Raum bewegt. Eine Uhr, von einem Lichtteilchen getragen, würde überhaupt nicht mehr ticken. Das Licht verwirklicht die Träume von Ponce de León und der Kosmetikindustrie.[6]

Wie aus dieser Beschreibung hervorgeht, sind die Effekte der speziellen Relativitätstheorie am deutlichsten, wenn die Geschwindigkeiten (durch den Raum) einen nennenswerten Bruchteil der Lichtgeschwindigkeit ausmachen. Allerdings gilt in allen Fällen die fremdartige, komplementäre Natur der Bewegung durch Raum und Zeit. Je niedriger die Geschwindigkeit, desto kleiner die Abweichung von der vorrelativistischen Physik – das heißt, vom gesunden Menschenverstand –, doch die Abweichung ist immer vorhanden, das steht fest.

Wirklich und wahrhaftig. Das ist kein raffiniertes Wortspiel, kein Taschenspielertrick, keine psychologische Täuschung, sondern die Art und Weise, wie das Universum im Innersten zusammenhängt.

1971 ließen Josef Hafele und Richard Keating Cäsiumuhren modernster Art in einem Verkehrsflugzeug der PanAm um die Erde fliegen. Als sie die Uhren an Bord des Flugzeugs mit identischen Uhren verglichen, die stationär am Boden geblieben waren, stellten die Forscher fest, dass auf den bewegten Uhren weniger Zeit verstrichen war. Der Unterschied war winzig – ein paar hundert milliardstel Sekunden –, entsprach aber exakt Einsteins Entdeckungen. Konkretere Beweise können Sie schwerlich verlangen.

1908 verlautete gerüchteweise, neue, verbesserte Experimente hätten Hinweise auf den Äther entdeckt.[7] Wenn dem so gewesen wäre, hätte das bedeutet, dass es ein absolutes ruhendes Bezugssystem gibt. Damit wäre Einsteins spezielle Relativitätstheorie widerlegt gewesen. Als Einstein von diesen Gerüchten hörte, erwiderte er: »Raffiniert ist der Herrgott, aber boshaft ist Er nicht.« Tief genug in die innersten Zusammenhänge der Natur zu schauen, um Erkenntnisse über die Beschaffenheit von Raum und Zeit zu gewinnen, war ein überaus schwieriges Unterfangen, an dem vor Einstein jeder Forscher gescheitert war. Doch die Existenz einer so verblüffenden und schönen Theorie zuzulassen, um anschließend zu zeigen, dass sie für die inneren Zusammenhänge des Universums ohne Belang ist, wäre tatsächlich boshaft. Davon wollte Einstein nichts wissen, er glaubte nicht an die neuen Experimente. Zu Recht. Am Ende stellte sich heraus, dass die Ergebnisse falsch waren, und der Lichtäther verflüchtigte sich aus dem wissenschaftlichen Diskurs.

Und was ist mit dem Eimer?

Für das Licht sah die Sache gut aus. Theorie wie Experiment kommen zu dem Ergebnis, dass das Licht kein Medium braucht, das seine Wellen überträgt, und dass seine Geschwindigkeit unabhängig von der Bewegung der Lichtquelle oder des Beobachters ein für alle Mal festgelegt und unveränderlich ist. Jeder Standpunkt ist gleichwertig mit jedem anderen. Es gibt kein absolutes oder bevorzugtes ruhendes Bezugssystem. Großartig. Aber was ist mit dem Eimer?

Erinnern wir uns: Zwar verstanden viele Physiker den Lichtäther als die physikalische Substanz, die Newtons absolutem Raum Glaubwürdigkeit verlieh, sie hatte aber nichts mit der Frage zu tun, *warum* Newton den absoluten Raum einführte. Nachdem Newton mit dem Problem der beschleunigten Bewegung, etwa der des rotierenden Eimers, gerungen hatte, sah er keine andere Möglichkeit, als sich auf irgendeine unsichtbare Hintergrundsubstanz zu berufen, relativ zu der sich die Bewegung eindeutig bestimmen ließ. Den Äther aus der Welt zu schaffen, hieß noch lange nicht, den Eimer aus der Welt zu schaffen. Also, wie kamen Einstein und seine spezielle Relativitätstheorie mit diesem Problem zu Rande?

Nun, um die Wahrheit zu sagen, ging es Einstein in der speziellen Relativitätstheorie in erster Linie um eine besondere Form der Bewegung: die Bewegung mit konstanter Geschwindigkeit. Erst 1915, rund zehn Jahre später, gelang es ihm, den allgemeineren Fall, die beschleunigte Bewegung, mit Hilfe seiner allgemeinen Relativitätstheorie zu klären. Dennoch versuchten Einstein und andere wiederholt, die Frage der Rotationsbewegung mit den Erkenntnissen der speziellen Relativitätstheorie anzugehen. Wie Newton und im Gegensatz zu Mach gelangten sie zu dem Schluss, dass man selbst in einem ansonsten leeren Universum beim Rotieren die nach außen ziehende Kraft verspüren würde: Homer Simpson würde fühlen, wie er gegen die Innenwand des rotierenden Eimers gepresst wird; das Seil zwischen den beiden wirbelnden Steinen würde sich straffen.[8] Wie erklärte Einstein das, nachdem er Newtons absoluten Raum und absolute Zeit demontiert hatte?

Die Antwort ist überraschend. Entgegen ihrem Namen verkündet Einsteins Theorie durchaus nicht, dass alles relativ sei. Zwar behauptet die spezielle Relativitätstheorie, dass *einige* Dinge relativ sind: Geschwindigkeiten sind relativ; Entfernungen im Raum sind relativ; Zeitintervalle sind relativ. Aber die Theorie führt ein umfassendes, neues und absolutes Konzept ein: die *absolute Raumzeit*. Die absolute Raumzeit ist für die spezielle Relativitätstheorie so absolut, wie der absolute Raum und die absolute Zeit es für Newton waren. Teilweise aus diesem Grund hat Einstein den Namen »Relativitätstheorie« weder vorgeschlagen noch sonderlich gemocht. Stattdessen befürworteten er und andere Physiker die Bezeichnung *Invarianztheorie*, womit sie darauf hinweisen wollten, dass die Theorie im Kern etwas beschreibt, über das alle Einigung erzielen können und das damit *nicht* relativ ist.[9]

Die absolute Raumzeit ist das entscheidende nächste Kapitel in der Geschichte des Eimers, weil die absolute Raumzeit, selbst wenn sie aller materiellen Bezugspunkte zur Definition von Bewegung beraubt ist, ein Etwas bietet, relativ zu dem sich die Beschleunigung von Objekten bestimmen lässt.

Raum und Zeit zurechtschnitzen

Stellen Sie sich dazu vor, Marge und Lisa Simpson, die ihre gemeinsame Zeit als Mutter und Tochter sinnvoll gestalten möchten, nehmen an einem Stadterneuerungskurs für Fortgeschrittene teil. Als Erstes bekommen sie die Aufgabe, das Straßennetz ihrer Heimatstadt Springfield mit seinen Längsstraßen (Avenues) und Querstraßen (Streets) zu verändern. Dabei sind zwei Bedingungen zu erfüllen: Erstens soll das Kernkraft-Denkmal direkt im Mittelpunkt des Netzes, Ecke 5. Quer- und 5. Längsstraße, liegen, und zweitens soll der Plan Querstraßen von 100 Metern Länge verwenden, die genau rechtwinklig zu Längsstraßen von ebenfalls 100 Metern Länge verlaufen. Kurz vor Kursbeginn vergleichen Marge und Lisa ihre Pläne und bemerken, dass irgendetwas schrecklich schief gelaufen ist. Nachdem Marge ihr Netz so angeordnet hat, dass das Kernkraft-Denkmal im Mittelpunkt liegt, stellt sie fest, dass sich der Kwik-E-Markt Ecke 8. Quer- und 5. Längsstraße und das Kernkraftwerk Ecke 3. Quer- und 5. Längsstraße befinden, wie in Abbildung 3.2 (a) gezeigt. Doch in Lisas Plan sind die Adressen ganz anders: Der Kwik-E-Markt ist in der Nähe der Ecke 7. Quer- und 3. Längsstraße, während das Kraftwerk sich Ecke 4. Quer- und 7. Längsstraße befindet, wie in Abbildung 3.2 (b) dargestellt. Offenbar hat eine von beiden einen Fehler gemacht.

Doch nachdem Lisa einen Augenblick nachgedacht hat, wird ihr klar, wie sich die Sache tatsächlich verhält. Niemand hat Fehler gemacht. Sie und Marge haben beide Recht. Sie haben nur verschiedene Ausrichtungen für das Netz ihrer Quer- und Längsstraßen gewählt. Marges Quer- und Längsstraßen verlaufen relativ zu Lisas in einem bestimmten Winkel. Ihre Netze sind relativ zu-

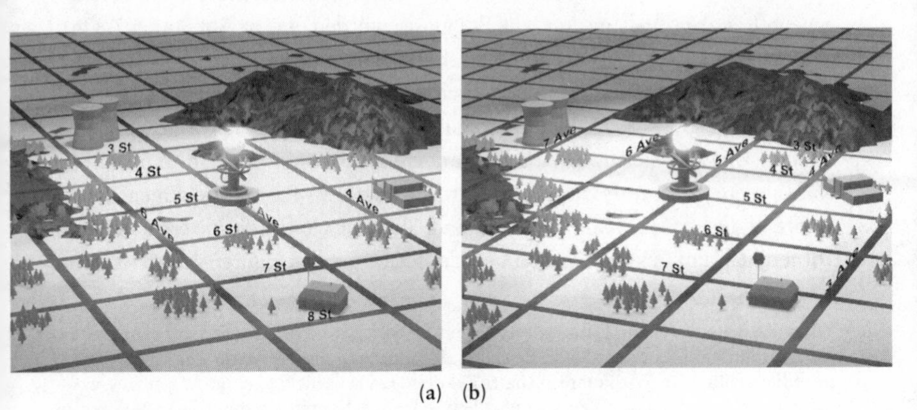

(a) (b)

Abbildung 3.2 (**a**) Marges Straßenplan. (**b**) Lisas Straßenplan.

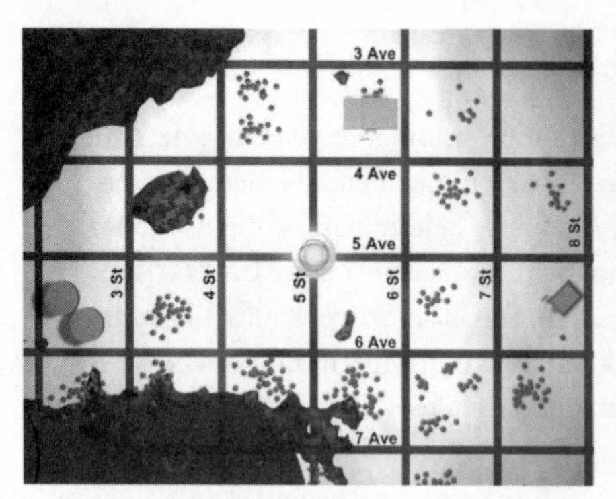

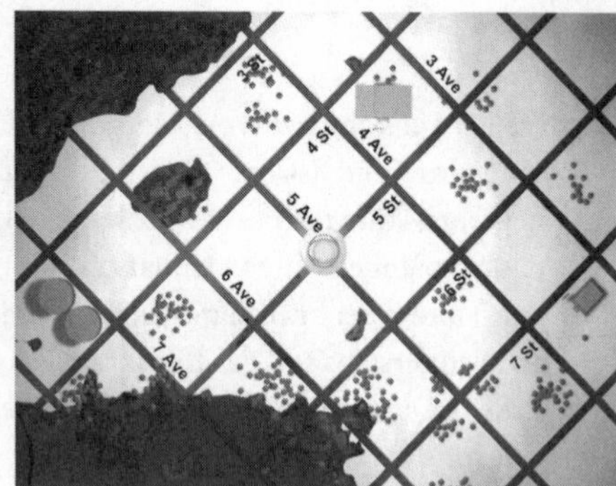

Abbildung 3.2 (c) Marges und Lisas Quer- und Längsstraßenpläne aus der Vogelperspektive. Ihre Netze unterscheiden sich durch eine Drehung.

einander gedreht. Die beiden haben Springfield auf zwei verschiedene Weisen in Quer- und Längsstraßen aufgeteilt (siehe Abbildung 3.2 [c]). Die Lehre, die wir daraus ziehen, ist einfach, aber wichtig. Bei der Aufteilung von Springfield – einer Raumregion – in Quer- und Längsstraßen herrscht Wahlfreiheit. »Absolute« Querstraßen oder »absolute« Längsstraßen gibt es nicht. Marges Entscheidung ist ebenso gültig wie Lisas – oder irgendeine andere Ausrichtung.

Halten Sie sich das vor Augen, während wir die Zeit in das Bild aufnehmen. Wir sind daran gewöhnt, uns den Raum als den Schauplatz des Universums vorzustellen; nun ereignen sich aber physikalische Prozesse in einer Raumregion *während eines Zeitintervalls*. Stellen Sie sich beispielsweise vor, Itchy und Scratchy, die Comicfiguren aus der Krusty-Show in der Simpson-Welt, trügen ein Revolverduell aus, und die Ereignisse würden, wie in Abbildung 3.3 (a) gezeigt, Augenblick für Augenblick nach Art eines altmodischen Daumenkinos aufgezeichnet: jede Seite eine »Zeitscheibe« – wie ein Bild auf einem Filmstreifen –, die zeigt, was in einer Zeitregion zu einem gegebenen Zeitpunkt geschieht. Um zu sehen, was zu einem anderen Zeitpunkt geschah, müssen Sie eine andere Seite aufschlagen.* (Natürlich ist der Raum dreidimensional, während die Seiten zweidimensional sind, aber wir wollen diese Vereinfachung vornehmen, um uns das Denken und das Zeichnen der Figuren zu erleichtern.

* Wie die Seiten in einem Daumenkino zeigen die Seiten in Abbildung 3.3 nur repräsentative Zeitpunkte. Das bringt Sie vielleicht zu der interessanten Frage, ob Zeit diskret oder unendlich teilbar ist. Wir kommen später auf diese Frage zurück, aber im Augenblick wollen wir uns vorstellen, die Zeit sei unendlich teilbar, daher müsste unser Daumenkino in Wirklichkeit unendlich viele Seiten zwischen den gezeigten aufweisen.

Dadurch wird keine unserer Schlussfolgerungen beeinträchtigt.) Gemäß der Terminologie bezeichnet man eine Raumregion, die während eines Zeitintervalls betrachtet wird, als eine *Raumzeitregion*; Sie können sich eine Raumzeitregion als eine Aufzeichnung aller Dinge vorstellen, die sich während einer bestimmten Zeitspanne in einer bestimmten Raumregion ereignen.

Folgen wir nun der Einsicht von Einsteins Mathematikprofessor Hermann Minkowski (der seinen jungen Studenten einst einen faulen Hund nannte) und denken wir uns die Raumzeitregion als ein eigenes Gebilde: Sehen wir das vollständige Daumenkino als ein eigenständiges Objekt an. Dazu verbreitern wir vor unserem geistigen Auge den Einband des Daumenkinos wie in Abbildung 3.3 (b) und stellen uns dann alle Seiten vollkommen durchsichtig vor, so dass wir bei einem Blick auf das Buch einen durchgehenden Block vor uns hätten, der alle Ereignisse enthielte, die in einem gegebenen Zeitintervall geschehen. Aus dieser Perspektive betrachtet, wären die Seiten einfach eine Möglichkeit, den Inhalt des Blocks – das heißt die Raumzeitereignisse – zu organisieren. So wie uns das Netz der Quer- und Längsstraßen mühelos bestimmte Orte in einer Stadt bezeichnen lässt, indem wir einfach ihre Längs- und Querstraßenadresse angeben, so gestattet uns die Unterteilung des Raumzeitblocks in Seiten, ein Raumzeitereignis zu bezeichnen (Itchy feuert seinen Colt ab, Scratchy wird getroffen und so fort), indem wir einfach den Zeitpunkt angeben, zu dem das Ereignis passiert – die Seite, auf der es erscheint –, und den Ort innerhalb der auf den Seiten abgebildeten Raumregion bezeichnen.

Hier kommt der entscheidende Punkt: Wie Lisa erkennt, dass es verschiedene gleichberechtigte Möglichkeiten gibt, eine Raumregion in Quer- und Längsstraßen aufzuteilen, so wurde Einstein klar, dass es verschiedene gleichberechtigte Möglichkeiten gibt, eine Raumzeitregion – einen Block wie in Abbildung 3.3 (c) – in Raumregionen zu bestimmten Zeitpunkten aufzuteilen. *Die Seiten in den Abbildungen 3.3 (a), (b) und (c)* – die, wie gesagt, jeweils einen Zeitpunkt bezeichnen – *repräsentieren nur eine von vielen Aufteilungsmöglichkeiten.* Das mag wie eine unbedeutende Erweiterung dessen klingen, was wir intuitiv über den Raum wissen, und doch ist diese Einsicht verantwortlich dafür, dass eine unserer selbstverständlichsten intuitiven Annahmen über die Welt widerlegt wurde, eine Überzeugung, die seit Jahrtausenden unbestritten galt. Bis 1905 glaubte man, alle Menschen erführen das Verstreichen der Zeit auf identische Weise, alle wären sich einig, welche Ereignisse zu einem gegebenen Zeitpunkt geschähen, und alle könnten daher Übereinstimmung in der Frage erzielen, was auf einer gegebenen Seite im Daumenkino der Raumzeit passiere. Doch als Einstein begriff, dass auf den Uhren zweier Beobachter in relativer Bewegung zueinander die Zeit je anders verstreicht, veränderte sich die-

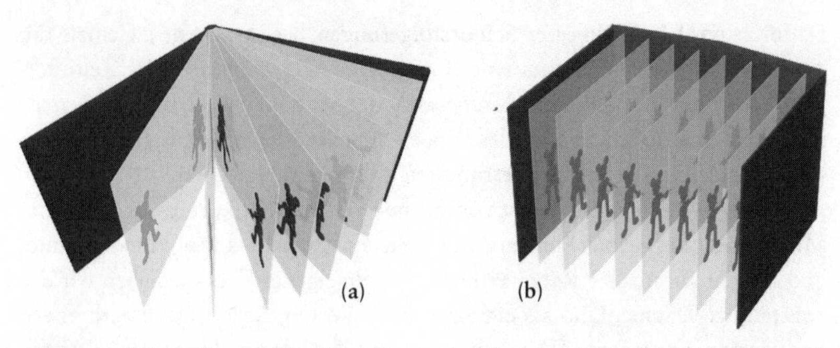

Abbildung 3.3 (**a**) Daumenkino-Darstellung eines Revolverduells. (**b**) Daumenkino mit verbreitertem Einband.

ses Bild von Grund auf. Uhren, die sich relativ zueinander bewegen, laufen nicht mehr synchron und führen daher zu unterschiedlichen Gleichzeitigkeitsbegriffen. Jede Seite in Abbildung 3.3 (b) ist nur die Ansicht *eines* Beobachters von den Ereignissen im Raum, die sich in ein und demselben Augenblick seiner Zeit zutragen. Ein anderer Beobachter, der sich relativ zum ersten bewegt, würde dagegen behaupten, dass die Ereignisse auf einer einzigen dieser Seiten *nicht* alle zur selben Zeit geschehen.

Dieses Phänomen heißt *Relativität der Gleichzeitigkeit*, ein Phänomen, das wir direkt beobachten können. Stellen wir uns vor, Itchy und Scratchy stehen sich, die Colts in den Pfoten, an den gegenüberliegenden Enden eines langen Gangs in einem fahrenden Eisenbahnwaggon gegenüber. Einer der Sekundan-

Abbildung 3.3 (c) Raumzeitblock, der das Revolverduell enthält. Seiten oder »Zeitscheiben« organisieren die Ereignisse im Block. Die Zwischenräume zwischen den Scheiben dienen nur der besseren Übersichtlichkeit, sie sollen nicht den Eindruck erwecken, die Zeit sei diskret – eine Frage, die wir später erörtern werden.

ten befindet sich im Zug, ein anderer auf dem Bahnsteig. Um das Duell so fair wie möglich zu gestalten, sind die Parteien übereingekommen, auf die Drei-Schritt-Regel zu verzichten und stattdessen erst zu feuern, wenn ein Häufchen Schießpulver, das genau zwischen ihnen aufgeschüttet wurde, explodiert. Apu, der erste Sekundant, steckt die Zündschnur an, nimmt einen Schluck von seinem erfrischenden Chutney-Squishee, dem Kultgetränk der Simpsons, und tritt zurück. Das Schießpulver flammt auf, woraufhin Itchy und Scratchy ziehen und feuern. Da Itchy und Scratchy den gleichen Abstand vom Schießpulver haben, ist sich Apu sicher, dass das Licht der Stichflamme sie gleichzeitig erreicht, daher hebt er die grüne Flagge und erklärt, alles sei regelkonform abgelaufen. Doch Martin, der zweite Sekundant, der das Geschehen vom Bahnsteig aus verfolgt hat, kreischt »Betrug!« und behauptet, Itchy habe das Lichtsignal vor Scratchy empfangen. Da der Zug vorwärts gefahren sei, habe sich Itchy auf das Licht zubewegt, während sich Scratchy von ihm entfernt habe. Mit anderen Worten: Das Licht habe eine kürzere Strecke zurücklegen müssen, um Itchy zu erreichen, da dieser sich dem Licht genähert habe. Umgekehrt habe das Licht zu Scratchy einen weiteren Weg machen müssen, denn dieser habe sich von ihm entfernt. Da das Licht, das sich aus der Sicht aller Beteiligten entweder nach links oder nach rechts bewegt habe, eine konstante Geschwindigkeit aufweise, habe es länger gebraucht, um Scratchy zu erreichen, weil es eine längere Strecke habe zurücklegen müssen; daher sei das Duell unfair gewesen.

Wer hat Recht, Apu oder Martin? Einsteins unerwartete Antwort lautet: Beide haben Recht. Zwar unterscheiden sich die Schlussfolgerungen unserer beiden Sekundanten, doch sind beider Beobachtungen und Logik vollkommen richtig. Wie der Schlagmann und der Baseball betrachten sie dieselbe Ereignisfolge einfach aus unterschiedlichen Blickwinkeln. Einstein verdanken wir die schockierende Erkenntnis, dass sich aus ihren verschiedenen Perspektiven unterschiedliche, aber gleichberechtigte Behauptungen darüber ergeben, ob zwei gegebene Ereignisse zur selben Zeit geschehen oder nicht. Bei alltäglichen Geschwindigkeiten wie der des Zuges sind die Abweichungen natürlich klein – Martin behauptet, Scratchy habe das Licht weniger als eine billionstel Sekunde vor Itchy wahrgenommen –, doch führe der Zug schneller, nahe der Lichtgeschwindigkeit, wäre der Zeitunterschied erheblich.

Überlegen Sie, was das für die Seiten des Daumenkinos bedeutet, die eine Raumzeitregion zerlegen. Da sich Beobachter, die sich relativ zueinander bewegen, nicht einig sind, welche Dinge gleichzeitig geschehen, können auch die Seiten, in die jeder von ihnen einen Raumzeitblock zerlegt – dergestalt, dass jede Seite alle Ereignisse enthält, die sich aus der Perspektive jedes Beobachters zu einem gegebenen Zeitpunkt ereignen –, nicht übereinstimmen. Vielmehr zerteilen Beobachter in relativer Bewegung zueinander einen Raumzeitblock in verschiedene, aber gleichberechtigte Zeitscheiben. Was Lisa und Marge in Hinblick auf den Raum herausfanden, hat Einstein in Hinblick auf die Raumzeit entdeckt.

Verkanten der Scheiben

Man kann den Vergleich zwischen einem Netz von Quer- und Längsstraßen einerseits und der Aufteilung der Raumzeit in Scheiben andererseits sogar noch etwas weiter treiben. Genau wie sich Marges und Lisas Pläne durch eine Drehung unterschieden, so unterscheiden sich auch Apus und Martins Zeitscheiben, die Seiten ihres jeweiligen Daumenkinos, durch eine Drehung, die aber in diesem Fall sowohl den Raum als auch die Zeit betrifft. Das ist ersichtlich aus den Abbildungen 3.4 (a) und 3.4 (b), in denen wir erkennen, dass Martins Scheiben relativ zu Apus gedreht sind, was ihn zu dem Schluss brachte, das Duell sei unfair gewesen. Ein kleiner, aber entscheidender Unterschied ist allerdings, dass der Drehwinkel zwischen Apus und Martins Scheiben durch die relative Geschwindigkeit der beiden Beobachter bestimmt wird. Warum sich das so verhält, können wir ohne große Mühe nachvollziehen.

Stellen Sie sich vor, Itchy und Scratchy hätten sich wieder versöhnt. Sie wollen einander nicht mehr erschießen, sondern sich lediglich davon überzeugen, dass die Uhren im vorderen und im hinteren Teil des Zuges vollkommen synchron sind. Da sie sich noch immer in vollkommen gleicher Entfernung vom Schießpulver befinden, entwickeln sie folgenden Plan. Sie wollen ihre Uhren genau auf 12:00 stellen, sobald sie die Stichflamme des Schießpulvers sehen. Aus ihrer Perspektive muss das Licht die gleiche Entfernung zurücklegen, um einen von ihnen zu erreichen, und da die Lichtgeschwindigkeit konstant ist, wird es sie gleichzeitig erreichen. Doch aus den gleichen Gründen wie oben sagt Martin – und jeder andere Beobachter auf dem Bahnsteig –, dass sich Itchy auf das emittierte Licht zubewegt, während Scratchy sich von ihm entfernt, daher, so Martin, müsse das Lichtsignal Itchy etwas früher als Scratchy erreichen. Die Beobachter auf dem Bahnsteig gelangen deshalb zu dem Schluss, Itchy habe seine Uhr *vor* Scratchy auf zwölf gestellt, und behaupten, Itchys Uhr gehe gegenüber Scratchys ein bisschen vor. Für einen Beobachter, der sich wie Martin auf dem Bahnsteig befindet, könnte Itchys Uhr beispielsweise 12:06 zeigen, Scratchys dagegen erst 12:04 (die genauen Zahlen hängen von der Länge und der Geschwindigkeit des Zuges ab; je länger und schneller er ist, desto größer die Diskrepanz). Doch aus dem Blickwinkel von Apu und allen Mitreisenden im Zug ist Itchy und Scratchy die Synchronisation vollkommen gelungen. In-

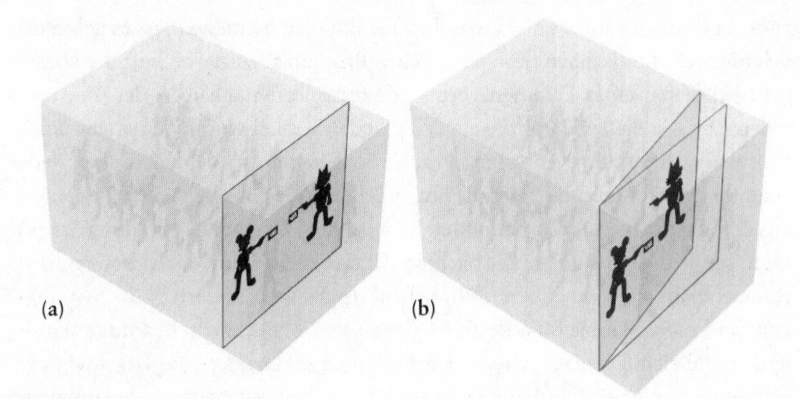

Abbildung 3.4 Zeitscheiben aus der Sicht von (**a**) Apu und (**b**) Martin, die sich relativ zueinander bewegen. Ihre Scheiben unterscheiden sich durch eine Drehung in Raum und Zeit. Laut Apu, der sich im Zug befindet, ist das Duell fair, doch Martin, der auf dem Bahnsteig steht, ist anderer Meinung. Beide Ansichten sind gleichwertig. In (**b**) wird der unterschiedliche Winkel ihrer Scheiben in der Raumzeit verdeutlicht.

tuitiv widerstrebt es uns auch hier zutiefst zuzugeben, dass kein Paradox vorliegt: *Beobachter in relativer Bewegung zueinander stimmen in Bezug auf Gleichzeitigkeit nicht überein – sie sind sich nicht einig über die Frage, welche Dinge zu welcher Zeit geschehen.*

Mit anderen Worten: Auf einer Seite im Daumenkino, die aus der Sicht der Mitreisenden im Zug gleichzeitige Ereignisse enthält – beispielsweise das Stellen der Uhren durch Itchy und Scratchy –, liegen Ereignisse, die aus der Sicht der Beobachter auf dem Bahnsteig auf *verschiedene* Seiten gehören (laut den Bahnsteig-Beobachtern hat Itchy seine Uhr *vor* Scratchy gestellt, daher liegen diese beiden Ereignisse aus der Perspektive der Beobachter auf dem Bahnsteig auf verschiedenen Seiten). Da haben wir es. Eine einzige Seite aus Sicht der Beobachter im Zug enthält Ereignisse, die auf frühere oder spätere Seiten eines Bahnsteigbeobachters entfallen. Daher sind Martins und Apus Seiten in Abbildung 3.4 relativ zueinander gedreht: Was aus einer Perspektive eine einzelne Zeitscheibe ist, schneidet aus einer anderen Perspektive viele Zeitscheiben.

Wäre Newtons Begriff des absoluten Raums und der absoluten Zeit richtig, könnten sich alle auf eine einzige Aufteilung der Raumzeit in Scheiben einigen. Jede Scheibe würde den absoluten Raum repräsentieren, wie er in einem gegebenen Moment der absoluten Zeit gesehen würde. Doch die Wirklichkeit sieht anders aus, und der Wechsel von der rigiden Newtonschen Zeit zur neu entdeckten Einsteinschen Flexibilität legt die Einführung eines anderen Bildes nahe: Statt die Raumzeit als starres Daumenkino zu betrachten, ist es gelegentlich nützlich, sie als einen riesigen, frischen Brotlaib anzusehen. Statt der vorgegebenen Seiten eines Daumenkinos – die festgelegten Scheiben der Newtonschen Zeit – stellen wir uns die ganze Fülle der Winkel vor, in denen wir unser Brot wie in Abbildung 3.5 (a) in parallele Scheiben aufschneiden können. Jede Schnitte Brot repräsentiert den Raum, gesehen zu einem gegebenen Zeitpunkt aus der Perspektive eines bestimmten Beobachters. Doch wie Abbildung 3.5 (b) zeigt, schneidet ein anderer Beobachter, der sich relativ zum ersten bewegt, den Raumzeitlaib in einem anderen Winkel auf. Je größer die relative Geschwindigkeit der beiden Beobachter, desto größer ist der Winkel zwischen ihren jeweiligen parallelen Scheiben (wie in den Endnoten erklärt, legt die Geschwindigkeitsbegrenzung, die durch die Lichtgeschwindigkeit gegeben ist, den Drehwinkel dieser Scheibenaufteilung auf maximal 45 Grad fest[10]), und desto größer ist auch die Diskrepanz dessen, was nach Aussage der Beobachter im gleichen Augenblick geschehen ist.

Der Eimer im Lichte der speziellen Relativitätstheorie

Die Relativität von Zeit und Raum verlangt von uns eine dramatische Veränderung in unserem Denken. Doch es gibt einen wichtigen Punkt, der bereits erwähnt wurde und den ich hier durch den Brotlaib zu verdeutlichen versuche, einen Punkt, der häufig übersehen wird: *Nicht alles in der Relativitätstheorie ist relativ.* Auch wenn Sie und ich uns vorstellen, wir würden einen Laib Brot auf zwei verschiedene Arten aufschneiden, bliebe trotzdem etwas, über das wir vollkommene Einigung erzielen könnten: die Gesamtheit des Laibes selbst. Zwar unterschieden sich unsere Scheiben, aber wenn ich in meiner Vorstellung alle meine Scheiben und Sie in Ihrer Vorstellung alle Ihre Scheiben zusammenfügten, würden wir beide wieder den gleichen Brotlaib rekonstruieren. Wie sollte es auch anders sein? Schließlich haben wir uns beide vorgestellt, den gleichen Brotlaib aufzuschneiden.

Entsprechend ergibt die Gesamtheit aller Raumscheiben in aufeinander folgenden Momenten der Zeit aus der Perspektive eines beliebigen einzelnen Beobachters (siehe Abbildung 3.4) kollektiv die gleiche Raumzeitregion. Verschiedene Beobachter teilen eine Raumzeitregion auf verschiedene Arten auf, doch die Region selbst existiert, wie der Brotlaib, unabhängig davon. Obwohl Newton also die Sache eindeutig falsch aufgefasst hat, wurde seine intuitive Vermutung, dass es da etwas Absolutes geben müsse, etwas, worauf sich alle einigen könnten, von der speziellen Relativitätstheorie nicht vollständig widerlegt. Absoluten Raum gibt es nicht. Absolute Zeit gibt es nicht. Aber laut der

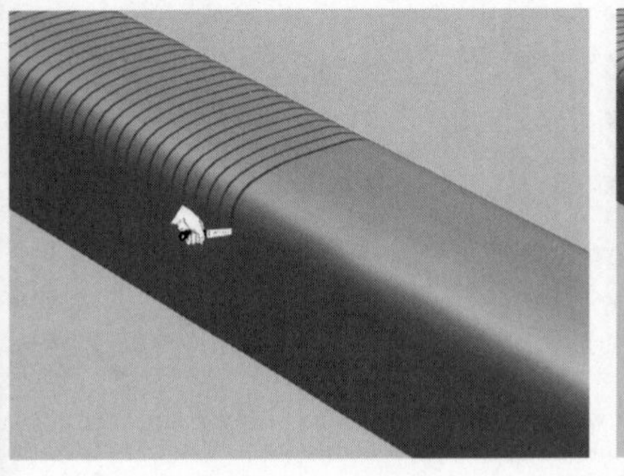

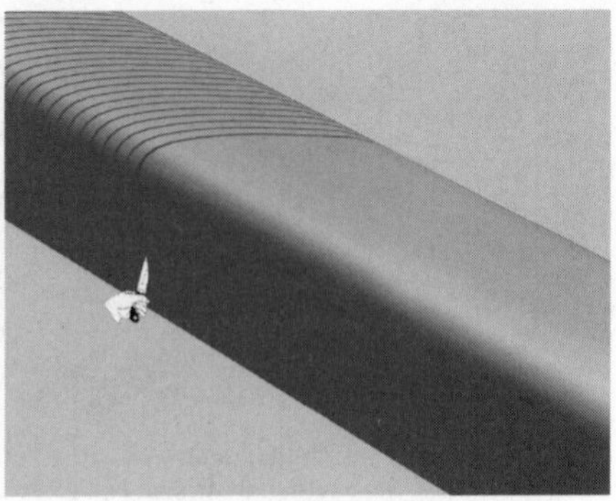

(a) (b)

Abbildung 3.5 Genau wie ein Brotlaib in verschiedenen Winkeln aufgeschnitten werden kann, wird ein Raumzeitblock von Beobachtern in relativer Bewegung in »Raumzeitscheiben« verschiedener Winkel zerlegt. Je größer die relative Geschwindigkeit, desto größer der Winkel (mit einem Maximalwinkel von 45 Grad, welcher der vom Licht vorgegebenen Höchstgeschwindigkeit entspricht).

speziellen Relativitätstheorie gibt es absolute Raumzeit. Lassen Sie uns mit dieser Feststellung zum Eimer zurückkehren.

In Hinblick *worauf* rotiert der Eimer in einem ansonsten leeren Universum? Laut Newton ist es der absolute Raum. Laut Mach lässt sich in einem solchen Universum noch nicht einmal davon sprechen, dass der Eimer rotiert. Nach Einsteins spezieller Relativitätstheorie ist es die absolute Raumzeit.

Um das zu verstehen, wollen wir uns noch einmal die vorgeschlagenen Straßennetze von Springfield anschauen. Erinnern wir uns, dass sich Marge und Lisa uneins waren, was die Quer- und Längsstraßenadresse des Kwik-E-Markts und des Atomkraftwerks anging, weil ihre Netze relativ zueinander gedreht waren. Doch obwohl sie ihre Netze unterschiedlich gewählt haben, gibt es doch ein paar Dinge, über die sie sich einig sind. Wenn beispielsweise, um den Arbeitern des Kernkraftwerks eine effizientere Gestaltung ihrer Mittagspause zu ermöglichen, ein Fußweg eingezeichnet wird, der vom Kraftwerk direkt zum Kwik-E-Markt führt, sind sich Marge und Lisa zwar nicht darüber einig, welche Quer- und Längsstraßen der Weg schneidet, wie Abbildung 3.6 zeigt, aber sie sind sicherlich einer Meinung, was die *Form* des Weges angeht: Sie stimmen überein, dass es sich um eine Gerade handelt. Die geometrische Form des eingezeichneten Weges ist unabhängig von dem besonderen Straßennetz, das man jeweils zugrunde legt.

Einstein erkannte, dass etwas Ähnliches für die Raumzeit gilt. Selbst wenn

Abbildung 3.6 Unabhängig von dem verwendeten Straßennetz sind sich alle über die Form des Weges einig: In diesem Fall ist es eine Gerade.

zwei Beobachter in relativer Bewegung die Raumzeit in unterschiedlicher Weise aufteilen, gibt es Dinge, über die sie sich einig sind. Das beste Beispiel ist eine Gerade nicht einfach durch den Raum, sondern durch die Raumzeit. Obwohl die Einbeziehung der Zeit unsere Vorstellungskraft zunächst strapaziert, lässt sich schnell ermessen, was damit gemeint ist. Damit die Bahn eines Objekts durch die Raumzeit gerade ist, muss sich das Objekt nicht nur gerade durch die Raumzeit bewegen, sondern auch in der Zeit eine gleichförmige Bewegung aufweisen; das heißt, es darf weder Tempo noch Richtung verändern, muss sich

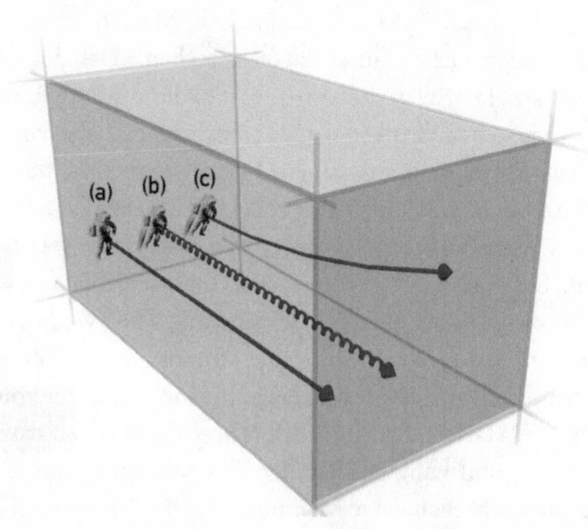

Abbildung 3.7 Die Wege durch die Raumzeit, denen drei Astronautinnen folgen. Astronautin (**a**) beschleunigt nicht und bewegt sich daher auf einer Geraden durch die Raumzeit. Astronautin (**b**) fliegt wiederholt im Kreis und beschreibt deshalb eine Spirale in der Raumzeit. Astronautin (**c**) beschleunigt und fliegt ins All davon, daher folgt sie einer gebogenen Bahn in der Raumzeit.

also mit konstanter Geschwindigkeit fortbewegen. Auch wenn verschiedene Beobachter den Raumzeitlaib in verschiedenen Winkeln zerteilen und daher anderer Meinung sind, wie viel Zeit verstrichen oder welche Entfernung zwischen zwei verschiedenen Punkten auf einer Bahn zurückgelegt worden ist, werden solche Beobachter dennoch, wie Marge und Lisa, Einigkeit darüber erzielen, ob ein Weg durch die Raumzeit eine Gerade ist oder nicht. Wie die geometrische Form des eingezeichneten Fußwegs zum Kwik-E-Markt unabhängig von der verwendeten Straßenaufteilung ist, so sind die geometrischen Formen von Bahnen durch die Raumzeit unabhängig von der Zeitaufteilung, die man verwendet.[11]

Das ist eine einfache, aber entscheidende Erkenntnis, weil die spezielle Relativitätstheorie dadurch ein absolutes Kriterium erhält – über das sich alle Beobachter, unabhängig von ihren konstanten relativen Geschwindigkeiten, einig sind –, ein Kriterium, anhand dessen sich entscheiden lässt, ob etwas beschleunigt oder nicht. Ist die Bahn, der ein Objekt durch die Raumzeit folgt, eine Gerade, wie die der entspannt ruhenden Astronautin (a) in Abbildung 3.7, beschleunigt es nicht. Weist die Bahn, der ein Objekt folgt, irgendeine andere Form als die einer Geraden durch die Raumzeit auf, dann beschleunigt es. Würde eine Astronautin beispielsweise ihr Jetpack zünden und immer wieder und wieder im Kreis fliegen wie in Abbildung 3.7 (b) oder würde sie mit wachsender Geschwindigkeit ins All davonschießen wie in Abbildung 3.7 (c), so wäre ihre Bahn durch die Raumzeit gebogen – ein sicheres Anzeichen dafür, dass Beschleunigung im Spiel ist. Daraus entnehmen wir: *Die Form einer Raumzeitbahn liefert das Kriterium, anhand dessen sich entscheiden lässt, ob die betreffende Bewegung beschleunigt erfolgt.* Die Raumzeit, nicht nur der Raum allein, liefert das Bezugssystem.

Insofern lehrt uns die spezielle Relativitätstheorie also, dass die Raumzeit selbst in letzter Instanz entscheidet, wann wir es mit beschleunigter Bewegung zu tun haben. Die Raumzeit liefert den Hintergrund, vor dem wir selbst in einem ansonsten leeren Universum erkennen können, ob etwas, etwa ein rotierender Eimer, sich beschleunigt bewegt oder nicht. Diese Erkenntnis ließ das Pendel – von Leibniz, dem Relationisten, zu Newton, dem Absolutisten, zu Mach, dem Relationisten – erneut zurückschwingen, diesmal zu Einstein, dessen spezielle Relativitätstheorie abermals zeigte, dass der Schauplatz der Wirklichkeit – als Raumzeit, nicht als bloßer Raum verstanden – ein Etwas ist, das ausreicht, um als letztes Bezugssystem für Bewegung zu dienen.[12]

Gravitation und die uralte Frage

An diesem Punkt könnten Sie denken, wir hätten das Ende der Eimer-Geschichte erreicht, da Machs Ideen jetzt ausgebootet waren und Einsteins radikale Aktualisierung des Newtonschen absoluten Zeit- und Raumbegriffs den Sieg davongetragen hatte. Doch die Wahrheit ist komplizierter und interessanter. Falls Ihnen die Ideen, die wir bisher dargelegt haben, neu waren, brauchen Sie vielleicht eine kleine Pause, bevor wir uns dem letzten Abschnitt dieses Kapitels zuwenden. In Tabelle 3.1 finden Sie eine Zusammenfassung, um Ihre Erinnerung aufzufrischen, wenn Sie genügend Kräfte gesammelt haben, um weiterzumachen.

Newton	Der Raum ist ein eigenständiges Gebilde; beschleunigte Bewegung ist nicht relativ; absolutistische Position.
Leibniz	Der Raum ist kein eigenständiges Gebilde; alle Aspekte der Bewegung sind relativ; relationistische Position.
Mach	Der Raum ist kein eigenständiges Gebilde; beschleunigte Bewegung ist relativ zur durchschnittlichen Massenverteilung im Universum; relationistische Position.
Einstein (spezielle Relativitätstheorie)	Raum und Zeit sind individuell relativ; die Raumzeit ist ein absolutes, eigenständiges Gebilde.

Tabelle 3.1 Eine Zusammenfassung verschiedener Ansichten über die Natur von Raum und Raumzeit.

Nun gut. Da Sie diese Worte lesen, schließe ich, dass Sie für den nächsten wichtigen Schritt in der Geschichte der Raumzeit bereit sind, einen Schritt, der großenteils durch niemand anders als Ernst Mach vorbereitet wurde. Obwohl die spezielle Relativitätstheorie im Unterschied zu Mach zu dem Schluss gelangt, dass Sie auch in einem ansonsten leeren Universum in einem rotierenden Eimer das Gefühl hätten, gegen die Wand gepresst zu werden, und dass sich das Seil zwischen zwei herumwirbelnden zusammengebundenen Steinen straffen würde, blieb Einstein zutiefst fasziniert von Machs Ideen. Er erkannte allerdings, dass diese Ideen, wollte man sie ernsthaft weiterverfolgen, einer erheblichen Erweiterung bedurften. Mach erläuterte nie genauer, durch welchen Mechanismus ferne Sterne und andere Materie im Universum bestimmen können, wie stark Ihre Arme nach außen gezogen werden, wenn Sie sich drehen, oder wie heftig Sie sich gegen die Innenseite eines rotierenden Eimers gepresst fühlen. Einstein begann zu vermuten, dass ein solcher Mechanismus, wenn es ihn denn gebe, etwas mit der Gravitation zu tun haben müsse.

Diese Vermutung erschien Einstein deshalb so einleuchtend, weil er in der speziellen Relativitätstheorie, um sie mathematisch überhaupt bewältigen zu können, die Gravitation außer Acht gelassen hatte. Vielleicht, so überlegte er, würde ja eine umfassendere Theorie, die sowohl die spezielle Relativität als auch die Gravitation einschloss, zu anderen Ergebnissen in Hinblick auf Machs Ideen kommen. Eine Verallgemeinerung der speziellen Relativitätstheorie, welche die Gravitation einbezog, könne, so seine Vermutung, zeigen, dass Materie nah und fern die Kräfte bestimme, die wir fühlen, wenn wir uns beschleunigt bewegen.

Einstein hatte noch einen zweiten, etwas gewichtigeren Grund, seine Aufmerksamkeit der Gravitation zuzuwenden. Die spezielle Relativitätstheorie befand sich mit ihrer zentralen Aussage, dass sich nichts, keine Störung rascher als mit Lichtgeschwindigkeit ausbreiten könne, in direktem Widerspruch zu Newtons universellem Gravitationsgesetz, jener monumentalen Leistung, die seit mehr als zweihundert Jahren mit fantastischer Genauigkeit die Bewegung des Mondes, der Planeten, Kometen und aller himmelwärts geworfenen Dinge vorhersagte. Doch so groß die experimentellen Erfolge der Newtonschen Theorie auch sein mochten: Einstein war klar, dass die Gravitation laut Newton ihren Einfluss von einem Ort zum anderen – von der Sonne auf die Erde, von der Erde auf den Mond, von irgendwo hier nach irgendwo dort – instantan, augenblicklich, und damit *viel schneller als das Licht* ausübt. Und das befindet sich in direktem Widerspruch zur speziellen Relativitätstheorie.

Um sich den Widerspruch zu vergegenwärtigen, können Sie sich vorstellen, Sie hätten einen wahrhaft enttäuschenden Abend hinter sich (die Heimmannschaft hat verloren, niemand hat an Ihren Geburtstag gedacht, jemand hat das letzte Stück von Ihrem Lieblingskäse gegessen) und das Bedürfnis, ein bisschen allein zu sein, also holen Sie das Familienboot heraus, um sich auf eine entspannende Mitternachtstour zu begeben. Da der Mond über Ihrem Kopf steht, ist Flut (die Gravitation des Mondes zieht das Wasser an und sorgt so für die Gezeiten), und das Mondlicht wirft seine betörenden Reflexe auf die wogende Fläche. Doch dann, als wäre der Abend noch nicht schlimm genug gewesen, schnappen sich bösartige Außerirdische den Mond und beamen ihn auf die andere Seite der Galaxis. Nun wäre das plötzliche Verschwinden des Mondes natürlich ziemlich merkwürdig, aber falls Newtons Gravitationsgesetze stimmen, wäre dieser Vorfall mit einer noch größeren Merkwürdigkeit verbunden. Newtons Gesetz sagt vorher, dass die Flut nun, da die Gravitationsanziehung des Mondes fortgefallen wäre, abzulaufen begänne, und zwar anderthalb Sekunden, *bevor* Sie den Mond vom Himmel verschwinden sähen. *Wie ein Sprinter, der einen Fehlstart verursacht, würde das Wasser anderthalb Sekunden zu früh ablaufen.*

Der Grund ist laut Newton, dass genau in dem Augenblick, da der Mond verschwindet – also *instantan* –, auch seine Gravitationsanziehung fortfällt. Und ohne die Gravitation des Mondes würde sofort die Ebbe einsetzen. Doch da das Licht anderthalb Sekunden braucht, um die knapp 400 000 Kilometer zwischen Mond und Erde zurückzulegen, würden Sie nicht augenblicklich sehen, dass der Mond verschwunden ist. Anderthalb Sekunden lang hätte es den Anschein, dass das Wasser abläuft, obwohl der Mond noch immer hell wie immer am Himmel steht. Nach Newtons Gesetz könnte die Gravitation also vor dem Licht auf uns einwirken – die Gravitation könnte dem Licht davonlaufen –, und das, dessen war sich Einstein sicher, musste falsch sein.[13]

Daher war Einstein ab 1907 besessen von dem Gedanken, eine neue Gravitationstheorie zu formulieren, die mindestens ebenso genau wie Newtons war, aber nicht im Widerspruch zur speziellen Relativitätstheorie stand. Das erwies sich als eine fast übermächtige Herausforderung. Endlich hatte Einsteins herausragende Intelligenz eine würdige Aufgabe gefunden. Sein Notizbuch aus dieser Zeit ist mit halb formulierten Ideen gefüllt, die das Ziel nur knapp verfehlen, aber in denen kleine Irrtümer zu langen, verschlungenen Umwegen führen, während jubelnde Behauptungen, das Problem gelöst zu haben, wenig später von der Erkenntnis abgelöst werden, dass sich schon wieder ein Fehler eingeschlichen hat. 1915 hatte Einstein endlich das Ende des Tunnels erreicht. Obwohl er an entscheidenden Stellen Hilfe in Anspruch nahm, vor allem von dem Mathematiker Marcel Grossmann, manifestierte sich an der Entdeckung der *allgemeinen Relativitätstheorie* das heroische Ringen eines einzelnen Verstandes mit den Geheimnissen des Universums. Das Ergebnis dieses Kampfes krönt die Vorquanten-Ära der Physik.

Einsteins langer Weg zur allgemeinen Relativitätstheorie begann mit einer Schlüsselfrage, der Newton zweihundert Jahre vorher etwas kleinlaut ausgewichen war. Wie übt die Gravitation ihren Einfluss über die ungeheure Ausdehnung des Raumes aus? Wie wirkt die Sonne aus ihrer ungeheuren Ferne auf die Erdbewegung ein? Die Sonne berührt die Erde nicht, also wie macht sie es? Obwohl Newton eine Gleichung entdeckte, welche den Gravitationseffekt sehr genau beschrieb, war ihm durchaus bewusst, dass er die wichtige Frage, wie die Gravitation tatsächlich wirkt, unbeantwortet gelassen hatte. In einem Brief zu den *Principia* schrieb er trocken: Dieses Problem »habe ich den Erwägungen meiner Leser überlassen«.[14] Wie Sie sehen, gibt es eine Ähnlichkeit zwischen diesem Problem und demjenigen, das Faraday und Maxwell im neunzehnten

Jahrhundert lösten, indem sie von der Idee eines Magnetfeldes ausgingen, um zu erklären, wie ein Magnet Einfluss auf Dinge ausüben kann, die er nicht direkt berührt. Daher könnten Sie eine ähnliche Antwort vorschlagen: Die Gravitation übt ihren Einfluss durch ein anderes Feld aus, das Gravitationsfeld. Und generell betrachtet, geht diese Idee in die richtige Richtung. Doch die Antwort in einer Weise zu formulieren, die zur speziellen Relativitätstheorie nicht in Widerspruch steht, ist leichter gesagt als getan.

Viel leichter. Denn dies war die Aufgabe, der sich Einstein so kühn verschrieb. Mit der verblüffenden Theorie, die er nach einem fast zehn Jahre währenden Stochern im Dunkeln entwickelte, stieß er Newtons altehrwürdige Gravitationstheorie vom Sockel. Ebenso verblüffend: Der Kreis unserer Geschichte schließt sich, weil Einsteins entscheidender Durchbruch in enger Verbindung zu jenem Problem stand, das Newton mit dem Eimer-Beispiel illustriert hatte. Wieder ging es um die Frage: Was ist das eigentliche Wesen beschleunigter Bewegung?

Die Äquivalenz von Gravitation und Beschleunigung

In der speziellen Relativitätstheorie lag Einsteins Hauptaugenmerk auf Beobachtern, die sich mit konstanter Geschwindigkeit bewegen – auf Beobachtern, die keine Bewegung spüren und daher alle zu Recht behaupten, sie seien in Ruhe und der Rest der Welt bewege sich an ihnen vorbei. Itchy, Scratchy und Apu im Zug empfinden keine Bewegung. Aus ihrer Perspektive bewegen sich Martin und alle, die sich mit ihm auf dem Bahnsteig befinden. Auch Martin fühlt keine Bewegung. Für ihn sind der Zug und seine Passagiere in Bewegung. Keine Perspektive ist richtiger als die andere. Mit der beschleunigten Bewegung verhält es sich jedoch anders, weil Sie sie spüren *können*. Sie spüren, wie Sie nach hinten in Ihren Sitz gepresst werden, wenn Ihr Wagen vorwärts beschleunigt, Sie spüren, wie Sie zur Seite gezogen werden, wenn ein Zug scharf in die Kurve geht, wie Sie gegen den Fußboden eines Fahrstuhls gepresst werden, wenn er aufwärts beschleunigt.

Trotzdem kamen Einstein die Kräfte, die Sie in diesen Fällen wahrnehmen würden, sehr vertraut vor. Wenn Sie sich beispielsweise einer scharfen Kurve nähern, strafft sich Ihr Körper, während Sie sich gegen den seitlich wirkenden Zug wappnen, denn die bevorstehende Krafteinwirkung ist unvermeidlich. Sie haben keine Möglichkeit, sich ihrem Einfluss zu entziehen. Die Kraft lässt sich nur dadurch vermeiden, dass Sie Ihre Pläne ändern und die Kurve nicht fahren. Das erinnerte Einstein an etwas: Genau das gleiche Merkmal ist charakteristisch für die Gravitation. Wenn Sie auf dem Planeten Erde stehen, sind Sie seiner Gravitationskraft ausgesetzt. Das ist unvermeidlich. Es gibt keine andere Möglichkeit. Während Sie sich vor der elektromagnetischen und der Kernkraft schützen können, haben Sie keine Möglichkeit, sich gegen die Gravitationskraft abzuschirmen. Und eines Tages im Jahr 1907 wurde Einstein klar, dass das keine bloße Analogie war. In einer jener blitzartigen Eingebungen, nach denen sich Wissenschaftler ihr Leben lang sehnen, begriff Einstein, dass Gravitation und beschleunigte Bewegung nur zwei Seiten ein und derselben Medaille sind.

Genau so, wie Sie durch Veränderung Ihrer beabsichtigten Bewegung (um eine Beschleunigung zu vermeiden) das Gefühl verhindern können, in Ihren Autositz gepresst oder im Zug zur Seite gezogen zu werden, sind Sie, wie Einstein erkannte, in der Lage, durch eine geeignete Veränderung Ihrer Bewegung die Empfindungen zu vermeiden, die üblicherweise mit der Anziehungskraft der Gravitation verknüpft sind. Die Idee ist wunderbar einfach. Um das zu verstehen, stellen Sie sich vor, Homer Simpsons bester Kumpel Barney versuchte verzweifelt, die Springfield Challenge zu gewinnen, einen Wettbewerb über die Dauer von einem Monat, in dessen Verlauf alle männlichen Springfielder mit natürlichen Rettungsringen aufgefordert sind, möglichst viele Zentimeter Bauchumfang abzuspecken. Als er nach zwei Wochen auf Flüssigdiät (Duff-Bier) noch immer keinen freien Blick auf die Badezimmerwaage hat, lässt er alle Hoffnung fahren. In einem Anfall von Enttäuschung springt er, die Waage an seinen Füßen klebend, zum Badefenster hinaus. Auf dem Weg nach unten, kurz bevor er in den Swimmingpool des Nachbarn plumpst, wirft Barney noch einen Blick auf die Anzeige der Waage … und was sieht er dort? Nun, Einstein hat als Erster erkannt – und die ganze Tragweite dieser Einsicht erfasst –, dass die Anzeige der Waage auf null zurückgeht. Die Waage fällt genauso schnell wie Barney, seine Füße üben keinen Druck mehr auf die Waage aus. *Im freien Fall erlebt Barney die gleiche Schwerelosigkeit wie Astronauten im All.*

Wenn wir uns ausmalen, dass Barney aus seinem Fenster in einen großen Schacht spränge, aus dem wir alle Luft gepumpt hätten, wäre nicht nur der Luftwiderstand aufgehoben; da jedes Atom seines Körpers mit exakt dem gleichen Tempo fiele, wären auch alle äußeren Belastungen, die normalerweise auf ihn einwirken – der Druck, den seine Füße auf seine Knöchel und seine Beine auf seine Hüften ausübten, der Zug seiner Arme an seinen Schultern und so fort –, null und nichtig.[15] Würde Barney seine Augen während des Sturzes schließen, empfände er exakt das, was er fühlte, würde er durch die Dunkelheit des Alls schweben. (Oder falls Ihnen nichtmenschliche Beispiele lieber sind: Wenn Sie zwei mit einem Seil zusammengebundene Steine in den luftleeren Schacht fallen ließen, bliebe das Seil schlaff, genauso wie in dem Fall, wenn die beiden Steine im All schwebten.) Durch Veränderung seines Bewegungszustands – durch völlige »Hingabe an die Gravitation« – ist Barney also in der Lage, eine schwerelose Umgebung zu simulieren. (Tatsächlich bereitet die NASA ihre Astronauten auf die Schwerelosigkeit des Alls vor, indem sie sie in eine umgebaute Boeing 707 setzt, die den Spitznamen *Vomit Comet* [Kotzkomet] trägt, weil ihre Flugbewegung in regelmäßigen Abständen in freien Fall übergeht.)

Entsprechend können Sie durch eine geeignete Veränderung der Bewegung eine Kraft erzeugen, die im Wesentlichen mit der Gravitation identisch ist. Stellen Sie sich beispielsweise vor, Barney würde sich Astronauten anschließen, die schwerelos in ihrer Raumkapsel schweben, und die immer noch an seinen Füßen klebende Badezimmerwaage würde weiterhin null anzeigen. Sollte die Kapsel ihre Antriebsaggregate zünden und beschleunigen, würden sich die Dinge erheblich verändern: Barney spürt jetzt, wie seine Füße gegen den Boden der Kapsel gepresst werden, so wie Sie in einem aufwärts beschleunigenden Fahrstuhl den Druck auf Ihre Füße fühlen. Da Barneys Füße jetzt auf die Waage drücken, steht die Anzeige nicht mehr auf null. Wenn der Kapitän den Aggregaten genau den richtigen Schub entlockt, stimmt die Anzeige auf der Waage genau mit dem Wert überein, den Barney im Badezimmer abgelesen hat. Bei entsprechender Beschleunigung erfährt Barney jetzt eine Kraft, die von der Gravitation nicht zu unterscheiden ist.

Gleiches gilt für andere Arten beschleunigter Bewegung. Wenn Barney draußen im All zu Homer in den Rieseneimer klettert und, während der Eimer rotiert, im rechten Winkel zu Homer steht – Füße und Waage gegen die Innenseite der Eimerwand gepresst –, zeigt die Waage einen von null verschiedenen Wert an, da seine Füße gegen die Waage gepresst werden. Rotiert der Eimer genau mit der richtigen Geschwindigkeit, gibt die Waage wieder exakt den Wert an, den Barney zuvor im Badezimmer ermittelt hat: Die Beschleunigung des rotierenden Eimers kann auch die Gravitation der Erde simulieren.

All das brachte Einstein zu dem Schluss, dass die Kraft, welche die Gravitation ausübt, und die Kraft, die man infolge der Beschleunigung spürt, gleich sind. Sie sind äquivalent. Diese Beziehung nannte Einstein das *Äquivalenzprinzip*.

Schauen wir uns an, was es bedeutet. Im Augenblick fühlen Sie den Einfluss der Gravitation. Wenn Sie stehen, spüren Ihre Füße den Fußboden, der Ihr Gewicht trägt. Wenn Sie sitzen, fühlen Sie den Druck der Unterlage an einem anderen Körperteil. Und wenn Sie das Buch nicht gerade in einem Flugzeug oder Auto lesen, denken Sie wahrscheinlich, dass Sie sich in Ruhe befinden – dass Sie nicht beschleunigen oder sich sogar überhaupt nicht bewegen. Doch laut Einstein beschleunigen Sie in Wirklichkeit. Das hört sich vielleicht ein bisschen töricht an, wenn Sie gerade still in Ihrem Sessel sitzen, aber vergessen Sie trotzdem nicht, die übliche Frage zu stellen: beschleunigen relativ zu welchem Bezugspunkt? Beschleunigen von wessen Standpunkt aus?

Mit der speziellen Relativitätstheorie hat Einstein die absolute Raumzeit zum Bezugssystem erklärt, doch die spezielle Relativitätstheorie berücksichtigte die Gravitation nicht. Durch das Äquivalenzprinzip sorgte Einstein für ein zuverlässigeres Bezugssystem, das die Gravitationseffekte einbezieht. Und das bedeutete einen radikalen Perspektivenwechsel. *Da Gravitation und Beschleunigung äquivalent sind, müssen Sie sich in beschleunigter Bewegung befinden, wenn Sie den Einfluss von Gravitation spüren.* Einstein vertrat die Ansicht, dass nur die Beobachter, die überhaupt keine Kraft verspüren – auch keine Gravitationskraft –, zu Recht behaupten dürften, sie würden nicht beschleunigen. Solche kräftefreien Beobachter sind die richtigen Bezugspunkte für die Erörterung von Bewegung. Die Erkenntnis zwingt uns zu einer grundsätzlichen Kehrtwendung unserer Haltung in diesen Fragen. Wenn Barney aus dem Fenster in den luftleeren Schacht springt, würde unsere übliche Beschreibung lauten, dass er nach unten in Richtung der Erdoberfläche beschleunigt. Das ist jedoch keine Beschreibung, mit der Einstein einverstanden wäre. Laut Einstein beschleunigt Barney *nicht. Er* spürt keine Kraft. *Er* ist schwerelos. *Er* hat das Gefühl, in der völligen Dunkelheit des leeren Raums zu schweben. *Er* liefert den Maßstab, an dem alle Bewegung gemessen werden müsste. Und infolge dieses Vergleichs sind *Sie* es, obwohl Sie zu Hause still in Ihrem Sessel sitzen und lesen, der beschleunigt. Während Barney im freien Fall an Ihrem Fenster vorbeizischt, sind Sie es, die Erde und all die anderen, gewöhnlich ruhend erscheinenden Dinge, die aus Barneys Perspektive – jener Perspektive, die laut Einstein ein echtes Bezugssystem für Bewegung ist – *aufwärts beschleunigen.* Einstein würde sagen, Newtons Kopf sei nach oben geschossen und habe den Apfel getroffen, nicht umgekehrt.

Offenkundig ist das ein radikal veränderter Bewegungsbegriff. Doch er hat seine Wurzeln in der einfachen Erkenntnis, dass Sie den Einfluss der Gravitation nur empfinden, wenn Sie ihm Widerstand leisten. Geben Sie der Gravitation dagegen völlig nach, spüren Sie sie nicht. Angenommen, Sie sind keinem anderen Einfluss unterworfen (etwa dem Luftwiderstand), wenn Sie der Gravitation nachgeben und sich dem freien Fall überantworten, dann haben Sie das Gefühl, schwerelos im leeren Raum zu schweben – eine Perspektive, die wir ohne zu zögern als nichtbeschleunigt bezeichnen würden.

Kurzum, nur die Individuen, die frei schweben, ob weit draußen im All oder auf Kollisionskurs mit der Erdoberfläche, dürfen zu Recht von sich behaupten, dass sie keine Beschleunigung verspüren. Wenn Sie an einem solchen Beobachter vorbeikommen, und es liegt eine relative Beschleunigung zwischen Ihnen vor, dann sind *Sie* es laut Einstein, der beschleunigt.

Tatsache ist, dass weder Itchy noch Scratchy, noch Apu oder Martin wirklich berechtigt waren zu behaupten, sie hätten sich während des Duells in Ruhe befunden, da sie alle der abwärts wirkenden Kraft der Gravitation unterworfen waren. Das ist für unsere frühere Erörterung ohne Belang, weil wir uns dort nur mit waagerechter Bewegung beschäftigt haben, einer Bewegung, die nicht von der auf alle Beteiligten senkrecht einwirkenden Gravitation beeinflusst war. Doch ein wichtiger Aspekt des Prinzips, die Verbindung, die Einstein zwischen Gravitation und Beschleunigung entdeckte, bedeutet eben, dass wir nur die Beobachter als ruhend ansehen dürfen, die *überhaupt* keiner Kraft unterliegen.

Nachdem Einstein die Verbindung zwischen Gravitation und Beschleunigung hergestellt hatte, war er nun in der Lage, sich Newtons Herausforderung zu stellen, das heißt, er konnte versuchen zu erklären, wie die Gravitation ihren Einfluss ausübt.

Verzerrungen, Kurven und Gravitation

Mit Hilfe der speziellen Relativitätstheorie zeigte Einstein, dass jeder Beobachter die Raumzeit in parallele Scheiben aufschneidet, die für ihn den gesamten Raum in aufeinander folgenden Augenblicken darstellen, mit der überraschenden Wendung, dass Beobachter, die sich mit konstanter Geschwindigkeit relativ zueinander bewegen, die Raumzeit in verschiedenen Winkeln zerteilen. Wenn ein solcher Beobachter anfängt zu beschleunigen, könnte man meinen, die Veränderungen, die sein Tempo und/oder seine Bewegungsrichtung von Augenblick zu Augenblick erfährt, müssten von Augenblick zu Augenblick Veränderungen im Winkel und der Ausrichtung seiner Scheiben hervorrufen. Grob gesagt, passiert das tatsächlich. Einstein entwickelte diese Ideen (mit Hilfe geometrischer Erkenntnisse, die von Carl Friedrich Gauß, Georg Bernhard Riemann und anderen Mathematikern im neunzehnten Jahrhundert formuliert wurden) mühsam und schrittweise. Doch am Ende konnte er zeigen, dass die Schnitte mit verschiedenen Winkeln durch den Raumzeitlaib fugenlos zu Scheiben verschmelzen, die *verbogen* sind, sich aber wie in Abbildung 3.8 ineinander fügen wie Löffel in einem Besteckkasten. *Ein beschleunigter Beobachter unterteilt den Raum in Scheiben, die verzerrt sind.*

Mit Hilfe dieser Erkenntnis konnte Einstein aus dem Äquivalenzprinzip weit reichende Konsequenzen ziehen. Da Gravitation und Beschleunigung

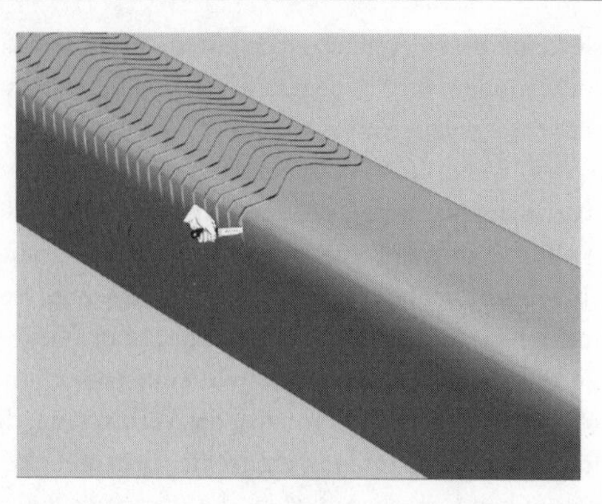

Abbildung 3.8 Nach der allgemeinen Relativitätstheorie wird der Raumzeitlaib nicht nur zu verschiedenen Zeitpunkten mit unterschiedlichen Winkeln im Raum aufgeteilt (von Beobachtern in relativer Bewegung), sondern die Scheiben selbst sind auch durch die Anwesenheit von Materie oder Energie verzerrt oder verbogen.

äquivalent sind, wurde Einstein klar, dass die Gravitation selbst so etwas sein müsste wie Verzerrungen oder auch Krümmungen der Raumzeitstruktur. Schauen wir uns an, was das bedeutet.

Wenn Sie eine Murmel auf einem glatten Holzfußboden rollen lassen, beschreibt sie eine gerade Linie. Doch wenn Sie gerade eine fürchterliche Überschwemmung gehabt haben und das Holz sich beim Trocknen verzogen hat, so dass es jetzt alle möglichen Buckel und Vertiefungen bildet, rollt die Murmel nicht mehr auf der gleichen Bahn wie vorher, sondern wird durch die Verzerrungen und Verkrümmungen der Dielenbretter hierhin und dorthin gelenkt.

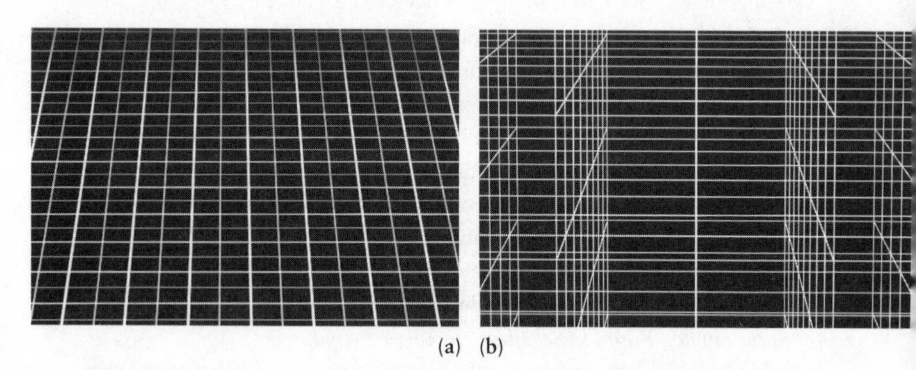

(a) (b)

Abbildung 3.9 (**a**) Flacher Raum (zweidimensionale Version). (**b**) Flacher Raum (dreidimensionale Version).

Diese einfache Idee übertrug Einstein auf die Struktur des Universums. Er stellte sich vor, die Raumzeit sei in Abwesenheit von Materie oder Energie – keine Sonne, keine Erde, keine Sterne – wie der glatte Holzfußboden, ohne Verzerrungen und Krümmungen: flach. Schematisch ist das in Abbildung 3.9 (a) wiedergegeben, wo wir uns auf eine Raumscheibe beschränken. Natürlich ist der Raum in Wirklichkeit dreidimensional, daher ist Abbildung 3.9 (b) eine genauere Abbildung, aber Zeichnungen, die zwei Dimensionen wiedergeben, sind leichter zu verstehen, daher werden wir sie auch weiterhin verwenden. Dann stellte Einstein sich vor, dass die Anwesenheit von Materie oder Energie sich auf den Raum auswirkte wie die Überschwemmung auf den Fußboden. Materie und Energie, wie sie etwa die Sonne verkörpert, veranlassen den Raum (und die Raumzeit*)[16], sich zu verzerren und zu krümmen wie in Abbildung 3.10 (a) und 3.10 (b). Und wie eine Murmel einer gebogenen Bahn folgt, wenn sie über den verzogenen Fußboden rollt, so folgt, wie Einstein gezeigt hat, alles, was sich durch den gekrümmten Raum bewegt – beispielsweise die Erde in der Nähe der Sonne –, verbogenen Bahnen wie in Abbildung 3.11 (a) und Abbildung 3.11 (b).

Es ist, als würden Materie und Energie der Raumzeit ein Netzwerk von Abhängen und Tälern einprägen, mittels deren die unsichtbare Hand der Raumzeitstruktur die Objekte steuert und lenkt. Auf diese Weise übt die Gravitation laut Einstein ihren Einfluss aus. Die gleiche Idee gilt auch in vertrauteren Verhältnissen. In diesem Augenblick ist Ihr Körper bestrebt, der Abschüssigkeit einer Raumzeiteindellung zu folgen, die durch die Anwesenheit der Erde hervorgerufen wird. Doch diese Bewegung wird durch die Fläche blockiert, auf der Sie sitzen oder stehen. Der Aufwärtsdruck, den Sie fast in jedem Augenblick Ihres Lebens spüren – sei es durch die Erdoberfläche, den Fußboden in Ihrem Haus, Ihren Lieblingssessel, Ihr Kingsize-Bett –, sorgt dafür, dass Sie nicht in ein Raumzeittal rutschen. Springen Sie dagegen vom Zehnmeterbrett, geben Sie der Gravitation nach und gestatten Ihrem Körper, sich ungehindert auf einem seiner Raumzeitgefälle zu bewegen.

* Es ist leichter, gekrümmten Raum bildlich darzustellen, doch infolge ihrer engen Verbindung wird auch die Zeit durch Materie und Energie verzerrt. Und wie eine Verzerrung des Raums bedeutet, dass der Raum gestreckt oder gestaucht wird wie in Abbildung 3.10, bedeutet eine Verzerrung in der Zeit, dass die Zeit gestreckt oder gestaucht wird. Das heißt, auf Uhren, die unterschiedlichen Gravitationskräften ausgesetzt sind – etwa einer auf der Sonne und einer anderen weit draußen im leeren Weltraum –, verstreicht die Zeit unterschiedlich schnell. Tatsächlich zeigt sich, dass die Raumverzerrungen, die durch gewöhnliche Körper wie Erde und Sonne (im Gegensatz zu ungewöhnlichen wie Schwarzen Löchern) hervorgerufen werden, lange nicht so ausgeprägt sind wie die Zeitverzerrungen, die solche Körper verursachen.

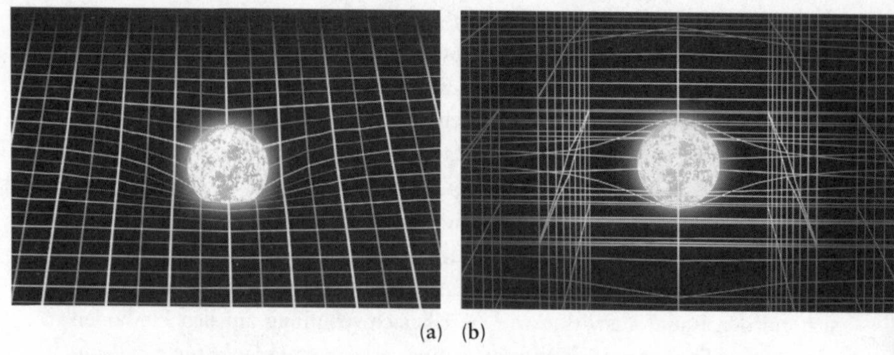

(a) (b)

Abbildung 3.10 (**a**) Die Sonne krümmt den Raum (zweidimensionale Version). (**b**) Die Sonne krümmt den Raum (dreidimensionale Version).

Die Abbildungen 3.9, 3.10 und 3.11 veranschaulichen schematisch den Triumph, den Einstein nach zehnjährigem Ringen schließlich erreichte. Ein Großteil seiner Arbeit während dieser Jahre hatte das Ziel, die genaue Form und Größe der Krümmung zu bestimmen, die durch eine gegebene Menge von Materie und Energie hervorgerufen wird. Das mathematische Ergebnis, zu dem Einstein gelangte, liegt diesen Figuren zugrunde und ist in den so genannten *Einsteinschen Feldgleichungen* niedergelegt. Wie die Bezeichnung erkennen lässt, verstand Einstein die Raumzeitkrümmung als die Manifestation – die geometrische Verkörperung – eines Gravitationsfeldes. Dadurch, dass er das Problem geometrisch auffasste, konnte er Gleichungen finden, die für die Gravitation leisten, was Maxwells Gleichungen für den Elektromagnetismus ge-

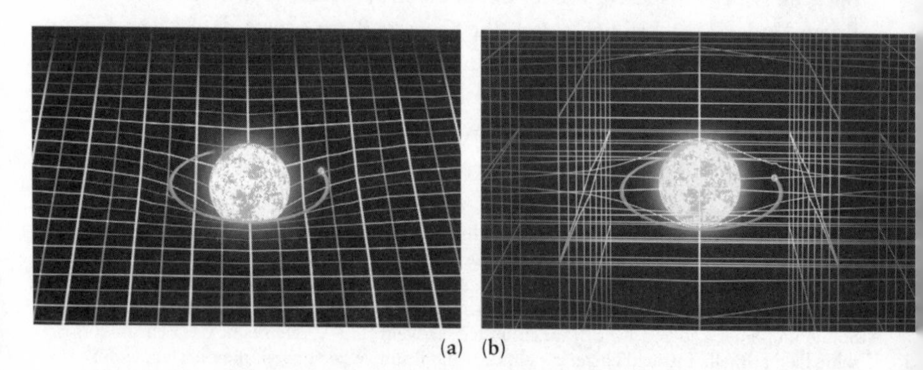

(a) (b)

Abbildung 3.11 Die Erde bleibt in ihrer Umlaufbahn um die Sonne, weil sie den Verzerrungen der Raumzeitstruktur folgt, die durch die Anwesenheit der Sonne verursacht werden. (**a**) Zweidimensionale Version. (**b**) Dreidimensionale Version.

leistet haben.[17] Aus diesen Gleichungen leiteten Einstein und viele andere Forscher Vorhersagen darüber ab, welcher Bahn dieser oder jener Planet folgen oder sogar, welchen Weg das Licht eines fernen Sterns nehmen würde, während er sich durch die gekrümmte Raumzeit bewegte. Diese Vorhersagen sind nicht nur mit einem hohen Maß an Genauigkeit bestätigt worden, sondern Einsteins Theorie hat in der direkten Auseinandersetzung mit den Vorhersagen der Newtonschen Theorie auch eine exaktere Übereinstimmung mit der Wirklichkeit bewiesen.

Genauso wichtig ist, dass die allgemeine Relativitätstheorie, da sie im Einzelnen angibt, mittels welcher Mechanismen die Gravitation wirkt, einen mathematischen Rahmen liefert, mit dem sich bestimmen lässt, wie rasch die Gravitation ihren Einfluss überträgt. Die Übertragungsgeschwindigkeit läuft auf die Frage hinaus, wie rasch sich die Raumform in der Zeit verändern kann. Anders ausgedrückt: Wie schnell können Krümmungen und Kräuselungen im Raum – Kräuselungen, wie sie auf einer Teichoberfläche durch einen hineingeworfenen Kieselstein verursacht werden – von einem Ort zu einem anderen gelangen? Einstein konnte das mathematisch klären, und die Antwort, auf die er stieß, war außerordentlich befriedigend. Er fand heraus, dass sich Krümmungen und Kräuselungen – das heißt, die Gravitation – nicht instantan von Ort zu Ort bewegen, wie es in Newtons Gravitationsberechnungen der Fall war, sondern dass *sie sich exakt mit Lichtgeschwindigkeit ausbreiten*. Kein bisschen schneller und kein bisschen langsamer, in vollkommener Übereinstimmung mit der Geschwindigkeitsbegrenzung, die von der speziellen Relativitätstheorie gesetzt wird. Wenn Außerirdische den Mond aus seiner Umlaufbahn entfernten, würde die Ebbe anderthalb Sekunden später einsetzen, genau in dem Augenblick, da wir das Verschwinden des Mondes beobachten würden. Wo Newtons Theorie versagte, bewährte sich Einsteins allgemeine Relativitätstheorie.

Allgemeine Relativitätstheorie und der Eimer

Mit der allgemeinen Relativitätstheorie hat Einstein der Welt nicht nur eine mathematisch elegante, begrifflich leistungsfähige und zum ersten Mal vollständig widerspruchsfreie Gravitationstheorie geschenkt, sondern auch unser Bild von Raum und Zeit von Grund auf verändert. Sowohl in Newtons Entwurf wie auch in dem der speziellen Relativitätstheorie lieferten Raum und Zeit eine unveränderliche Bühne für die Ereignisse des Universums. Auch wenn die spezielle Relativitätstheorie mit der Zerteilung des Kosmos in Raumscheiben aufeinander folgender Augenblicke eine Flexibilität beweist, die in Newtons Zeitalter undenkbar war, reagieren Raum und Zeit in der speziellen Relativitätstheorie nicht auf Geschehnisse im Universum. Die Raumzeit – der Brotlaib in unserem Beispiel – wird als ein für alle Mal gegeben hingenommen. In der allgemeinen Relativitätstheorie ändert sich das alles. Raum und Zeit avancieren zu Mitspielern bei der Entwicklung des Kosmos. Sie werden lebendig. Die Materie hier veranlasst den Raum dort, sich zu krümmen, und sich ein Stück weiter noch stärker zu krümmen und so fort. Die allgemeine Relativitätstheorie liefert die Choreographie für einen komplexen Tanz von Raum, Zeit, Materie und Energie.

Das ist eine verblüffende Entwicklung. Doch nun kommen wir zu unserem zentralen Thema zurück: Was ist mit dem Eimer? Liefert die allgemeine Relativitätstheorie die physikalische Grundlage für Machs relationistische Ideen, wie Einstein hoffte?

Im Laufe der Jahre ist diese Frage kontrovers diskutiert worden. Ursprünglich glaubte Einstein, die allgemeine Relativitätstheorie habe sich Machs Perspektive vollkommen zu Eigen gemacht, einen Blickwinkel, den er für so wichtig hielt, dass er ihn das *Machsche Prinzip* nannte. Tatsächlich schrieb Einstein 1913, als er verbissen damit rang, die letzten Teile der allgemeinen Relativitätstheorie einzufügen, Mach einen begeisterten Brief, in dem er darlegte, wie die allgemeine Relativitätstheorie Machs Analyse des Eimerexperiments bestätigen werde.[18] Als Einstein 1918 einen Artikel schrieb, in dem er die drei entscheidenden Ideen erläuterte, die der allgemeinen Relativitätstheorie zugrunde liegen, war der dritte Punkt auf seiner Liste das Machsche Prinzip. Doch die allgemeine Relativitätstheorie ist so komplex, dass die Physiker, Einstein eingeschlossen, viele Jahre brauchten, um sie vollständig zu verstehen. Je besser man die verschiedenen Aspekte begriff, desto schwieriger wurde es für Einstein, das Machsche Prinzip vollständig in die allgemeine Relativitätstheorie einzubinden. Nach und nach verlor sich seine Begeisterung über die Machschen Ideen, und in seinen späten Jahren lehnte er sie sogar ab.[19]

Aus dem Abstand und anhand der Forschungsergebnisse eines weiteren halben Jahrhunderts können wir noch einmal betrachten, in welchem Maße die allgemeine Relativitätstheorie den Machschen Überlegungen entspricht. Obwohl die Frage noch immer etwas strittig ist, lautet das meiner Meinung nach zutreffendste Urteil, dass die allgemeine Relativitätstheorie in mancherlei Hinsicht einen deutlich Machschen Charakter hat, aber nicht die radikal relationistische Position einnimmt, die Mach vertrat. Lassen Sie mich das erklären.

Wenn die rotierende Wasseroberfläche konkav wird, wenn Sie spüren, wie Ihre Arme nach außen gezogen werden, oder wenn sich das Seil zwischen zwei wirbelnden Steinen strafft, dann, so Machs Ansicht,[20] hat das nichts mit dem hypothetischen – und seiner Meinung nach irreführenden – Begriff eines absoluten Raums (oder, nach modernerer Lesart, einer absoluten Raumzeit) zu tun. Dies sei vielmehr ein Beleg für die beschleunigte Bewegung relativ zu aller Materie, die im Kosmos verteilt ist. Gäbe es keine Materie, so gäbe es auch den Begriff der Beschleunigung nicht und keinen der genannten Effekte (konkave Wasseroberflächen, nach außen fliegende Arme, straff gespannte Seile).

Und was sagt die allgemeine Relativitätstheorie?

Nach der allgemeinen Relativitätstheorie sind die Bezugssysteme für alle Bewegung, und die beschleunigte Bewegung im Besonderen, frei fallende Beobachter – Beobachter, die sich ganz und gar der Gravitation überlassen und auf die keine anderen Kräfte einwirken. Nun ist ein entscheidender Punkt, dass die Gravitationskraft, der sich ein frei fallender Beobachter ganz hingibt, aus all der Materie (und Energie) erwächst, die im Kosmos verteilt ist. Die Erde, der Mond, die fernen Planeten, Sterne, Gaswolken, Quasare und Galaxien – sie alle tragen genau dort, wo Sie jetzt sitzen, zum Gravitationsfeld (geometrisch ausgedrückt, zur Raumzeitkrümmung) bei. Dinge, die mehr Masse besitzen und weniger weit entfernt sind, üben einen größeren Gravitationseinfluss aus, aber das Gravitationsfeld, das auf Sie einwirkt, stellt den Gesamteinfluss der Materie im ganzen Weltall dar.[21] Der Weg, den Sie nähmen, wenn Sie der Gravitation ganz nachgeben und die Bewegung des freien Falls annehmen würden – so dass Sie zum Bezugssystem würden, anhand dessen sich beurteilen ließe, ob ein anderes Objekt beschleunigt –, wäre von der *gesamten* Materie im Kosmos beeinflusst, von den Sternen am Himmel ebenso wie vom Haus nebenan. Wenn es in der allgemeinen Relativitätstheorie also heißt, ein Objekt beschleunige, dann bedeutet das, es beschleunigt relativ zu einem Bezugssystem, das durch die im ganzen Universum verteilte Materie bestimmt wird. Das ist eine Schlussfolgerung, die an Machs These erinnert. Insofern hat die allgemeine Relativitätstheorie einige Überlegungen von Mach in sich aufgenommen.

Trotzdem bestätigt die allgemeine Relativitätstheorie nicht alle Machschen Ideen, wie sofort ersichtlich ist, wenn wir ein weiteres Mal den rotierenden Eimer in einem ansonsten leeren Universum betrachten. In einem leeren, unveränderlichen Universum – keine Sterne, keine Planeten, kein Nichts welcher Art auch immer – gibt es keine Gravitation.[22] Ohne Gravitation ist die Raumzeit nicht gekrümmt – sie besitzt die einfache, ungekrümmte Form wie in Abbildung 3.9 (b) –, und das heißt, wir sind zu den einfacheren Verhältnissen der speziellen Relativitätstheorie zurückgekehrt. (Erinnern wir uns: Einstein ließ die Gravitation außer Acht, als er die spezielle Relativitätstheorie entwickelte. Diesen Mangel behebt die allgemeine Relativitätstheorie, indem sie die Gravitation einbezieht, aber wenn das Universum leer und unveränderlich ist, gibt es keine Gravitation, und damit reduziert sich die allgemeine auf die spezielle Relativitätstheorie.) Wenn wir jetzt den Eimer in dieses leere Universum einführen, hat er eine so winzige Masse, dass sich seine Anwesenheit kaum auf die Form des Universums auswirkt. Daher treffen die Überlegungen, die wir oben in Bezug auf den Eimer in der speziellen Relativitätstheorie angestellt haben, genauso auf die allgemeine Relativitätstheorie zu. Im Unterschied zu dem, was Mach vorhergesagt hätte, kommt die allgemeine Relativitätstheorie zu denselben Antworten wie die spezielle Relativitätstheorie und verkündet, dass Sie auch in einem ansonsten leeren Universum spüren *würden*, wie Sie gegen die Innenwand des rotierenden Eimers gepresst würden. In einem ansonsten leeren Universum *würde* auf Ihre Arme ein Zug nach außen wirken, wenn Sie sich im Kreis drehten. In einem ansonsten leeren Universum *würde* sich das Seil zwischen zwei herumwirbelnden Steinen straffen. Die Schlussfolgerung, die wir daraus ziehen, lautet, dass die leere Raumzeit sogar in der allgemeinen Relativitätstheorie ein Bezugssystem für beschleunigte Bewegung liefert.

Obwohl sich die allgemeine Relativitätstheorie also einige Elemente des Machschen Denkens einverleibt, übernimmt sie doch nicht den vollkommen relativen Bewegungsbegriff, den Mach vertrat.[23] Das Machsche Prinzip ist ein Beispiel für eine provozierende Idee, die eine revolutionäre Entdeckung anregt, auch wenn sich die Entdeckung am Ende die Idee, der sie ihre Entstehung verdankte, nicht ganz zu Eigen machte.

Raumzeit im dritten Jahrtausend

Der rotierende Eimer hat sich lange gehalten. Von Newtons absolutem Raum und absoluter Zeit über die relationistischen Begriffe von Leibniz und Mach sowie die spezielle Relativitätstheorie, in der Einstein erkannte, dass Raum und Zeit zwar relativ sind, aber in ihrer Vereinigung doch die absolute Raumzeit ausfüllen, bis hin zur nachfolgenden allgemeinen Relativitätstheorie, in der Einstein entdeckte, dass die Raumzeit ein dynamischer Mitspieler bei der Entwicklung des Kosmos ist, war der Eimer immer mit von der Partie. Er drehte sich im Hinterkopf der beteiligten Physiker und Philosophen und lieferte einen einfachen Test für die Frage, ob der unsichtbare, der abstrakte, der ungreifbare Stoff des Raums – und, allgemeiner, der Raumzeit – substanziell genug ist, um als letztes Bezugssystem für die Bewegung dienen zu können. Das Urteil? Zwar wird die Frage noch erörtert, wie wir gesehen haben, aber die unkomplizierteste Interpretation der Haltung Einsteins und der allgemeinen Relativitätstheorie lautet, dass die Raumzeit als ein solches Bezugssystem dienen kann: *Die Raumzeit ist ein Etwas.*[24]

Es sei allerdings darauf hingewiesen, dass diese Schlussfolgerung auch die Anhänger einer etwas allgemeiner definierten relationistischen Ansicht frohlocken lässt. In Newtons Auffassung und später auch in der speziellen Relativitätstheorie wurden der Raum beziehungsweise die Raumzeit als reale Gegebenheiten angesehen, die als Bezugssysteme für die beschleunigte Bewegung dienten. Und da aus dieser Sicht Raum und Raumzeit absolut unveränderlich sind, ist der Beschleunigungsbegriff absolut. Doch in der allgemeinen Relativitätstheorie hat sich der Charakter der Raumzeit von Grund auf verändert. Dort sind Raum und Zeit dynamisch: Sie sind veränderlich, sie reagieren auf die Anwesenheit von Masse und Energie, sie sind nicht absolut. Die Raumzeit, und insbesondere die Art und Weise, wie sie sich verzerrt und krümmt, verkörpert das Gravitationsfeld. Daher erinnert in der allgemeinen Relativitätstheorie die Beschleunigung relativ zur Raumzeit nur von fern an den absoluten, unerschütterlich nichtrelationalen Begriff, auf den sich die vorherigen Theorien stützten. Vielmehr *ist* die Beschleunigung relativ zur Raumzeit relational, wie Einstein einige Jahre vor seinem Tod beredt darlegte.[25] Es ist keine Beschleunigung relativ zu materiellen Objekten wie Steinen oder Sternen, sondern Beschleunigung relativ zu etwas ebenso Realem, Greifbarem und Veränderlichem: einem Feld – dem Gravitationsfeld.* In diesem Sinne ist die Raumzeit – da sie die Inkarnation der Gravitation ist – *so* real in der allgemeinen Relativitätstheorie, dass das Bezugssystem, das sie liefert, von vielen Relationisten ohne weiteres akzeptiert werden kann.

Zweifellos wird die Debatte über die in diesem Kapitel behandelten Fragen weitergehen, während wir weiterhin bemüht sind zu verstehen, was Raum, Zeit und Raumzeit wirklich sind. Mit der Entwicklung der Quantenmechanik wird die Situation noch komplizierter. Die Konzepte des leeren Raums und des Nichts gewinnen eine vollkommen neue Bedeutung, sobald die Unschärferelation auf der Bildfläche erscheint. Tatsächlich hat sich seit 1905, als Einstein den Lichtäther abschaffte, die Vorstellung, der Raum sei mit unsichtbaren Substanzen gefüllt, nachdrücklich zurückgemeldet. Wir werden in späteren Kapiteln sehen, dass wesentliche Entwicklungen in der modernen Physik wieder verschiedene Formen einer ätherähnlichen Substanz postuliert haben, von denen zwar keine wie einst der Lichtäther als absoluter Bewegungsmaßstab dienen kann, die aber alle die naive Vorstellung dessen, was eine leere Raumzeit bedeutet, entschieden in Frage stellen. Mehr noch: Wie das folgende Kapitel

* In der speziellen Relativitätstheorie – dem Spezialfall der allgemeinen Relativitätstheorie, in der das Gravitationsfeld null ist – gilt diese Idee unverändert: Ein Gravitationsfeld von null ist immer noch ein Feld, das sich messen und verändern lässt, und folglich ein Etwas, relativ zu dem Beschleunigung definiert werden kann.

zeigt, wird die wichtigste Rolle, die der Raum in einem klassischen Universum spielt – als Medium zu dienen, das ein Objekt vom anderen trennt, als jener Stoff dazwischenzutreten, auf Grund dessen wir behaupten können, dass ein Objekt verschieden und unabhängig von einem anderen ist –, von verblüffenden Quanten-Querverbindungen von Grund auf in Zweifel gezogen.

4

VERSCHRÄNKTER RAUM

Was bedeutet räumliche Trennung in einem Quantenuniversum?

Die spezielle und allgemeine Relativitätstheorie zu akzeptieren heißt, den absoluten Raum und die absolute Zeit Newtons aufzugeben. Das ist zwar nicht leicht, aber man kann seinen Verstand darauf trainieren. Immer wenn Sie sich bewegen, müssen Sie sich vorstellen, Ihr *Jetzt* würde sich von den *Jetzts* all jener entfernen, die sich nicht mit Ihnen bewegen. Wenn Sie in Ihrem Auto auf einer Schnellstraße fahren, malen Sie sich aus, auf Ihrer Uhr verstriche die Zeit mit einem anderen Tempo als auf den Chronometern der Häuser, an denen Sie vorbeirasen. Wenn Sie die Aussicht von einem Berggipfel genießen, stellen Sie sich vor, die Zeit verstreiche für Sie rascher als für jene Menschen, die weit unten im Tal einer stärkeren Gravitation ausgesetzt sind. Ich sage »stellen Sie sich vor«, weil unter normalen Umständen wie den genannten die Effekte der Relativität so gering sind, dass sie überhaupt nicht zu bemerken sind. Die Alltagserfahrung offenbart uns also nicht, was im Universum tatsächlich geschieht. Das ist der Grund, warum hundert Jahre nach Einstein fast niemand, noch nicht einmal der professionelle Physiker, ein instinktives Empfinden für relativistische Effekte hat. Das ist nicht überraschend. Dem gründlichen Verständnis der Relativitätstheorie lässt sich kaum irgendein Überlebenswert beimessen. Newtons mangelhafte Vorstellungen vom absoluten Raum und von der absoluten Zeit sind vollkommen ausreichend für die langsamen Geschwindigkeiten und gemäßigten Gravitationskräfte, mit denen wir es im Alltag zu tun bekommen, daher entsteht für unsere Sinnesorgane kein evolutionärer Druck, eine besondere Empfindlichkeit für relativistische Effekte zu entwickeln. Um zu einem präziseren Bewusstsein und klareren Verständnis zu gelangen, müssen wir daher mit intensiver Verstandesarbeit die Lücken füllen, die unsere Sinneswahrnehmungen offen lassen.

Die Relativitätstheorie bedeutete einen tiefgreifenden Bruch mit den traditionellen Vorstellungen vom Universum. Damit nicht genug, ereignete sich zwischen 1900 und 1930 eine weitere Revolution, welche die Physik auf den Kopf stellte, ausgelöst um die Wende zum zwanzigsten Jahrhundert durch zwei Artikel über die Eigenschaften von Strahlung. Der eine stammte von Max Planck, der andere von Einstein, und nach dreißig Jahren intensiver Forschung führten sie zur Formulierung der *Quantenmechanik*. Wie bei der Relativitätstheorie, deren Effekte erst unter extremen Verhältnissen der Geschwindigkeit oder der Gravitation erheblich werden, offenbart sich die neue Physik der Quantenmechanik in deutlichem Maße nur in einer anderen Extremsituation: dem Reich der extrem kleinen Dinge. Allerdings gibt es einen wesentlichen Unterschied zwischen den revolutionären Folgen der Relativitätstheorie und denen der Quantenmechanik. Die Fremdartigkeit der Relativitätstheorie resultiert aus dem Vergleich: Unsere persönliche Erfahrung von Raum und Zeit unterscheidet sich von der Erfahrung anderer. Wir müssen einräumen, dass unser Bild der Wirklichkeit eines unter vielen ist – eines unter einer unendlichen Zahl –, die sich alle nahtlos zur Gesamtheit der Raumzeit zusammenfügen.

Mit der Quantenmechanik verhält es sich anders. Ihre Fremdartigkeit zeigt sich ohne Vergleich. Eine quantenmechanische Intuition lässt sich unserem Verstand noch schwerer antrainieren, weil die Quantenmechanik unseren persönlichen, individuellen Wirklichkeitsbegriff zerstört.

Das quantenmechanische Weltbild

Jedes Zeitalter erfindet seine eigenen Geschichten und Metaphern, in denen es erklärt, wie das Universum ersonnen und hervorgebracht wurde. Nach einem alten indischen Schöpfungsmythos wurde das Universum geschaffen, als die Götter den Urriesen Purusa zerstückelten: Aus seinem Kopf wurde der Himmel, aus seinen Füßen die Erde und aus seinem Atem der Wind. Für Aristoteles bestand das Universum aus 55 konzentrischen Kristallsphären, deren äußerste der Himmel war, dann kamen diejenigen der Planeten, der Erde und ihrer Elemente und schließlich die sieben Kreise der Hölle.[1] Mit Newton und seiner exakten, deterministischen und mathematischen Formulierung der Bewegung veränderte sich die Beschreibung erneut. Die Entwicklung des Universums wurde mit einem riesigen, großartigen Uhrwerk verglichen: Einmal aufgezogen und in seinen Anfangszustand versetzt, läuft das Uhrwerk-Universum von einem Augenblick zum anderen mit vollkommener Regelmäßigkeit und Vorhersagbarkeit ab.

Die spezielle und die allgemeine Relativitätstheorie machten auf wichtige Feinheiten der Uhrwerksmetapher aufmerksam: Es gibt keine einzelne, bevorzugte, universelle Uhr; es gibt keine Übereinstimmung hinsichtlich dessen, was einen Augenblick, ein *Jetzt* konstituiert. Gleichwohl können Sie immer noch eine uhrwerksähnliche Geschichte über die Entwicklung des Universums erzählen. Die Uhr ist zwar nur Ihre Uhr, die Geschichte nur Ihre Geschichte, aber das Universum entwickelt sich mit der gleichen Regelmäßigkeit und Vorhersagbarkeit wie im Rahmen der Newtonschen Theorie. Wenn Sie durch irgendein Mittel den Zustand des Universums in diesem Augenblick in Erfahrung bringen können – wenn Sie wissen, wo sich *jedes* Teilchen befindet, wie schnell und in welche Richtung es sich bewegt –, dann können Sie im Prinzip, darin waren sich Newton und Einstein einig, mit Hilfe der physikalischen Gesetze alles vorhersagen, was sich beliebig weit in die Zukunft erstreckt, oder herausfinden, was sich in beliebig ferner Vergangenheit ereignet hat.[2]

Die Quantenmechanik bricht mit dieser Tradition. Wir können noch *nicht* einmal den genauen Ort und die genaue Geschwindigkeit eines einzigen Teilchens kennen. Wir können noch *nicht* einmal das Ergebnis des einfachsten Experiments vorhersagen, von der Entwicklung des gesamten Kosmos gar nicht zu reden. Die Quantenmechanik zeigt, dass wir allenfalls die *Wahrscheinlichkeit* vorhersagen können, mit der ein Experiment zu diesem oder jenem Ergebnis führt. Und da die Quantenmechanik über Jahrzehnte durch Experimente von fantastischer Genauigkeit verifiziert worden ist, lässt sich Newtons kosmische Uhr, selbst mit Einsteins Aktualisierung, als Metapher nicht mehr aufrechterhalten. Sie liefert nachweislich *kein* richtiges Bild von den Vorgängen in der Welt.

Doch der Bruch mit der Vergangenheit ist noch radikaler. Obwohl sich Newtons und Einsteins Theorien grundsätzlich in Hinblick auf die Natur von Raum und Zeit unterscheiden, sind sie sich über bestimmte grundlegende Fakten einig, gewisse Wahrheiten, die selbstverständlich zu sein scheinen. Wenn Raum zwischen zwei Objekten ist – wenn zwei Vögel am Himmel fliegen und einer ein Stück rechts von Ihnen und der andere ein Stück links von Ihnen fliegt –, dann können wir die beiden Objekte als unabhängig ansehen und tun es auch. Wir halten sie für getrennte und eigenständige Dinge. Der Raum bildet, egal, was er im Grunde genommen ist, das Medium, welches ein Objekt vom anderen trennt und unterscheidet. Das vollbringt der Raum. Dinge, die verschiedene Orte im Raum einnehmen, sind verschiedene Dinge. Mehr noch: Ein Objekt kann ein anderes nur beeinflussen, wenn es in irgendeiner Weise den Raum überwindet, der sie trennt. Ein Vogel kann zum anderen fliegen, indem er den Raum zwischen ihnen durchquert, um mit seinem Gefährten zu schnäbeln oder nach ihm zu picken. Ein Mensch kann einen anderen beeinflussen, indem er sein Katapult nimmt und einen Stein veranlasst, den Raum zwischen ihnen zu durchqueren, oder indem er ruft und dadurch unter den Luftmolekülen einen Dominoeffekt auslöst – eines stößt das andere an, bis einige gegen das Trommelfell des Empfängers geschleudert werden. Wer es raffinierter anstellen will, kann auch einen Laser abfeuern und dadurch eine elektromagnetische Welle erzeugen – einen Lichtstrahl –, die den Zwischenraum durchquert. Wen es nach Größerem verlangt (wie die außerirdischen Witzbolde aus dem letzten Kapitel), kann einen massereichen Körper (etwa den Mond) schütteln oder bewegen und dadurch eine gravitative Störung von einem Ort zu einem anderen schicken. Gewiss, wenn wir hier sind, können wir jemanden dort beeinflussen, doch egal, wie wir es anstellen, der Vorgang setzt immer jemanden oder etwas voraus, der oder das sich von hier nach dort bewegt, und nur wenn der jemand oder das etwas dorthin gelangt, kann der Einfluss ausgeübt werden.

Physiker nennen dieses Merkmal des Universums *Lokalität* und unterstreichen damit, dass wir direkt nur auf Objekte einwirken können, die nah – *lokal* – sind. Wodu widerspricht der Lokalität, weil dabei etwas hier getan und dort bewirkt wird, ohne dass dazu etwas von hier nach dort gelangen muss, doch die alltägliche Erfahrung bestärkt uns in der Annahme, dass verifizierbare, wiederholbare Experimente die Lokalität bestätigen würden.[3] Und die meisten tun es auch.

Doch in den letzten zwanzig Jahren wurde eine Klasse von Experimenten durchgeführt, die gezeigt haben, dass etwas, was wir hier tun (etwa die Messung bestimmter Eigenschaften eines Teilchens), auf verborgene Weise mit etwas verschränkt sein *kann*, das dort geschieht (beispielsweise dem Messergebnis für bestimmte Eigenschaften eines anderen fernen Teilchens), *ohne* dass dazu etwas von hier nach dort geschickt wurde. Obwohl das Phänomen intuitiv vollkommen verwirrend ist, entspricht es ganz den Gesetzen der Quantenmechanik und wurde mit ihrer Hilfe schon lange vorhergesagt, bevor es die Technik gab, um die Experimente durchzuführen und die bemerkenswerte Feststellung zu machen, dass die Vorhersage richtig ist. Das klingt wie Wodu. Einstein gehörte zu den ersten Physikern, die diese mögliche Eigenschaft der Quantenmechanik erkannten. Er kritisierte sie scharf und nannte sie »spukhaft«. Wie wir sehen werden, sind diese experimentell verifizierten Fern-Verknüpfungen außerordentlich empfindlich und entziehen sich in einem ganz bestimmten Sinn grundsätzlich unserer Kontrolle.

Trotzdem untermauern diese Ergebnisse, die sowohl theoretischer wie experimenteller Art sind, nachdrücklich den Schluss, dass das Universum Wechselbeziehungen zulässt, die nichtlokal sind.[4] Etwas, was hier geschieht, kann mit etwas zusammenhängen, was dort geschieht, selbst wenn nichts von hier nach dort gelangt – und das sogar, wenn nicht genügend Zeit zur Verfügung steht, damit sich irgendetwas von einem Ereignis zum anderen bewegen könnte, noch nicht einmal das Licht. Das heißt, wir können uns den Raum nicht so vorstellen, wie man es einst tat: Zwischenraum, *gleich von welcher Ausdehnung*, garantiert nicht, dass zwei Objekte getrennt sind, da die Quantenmechanik zulässt, dass eine Verschränkung, eine Art Verknüpfung, zwischen ihnen besteht. Ein Teilchen wie eines der unzähligen, aus denen Sie oder ich bestehen, kann davonlaufen, aber sich nicht verstecken. Laut der Quantentheorie und der vielen Experimente, die ihre Vorhersagen bestätigt haben, kann die Quantenverknüpfung zwischen zwei Teilchen auch dann noch fortbestehen, wenn sie sich auf entgegengesetzten Seiten des Universums befinden. Aus der Sicht ihrer Verschränkung ist es ungeachtet der viele Billionen Kilometer, die zwischen ihnen liegen, so, als würden sie aneinanderhaften.

Aus der modernen Physik ergeben sich verschiedene Aspekte, die unser Bild der Wirklichkeit in Frage stellen. Vielen werden wir in den folgenden Kapiteln begegnen. Doch von all denen, die experimentell bestätigt worden sind, finde ich keinen so verblüffend wie die Erkenntnis, dass unser Universum nicht lokal ist.

Rot und Blau

Um einen Begriff von der Art Nichtlokalität zu bekommen, die aus der Quantenmechanik erwächst, stellen Sie sich vor, FBI-Agentin Scully – uns allen aus »Akte X« bestens bekannt – träte ihren lange überfälligen Urlaub an und begäbe sich in das Feriendomizil der Familie in der Provence. Noch bevor sie Zeit hat auszupacken, klingelt das Telefon. Es ist Kollege Mulder, der aus Amerika anruft.

»Hast du die Schachtel – die, die in rotes und blaues Papier eingepackt ist?«

Scully, die alle Post zu einem Haufen an der Tür aufgeschüttet hat, betrachtet das Durcheinander und sieht das Päckchen. »Mulder, ich bitte dich! Ich hab doch nicht den langen Weg nach Aix gemacht, um mir schon wieder einen Stapel Akten reinzuziehen.«

»Nein, nein, das Päckchen ist nicht von mir. Ich hab auch eins bekommen. Da waren diese kleinen lichtundurchlässigen Titanschächtelchen drin, von 1 bis 1000 nummeriert, und ein Brief, in dem es hieß, du würdest ein identisches Päckchen erhalten.«

»Ja, und?«, fragt Scully langsam und beginnt zu befürchten, die Titanschächtelchen könnten irgendwie dazu führen, dass sie ihren Urlaub abkürzen müsse.

»Nun«, fährt Mulder fort, »hier steht, in jedem Titankästchen sei eine außerirdische Kugel, die in dem Augenblick, wo die kleine Klappe an ihrer Seite geöffnet wird, rot oder blau aufblitzt.«

»Soll ich nun beeindruckt sein, Mulder?«

»Noch nicht, aber hör mal weiter. Die schreiben, dass die Kugeln, *bevor* ein Kästchen geöffnet wird, die Fähigkeit haben, sowohl rot als auch blau aufzuleuchten, und sich erst in dem Moment *zufällig* zwischen den beiden Farben entscheiden, wenn die Klappe geöffnet wird. Doch nun kommt das Merkwürdige. Denn in dem Brief wird behauptet, dass deine Kästchen zwar genauso funktionieren wie meine, dass unsere Kästchen aber – obwohl die Kugeln darin jeweils *zufällig* zwischen rotem und blauem Aufblitzen wählen – irgendwie zusammenarbeiten. Es soll einen geheimnisvollen Zusammenhang zwischen ihnen geben, und zwar so, dass du, wenn es in meinem Kästchen 1 beim Öffnen blau aufleuchtet, beim Öffnen deines Kästchens 1 ebenfalls ein blaues Licht siehst. Wenn ich beim Öffnen von Kästchen 2 ein rotes Leuchten sehe, soll das das bei deinem Kästchen 2 ebenfalls der Fall sein und so fort.«

»Hör zu, Mulder, ich bin wirklich erschöpft von der Reise, also verschone mich mit den Taschenspielertricks, bis ich zurück bin.«

»Bitte, Scully, ich weiß, dass du Urlaub hast, aber wir brauchen doch nur ein paar Minuten, um festzustellen, ob es stimmt.«

Widerstrebend sieht Scully ein, dass jeder Widerstand zwecklos ist, also gibt sie nach und öffnet ihre kleinen Kästchen. Als Scully und Mulder die Farben der Lichtblitze im Inneren der einzelnen Kästchen vergleichen, stellen sie tatsächlich die im Brief angekündigte Übereinstimmung fest. Manchmal leuchtet die Kugel in einem Kästchen rot auf, manchmal blau, aber wenn Scully und Mulder Kästchen mit gleichen Zahlen öffnen, sehen sie stets die gleiche Farbe aufblitzen. Mulder wird durch die außerirdischen Kugeln in immer größere Aufregung versetzt, doch Scully bleibt völlig unbeeindruckt.

»Hör zu, Mulder«, weist sie ihn streng zurecht, »in Wirklichkeit brauchst *du* dringend Urlaub. Das ist doch lächerlich. Offenkundig sind die Kugeln in den Kästchen darauf programmiert, entweder rot oder blau aufzuleuchten, wenn man die Klappe öffnet. Und der Witzbold, von dem dieser Unsinn stammt, hat unsere Kästchen vollkommen gleich programmiert, so dass du und ich die gleichen Farben in Kästchen mit den gleichen Nummern sehen müssen.«

»Aber nein, Scully, in dem Brief heißt es, dass jede außerirdische Kugel *zufällig* zwischen blauem und rotem Leuchten auswählt, wenn die Klappe geöffnet wird, *nicht*, dass die Kugel programmiert wurde, sich für die eine oder die andere Farbe zu entscheiden.«

»Mulder«, seufzt Scully, »meine Erklärung ist absolut sinnvoll und deckt sich mit allen Daten. Was willst du mehr? Und schau mal hier, unten auf dem Brief. Da steht die größte Lachnummer überhaupt. Das ›außerirdische‹ Kleingedruckte informiert uns darüber, dass die Kugel im Kästchen nicht nur aufleuchtet, wenn man die Klappe öffnet, sondern auch, wenn irgendein Versuch gemacht wird herauszufinden, wie das Ganze funktioniert – wenn wir beispielsweise versuchen, die Farbzusammensetzung oder die chemische Beschaffenheit der Kugel vor Öffnen der Klappe zu ermitteln. Mit anderen Worten: Wir können die angeblich zufällige Wahl von Rot oder Blau gar nicht untersuchen, weil schon der Versuch dazu das Experiment verfälscht. Das ist so, als würde ich dir erzählen, dass ich in Wirklichkeit eine Blondine bin, aber jedes Mal eine Rothaarige werde, wenn du oder jemand anders mein Haar ansieht oder es in irgendeiner Weise untersucht. Wie solltest du mir jemals das Gegenteil beweisen? Deine kleinen grünen Männchen sind ganz schön schlau – sie haben dafür gesorgt, dass ihr Humbug nicht auffliegen kann. Geh du ruhig mit deinen Kästchen spielen, aber gönn mir ein bisschen Frieden und Ruhe.«

Man möchte meinen, Scully hätte sich damit auf die Seite der Vernunft und der Wissenschaft geschlagen. Die Quantenmechaniker jedoch – Wissenschaftler, keine Außerirdischen – stellen seit fast achtzig Jahren Behauptungen über die Abläufe im Universum auf, die große Ähnlichkeit mit den Ausführungen in dem Brief haben. Es gibt heute überzeugende wissenschaftliche Belege dafür, dass die Daten eher für Mulders als für Scullys Ansicht sprechen. Nach der Quantenmechanik kann sich ein Teilchen beispielsweise in einer Art Zwischenzustand befinden, unentschieden, ob es diese oder jene Eigenschaft besitzt – wie eine »außerirdische« Kugel, die zwischen rotem und blauem Aufleuchten verharrt, bis die Klappe geöffnet wird –, und erst wenn das Teilchen betrachtet (gemessen) wird, entschließt es sich, definitiv die eine oder die andere Eigenschaft anzunehmen. Als wäre das noch nicht seltsam genug, sagt die Quantenmechanik ferner voraus, dass es Verbindungen zwischen Teilchen geben kann, die den behaupteten Verknüpfungen zwischen den außerirdischen Kugeln ähneln. Zwei Teilchen können durch Quanteneffekte so miteinander verschränkt sein, dass ihre zufälligen Entscheidungen, die eine oder die andere konkrete Eigenschaft mitzunehmen, korrelieren: In derselben Weise, wie jede der außerirdischen Kugeln zufällig zwischen Rot und Blau wählte und die Farben, die von Kugeln in Kästchen mit gleichen Zahlen gewählt wurden, trotzdem direkt zusammenhingen (beide leuchteten rot, oder beide leuchteten blau auf), können auch die Eigenschaften, die zufällig von zwei möglicherweise weit voneinander entfernten Teilchen ausgewählt werden, aufeinander abgestimmt sein. Grob gesagt: Selbst wenn die beiden Teilchen weit getrennt sind, zeigt die Quantenmechanik, dass alles, was das eine Teilchen macht, auch das andere tut.

Betrachten wir ein konkretes Beispiel: Wenn Sie eine Sonnenbrille tragen, besteht nach der Quantenmechanik eine 50-prozentige Chance, dass ein bestimmtes Photon – eines, das beispielsweise von der Oberfläche eines Sees oder einer Asphaltstraße reflektiert wird – es durch Ihre polarisierten Brillengläser schafft: Wenn das Photon auf das Glas trifft, »wählt« es zufällig zwischen Reflektiertwerden und Hindurchgelangen. Das Erstaunliche daran ist, dass ein solches Photon ein Partnerphoton haben kann, das sich viele Kilometer in entgegengesetzte Richtung vom ersten entfernt hat und sich trotzdem, wenn es vor die gleiche 50-prozentige Wahrscheinlichkeit gestellt wird, eine andere polarisierte Sonnenbrille zu durchdringen, irgendwie genauso verhält wie das ursprüngliche Photon. *Obwohl Erfolg oder Misserfolg beider Durchdringungsversuche vom Zufall bestimmt sind und obwohl die Photonen räumlich weit getrennt sind, dringt das eine Photon genau dann durch die Sonnenbrille, wenn auch das andere die Gläser passiert.* Das ist die Art von Nichtlokalität, die von der Quantenmechanik vorhergesagt wird.

Einstein, der sich nie so richtig für die Quantenmechanik erwärmen konnte, mochte nicht glauben, dass das Universum so bizarren Regeln gehorcht. Er vertrat konventionellere Erklärungen, welche die Möglichkeit bestritten, dass Teilchen erst dann, wenn ihre Eigenschaften gemessen werden, zufällig auswählen, welche konkreten Eigenschaften sie aufweisen. Einstein hielt die Tatsache, dass man an zwei weit getrennten Teilchen gemeinsame Eigenschaften beobachtet, nicht für den Beweis irgendwelcher geheimnisvollen Quantenververschränkungen, die instantan eine Korrelation zwischen ihren Eigenschaften herstellen. Wie Scully meinte, dass die Kugeln nicht zufällig zwischen Rot und Blau wählten, sondern programmiert seien, in einer bestimmten Farbe aufzuleuchten, wenn sie beobachtet würden, so glaubte Einstein, Teilchen würden nicht zufällig zwischen einem Merkmal und einem anderen wählen, sondern gewissermaßen »programmiert« sein, ein bestimmtes Merkmal zu zeigen, wenn eine entsprechende Messung vorgenommen werde. Die Korrelation zwischen dem Verhalten weit getrennter Photonen beweise, dass die Photonen schon bei der Emission mit identischen Eigenschaften ausgestattet seien, und nicht, dass sie irgendeiner bizarren, fernwirkenden Quantenverknüpfungen unterlägen.

Fast fünfzig Jahre lang blieb die Frage, wer Recht hatte – Einstein oder die Verfechter der Quantenmechanik –, ungelöst, weil die Debatte, wie wir sehen werden, große Ähnlichkeit mit der zwischen Scully und Mulder bekam: Jeder Versuch, die seltsamen quantenmechanischen Verschränkungen zu widerlegen und Einsteins konventionellere Auffassung zu bestätigen, schien zum Scheitern verurteilt, weil es so aussah, als würde jedes entsprechende Experiment die Teilcheneigenschaften, die es sich zu messen bemühte, durch eben diesen Messvorgang automatisch verfälschen. Das sollte sich erst in den sechziger Jahren ändern. Mit einem verblüffenden Einfall zeigte der irische Physiker John Bell, dass die Frage sich doch experimentell klären ließ, und in den achtziger Jahren wurde dieser Plan in die Tat umgesetzt. Schlicht gesagt, belegen die Daten, dass Einstein Unrecht hatte und dass es tatsächlich seltsame, unheimliche, »spukhafte« Quantenzusammenhänge zwischen Dingen hier und Dingen dort geben kann.[5]

Die Begründung dieser Schlussfolgerung ist so kompliziert, dass die Physiker mehr als dreißig Jahre brauchten, um sie richtig zu begreifen. Doch wenn wir uns erst mit den wichtigsten Merkmalen der Quantenmechanik befasst haben, werden wir sehen, dass sich der Kern des Arguments auf eine Frage reduziert, die sich noch locker mit Hilfe des Publikumsjokers beantworten ließe.

Eine Welle erzeugen

Wenn Sie einen Laserpointer auf ein kleines Stück eines schwarzen, überbelichteten 35-mm-Films richten, von dem Sie in zwei außerordentlich nahen und schmalen Linien die Emulsion abgekratzt haben, können Sie den direkten Beweis dafür erblicken, dass das Licht eine Welle ist. Falls Sie es noch nie getan haben, ist es wirklich einen Versuch wert (wobei Sie anstelle des Films viele Dinge verwenden können, etwa das Drahtsieb in einer modischen Cafetière). Wenn das Laserlicht durch die Schlitze des Films dringt und auf einen Schirm trifft, haben Sie ein Bild aus hellen und dunklen Streifen vor sich wie in Abbildung 4.1. Die Erklärung dieses Musters stützt sich auf ein grundlegendes Merkmal von Wellen. Wasserwellen lassen sich am leichtesten bildlich vorstellen, daher wollen wir den entscheidenden Punkt zunächst anhand von Wellen auf einem großen, friedlichen See erklären und dann die gewonnenen Erkenntnisse auf das Licht anwenden.

Eine Wasserwelle stört die flache Oberfläche eines Sees, indem sie Regionen erzeugt, in denen der Wasserspiegel höher als normal ist, und andere Regionen schafft, in denen er niedriger ist. Den höchsten Teil einer Welle nennt man *Berg* und den niedrigsten Teil *Tal*. Eine typische Welle weist eine periodische Abfolge auf: erst Berg, dann Tal, dann wieder Berg und so fort. Wenn zwei Wellen aufeinander stoßen – wenn Sie und ich beispielsweise jeder, nicht allzu weit vom anderen entfernt, einen Stein in den See fallen lassen und Wellen erzeugen, die sich nach außen ausbreiten und ineinander laufen –, zeigt sich beim Aufeinandertreffen der Wellenmuster ein wichtiger Effekt, der als *Interferenz* bezeichnet und in Abbildung 4.2 (a) wiedergegeben ist. Trifft der Berg einer Welle mit dem Berg einer anderen zusammen, wird der Wasserspiegel an dieser Stelle noch höher, als Summe zweier Wellenberge. Trifft hingegen ein Wellental auf ein anderes Wellental, wird die Absenkung im Wasser noch tiefer, als Summe zweier

Abbildung 4.1 Wenn Laserlicht durch zwei Schlitze dringt, die auf ein Stück schwarzen Film geritzt sind, ruft es auf einem Sichtschirm ein Interferenzmuster hervor, das den Wellencharakter des Lichts offenbart.

Vertiefungen. Und nun zur wichtigsten Kombination: Wenn ein Wellenberg auf ein Wellental trifft, bemühen sich die beiden Auslenkungen, einander aufzuheben, weil der Berg bestrebt ist, den Wasserspiegel zu erhöhen, und das Tal auf eine Absenkung hinwirkt. Entspricht die Berghöhe der einen Welle der Taltiefe der anderen, kommt es bei ihrer Begegnung zu einer vollkommenen Aufhebung, so dass der Wasserspiegel an dieser Stelle überhaupt nicht vom Normalwert abweicht.

Dasselbe Prinzip erklärt das Muster, welches das Licht bildet, wenn es durch die beiden Spalte wie in Abbildung 4.1 dringt. Das Licht ist eine elektromagnetische Welle; wenn es die beiden Spalte passiert, teilt es sich in zwei Wellen auf, die sich in Richtung des Schirms bewegen. Wie die beiden eben erörterten Wasserwellen interferieren auch die beiden Lichtwellen miteinander. Wenn sie an verschiedenen Punkten auf den Schirm treffen, trifft dort manchmal gerade Wellenberg auf Wellenberg, dann ist der Schirm hell. Manchmal treffen zwei Wellentäler aufeinander, und auch dann ist der Schirm hell. Doch gelegentlich trifft Wellenberg auf Wellental, die beiden heben sich auf, und der Schirm bleibt an dieser Stelle dunkel. Das ist auf Abbildung 4.2 (b) zu sehen.

Untersucht man die Wellenausbreitung im mathematischen Detail, einschließlich der Fälle, in denen es zu Teilaufhebungen zwischen Wellen in verschiedenen Berg- und Talstadien kommt, lässt sich zeigen, dass die hellen und dunklen Stellen das in Abbildung 4.1 dargestellte Streifenmuster bilden. Die hellen und dunklen Streifen sind folglich ein aufschlussreicher Beleg dafür, dass das Licht eine Welle ist, eine Frage, über die hitzig debattiert wurde, seit Newton behauptet hatte, das Licht sei keine Welle, sondern bestehe aus einem Strom von Teilchen (dazu gleich mehr). Außerdem gilt diese Analyse genau so für *jede* Wellenart (Lichtwelle, Wasserwelle, Schallwelle, egal). Damit sind die Interferenzmuster ein untrügliches Zeichen: Sie wissen, dass Sie es mit einer Welle zu tun haben, wenn Ihr Intensitätsmuster nach dem Durchgang durch zwei Spalte von der richtigen Größe (festgelegt durch den Abstand zwischen den Wellen-

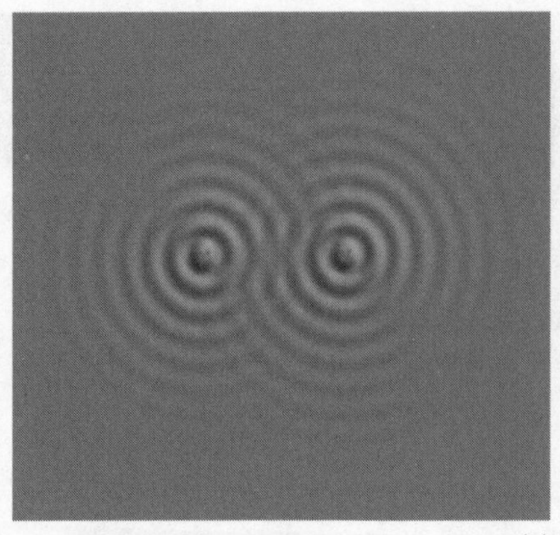

(a) (b)

Abbildung 4.2 (**a**) Einander überlagernde Wasserwellen rufen ein Interferenzmuster hervor. (**b**) Einander überlagernde Lichtwellen rufen ein Interferenzmuster hervor.

bergen und -tälern) das Aussehen von Abbildung 4.1 annimmt (wobei die hellen Regionen hohe Intensität und dunkle Regionen niedrige Intensität wiedergeben).

1927 feuerten Clinton Davisson und Lester Germer einen Strahl Elektronen – Teilchen, so will es scheinen, die nichts mit Wellenphänomenen gemein haben – auf ein Stück Nickelkristall. Die Einzelheiten sollen uns hier nicht interessieren, es genügt die Feststellung, dass dieses Experiment einem Versuch entspricht, in dem ein Elektronenstrahl auf einen Schirm mit zwei Spalten abgeschossen wird. Als die Experimentatoren die Elektronen, die durch die Spalte gedrungen waren, mit einem Phosphorschirm auffingen, wo der Ort ihres Auftreffens durch einen winzigen Lichtblitz registriert wurde (ähnlich den Lichteffekten, die für das Bild auf einem Fernsehschirm verantwortlich sind), ergab sich ein erstaunliches Resultat. Wenn Sie sich die Elektronen als kleine Kügelchen oder Geschosse vorstellen, erwarten Sie natürlich, dass sich die Auftrefforte, von der Elektronenkanone aus gesehen, direkt hinter den beiden Spalten befinden, wie in Abbildung 4.3 (a). Das entspricht aber nicht dem Ergebnis, auf das Davisson und Germer stießen. Ihr Experiment ergab Daten, wie sie in Abbildung 4.3 (b) schematisch wiedergegeben sind: Die Auftrefforte der Elektronen ergaben ein Interferenzmuster, das für Wellen charakteristisch ist. Davisson und Germer hatten den untrüglichen Beweis gefunden. *Sie hatten gezeigt, dass der Teilchenstrom aus Elektronen überraschenderweise eine Art Welle sein muss.*

Nun könnten Sie meinen, das sei keine besondere Überraschung. Wasser

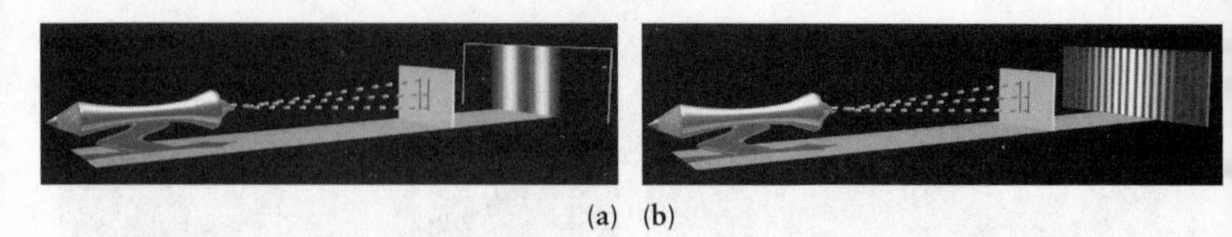

(a) (b)

Abbildung 4.3 (**a**) Laut Vorhersage der klassischen Physik erzeugen Elektronen, die auf einen Schirm mit zwei Spalten abgefeuert werden, auf einem Detektorschirm zwei helle Streifen. (**b**) Laut Vorhersage der Quantenphysik – und durch Experimente bestätigt – erzeugen Elektronen ein Interferenzmuster, was zeigt, dass sie die Eigenschaften von Wellen verkörpern.

besteht aus H_2O-Molekülen, und eine Wasserwelle entsteht, wenn sich viele Moleküle in einem koordinierten Muster bewegen. Eine Gruppe von H_2O-Molekülen hat sich etwas nach oben bewegt und bildet einen Wellenberg, während eine andere Gruppe an einem nicht allzu weit entfernten Ort etwas abgesunken ist und den Grund eines Wellentals anzeigt. Vielleicht deuten die in Abbildung 4.3 illustrierten Daten ja darauf hin, dass sich Elektronen wie H_2O-Moleküle manchmal im Einklang bewegen und in ihrer makroskopischen Gesamtbewegung ein wellenartiges Muster hervorrufen. Auch wenn diese Annahme auf den ersten Blick vernünftig erscheinen mag, der tatsächliche Sachverhalt ist viel unerwarteter.

Anfangs haben wir uns vorgestellt, dass die Elektronenkanone in Abbildung 4.3 einen ununterbrochenen Elektronenstrom abfeuert. Doch wir können die Kanone so einstellen, dass sie von Sekunde zu Sekunde weniger Elektronen abschießt; tatsächlich lässt sie sich so drosseln, dass sie, sagen wir, nur alle zehn Sekunden ein einzelnes Elektron abfeuert. Wenn wir genügend Geduld aufbringen, können wir dieses Experiment über einen langen Zeitraum durchführen und die Aufschlagstellen jedes einzelnen Elektrons aufzeichnen, das die Spalte durchquert. Die Abbildungen 4.4 (a) bis 4.4 (c) illustrieren die gesammelten Aufschlagdaten, die sich nach einer Stunde, einem halben Tag und einem ganzen Tag ergaben. Bilder wie diese haben in den zwanziger Jahren die Grundlagen der Physik erschüttert. *Wir sehen, dass sogar einzelne Elektronen mit eindeutigem Teilchencharakter, die sich unabhängig, getrennt, eines nach dem anderen bewegen, das für Wellen charakteristische Interferenzmuster erzeugen.*

Das ist so, als könnte ein *einzelnes* H_2O-Molekül etwas verkörpern, was Ähnlichkeit mit einer Wasserwelle hat. Doch wie in aller Welt soll das gehen? Wellenbewegung scheint eine kollektive Eigenschaft zu sein, die ihre Bedeutung verliert, wenn sie auf separate, teilchenförmige Mitglieder des Ganzen angewandt wird. Wenn alle paar Minuten einzelne Zuschauer auf der Sta-

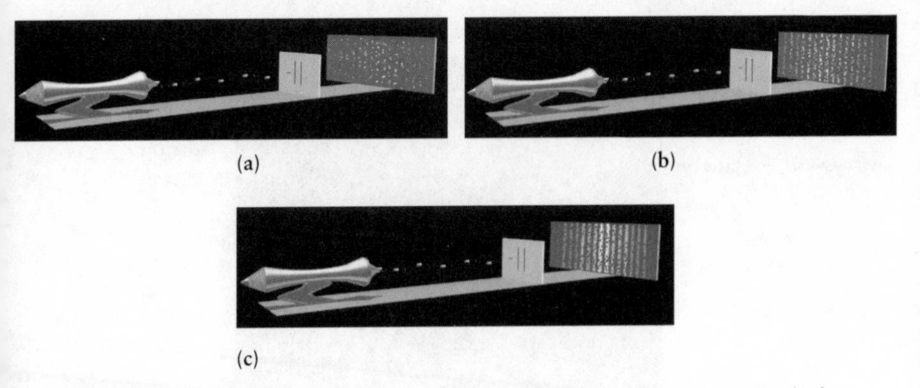

(a) (b) (c)

Abbildung 4.4 Elektronen, die einzeln auf Spalte abgefeuert werden, erzeugen Punkt für Punkt ein Interferenzmuster. In (**a**) bis (**c**) verdeutlichen wir, wie sich das Muster im Laufe der Zeit herausbildet.

diontribüne separat aufstehen und sich hinsetzen, dann kommt die Welle, *La Ola*, *nicht* zustande. Mehr noch, Welleninterferenz scheint vorauszusetzen, dass eine Welle von *hier* eine Welle von *dort* kreuzt. Also, wie soll sich der Begriff der Interferenz in irgendeiner Form auf einzelne, individuelle, teilchenartige Elemente des Ganzen anwenden lassen? Doch irgendwie – das geht aus den Interferenzdaten von 4.4 hervor – haben bereits einzelne Elektronen, obwohl sie winzige Materieteilchen sind, separat und für sich allein genommen, die Natur einer Welle.

Wahrscheinlichkeit und die Gesetze der Physik

Wenn auch ein einzelnes Elektron eine Welle ist, was bewegt sich da wellenartig? Erwin Schrödinger meldete sich mit der ersten Vermutung zu Wort: Vielleicht lasse sich der Stoff, aus dem die Elektronen bestehen, im Raum verschmieren, und es sei diese verschmierte Elektronenessenz, die Welleneigenschaften besitzt. Ein Elektronenteilchen wäre, so gesehen, ein scharfes Dichtemaximum in einem Elektronennebel. Doch rasch wurde klar, dass diese Annahme nicht stimmen konnte, weil selbst bei einem scharfen Maximum einer Elektronenwelle davon auszugehen wäre, dass man, wenn sie ausgebreitet wäre, einen Teil der elektrischen Ladung oder auch der Masse eines einzelnen Elektrons hier, einen anderen Teil dagegen dort drüben fände. Doch das ist nie der Fall. Wenn wir ein Elektron lokalisieren, entdecken wir stets seine gesamte Masse und Ladung in einer winzigen, punktartigen Region konzentriert. 1927 äußerte Max Born eine andere Vermutung, und diese erwies sich als der

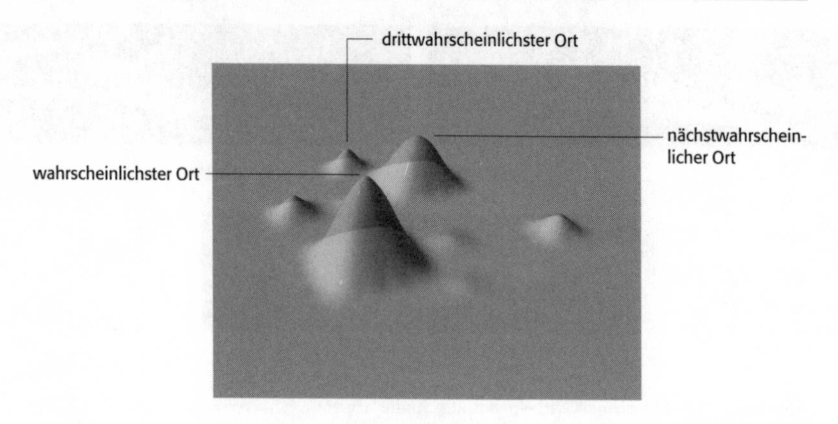

Abbildung 4.5 Die Wahrscheinlichkeitswelle eines Teilchens, etwa eines Elektrons, teilt uns mit, wie wahrscheinlich es ist, das Teilchen an dem einen oder anderen Ort anzutreffen.

entscheidende Schritt, denn sie zwang die Physik, in einen vollkommen neuen Bereich aufzubrechen. Die Welle, so Born, sei weder ein verschmiertes Elektron noch überhaupt etwas, was man bislang in der Naturwissenschaft entdeckt habe. Die Welle sei eine *Wahrscheinlichkeitswelle.*

Um zu verstehen, was das bedeutet, stellen Sie sich den Schnappschuss einer Wasserwelle vor, der die Regionen hoher Intensität (in der Nähe der Berggipfel und Talsohlen) zeigt und die Regionen geringer Intensität (in der Nähe der flacheren Übergangsregionen zwischen Bergen und Tälern). Je höher die Intensität, desto größer ist das Vermögen der Welle, mit zerstörerischer Kraft gegen Schiffe und Küstenbefestigungen anzurollen. Die Wahrscheinlichkeitswellen, die Born postulierte, weisen ebenfalls Regionen hoher und geringer Intensität auf, doch die Bedeutung, die Born diesen Wellenformen zuschrieb, war unerwartet: *Die Größe einer Welle an einem gegebenen Punkt im Raum ist proportional zur Wahrscheinlichkeit, dass das Elektron sich an diesem Punkt im Raum befindet.* Orte, wo die Wahrscheinlichkeitswelle groß ist, sind Orte, wo gute Aussichten bestehen, das Elektron anzutreffen. Orte, wo die Wahrscheinlichkeitswelle klein ist, sind Orte, wo das Elektron kaum anzutreffen ist. Und Orte, wo die Wahrscheinlichkeitswelle null ist, sind Orte, wo das Elektron gar nicht anzutreffen ist.

Abbildung 4.5 gibt den »Schnappschuss« einer Wahrscheinlichkeitswelle wieder, wobei die Bezeichnungen Borns Wahrscheinlichkeitsinterpretation hervorheben. Im Unterschied zu einer Fotografie von Wasserwellen konnte dieses Bild jedoch nicht wirklich mit einer Kamera aufgenommen werden. Niemand hat jemals eine Wahrscheinlichkeitswelle direkt gesehen, und nach üblicher quantenmechanischer Lesart wird es auch niemand jemals tun. Stattdessen verwenden wir mathematische Gleichungen (die von Schrödinger, Niels Bohr, Werner Heisenberg, Paul Dirac und anderen entwickelt wurden), um herauszufinden, wie die Wahrscheinlichkeitswelle in einer gegebenen Situation aussehen müsste. Anschließend überprüfen wir solche theoretischen Berechnungen, indem wir sie folgendermaßen mit Untersuchungsergebnissen vergleichen: Nachdem wir die vermeintliche Wahrscheinlichkeitswelle für das Elektron einer gegebenen Versuchsanordnung berechnet haben, führen wir wieder und wieder identische Versionen des Experiments durch, wobei wir jedes Mal die gemessene Position des Elektrons aufzeichnen. *Im Gegensatz zu dem, was Newton erwartet hätte, führen identische Versuchs- und Anfangsbedingungen nicht notwendigerweise zu identischen Messergebnissen.* Stattdessen ermitteln unsere Messungen eine Vielzahl von Orten. Manchmal finden wir das Elektron hier, manchmal dort und genauso häufig ein Stück weiter da drüben. Wenn die Quantenmechanik Recht hat, müsste die Häufigkeit, mit der wir das Elektron an einem gegebenen Punkt antreffen, proportional zur Größe (genauer, zum Quadrat der Größe) der errechneten Wahrscheinlichkeitswelle an diesem Punkt sein. Die Experimente der letzten achtzig Jahre haben solche Vorhersagen der Quantenmechanik mit spektakulärer Genauigkeit bestätigt.

In Abbildung 4.5 wird nur ein Ausschnitt der Wahrscheinlichkeitswelle wiedergegeben, die ein Elektron nach der Quantenmechanik besitzt, denn jede Wahrscheinlichkeitswelle erstreckt sich über den gesamten Raum, das gesamte Universum.[6] In vielen Fällen fällt die Wahrscheinlichkeitswelle eines Teilchens allerdings außerhalb einer kleinen Region sehr rasch fast auf null, was darauf schließen lässt, dass sich das Teilchen mit überwältigender Wahrscheinlichkeit in dieser kleinen Region befindet. In solchen Fällen sieht der Teil der Wahrscheinlichkeitswelle, der in Abbildung 4.5 fortgelassen wurde (der Teil, der sich über den Rest des Universums erstreckt), sehr ähnlich aus wie die Wellenregionen an den Rändern der Abbildung: ganz flach und nahe dem Wert null. Dennoch: Solange die Wahrscheinlichkeitswelle irgendwo in der Andromeda-Galaxie einen von null verschiedenen Wert besitzt, gibt es, egal, wie klein dieser Wert ist, eine winzige, aber echte Chance, das Elektron dort anzutreffen.

So zwingt uns der Erfolg der Quantenmechanik zu der Einsicht, dass das Elektron, ein Materiebestandteil, von dem wir üblicherweise meinen, es nehme eine winzige, punktartige Raumregion ein, ganz im Gegenteil auch beschrieben werden kann als Welle, die sich über das gesamte Universum ausbreitet. Laut der Quantenmechanik gilt diese Verbindung von Wellen- und Teilcheneigenschaften für alle elementaren Bestandteile der Natur, nicht nur für Elektronen:

Protonen sind sowohl teilchenartig wie wellenartig, Neutronen ebenso, und Experimente Anfang des neunzehnten Jahrhunderts haben sogar gezeigt, dass Licht – das sich, wie in Abbildung 4.1 gezeigt, nachweislich als Welle verhält – auch in Gestalt von teilchenartigen Bestandteilen, kleinen »Lichtpaketen«, den oben erwähnten Photonen, beschrieben werden kann.[7] Die vertrauten elektromagnetischen Wellen, die von einer 100-Watt-Glühlampe emittiert werden, lassen sich beispielsweise genauso gut durch die Aussage beschreiben, dass die Lampe rund hundert Milliarden Milliarden Photonen pro Sekunde aussendet. Denn in der Quantenwelt, so haben wir gelernt, haben alle Dinge teilchenartige und wellenartige Eigenschaften.

In den letzten achtzig Jahren hat man die Allgegenwärtigkeit und Nützlichkeit der quantenmechanischen Wahrscheinlichkeitswellen für die Vorhersage und Erklärung von Messergebnissen zweifelsfrei bewiesen. Trotzdem gibt es in der physikalischen Gemeinschaft noch keine einheitliche Auffassung über die wirkliche Natur dieser Wellen. Noch immer ist umstritten, ob wir sagen sollen, dass die Wahrscheinlichkeitswelle eines Elektrons das Elektron *ist* oder dass sie mit dem Elektron *assoziiert* ist, dass sie ein *mathematisches Werkzeug* zur Beschreibung der Elektronenbewegung darstellt oder dass sie die *Verkörperung dessen ist, was wir über das Elektron wissen können.* Fest steht jedenfalls, dass die Quantenmechanik den Wahrscheinlichkeitsbegriff durch diese Wellen so tief im Gebäude der Physik verankert hat, wie es sich zuvor niemand hätte träumen lassen.

Meteorologen bedienen sich des Wahrscheinlichkeitsbegriffs, um die Regenaussichten vorherzusagen. Casinos berechnen mit Hilfe der Wahrscheinlichkeit Ihre Chancen, einen Pasch zu würfeln. Doch in diesen Beispielen kommt die Wahrscheinlichkeit nur zum Zuge, weil wir nicht alle Informationen haben, die erforderlich sind, um eindeutige Vorhersagen zu machen. Wüssten wir alle Einzelheiten über den Zustand der Umwelt (die Orte und Geschwindigkeiten von allen Teilchen, aus denen sie besteht), könnten wir laut Newton (falls wir über die entsprechende Rechenkapazität verfügten) mit Sicherheit voraussagen, ob es morgen um 16.07 Uhr regnet. Würden wir alle relevanten physikalischen Details eines Würfelspiels kennen (die genaue Form und Zusammensetzung der Würfel, ihre Geschwindigkeit und Ausrichtung beim Verlassen Ihrer Hand, die Beschaffenheit des Tisches und seiner Oberfläche und so fort), wären wir in der Lage, mit Gewissheit vorherzusagen, wie die Würfel landen. Da wir jedoch in der Praxis alle diese Informationen nicht sammeln können (und da wir, selbst wenn wir es könnten, noch keine Computer haben, die leistungsfähig genug sind, um die für derartige Vorhersagen erforderlichen Rechnungen durchzuführen), setzen wir uns bescheidenere Ziele und sagen nur voraus, mit welcher Wahrscheinlichkeit ein bestimmtes Wetter- oder Würfelereignis eintritt, indem wir über die Daten, die wir nicht haben, begründete Vermutungen anstellen.

Die von der Quantenmechanik eingeführte Wahrscheinlichkeit ist von anderem, grundsätzlicherem Charakter. Unabhängig von allen Verbesserungen, die wir auf dem Gebiet der Datensammlung und Rechnerkapazität erzielen mögen, werden wir laut Quantenmechanik nie zu etwas anderem imstande sein, als die Wahrscheinlichkeit dieses oder jenes Ergebnisses vorherzusagen. Nie werden wir mehr leisten können, als die Wahrscheinlichkeit vorherzusagen, mit der ein Elektron, ein Proton, ein Neutron oder irgendein anderer elementarer Baustein der Natur hier oder dort anzutreffen ist. Im Mikrokosmos herrscht die Wahrscheinlichkeit.

Beispielsweise wissen wir heute, wie die Quantenmechanik das Geschehen in Abbildung 4.4 erklärt: den Umstand, dass einzelne Elektronen, eins nach dem anderen, über einen längeren Zeitraum hinweg das charakteristische Muster aus hellen und dunklen Streifen entstehen lassen. Jedes einzelne Elektron wird durch seine Wahrscheinlichkeitswelle beschrieben. Wird ein Elektron abgeschossen, fließt seine Wahrscheinlichkeitswelle durch beide Spalte. Und genau wie Licht- und Wasserwellen überlagern sich die Wahrscheinlichkeitswellen, die durch die beiden Spalte dringen. An manchen Punkten des Sichtschirms verstärken sich die beiden Wahrscheinlichkeitswellen, dort ist die resultierende Intensität hoch. An anderen Punkten heben sich die Wellen teilweise auf, und die Intensität ist gering. An wieder anderen Punkten heben sich die Berge und Täler der Wahrscheinlichkeitswellen vollkommen auf, mit dem Erfolg, dass die resultierende Wellenintensität exakt gleich null ist. Das heißt, es gibt Punkte auf dem Schirm, wo es sehr wahrscheinlich ist, dass ein Elektron landet, Punkte, wo sein Auftreffen weit weniger wahrscheinlich ist, und Punkte, wo der Aufschlag eines Elektrons ausgeschlossen ist. Im Laufe der Zeit werden die Auftrefforte der Elektronen gemäß dieses Wahrscheinlichkeitsprofils verteilt, daher erhalten wir einige helle, einige dunklere und einige vollkommen dunkle Regionen auf dem Schirm. Eine eingehende Analyse zeigt, dass diese hellen und dunklen Regionen genauso aussehen werden wie in Abbildung 4.4.

Einstein und die Quantenmechanik

Durch die grundlegende Rolle, die die Wahrscheinlichkeit darin spielt, unterscheidet sich die Quantenmechanik radikal von jeder früheren fundamentalen Beschreibung des Universums, qualitativ wie quantitativ. Seit ihren Anfängen im letzten Jahrhundert sind die Physiker bemüht, diesen seltsamen und unerwarteten theoretischen Rahmen mit dem üblichen Weltbild zu verbinden, ein Unterfangen, das noch längst nicht abgeschlossen ist. Das Problem liegt darin, dass wir die makroskopische Erfahrung des Alltags mit der mikroskopischen Wirklichkeit versöhnen müssen, die sich in der Quantenmechanik offenbart. Wir sind gewöhnt, in einer Welt zu leben, die unbeschadet aller möglichen wirtschaftlichen und politischen Zufälle, denen sie ausgeliefert ist, stabil und verlässlich erscheint, zumindest soweit es ihre physikalischen Eigenschaften angeht. Sie befürchten nicht, dass die atomaren Bestandteile der Luft, die Sie atmen, plötzlich zerfallen könnten, so dass Sie in verzweifelte Atemnot gerieten, während die Luftatome ihren quantenmechanischen Wellencharakter unter Beweis stellen würden, indem sie sich nolens volens auf der dunklen Seite des Mondes rematerialisierten. Und Sie haben völlig Recht damit, daran keinen Gedanken zu verschwenden, weil nach der Quantenmechanik die Wahrscheinlichkeit eines solchen Geschehens zwar nicht null, aber absurd gering ist. Aber was macht die Wahrscheinlichkeit so gering?

Es gibt, einfach gesagt, zwei Gründe dafür. Erstens ist, gemessen an der Größenskala der Atome, der Mond außerordentlich weit entfernt. Wie erwähnt, zeigen die Quantengleichungen unter vielen Umständen (wenn auch beileibe nicht unter allen), dass eine Wahrscheinlichkeitswelle in der Regel einen beträchtlichen Wert in einigen kleinen Raumregionen besitzt und rasch auf fast null zurückgeht, wenn Sie sich von dieser Region entfernen (siehe Abbildung 4.5). Daher ist die Wahrscheinlichkeit, dass auch nur ein einziges Elektron, das Sie in Ihrem Zimmer erwarten – etwa eines von denen, die Sie gerade ausgeatmet haben –, im nächsten Augenblick auf der dunklen Seite des Mondes anzutreffen ist, zwar nicht gleich null, aber doch außerordentlich gering. So gering, dass daneben die Wahrscheinlichkeit, Sie würden Nicole Kidman oder Antonio Banderas heiraten, außerordentlich groß erscheint. Zweitens besteht die Luft in Ihrem Zimmer aus *vielen* Elektronen; Gleiches gilt für die Protonen und Neutronen. Die Wahrscheinlichkeit, dass *alle* diese Teilchen ein Verhalten an den Tag legen, das selbst bei einem einzigen schon extrem unwahrscheinlich erscheint, ist so gering, dass es sich nicht lohnt, darüber nachzudenken. Das wäre nicht nur so, als gelänge es Ihnen, Ihren Kinoschwarm zu heiraten, sondern als würden Sie anschließend auch noch jede Woche sechs Richtige mit Zusatzzahl haben, und das über eine Zeitdauer, neben der das gegenwärtige Alter des Universums nur wie ein kosmischer Lidschlag erschiene.

Das vermittelt uns vielleicht einen Eindruck davon, warum wir den unsicheren Wahrscheinlichkeiten der Quantenmechanik im Alltag nicht begegnen. Dennoch ist sie ein Frontalangriff auf unsere Grundüberzeugungen bezüglich dessen, was die Wirklichkeit konstituiert, da Experimente bestätigen, dass die

Quantenmechanik fundamentale Gegebenheiten der Physik zutreffend beschreibt. Besonders Einstein war zutiefst beunruhigt über den probabilistischen Charakter der Quantentheorie. Aufgabe der Physik sei es, so wurde er nicht müde zu betonen, mit Gewissheit zu bestimmen, was in der Welt um uns her geschehen ist, was geschieht und was geschehen wird. Physiker seien keine Buchmacher, und die Aufgabe der Physik bestehe nicht darin, Chancen auszurechnen. Andererseits konnte Einstein nicht leugnen, dass die Quantenmechanik mit außerordentlichem Erfolg, wenn auch nur im Rahmen statistischer Aussagen, experimentelle Beobachtungen in der Mikrowelt erklärte und vorhersagte. Statt also zu versuchen, die Quantenmechanik zu widerlegen – was angesichts ihrer beispiellosen Erfolge damals wie heute ein wohl hoffnungsloses Unterfangen wäre –, bemühte er sich verzweifelt um den Nachweis, dass die Quantenmechanik nicht das letzte Wort in Sachen Universum sei. Obwohl er nicht sagen konnte, wie sie aussah, wollte er doch jeden überzeugen, dass es eine umfassendere und weniger bizarre Beschreibung des Universums geben müsse.

Im Laufe vieler Jahre unternahm Einstein eine Reihe von immer komplizierteren Versuchen, Lücken im Gedankengebäude der Quantenmechanik aufzudecken. Einer dieser Versuche, den er 1927 anlässlich der Fünften Physikalischen Konferenz des Solvay-Instituts vortrug,[8] betrifft den Umstand, dass die Wahrscheinlichkeitswelle eines Elektrons zwar aussehen mag wie in Abbildung 4.5, dass wir aber, wenn wir den Aufenthaltsort des Elektrons messen, es stets an irgendeiner bestimmten Position finden. Daher fragte Einstein, ob das nicht einfach bedeute, dass die Wahrscheinlichkeitswelle ein zeitweiliger Ersatz für eine – noch zu entdeckende – genauere Beschreibung sei, welche den Aufenthaltsort des Elektrons präzise vorhersage. Wenn das Elektron am Ort X entdeckt werde, bedeute das dann nicht realiter, dass es sich auch im Augenblick vor der Messung *am Ort X oder in seiner Nähe* befunden habe? Würde in diesem Fall der Umstand, dass sich die Quantenmechanik auf die Wahrscheinlichkeitswelle stützte – eine Welle, die (in unserem Beispiel) behaupte, dass sich das Elektron mit einer gewissen Wahrscheinlichkeit auch fern von X aufhalten könne –, nicht vielmehr unter Beweis stellen, dass die Theorie zur Beschreibung der wahren zugrunde liegenden Wirklichkeit ungeeignet sei?

Einsteins Ansicht ist einfach und überzeugend. Was läge näher als die Erwartung, dass sich ein Teilchen dort oder zumindest in der Nähe des Ortes befindet, wo es einen Augenblick später entdeckt wird? Wenn das der Fall wäre, müsste uns ein besseres Verständnis der Physik genau *diese* Information liefern und den gröberen Wahrscheinlichkeitsansatz überflüssig machen. Doch der dänische Physiker Niels Bohr und sein Gefolge von Anhängern der Quantenmechanik waren anderer Ansicht: Derartige Überlegungen seien noch dem konventionellen Denken verhaftet, demzufolge jedes Elektron bei seinem Hin und Her einer einzigen, bestimmten Bahn folge. Dieses Denken werde aber durch Abbildung 4.4 entschieden in Frage gestellt. Wenn nämlich jedes Elektron einer bestimmten Bahn folgte – wie es in der klassischen Vorstellung vom abgefeuerten Geschoss der Fall sei –, wäre das beobachtete Interferenzmuster nur sehr schwer zu erklären: Was würde dort wovon überlagert? Gewöhnliche Geschosse, einzeln von einer einzelnen Waffe abgefeuert, könnten sich mit Sicherheit nicht überlagern. Wenn sich also Elektronen wie Geschosse bewegen würden, wie sollte man dann das Muster in Abbildung 4.4 erklären?

Stattdessen vertrat Bohr in der Kopenhagener Deutung der Quantenmechanik nachdrücklich die folgende Auffassung: *Bevor man den Aufenthaltsort eines Elektrons misst, hat es überhaupt keinen Sinn, auch nur zu fragen, wo es sich befindet.* Es kennt keinen bestimmten Aufenthaltsort. Die Wahrscheinlichkeitswelle verschlüsselt die Wahrscheinlichkeit, dass das Elektron, wenn es entsprechend untersucht wird, hier oder dort anzutreffen ist. Das ist *wirklich* alles, was sich über seinen Ort sagen lässt. Basta. Einen bestimmten Aufenthaltsort im üblichen intuitiven Sinne hat das Elektron nur in dem Augenblick, da wir es »betrachten« – da wir seine Position messen – und seinen Aufenthaltsort mit Gewissheit bestimmen. Doch davor (und danach) kennt es lediglich potenzielle Aufenthaltsorte, beschrieben von einer Wahrscheinlichkeitswelle, die, wie jede Welle, Interferenzeffekten unterliegt. Und das heißt nicht, dass das Elektron einen Aufenthaltsort hätte und wir ihn nur nicht kennen, bevor wir unsere Messung durchgeführt haben. Im Gegensatz zu allem, was Sie erwarten, hat das Elektron einfach *keinen* bestimmten Ort, bevor die Messung stattgefunden hat.

Das ist eine vollkommen fremdartige Wirklichkeit. Wenn wir den Aufenthaltsort des Elektrons messen, ermitteln wir nach dieser Auffassung kein objektives, präexistentes Merkmal der Wirklichkeit. Vielmehr ist der Messakt tief in die Hervorbringung eben jener Wirklichkeit verstrickt, die er misst. Diesen Umstand übertrug Einstein von der Größenskala des Elektrons auf die unserer Alltagswelt und spottete: »Glauben Sie wirklich, der Mond ist nicht da, außer, wenn jemand hinschaut?« Die Anhänger der Quantentheorie antworteten mit einer Abwandlung der alten englischen Redensart vom Baum im Wald, der lautlos fällt, wenn niemand da ist, ihn zu hören: Wenn niemand da sei, der den Mond betrachte – wenn niemand »seinen Aufenthaltsort misst, indem er ihn sieht« –, dann lasse sich unmöglich feststellen, ob der Mond da sei, daher habe es keinen Zweck, die Frage zu stellen. Einstein fand das höchst unbefriedigend. Diese Vorstellung vertrug sich überhaupt nicht mit seinem Bild von der Wirklichkeit. Er war der festen Überzeugung, dass der Mond da ist, egal, ob ihn jemand anschaut oder nicht. Doch die Anhänger der Quantenmechanik waren davon nicht überzeugt.

Einsteins zweiter Versuch, die Quantentheorie ad absurdum zu führen – auf der Solvay-Konferenz von 1930 vorgetragen –, hatte große Ähnlichkeit mit dem ersten. Er beschrieb ein hypothetisches Gerät, das (durch die kluge Kombination einer Skala, einer Uhr und eines kameraähnlichen Verschlusses) zu beweisen schien, dass ein Teilchen wie ein Elektron – vor einer Messung oder Untersuchung – bestimmte Eigenschaften haben müsse, die ihm von der Quantenmechanik abgesprochen würden. Die Einzelheiten sind ohne Belang, aber die Debatte nahm einen außerordentlich ironischen Verlauf. Als Bohr von Einsteins Einwand erfuhr, war er wie vor den Kopf geschlagen – zunächst vermochte er keinen Fehler in Einsteins Beweisführung zu entdecken. Doch nach einigen Tagen hatte er sich gefangen und zerfetzte Einsteins Behauptung in der Luft. Und überraschenderweise stützte er sich dabei in erster Linie auf die allgemeine Relativitätstheorie! Bohr erkannte nämlich, dass Einstein seine eigene Entdeckung nicht berücksichtigt hatte – dass nämlich die Gravitation die Zeit verzerrt, die Ganggeschwindigkeit einer Uhr also von dem Gravitationsfeld abhängt, in dem sie sich befindet. Bei Berücksichtigung dieses Umstandes sah sich Einstein zu dem Eingeständnis gezwungen, dass seine Schlussfolgerungen sich vollkommen mit den Aussagen der orthodoxen Quantentheorie deckten.

Dennoch blieb Einsteins tiefes Unbehagen gegenüber der Quantenmechanik bestehen. Auch in den folgenden Jahren ließ er nicht locker und brachte einen Einwand nach dem anderen vor. Seine nachhaltigste und weitest reichende Kritik richtete sich gegen die 1927 von Heisenberg vorgeschlagene *Unschärferelation*, die unmittelbar aus der Quantenmechanik folgt.

Heisenberg und die Unbestimmtheit

Die Unschärferelation liefert ein exaktes, quantitatives Maß dafür, wie eng der Wahrscheinlichkeitsbegriff mit der Struktur eines Quantenuniversums verwoben ist. Denken Sie an die Möglichkeit, in manchen Chinarestaurants einen festen Preis für ein Menü zu bezahlen, das Sie sich dann selbst zusammenstellen dürfen. Die Gerichte, die Ihnen zur Auswahl stehen, sind in zwei Spalten aufgeführt. Wenn Sie das erste Gericht in Spalte A wählen, dürfen Sie nicht mehr das erste Gericht in Spalte B nehmen; wenn Sie das zweite Gericht aus Spalte B verlangen, steht Ihnen das zweite Gericht in Spalte A nicht mehr zur Verfügung und so fort. Auf diese Weise schafft das Restaurant einen diätetischen Dualismus, eine kulinarische Komplementarität (die in diesem Fall verhindern soll, dass die Gäste ausschließlich die kostspieligsten Gerichte bestellen). Für Ihr

Geld können Sie entweder Pekingente oder Kantonhummerkrabben bekommen, aber nicht beides.

Ähnlich verhält es sich mit Heisenbergs Unschärferelation. Einfach gesagt, lassen sich die physikalischen Merkmale der Mikrowelt (Teilchenorte, Geschwindigkeiten, Energien, Drehimpulse und so fort) in zwei Listen, A und B, aufteilen. Heisenberg entdeckte nun, dass die Kenntnis des ersten Merkmals auf Liste A Ihre Aussichten verschlechtert, Kenntnis über das erste Merkmal auf Liste B zu gewinnen. Kenntnis des zweiten Merkmals von Liste A erschwert es Ihnen, das zweite Merkmal von Liste B in Erfahrung zu bringen und so fort. Mehr noch: So, als könnten Sie im Chinarestaurant ein Gericht bestellen, das etwas Pekingente und etwas Kantonhummer enthält, aber nur in Anteilen, die sich zum gleichen Gesamtpreis addieren, gilt in der Quantenwelt: Je genauer Ihre Kenntnis von einem Merkmal auf einer Liste ist, desto eingeschränkter ist notwendigerweise, was Sie über das entsprechende Merkmal auf der anderen Liste in Erfahrung bringen können. Die prinzipielle Unfähigkeit, gleichzeitig alle Merkmale von beiden Listen zu ermitteln – mit Bestimmtheit alle diese Merkmale der mikroskopischen Welt zu erkennen –, ist die Unbestimmtheit oder Unschärfe, die das Heisenbergsche Prinzip offenbarte.

Je genauer Sie beispielsweise wissen, wo ein Teilchen ist, desto unpräziser muss notgedrungen Ihre Kenntnis seiner Geschwindigkeit bleiben. Entsprechend gilt: Je genauer Sie wissen, wie rasch ein Teilchen sich bewegt, desto weniger können Sie wissen, wo es ist. So schafft die Quantentheorie ihre eigene Dualität: Sie können bestimmte physikalische Merkmale des mikroskopischen Reiches exakt bestimmen, nehmen sich aber dadurch automatisch die Möglichkeit, gewisse andere, komplementäre Merkmale exakt zu bestimmen.

Am besten machen wir uns das klar, indem wir uns eine einfache Beschreibung ansehen, die von Heisenberg selbst stammt. Sie ist zwar in bestimmten Aspekten, mit denen wir uns noch beschäftigen werden, unvollständig, vermittelt aber ein nützliches, intuitives Bild. Wenn wir den Aufenthaltsort eines beliebigen Objekts messen, wechselwirken wir im Allgemeinen in irgendeiner Weise mit ihm. Suchen wir nach dem Lichtschalter in einem dunklen Zimmer, wissen wir, dass wir ihn gefunden haben, wenn wir ihn berühren. Wenn eine Fledermaus nach einer Feldmaus sucht, sendet sie Ultraschallwellen in Richtung ihres Ziels aus und interpretiert die reflektierten Wellen. Der häufigste Fall einer Lokalisierung ist das Sehen – dadurch, dass wir Licht empfangen, das von einem Objekt reflektiert wurde und uns in die Augen fällt. Entscheidend ist dabei, dass diese Wechselwirkungen nicht nur auf uns einwirken, sondern auch auf das Objekt, dessen Aufenthaltsort bestimmt wird. Sogar Licht vermittelt einen winzigen Stoß, wenn es von einem Objekt abprallt. Nun gilt für alltägliche Objekte wie das Buch in Ihrer Hand oder eine Uhr an der Wand, dass der winzig feine Stoß reflektierenden Lichtes keine nennenswerte Wirkung auf sie ausübt. Trifft es jedoch ein winziges Teilchen wie ein Elektron, kann es große Wirkung hervorrufen: Wenn das Licht vom Elektron abprallt, verändert es die Geschwindigkeit des Elektrons, genauso wie Ihre Geschwindigkeit beeinflusst wird, wenn Sie an einer Straßenecke von einem heftigen, böigen Windstoß getroffen werden. Je genauer Sie den Ort des Elektrons bestimmen wollen, desto gebündelter und energiereicher muss der Lichtstrahl sein, damit er eine umso größere Wirkung auf die Bewegung des Elektrons hervorbringt.

Wenn Sie also den Ort eines Elektrons mit großer Genauigkeit messen, verfälschen Sie notgedrungen Ihr eigenes Experiment: Der Akt der exakten Positionsmessung stört die Geschwindigkeit des Elektrons. Daher können Sie zwar genau in Erfahrung bringen, wo sich das Elektron befindet, nicht aber, wie schnell es sich in diesem Augenblick bewegt. Umgekehrt können Sie zwar präzise messen, wie rasch sich ein Elektron bewegt, beeinträchtigen damit jedoch Ihre Fähigkeit, seinen Aufenthaltsort exakt zu bestimmen. Es gibt eine naturgegebene Begrenzung der Genauigkeit, mit der sich solche komplementären Merkmale bestimmen lassen. Obwohl wir uns hier auf Elektronen konzentrieren, ist die Unschärferelation völlig allgemein: Sie gilt für alles.

Im alltäglichen Leben sprechen wir routinemäßig über Dinge wie ein Auto, das an einem bestimmten Stoppschild (Ort) mit 190 Kilometern pro Stunde (Geschwindigkeit) vorbeifährt, womit wir diese beiden physikalischen Merkmale fröhlich bestimmen. Die Quantenmechanik aber sagt, dass eine solche Aussage in Wirklichkeit keine exakte Bedeutung habe, weil wir niemals gleichzeitig einen bestimmten Ort und eine bestimmte Geschwindigkeit messen könnten. Mit so ungenauen Beschreibungen der physikalischen Welt kommen wir nur deshalb zurecht, weil auf alltäglichen Größenskalen die Unbestimmtheit winzig und im Allgemeinen unbemerkt bleibt. Die Heisenbergsche Unschärferelation sagt nämlich nicht nur aus, dass eine Unbestimmtheit vorhanden ist, sondern gibt auch an – und das mit vollkommener Bestimmtheit –, wie groß die Unbestimmtheit in einer gegebenen Situation mindestens sein muss. Wenden wir diese Formel auf die Geschwindigkeit Ihres Autos an, während es gerade ein Stoppschild überfährt, dessen Standort auf einen Zentimeter genau bekannt ist, dann erweist sich die Unbestimmtheit der Geschwindigkeit als rund ein milliardstel milliardstel milliardstel Milliardstel Kilometer pro Stunde. Ein Autobahnpolizist befände sich in vollkommener Übereinstimmung mit den Gesetzen der Quantenphysik, wenn er behaupten würde, Ihre Geschwindigkeit hätte zwischen 189,99999999999999999999999999999999999 und 190,00000000000000000000000000000000001 betragen, als Sie das

Abbildung 4.6 Eine Wahrscheinlichkeitswelle mit einer gleichförmigen Abfolge von Bergen und Tälern steht für ein Teilchen mit einer bestimmten Geschwindigkeit. Doch da die Berge und Täler gleichförmig über den Raum verteilt sind, ist der Ort des Teilchens vollkommen unbestimmt. Es kann mit gleicher Wahrscheinlichkeit überall sein.

Stoppschild überfuhren. So viel zu einem Widerspruch gegen den Bußgeldbescheid auf Grund der Unschärferelation! Doch wenn wir Ihr massereiches Auto durch ein zartes Elektron ersetzen, dessen Aufenthaltsort uns auf einen milliardstel Meter genau bekannt wäre, betrüge die Unbestimmtheit seiner Geschwindigkeit stattliche 200 000 Kilometer pro Stunde. Die Unbestimmtheit ist immer gegeben, aber eine Rolle spielt sie nur auf mikroskopischen Größenskalen.

Die Erklärung der Unbestimmtheit als Ergebnis von unvermeidbaren Störungen, die durch den Messprozess verursacht werden, hat die Physik mit einer nützlichen intuitiven Orientierungshilfe und einem leistungsfähigen Erklärungssystem für ganz bestimmte Situationen ausgestattet. Sie kann sich aber auch als irreführend erweisen. Dann nämlich, wenn der Eindruck entsteht, die Unbestimmtheit entstehe nur, da wir ungeschickten und schwerfälligen Experimentatoren uns in die Dinge einmischen. Das ist nicht wahr. Die Unbestimmtheit ist tief in die Wellenstruktur der Quantenmechanik verwoben und unabhängig davon vorhanden, ob wir irgendeine plumpe Messung durchführen oder nicht. Betrachten wir beispielsweise eine besonders einfache Wahrscheinlichkeitswelle für ein Teilchen, die Entsprechung einer sanft wogenden Meereswelle wie in Abbildung 4.6. Da sich die Wellenberge alle gleichförmig nach rechts bewegen, könnten Sie vermuten, dass diese Welle ein Teilchen beschreibt, das sich mit der Geschwindigkeit der Wellenberge bewegt. Diese Vermutung wird durch Experimente bestätigt. Aber wo ist das Teilchen? Da sich die Welle gleichförmig im Raum ausbreitet, gibt es für uns keine Möglichkeit zu sagen, das Elektron sei *hier* oder *dort*. Wenn es gemessen wird, könnte es sich buchstäblich überall befinden. Während wir also genau wissen, wie rasch sich das Teilchen bewegt, gibt es eine riesige Ungewissheit bezüglich seines Aufenthaltsortes. Und wie Sie sehen, hat diese Schlussfolgerung nichts damit zu tun, dass wir das Teilchen stören. Wir haben es nie berührt. Der Grund ist vielmehr eine fundamentale Eigenschaft von Wellen: Sie sind in der Regel nicht auf einen einzigen Punkt konzentriert, sondern erfüllen eine ganze Raumregion.

Obwohl die Einzelheiten teilweise komplizierter werden, gelten ähnliche Überlegungen für alle anderen Wellenformen, und daher gibt es nur einen Schluss: Die Unbestimmtheit gehört untrennbar zur Quantenmechanik.

Einstein, Unbestimmtheit und die Frage nach der Wirklichkeit

Eine wichtige Frage, die Sie sich vielleicht selbst schon gestellt haben, lautet, ob die Unschärferelation eine Aussage über unser Wissen von der Wirklichkeit oder über die Wirklichkeit selbst ist. Haben die Objekte, aus denen das Universum besteht, wirklich einen Ort und eine Geschwindigkeit wie in unserer üblichen klassischen Vorstellung von praktisch allen Dingen – einem fliegenden Baseball, einem Jogger auf dem Gehsteig, einer Sonnenblume, die langsam dem Sonnenstand am Himmel folgt –, obwohl uns die Quantenunschärfe doch lehrt, dass die gleichzeitige Erkenntnis dieser Eigenschaften, selbst im Prinzip, auf ewig unserem Zugriff entzogen ist? Oder zerschlägt die Quantenunschärfe das klassische Bild vollständig, indem sie uns mitteilt, dass die Liste der Merkmale, die unsere klassische Intuition der Wirklichkeit zuschreibt, allen voran die Orte und Geschwindigkeiten der elementaren Bausteine der Welt, auf einem Irrtum beruht? Sagt uns die Quantenunschärfe, dass Teilchen zu jedem gegebenen Zeitpunkt einfach keinen bestimmten Aufenthaltsort und keine bestimmte Geschwindigkeit *besitzen*?

Für Bohr war diese Frage gleichbedeutend mit einem Zen-Koan, einem der rätselhaften Aussprüche, mit denen Zen-Meister ihre Schüler zur Meditation anregen. Die Physik beschäftigt sich nur mit Dingen, die wir messen können. Vom Standpunkt der Physik ist *das* die Wirklichkeit. Der Versuch, mit Hilfe der Physik eine »tiefere« Wirklichkeit zu erkunden, eine Wirklichkeit jenseits derjenigen, die wir durch Messungen erkennen können, ist so, als würden wir von der Physik verlangen, das Geräusch zu untersuchen, das der Applaus mit einer einzigen Hand verursacht. Doch 1935 warf Einstein zusammen mit seinen Kollegen Boris Podolsky und Nathan Rosen die Frage in so zwingender und intelligenter Weise auf, dass das, was als Klatschen einer einzigen Hand begonnen hatte, zu einem donnernden Applaus anschwoll, der unser Wirklichkeitsverständnis viel grundsätzlicher in Frage stellte, als selbst Einstein es sich je hatte träumen lassen.

In ihrem Aufsatz wollten Einstein, Podolsky und Rosen zeigen, dass die Quantenmechanik, so erfolgreich sie sich zweifellos bei der Vorhersage und Erklärung von Daten erwies, nicht das letzte physikalische Wort in Sachen Mikrokosmos sein konnte. Ihre Strategie war einfach und stützte sich auf die oben angesprochenen Probleme: Sie wollten demonstrieren, dass jedes Teilchen zu jedem gegebenen Zeitpunkt einen bestimmten Aufenthaltsort und eine bestimmte Geschwindigkeit besitzt. Damit gedachten sie zu belegen, dass die Unschärferelation eine fundamentale Einschränkung des quantenmechanischen Ansatzes offenbart. Wenn jedes Teilchen eine Position und eine Geschwindigkeit habe, so die Autoren, die Quantenmechanik aber mit diesen Merkmalen der Wirklichkeit nicht umgehen könne, dann biete die Quantenmechanik nur eine Teilbeschreibung der Wirklichkeit. Daher sei die Quantenmechanik lediglich eine unvollständige Theorie der physikalischen Wirklichkeit und möglicherweise nur eine Zwischenstation auf dem Weg zu einem umfassenderen theoretischen Rahmen, der noch seiner Entdeckung harre. Tatsächlich aber legten sie, wie wir noch sehen werden, den Grundstein zum Beweis für ein noch spektakuläreres Phänomen: die Nichtlokalität der Quantenwelt.

Teilweise orientierten sich Einstein, Podolsky und Rosen (EPR) an Heisenbergs skizzenhafter Erklärung der Unschärferelation: Wenn Sie messen, wo sich etwas befindet, stören Sie es notgedrungen und verfälschen damit jeden Versuch, seine Geschwindigkeit zu ermitteln. Obwohl die Quantenunbestimmtheit, wie gezeigt, allgemeiner ist, als die »Störungs«-Erklärung erkennen lässt, entwickelten Einstein, Podolsky und Rosen eine scheinbar überzeugende und raffinierte Argumentation, die offenbar *jede* Quelle der Unbestimmtheit ausschloss. Was wäre, so brachten sie vor, wenn man sowohl den Aufenthaltsort eines Teilchens als auch seine Geschwindigkeit dergestalt messen könnte, dass man niemals mit dem Teilchen in Kontakt käme? Nehmen wir zuerst den klassischen Fall und malen wir uns aus, Rod und Todd Flanders, Nachbarskinder der Simpsons, haben eine Alleinwanderung in Springfields neu entstandener Nuklearwüste vor. Dazu stellen sie sich Rücken an Rücken im Mittelpunkt der Wüste auf und vereinbaren, in entgegengesetzte Richtungen mit der gleichen, vorher vereinbarten Geschwindigkeit geradeaus zu gehen. Malen wir uns weiterhin aus, dass neun Stunden später ihr Vater Ned von seiner Besteigung des Mount Springfield zurückkehrt, Rod sieht, zu ihm hinläuft und ihn verzweifelt fragt, wo Todd sei. Nun, zu diesem Zeitpunkt ist Todd weit weg, aber Ned kann dadurch, dass er Rod befragt und beobachtet, dennoch eine Menge über Todd in Erfahrung bringen. Wenn sich Rod genau 63 Kilometer östlich vom Ausgangspunkt befindet, muss Todd genau 63 Kilometer westlich vom Ausgangspunkt sein. Marschiert Rod mit genau 7 Kilometern pro Stunde nach

Osten, muss Todd mit genau 7 Kilometern nach Westen gehen. Obwohl Todd also rund 126 Kilometer entfernt ist, kann Ned seinen Aufenthaltsort und seine Geschwindigkeit bestimmen, wenn auch indirekt.

Eine ähnliche Strategie wandten Einstein und seine Kollegen auf die Quantenwelt an. Es gibt wohlbekannte physikalische Prozesse, in deren Verlauf zwei Teilchen von einem gemeinsamen Ort aus in die Welt hinausfliegen, und zwar mit Eigenschaften, die in ähnlicher Weise miteinander zusammenhängen wie die Bewegung von Rod und Todd. Wenn beispielsweise ein einzelnes Teilchen in zwei Teilchen von gleicher Masse zerfällt, die »Rücken an Rücken« davonfliegen (so, wie eine explodierende Granate zwei Splitter in entgegengesetzte Richtungen davonschleudert) – ein Vorgang, der sich in der Elementarteilchenphysik häufig ereignet –, dann sind die Geschwindigkeiten der beiden Zerfallsteilchen gleich und entgegengesetzt. Mehr noch, auch die Aufenthaltsorte der beiden »Teil-Teilchen« stehen in enger Beziehung, so dass wir uns, etwas vereinfacht, vorstellen können, die Teilchen hätten stets den gleichen Abstand von ihrem gemeinsamen Ursprung.

Ein wichtiger Unterschied zwischen dem klassischen Beispiel, das Rod und Todd betraf, und der Quantenbeschreibung der beiden Teilchen liegt darin, dass wir zwar mit Bestimmtheit sagen können, es gebe eine eindeutige Beziehung zwischen den Geschwindigkeiten der beiden Teilchen – wenn die Messung des einen ergibt, dass es sich mit einer gegebenen Geschwindigkeit nach links bewegt, fliegt das andere notwendigerweise mit der gleichen Geschwindigkeit nach rechts. Welchen Wert diese Geschwindigkeit hat, mit der sich die Teilchen bewegen, können wir dagegen nicht exakt vorhersagen. Die quantenmechanischen Gesetze liefern uns lediglich die Wahrscheinlichkeit, mit der ein bestimmter Geschwindigkeitswert zu erwarten ist. Entsprechend können wir zwar mit Bestimmtheit angeben, dass es eine eindeutige Beziehung zwischen den Aufenthaltsorten der beiden Teilchen gibt – wenn man eines zu einem gegebenen Zeitpunkt misst und feststellt, dass es sich an einem bestimmten Ort aufhält, dann befindet sich das andere notwendigerweise in der gleichen Entfernung vom Ausgangspunkt in entgegengesetzter Richtung. Aber wir können den tatsächlichen Aufenthaltsort jedes der beiden Teilchen nicht mit Bestimmtheit vorhersagen. Allenfalls können wir die Wahrscheinlichkeit vorhersagen, mit der sich eines der beiden Teilchen an einem gegebenen Ort befindet. Zwar gibt die Quantenmechanik keine exakten Antworten in Hinblick auf die Geschwindigkeiten oder Aufenthaltsorte der Teilchen, macht aber in gewissen Situationen bestimmte Aussagen über die *Beziehungen* zwischen den Geschwindigkeiten und Orten der Teilchen.

Unter Berufung auf diese Beziehungen versuchten Einstein, Podolsky und

Rosen zu zeigen, dass jedes der Teilchen zu jedem gegebenen Zeitpunkt tatsächlich einen genauen Aufenthaltsort und eine genaue Geschwindigkeit hat. Dabei argumentierten sie folgendermaßen: Stellen Sie sich vor, Sie mäßen den Ort des Teilchens, das sich nach rechts bewegt, und brächten dadurch indirekt den Aufenthaltsort des Teilchens in Erfahrung, das sich nach links bewegt. Da Sie in Bezug auf das nach links fliegende Teilchen nichts, aber auch gar nichts unternommen hätten, so EPR, müsse es sich an diesem Ort tatsächlich *befunden* haben. Sie hätten ihn lediglich, wenn auch indirekt, bestimmt. Intelligent machten die Autoren dann geltend, dass Sie sich auch hätten entscheiden können, die Geschwindigkeit des nach rechts fliegenden Teilchens zu messen. In diesem Falle hätten Sie indirekt die Geschwindigkeit des nach links fliegenden Teilchens bestimmt, ohne es im Geringsten zu stören. Abermals hätten Sie nichts, aber auch gar nichts in Bezug auf das nach links fliegende Teilchen unternommen, daher müsse es diese Geschwindigkeit tatsächlich *gehabt* haben. Sie hätten sie lediglich bestimmt. Beides zusammen genommen – die Messung, die Sie tatsächlich durchgeführt hätten, und die Messung, die Sie hätten durchführen *können* – zeige, so EPR, dass das nach links fliegende Teilchen zu jedem gegebenen Zeitpunkt einen genauen Aufenthaltsort und eine genaue Geschwindigkeit habe!

Da es sich um eine entscheidende, aber etwas subtile Argumentation handelt, lassen Sie sie mich noch einmal wiederholen: EPR brachten vor, nichts bei Ihrer Messung des nach rechts fliegenden Teilchens hätte sich auf das nach links fliegende Teilchen auswirken können, weil es sich um separate und verschiedene Objekte handele. Das Teilchen, das sich nach links bewegt, weiß nicht, was Sie mit dem nach rechts fliegenden Teilchen angestellt haben oder angestellt haben könnten. Die Teilchen können Meter, Kilometer oder Lichtjahre voneinander entfernt sein, wenn Sie Ihre Messung an dem Teilchen vornehmen, das nach rechts fliegt. Kurzum: Das nach links fliegende Teilchen könnte sich gar nicht weniger um das kümmern, was Sie tun. Folglich muss jedes Merkmal, das Sie über das nach links fliegende Teilchen tatsächlich in Erfahrung bringen oder zumindest in Erfahrung bringen könnten, indem Sie sein nach rechts fliegendes Gegenstück untersuchen, ein *bestimmtes, existierendes* Merkmal des Teilchens sein, das sich, vollkommen unabhängig von Ihrer Messung, nach links bewegt. Haben Sie also den Aufenthaltsort des rechten Teilchens ermittelt, haben Sie zugleich den Aufenthaltsort des linken Teilchens herausgefunden; haben Sie die Geschwindigkeit des rechten Teilchens gemessen, haben Sie zugleich die Geschwindigkeit des linken Teilchens in Erfahrung gebracht, folglich, so die Argumentation, muss das Teilchen, das nach links unterwegs ist, sowohl einen genauen Aufenthaltsort als auch eine genaue

Geschwindigkeit haben. Natürlich ließen sich für diese Beweisführungen die Rollen des nach links und des nach rechts fliegenden Teilchens genauso gut vertauschen (tatsächlich können wir, bevor wir ein Experiment durchführen, gar nicht sagen, welches Teilchen sich nach links und welches sich nach rechts bewegt); das führt uns zu der Schlussfolgerung, dass beide Teilchen genaue Positionen und Geschwindigkeiten haben.

Daraus folge, so EPR, dass die Quantenmechanik eine unvollständige Beschreibung der Wirklichkeit sei. Teilchen hätten genaue Aufenthaltsorte und Geschwindigkeiten, aber die quantenmechanische Unschärferelation zeige, dass diese Merkmale der Wirklichkeit jenseits der Grenzen dessen lägen, was die Theorie zu leisten vermöge. Wenn Sie wie diese und die meisten anderen Physiker der Meinung sind, dass eine vollständige Theorie der Natur jedes Merkmal der Wirklichkeit beschreiben sollte, ist die Quantenmechanik, da sie nicht gleichzeitig die Orte und die Geschwindigkeiten von Teilchen beschreiben kann und damit einige Merkmale nicht erfasst, keine vollständige Theorie; dann kann sie nicht das letzte Wort in dieser Sache sein. Das jedenfalls war die Ansicht, die Einstein, Podolsky und Rosen nachdrücklich vertraten.

Die Reaktion der Quanten-Fraktion

Zwar kamen EPR zu dem Schluss, dass jedes Teilchen zu jedem gegebenen Zeitpunkt einen genauen Ort und eine genaue Geschwindigkeit habe, dennoch ist anzumerken, dass sich diese Eigenschaften mit Hilfe ihres Verfahrens nicht wirklich bestimmen lassen. Wie oben gesagt, hätten Sie sich entscheiden können, die Geschwindigkeit des nach rechts fliegenden Teilchens zu messen. Hätten Sie das getan, so hätten Sie seinen Aufenthaltsort gestört. Wenn Sie es dagegen vorgezogen hätten, seinen Ort zu messen, hätten Sie seine Geschwindigkeit gestört. Da Ihnen also nicht beide Eigenschaften des nach rechts fliegenden Teilchens verfügbar gewesen wären, hätten Sie sie auch nicht für das Teilchen ermitteln können, das nach links unterwegs war. Folglich *gibt es keinen Konflikt mit der Unschärferelation*: Einstein und seinen Kollegen war durchaus klar, dass sie nicht gleichzeitig den Ort und die Geschwindigkeit eines gegebenen Teilchens ermitteln konnten. Aber – und das ist der entscheidende Punkt – auch ohne sowohl den Ort als auch die Geschwindigkeit eines der beiden Teilchen zu bestimmen, zeigte die Überlegung von EPR, dass jedes eine genaue Position und eine genaue Geschwindigkeit *hat*. Für die Autoren ging es um die Frage nach der Wirklichkeit. Ihrer Meinung nach konnte eine Theorie nicht behaupten, vollständig zu sein, wenn es Elemente der Wirklichkeit gab, die sich ihrer Beschreibung entzogen.

Nach einer kurzen Zeit geistiger Unruhe, die durch diesen unerwarteten Einwand ausgelöst wurde, zogen sich die Verteidiger der Quantenmechanik wieder wie üblich auf ihren pragmatischen Standpunkt zurück, den der bekannte Physiker Wolfgang Pauli sehr schön in der folgenden Äußerung zusammenfasste: »Mit dieser ... Formulierung bin ich aber garnicht recht zufrieden, da mir eben dies eine metaphysische Formulierung von ›Engel auf der Nadelspitze‹ zu sein scheint (ob etwas existiert, worüber niemand etwas wissen kann.)«[9] Die Physik im Allgemeinen und die Quantenmechanik im Besonderen kann sich nur mit den messbaren Eigenschaften des Universums beschäftigen. Alles andere gehört einfach nicht in das Reich der Physik. Wenn wir nicht sowohl den Ort als auch die Geschwindigkeit eines Teilchens messen können, dann hat es keinen Sinn, darüber zu reden, ob es einen genauen Aufenthaltsort und eine genaue Geschwindigkeit hat.

Das sahen EPR anders. Die Wirklichkeit, wandten sie ein, sei mehr als die Messwerte von Detektoren, mehr als die Summe aller Beobachtungen zu einem gegebenen Zeitpunkt. Auch wenn niemand, absolut niemand, kein Gerät, keine Ausrüstung, kein Irgendwas den Mond »betrachte«, sei der Mond dennoch da. Sie glaubten, er sei dann immer noch ein Teil der Wirklichkeit.

In gewisser Weise spiegelt dieser Gegensatz die Debatte zwischen Newton und Leibniz über die Wirklichkeit des Raumes wider. Kann etwas als real angesehen werden, was wir nicht wirklich berühren oder sehen oder in irgendeiner Weise messen können? In Kapitel 2 habe ich beschrieben, wie Newtons Eimer die Debatte über den Raum verändert hat, weil damit plötzlich der Eindruck entstand, der Einfluss des Raumes lasse sich direkt beobachten, nämlich durch die gekrümmte Oberfläche des rotierenden Wassers. 1964 leistete der irische Physiker John Bell mit einer Idee, die ein Kommentator als »die scharfsinnigste Entdeckung der Naturwissenschaft« bezeichnete,[10] das Gleiche für die Debatte über die Quantenwirklichkeit.

In den folgenden vier Abschnitten werde ich Bells Entdeckung beschreiben und dabei versuchen, mich auf die allernotwendigsten physikalischen Einzelheiten zu beschränken. Obwohl die Überlegungen, die dieser Erörterung zugrunde liegen, weniger kompliziert sind als der Versuch, die Chancen in einem Würfelspiel auszurechnen, müssen wir doch eine Reihe von Schritten ausführen und sie anschließend miteinander verbinden. Je nachdem, wie groß Ihr Interesse an solchen Einzelheiten ist, werden Sie vielleicht an einen Punkt gelangen, an dem Sie wissen möchten, worauf das Ganze eigentlich hinausläuft. Sollte das der Fall sein, gehen Sie ruhig auf Seite 137 vor. Dort finden Sie eine Zusammenfassung und Erörterung der Schlussfolgerungen, die sich aus Bells Entdeckung ergeben.

Bell und Spin

John Bell verwandelte die zentrale Idee des Einstein-Podolsky-Rosen-Artikels aus einer philosophischen Spekulation in eine Frage, die sich durch konkrete experimentelle Messungen beantworten ließ. Überraschenderweise musste er dazu lediglich eine Situation betrachten, in der es nicht nur zwei Merkmale waren – beispielsweise Ort und Geschwindigkeit –, an deren Bestimmung uns die Quantenunschärfe hindert. Wenn gleichzeitig drei oder mehr Merkmale in die Einflusssphäre der Unbestimmtheit geraten – drei oder mehr Merkmale die Eigenschaft aufweisen, dass wir durch die Messung eines Merkmals die anderen verfälschen und sie folglich nicht mehr bestimmen können –, dann, so zeigte Bell, *gibt* es ein Experiment, mit dem sich die Frage nach der Wirklichkeit stellen lässt. Das einfachste Beispiel betrifft ein Phänomen, das als *Spin* bezeichnet wird.

Seit den zwanziger Jahren wissen Physiker, dass Teilchen Spin haben – sie führen eine Art Rotationsbewegung aus, ähnlich einem Fußball, der sich nach einem angeschnittenen Freistoß kreiselnd auf das Tor zubewegt. Allerdings weichen die Eigenschaften des Quantenspins in mehr als einer Hinsicht deutlich von diesem klassischen Bild der Rotation ab. Für uns sind zwei der Unterschiede besonders wichtig: Erstens können Teilchen – etwa Elektronen und Photonen – um eine beliebige Achse nur mit unveränderlicher Drehgeschwindigkeit rotieren. Der Drehsinn ist frei wählbar – Uhrzeigersinn oder gegen den Uhrzeigersinn –, aber die Drehgeschwindigkeit kann sich weder beschleunigen noch verlangsamen. Zweitens zeigt sich, dass wir, wenn wir die Quantenunschärfe auf den Spin anwenden, den Spin eines Teilchens gleichzeitig bezüglich mehr als einer Achse ebenso wenig bestimmen können, wie wir es hinsichtlich Ort und Geschwindigkeit gleichzeitig tun könnten. Wenn ein Fußball beispielsweise um eine nordöstlich gerichtete Achse rotiert, lässt sich diese Rotation (sein *Spin*) als Kombination von Rotationen um eine nordwärts und um eine ostwärts gerichtete Achse verstehen. Durch eine geeignete Messung könnten wir den Bruchteil der ursprünglichen Rotation ermitteln, der auf jede dieser beiden Achsen entfällt. Doch wenn wir den Spin eines Elektrons um eine zufällig gewählte Achse messen, erhalten wir als Ergebnis niemals einen Bruchteil des für Elektronen charakteristischen Spinbetrags. Niemals. Es ist, als würde die Messung selbst das Elektron zwingen, seine gesamte Spinbewegung zusammenzuraffen und sie entweder im Uhrzeigersinn oder gegen den Uhrzeigersinn um die Achse auszuführen, die wir zufällig ins Auge gefasst haben. Mehr noch: Durch den Einfluss unserer Messung auf den Elektronenspin verlieren wir die Fähigkeit zu bestimmen, wie es um eine horizontale Achse rotierte, um eine von vorn nach hinten gerichtete Achse, wie es vor unserer Messung um überhaupt jede mögliche Achse rotierte, die es vor unserer Messung gab. Diese Merkmale des quantenmechanischen Spins lassen sich kaum vollständig veranschaulichen, eine Schwierigkeit, die unterstreicht, dass klassische Vorstellungen nur begrenzt in der Lage sind, die wahre Natur der Quantenwelt zu erfassen. Nichtsdestoweniger zeigen uns der mathematische Unterbau der Quantentheorie und Jahrzehnte des Experimentierens, dass die hier beschriebenen Eigenschaften des Quantenspins über jeden Zweifel erhaben sind.

Ich führe den Spin hier nicht ein, um mich in die komplizierten Details der Teilchenphysik zu vertiefen. Vielmehr wird uns das Beispiel des Teilchenspins gleich als einfaches Labor dienen, das uns ermöglicht, wundervoll unerwartete Antworten auf die Frage nach der Wirklichkeit zu finden, die da lautet: Hat der Teilspin des Teilchens bezüglich jeder denkbaren Achse zu jeder Zeit einen festen Wert, obwohl wir diesen Wert infolge der Quantenunschärfe nie für mehr als eine Achse zur Zeit ermitteln können? Oder sagt uns die Unschärferelation etwas anderes? Teilt sie uns im Gegensatz zu jedem klassischen Wirklichkeitsbegriff mit, dass ein Teilchen solche Merkmale einfach nicht gleichzeitig besitzt und nicht besitzen kann? Teilt sie uns mit, dass ein Teilchen in einer Art Schwebezustand verharrt, ohne einen genauen Spin um eine gegebene Achse, bis jemand oder etwas den Spin misst, das Teilchen dadurch aus seiner Unentschiedenheit reißt und veranlasst, mit einer durch die Quantentheorie festgelegten Wahrscheinlichkeit um die ausgewählte Achse den einen oder anderen bestimmten Spinwert (im Uhrzeigersinn oder gegen den Uhrzeigersinn) anzunehmen? Durch Untersuchung dieser Frage, im Prinzip die gleiche, wie wir sie zu Ort und Geschwindigkeit von Teilchen gestellt haben, können wir mit Hilfe des Spins das Wesen der Quantenwirklichkeit erforschen (und Antworten finden, deren Bedeutung weit über das besondere Beispiel des Spins hinausreicht). Versuchen wir es.

Wie der Physiker David Bohm im Einzelnen gezeigt hat,[11] lässt sich die Argumentation von Einstein, Podolsky und Rosen leicht auf die Frage übertragen, ob Teilchen tatsächlich wohldefinierte Spins um beliebige ausgewählte Achsen haben. Der Nachweis sieht folgendermaßen aus: Stellen Sie zwei Detektoren auf, die in der Lage sind, den Spin eines eintreffenden Elektrons zu messen, den einen auf der linken, den anderen auf der rechten Seite des Labors. Sorgen Sie dafür, dass zwei Elektronen Rücken an Rücken einer Quelle entweichen, die sich in der Mitte zwischen den beiden Detektoren befindet, und zwar dergestalt, dass ihre Spins direkt miteinander zusammenhängen – nicht ihre Aufenthaltsorte und Geschwindigkeiten wie in unserem früheren Beispiel. Die Einzelheiten, wie das geschehen kann, sollen uns nicht interessieren. Hier genügt die Feststellung, dass es geschehen kann, und zwar ohne Schwierigkeiten. Der Zusammenhang kann so eingerichtet werden, dass beide Detektoren, wenn sie Spins bezüglich derselben Achsenrichtung messen, das gleiche Ergebnis erhalten: Wenn die Detektoren so eingestellt werden, dass sie den Spin der jeweils bei ihnen eintreffenden Elektronen bezüglich der senkrechten Achse messen, und wenn der linke Detektor registriert, dass die Spin-Drehung im Uhrzeigersinn erfolgt, dann ermittelt das auch der rechte Detektor. Werden beide Detektoren so eingestellt, dass sie den Spin bezüglich einer Achse messen, die gegenüber der Senkrechten um 60 Grad in eine gegebene Richtung geneigt ist, und wenn der linke Detektor einen Spin gegen den Uhrzeigersinn misst, registriert auch der rechte Detektor einen solchen Spin – und so fort. Wie immer in der Quantenmechanik können wir auch hier nur die Wahrscheinlichkeit vorhersagen, mit der die Detektoren einen Spin im oder gegen den Uhrzeigersinn finden. Aber wir können mit hundertprozentiger Gewissheit vorhersagen, dass das, was der eine Detektor findet, auch der andere registriert.*

Bohms Erweiterung des EPR-Arguments ist im Prinzip völlig unverändert gegenüber der ursprünglichen Version, die ihr Augenmerk auf Ort und Geschwindigkeit legte. Die Korrelation zwischen den Spins der Teilchen erlaubt uns, indirekt den Spin des nach links fliegenden Teilchens um eine gegebene Achse zu bestimmen, indem wir denjenigen seines nach rechts fliegenden Gefährten um diese Achse messen. Da diese Messung weit auf der rechten Seite des Labors vorgenommen wird, kann sie unmöglich das Teilchen, das sich nach links bewegt, in irgendeiner Weise beeinflussen. Daher muss dieses schon die ganze Zeit hindurch den soeben ermittelten Spinwert besessen haben. Wir haben nichts anderes getan, als ihn indirekt zu messen. Weil wir uns im Übrigen dafür hätten entscheiden können, diese Messung um *jede beliebige* Achse vorzunehmen, muss der gleiche Schluss für jede Achse gelten: Das nach links fliegende Elektron muss einen bestimmten Spin bezüglich *jeder* Achse haben, auch wenn wir ihn explizit nur bezüglich einer Achse zur Zeit bestimmen können. Natürlich lassen sich die Rollen von links und rechts umkehren, was zu dem Schluss führt, dass jedes Teilchen einen genauen Spin bezüglich jeder beliebigen Achse hat.[12]

An diesem Punkt, an dem kein offenkundiger Unterschied gegenüber dem

* Um sprachliche Komplikationen zu vermeiden, beschreibe ich die Elektronenspins als vollkommen korreliert, obwohl sie herkömmlicherweise meist als vollkommen *anti*korreliert beschrieben werden: Egal, welches Ergebnis der eine Detektor findet, der andere entdeckt das Gegenteil. Um zur herkömmlichen Beschreibung zu gelangen, brauchen Sie sich nur vorzustellen, ich hätte auf dem einen Detektor die beiden Anzeigen mit den Aufschriften »im Uhrzeigersinn« und »gegen den Uhrzeigersinn« gegeneinander ausgetauscht.

Beispiel mit Ort und Geschwindigkeit ersichtlich ist, könnten Sie versucht sein, sich an Pauli zu halten und zu sagen, es habe keinen Sinn, über solche Fragen nachzudenken. Wenn wir den Spin bezüglich verschiedener Achsen nicht tatsächlich messen können, warum sollen wir uns dann den Kopf darüber zerbrechen, ob das Teilchen trotzdem einen bestimmten Spin – im Uhrzeigersinn oder gegen den Uhrzeigersinn – in Bezug auf jede Achse hat? Die Quantenmechanik, und die Physik im Allgemeinen, ist nur gezwungen, Eigenschaften der Welt zu erklären, die sich messen lassen. Weder Bohm noch Einstein, Podolsky oder Rosen hätten behauptet, die Messungen ließen sich durchführen. Stattdessen vertraten sie die Auffassung, die Teilchen besäßen Merkmale, welche die Unschärferelation verbiete, obwohl wir ihren genauen Wert niemals explizit erkennen könnten. Diese Merkmale sind unter der Bezeichnung *verborgene Parameter* bekannt geworden.

Die beschriebene Situation hat John Bell von Grund auf verändert, denn er entdeckte, dass es, auch wenn wir den Spin eines Teilchens in Bezug auf mehr als eine Achse nicht wirklich entdecken können, überprüfbare, beobachtbare Konsequenzen eines solchen Spins gibt, falls das Teilchen *tatsächlich* einen Spin bezüglich jeder Achse hat.

Wirklichkeitstest

Um die entscheidenden Aspekte von Bells Erkenntnis zu begreifen, wollen wir zu Mulder und Scully zurückkehren und uns vorstellen, sie hätten beide ein weiteres Päckchen erhalten. Darin befinden sich ebenfalls Titankästchen, die aber ein wichtiges neues Merkmal aufweisen. Statt einer Klappe besitzt jedes Titankästchen deren drei: eine oben, eine an der Seite und eine vorn.[13] Im Begleitbrief wird ihnen mitgeteilt, dass die Kugel in jedem der Kästchen jetzt zufällig zwischen rotem und blauem Aufleuchten wählt, wenn irgendeine Klappe des Kästchens geöffnet wird. Wenn eine andere Klappe (oben, an der Seite oder vorne) eines gegebenen Kästchens geöffnet worden wäre, hätte die zufällig von der Kugel gewählte Farbe anders ausfallen können, doch sobald eine der Klappen geöffnet worden ist und die Kugel aufleuchtet, lässt sich nicht mehr feststellen, was bei der Wahl einer anderen Klappe geschehen wäre. (Auf die Physik angewendet, entspricht dieses Merkmal der Quantenunschärfe: Sobald Sie eine Eigenschaft messen, können Sie die anderen nicht mehr bestimmen.) Schließlich teilt der Brief den beiden FBI-Agenten noch mit, dass es wieder eine geheimnisvolle Verbindung gebe, eine seltsame Verschränkung zwischen den beiden Gruppen von Titankästchen: Obwohl alle Kugeln *zufällig* entschieden, in welcher Farbe sie aufblitzten, wenn eine der Klappen ihres Kästchens geöffnet werde, sei es doch so, dass Mulder und Scully die gleiche Farbe aufleuchten sähen, falls sie die *gleiche* Klappe am Kästchen mit der *gleichen* Nummer öffneten. Wenn also Mulder die obere Klappe an seinem Kästchen 1 öffnet und Blau sieht, dann muss Scully ebenfalls Blau sehen, wenn sie die obere Klappe an ihrem Kästchen 1 öffnet. Öffnet Mulder die seitliche Klappe an seinem Kästchen 2 und sieht Rot, dann erblickt Scully laut dem Brief ebenfalls Rot, wenn sie die seitliche Klappe an ihrem Kästchen 2 öffnet und so fort. Und tatsächlich, als Scully und Mulder einige Dutzend Kästchen öffnen – wobei sie sich per Telefon abstimmen, welche Klappe jeweils geöffnet werden soll –, bestätigen sich die Vorhersagen des Briefes.

Obwohl Mulder und Scully hier mit einer etwas komplizierteren Situation als vorher konfrontiert sind, sieht es auf den ersten Blick so aus, als würden auch hier Scullys oben geäußerten Argumente zutreffen.

»Mulder«, sagt Scully, »das ist genauso lächerlich wie das Päckchen von gestern. Noch einmal, da ist überhaupt kein Geheimnis dabei. Man muss nur die Kugel im Inneren jedes Kästchens programmieren. Begreifst du das nicht?«

»Aber jetzt sind es drei Klappen«, wendet Mulder ein, »daher kann die Kugel doch unmöglich ›wissen‹, für welche Klappe wir uns entscheiden!«

»Nicht unbedingt«, sagt Scully. »Das ist ein Teil der Programmierung. Schau, ich gebe dir ein Beispiel. Nimm das nächste ungeöffnete Kästchen, Nummer 37, und ich tu das Gleiche. Stell dir nun also vor, die Kugel in meinem Kästchen sei so programmiert, dass sie, sagen wir, rot aufleuchtet, wenn die obere Klappe geöffnet wird, blau, wenn die seitliche Klappe geöffnet wird, und rot bei der Vorderklappe. Ich nenne dieses Programm *rot, blau, rot*. Natürlich hat unser unbekannter Absender deinem Kästchen 37 das gleiche Programm eingegeben. Wenn wir nun beide die gleiche Tür öffnen, sehen wir die gleiche Farbe aufleuchten. Das erklärt den ›geheimnisvollen Zusammenhang‹: Wenn die Kästchen, die in unseren beiden Sammlungen dieselben Zahlen tragen, identisch programmiert worden sind, sehen wir selbstverständlich die gleiche Farbe, wenn wir die gleiche Klappe öffnen. Daran ist *nichts* Geheimnisvolles!«

Aber Mulder glaubt nicht, dass die Kugeln programmiert sind. Seiner Meinung nach wählen die Kugeln, wie im Brief behauptet, zufällig zwischen Rot und Blau, wenn eine Klappe ihrer Kästchen geöffnet wird, und daher glaubt er fest daran, dass seine und Scullys Kästchen irgendeine geheimnisvolle Verbindung miteinander haben.

Wer hat Recht? Da es keine Möglichkeit gibt, die Kugeln vor oder während der angeblich zufälligen Farbwahl zu untersuchen (Sie erinnern sich: jede derartige Manipulation bewirkt augenblicklich, dass die Kugel zwischen Rot und Blau wählt, womit jeder Versuch, ihre Funktionsweise herauszufinden, durchkreuzt wird), erscheint es unmöglich, definitiv zu beweisen, ob Scully oder Mulder im Recht ist.

Bemerkenswerterweise aber erkennt Mulder nach einigem Nachdenken, dass es *doch* ein Experiment gibt, um die Frage vollständig zu klären. Mulders Überlegungen sind im Grunde einfach, erfordern aber doch etwas mehr mathematische Logik als die meisten Dinge, die wir hier behandeln. Es lohnt bestimmt, den Einzelheiten zu folgen – es sind nicht viele –, aber machen Sie sich nichts draus, wenn Sie über einige hinweglesen; ich werde die wichtigsten Gedanken später kurz zusammenfassen.

Mulder wird klar, dass Scully und er bislang nur bedacht haben, was geschieht, wenn sie die gleiche Klappe an einem Kästchen mit gegebener Nummer öffnen. Wie er Scully aufgeregt mitteilt, als er sie zurückruft, lässt sich viel in Erfahrung bringen, wenn sie nicht immer die gleiche Klappe wählen, sondern stattdessen zufällig und unabhängig voneinander entscheiden, welche Klappe an jedem ihrer Kästchen geöffnet werden soll.

»Ich bitte dich, Mulder. Verdirb mir nicht den Urlaub. Was soll uns das bringen?«

»Hör zu, Scully, wir können feststellen, ob deine Erklärung richtig oder falsch ist.«

»Okay, dann los.«

»Es ist ganz einfach«, fährt Mulder fort. »Wenn du Recht hast, müsste meiner Meinung nach Folgendes der Fall sein: Wenn du und ich getrennt und zufällig entscheiden, welche Tür an einem bestimmten Kästchen wir öffnen wollen, und festhalten, welche Farbe wir aufleuchten sehen, müssen wir nach einer größeren Zahl von Kästchen herausfinden, dass wir in *mehr* als 50 Prozent der Fälle die gleiche Farbe haben aufleuchten sehen. Ansonsten aber – wenn wir nicht in mehr als 50 Prozent der Kästchen Übereinstimmung in den Farben erzielen – kannst du nicht Recht haben.«

»Tatsächlich? Wieso das?« Scully beginnt, ein bisschen Interesse zu zeigen.

»Nun«, fährt Mulder fort, »schauen wir uns ein Beispiel an. Nehmen wir an, du hast Recht und jede Kugel folgt einem Programm. Betrachten wir einen konkreten Fall und stellen wir uns vor, das Programm für die Kugel in einem bestimmten Kästchen ist *blau, blau, rot.* Da wir nun beide zwischen drei Klappen wählen, gibt es insgesamt neun mögliche Türkombinationen, die wir zwei beim Öffnen der Kästchen mit dieser Nummer wählen können. Beispielsweise kann ich die obere Klappe an meinem Kästchen wählen, während du dich für die Seitenklappe deines Kästchens entscheidest. Oder ich nehme die vordere Klappe und du die obere Klappe und so fort.«

»Klar«, fällt ihm Scully ins Wort. »Wenn wir die obere Klappe 1 nennen, die Seitenklappe 2 und die Vorderklappe 3, dann sind die neun möglichen Klappenkombinationen (1,1), (1,2), (1,3), (2,1), (2,2), (2,3), (3,1), (3,2), (3,3).«

»Richtig«, fährt Mulder fort. »Jetzt kommt der entscheidende Punkt: Unter diesen neun Möglichkeiten gibt es fünf Klappenkombinationen – (1,1), (2,2), (3,3), (1,2), (2,1) –, bei denen wir in unseren Kästchen die gleiche Farbe aufleuchten sehen. Die ersten drei Klappenkombinationen sind diejenigen, bei denen wir zufällig die gleiche Klappe wählen, was, wie wir wissen, *immer* dazu führt, dass wir die gleiche Farbe sehen. Die anderen beiden Klappenkombinationen, (1,2) und (2,1), führen deshalb zur selben Farbe, weil das Programm für dieses Kästchenpaar vorschreibt, dass die Kugeln in der gleichen Farbe aufleuchten – blau –, wenn entweder Klappe 1 oder Klappe 2 geöffnet wird. Da nun 5 mehr als die Hälfte von 9 ist, folgt daraus, dass bei mehr als der Hälfte – mehr als 50 Prozent – der möglichen Klappen-Kombinationen die Kugeln in der gleichen Farbe aufleuchten.«

»He, warte!«, protestiert Scully. »Das ist nur ein Beispiel für ein bestimmtes Programm: *blau, blau, rot*. Bei meiner Erklärung habe ich vorgeschlagen, dass Kästchen mit verschiedenen Nummern verschiedene Programme haben können und im Allgemeinen auch haben werden.«

»Das spielt keine Rolle. Die Schlussfolgerung ist für alle denkbaren Programme gültig. Wie du gesehen hast, stützte sich meine Argumentation beim Programm *blau, blau, rot* nur auf den Umstand, dass zwei Farben im Programm gleich sind, daher gelten die gleichen Schlüsse für jedes beliebige Programm: *rot, rot, blau* oder *rot, blau, rot* und so fort. Jedes Programm muss zumindest zwei gleiche Farben haben; die einzigen Programme, die sich wirklich unterscheiden, sind diejenigen, in denen alle drei Farben gleich sind – *rot, rot, rot* und *blau, blau, blau*. Doch bei Kästchen, die mit einem dieser Programme ausgestattet sind, erhalten wir gleiche Farben, egal, welche Klappe wir öffnen, daher wird der gesamte Anteil der Fälle, in denen wir Übereinstimmung erzielen, natürlich ansteigen. Wenn also deine Erklärung richtig ist und die Kästchen Programmen gehorchen – meinetwegen auch Programmen, die sich von einem nummerierten Kästchen zum anderen unterscheiden –, müssen wir in Bezug auf die Farbe, die wir sehen, in *mehr* als 50 Prozent der Fälle zum gleichen Ergebnis kommen.«

Das ist die Beweisführung. Damit haben wir den schwierigsten Teil hinter uns. Unterm Strich folgt daraus, dass es *tatsächlich* einen Test gibt, mit dem sich feststellen lässt, ob Scully Recht hat und ob jede Kugel einem Programm gehorcht, das eindeutig festlegt, welche Farbe beim Öffnen welcher Klappe aufleuchtet. Wenn sie und Mulder unabhängig voneinander und zufällig entscheiden, welche der drei Klappen sie an jedem ihrer Kästchen öffnen und dann die Farben vergleichen, die sie sehen – bei einem Kästchen nach dem anderen –, müssen sie eine Übereinstimmung in mehr als 50 Prozent der Fälle feststellen.

In die Sprache der Physik gebracht – was im nächsten Abschnitt der Fall sein wird – ist Mulders Erkenntnis nichts anderes als John Bells große Entdeckung.

Engel zählen

Die Übertragung dieses Resultats in die Physik ist einfach. Stellen Sie sich vor, wir haben zwei Detektoren, einen auf der linken Seite des Labors und den anderen auf der rechten Seite. Sie messen den Spin eines eintreffenden Teilchens, zum Beispiel eines Elektrons, wie in dem Experiment, das wir im vorletzten Abschnitt erörtert haben. Die Detektoren verlangen von Ihnen die Wahl der Achse (senkrecht, waagerecht, von vorn nach hinten oder eine der unzähligen dazwischenliegenden Achsen), bezüglich derer Sie den Spin messen wollen. Nehmen wir aus Gründen der Einfachheit an, wir haben Billig-Detektoren, die nur drei Optionen für die Achsen anbieten. Bei jedem Durchgang des Experiments stellen Sie fest, dass das eintreffende Elektron einen Spin entweder im Uhrzeigersinn oder gegen den Uhrzeigersinn um die ausgewählte Achse aufweist.

Laut Einstein, Podolsky und Rosen versieht jedes ankommende Elektron den Detektor, in den es eintritt, mit so etwas wie einem Programm: Obwohl es verborgen und nicht messbar ist, so behaupteten EPR, hat jedes Elektron einen genauen Spinwert – entweder im oder gegen den Uhrzeigersinn – bezüglich jeder möglichen Achse. Wenn es also in einen Detektor eintritt, bestimmt das Elektron für jede mögliche Achsenwahl eindeutig, ob Sie einen Spin im oder gegen den Uhrzeigersinn messen werden. Ein Elektron etwa, das um jede der drei Achsen im Uhrzeigersinn rotiert, liefert das Programm *im Uhrzeigersinn, im Uhrzeigersinn, im Uhrzeigersinn*. Ein Elektron, das um die ersten beiden Achsen im Uhrzeigersinn und um die dritte gegen den Uhrzeigersinn rotiert, liefert das Programm *im Uhrzeigersinn, im Uhrzeigersinn, gegen den Uhrzeigersinn* und so fort. Um die Korrelation zwischen den nach links und nach rechts fliegenden Elektronen zu erklären, behaupteten Einstein, Podolsky und Rosen einfach, solche Elektronen hätten identische Spins und statteten daher die Detektoren, in die sie einträten, mit identischen Programmen aus. Wenn also die gleichen Bezugsachsen für den linken und den rechten Detektor gewählt würden, fänden die Spindetektoren identische Resultate.

Beachten Sie, dass diese Spindetektoren alles exakt wiederholen, was Scully und Mulder beobachtet haben, wenn auch mit Hilfe einfacher Ersatzobjekte: Anstelle einer Klappe an einem Titankästchen wählen wir eine Achse; statt eines roten oder blauen Aufleuchtens zeichnen wir einen Spin im oder gegen den Uhrzeigersinn auf. Wie das Öffnen gleicher Klappen an einem Paar identisch nummerierter Titankästchen zum Aufleuchten der gleichen Farbe führt, so bewirkt die Wahl gleicher Achsen an den beiden Detektoren, dass ein Spin gleicher Drehrichtung gemessen wird. Und genau wie das Öffnen einer bestimmten Klappe an einem Titankästchen uns daran hindert, jemals in Erfahrung zu bringen, welche Farbe aufgeblitzt wäre, wenn wir eine andere Klappe gewählt hätten, so hindert uns die Messung des Elektronenspins um eine bestimmte Achse infolge der Quantenunschärfe daran, jemals in Erfahrung zu bringen, welche Spinrichtung wir gefunden hätten, wenn wir uns für eine andere Achse entschieden hätten.

Wie daraus folgt, lässt sich Mulders Analyse der Frage, wie wir erkennen können, wer Recht hat, genauso auf diese Situation anwenden wie auf den Fall der außerirdischen Kugeln. Wenn EPRs Annahme stimmt und jedes Elektron tatsächlich einen bestimmten Spinwert hinsichtlich aller drei Achsen besitzt – wenn jedes Elektron ein »Programm« liefert, das definitiv die Ergebnisse aller drei möglichen Spinmessungen festlegt –, können wir die folgende Vorhersage machen: Die Daten aus vielen Durchgängen des Experiments – Durchgängen, in denen die Achse für jeden Detektor zufällig und unabhängig ausgewählt wird – werden zeigen, dass *die beiden Elektronenspins in mehr als der Hälfte der Fälle übereinstimmen, das heißt, beide entweder der Drehung im oder beide der Drehung gegen den Uhrzeigersinn entsprechen.* Wenn die Elektronenspins nicht in mehr als der Hälfte der Fälle übereinstimmen, haben Einstein, Podolsky und Rosen Unrecht.

Das ist Bells Entdeckung: Auch wenn wir den Spin eines Elektrons in Bezug auf mehr als eine Achse nicht wirklich messen können – auch wenn wir das Programm, das es bei seinem Eintritt angeblich dem Detektor übermittelt, nicht »lesen« können –, ist deshalb der Versuch, in Erfahrung zu bringen, ob es trotzdem einen bestimmten Spinbetrag bezüglich mehr als einer Achse besitzt, nicht gleichbedeutend mit dem Versuch, die Engel auf einer Nadelspitze zu zählen. Weit gefehlt. Wie Bell feststellte, gibt es eine zuverlässige und überprüfbare Konsequenz, die sich dann ergibt, wenn ein Teilchen genaue Spinwerte hat. Durch die Verwendung von Achsen in drei verschiedenen Orientierungen, lieferte Bell eine Methode, Paulis Engel zu zählen.

Kein Rauch, aber Feuer

Falls Sie einige der Details überlesen haben sollten, wollen wir noch einmal zusammenfassen, was wir herausgefunden haben. Durch die Heisenbergsche Unschärferelation behauptet die Quantenmechanik, dass es Merkmale in der Welt gibt – etwa den Ort und die Geschwindigkeit eines Teilchens oder den Spin eines Teilchens in Bezug auf verschiedene Achsen –, die nicht gleichzeitig eindeutige Werte aufweisen können. *Laut der Quantentheorie kann ein Teilchen also nicht einen genauen Ort und eine genaue Geschwindigkeit aufweisen, kann es nicht einen genauen Spin (im oder gegen den Uhrzeigersinn) hinsichtlich mehr als einer Achse besitzen.* Vielmehr verharren die Teilchen in einem unentschiedenen Quantenzustand, in einer verschwommenen, amorphen, von Wahrscheinlichkeiten beherrschten Mischung aller Möglichkeiten. Nur wenn sie gemessen werden, wird aus den vielen möglichen ein eindeutiges Ergebnis ausgewählt. Ohne Zweifel ist das ein radikal anderes Bild der Wirklichkeit, als es die klassische Physik zeichnet.

In seiner ewigen Skepsis gegenüber der Quantenmechanik versuchte Einstein zusammen mit seinen Kollegen Podolsky und Rosen, diesen Aspekt der Quantenmechanik als Waffe gegen die Theorie selbst zu verwenden. EPR vertraten die Ansicht, Teilchen hätten, auch wenn die Quantenmechanik die gleichzeitige Messung solcher Merkmale nicht zulasse, dennoch genaue Werte für Ort und Geschwindigkeit; Teilchen hätten eindeutige Spinwerte in Bezug auf alle Achsen; Teilchen hätten genaue Werte für alle Eigenschaften, für die die Quantenunschärfe genaue Werte verbietet. Nach Auffassung von EPR kann die Quantenmechanik nicht alle Elemente der physikalischen Wirklichkeit beschreiben – sie kann nicht gleichzeitig den Ort und die Geschwindigkeit eines Teilchens ermitteln oder den Spin eines Teilchens für mehr als eine Achse herausfinden – und ist daher keine vollständige Theorie.

Lange Zeit schien die Frage, ob EPR Recht hätten oder nicht, eher eine der Metaphysik als der Physik zu sein. Denken wir an Pauli: Wenn wir nicht wirklich die Eigenschaften messen können, die dem Verbot der Quantenunschärfe unterliegen, was für eine Bedeutung hat es dann, dass sie möglicherweise in irgendeinem verborgenen Winkel der Wirklichkeit existieren? Bemerkenswerterweise stieß John Bell jedoch auf etwas, das Einstein, Bohr und all den anderen Giganten der theoretischen Physik des zwanzigsten Jahrhunderts entgangen war: dass nämlich die bloße Existenz bestimmter Dinge, selbst wenn sie jeder expliziten Messung und Bestimmung entzogen sind, durchaus von Bedeutung sein kann – und dass diese Bedeutung sich experimentell überprüfen lässt. Für den Fall, dass EPR Recht hätten, müssten die Ergebnisse zweier weit auseinander liegender Detektoren, die gewisse Teilcheneigenschaften messen (den Spin um verschiedene, zufällig ausgewählte Achsen bei dem von uns gewählten Ansatz), in mehr als 50 Prozent der Fälle übereinstimmen.

Bell machte diese Entdeckung bereits 1964, allerdings verfügte man damals noch nicht über die technischen Voraussetzungen, um die erforderlichen Experimente tatsächlich durchzuführen. Anfang der siebziger Jahre war es dann soweit. Beginnend mit der Arbeit von Stuart Freedman und John Clauser in Berkeley, gefolgt von Edward Fry und Randall Thompson an der Texas A&M und schließlich gekrönt von den Versuchen Alain Aspects und seiner Mitarbeiter in Frankreich, wurden immer raffiniertere und eindrucksvollere Versionen dieser Experimente ausgeführt. Im Aspect-Experiment beispielsweise installierten die Experimentatoren die beiden Detektoren dreizehn Meter voneinander entfernt und stellten auf halbem Weg zwischen ihnen einen Behälter mit angeregten, energiereichen Calcium-Atomen auf. Wie in der Physik seit langem bekannt, gibt jedes dieser Calcium-Atome bei der Rückkehr in den energieärmeren Normalzustand zwei Photonen ab, die sich in entgegengesetzte Richtungen bewegen und deren Spins so direkt miteinander zusammenhängen wie in dem Beispiel der Elektronenspins, das wir eben erörtert haben. Tatsächlich zeigte sich in Aspects Experiment, dass bei gleicher Detektoreneinstellung beide Photonen in den Messwerten einen vollkommen übereinstimmenden Spin aufwiesen. Wenn man Aspects Detektoren an Lampen anschlösse, die in Reaktion auf einen Spin im Uhrzeigersinn rot aufleuchteten und in Reaktion auf einen Spin gegen den Uhrzeigersinn blau, würden die eintreffenden Photonen die Detektoren veranlassen, in den gleichen Farben aufzuleuchten.

Als jedoch, und das ist der entscheidende Punkt, Aspect die Daten aus einer großen Zahl von Durchgängen seines Experiments untersuchte – Daten, bei denen die linke und rechte Detektoreinstellung nicht immer gleich war, sondern zufällig und für jeden der Detektoren in unabhängiger Weise von Durchgang zu Durchgang verändert wurde –, stellte er fest, dass *die Detektoren nicht in mehr als 50 Prozent der Fälle Übereinstimmung zeigten.*

Das ist ein wahrhaft weltbewegendes Ergebnis, eines, das Ihnen die Sprache verschlagen sollte. Falls dem nicht so ist, lassen Sie es mich etwas ausführlicher erklären. Aspects Ergebnisse zeigen, dass Einstein, Podolsky und Rosen durch Experimente widerlegt werden – nicht durch die Theorie, nicht durch Gedankenspiele, sondern durch die Natur. Und das heißt, dass an den Argumenten etwas falsch sein muss, die EPR zu dem Schluss führten, Teilchen besäßen bestimmte Werte für Merkmale – wie etwa die Werte von Spins hinsichtlich verschiedener Achsen –, für die genaue Werte durch die Unschärferelation verboten werden.

Doch wo mag ihr Fehler liegen? Nun, erinnern wir uns, dass EPRs Beweisführung von einer zentralen Annahme abhängt: Wenn Sie in einem gegebenen Augenblick das Merkmal eines Objekts durch ein Experiment bestimmen, das an einem anderen, räumlich entfernten Objekt durchgeführt wird, muss das erste Objekt dieses Merkmal schon die ganze Zeit gehabt haben. Sie begründeten diese Annahme einfach und vollkommen vernünftig. Ihre Messung wurde *hier* vorgenommen, während sich das erste Objekt *dort* befand. Die beiden Objekte waren räumlich getrennt, und daher konnten Ihre Messungen unmöglich irgendeinen Effekt auf das erste Objekt haben. Genauer: Bekanntlich kann sich nichts rascher als das Licht bewegen; wenn nun Ihre Messung an einem Objekt irgendwie eine Veränderung am anderen verursachen sollte – etwa dieses andere dazu veranlassen sollte, die gleiche Spinbewegung um eine gewählte Achse anzunehmen –, könnte das nur mit einer Verzögerung eintreten, die zumindest der Zeit entspricht, die das Licht braucht, um die Entfernung zwischen den beiden Objekten zu überwinden. Aber sowohl in unseren abstrakten Überlegungen als auch in den tatsächlichen Experimenten werden die Teilcheneigenschaften von den Detektoren zur *gleichen* Zeit überprüft. Was wir über das erste Teilchen in Erfahrung bringen, indem wir das zweite messen, muss daher ein Merkmal sein, das dem ersten Teilchen von Anfang an zu Eigen war, vollkommen unabhängig davon, ob wir die Messung vornehmen oder nicht. Kurz gesagt, lautet das Argument von Einstein, Podolsky und Rosen im Kern: *Ein Objekt dort kümmert sich nicht darum, was wir mit einem anderen Objekt hier anstellen.*

Doch wie wir gerade gesehen haben, führt diese Überlegung zu der Vorhersage, dass die Detektoren in mehr als der Hälfte der Fälle auf übereinstimmende Ergebnisse stoßen müssten, eine Vorhersage, die sich in den Experimenten nicht bestätigt. Daher sehen wir uns zu dem Schluss genötigt, dass Einsteins, Podolskys und Rosens Annahme zwar noch so vernünftig erscheinen mag, aber trotzdem kein zutreffendes Bild von den Geschehnissen im Quantenuniversum liefert. Die Experimente legen vielmehr – zwar indirekt, aber vollkommen logisch – den folgenden Schluss nahe: *Ein Objekt dort kümmert sich darum, was wir mit einem anderen Objekt hier anstellen.*

Obwohl die Quantenmechanik zeigt, dass Teilchen zufällig diese oder jene Eigenschaft annehmen, wenn sie gemessen werden, geht aus diesem Beispiel hervor, dass die Zufälligkeit über Entfernungen im Raum verknüpft sein kann. Paare von entsprechend präparierten Teilchen – so genannte *verschränkte* Teilchen – erwerben ihre gemessenen Eigenschaften nicht unabhängig voneinander. Sie sind wie ein Paar magischer Würfel, von denen der eine in Atlantic City und der andere in Las Vegas geworfen wird. Beide zeigen *zufällig* die eine oder die andere Zahl, doch beiden gelingt es stets irgendwie, dass ihre Zahlen übereinstimmen. Verschränkte Teilchen verhalten sich entsprechend, nur brauchen sie dafür keine Magie. *Obwohl räumlich getrennt, verhalten sich verschränkte Teilchen nicht autonom.*

Einstein, Podolsky und Rosen wollten beweisen, dass die Quantenmechanik eine unvollständige Beschreibung des Universums liefert. Ein halbes Jahrhundert später liegen theoretische Erkenntnisse und experimentelle Ergebnisse vor, die uns – ausgehend und angeregt von ihrer Arbeit – keine andere Wahl lassen, als ihre Analyse auf den Kopf zu stellen und den Schluss zu ziehen, dass der grundsätzlichste, intuitiv einleuchtendste und klassisch-vernünftige Teil ihrer Argumentation falsch ist: Das Universum ist nicht lokal. Das Ergebnis dessen, was wir an einem Ort tun, kann mit dem, was an einem anderen Ort geschieht, verknüpft sein, selbst wenn sich nichts zwischen den beiden Orten hin- und herbewegt – selbst wenn die Zeit so kurz ist, dass nichts die Strecke zwischen den beiden Orten zurücklegen könnte. Einsteins, Podolskys und Rosens intuitiv ansprechende Behauptung, solche weit reichenden Korrelationen träten nur auf, weil die Teilchen eindeutige, schon vor der Messung vorhandene, zusammenhängende Eigenschaften hätten, wird durch diese Daten widerlegt. Deshalb sind diese Ergebnisse so schockierend.[14]

1997 führten Nicolas Gisin und sein Team an der Universität Genf eine Version des Aspect-Experiments durch, in dem die beiden Detektoren in einem Abstand von elf Kilometern aufgestellt wurden. Die Ergebnisse waren unverändert. Auf der mikroskopischen Skala der Wellenlängen des Photons sind elf Kilometer eine ungeheure Strecke. Es könnten genauso gut elf Millionen Kilometer sein – oder elf Milliarden Lichtjahre. Es gibt gute Gründe für die Annahme, dass die Korrelation zwischen den Photonen bei jeder beliebigen Entfernung der Detektoren erhalten bliebe.

Das klingt vollkommen bizarr. Doch gibt es heute erdrückende Beweise für diese so genannte *Verschränkung* von Quantenzuständen. Wenn zwei Photonen verschränkt sind, »zwingt« die erfolgreiche Messung eines der Photonenspins bezüglich einer Drehachse das andere ferne Photon, den gleichen Spin bezüglich dieser Achse aufzuweisen. Der Messvorgang an einem Photon »veranlasst« das andere, möglicherweise ferne Photon, den Wahrscheinlichkeitsnebel zu verlassen und einen eindeutigen Spinwert anzunehmen – einen Wert, der dem Spin seines fernen Gefährten genau entspricht. Das ist kaum fassbar.*

* Wie viele Forscher, darunter auch ich, glauben, beweisen Bells Überlegungen und Aspects Experiment überzeugend, dass die beobachteten Korrelationen zwischen weit getrennten Teilchen nicht durch Argumente à la Scully erklärt werden – Argumente, denen zufolge die Korrelationen einfach darauf zurückzuführen sind, dass die Teilchen ihre eindeutigen, zusammenhängenden Eigenschaften erwarben, als sie (anfangs) zusammen waren. Andere haben versucht, den beunruhigenden Schluss der Nichtlokalität, zu dem uns unsere Erörterungen geführt haben, zu vermeiden oder abzuschwächen. Ich teile ihre Skepsis zwar nicht, verweise aber in den Anmerkungen auf einige allgemeinverständliche Werke, in denen diese Alternativen behandelt werden.[15]

Verschränkung und die spezielle Relativitätstheorie: Die Standardversion

Ich habe die Worte »zwingt« und »veranlasst« in Anführungszeichen gesetzt, weil sie zwar das Empfinden vermitteln, nach dem unsere klassische Intuition verlangt, ihre exakte Bedeutung in diesem Kontext aber entscheidend für die Frage ist, ob wir vor einer noch größeren Revolution stehen oder nicht. Mit ihrer Alltagsdefinition beschwören diese Worte die Vorstellung einer willkürlichen Kausalität herauf: Wir entscheiden, etwas hier zu tun, um ein Etwas dort *zu veranlassen* oder *zu zwingen*, sich in einer bestimmten Art und Weise zu verhalten. Wäre damit die Wechselbeziehung der beiden Photonen richtig beschrieben, *befände sich die spezielle Relativitätstheorie in größten Schwierigkeiten.* Wie die Experimente zeigen, nimmt aus Sicht des Experimentators im Labor genau in dem Augenblick, da der Spin des einen Photons gemessen wird, das andere Photon sofort die gleiche Spineigenschaft an. Wenn sich etwas vom linken Photon zum rechten Photon bewegen würde, um das rechte Photon davon in Kenntnis zu setzen, dass der Spin des linken Photons durch eine Messung bestimmt worden sei, müsste es den Abstand zwischen den Photonen instantan überwinden, wodurch es mit der Geschwindigkeitsbegrenzung der speziellen Relativitätstheorie in Konflikt geriete.

Unter den Physikern herrscht Einigkeit, dass jede solche scheinbare Abweichung von der speziellen Relativitätstheorie sich letztlich als Illusion erweist. Die intuitiv einleuchtende Erklärung lautet, dass die beiden Photonen zwar räumlich getrennt sind, ihr gemeinsamer Ursprung aber eine fundamentale Verbindung zwischen ihnen herstellt. Obwohl sie sich rasch voneinander entfernen und eine räumliche Trennung zwischen ihnen entsteht, sind sie durch ihre Geschichte verbunden. Selbst wenn sie getrennt sind, bleiben sie Teil eines einzigen physikalischen Systems. In Wahrheit zwingt oder veranlasst also nicht die Messung eines Photons ein anderes, fernes Photon dazu, identische Eigenschaften anzunehmen. Vielmehr sind die beiden Photonen so eng miteinander verbunden, dass wir sie – obwohl räumlich getrennt – getrost als ein einziges physikalisches Gebilde betrachten dürfen. Daher können wir sagen, dass sich eine Messung an diesem einen Gebilde – das aus zwei Photonen besteht – auch auf das ganze Gebilde auswirkt, das heißt, gleichzeitig auf beide Photonen.

Zwar hilft uns diese Vorstellung vielleicht, die Verbindung zwischen den Photonen zu akzeptieren – doch was heißt es eigentlich, wenn wir sagen, zwei räumlich getrennte Dinge seien eins? Etwas genauer ist die folgende Beweisführung. Wenn die spezielle Relativitätstheorie besagt, dass nichts sich schneller fortbewegen kann als das Licht, so bezieht sich das »nichts« auf die uns vertraute Materie und Energie. Der Fall, den wir betrachten, liegt aber komplizierter, weil nichts darauf hinweist, dass sich hier Materie oder Energie zwischen den beiden Photonen hin- und herbewegen, und daher gibt es nichts, dessen Geschwindigkeit wir messen könnten. Trotzdem besteht immer eine Möglichkeit, in Erfahrung zu bringen, ob wir geradewegs in einen Konflikt mit der speziellen Relativitätstheorie geraten sind. Ein gemeinsames Merkmal von Materie und Energie ist die Fähigkeit, mit ihrer Bewegung von einem Ort zum anderen Information zu übermitteln. Photonen, die von einem Sender in Ihr Radio gelangen, tragen Information. Elektronen, die per Internetkabel in Ihren Computer gelangen, tragen Information. Daher dient in jeder Situation, in der sich etwas – selbst nicht Identifiziertes – schneller als mit Lichtgeschwindigkeit bewegt haben soll, die Frage, ob es Information übermittelt hat oder zumindest haben könnte, als echte Nagelprobe. Lautet die Antwort Nein, hat nach herkömmlicher Auffassung nichts die Lichtgeschwindigkeit überschritten, folglich ist auch die spezielle Relativitätstheorie nicht in Frage gestellt worden. In der Praxis wird dieser Test häufig von Physikern angewandt, die feststellen wollen, ob irgendein komplizierter Prozess gegen die Gesetze der speziellen Relativitätstheorie verstößt. (Noch nie hat irgendetwas diesen Test überstanden.) Wenden wir ihn also auch hier an.

Haben wir dadurch, dass wir beim nach links fliegenden und nach rechts fliegenden Elektron den Spin bezüglich einer bestimmten Achse messen, irgendeine Möglichkeit, Information von einem zum anderen zu übermitteln? Die Antwort lautet Nein. Warum? Ganz einfach: Der Beleg, den wir im linken oder im rechten Detektor finden, ist lediglich eine *Zufallssequenz* von Resultaten im und gegen den Uhrzeigersinn, weil bei jedem gegebenen Durchgang des Experiments die gleiche Wahrscheinlichkeit besteht, dass für das Teilchen ein Spin in die eine oder die andere Drehrichtung beobachtet wird. Auf keinen Fall können wir das Ergebnis einer bestimmten Messung kontrollieren oder vorhersagen. Folglich gibt es keine Botschaft, keinen verborgenen Code, keine Information irgendwelcher Art in einer dieser beiden Zufallslisten. Interessant an den beiden Listen ist nur, dass sie identisch sind – aber das ist erst zu erkennen, wenn die beiden Listen durch ein Mittel, das nicht schneller als das Licht ist (Fax, E-Mail, Telefon und so weiter), zusammengebracht und verglichen werden. Das Standardargument kommt also zu dem Ergebnis, dass es zwar den Anschein hat, als würde sich die Spinmessung des einen Photons augenblicklich auf das andere auswirken, dass aber tatsächlich keine Information von einem auf das andere übertragen wird und die Geschwindigkeitsbegrenzung der speziellen Relativitätstheorie daher in Kraft bleibt. Physiker sagen, die

Spinergebnisse seien korreliert – da die Listen identisch sind –, stünden aber nicht in einer herkömmlichen Kausalbeziehung, weil sich nichts zwischen den beiden fernen Orten hin- und herbewegt.

Verschränkung und spezielle Relativitätstheorie: Die Gegenversion

Ist es damit erledigt? Ist der potenzielle Konflikt zwischen der Nichtlokalität der Quantenmechanik und der speziellen Relativitätstheorie ein für alle Mal gelöst? Vermutlich. Ausgehend von obigen Überlegungen beantwortet die Mehrheit der Physiker die Frage für sich mit der Feststellung, dass es eine einvernehmliche Koexistenz zwischen spezieller Relativitätstheorie und Aspects Ergebnissen über verschränkte Teilchen gibt. Man könnte sagen, die spezielle Relativitätstheorie kommt mit knapper Not davon. Viele Physiker finden die Situation überzeugend, doch an anderen nagt das Gefühl, das könne noch nicht die ganze Wahrheit sein.

Instinktiv habe ich immer die Koexistenz-Ansicht geteilt, aber ich kann nicht leugnen, dass das Problem schwierig und heikel ist. Egal, welche ganzheitlichen Umschreibungen wir uns einfallen lassen und welche Informationsmängel wir geltend machen, letzten Endes bleibt die Tatsache, dass wir zwei weit getrennte Teilchen haben, jedes dem Zufallsdiktat der Quantenmechanik unterworfen, denen es irgendwie gelingt, so weit »in Kontakt« zu bleiben, dass, ganz gleich, was das eine tut, das andere es instantan ebenfalls tut. Und das scheint doch den Gedanken nahe zu legen, dass irgendein *überlichtschnelles Etwas* zwischen ihnen operiert.

Wie ist der Stand der Dinge? Es gibt keine eindeutige, allseits akzeptierte Antwort. Einige Physiker und Philosophen vertreten die Auffassung, Fortschritte könnten wir nur erzielen, wenn wir erkennen, dass der Fokus der bisherigen Diskussion fehlgeleitet war: Bei der speziellen Relativitätstheorie gehe es im Kern, so wenden sie völlig zu Recht ein, weniger um die Festsetzung einer Geschwindigkeitsbegrenzung als vielmehr darum, dass sich alle Beobachter, unabhängig von der eigenen Geschwindigkeit, über die Lichtgeschwindigkeit einig seien.[16] Allgemeiner: Nach Ansicht dieser Forscher besteht das zentrale Prinzip der speziellen Relativitätstheorie darin, dass der Standpunkt keines Beobachters gegenüber dem eines anderen bevorzugt wird. Daher meinen sie (und viele stimmen ihnen darin zu), dass sich der Konflikt mit der speziellen Relativitätstheorie lösen lasse, wenn es gelänge, die Gleichbehandlung aller Beobachter mit konstanter Geschwindigkeit mit den Ergebnissen der Experimente über verschränkte Teilchen in Einklang zu bringen.[17] Doch das ist nicht leicht, wie deutlich wird, wenn wir uns ansehen, wie in einem guten,

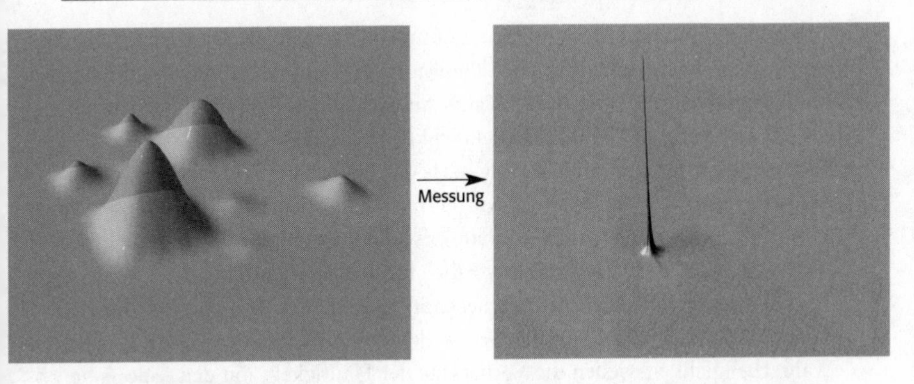

Abbildung 4.7 Wenn ein Teilchen an einem Ort beobachtet wird, fällt die Wahrscheinlichkeit, es an einem anderen Ort zu finden, auf null, während die Wahrscheinlichkeit am Ort der Entdeckung auf 100 Prozent emporschnellt.

traditionellen Lehrbuch der Quantenmechanik das Aspect-Experiment erklärt wird.

Nehmen wir eine Messung vor und stellen fest, dass sich ein Teilchen hier befindet, veranlassen wir laut der Standardversion der Quantenmechanik die Wahrscheinlichkeitswelle, sich zu verändern: Das vorher vorhandene Spektrum potenzieller Ergebnisse reduziert sich auf das eine tatsächliche Resultat, das unsere Messung ergibt, wie Abbildung 4.7 illustriert. In der Sprache der Physiker verursacht die Messung den *Kollaps* der Wahrscheinlichkeitswelle. Je größer die Wahrscheinlichkeitswelle anfangs an einem gegebenen Ort gewesen sei, desto größer sei auch die Wahrscheinlichkeit, dass die Welle auf diesem Ort kollabiere – desto größer sei also die Wahrscheinlichkeit, dass das Teilchen an diesem Ort gefunden werde. Nach der Standardversion findet der Kollaps instantan im gesamten Universum statt: Sobald wir das Teilchen hier entdecken, fällt die Wahrscheinlichkeit, es *irgendwo anders* zu finden, augenblicklich auf null, und das, so meint man, kommt im augenblicklichen Kollaps der Wahrscheinlichkeitswelle zum Ausdruck.

Wird der Spin des nach links fliegenden Photons im Aspect-Experiment gemessen und ergibt sich dabei, dass er bezüglich einer gegebenen Achse, sagen wir, im Uhrzeigersinn verläuft, bringt das die Wahrscheinlichkeitswelle im gesamten Raum zum Kollaps und setzt die Wahrscheinlichkeit für einen Spin gegen den Uhrzeigersinn instantan auf null. Da sich der Kollaps überall ereignet, findet er auch am Aufenthaltsort des nach rechts fliegenden Teilchens statt. Das wirkt sich auf den Teil der Wahrscheinlichkeitswelle des nach rechts fliegenden Photons aus, der für den Spin gegen den Uhrzeigersinn zuständig ist, und bringt auch ihn instantan dazu, auf null zu kollabieren. Ganz gleich also, wie weit das nach rechts fliegende Photon von seinem nach links orientierten Pendant entfernt ist, wird seine Wahrscheinlichkeitswelle augenblicklich von der Veränderung in der Wahrscheinlichkeitswelle des nach links fliegenden Photons beeinflusst, mit dem Erfolg, dass das Photon bezüglich der gewählten Achse den gleichen Spin aufweist wie das nach links fliegende Photon. Laut der Standardversion der Quantenmechanik ist diese instantane Veränderung der Wahrscheinlichkeitswellen verantwortlich für den überlichtschnellen Einfluss.

Die Mathematik der Quantenmechanik präzisiert diese qualitative Erörterung. Tatsächlich verändern die fern wirkenden Einflüsse der kollabierenden Wahrscheinlichkeitswellen die Vorhersage der Häufigkeit, mit der Aspects linker und rechter Detektor (bei zufälliger und unabhängiger Wahl der Achsen) auf das gleiche Ergebnis stoßen. Um die exakte Antwort zu erhalten, ist eine mathematische Berechnung erforderlich (der interessierte Leser möge den Anmerkungsapparat zu Rate ziehen[18]), doch wenn die ausgeführt worden ist, sagt sie voraus, dass die Detektoren in *exakt* 50 Prozent der Fälle übereinstimmen müssten (statt eine Übereinstimmung in mehr als 50 Prozent der Fälle vorherzusagen – das Ergebnis, das wir, wie gesehen, bei EPRs Hypothese eines *lokalen* Universums gefunden haben). Mit beeindruckender Genauigkeit *hat Aspect genau das in seinen Experimenten gemessen: 50 Prozent Übereinstimmung.* Die Standardversion der Quantenmechanik deckt sich auf eindrucksvolle Weise mit den Daten.

Das ist ein spektakulärer Erfolg. Trotzdem hat die Sache einen Haken. *Nach mehr als siebzig Jahren versteht noch immer niemand, wie oder auch nur ob sich der Kollaps der Wahrscheinlichkeitswelle tatsächlich ereignet.* Im Laufe der Jahre hat sich die *Annahme*, dass Wahrscheinlichkeitswellen kollabieren, als leistungsfähiges Verbindungsglied zwischen den Wahrscheinlichkeiten, welche die Quantentheorie vorhersagt, und den eindeutigen Resultaten erwiesen, die sich aus Experimenten ergeben. Aber diese Annahme steckt voller Rätsel. Zum einen folgt der Kollaps nicht aus der Mathematik der Quantentheorie. Er muss von Hand eingesetzt werden, und es gibt dafür keine allgemein akzeptierte oder experimentell gerechtfertigte Methode. Zum anderen stellt sich die Frage, wie Sie durch die Entdeckung eines Elektrons in Ihrem Detektor in New York City bewirken können, dass die Wahrscheinlichkeitswelle des Elektrons in der Andromeda-Galaxie instantan auf null fällt. Wenn Sie das Teilchen in New York City finden, entdecken Sie es natürlich auf keinen Fall in der Andromeda-Galaxie, doch welcher unbekannte Mechanismus erzwingt diesen Vorgang mit so spektakulärer Wirksamkeit? Oder, etwas umgangssprachlicher ausgedrückt, woher »wissen« die Teile der Wahrscheinlichkeitswelle in der

Andromeda-Galaxie und überall sonst, dass sie augenblicklich auf null fallen müssen?[19]

Wir werden auf dieses *Messproblem der Quantenmechanik* in Kapitel 7 zurückkommen (wo wir sehen werden, dass andere Hypothesen die Idee kollabierender Wahrscheinlichkeitswellen vollkommen vermeiden), hier soll uns der Hinweis genügen, dass, wie in Kapitel 3 erörtert, zwei Ereignisse, die aus Sicht eines Beobachters gleichzeitig stattfinden, dies aus Sicht eines anderen, bewegten Beobachters nicht tun. (Erinnern wir uns an Itchy und Scratchy, die ihre Uhren in einem bewegten Zug synchronisierten.) Wenn also eine Wahrscheinlichkeitswelle aus der Sicht eines Beobachters überall im Raum einem gleichzeitigen Kollaps unterliegt, erleidet sie aus der Sicht eines anderen Beobachters, der in Bewegung ist, *keinen* solchen gleichzeitigen Kollaps. Tatsächlich werden einige Beobachter, je nach ihrem Bewegungszustand, berichten, das linke Photon sei zuerst gemessen worden, während andere, ebenso vertrauenswürdige Beobachter erklären werden, das rechte Photon sei zuerst gemessen worden. Selbst wenn die Idee kollabierender Wahrscheinlichkeitswellen zuträfe, gäbe es dennoch keine beobachterunabhängige Antwort auf die Frage, welche Messung – die am linken oder die am rechten Photon – die andere beeinflusst habe. Der Kollaps der Wahrscheinlichkeitswellen würde also offenbar einem Beobachtungsstandpunkt besondere Bedeutung zuschreiben – dem des Beobachters, aus dessen Sicht der Kollaps gleichzeitig überall im Raum erfolgt und aus dessen Blickwinkel die linke und die rechte Messung gleichzeitig vorgenommen werden. Die Auswahl solch eines bevorzugten Standpunkts erzeugt jedoch einen erheblichen Konflikt mit der egalitären Kernaussage der speziellen Relativitätstheorie. Man hat Vorschläge entwickelt, um dieses Problem zu umgehen, doch noch ist strittig, welche, wenn überhaupt, von Erfolg gekrönt sein könnten.[20]

Während also die Mehrheit die Ansicht vertritt, es herrsche eine einvernehmliche Koexistenz, halten einige Physiker und Philosophen die genaue Beziehung zwischen Quantenmechanik, verschränkten Teilchen und spezieller Relativitätstheorie für eine offene Frage. Es ist sicherlich möglich und nach meiner Ansicht wahrscheinlich, dass sich letztlich die Mehrheitsmeinung in irgendeiner definitiven Form durchsetzen wird. Die Geschichte zeigt allerdings, dass unauffällige, aber grundlegende Probleme manchmal den Keim künftiger Revolutionen in sich tragen. Das kann nur die Zeit entscheiden.

Was sollen wir mit all dem anfangen?

Bells Überlegungen und Aspects Experimente zeigen, dass ein Universum, wie es Einstein vor Augen hatte, vielleicht in der Vorstellung existieren kann, aber nicht in der Wirklichkeit. In Einsteins Universum hatte das, was Sie genau hier tun, unmittelbare Bedeutung nur für die Dinge, die sich ebenfalls genau hier befinden. Nach seiner Ansicht war die Physik rein lokal. Doch wir wissen heute, dass die Daten solche Vorstellung widerlegen. Die Daten dulden kein Universum dieser Art.

Einstein malte sich ferner ein Universum aus, in dem Objekte zu jeder Zeit eindeutige Eigenschaften hätten – und zwar bezüglich aller physikalischen Möglichkeiten, einem Objekt eine Eigenschaft zuzuschreiben. Die Eigenschaften in Einsteins Universum verharren nicht in einem Schwebezustand, das heißt, sie warten nicht darauf, dass ihnen die Messung eines Experimentators ins Dasein verhilft. Die Mehrheit der Physiker würde sagen, Einstein habe auch in diesem Punkt geirrt. Teilcheneigenschaften entstehen nach dieser Mehrheitsmeinung, wenn sie durch Messungen dazu gezwungen werden – ein Gedanke, mit dem wir uns in Kapitel 7 eingehender beschäftigen werden. Wenn sie nicht beobachtet werden oder nicht mit ihrer Umgebung wechselwirken, führen Teilchen eine nebulöse, verschwommene Existenz, lediglich durch eine Wahrscheinlichkeit charakterisiert, dass die eine oder andere Möglichkeit Wirklichkeit werden könnte. Forscher, die diese Auffassung in ihrer extremsten Form vertreten, behaupten sogar, dass der Mond, wenn niemand und nichts ihn »anschaut«, *auch nicht da sei.*

Letztgültig ist in dieser Frage noch nichts entschieden. Laut Einstein, Podolsky und Rosen gab es für den Umstand, dass an weit entfernten Teilchen identische Eigenschaften gemessen würden, nur eine vernünftige Erklärung: Die Teilchen hätten diese eindeutigen Eigenschaften schon die ganze Zeit über besessen (und kraft ihrer gemeinsamen Vergangenheit hingen diese Eigenschaften miteinander zusammen). Jahrzehnte später bewiesen Bells Analyse und Aspects Daten, dass diese intuitiv ansprechende Hypothese, die von der Prämisse ausgeht, Teilchen hätten immer eindeutige Eigenschaften, als Erklärung der experimentell beobachteten nichtlokalen Korrelationen nicht greift. Dass es nicht gelingt, mit der Annahme von Teilchen, die stets eindeutige Eigenschaften besitzen, die Rätsel der Nichtlokalität fortzuerklären, bedeutet jedoch nicht zwangsläufig, dass damit die Möglichkeit solcher Teilchen ausgeschlossen wäre. Die Daten schließen zwar ein lokales Universum aus, nicht aber Teilchen, die derartige verborgene Eigenschaften besitzen.

Tatsächlich entwickelte Bohm in den fünfziger Jahren eine eigene Version der Quantenmechanik, die *sowohl* Nichtlokalität *als auch* verborgene Variablen einbezieht. In seinem Ansatz haben Teilchen immer einen genauen Aufenthaltsort und eine genaue Geschwindigkeit, obwohl wir niemals beide gleichzeitig messen können. Aus Bohms Ansatz ergaben sich Vorhersagen, die mit denen der konventionellen Quantenmechanik vollkommen übereinstimmten, allerdings führte er ein noch gewagteres Element der Nichtlokalität ein, dem zufolge die *Kräfte*, die an einem Ort auf ein Teilchen einwirken, instantan von Bedingungen an einem fernen Ort abhängen. Einerseits deutete sich in Bohms Version an, welchen Weg man einschlagen könnte, um Einsteins Verlangen zu befriedigen und zumindest einige der intuitiv einleuchtenden Züge der klassischen Physik wiederherzustellen, die in der Quantenrevolution verloren gegangen waren – Teilchen haben eindeutige Eigenschaften –, andererseits zeigte der Versuch aber auch, dass man dafür eine noch krassere Nichtlokalität akzeptieren musste. Angesichts dieser schwer verdaulichen Zugabe hätte Einstein wohl wenig Trost in Bohms Ansatz gefunden.

Der unumgängliche Verzicht auf Lokalität ist die erstaunlichste Lehre, die sich aus den Arbeiten von Einstein, Podolsky, Rosen, Bohm, Bell, Aspect und vielen anderen bedeutenden Wissenschaftlern auf diesem Forschungsfeld ergab. Kraft ihrer Vergangenheit können Objekte, die sich gegenwärtig in völlig anderen Regionen des Universums befinden, Teil eines einzigen quantenmechanisch verschränkten Ganzen sein. Obwohl weit getrennt, bleibt solchen Objekten nichts anderes übrig, als sich in zufälliger, aber durchaus koordinierter Weise zu verhalten.

Wir sind an den Gedanken gewöhnt, dass eine Haupteigenschaft des Raums darin besteht, ein Objekt vom anderen zu trennen und zu unterscheiden. Aber wir sehen jetzt, dass die Quantenmechanik diese Auffassung radikal in Frage stellt. *Zwei Dinge können durch eine enorme räumliche Ausdehnung getrennt sein und doch keine vollkommen unabhängige Existenz führen.* Eine Quantenverschränkung kann sie miteinander verknüpfen und dafür sorgen, dass die Eigenschaften des einen von denen des anderen abhängen und umgekehrt. Der Raum stellt keinen Unterschied zwischen solchen verschränkten Objekten her. Der Raum vermag ihre wechselseitige Verknüpfung nicht aufzulösen. Der Raum, selbst eine riesige Raumregion, ist nicht in der Lage, ihre wechselseitige quantenmechanische Abhängigkeit abzuschwächen.

Gelegentlich hat man das dahingehend interpretiert, dass »alles mit allem verknüpft« sei oder dass »die Quantenmechanik uns alle zu einem einzigen universellen Ganzen« verschränke. Schließlich sei beim Urknall alles aus einem Ort hervorgegangen, also seien alle Orte, die wir uns heute als verschieden vorstellen, während jenes fernen Anfangs derselbe Ort gewesen. Und da alles – wie die beiden Photonen, die demselben Calciumatom entweichen – am Anfang aus dem gleichen Etwas hervorgegangen sei, müsse auch alles quantenmechanisch mit allem anderen verschränkt sein.

Obwohl mir dieses Grundgefühl zusagt, ist solches schwärmerisches Gerede verschwommen und übertrieben. Die Quantenverknüpfungen zwischen den beiden Photonen, die aus dem Calciumatom entweichen, sind vorhanden, gewiss, aber auch außerordentlich empfindlich. Bei den Experimenten von Aspect und anderen ist von entscheidender Bedeutung, dass die Photonen vollkommen ungehindert von ihrer Quelle zu den Detektoren gelangen können. Falls sie mit verirrten Teilchen oder mit Teilen des für das Experiment verwendeten Aufbaus kollidieren, lässt sich die Quantenverknüpfung zwischen den Teilchen unendlich viel schwerer entdecken. Statt nach Korrelationen in den Eigenschaften der beiden Photonen zu suchen, muss man sich dann mit einem komplexen Muster von Korrelationen herumschlagen, welche nicht nur die Photonen betreffen, sondern zusätzlich alles, womit sie möglicherweise kollidiert sind. Auf ihrem weiteren Weg würden die Photonen immer wieder mit anderen Teilchen zusammenstoßen, und durch diese Wechselwirkungen mit der Umgebung würde sich die Quantenverschränkung so ausbreiten, dass es praktisch unmöglich wird, sie zu entdecken. Die ursprüngliche Verschränkung zwischen den Photonen wäre praktisch aufgehoben.

Trotzdem ist es wirklich verblüffend, dass diese Verknüpfungen existieren und dass sie unter sorgfältig kontrollierten Laborbedingungen über beträchtliche Entfernungen hinweg direkt beobachtet werden können. Sie zeigen uns im Grunde, dass der Raum nicht ist, wofür wir ihn einst hielten.

Wie steht es mit der Zeit?

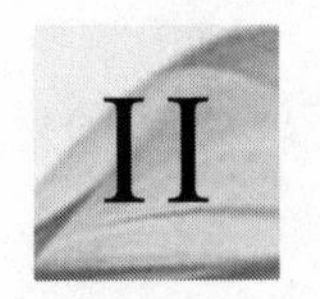

ZEIT UND ERFAHRUNG

DER GEFRORENE FLUSS

Fließende Zeit?

Zeit gehört zu den vertrautesten und zugleich am wenigsten verstandenen Begriffen, mit denen die Menschheit umgeht. Wir sagen, die Zeit fliegt, wir sagen, sie ist Geld, wir versuchen, sie zu sparen, und wir ärgern uns, wenn wir sie vergeuden. Aber was *ist* Zeit? In Anlehnung an Augustinus und Richter Potter Stewart* wissen wir, dass sie es ist, wenn wir sie sehen, aber natürlich müsste zu Beginn des dritten Jahrtausends unser Zeitbegriff etwas präziser sein. In gewisser Weise ist er es auch. In anderer wiederum nicht. In Jahrhunderten des Grübelns und Nachdenkens haben wir in einige Geheimnisse der Zeit Einsicht gewonnen, doch viele bleiben. Woher kommt die Zeit? Was würde es bedeuten, ein Universum ohne Zeit zu haben? Könnte es mehr als eine Zeitdimension geben, so wie es mehr als eine Raumdimension gibt? Können wir in die Vergangenheit »reisen«? Und wenn, könnten wir dann die nachfolgende Entwicklung der Ereignisse verändern? Gibt es ein absolutes, kleinstes Zeitintervall? Ist die Zeit wirklich ein fundamentaler Bestandteil in der Zusammensetzung des Kosmos oder einfach ein nützliches Konstrukt, um unsere Wahrnehmungen zu organisieren, aber kein Eintrag in dem Lexikon, das die fundamentalsten Gesetze unseres Universums enthält? Könnte die Zeit ein abgeleiteter Begriff sein, der sich aus einem noch nicht entdeckten, grundlegenderen Konzept ergibt?

Vollständige und überzeugende Antworten auf diese Fragen gehören zu den ehrgeizigsten Zielen der modernen Wissenschaft. Doch die großen Fragen sind keineswegs die einzigen. Selbst die alltägliche Erfahrung der Zeit führt direkt zu einem der schwierigsten Rätsel des Universums.

* Der bezog sich dabei in einem berühmten Verfahren am US Supreme Court auf die Pornographie (A.d.Ü.).

Zeit und Erfahrung

Die spezielle und die allgemeine Relativitätstheorie zerschlugen die Universalität, die Einheit der Zeit. Diese Theorien zeigten, dass jeder von uns eine Scherbe von Newtons alter universeller Zeit aufnimmt und mit sich führt. Sie wird zu unserer persönlichen Uhr, zu unserer ureigenen Richtschnur, die uns unaufhörlich von einem Augenblick zum nächsten vorwärts zieht. Wir sind schockiert von den Relativitätstheorien, das heißt vom Universum, weil unsere persönliche Uhr zwar gleichmäßig zu gehen scheint – sich in Übereinstimmung mit unserem intuitiven Zeitgefühl befindet –, ein Vergleich mit anderen Uhren aber Unterschiede offenbart. Die Zeit für Sie muss nicht gleich der Zeit für mich sein.

Nehmen wir diese Erkenntnis als gegeben hin. Doch was ist dann die *wahre* Natur der Zeit für mich? Was ist das Wesen der Zeit, so wie sie in ihrer Totalität vom Einzelnen erfahren und wahrgenommen wird – den Vergleich mit der Erfahrung anderer weitgehend außer Acht gelassen? Gibt diese Erfahrung das wirkliche Wesen der Zeit wieder? Und was teilt sie uns über das Wesen der Wirklichkeit mit?

Unsere Erfahrung lehrt uns – mit überwältigender Eindringlichkeit –, dass sich die Vergangenheit von der Zukunft unterscheidet. Die Zukunft scheint eine Fülle von Möglichkeiten bereitzuhalten, während die Vergangenheit auf eine festgelegt ist, die Faktizität dessen, was tatsächlich geschehen ist. Wir fühlen uns in der Lage, die Zukunft mehr oder weniger zu beeinflussen, zu prägen und zu gestalten, während die Vergangenheit unveränderlich zu sein scheint. Und zwischen *Vergangenheit* und *Zukunft* liegt das unsichere Konzept des *Jetzt*, ein zeitlicher Durchgangspunkt, der sich von Augenblick zu Augenblick neu erfindet, wie die Bilder einer Filmrolle, wenn sie am hellen Lichtstrahl des Vorführgeräts vorbeihuschen und zur kurzfristigen Gegenwart werden. Die Zeit scheint in einem endlosen, vollkommen gleichmäßigen Rhythmus vorwärts zu schreiten und mit jedem Schlag des Trommlers den flüchtigen Bestimmungsort des *Jetzt* zu erreichen.

Unsere Erfahrung lehrt uns auch, dass sich in der Art und Weise, wie die Dinge sich entfalten, offenbar eine gewisse Abschüssigkeit manifestiert. Es hat keinen Sinn, über vergossene Milch zu weinen, weil sie, einmal vergossen, nicht wieder »entgossen« werden kann: Nie ist zu sehen, dass sich vergossene Milch aus eigenem Antrieb sammelt, vom Boden aufsteigt und sich in einem Glas zusammenfindet, das sich aus eigener Kraft auf dem Küchentisch wieder aufrichtet. Unsere Welt richtet sich augenscheinlich nach einem Zeitpfeil, der nur in eine Richtung zeigt. Nie weicht sie von der festen Regel ab, dass die

Dinge auf *diese* Weise anfangen und auf *jene* enden, daher sieht man sie nie auf *jene* Weise anfangen und auf *diese* enden.

So lehrt uns unsere Erfahrung zwei grundlegende Dinge über die Zeit. Erstens: *Die Zeit scheint zu fließen.* Es ist, als stünden wir am Ufer der Zeit, während der mächtige Strom vorüberrauscht, die Zukunft heranführt, die zum *Jetzt* wird in dem Augenblick, da sie uns erreicht, und an uns vorbei weiter stromabwärts getragen wird, um in der Vergangenheit zu entschwinden. Sie können diese Metapher auch umdrehen, falls sie Ihnen zu passiv ist. Dann treiben wir im Strom der Zeit, während er unaufhaltsam vorwärts rauscht, uns von einem Jetzt zum nächsten trägt, die Uferlandschaften der Vergangenheit hinter uns zurückbleiben und uns flussabwärts die Zukunft immer aufs Neue erwartet. (Unsere Erfahrung hat uns auch gelehrt, dass die Zeit uns zu einigen der blumigsten Metaphern hinreißen kann.) Zweitens: *Die Zeit scheint einen Pfeil zu haben.* Der Strom der Zeit scheint in eine und in nur eine Richtung zu fließen, das heißt, die Dinge ereignen sich in einer und nur einer zeitlichen Abfolge. Gibt Ihnen jemand eine Schachtel mit einem kurzen Film über ein Glas Milch, das vergossen wird, und hat er den Film vorher in seine einzelnen Bilder zerschnitten, so können Sie die Bilder wieder in die richtige Reihenfolge bringen, ohne dazu die Anweisungen des Filmemachers zu benötigen. Die Zeit scheint eine immanente Richtung zu haben, die von dem, was wir die Vergangenheit nennen, dahin weist, was wir als Zukunft bezeichnen, und die Dinge verändern sich – Milch ergießt sich, Eier zerbrechen, Kerzen brennen, Menschen altern – offenbar in universeller Übereinstimmung mit dieser Richtung.

Diese unschwer wahrzunehmenden Merkmale der Zeit bringen einige ihrer rätselhaftesten Probleme hervor. Fließt die Zeit wirklich? Und wenn, was fließt dann eigentlich? Wie rasch fließt der Zeitstoff? Hat die Zeit tatsächlich einen Pfeil? Dem Raum zum Beispiel scheint kein Pfeil innezuwohnen – für einen Astronauten wären die dunklen Tiefen des Kosmos, ob links oder rechts, vorne oder hinten, oben oder unten, alle gleichberechtigt. Woher kommt also der Zeitpfeil? Und wenn es einen Zeitpfeil gibt, ist er dann absolut? Oder gibt es Dinge, die sich entgegengesetzt zum Zeitpfeil entwickeln können?

Wir wollen uns zu unserem heutigen Verständnis vorarbeiten, indem wir diese Fragen zunächst im Kontext der klassischen Physik betrachten. Für den Rest dieses Kapitels und im Verlauf des nächsten (in denen wir den Zeitfluss beziehungsweise den Zeitpfeil erörtern werden) wollen wir die Quantenwahrscheinlichkeiten und die Quantenunschärfe außer Acht lassen. Ein Gutteil dessen, was wir dabei erfahren, lässt sich trotzdem direkt in den Bereich der Quantenmechanik übertragen, eine Perspektive, mit der wir uns dann in Kapitel 7 beschäftigen.

Fließt die Zeit?

Aus der Sicht fühlender Wesen scheint sich die Frage zu erübrigen. Während ich diese Worte tippe, *fühle* ich ohne jeden Zweifel die Zeit fließen. Mit jedem Tastenanschlag weicht ein Jetzt dem nächsten. Während Sie diese Wörter lesen, eins um das andere, bis Sie die Seite fertig haben, fühlen sicherlich auch Sie, wie die Zeit verfließt. Und doch hat noch kein Physiker, so sehr sie sich auch bemüht haben, in den physikalischen Gesetzen einen überzeugenden Beweis für das intuitive Gefühl des Zeitflusses gefunden. Mit einigen Erkenntnissen aus Einsteins spezieller Relativitätstheorie lässt sich sogar belegen, dass die Zeit nicht fließt.

Dazu wollen wir zu der in Kapitel 3 eingeführten Darstellung der Raumzeit als Brotlaib zurückkehren. Erinnern wir uns, die Scheiben, aus denen der Laib besteht, sind die Jetzts eines gegebenen Beobachters; jede Scheibe gibt das wieder, was der Beobachter zu einem bestimmten Zeitpunkt als den Raum wahrnimmt. In ihrer Gesamtheit, dadurch erzielt, dass Scheibe an Scheibe gefügt wird, und zwar in der Reihenfolge, in welcher der Beobachter die betreffenden Augenblicke erlebt, füllen diese Scheiben eine Raumzeitregion aus. Wenn wir diese Perspektive zum logischen Extrem führen und uns vorstellen, dass jede Scheibe den *gesamten* Raum zu einem gegebenen Zeitpunkt aus der Perspektive eines Beobachters darstellt, und wenn wir jede mögliche Scheibe, von der frühesten Vergangenheit bis in die ferne Zukunft, einbeziehen, wird der Laib das gesamte Universum umfassen – die Gesamtheit der Raumzeit. Jedes Ereignis, egal, wann oder wo es sich zugetragen hat, wird durch einen Punkt im Laib repräsentiert.

Das ist schematisch in Abbildung 5.1 wiedergegeben, doch die Perspektive sollte Sie nachdenklich machen. Die »Außenperspektive«, unter der wir in der Abbildung das gesamte Universum, die Totalität des Raums zu jedem Zeitpunkt, betrachten, entspricht einem fiktiven Standpunkt, den niemand von uns jemals einnehmen wird. Wir sind alle *innerhalb* der Raumzeit. Jede Erfahrung, die Sie oder ich jemals machen können, findet an irgendeinem Ort im Raum und zu irgendeinem Zeitpunkt statt. Da Abbildung 5.1 die gesamte Raumzeit wiedergeben soll, umfasst sie die Totalität solcher Erfahrungen – Ihre, meine und die von jedem und allen. Wenn Sie sich alles nah heranholen und das Kommen und Gehen auf dem Planeten detailliert betrachten könnten, wären Sie in der Lage zu sehen, wie Alexander der Große eine Stunde bei Aristoteles hat, Leonardo da Vinci letzte Hand an die Mona Lisa legt und George Washington den Delaware überquert. Beim Betrachten der Bilder von links nach rechts könnten Sie beobachten, wie Ihre Großmutter als kleines Mäd-

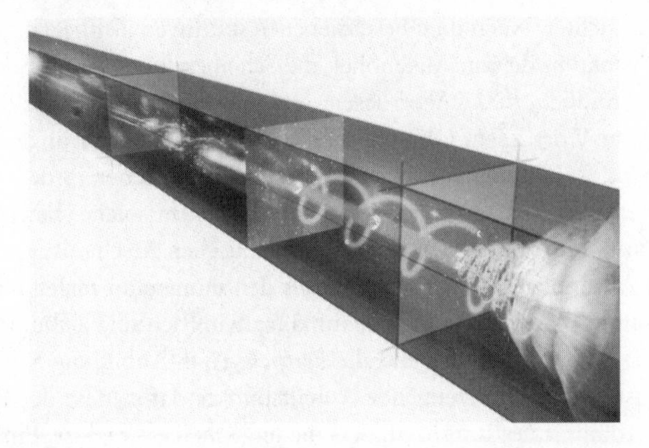

Abbildung 5.1 Eine schematische Widergabe des ganzen Raums während der gesamten Zeit (wobei sich die Darstellung natürlich auf einen Teil des Raums während eines Teils der Zeit beschränkt). Zu sehen ist die Bildung einiger früher Galaxien, die Entstehung von Sonne und Erde sowie das Ende der Erde, wenn die Sonne sich in einer Zukunft, die aus unserer Sicht sehr fern erscheint, zum Roten Riesen aufbläht.

chen spielt, wie Ihr Vater seinen zehnten Geburtstag feiert und wie Sie eingeschult werden. Ein Blick auf die Bilder weiter rechts würde Ihnen zeigen, wie Sie dieses Buch lesen, wie Ihre Ur-Urenkelin geboren und – noch ein Stück weiter – wie sie als Präsidentin der Vereinigten Staaten vereidigt wird. Angesichts der schlechten Auflösung von Abbildung 5.1 können Sie alle diese Augenblicke nicht wirklich sehen, wohl aber können Sie die (schematische) Geschichte der Sonne und des Planeten Erde erkennen, von der Geburt beider aus der Verdichtung von Gaswolken bis zum Ende der Erde, wenn sich die Sonne zum Roten Riesen aufbläht. Es ist alles da.

Natürlich ist Abbildung 5.1 aus einer imaginären Perspektive dargestellt. Sie liegt außerhalb von Zeit und Raum. Es ist der Blickwinkel von nirgendwo und niemals. Trotzdem – obwohl wir nicht wirklich aus den Grenzen der Raumzeit hinaustreten und das Universum in seiner Totalität ins Auge fassen können – bietet uns die schematische Darstellung in Abbildung 5.1 eine gute Möglichkeit, grundlegende Eigenschaften von Raum und Zeit zu untersuchen und zu klären. Ein sehr anschauliches Beispiel für das intuitive Empfinden des Zeitflusses ist in diesem Kontext eine Abwandlung der Filmprojektormetapher. Stellen wir uns ein Licht vor, das eine Zeitscheibe nach der anderen beleuchtet und auf diese Weise vorübergehend die betreffende Scheibe in der Gegenwart zum Leben erweckt – das vorübergehende *Jetzt* erschafft –, um sie gleich darauf wieder in Dunkelheit versinken zu lassen, wenn es die nächste

Scheibe beleuchtet. Nach dem beschriebenen intuitiven Zeitbegriff beleuchtet das Licht genau in diesem Augenblick die Scheibe, in der Sie, auf dem Planeten Erde befindlich, *dieses* Wort lesen, und jetzt beleuchtet es die Scheibe, in der Sie *dieses* Wort lesen. Obwohl dieses Bild unserer Erfahrung zu entsprechen scheint, ist abermals festzustellen, dass die Forscher in den physikalischen Gesetzen nichts zu finden vermochten, was ein solches bewegtes Licht verkörpern könnte. Sie haben keinen physikalischen Mechanismus entdeckt, der einen Augenblick um den anderen als den momentan realen ausgrenzt – das momentane *Jetzt* – und dabei unaufhaltsam in Richtung Zukunft fließt.

Ganz im Gegenteil. Während die *Perspektive* in Abbildung 5.1 sicherlich imaginär ist, gibt es überzeugende Anhaltspunkte dafür, dass der Raumzeitlaib – die Totalität der Raumzeit, Scheibe um Scheibe – real ist. Eine weniger beachtete Konsequenz aus Einsteins Arbeit ist der Umstand, dass die Wirklichkeit der speziellen Relativitätstheorie alle Zeiten gleich behandelt. Obwohl der Begriff des *Jetzt* eine zentrale Rolle in unserem Weltbild spielt, untergräbt die Relativitätstheorie unsere Intuition abermals und ruft die Gleichheit im Universum aus, mit dem Erfolg, dass jeder Augenblick so real wie jeder andere ist. Wir sind bereits in Kapitel 3 mit dieser Idee in Berührung gekommen, als wir den rotierenden Eimer im Kontext der speziellen Relativitätstheorie betrachteten. Dort gelangten wir durch ähnliche indirekte Überlegungen wie Newton zu dem Schluss, dass die Raumzeit zumindest insoweit ein Etwas sein müsse, als sie ein Bezugssystem für die beschleunigte Bewegung liefere. Hier nehmen wir die Frage aus einem anderen Blickwinkel wieder auf und gehen noch einen Schritt weiter. Wir behaupten, jeder Teil des Raumzeitlaibs in Abbildung 5.1 sei gleichwertig mit jedem anderen, und vertreten wie Einstein die Ansicht, die Wirklichkeit behandle Vergangenheit, Gegenwart und Zukunft vollkommen *gleich*, weshalb der Fluss, von dem wir meinen, er rücke einen Abschnitt ins Licht, während er einen anderen in der Dunkelheit versinken lasse, illusorisch sein müsse.

Die hartnäckige Illusion von Vergangenheit, Gegenwart und Zukunft

Um Einsteins Perspektive zu verstehen, brauchen wir eine Arbeitsdefinition von Wirklichkeit, einen Algorithmus, wenn Sie so wollen, um zu bestimmen, welche Dinge zu einem gegebenen Zeitpunkt existieren. Häufig wird dazu der folgende Ansatz gewählt: Wenn ich die Wirklichkeit betrachte – das, was zu *diesem* Zeitpunkt existiert –, sehe ich vor meinem geistigen Auge eine Art Schnappschuss, ein mentales Standfoto vom gesamten Universum genau *jetzt*. Während ich diese Worte tippe, läuft mein Empfinden für das, was genau *jetzt* existiert, mein Empfinden für die Wirklichkeit, auf eine Liste all jener Dinge hinaus, die sich zu diesem Zeitpunkt in meinem mentalen Standfoto befinden – das Ticken meiner Küchenuhr, die Mitternacht anzeigt; meine Katze, im Sprung gestreckt zwischen Boden und Fensterbrett; der erste Strahl Morgenlicht, der auf Dublin fällt; das geschäftige Gewimmel auf dem Parkett der Tokioter Börse; die Fusion zweier bestimmter Wasserstoffatome in der Sonne; die Emission eines Photons im Orionnebel; der letzte Augenblick eines sterbenden Sterns, bevor er zu einem Schwarzen Loch zusammenstürzt. Das sind die Dinge, die genau *jetzt* geschehen, daher sind sie die Dinge, von denen ich erkläre, dass sie genau *jetzt* existieren. Existiert Karl der Große genau jetzt? Nein. Existiert Nero genau jetzt? Nein. Existiert Lincoln genau jetzt? Nein. Existiert Elvis genau jetzt? Nein. Keiner von ihnen befindet sich auf meiner gegenwärtigen Jetzt-Liste. Existiert irgendjemand, der im Jahr 2300 oder 3500 oder 57 000 geboren werden wird, genau jetzt? Nein. Wiederum befindet sich keiner von ihnen auf dem Standfoto vor meinem geistigen Auge, keiner von ihnen ist in meiner gegenwärtigen Zeitscheibe, daher steht auch keiner von ihnen auf meiner gegenwärtigen Jetzt-Liste. Also erkläre ich, ohne zu zögern, dass keiner von ihnen gegenwärtig existiert. So definiere ich Wirklichkeit zu jedem gegebenen Zeitpunkt. Das ist ein intuitives Verfahren, dessen sich die meisten von uns, häufig implizit, bedienen, wenn sie über die Frage der Existenz nachdenken.

Wir werden uns dieses Ansatzes bedienen, sollten uns dabei aber eines heiklen Punktes bewusst sein. Die Jetzt-Liste – die Wirklichkeit, nach dieser Auffassung – ist eine komische Sache. Nichts von dem, was Sie genau *jetzt* sehen, gehört auf Ihre Jetzt-Liste, weil das Licht Zeit braucht, um Ihre Augen zu erreichen. Alles, was Sie genau *jetzt* sehen, ist bereits geschehen. Sie sehen die Worte auf dieser Seite nicht, wie sie jetzt sind, sondern, da Sie das Buch 30 Zentimeter von Ihren Augen entfernt halten, so wie sie vor einer milliardstel Sekunde waren. Wenn Sie sich in einem Zimmer von durchschnittlicher Größe umschauen, sehen Sie die Dinge, wie sie vor rund zehn bis zwanzig milliardstel Sekunden waren. Blicken Sie über den Grand Canyon, sehen Sie die andere Seite, wie sie vor etwa einer zehntausendstel Sekunde war. Blicken Sie den Mond an, nehmen Sie ihn wahr, wie er vor anderthalb Sekunden war. Die Sonne sehen Sie in dem Zustand, in dem sie sich vor ungefähr acht Minuten befand. Sterne, die Sie mit bloßem Auge erkennen können, sehen Sie so, wie sie – je nach Entfernung – vor einigen wenigen oder vor einigen 10 000 Jahren waren. Obwohl also ein mentales Standfoto unseren Wirklichkeitssinn einfängt – unser intuitives Empfinden von dem, »was dort draußen ist« –, besteht es aus Ereignissen, die wir nicht genau jetzt erfahren, beeinflussen oder auch nur registrieren können. Vielmehr kann eine aktuelle Jetzt-Liste erst im Nachhinein zusammengestellt werden. Wenn Sie wissen, wie weit etwas entfernt ist, können Sie bestimmen, wann es das Licht ausgesandt hat, das Sie *jetzt* sehen, und damit auch bestimmen, in welche Ihrer Zeitscheiben es gehört – auf welcher bereits der Vergangenheit angehörenden Jetzt-Listen das Ereignis oder Objekt verzeichnet werden muss. Dennoch, und das ist der Hauptpunkt, während wir mit Hilfe dieser Information die Jetzt-Liste für jeden gegebenen Augenblick zusammenstellen und sie in dem Maße aktualisieren, wie wir das Licht von immer ferneren Quellen empfangen, stellen die Dinge, die wir auflisten, die Dinge dar, von denen wir intuitiv annehmen, dass sie in diesem Augenblick existiert haben.

Bemerkenswerterweise führt diese scheinbar schlichte Denkweise zu einem unerwartet weit gefassten Wirklichkeitsbegriff. Legen wir Newtons absoluten Raum und absolute Zeit zugrunde, erfassen alle Menschen mit ihrem Standfoto des Universums zu einem gegebenen Zeitpunkt genau dieselben Ereignisse. Das *Jetzt* aller ist dasselbe *Jetzt.* Daher haben alle eine identische Jetzt-Liste für einen gegebenen Zeitpunkt. Befindet sich jemand oder etwas auf Ihrer Jetzt-Liste eines bestimmten Augenblicks, dann ist er oder es zwangsläufig auch auf meiner Jetzt-Liste für diesen Augenblick. Die Intuition der meisten Menschen ist an diese Denkweise gebunden, doch die spezielle Relativitätstheorie erzählt eine andere Geschichte. Schauen wir uns noch einmal Abbildung 3.4 an. Zwei Beobachter in relativer Bewegung haben *Jetzts* – einzelne Zeitpunkte aus ihrer jeweiligen Perspektive –, die sich unterscheiden: Ihre *Jetzts* schneiden die Raumzeit in verschiedenen Winkeln. Verschiedene *Jetzts* bedeuten jedoch verschiedene Jetzt-Listen. *Beobachter, die sich relativ zueinander bewegen, haben verschiedene Begriffe davon, was zu einem gegebenen Zeitpunkt existiert, und daher auch verschiedene Wirklichkeitsbegriffe.*

Bei alltäglichen Geschwindigkeiten ist der Winkel zwischen den Jetzt-Scheiben der beiden Beobachter minimal. Aus diesem Grund stellen wir im gewöhnlichen Leben niemals einen Unterschied zwischen unserer Definition von *Jetzt* und denjenigen aller anderen fest. Die meisten Erörterungen der speziellen Relativitätstheorie beschäftigen sich daher mit der Frage, was geschähe, wenn wir uns mit enormen Geschwindigkeiten – Geschwindigkeiten nahe der des Lichts – fortbewegen würden, da die betreffenden Effekte bei so hoher Geschwindigkeit enorm verstärkt würden. Aber es gibt noch eine andere Möglichkeit, die Unterscheidung zwischen den *Jetzt*-Begriffen zweier Beobachter zu vertiefen. Dieser Ansatz erweist sich, wie ich finde, für die Frage nach der Wirklichkeit als besonders aufschlussreich. Er geht von einer einfachen Tatsache aus: Wenn Sie und ich einen gewöhnlichen Brotlaib in leicht verschiedenen

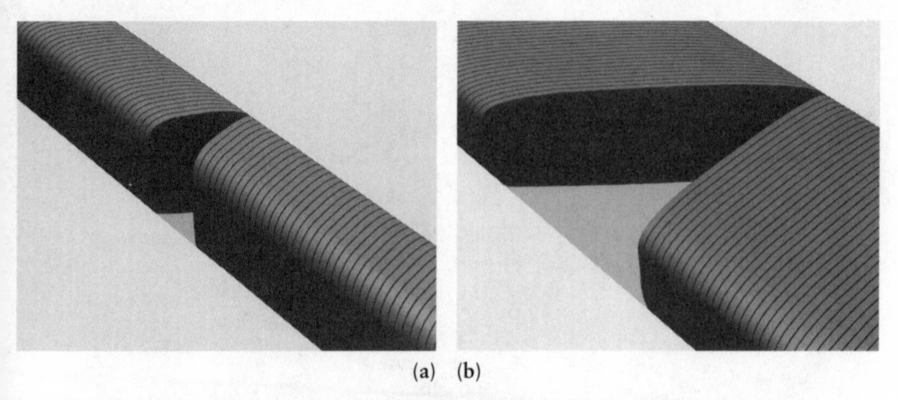

Abbildung 5.2 (**a**) Bei einem gewöhnlichen Laib führen Scheiben, die in leicht voneinander abweichenden Winkeln geschnitten sind, zu keinem großen Abstand. (**b**) Doch je größer der Laib, desto weiter wird, bei gleichem Winkel, der Abstand.

Winkeln aufschneiden, wird sich das kaum auf die resultierenden Scheiben auswirken. Doch handelt es sich um einen *riesigen* Laib, ergibt sich ein anderes Bild. Wie bei einer außerordentlich langen Schere ein winziger Öffnungswinkel zwischen den Scherenblättern einen weiten Abstand der Scherenspitzen nach sich zieht, so resultieren auch bei einem gewaltigen Brotlaib aus leicht voneinander abweichenden Winkeln Scheiben, die sich in großem Abstand von ihrem Schnittpunkt weit voneinander entfernen. Das zeigt die Abbildung 5.2.

Gleiches gilt für die Raumzeit. Bei alltäglichen Geschwindigkeiten sind die Scheiben, die die *Jetzts* zweier Beobachter in relativer Bewegung darstellen, nur in leicht voneinander abweichenden Winkeln ausgerichtet. Sind sich die Beobachter nahe, wirkt sich die Winkeldifferenz kaum aus. Doch wie im Falle des Brotlaibs erzeugen winzige Winkel große Abstände zwischen den Scheiben, wenn man ihre Wirkung über große Entfernungen betrachtet. Bei Raumzeitscheiben bedeutet eine große Abweichung zwischen den Scheiben eine beträchtliche Meinungsverschiedenheit in Bezug auf das, was jetzt geschieht, wie die Abbildungen 5.3 und 5.4 illustrieren. Demnach haben Personen, die sich relativ zueinander bewegen – auch bei gewöhnlichen, alltäglichen Geschwindigkeiten –, *Jetzt*-Begriffe von immer deutlicherer Unterschiedlichkeit, wenn die räumliche Entfernung zwischen ihnen zunimmt.

Betrachten wir zum Beispiel Chewbacca – wir kennen ihn aus Star Wars –, der sich auf einem Planeten in einer unvorstellbar fernen Galaxie befindet, zehn Milliarden Lichtjahre von der Erde entfernt, und ruhig in seinem Wohn-

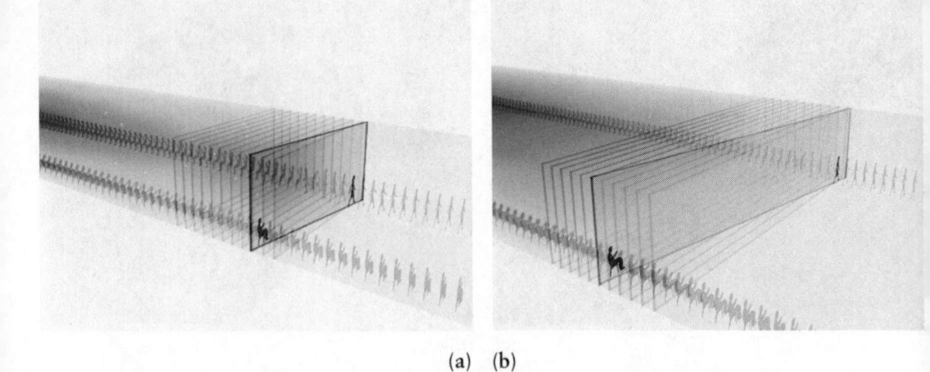

(a) (b)

Abbildung 5.3 (**a**) Zwei Personen, die sich relativ zueinander in Ruhe befinden, haben identische *Jetzt*-Begriffe und daher auch identische Zeitscheiben. Wenn ein Beobachter sich vom anderen entfernt, drehen sich ihre Zeitscheiben – das, was jeder Beobachter für sein *Jetzt* hält – relativ zueinander. Wie die Abbildung zeigt, dreht sich die verdunkelte *Jetzt*-Scheibe für den bewegten Beobachter in die Vergangenheit des ruhenden Beobachters. (**b**) Ein größerer Abstand zwischen den Beobachtern ergibt eine größere Abweichung zwischen den Scheiben – eine größere Abweichung ihrer *Jetzt*-Begriffe.

zimmer sitzt. Stellen Sie sich weiter vor, Sie (ruhig sitzend, diese Worte lesend) und Chewie würden sich nicht relativ zueinander bewegen (lassen Sie aus Gründen der Einfachheit Planetenbewegung, Expansion des Universums, Gravitationseffekte und so weiter beiseite). Da Chewie und Sie relativ zueinander in Ruhe sind, sind Sie sich in Bezug auf alle Fragen von Raum und Zeit vollkommen einig: Sie schneiden die Raumzeit vollkommen identisch auf. Nach einiger Zeit steht Chewie auf und macht einen Spaziergang – nur, um sich ein bisschen die Beine zu vertreten – in eine Richtung, die direkt von Ihnen fortführt. Diese Veränderung in Chewies Bewegungszustand bedeutet, dass sich sein *Jetzt*-Konzept, seine Aufteilung der Raumzeit, etwas dreht (siehe Abbildung 5.3). Diese winzige Winkelveränderung hat in Chewies Nachbarschaft keine merkliche Auswirkung: Der Unterschied zwischen seinem neuen *Jetzt* und dem der anderen Personen, die in seinem Wohnzimmer sitzen, ist winzig. Doch über die riesige Entfernung von zehn Milliarden Lichtjahren wird diese winzige Verschiebung in Chewies *Jetzt*-Begriff verstärkt (genauso wie in dem Übergang von Abbildung 5.3 (a) zu 5.3 (b), doch da die Protagonisten jetzt durch einen Riesenabstand getrennt sind, fällt die Verschiebung ihrer *Jetzts* sehr viel deutlicher aus). *Sein Jetzt und Ihr Jetzt, die identisch waren, solange er still saß, schnellen nun infolge seiner langsamen Bewegung auseinander.*

Die Abbildungen 5.3 und 5.4 geben die Kernidee schematisch wieder, mit

Hilfe der Gleichungen der speziellen Relativitätstheorie können wir jedoch genau berechnen, wie groß der Unterschied wird.[1] Wenn sich Chewie mit ungefähr 16 Stundenkilometern von Ihnen entfernt (Chewie hat einen strammen Schritt), sind die Ereignisse auf der Erde, die auf seine neue Jetzt-Liste gehören, für Sie Geschehnisse, die sich vor rund 150 Jahren zugetragen haben! Nach seinem *Jetzt*-Begriff – der in jeder Hinsicht ebenso gültig ist wie der Ihre und sich noch einen Augenblick zuvor völlig mit diesem deckte – sind Sie noch gar nicht geboren. Würde er sich mit gleicher Geschwindigkeit auf Sie zubewegen, fiele die Winkelveränderung umgekehrt aus, wie schematisch in Abbildung 5.4 dargestellt, so dass sein *Jetzt* mit dem zusammenfiele, was für Sie 150 Jahre in der Zukunft läge. Nach seinem *Jetzt* würden Sie möglicherweise nicht mehr zu seiner Welt gehören. Spränge Chewie, statt einfach zu gehen, ins Raumschiff *Millenium Falcon*, um sich mit einer Geschwindigkeit von 1600 Kilometern pro Stunde fortzubewegen (langsamer als die Concorde), würde sein *Jetzt* Ereignisse auf der Erde umfassen, die aus Ihrer Perspektive 15 000 Jahre in der Vergangenheit oder Zukunft lägen, je nachdem, ob er auf Sie zu- oder von Ihnen fortflöge. Bei geeigneter Wahl von Richtung und Tempo stünden auf seiner Jetzt-Liste Elvis oder Nero, Karl der Große oder Lincoln oder irgendjemand der irgendwann in jenem Zeitabschnitt geboren wäre, den Sie die Zukunft nennen würden.

Alle diese Dinge mögen zwar überraschend sein, dennoch erzeugt nichts davon einen Widerspruch oder ein Paradox, weil das Licht, wie oben erklärt,

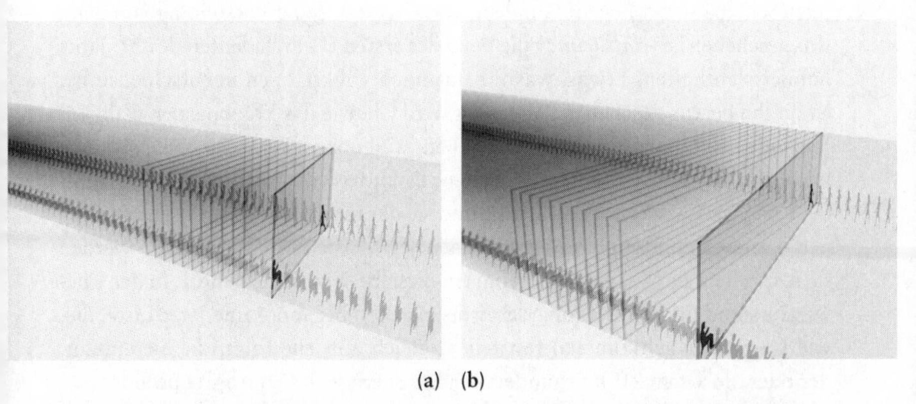

(a) (b)

Abbildung 5.4 (**a**) Die gleiche Situation wie in Abbildung 5.3 (a), nur dass sich in diesem Fall die Jetzt-Scheibe eines Beobachters in die Zukunft des anderen Beobachters dreht, wenn er sich auf ihn zubewegt. (**b**) Die gleiche Situation wie 5.3 (b) – ein größerer Abstand bewirkt eine größere Abweichung der *Jetzt*-Begriffe bei gleicher relativer Geschwindigkeit –, wobei sich die Drehung in die Zukunft und nicht in die Vergangenheit wendet.

um so länger braucht, je größer die Entfernung ist, die es zurücklegen muss. Umso länger dauert es natürlich auch, zu bestimmen, ob ein Ereignis auf eine bestimmte Jetzt-Liste gehört. Obwohl John Wilkes Booth, der sich der Ehrenloge im Ford's Theatre nähert, auf Chewies aktueller Jetzt-Liste steht, wenn dieser aufsteht und sich beim Spazierengehen mit einer Geschwindigkeit von fünfzehn Kilometern von der Erde entfernt,[2] kann Chewie nichts tun, um Präsident Lincoln zu retten. Bei einer so ungeheuren Entfernung dauert es extrem lange, eine Nachricht zu empfangen und auszutauschen, daher werden erst Chewies Nachkommen Milliarden Jahre später das Licht von jener verhängnisvollen Nacht in Washington empfangen, in der Booth Lincoln niederschoss. Entscheidend ist jedoch, dass Chewies Nachkommen, wenn sie mit Hilfe dieser Liste die riesige Sammlung seiner vergangenen Jetzt-Listen aktualisieren, feststellen werden, dass Lincolns Ermordung zur selben Jetzt-Liste gehört, die auch enthält, wie Chewie aufstand und sich im Gehen von der Erde entfernte. Doch sie werden auch bemerken, dass Chewies Jetzt-Liste einen Augenblick, bevor er aufstand, neben vielen anderen Dingen Sie enthält, der Sie im 21. Jahrhundert der Erde still dasaßen und diese Worte lasen.[3]

Ähnlich gibt es Dinge in unserer Zukunft, etwa die Frage, wer die amerikanischen Präsidentschaftswahlen im Jahr 2100 gewinnen wird, die vollkommen offen erscheinen: Höchstwahrscheinlich sind die Kandidaten dieser Wahl noch gar nicht geboren, von ihrer Entscheidung, sich zu bewerben, gar nicht zu reden. Doch wenn Chewie aus seinem Sessel aufsteht und mit einer Geschwindigkeit von rund 10 Kilometern pro Stunde in Richtung Erde geht, wird seine Jetzt-Scheibe – sein Begriff von dem, was existiert, seine Vorstellung von dem, was geschehen ist – *tatsächlich* die Wahl des ersten US-Präsidenten des 22. Jahrhunderts enthalten. Etwas, was für uns noch vollkommen unentschieden ist, ist für ihn bereits geschehen. Abermals wird Chewie das Ergebnis der Wahl auf Jahrmilliarden hinaus unbekannt bleiben, weil unsere Fernsehsignale so lange brauchen werden, um ihn zu erreichen. Doch wenn die Kunde von der Wahl bei Chewies Nachkommen eintrifft und sie daraufhin Chewies Geschichtsordner – seine Sammlung von vergangenen Jetzt-Listen – aktualisieren, werden sie feststellen, dass das Wahlergebnis in dieselbe Jetzt-Liste gehört, in der Chewie aufstand und in Richtung der Erde zu gehen begann – eine Jetzt-Liste, die, wie Chewies Nachkommen feststellen, gleich auf jene folgt, die Sie enthält, der oder die Sie im 21. Jahrhundert der Erde gerade diesen Absatz beenden.

Dieses Beispiel verdeutlicht zwei wichtige Punkte. Erstens: Obwohl wir uns an den Gedanken gewöhnt haben, dass relativistische Effekte erst nahe der Lichtgeschwindigkeit merklich werden, können sich schon bei geringen Geschwindigkeiten relativistische Effekte erheblich verstärken, wenn man sie über große Entfernungen im Raum betrachtet. Zweitens: Das Beispiel erhellt die Frage, ob die Raumzeit (der Laib) wirklich eine reale Gegebenheit ist oder nur ein abstrakter Begriff, eine abstrakte Vereinigung des Raums genau *jetzt* mit seiner Geschichte und seiner angenommenen Zukunft.

Wie Sie sehen, ist Chewies Wirklichkeitsbegriff, sein mentales Standfoto, seine Vorstellung davon, was *jetzt* existiert, für ihn in jeder Hinsicht ebenso real, wie unser Wirklichkeitsbegriff es für uns ist. Wenn wir also in Erfahrung bringen wollen, was die Wirklichkeit konstituiert, wären wir außerordentlich beschränkt, wenn wir nicht auch diese Perspektive einbeziehen würden. Für Newton würde ein solcher egalitärer Ansatz nicht den geringsten Unterschied bewirken, weil sich in einem Universum mit absolutem Raum und absoluter Zeit die Jetzt-Scheiben aller Bewohner decken. Während unser vertrauter Begriff dessen, was genau jetzt existiert, auf eine einzige Jetzt-Scheibe hinausläuft – für uns ist die Vergangenheit gewöhnlich vorbei und die Zukunft noch nicht eingetreten –, müssen wir dieses Bild durch Chewies Jetzt-Scheibe ergänzen, eine Jetzt-Scheibe, die sich, wie die Erörterung gezeigt hat, erheblich von unserer eigenen unterscheiden kann. Außerdem müssten wir, da Chewies ursprünglicher Aufenthaltsort und die Geschwindigkeit, mit der er sich bewegt, willkürlich sind, die Jetzt-Scheiben mit einbeziehen, die mit allen Möglichkeiten verknüpft sind. Diese Jetzt-Scheiben wären, wie in unserer vorstehenden Erörterung, um Chewies ursprünglichen Aufenthaltsort im Raum – oder den irgendeines anderen realen oder hypothetischen Beobachters – zentriert und würden in einem Winkel gedreht, der von der gewählten Geschwindigkeit abhinge. (Die einzige Einschränkung ergibt sich aus der Geschwindigkeitsbegrenzung, die vom Licht gesetzt wird und sich, wie in den Anmerkungen erklärt, in der von uns verwendeten graphischen Darstellung als eine Begrenzung des Drehwinkels von 45 Grad manifestiert, im oder gegen den Uhrzeigersinn.) Wie Sie aus Abbildung 5.5 ersehen können, füllt die Sammlung all dieser Jetzt-Scheiben eine beträchtliche Region des Raumzeitlaibs aus. Wenn der Raum unendlich ist – wenn sich die Jetzt-Scheiben unendlich weit erstrecken –, können die gedrehten Jetzt-Scheiben beliebig weit entfernt zentriert werden, mit dem Erfolg, dass ihre Vereinigung *jeden* Punkt des Raumzeitlaibs erfasst.*[4]

Mit anderen Worten: *Wenn Sie sich die Vorstellung zu Eigen machen, die*

* Wählen Sie irgendeinen Punkt im Laib. Zeichnen Sie eine Scheibe, die den Punkt einschließt und die unsere gegenwärtige Jetzt-Scheibe in einem Winkel schneidet, der kleiner ist als 45 Grad. Diese Scheibe gibt die Jetzt-Scheibe – die *Wirklichkeit* – eines fernen Beobachters wieder, der anfänglich relativ zu uns in Ruhe war, wie Chewie, sich aber nun relativ zu uns langsamer als das Licht bewegt. Diese Vorgehensweise stellt automatisch sicher, dass die Scheibe den (willkürlichen) Punkt enthält, den Sie ausgewählt haben.

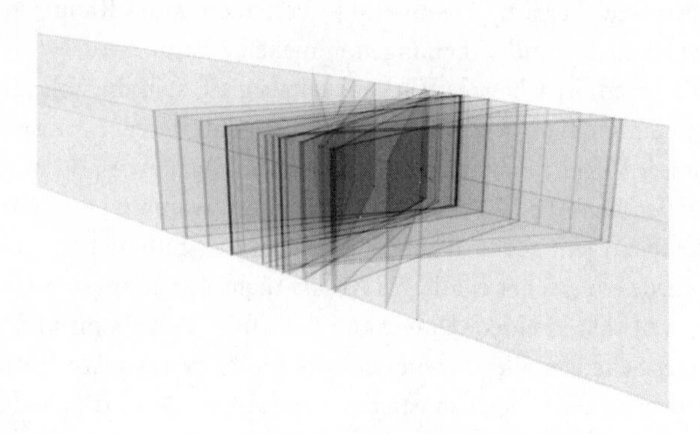

Abbildung 5.5 Stichprobe von Jetzt-Scheiben für eine Vielzahl von (realen oder hypothetischen) Beobachtern, die sich in verschiedenen Entfernungen von der Erde befinden und mit unterschiedlichen Geschwindigkeiten bewegen.

Wirklichkeit bestehe aus den Dingen in Ihrem mentalen Standfoto genau jetzt, und wenn Sie meinen, Ihr Jetzt *sei nicht gültiger als das* Jetzt *von jemandem, der sich im Weltraum befindet und sich frei bewegen kann, dann umfasst die Wirklichkeit alle Ereignisse in der Raumzeit.* Der gesamte Laib existiert. So wie in unserer Vorstellung der Raum dort draußen *wirklich* ist, *wirklich* existiert, sollten wir uns auch vergegenwärtigen, dass die Gesamtheit der Zeit dort draußen *wirklich* ist, *wirklich* existiert. Gewiss, Vergangenheit, Gegenwart und Zukunft erscheinen als separate Gegebenheiten, aber wie Einstein es einmal formulierte: »Vergangenheit, Gegenwart und Zukunft sind nur Illusionen, wenn auch hartnäckige.«[5] Real ist lediglich die Raumzeit in ihrer Gesamtheit.

Erfahrung und das Fließen der Zeit

Nach dieser Auffassung verhält es sich so, dass Ereignisse, egal, wann sie von einer besonderen Perspektive aus wahrgenommen werden, einfach *sind.* Sie existieren alle. Ewig nehmen sie ihren besonderen Punkt in der Raumzeit ein. Es gibt keinen Fluss. Wenn Sie sich Schlag Mitternacht an Silvester 1999 königlich amüsiert haben, dann tun Sie es noch immer, denn das Ereignis ist einfach ein unveränderlicher Ort in der Raumzeit. Es ist schwierig, diese Beschreibung zu akzeptieren, denn unser Weltbild trennt so nachdrücklich zwischen Vergangenheit, Gegenwart und Zukunft. Doch wenn wir dieses vertraute Zeitschema genauer betrachten und es mit den kalten, harten Fakten der modernen Physik konfrontieren, scheint sein einziger Zufluchtsort der menschliche Geist zu sein.

Unleugbar scheint unsere bewusste Erfahrung durch die Scheiben zu gleiten. Es ist, als lieferte unser Geist das oben erwähnte Projektorlicht: Einzelne Zeitpunkte erwachen zum Leben, wenn der Scheinwerfer unseres Bewusstseins auf sie fällt. Das Empfinden, ein Augenblick fließe in den anderen, erwächst aus dem bewussten Erleben, dass sich unsere Gedanken, Gefühle und Wahrnehmungen ständig verändern. Diese Folge von Veränderungen suggeriert fortwährende Bewegung. Sie scheint sich als zusammenhängende Geschichte zu entfalten. Ohne Anspruch auf psychologische oder neurobiologische Richtigkeit können wir uns vergegenwärtigen, warum wir den Zeitfluss erleben, obwohl es ihn möglicherweise gar nicht gibt. Stellen wir uns dazu vor, wir spielen *Vom Winde verweht* auf einem fehlerhaften DVD-Player ab, der zufällig vor und zurückspringt: Ein Standbild leuchtet kurzzeitig auf dem Bildschirm auf und wird im nächsten Augenblick von einem anderen abgelöst, das aus einem ganz anderen Teil des Films stammt. Wenn Sie diese zusammenhanglose Version sehen, dürften Sie Schwierigkeiten haben, der Handlung zu folgen. Dagegen haben Scarlett und Rhett keine Probleme. Sie tun in jedem Bild, was sie in diesem Bild schon immer getan haben. Wären wir in der Lage, den DVD-Player bei einem bestimmten Bild anzuhalten und die beiden nach ihren Gedanken und Erinnerungen zu fragen, würden sie uns genau so antworten, wie sie es getan hätten, wenn wir den Film auf einem einwandfrei funktionierenden Gerät abgespielt hätten. Würden wir sie fragen, ob es verwirrend sei, so zusammenhanglos durch den Bürgerkrieg zu springen, sähen Sie uns nachdenklich an und fragten sich wahrscheinlich, ob wir wohl zu viele Mint Juleps – den Lieblingscocktail des Südens – intus hätten. In jedem gegebenen Einzelbild hätten sie die Gedanken und Erinnerungen, die sie schon immer in diesem Bild hatten – und genau diese Gedanken und Erinnerungen gäben ihnen das Gefühl, dass die Zeit wie üblich gleichmäßig und zusammenhängend vorwärts fließt.

Entsprechend ist jeder Augenblick in der Raumzeit – jede Zeitscheibe – wie ein Standbild in einem Film. Er existiert, ganz gleich, ob ein Licht ihn erhellt oder nicht. Wie für Scarlett und Rhett *ist* er für Sie das, was Sie in jedem solchen Augenblick sind, das *Jetzt*, *der* Augenblick, den Sie in *diesem* Augenblick erleben. Und er wird es immer sein. Außerdem sind in jeder einzelnen Scheibe Ihre Gedanken und Erinnerungen hinreichend vielfältig, um Ihnen das Gefühl zu vermitteln, die Zeit wäre kontinuierlich zu diesem Augenblick hingeflossen. Dieses Gefühl, dieses Empfinden, dass die Zeit fließt, ist nicht darauf angewiesen, dass die vorhergehenden Augenblicke – frühere Standbilder – »in der richtigen Reihenfolge angeleuchtet« werden.[6]

Wenn Sie einen Augenblick darüber nachdenken, wird Ihnen klar werden, dass das auch gut so ist, weil die Vorstellung, ein Projektorlicht erwecke fortlaufend Zeitpunkte zum Leben aus einem anderen, noch grundsätzlicheren Grund sehr problematisch ist. Wenn das Projektorlicht seine Aufgabe angemessen erfüllt und einen gegebenen Augenblick – sagen wir, Schlag Mitternacht Silvester 1999 – erleuchtet hätte, was hätte es für diesen Augenblick bedeutet, in der Dunkelheit zu versinken? Wäre der Augenblick erleuchtet worden, wäre dies ein Merkmal des Augenblicks gewesen, ein Merkmal so ewig und unveränderlich wie alles, was in diesem Augenblick geschah. Die Erfahrung, erleuchtet zu werden – zum »Leben erweckt« zu werden, Gegenwart, *das Jetzt* zu sein – und dann in »Latenz« zu fallen – Vergangenheit zu sein, das, was war –, bedeutet, Veränderung zu erfahren. *Doch der Begriff der Veränderung ist ohne Bedeutung in Hinblick auf einen einzelnen Zeitpunkt.* Die Veränderung müsste sich im Laufe der Zeit vollziehen, die Veränderung würde das Verstreichen der Zeit markieren, doch was für ein Zeitbegriff sollte das sein? Definitionsgemäß schließen Zeitpunkte oder Augenblicke das Verstreichen der Zeit nicht ein – jedenfalls nicht der Zeit, deren wir uns bewusst sind –, denn für Zeitpunkte gilt lediglich, das sie *sind*, sie sind das Rohmaterial der Zeit, sie verändern sich *nicht.* Ein bestimmter Zeitpunkt kann sich ebenso wenig verändern, wie ein bestimmter Ort im Raum sich bewegen kann: Würde sich der Ort bewegen, wäre er ein anderer Ort im Raum. Würde sich ein Zeitpunkt verändern, wäre er ein anderer Zeitpunkt. Die intuitive Vorstellung von einem Projektorlicht, das jedes neue *Jetzt* zum Leben erweckt, hält einer näheren Untersuchung einfach nicht stand. Vielmehr wird jeder Augenblick erleuchtet, und jeder Augenblick bleibt erleuchtet. Jeder Augenblick *ist.* Bei genauerem Hinschauen ähnelt der fließende Strom der Zeit eher einem riesigen Eisblock, in dem jeder Augenblick auf ewig an seinem Platz festgefroren ist.[7]

Dieser Zeitbegriff unterscheidet sich deutlich von demjenigen, den die meisten von uns verinnerlicht haben. Obwohl Einstein diesen radikalen Perspektivenwechsel durch die eigenen Erkenntnisse herbeigeführt hatte, war er nicht blind für die Schwierigkeiten, die daraus erwuchsen. Rudolf Carnap[8] berichtet von einem wundervollen Gespräch, das er mit Einstein über dieses Thema geführt hat: »Einstein sagte, das Problem des Jetzt beunruhige ihn ernstlich. Das Erleben des Jetzt bedeute etwas Besonderes für den Menschen, etwas prinzipiell Anderes als Vergangenheit und Zukunft, doch dieser wichtige Unterschied werde in der Physik nicht erfasst und könne auch nicht erfasst werden. Dass dieses Erleben der Wissenschaft verschlossen bleiben muss, erschien ihm als zwar schmerzlicher, aber unvermeidlicher Verzicht.«

Dieser Verzicht lässt eine entscheidende Frage offen: Ist die Wissenschaft nicht in der Lage, eine fundamentale Eigenschaft der Zeit zu beschreiben, die das menschliche Bewusstsein so rasch und mühelos erfasst wie die Lungen die Luft zum Atmen, oder stattet das menschliche Bewusstsein die Zeit mit einer selbst erschaffenen Eigenschaft aus, einer Eigenschaft, die künstlich ist und aus diesem Grund nicht in den physikalischen Gesetzen erscheint? Würden Sie mir diese Frage mitten im Tagesgeschäft stellen, entschiede ich mich sicherlich für diese Sichtweise, doch gegen Abend, wenn das kritische Denken von den Alltagsgewohnheiten aufgeweicht wird, hätte ich wohl Schwierigkeiten, meinen Widerstand gegen den erstgenannten Standpunkt aufrechtzuerhalten. Die Zeit ist ein kompliziertes Thema, und wir sind weit davon entfernt, es ganz zu verstehen. Es ist möglich, dass ein scharfsinniger Forscher eines Tages einen neuen Zeitbegriff entwickelt und eine überzeugende physikalische Begründung für den Zeitfluss findet. Dann wieder wird sich vielleicht die vorstehende Beschreibung, die sich auf Logik und Relativitätstheorie stützt, als richtig und vollständig erweisen. Jedenfalls ist das Empfinden, dass die Zeit fließt, tief in unserer Erfahrung verwurzelt und prägt unser Denken und unsere Sprache. So gründlich, dass wir immer wieder in gewohnheitsmäßige, umgangssprachliche Beschreibungen verfallen, in denen die Zeit als fließend dargestellt wird. Doch hüten Sie sich, die Sprache mit der Wirklichkeit zu verwechseln, denn die menschliche Sprache eignet sich weitaus besser dazu, menschliche Erfahrung wiederzugeben, als komplizierte physikalische Gesetze zum Ausdruck zu bringen.

6

ZUFALL UND PFEIL

Hat Zeit eine Richtung?

Auch wenn die Zeit nicht fließt, hat es durchaus einen Sinn zu fragen, ob sie einen Pfeil hat – ob die Entfaltung der Dinge *in* der Zeit eine Richtung hat, die sich in den physikalischen Gesetzen entdecken lässt. Mit anderen Worten: Wir fragen, ob die Art, wie Ereignisse entlang der Raumzeit verteilt sind, eine innere Ordnung erkennen lässt und ob es einen prinzipiellen wissenschaftlichen Unterschied zwischen einer Folge von Ereignissen und ihrer umgekehrten Reihenfolge gibt. Wie wir alle nur zu gut wissen, scheint es einen gewaltigen Unterschied dieser Art zu geben. Er ist für die Verheißungen und die bitteren Erfahrungen des Lebens verantwortlich. Doch wie sich zeigen wird, ist es schwieriger, als man meint, den Unterschied zwischen Vergangenheit und Zukunft zu erklären. Erstaunlicherweise hat die Antwort, für die wir uns schließlich entscheiden werden, unmittelbar mit den Bedingungen bei der Entstehung des Universums zu tun.

Das Rätsel

Tausend Mal am Tag machen unsere Erfahrungen deutlich, dass sich die eine Richtung, in der sich die Dinge in der Zeit entwickeln, von der Gegenrichtung unterscheidet. Wenn wir uns beim Italiener eine heiße Pizza holen, kühlt sie auf dem Weg nach Hause ab. Nie bekommen wir eine Pizza, die heißer geworden ist, wenn wir zu Hause ankommen. Wenn wir Sahne in den Kaffee rühren, entsteht eine Flüssigkeit von gleichmäßiger hellbrauner Färbung, aber nie erleben wir, dass hellbrauner Kaffee sich »entrührt«, sich in weiße Sahne und schwarzen Kaffee trennt. Eier fallen zu Boden, zerplatzen und verteilen ihren Inhalt, und nie beobachten wir, wie sich der vergossene Inhalt und die zerbrochenen Schalen wieder zu einem unversehrten Ei zusammenfügen. Das zusammengepresste Kohlendioxid in einer Colaflasche entweicht, wenn wir den Verschluss öffnen, doch nie geschieht es, dass sich das in der Luft verteilte

Kohlendioxid wieder sammelt und mit hörbarem Zischen in die Flasche zurückfährt. Eiswürfel schmelzen, wenn sie bei Zimmertemperatur in ein Glas Wasser gegeben werden, nie jedoch können wir beobachten, dass sich bei Raumtemperatur im Wasserglas spontan Eiswürfel bilden. Diese alltäglichen Ereignisfolgen laufen neben zahllosen anderen immer nur in einer zeitlichen Reihenfolge ab – niemals in der umgekehrten, und so liefern sie uns den Begriff des Vorher und Nachher. Sie vermitteln uns eine schlüssige und scheinbar universelle Vorstellung von Vergangenheit und Zukunft. Diese Beobachtungen überzeugen uns, dass wir, könnten wir die gesamte Raumzeit von außen (wie in Abbildung 5.1) betrachten, eine deutliche Asymmetrie entlang der Zeitachse erkennen würden. Zerbrochene Eier lägen immer auf einer bestimmten Seite – der Seite, die wir üblicherweise die Zukunft nennen – ihrer heilen Gegenstücke.

Das extremste Beispiel für dieses Phänomen scheint der Umstand zu sein, dass unser Bewusstsein Zugang zu einer Ansammlung von Ereignissen hat, die wir die Vergangenheit nennen – zu unseren Erinnerungen –, dass aber offenbar niemand von uns in der Lage ist, sich an die Ansammlung von Ereignissen zu erinnern, die wir die Zukunft nennen. Offensichtlich gibt es daher für uns einen großen Unterschied zwischen Vergangenheit und Zukunft. Augenscheinlich weist die Entwicklung einer ungeheuren Vielzahl von Dingen in der Zeit eine klare Ausrichtung auf. Die Dinge, an die wir uns erinnern können (die Vergangenheit), sind offenbar von den Dingen, an die wir uns nicht erinnern können (der Zukunft), klar unterschieden. Das ist gemeint, wenn wir davon sprechen, dass die Zeit eine Orientierung, eine Richtung oder einen Pfeil hat.[1]

Die Physik im Besonderen und die Naturwissenschaften im Allgemeinen gründen sich auf Regelmäßigkeiten. Wissenschaftler studieren die Natur, finden Muster und leiten aus diesen Mustern Naturgesetze ab. Daher liegt der Gedanke nahe, dass das überwältigende Maß an Regelmäßigkeit, das uns einen Zeitpfeil erkennen lässt, Beleg für ein fundamentales Naturgesetz sein müsse. Eine törichte Version eines solchen Gesetzes wäre das Gesetz der vergossenen Milch, in dem es hieße, dass man Milch vergießen, aber nicht »entgießen« könne, oder das Gesetz der zerbrochenen Eier, dem zufolge Eier zerbrechen, aber nicht »entbrechen« können. Aber mit einem Gesetz dieser Art ist uns nicht geholfen. Es ist rein deskriptiv und liefert uns keine Erklärung über die einfache Beobachtung dessen hinaus, was geschieht. Wir erwarten jedoch irgendwo in den Tiefen der Physik verborgen ein weniger törichtes Gesetz, das die Bewegung und die Eigenschaften der Teilchen beschreibt, aus denen Pizzen, Milch, Eier, Kaffee, Menschen und Sterne bestehen – der fundamentalen Bausteine von allem –, ein Gesetz, das zeigt, warum sich die Dinge in einer bestimmten Schrittfolge, aber nie umgekehrt entwickeln. Ein solches Gesetz würde eine grundlegende Erklärung für den beobachteten Zeitpfeil liefern.

Verblüffend ist allerdings, dass noch niemand ein solches Gesetz entdeckt hat. Mehr noch: Die physikalischen Gesetze, die von Newton über Maxwell und Einstein bis heute aufgestellt worden sind, zeigen eine *vollkommene Symmetrie zwischen Vergangenheit und Zukunft.** In keinem dieser Gesetze finden wir einen Hinweis, dass sie nur für eine Zeitrichtung gälten und nicht für die andere. Nirgendwo wird zwischen Gesetzen, die für die eine, und solchen, die für die entgegengesetzte Zeitrichtung gültig wären, unterschieden. Was wir Vergangenheit und Zukunft nennen, wird von den Gesetzen vollkommen gleich behandelt. Obwohl die Erfahrung wieder und wieder zeigt, dass die Art und Weise, wie die Dinge sich in der Zeit entwickeln, einem Pfeil gehorcht, scheint dieser Pfeil in den fundamentalen Gesetzen der Physik keine Spuren hinterlassen zu haben.

Vergangenheit, Zukunft und die fundamentalen physikalischen Gesetze

Wie kann das sein? Liefern die physikalischen Gesetze wirklich keine Grundlage, um die Vergangenheit von der Zukunft zu unterscheiden? Wie ist es denkbar, dass kein Naturgesetz erklärt, warum die Ereignisse sich in *dieser* Reihenfolge, aber nie in der umgekehrten entfalten?

Die Situation ist sogar noch verwirrender. Die bekannten Gesetze der Physik verkünden – im Gegensatz zu allen Erfahrungen, die uns im Laufe unseres Lebens zuteil werden –, dass hellbrauner Kaffee sich in schwarzen Kaffee und weiße Sahne scheiden kann, dass sich verspritztes Eigelb und eine Ansammlung von Schalenstücken wieder zusammenfügen und ein vollkommen glattes, unversehrtes Ei bilden können, dass das geschmolzene Eis in einem Glas mit zimmerwarmem Wasser wieder zu einem Eiswürfel gefrieren kann und dass das Gas, das entweicht, wenn Sie Ihre Colaflasche öffnen, wieder zischend hineinfahren kann. Alle physikalischen Gesetze, die uns lieb und teuer sind, sprechen sich klar und deutlich für etwas aus, was wir als *Zeitumkehrsymmetrie* bezeichnen. Gemeint ist damit die Aussage, dass eine Ereignisfolge, die

* Es gibt eine Ausnahme von dieser Regel, und die hat mit einer bestimmten Klasse exotischer Teilchen zu tun. Soweit es die in diesem Kapitel erörterten Fragen betrifft, halte ich diesen Umstand für wenig bedeutsam und werde deshalb nicht weiter darauf eingehen. Falls Sie interessiert sind, finden Sie eine kurze Erläuterung in Anmerkung 3.

sich in einer zeitlichen Ordnung entfalten kann (Sahne und Kaffee mischen sich, Eier zerbrechen, Gas entweicht zischend), auch die umgekehrte Reihenfolge aufweisen kann (Sahne und Kaffee »entmischen« sich, Eier »entbrechen«, Gas fährt zischend in die Flasche zurück). Darauf komme ich gleich ausführlicher zurück. Zunächst aber lautet die Kurzfassung: Die bekannten Gesetze lassen uns nicht nur darüber im Unklaren, warum wir immer nur sehen, dass sich Ereignisse in einer Reihenfolge entfalten, sondern teilen uns auch noch mit, dass sie sich theoretisch genauso gut in der umgekehrten Reihenfolge entwickeln können.*

Die brennende Frage lautet: *Warum sehen wir nie etwas Derartiges geschehen?* Ich denke, wir können getrost darauf wetten, dass noch nie jemand beobachtet hat, wie ein zerbrochenes Ei »entbrochen« ist. Doch wenn die physikalischen Gesetze es zulassen und wenn darüber hinaus diese Gesetze Zerbrechen und Entbrechen gleich behandeln, warum geschieht dann das eine nie, das andere dagegen ständig?

Zeitumkehrsymmetrie

In einem ersten Schritt zur Lösung dieses Rätsels müssen wir uns etwas konkreter klar machen, was es für die bekannten Gesetze der Physik bedeutet, zeitumkehrsymmetrisch zu sein. Dazu stellen Sie sich vor, Sie befänden sich im 25. Jahrhundert und würden in der neuen interplanetarischen Liga Tennis mit ihrem Partner Coolstroke Williams spielen. Nicht ganz vertraut mit der verminderten Schwerkraft auf der Venus zieht Coolstroke eine gewaltige Rückhand durch und jagt den Ball in die fernen, dunklen Räume des Alls. Ein vorbei fliegender Spaceshuttle nimmt den Ball auf Video auf und schickt den Film an CNN (Celestial News Network). Jetzt kommt die Frage: Falls die Techniker bei CNN einen Fehler machen und das Band mit dem Tennisball rückwärts laufen lassen, gäbe es dann eine Möglichkeit, das zu erkennen? Nun, wenn Sie die Bewegung und Ausrichtung der Kamera während der Aufnahme kennen würden, wären Sie vielleicht in der Lage, den Fehler wahrzunehmen. Aber könnten Sie es auch herausfinden, indem Sie sich einfach den Beitrag selbst ansähen, ohne zusätzliche Information? Die Antwort lautet:

* Es ist darauf hinzuweisen, dass die Zeitumkehrsymmetrie nicht besagt, die Zeit selbst würde umgekehrt oder »liefe« rückwärts. Vielmehr betrifft die Zeitumkehrsymmetrie, wie beschrieben, nur die Frage, ob Ereignisse, die *in* der Zeit einer bestimmten zeitlichen Reihenfolge gehorchen, auch in der umgekehrten Reihenfolge geschehen könnten. Eine angemessenere Bezeichnung wäre vielleicht *Ereignisumkehr*, *Prozessumkehr* oder *Umkehr der Ereignisfolge*, doch wir werden bei dem eingeführten Begriff bleiben.

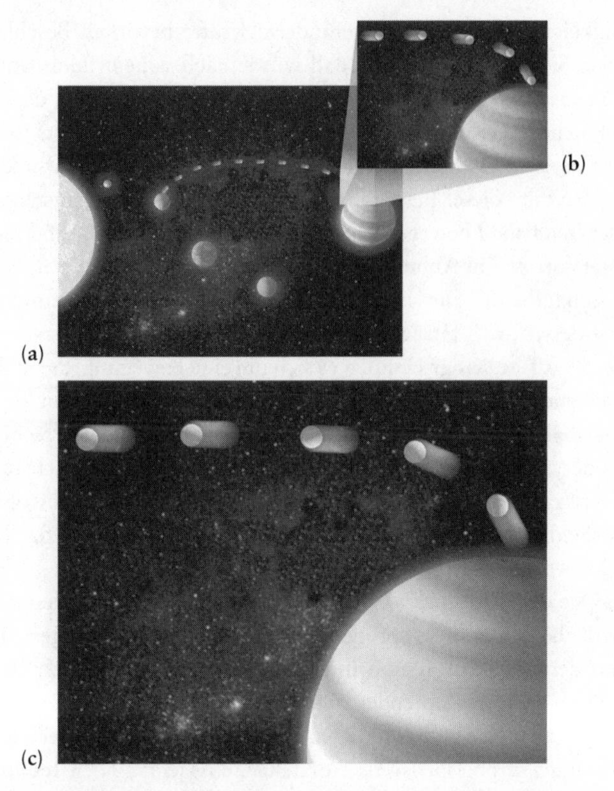

Abbildung 6.1 (**a**) Ein Tennisball fliegt von der Venus zum Jupiter; (**b**) das Ganze noch einmal in Nahaufnahme. (**c**) Die Bewegung des Tennisballs, wenn seine Geschwindigkeit kurz vor dem Auftreffen auf Jupiter umgekehrt wird.

Nein. Wenn der Beitrag, in der richtigen (vorwärts weisenden) Zeitrichtung abgespielt, zeigen würde, wie der Ball von links nach rechts schwebt, dann würde beim Rückwärtslauf zu sehen sein, wie der Ball von rechts nach links schwebt. Und natürlich gestatten die Gesetze der klassischen Physik es dem Tennisball, entweder nach rechts oder nach links zu fliegen. Daher sind beide Bewegungen, ob Sie den Film nun in die Vorwärts- oder Rückwärtsrichtung der Zeit laufen lassen, mit den physikalischen Gesetzen vollkommen verträglich.

Bislang sind wir davon ausgegangen, dass keine Kräfte auf den Tennisball einwirkten, mit anderen Worten, dass er sich mit konstanter Geschwindigkeit bewege. Betrachten wir jetzt die allgemeinere Situation und beziehen wir Kräfte ein. Laut Newton besteht die Wirkung einer Kraft darin, die Geschwindigkeit eines Objekts zu verändern: Kräfte bewirken Beschleunigungen. Stellen Sie sich also vor, der Ball würde nach seinem fulminanten Start von der Venus von Jupiters Gravitation erfasst, mit dem Erfolg, dass der Ball mit zunehmender Geschwindigkeit in einem nach rechts abwärts gerichteten Bogen auf Jupiters Oberfläche zustürzt wie in Abbildung 6.1 (a) und 6.1 (b). Wenn Sie den Film dieser Bewegung rückwärts laufen lassen, entsteht der Eindruck, der Tennisball bewege sich in einem Bogen nach oben und nach links von Jupiter fort wie in Abbildung 6.1 (c). Hier stellt sich eine neue Frage: Ist die Bewegung, die der Film beim Rückwärtslaufen zeigt – die zeitumgekehrte Bewegung dessen, was tatsächlich gefilmt wurde –, nach den klassischen Gesetzen der Physik zulässig? Handelt es sich um eine Bewegung, die in der wirklichen Welt stattfinden könnte? Zunächst scheint die Antwort ein klares Ja zu sein: Tennisbälle können sich in Bögen bewegen, die nach unten rechts gerichtet sind, oder in Bögen, die nach oben links zeigen – natürlich auch auf unzähligen anderen Bahnen. Wo liegt also die Schwierigkeit? Nun, obwohl wir die Frage tatsächlich bejahen können, ist die Überlegung zu oberflächlich und geht am Kern der Frage vorbei.

Wenn Sie den Film rückwärts laufen lassen, sehen Sie den Tennisball von der Oberfläche des Jupiters springen, nach oben und links fliegen, und zwar genau mit dem gleichen Tempo (nur in genau entgegengesetzter Richtung), mit dem er im vorwärts laufenden Film auf den Planeten traf. Dieser erste Teil des Films befindet sich gewiss nicht im Widerspruch zu den Gesetzen der Physik: Wir können uns beispielsweise vorstellen, dass jemand den Tennisball von der Oberfläche des Jupiters mit exakt dieser Geschwindigkeit abschießt. Die entscheidende Frage lautet: Verträgt sich der *Rest* des rückwärts laufenden Films ebenfalls mit den physikalischen Gesetzen? Würde sich ein Ball, den man mit dieser Anfangsgeschwindigkeit abschösse – und der der Anziehungskraft von Jupiters Gravitation unterläge –, tatsächlich auf der Bahn bewegen, die auf dem Rest des rückwärts laufenden Films gezeigt wird? Würde er seiner ursprünglichen, abwärts führenden Bahn genau folgen, nur in umgekehrter Richtung?

Auch die Antwort auf diese differenzierter gestellte Frage lautet Ja. Lassen Sie uns das etwas genauer betrachten, damit keine Verwirrung entsteht. In Abbildung 6.1 (b) fliegt der Ball zunächst geradewegs nach rechts, allerdings ist da noch Jupiters gewaltige Gravitation, die den Ball in Richtung Mittelpunkt des Planeten zieht – eine Anziehungskraft, die vor allem nach unten wirkt, aber, wie Sie der Abbildung entnehmen können, auch teilweise nach rechts. Das heißt, wenn sich der Ball der Jupiteroberfläche nähert, hat sich seine Geschwindigkeit nach rechts etwas erhöht, seine Abwärtsgeschwindigkeit jedoch extrem. Im rückwärts laufenden Film erschiene daher die Abschussgeschwindigkeit des Balls beim Verlassen der Jupiteroberfläche etwas nach *links*, vor allem aber nach *oben* gerichtet, wie Abbildung 6.1 (c) illustriert. Bei dieser Startgeschwindigkeit hätte Jupiters Gravitation ihren größten Einfluss auf die Aufwärtsbewegung des Balls. Die Anziehungskraft des Planeten würde den Ball veranlassen, immer langsamer und langsamer zu fliegen. Auch die Geschwindigkeit, mit der der Ball nach links fliegt, nähme ab, aber weniger stark. Mit der Verringerung der Aufwärtsgeschwindigkeit würde die Bewegung des Balls immer stärker von seiner Bewegung nach links beherrscht, mit dem Erfolg, dass er einer aufwärts gebogenen Bahn nach links folgte. Gegen Ende des Bogens, in Abbildung 6.1 (c) am linken Rand zu sehen, hätte die Gravitation die gesamte Aufwärtsbewegung entkräftet und auch die zusätzliche, nach rechts weisende Geschwindigkeit aufgezehrt, die Jupiters Gravitation dem Ball im vorwärts laufenden Film auf seinem Weg hinab übertragen hat, so dass der Ball sich nur noch nach links bewegen würde, und zwar exakt mit dem Tempo, das er auch bei seiner Annäherung hatte.

All das ließe sich auch quantitativ belegen, doch uns interessiert hier lediglich, dass diese Bahn exakt die Umkehrung der ursprünglichen Bewegung des Balls ist. Indem wir einfach wie in Abbildung 6.1 (c) die Geschwindigkeit des Balls umkehren – ihn mit dem gleichen Tempo beginnen lassen, aber in umgekehrter Richtung –, können wir ihn dazu bringen, seiner ursprünglichen Bahn exakt zu folgen, allerdings in umgekehrter Richtung. Die nach oben und links gebogene Bahn – diejenige, die wir gerade aus Newtons Bewegungsgesetzen abgeleitet haben – entspricht also exakt derjenigen, die wir zu sehen bekämen, wenn wir den Film rückwärts abspielten. Die zeitumgekehrte Bewegung des Balls, wie sie der rückwärts laufende Film zeigt, steht mit den physikalischen Gesetzen daher nicht weniger in Einklang als die vorwärts in der Zeit gerichtete Bewegung. Die Bewegung, die wir beim rückwärts laufenden Film gesehen haben, ist eine Bewegung, die in der realen Welt *tatsächlich* hätte stattfinden können.

Obwohl es ein paar Feinheiten gibt, die ich in die Anmerkungen verbannt habe, ist diese Schlussfolgerung allgemeingültig.[2] Alle bekannten und akzeptierten Gesetze, welche die Bewegung betreffen – von der eben erörterten Newtonschen Mechanik über Maxwells Gleichungen des Elektromagnetismus bis hin zu Einsteins spezieller und allgemeiner Relativitätstheorie (wie erwähnt, heben wir uns die Quantenmechanik für das nächste Kapitel auf) –, sind zeitumkehrsymmetrisch: Eine Bewegung, die sich in der üblichen Richtung, das heißt vorwärts in der Zeit, vollziehen kann, vermag auch umgekehrt zu erfolgen. Da die Terminologie vielleicht ein bisschen verwirrend ist, lassen Sie mich noch einmal darauf hinweisen, dass wir die Zeit nicht umkehren. Die Zeit tut, was sie immer tut. Vielmehr besagt unsere Schlussfolgerung: *Wir können ein Objekt veranlassen, auf seinem Weg zurückzukehren, indem wir einfach seine Geschwindigkeit an einem beliebigen Punkt seiner Bahn umkehren.* Entsprechend würde das gleiche Verfahren – die Umkehr der Geschwindigkeit an einem beliebigen Punkt auf der Bahn des Objekts – das Objekt dazu bringen, die Bewegung auszuführen, die wir in einem rückwärts laufenden Film zu sehen bekämen.

Tennisbälle und zerspringende Eier

Einen Tennisball zu beobachten, der sich auf dem Weg zwischen Venus und Jupiter befindet – in welche Richtung auch immer –, ist nicht besonders interessant. Doch da die Schlussfolgerung, zu der wir gelangt sind, weithin anwendbar ist, wollen wir uns an einen aufregenderen Ort begeben: Ihre Küche. Legen Sie ein Ei auf Ihren Küchentisch, rollen Sie es zum Rand, lassen Sie es auf den Boden fallen und zerspringen. In dieser Ereignisfolge ist natürlich einiges an Bewegung. Das Ei fällt. Die Schale zerbricht. Das Eigelb spritzt hierhin und dorthin. Die Dielen vibrieren. In der umgebenden Luft bilden sich Wirbel. Durch die Reibung entsteht Wärme, welche die Atome und Moleküle des Eis, des Fußbodens und der Luft in raschere Bewegung versetzt. Doch die gleichen physikalischen Gesetze, die uns zeigen, wie wir den Tennisball veranlassen können, sich auf seiner Bahn exakt zurückzubewegen, sagen uns auch, wie wir jedes Stück Eierschale, jeden Tropfen Eigelb, jeden Abschnitt der Dielenbretter und jede Region der Luft dazu bringen können, auch ihre Bewegungen genau umzukehren. Dazu ist »nicht mehr« erforderlich, als jeden einzelnen Bestandteil des Zerspringens zur Umkehr seiner Geschwindigkeit zu bewegen. Genauer gesagt, ergibt sich aus den Überlegungen, die wir bezüglich des Tennisballs anstellten, Folgendes: Wenn wir – hypothetisch – in der Lage wären, gleichzeitig die Geschwindigkeit *aller* Atome und Moleküle umzukehren, die direkt oder indirekt am Zerspringen des Eis beteiligt sind, würde die *gesamte* Bewegung dieses Prozesses in die entgegengesetzte Richtung verlaufen.

Gelänge es uns, alle diese Geschwindigkeiten umzukehren, würde das Bild, das sich uns böte, uns wie der Tennisball den Eindruck eines rückwärts laufenden Films vermitteln. Doch im Gegensatz zum Tennisball wäre die Bewegungsumkehr des zerspringenden Eis außerordentlich eindrucksvoll. Eine Welle von unruhig erzitternden Luftmolekülen und winzigen Dielenschwingungen liefe aus allen Teilen der Küche auf den Kollisionsort zu und veranlasste jedes Stück Schale und jeden Tropfen Eigelb, sich eilig zur Aufschlagstelle zu begeben. Jeder Bestandteil des Eis würde sich mit genau der gleichen Geschwindigkeit wie beim ursprünglichen Zerspringen bewegen, nur dass er jetzt die exakt entgegengesetzte Richtung einschlüge. Die Tropfen Eigelb schlössen sich im Fluge wieder zu einer Kugel zusammen, genauso, wie sich die vielen kleinen Schalenstücke weiter außen fugenlos zu einem glatten, eiförmigen Behälter anordnen würden. Die Luft und Bodenschwingungen wären so exakt abgestimmt auf die zahllosen miteinander verschmelzenden Dottertröpfchen und Schalenfragmente, dass das neu gebildete Ei genau den richtigen Anstoß erhielte, um, wieder ganz geworden, vom Fußboden auf den Küchentisch zu springen, weich auf der Kante zu landen und sich gerade so stark zu drehen, dass es ein paar Zentimeter Richtung Tischmitte rollen würde, bevor es elegant zur Ruhe käme. Das *geschähe*, wenn wir in der Lage wären, die Geschwindigkeit aller beteiligten Elemente vollständig und exakt umzukehren.[3]

Ganz gleich also, ob wir es mit einem einfachen Ereignis wie einem Tennisball, der in einem weiten Bogen fliegt, zu tun haben oder mit einem komplexeren wie einem zerspringenden Ei, immer zeigen die physikalischen Gesetze, dass das, was in der einen zeitlichen Richtung geschieht, zumindest im Prinzip auch umgekehrt vonstatten gehen kann.

Prinzip und Praxis

Die Geschichten vom Ei und vom Tennisball illustrieren nicht nur die Zeitumkehrsymmetrie der Naturgesetze, sondern verdeutlichen auch, warum wir in der realen Welt unserer Erfahrung viele Dinge sehen, die sich immer auf eine Weise und nie umgekehrt ereignen. Den Tennisball zu veranlassen, auf dem gleichen Weg zurückzukehren, war nicht schwer. Wir haben ihn ergriffen und mit gleicher Geschwindigkeit in die entgegengesetzte Richtung zurückgeschickt. Das war alles. Doch die chaotischen Trümmer des Eis zu veranlassen, auf den gleichen Bahnen zurückzukehren, ist unendlich viel schwerer. Dazu müssen wir aller winzigen Splitterchen habhaft werden und sie gleichzeitig mit gleicher Geschwindigkeit in entgegengesetzter Richtung zurückbeordern. Zweifellos ist das mehr, als wir oder irgendjemand sonst leisten kann.

Haben wir die Antwort gefunden, nach der wir suchen? Ist der Grund, warum Eier zerbrechen, aber nicht »entbrechen«, obwohl beide Vorgänge von den physikalischen Gesetzen zugelassen werden, eine Frage dessen, was praktikabel ist und was nicht? Lautet die Antwort schlicht, dass es halt leicht ist, ein Ei zerbrechen zu lassen – indem man es von einem Tisch rollt –, aber außerordentlich schwierig, es wieder zum »Entbrechen« zu bringen?

Glauben Sie mir, wäre das die Antwort, hätte ich nicht so viel Gewese darum gemacht. Zwar ist die Frage des Schwierigkeitsgrades *tatsächlich* ein wichtiger Teil der Antwort, dennoch ist die ganze Wahrheit weit komplizierter und überraschender. Wir kommen gleich dazu, müssen aber zunächst etwas genauer auf die Überlegungen dieses Abschnitts eingehen. Damit kommen wir zum Entropiekonzept.

Entropie

Unweit der Gräber von Beethoven, Brahms, Schubert und Strauß auf dem Zentralfriedhof in Wien ist in einen Grabstein eine einzige Gleichung gemeißelt: $S = k \log W$, die mathematische Formel für ein leistungsfähiges physikalisches Konzept, das als *Entropie* bekannt ist. Der Grabstein trägt den Namen von Ludwig Boltzmann, einem der scharfsinnigsten Physiker um die Jahrhundertwende. Während eines Urlaubs mit Frau und Tochter in Italien hatte Boltzmann, der unter seiner nachlassenden Gesundheit und Depressionen litt, sich 1906 das Leben genommen. Nur wenige Monate später begannen Experimente jene Ideen zu bestätigen, für die sich Boltzmann ein Leben lang leidenschaftlich eingesetzt hatte.

Der Entropiebegriff wurde erstmals während der industriellen Revolution von Wissenschaftlern entwickelt, die sich für den Betrieb von Dampfmaschinen interessierten und dabei das Forschungsgebiet der Thermodynamik erschlossen. In langen Jahren der Forschung wurden die grundlegenden Ideen erheblich verbessert, eine Entwicklung, die in Boltzmanns Ansatz ihren Höhepunkt fand. Seine Entropieversion, in knappster Form durch die Gleichung auf seinem Grabstein zum Ausdruck gebracht, schafft mit Hilfe statistischer Methoden eine Verbindung zwischen der ungeheuren Zahl einzelner Bestandteile, aus denen ein physikalisches System besteht, und den Gesamteigenschaften, die das System besitzt.[4]

Um einen Eindruck von diesen Ideen zu bekommen, stellen Sie sich vor, dass Sie bei einem Exemplar von Tolstois *Krieg und Frieden* den Einband entfernen und die doppelseitig gedruckten Blätter hoch in die Luft werfen, um sie anschließend einzusammeln und zu einem ordentlichen Stapel aufzuschichten.[5] Wenn Sie sich nun den Stapel ansehen, ist die Wahrscheinlichkeit, dass die Blätter ungeordnet sind, viel größer als die, dass sie geordnet sind. Der Grund liegt auf der Hand. Die Blätter haben viele Möglichkeiten, ungeordnet zu liegen, aber nur eine, die korrekte Ordnung aufzuweisen. Um geordnet zu sein, müssen die Seiten natürlich in der Reihenfolge 1, 2; 3, 4; 5, 6 und so fort bis 1385, 1386 aufeinander liegen. Jede andere Verteilung ist ungeordnet. Eine einfache, aber wichtige Feststellung besagt, dass bei ansonsten gleichen Bedingungen gilt: Je mehr Möglichkeiten es gibt, dass etwas geschieht, desto wahrscheinlicher trifft es auch ein. Und wenn etwas *außerordentlich* viel mehr Möglichkeiten hat zu geschehen – beispielsweise, dass die Seiten in der falschen numerischen Ordnung zu liegen kommen –, dann ist die Wahrscheinlichkeit, dass es passiert, auch *außerordentlich* viel größer. Intuitiv wissen wir das. Wenn Sie ein Lotterielos kaufen, haben Sie nur eine Möglichkeit zu gewinnen. Wenn Sie eine Million Lose kaufen, jedes mit anderen Zahlen, haben Sie eine Million Möglichkeiten zu gewinnen, daher sind Ihre Chancen auf einen Hauptgewinn eine Million Mal höher.

Entropie ist ein Konzept, das diese Idee dadurch präzisiert, dass es in Übereinstimmung mit den physikalischen Gesetzen die Zahl der Möglichkeiten ermittelt, die es gibt, um eine physikalische Situation zu verwirklichen. *Hohe Entropie bedeutet, dass es viele Möglichkeiten, niedrige Entropie, dass es deren nur wenige gibt.* Wenn die Seiten von *Krieg und Frieden* in der richtigen numerischen Reihenfolge gestapelt sind, haben wir eine Konfiguration mit geringer Entropie, weil es eine und nur eine Ordnung gibt, die dieses Kriterium erfüllt. Sind die Seiten nicht in der richtigen Reihenfolge gestapelt, haben wir eine Situation mit hoher Entropie, weil es, wie eine kleine Rechnung zeigt,
12455219845377834336600293537049882916336110124638904513688769126468689559185298450437739406929474395079418933875187652765671405928662715136707473912957138235380001610812646530182342056205714732061720293829029125021317022782119134735826558815410713601431193221575341597338554284672986913981515992511908586726099348105614303413438305637713671511057047869413339129341924409610514288798477908536095089540140125932850632906034109513149466389839052676761042780416673015494552281886102502463386626036015088866470101429708545848151415983925468762312952933478295186812370774596522432148887351679284483403000787170636684623843536242451673622861091985393918150307604689046649129789406250332651868583732271363702473904018910940649881398380265451114876864895816491403426444110871911844164280902757137738090672587084302157950158991623204581301295083438653790819182377773852143753631225316415985892681059765281448013877486970265254626439371893927305921796747169166978155198569769269249467383642278227334577671807331624043363695277118367410428449347223477922340272256307211938539124728809290720342716923779362076501904571097887744535443586803319160959249877443194986997700333249463073243755353229067448176579539562184032951681442710422276081242890487164286648724030703648649348325099966728973446425

3103493006266220146043120511010932823962492511968978283306192150
8282708143936599873268490479941668396577478902124562796195600187
0608057687789478700986106922659448726934100008726998763399003O2
5591685820639734851035629676461160022515920011372274127331807482 9
5472481928076532664070230832754286312646671501355905966429773337
1318346547485476070124233012872135321237328732721874825264039911 0
4970017214756470049929226458643522650111999999999999999999999999
9999999999999999999999999999999999999999999999999999999999999999
9999999999999999999999999999999999999999999999999999999999999999
999999999999999999999999 – rund 10^{1878} – verschiedene Möglichkeiten für eine ungeordnete Verteilung der Seiten im Stapel gibt.[6] Wenn Sie die Blätter in die Luft werfen und sie anschließend zu einem säuberlichen Stapel schichten, ist es fast sicher, dass die Seitenzahlen nicht in der richtigen Reihenfolge liegen, weil diese ungeordneten Konfigurationen in ihrer Gesamtheit eine außerordentlich viel höhere Entropie besitzen – es gibt viel mehr Möglichkeiten, ein ungeordnetes Ergebnis zu erzielen – als die eine einzige Anordnung, welche die richtige numerische Reihenfolge aufweist.

Im Prinzip könnten wir mit den Gesetzen der klassischen Physik genau herausfinden, wo jedes Blatt landet, nachdem wir den ganzen Stapel in die Luft geworfen haben. Daher könnten wir, abermals im Prinzip, genau die sich daraus ergebende Anordnung der Seiten vorhersagen.[7] Es bestünde (im Unterschied zur Quantenmechanik, die wir bis zum nächsten Kapitel nicht zur Kenntnis nehmen) also keine Notwendigkeit, uns auf wahrscheinlichkeitstheoretische Überlegungen wie die, welches Ergebnis wahrscheinlicher oder unwahrscheinlicher ist als ein anderes, zu verlassen. Doch das statistische Denken ist so leistungsfähig wie nützlich. Wäre *Krieg und Frieden* eine schmale Broschüre von wenigen Seiten, wären wir möglicherweise in der Lage, die notwendigen Berechnungen vorzunehmen, aber bei dem dicken Band, der *Krieg und Frieden* tatsächlich ist, ist das vollkommen unmöglich.[8] Der gewaltigen Aufgabe, die genauen Bewegungen der 693 biegsamen Blätter zu berechnen, die im Luftzug umherflattern, sich aneinander reiben und stoßen würden, wäre selbst die Rechenkapazität der leistungsfähigsten Supercomputer nicht gewachsen.

Hinzu kommt – und das ist von entscheidender Bedeutung –, dass wir von der genauen Antwort noch nicht einmal besonderen Nutzen hätten. Wenn Sie nämlich den aufgeschichteten Seitenstapel betrachten, sind Sie weit weniger an den genauen Einzelheiten interessiert – welche Seite wo gelandet ist –, als vielmehr an der allgemeinen Frage, ob die Seiten in der richtigen Reihenfolge liegen. Wenn ja, wunderbar. Sie könnten sich hinsetzen und sich wie sonst in das Schicksal von Anna Pawlowna und Nikolai Iljitsch Rostow vertiefen. Wenn Sie jedoch feststellen, dass sich die Seiten nicht in der richtigen Reihenfolge befinden, hilft Ihnen die Kenntnis der tatsächlichen Reihenfolge auch nicht wirklich weiter. Wenn Sie eine ungeordnete Seitenanordnung kennen, dann kennen Sie alle. Falls Sie sich nicht aus irgendeinem seltsamen Grund an der Frage festbeißen, welche Seiten wo im Stapel auftauchen, werden Sie kaum bemerken, ob irgendjemand die Seitenanordnung, die sich ursprünglich ergeben hat, als die Blätter zu Boden gesegelt sind, noch weiter durcheinander gebracht hat. Der ursprüngliche Stapel würde ungeordnet aussehen und der noch stärker durcheinander gebrachte Stapel ebenfalls. Der statistische Ansatz ist also nicht nur leichter durchzuführen, sondern liefert auch die Antwort – geordnet oder ungeordnet –, die für uns eher von Bedeutung ist, das heißt, er klärt die Frage, die wir normalerweise stellen würden.

Dieses Denken vom Gesamtbild her ist von zentraler Bedeutung für die statistische Unterfütterung der Entropie. Genau wie ein beliebiges Lotterielos die gleiche Gewinnchance hat wie jedes andere, ist auch nach vielen Würfen der losen Blätter von *Krieg und Frieden* irgendeine besondere Reihenfolge der Seiten ebenso wahrscheinlich wie jede andere. Seine besondere Wirksamkeit verdankt der statistische Ansatz unserer Aussage, dass es nur zwei *interessante Klassen* von Seitenkonfigurationen gibt: geordnete und ungeordnete. Die erste Klasse hat ein Element (die richtige Seitenfolge 1, 2; 3, 4 und so fort), während die zweite Klasse eine Riesenzahl von Elementen aufweist (jede andere mögliche Seitenfolge). Diese beiden Klassen sind vernünftig und nützlich, weil sie, wie oben dargelegt, die generelle, pauschale Bewertung berücksichtigen, die Sie vornähmen, wenn Sie eine gegebene Seitenanordnung durchblättern würden.

Trotzdem könnten Sie feinere Unterscheidungen zwischen diesen beiden Klassen vorschlagen, etwa Anordnungen mit nur einer Hand voll ungeordneter Seiten, Anordnungen, bei der nur Seiten im ersten Kapitel ungeordnet sind, und so weiter. Tatsächlich kann es manchmal nützlich sein, solche Zwischenklassen zu berücksichtigen. Die Zahl möglicher Seitenfolgen in jeder dieser neuen Unterklassen ist jedoch – verglichen mit der in der vollkommen ungeordneten Klasse – noch immer außerordentlich klein. Beispielsweise macht die Gesamtzahl der ungeordneten Anordnungen, an denen nur Seiten in Teil eins von *Krieg und Frieden* beteiligt sind, lediglich 10^{-178} von einem Prozent der Gesamtzahl ungeordneter Anordnungen aus, an denen alle Seiten beteiligt sind. Obwohl also bei den ersten Würfen nach Entfernen des Einbands die resultierenden Seitenanordnungen wahrscheinlich zu einer der noch nicht völlig ungeordneten Zwischenklassen gehören, ist so gut wie sicher, dass bei sehr häufigen Würfen die Seitenfolge am Ende kein erkennbares Muster mehr erkennen lässt. Die Seitenanordnung entwickelt sich zur völlig ungeordneten Klasse hin, da es schlichtweg ungeheuer viele Seitenanordnungen gibt, die in diese Kategorie gehören.

Das Beispiel *Krieg und Frieden* unterstreicht zwei wichtige Merkmale der Entropie. Erstens, *Entropie ist ein Maß für die Menge an Unordnung in einem physikalischen System.* Hohe Entropie bedeutet, dass es unbemerkt bliebe, wenn die Bestandteile des Systems häufig umgeordnet würden, und das wiederum bedeutet, dass das System hochgradig ungeordnet ist (wenn die Seiten von *Krieg und Frieden* alle völlig durcheinander sind, bleibt jede weitere Durchmischung vermutlich unbemerkt, weil sie die Seiten einfach in eine andere ungeordnete Konfiguration bringt). Niedrige Entropie bedeutet, dass nur sehr wenige Umordnungen unbemerkt blieben, und das wiederum bedeutet, dass das System hochgeordnet ist (wenn die Seiten von *Krieg und Frieden* zunächst in ihrer angestammten Reihenfolge liegen, können Sie fast jede Umordnung leicht entdecken). Zweitens: In physikalischen Systemen mit vielen Bestandteilen (beispielsweise Büchern mit vielen Seiten, die in die Luft geworfen werden) gibt es eine natürliche Entwicklung zu größerer Unordnung, da Unordnung auf weit mehr Wegen hergestellt werden kann als Ordnung. In der Sprache der Entropie liest sich diese Aussage wie folgt: *Die Entwicklung physikalischer Systeme führt in der Regel zu Zuständen von höherer Entropie.*

In dem Bestreben, dem Entropiekonzept eine exakte und allgemeingültige Form zu geben, ist die physikalische Definition natürlich nicht daran interessiert, jene Umordnungen der Seiten dieses oder jenes Buches zu zählen, die sein – geordnetes oder ungeordnetes – Erscheinungsbild nicht verändern. Vielmehr bestimmt die physikalische Definition die Zahl der Umordnungen von fundamentalen Bestandteilen – Atomen, subatomaren Teilchen und so fort –, welche die großen, allgemeinen Züge, das »Gesamtbild« der Eigenschaften eines gegebenen physikalischen Systems, unverändert lassen. Wie im Beispiel von *Krieg und Frieden* bedeutet niedrige Entropie, dass nur sehr wenige Umordnungen nicht bemerkt würden, daher ist das System sehr geordnet, während hohe Entropie heißt, dass viele Umordnungen unbemerkt blieben, und das bedeutet, dass das System sehr ungeordnet ist.*

* Entropie ist ein weiteres Beispiel dafür, wie die Terminologie die zugrunde liegenden Ideen komplizieren kann. Machen Sie sich nichts draus, wenn Sie sich öfter ins Gedächtnis rufen müssen, dass *niedrige* Entropie *große* Ordnung bedeutet und *hohe* Entropie *geringe* Ordnung (oder, was gleichbedeutend ist, große Unordnung). Mir geht es nicht anders.

Ein schönes physikalisches Beispiel – noch dazu eines, das sich in Kürze als praktisch erweisen wird – ist die Colaflasche, von der oben schon die Rede war. Wenn sich Gas, wie zum Beispiel Kohlendioxid, das ursprünglich in einer Flasche eingeschlossen war, gleichmäßig in einem Zimmer verteilt, gibt es *viele* Umordnungen der einzelnen Moleküle, die keinen erkennbaren Effekt haben. Wenn Sie beispielsweise mit den Armen fuchteln, bewegen sich die Kohlendioxidmoleküle hin und her, wobei ihre Aufenthaltsorte und Geschwindigkeiten raschen Veränderungen unterliegen. Insgesamt aber wird sich der Vorgang nicht qualitativ auf ihre Anordnung auswirken. Die Moleküle waren gleichmäßig verteilt, bevor Sie mit den Armen fuchtelten, und sie sind gleichmäßig verteilt, nachdem Sie es getan haben. Die gleichmäßig verteilte Gaskonfiguration ist unempfindlich gegenüber einer riesigen Zahl von Umordnungen ihrer molekularen Bestandteile und befindet sich daher in einem Zustand hoher Entropie. Wäre das Gas hingegen in einem kleineren Raum verteilt, wie es der Fall war, als es sich in der Flasche befand, oder durch eine Trennwand auf eine Zimmerecke eingegrenzt, hätte es eine beträchtlich niedrigere Entropie. Der Grund ist einfach. So, wie dünnere Bücher weniger Möglichkeiten unterschiedlicher Seitenumschichtungen haben, haben kleinere Räume weniger Stellen, an denen sich Moleküle aufhalten können, und lassen daher weniger Umordnungen zu.

Doch wenn Sie den Flaschenverschluss oder die Trennwand entfernen, eröffnet sich den Gasmolekülen eine neue Welt. Einander stoßend und drängend, zerstreuen sie sich rasch in alle Winde. Warum? Die Antwort liefert uns die gleiche statistische Überlegung, die wir auf die Seiten von *Krieg und Frieden* angewandt haben. Zweifellos würde das Gedränge einige Gasmoleküle nur innerhalb der ursprünglichen Gaswolke hin und her bewegen, und ein paar, die schon hinausgelangt wären, würden wieder in die ursprüngliche Wolke zurückgestoßen. Doch da das Volumen des Zimmers größer ist als das der ursprünglichen Gaswolke, verfügen die Moleküle über sehr viel mehr Umordnungsmöglichkeiten, wenn sie sich außerhalb der Wolke verteilen. Im Durchschnitt werden die Gasmoleküle also der ursprünglichen Wolke entweichen und sich langsam dem Zustand einer gleichmäßigen Ausbreitung im Zimmer annähern. So entwickelt sich die Anfangskonfiguration mit niedrigerer Entropie, in der das gesamte Gas auf eine kleine Region beschränkt ist, von selbst zu einer Konfiguration mit höherer Entropie, in der das Gas gleichmäßig in dem größeren Raum verteilt ist. Sobald es diese Gleichförmigkeit erreicht hat, ist das Gas bestrebt, den Zustand hoher Entropie zu bewahren: Das Stoßen und Drängen veranlasst die Moleküle auch weiterhin, sich hierhin und dorthin zu bewegen, wodurch eine Umordnung nach der anderen erfolgt, doch die überwältigende Mehrheit dieser Umordnungen bleibt ohne Einfluss auf das große, allgemeine Erscheinungsbild des Gases. Das ist letztlich die Bedeutung hoher Entropie.[9]

Im Prinzip könnten wir mit den Gesetzen der klassischen Physik, wie im Falle der Seiten von *Krieg und Frieden*, genau bestimmen, wo sich jedes Kohlendioxidmolekül zu einem gegebenen Zeitpunkt aufhält. Doch wegen der enormen Zahl von CO_2-Molekülen – rund 10^{24} in einer Colaflasche – ist es praktisch unmöglich, derartige Berechnungen tatsächlich durchzuführen. Und selbst wenn wir dazu irgendwie in der Lage wären, gäbe uns eine Liste mit Millionen Milliarden Milliarden Teilchenorten und -geschwindigkeiten kaum einen Eindruck davon, wie die Teilchen verteilt wären. Wenn wir unsere Aufmerksamkeit stattdessen auf das Gesamtbild der statistischen Merkmale richten – ist das Gas weiträumig verteilt oder zusammengedrängt, das heißt, hat es eine hohe oder niedrige Entropie? –, gewinnen wir weit nützlichere Informationen.

Entropie, Zweiter Hauptsatz und Zeitpfeil

Das Bestreben physikalischer Systeme, sich zu Zuständen höherer Entropie zu entwickeln, bezeichnet man als den *Zweiten Hauptsatz der Thermodynamik*. (Der erste ist die bekannte Energieerhaltung.) Wie oben ist die Grundlage des Gesetzes eine einfache statistische Beweisführung: Ein System hat mehr Möglichkeiten, sich in einem Zustand hoher Entropie zu befinden. Dabei heißt »mehr Möglichkeiten«, dass sich das System mit größerer Wahrscheinlichkeit zu einer dieser Konfigurationen mit hoher Entropie entwickelt. Dabei ist festzuhalten, dass es sich nicht um ein Gesetz im herkömmlichen Sinne handelt, weil es *möglich* ist, dass etwas aus einem Zustand mit hoher Entropie in einen mit niedriger Entropie übergeht, wenn solche Ereignisse auch selten und unwahrscheinlich sind. Werfen Sie einen ungeordneten Stapel Buchseiten in die Luft und schichten ihn dann fein säuberlich auf, *kann* sich herausstellen, dass er sich in perfekter numerischer Reihenfolge befindet. Sicherlich würden Sie keine hohe Wette auf dieses Ereignis abschließen, doch es *ist* möglich. Genauso, wie es möglich ist, dass das Gestoße und Gedränge zufällig genau so erfolgt, dass alle verteilten Kohlendioxidmoleküle einmütig wieder in die Colaflasche fahren. Es empfiehlt sich zwar nicht, den Atem anzuhalten, bis dieses Ereignis eingetreten ist, aber *möglich* ist es immerhin.[10]

Die schiere Menge der Buchseiten von *Krieg und Frieden* und der Gasmoleküle im Zimmer ist dafür verantwortlich, dass der Entropieunterschied zwischen geordneten und ungeordneten Anordnungen so gewaltig ist und das

Ergebnis mit niedriger Entropie so unglaublich unwahrscheinlich. Hätten Sie lediglich zwei doppelseitig bedruckte Blätter wieder und wieder in die Luft geworfen, würden Sie feststellen, dass sie in rund 12,5 Prozent der Fälle in der richtigen Reihenfolge heruntergekommen wären. Bei drei Blättern fiele diese Quote auf etwa 2 Prozent der Würfe, bei vier Blättern auf ungefähr 0,3 Prozent, bei fünf auf rund 0,03 Prozent, bei sechs auf etwa 0,002 Prozent, bei zehn wären es 0,000000027 Prozent, und bei 693 Blättern wäre der Prozentsatz der Würfe, welche die korrekte Reihenfolge hervorbrächten, so gering – stünden so viele Nullen hinter dem Dezimalkomma –, dass ich mich vom Verlag überreden ließ und darauf verzichtet habe, eine weitere Seite mit der expliziten Wiedergabe zu füllen. Entsprechend gilt: Wenn Sie nur zwei Gasmoleküle Seite an Seite in eine leere Colaflasche fallen ließen, würden Sie bei Zimmertemperatur feststellen, dass ihre Zufallsbewegung sie im Durchschnitt alle paar Sekunden wieder zusammenführen würde (in einen Abstand von höchstens einem Millimeter). Bei einer Gruppe von drei Molekülen müssten Sie tagelang warten, bei vier Molekülen jahrelang, und hätten Sie anfangs einen dichten Klumpen von einer Million Milliarden Milliarden Molekülen, würde die Zeit, die verstriche, bevor die zufällige, streuende Bewegung der Teilchen sie wieder zu einer kleinen, geordneten Wolke zusammenführte, das gegenwärtige Alter des Universums bei weitem übertreffen. Mit größerer Gewissheit als auf den Tod und die Steuer können wir darauf zählen, dass sich Systeme mit vielen Bestandteilen zu wachsender Unordnung entwickeln.

Obwohl vielleicht nicht unmittelbar erkennbar, sind wir damit zu einem hochinteressanten Punkt gekommen. Der Zweite Hauptsatz der Thermodynamik scheint uns einen Zeitpfeil zu liefern, *einen Zeitpfeil, der zutage tritt, wenn physikalische Systeme eine große Zahl von Bestandteilen haben.* Würden Sie einen Film mit zwei Kohlendioxidmolekülen sehen, die man in eine kleine Schachtel getan hätte (zusammen mit Hinweispfeilen, die uns die Bewegungen beider anzeigten), könnten Sie kaum entscheiden, ob der Film vorwärts oder rückwärts liefe. Die beiden Moleküle würden hierhin und dorthin schießen, mal aufeinander zu, mal voneinander fort, aber sie würden kein generelles, übergreifendes Verhalten zeigen, das eine Richtung in der Zeit von ihrer Umkehrung unterschiede. Doch würde der Film 10^{24} Kohlendioxidmoleküle in einer Schachtel zeigen (sagen wir, als kleine, dichte Wolke von Molekülen), könnten Sie vorwärts und rückwärts leicht unterscheiden: Es ist extrem wahrscheinlich, dass die Vorwärtsrichtung der Zeit diejenige wäre, in der sich die Gasmoleküle immer gleichmäßiger über die ganze Schachtel verteilen, das heißt *eine immer höhere Entropie erreichen.* Würden Sie dagegen sehen, wie sich gleichmäßig verteilte Gasmoleküle zu einer dichten Gruppe zusammenballen, wüssten Sie sofort, dass Sie es mit einem rückwärts laufenden Film zu tun haben.

Die gleichen Überlegungen gelten im Wesentlichen für die Dinge, denen wir im Alltag begegnen – Dinge, die eine große Zahl von Bestandteilen enthalten: Der vorwärts in der Zeit gerichtete Pfeil weist in Richtung zunehmender Entropie. Wenn Sie einen Film sehen, in dem ein Glas Eiswasser auf einem Bartresen steht, können Sie feststellen, welches die Vorwärtsrichtung der Zeit ist, indem Sie prüfen, ob das Eis schmilzt – ob seine H_2O-Moleküle sich im Glas verteilen und dadurch eine höhere Entropie erreichen. Wenn Sie einen Film mit einem zerspringenden Ei sehen, wissen Sie, dass Ihnen die Vorwärtsrichtung in der Zeit geboten wird, wenn die Bestandteile des Eis einen Zustand immer größerer Unordnung annehmen – wenn das Ei zerbricht statt zu »entbrechen« und dadurch eine höhere Entropie gewinnt.

Wie Sie sehen, entpuppt sich das Entropiekonzept als eine exakte Version des oben gefundenen Prinzips »leicht kontra schwer erreichbar«. Für die Seiten von *Krieg und Frieden* ist es leicht, beim Fallen einen ungeordneten Zustand anzunehmen, weil es *ungeheuer viele* ungeordnete Zustände gibt. Es ist schwer für die Seiten, in einen vollkommen geordneten Zustand zu fallen, weil Hunderte von Seiten sich in genau der richtigen Weise bewegen müssten, um in der einen einzigartigen Reihenfolge zu Boden zu fallen, die Tolstoi beabsichtigte. Es ist leicht für ein Ei zu zerspringen, weil es *sehr* viele Möglichkeiten dafür gibt. Es ist schwer für ein Ei zu »entbrechen«, weil sich die gewaltige Zahl von Bruchstücken, die beim Zerspringen entstanden sind, vollkommen koordiniert bewegen müssten, um das eine, einzige Ergebnis hervorzubringen: ein auf dem Küchentisch ruhendes, unversehrtes Ei. Für Dinge mit vielen Bestandteilen ist der Weg von niedriger zu höherer Entropie – von der Ordnung zur Unordnung – leicht, daher wird er ständig beschritten. Die Entwicklung von hoher zu niedrigerer Entropie – von der Unordnung zur Ordnung – ist schwerer und findet deshalb, wenn überhaupt, nur selten statt.

Beachten Sie auch, dass dieser Entropiepfeil nicht vollkommen starr ist; niemand behauptet, dass diese Definition der Zeitrichtung hundertprozentig idiotensicher sei. Vielmehr ist dieser Ansatz flexibel genug, um auch die Umkehr dieser und anderer Prozesse zuzulassen. Da der Zweite Hauptsatz erklärt, die Entropiezunahme sei nur eine statistische Wahrscheinlichkeit und kein unabänderliches Naturgesetz, erlaubt er auch die seltene Möglichkeit, dass die Seiten in perfekter numerischer Reihenfolge zu Boden flattern, dass Gasmoleküle sich wieder zusammenfinden und in die Flasche zurückfahren können und dass Eier »entbrechen« können. Allerdings gibt der Zweite Hauptsatz mit Hilfe der Mathematik der Entropie genau an, wie unwahrscheinlich der Eintritt dieser Ereignisse aus statistischer Sicht ist (erinnern Sie sich an die gewaltige Zahl auf den Seiten 181f., die die weit höhere Wahrscheinlichkeit zum Ausdruck bringt, dass die Blätter ungeordnet zu Boden fallen), stellt aber nicht in Abrede, dass sie geschehen können.

Das sieht nach einer überzeugenden Geschichte aus. Statistische Überlegungen haben uns zum Zweiten Hauptsatz der Thermodynamik geführt. Diesem Zweiten Hauptsatz verdanken wir wiederum eine intuitive Unterscheidung zwischen dem, was wir Vergangenheit, und dem, was wir Zukunft nennen. Er hat uns eine praktische Erklärung dafür geliefert, warum Dinge im Alltag, Dinge, die in der Regel aus Unmengen von Bestandteilen bestehen, auf *diese* Weise anfangen und auf *jene* enden, wir aber nie beobachten, dass sie auf *jene* Weise anfangen und auf *diese* enden. Dennoch gelangte Ludwig Boltzmann im Laufe vieler Jahre – und dank wichtiger Anregungen durch Physiker wie Lord Kelvin, Josef Loschmidt, Henri Poincaré, S.H. Burbury, Ernst Zermelo und Willard Gibbs – zu der Einsicht, dass die ganze Geschichte des Zeitpfeils noch erstaunlicher ist. Boltzmann erkannte nämlich, dass die Entropie zwar wichtige Aspekte des Rätsels erhellte, aber die Frage, warum Vergangenheit und Zukunft so verschieden erscheinen, noch *nicht* beantwortet hatte. Vielmehr hatte die Entropie die Frage in einer wichtigen Hinsicht neu formuliert, was zu einer unerwarteten Schlussfolgerung führt.

Entropie: Vergangenheit und Zukunft

Mit dem Dilemma, das sich aus dem Gegensatz von Vergangenheit und Zukunft ergibt, haben wir uns zunächst bekannt gemacht, indem wir unsere Alltagsbeobachtungen mit den Eigenschaften von Newtons klassischen physikalischen Gesetzen verglichen. Wir haben darauf hingewiesen, dass wir in der Art und Weise, wie die Dinge sich in der Zeit entwickeln, eine offenkundige Gerichtetheit erkennen, während die Gesetze selbst das, was wir vorwärts und rückwärts in der Zeit nennen, vollkommen gleich behandeln. Angesichts der Tatsache, dass es in den physikalischen Gesetzen keinen Pfeil gibt, welcher der Zeit eine Richtung zuweist – keinen Zeiger, der erklärt: »Verwende die Gesetze in dieser zeitlichen Ausrichtung, aber nicht in der entgegengesetzten« –, stellt sich die Frage: Wenn die Gesetze, die unserer Erfahrung zugrunde liegen, beide Zeitrichtungen als symmetrisch betrachten, warum sind dann unsere Erfahrungen zeitlich so einseitig, warum erleben wir immer nur die eine Richtung und nie die andere? Woher kommt die beobachtete und erlebte Gerichtetheit der Zeit?

Dank des Zweiten Hauptsatzes der Thermodynamik, der die Zukunft als die Richtung bestimmt, in der die Entropie zunimmt, schienen wir im letzten Abschnitt gewisse Fortschritte erzielt zu haben. Doch bei genauerem Hinsehen liegen die Dinge nicht so einfach. Beachten Sie, dass wir in unserer Erörterung der Entropie und des Zweiten Hauptsatzes die klassischen Gesetze der Physik nicht im Mindesten verändert haben. Vielmehr haben wir die Gesetze lediglich als statistischen Rahmen für den »Gesamteindruck« verwendet: Die näheren Einzelheiten haben wir außer Acht gelassen (die exakte Ordnung der ungebundenen Seiten von *Krieg und Frieden*, die genauen Aufenthaltsorte und Geschwindigkeiten der Bestandteile eines Eis, die genauen Aufenthaltsorte und Geschwindigkeiten der CO_2-Moleküle in einer Colaflasche). Stattdessen haben wir uns auf die großen, allgemeinen Züge konzentriert (geordnete versus ungeordnete Seiten, zerbrochenes versus nicht zerbrochenes Ei, verteilte versus nicht verteilte Gasmoleküle). Wenn physikalische Systeme hinreichend kompliziert sind (Bücher mit vielen Seiten, zerbrechliche Gegenstände, die in viele Teile zerspringen können, Gas mit vielen Molekülen), gibt es, wie wir festgestellt haben, einen gewaltigen Entropieunterschied zwischen ihren geordneten und ungeordneten Konfigurationen. Folglich ist es ungeheuer wahrscheinlich, dass sich die Systeme von niedriger zu höherer Entropie entwickeln, was auf eine sehr allgemeine Formulierung des Zweiten Hauptsatzes der Thermodynamik hinausläuft. Der entscheidende Gesichtspunkt ist jedoch, dass der Zweite Hauptsatz *abgeleitet* ist: Er ist die bloße Konsequenz einer wahrscheinlichkeitstheoretischen Beweisführung, die auf Newtons Bewegungsgesetze angewendet wird.

Das führt uns zu einem einfachen, aber erstaunlichen Punkt: *Da Newtons Gesetze keine intrinsische zeitliche Orientierung aufweisen, lassen sich alle Argumente, mit denen wir beweisen wollten, dass Systeme sich in Richtung Zukunft von niedriger zu höherer Entropie entwickeln, ebenso gut auf die Vergangenheit anwenden.* Noch einmal: Da die grundlegenden Gesetze der Physik zeitumkehrsymmetrisch sind, haben sie keine Möglichkeit, zwischen dem, was wir die Vergangenheit, und dem, was wir die Zukunft nennen, überhaupt eine Unterscheidung zu treffen. So wie es in den leeren, dunklen Tiefen des Alls keine Wegweiser gibt, die verkünden, dass hier oben und dort unten sei, gibt es in den Gesetzen der klassischen Physik keinen Hinweis, der uns mitteilt, dass diese Zeitrichtung die Zukunft und jene die Vergangenheit sei. Die Gesetze bieten keine zeitliche Orientierung. Sie sind für diese Unterscheidung vollkommen unempfänglich. Und da die Bewegungsgesetze dafür verantwortlich sind, wie sich die Dinge verändern – sowohl in Richtung dessen, was wir die Zukunft, als auch in Richtung dessen, was wir die Vergangenheit nennen –, lässt sich die statistische Argumentation, die dem Zweiten Hauptsatz

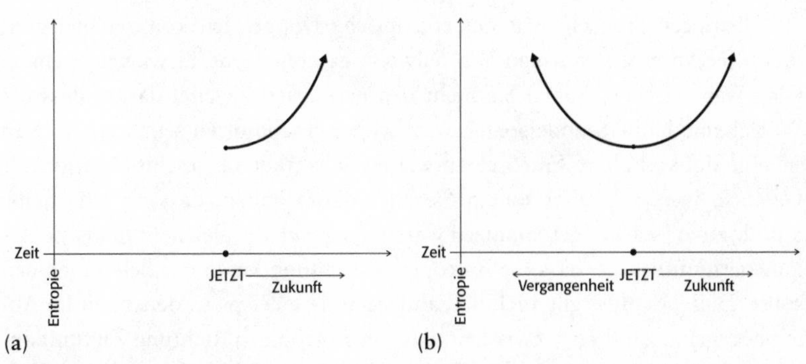

Abbildung 6.2 (**a**) So, wie der Zweite Hauptsatz der Thermodynamik üblicherweise beschrieben wird, besagt er, dass die Entropie in jedem gegebenen Augenblick in Richtung Zukunft anwächst. (**b**) Da die uns bekannten Naturgesetze die Vorwärts- und Rückwärtsrichtung in der Zeit gleich behandeln, folgt aus dem Zweiten Hauptsatz tatsächlich, dass die Entropie in jedem gegebenen Augenblick sowohl in Richtung Zukunft wie in Richtung Vergangenheit zunimmt.

der Thermodynamik zugrunde liegt, mit gleicher Berechtigung auf beide zeitliche Richtungen anwenden. Folglich gilt: *Es gibt nicht nur eine überwältigende Wahrscheinlichkeit für eine höhere Entropie eines physikalischen Systems in dem, was wir die Zukunft nennen, sondern eine ebenso hohe Wahrscheinlichkeit, dass sie in dem, was wir Vergangenheit nennen, ebenfalls höher ist.* Das zeigen wir in Abbildung 6.2.

Dies ist der springende Punkt im Hinblick auf alles, was folgt, aber er ist nicht ohne Tücke. Ein häufiges Missverständnis beruht auf der Annahme, dass die Entropie, da sie dem Zweiten Hauptsatz der Thermodynamik zufolge in Richtung Zukunft zunimmt, in Richtung Vergangenheit zwangsläufig abnehmen müsse. Da kommt die Tücke ins Spiel. Tatsächlich besagt der Zweite Hauptsatz nämlich: Wenn ein physikalisches System zu einem gegebenen Zeitpunkt nicht zufällig seine maximal mögliche Entropie besitzt, ist es außerordentlich wahrscheinlich, dass dieses System zu einem späteren Zeitpunkt *und* zu einem früheren Zeitpunkt höhere Entropie gehabt hat beziehungsweise haben wird. Das ist die Aussage von Abbildung 6.2 (b). Bei Gesetzen, die für die Unterscheidung zwischen Vergangenheit und Zukunft blind sind, ist eine solche Zeitsymmetrie unvermeidlich.

Das ist die entscheidende Lehre. Der entropische Pfeil ist ein *Doppelpfeil.* Zu jedem gegebenen Zeitpunkt weist der Entropiepfeil in die Zukunft *und* in die Vergangenheit. Daher ist es ziemlich fragwürdig, die Entropie als die Erklärung für den nur in *eine Richtung* zeigenden Pfeil der erlebten Zeit vorzuschlagen.

Überlegen Sie sich, was der entropische Doppelpfeil konkret bedeutet. Wenn Sie an einem warmen Tag teilweise geschmolzene Eiswürfel in einem Glas Wasser sehen, haben Sie nicht den geringsten Zweifel daran, dass die Würfel eine halbe Stunde später noch weiter geschmolzen sein werden, weil sie eine um so höhere Entropie aufweisen, je stärker sie geschmolzen sind.[11] *Genauso* wenig Zweifel sollten Sie aber daran haben, dass sie eine halbe Stunde zuvor stärker geschmolzen waren, da *genau* die gleiche statistische Argumentation besagt, dass die Entropie in Richtung Vergangenheit zunehmen sollte. Dieser Schluss gilt auch für zahllose andere Beispiele, denen wir im Alltag begegnen. Zu Ihrer Gewissheit, dass die Entropie in Richtung Zukunft anwächst – von teilweise verteilten Gasmolekülen, die sich noch weiter verteilen, bis hin zu ungeordneten Seiten, die noch ungeordneter werden –, sollte sich *genau* die gleiche Gewissheit gesellen, dass die Entropie auch in der Vergangenheit höher war.

Leider scheint die Hälfte dieser Schlussfolgerungen schlicht und einfach falsch zu sein. Die entropische Argumentation führt zu richtigen und vernünftigen Schlussfolgerungen, wenn man sie auf die eine Zeitrichtung anwendet, auf diejenige, die wir die Zukunft nennen, liefert jedoch offenbar falsche und anscheinend lächerliche Schlüsse, wenn wir sie auf die Richtung anwenden, die als Vergangenheit bezeichnet wird. Wasser mit teilweise geschmolzenen Eiswürfeln war in der Regel einige Zeit zuvor kein Wasser ohne Eiswürfel, in dem sich die Wassermoleküle zusammenfügten und zu Eisklumpen wurden, um dann wieder zu schmelzen. Nicht gebundene Seiten von *Krieg und Frieden*, die völlig durcheinander sind, gewinnen gewöhnlich nicht dadurch an Ordnung, dass sie wiederholt hochgeworfen werden, um infolge solcher Würfe dann wieder an Ordnung zu verlieren. Und, um in die Küche zurückzukehren, Eier beginnen im Allgemeinen nicht in zerbrochenem Zustand, fügen sich dann zu unversehrten Eiern zusammen und zerspringen einige Zeit später wieder.

Oder doch?

Die Mathematik als Richtschnur

In Jahrhunderten naturwissenschaftlicher Forschung hat sich die Mathematik als eine leistungsfähige und prägnante Sprache zur Analyse des Universums erwiesen. Tatsächlich gibt es in der modernen Wissenschaftsgeschichte eine Fülle von Beispielen, in denen die mathematische Beschreibung zu Vorhersagen führte, die sowohl unserem intuitiven Verständnis als auch unserer Erfahrung zu widersprechen schienen (dass es im Universum Schwarze Löcher gibt, dass das Universum Antimaterie enthält, dass weit voneinander entfernte Teilchen verschränkt sein können und so fort), die aber durch Experimente und Beobachtungen am Ende bestätigt wurden. Diese Entwicklungen haben die Grundeinstellung in der theoretischen Physik nachhaltig beeinflusst. Ihnen ist klar geworden, dass die Mathematik, mit der erforderlichen Vorsicht verwendet, ein bewährter Weg zur Wahrheit ist.

Wenn also eine mathematische Analyse der Naturgesetze zeigt, dass Entropie in der Zukunft *und* Vergangenheit jedes gegebenen Zeitpunktes höher sein müsste, weisen Physiker eine solche Aussage nicht so ohne weiteres von der Hand. Vielmehr fühlen sich die Forscher durch eine Art hippokratischen Eid zu einer tiefen und gesunden Skepsis gegenüber den scheinbaren Wahrheiten menschlicher Erfahrung verpflichtet und folgen – mit der gleichen skeptischen Haltung – gewissenhaft dem Weg, den ihnen die mathematische Beschreibung vorzeichnet, um zu schauen, wohin er führt. Nur so können wir alle verbleibenden Differenzen zwischen physikalischem Gesetz und gesundem Menschenverstand angemessen bewerten und interpretieren.

Zu diesem Zweck wollen wir uns vorstellen, es sei 22.30 Uhr, Sie starren seit einer halben Stunde auf ein Glas Eiswasser (es ist nichts los in der Bar) und beobachten, wie die Würfel langsam zu kleinen, unförmigen Klümpchen zusammenschmelzen. Sie haben nicht den geringsten Zweifel daran, dass der Barkeeper Ihnen eine halbe Stunde zuvor normal geformte Eiswürfel ins Glas getan hat. Sie haben deshalb keinen Zweifel daran, weil Sie Ihrem Gedächtnis trauen müssen. Und wenn Sie sich aus irgendeinem Grund nicht sicher sind, was während der letzten halben Stunde geschehen ist, können Sie den Burschen gegenüber fragen, der auch seit einer halben Stunde zuguckt, wie die Eiswürfel schmelzen (es ist *wirklich* nichts los in der Bar), oder sich das Videoband der Überwachungskamera in der Bar ansehen. Beide würden bestätigen, dass Ihr Gedächtnis Sie nicht trügt. Falls Sie sich dann fragen, was während der nächsten halben Stunde mit den Eiswürfeln geschehen wird, gelangen Sie vermutlich zu dem Schluss, dass sie weiter schmelzen werden. Sollten Sie mit dem Entropiekonzept hinreichend vertraut sein, erklären Sie Ihre Vorhersage wahrscheinlich mit dem Verweis auf die überwältigende Wahrscheinlichkeit, dass die Entropie der Situation, die Sie genau jetzt, um 22.30 Uhr vor Augen haben, in Richtung Zukunft zunehmen wird. All das erscheint sehr sinnvoll und deckt sich mit Ihrem intuitiven Verständnis und Ihrer Erfahrung.

Doch aus einer solchen entropischen Argumentation – einer Argumentation, die einfach aussagt, dass für Dinge, die ungeordnet sind, eine größere Wahrscheinlichkeit spricht, weil die Dinge mehr Möglichkeiten haben, ungeordnet zu sein, einer Argumentation, die nachweislich mit großem Erfolg erklärt, wie die Dinge sich in der Zukunft entwickeln – ergibt sich, wie gesehen, der Schluss, dass die Entropie mit ebenso großer Wahrscheinlichkeit auch in der Vergangenheit höher war. Das würde bedeuten, dass die teilweise geschmolzenen Eiswürfel, die Sie um 22.30 Uhr sehen, zuvor *stärker* geschmolzen waren; es würde bedeuten, dass sie um 22.00 nicht als feste Eiswürfel begonnen, sondern sich in der Zeit bis 22.30 Uhr aus Wasser mit Zimmertemperatur langsam zusammengefügt hätten, und zwar genauso gewiss, wie sie in der Zeit bis 23.00 Uhr langsam zu Wasser mit Zimmertemperatur schmelzen werden.

Kein Zweifel, das hört sich sehr merkwürdig an – vielleicht sogar verrückt. Um die Wahrheit zu sagen, es müssten sich nicht nur H_2O-Moleküle in Wasser mit Zimmertemperatur spontan zu halb ausgeformten Eiswürfeln zusammenfinden, sondern auch die digitalen Bits in der Überwachungskamera und die Neuronen in Ihrem Gehirn sowie in dem des Burschen gegenüber müssten sich um 22.30 Uhr spontan so umordnen, dass sie bezeugen würden, es hätte sich zunächst eine Reihe vollständiger Eiswürfel im Glas befunden, die anschließend geschmolzen wären – obwohl das nie der Fall war. Und doch landen wir genau bei dieser bizarr klingenden Schlussfolgerung, wenn Sie die entropische Argumentation – eben jene Argumentation, die Sie sich ohne zu zögern zu Eigen machen, um zu erklären, warum das teilweise geschmolzene Eis, das Sie um 22.30 Uhr sehen, in der Zeit bis 23.00 weiter schmelzen wird – gewissenhaft in der zeitsymmetrischen Weise anwenden, die von den physikalischen Gesetzen vorgeschrieben wird. Das ist das Problem, vor das uns unsere fundamentalen Bewegungsgesetze stellen, Gesetze, die nicht von sich aus zwischen Vergangenheit und Zukunft unterscheiden und deren Mathematik die Zukunft und Vergangenheit eines gegebenen Augenblicks absolut gleich behandelt.[12]

Seien Sie versichert, dass wir in Kürze eine Möglichkeit finden werden, den seltsamen Ort zu verlassen, an den uns die egalitäre Anwendung der entropischen Argumentation geführt hat. Ich werde nicht versuchen, Sie davon zu überzeugen, dass Ihre Erinnerungen und Aufzeichnungen eine Vergangenheit betreffen, die nie stattgefunden hat (die *Matrix*-Fans mögen mir verzeihen). Doch es wird sich als sehr nützlich erweisen, den Finger genau auf die Stelle zu legen, wo Intuition und mathematische Gesetze auseinander laufen. Folgen wir also dem eingeschlagenen Weg.

Eine Sackgasse

Ihre Intuition ist nicht bereit, eine Vergangenheit mit höherer Entropie zu akzeptieren, denn nach üblicher Vorstellung – von einer Entwicklung der Ereignisse, die sich vorwärts in der Zeit vollzieht – wäre dazu eine spontane Zunahme der Ordnung erforderlich: Wassermoleküle, die sich spontan auf null Grad Celsius abkühlen und in Eis verwandeln, Gehirne, die sich spontan Erinnerungen zulegen, die nicht stattgefunden haben, Videokameras, die spontan Bilder von Dingen erzeugen, die es nie gab, und so fort. Alles Dinge, die außerordentlich unwahrscheinlich und als Erklärung der Vergangenheit so untauglich sind, dass sogar ein Oliver Stone, der normalerweise für jede obskure Idee zu haben ist, nur mit Hohn und Spott reagieren würde. An diesem Punkt stimmen die physikalischen Gesetze und die Mathematik der Entropie mit Ihrer Intuition noch vollkommen überein. Eine solche Ereignisfolge widerspricht, in der Vorwärtsrichtung der Zeit von 22.00 bis 22.30 Uhr betrachtet, in jeder Hinsicht dem Zweiten Hauptsatz der Thermodynamik. Sie entspräche einem Rückgang der Entropie und wäre damit, wenn auch nicht unmöglich, so doch *sehr* unwahrscheinlich.

Im Gegensatz dazu legen Ihnen Ihre Intuition und Erfahrung eine weit wahrscheinlichere Ereignisfolge nahe: Eiswürfel, die um 22.00 Uhr noch vollständig geformt waren, schmolzen teilweise zu dem, was Sie jetzt, genau um 22.30 Uhr, in Ihrem Glas sehen. Doch an diesem Punkt decken sich die physikalischen Gesetze und die Mathematik der Entropie nur teilweise mit Ihren Erwartungen. Mathematik und Intuition stimmen darin überein, dass die Eiswürfel wahrscheinlich, *falls* sie um 22.00 Uhr wirklich vollständig ausgeformt vorhanden waren, zu den unförmigen Gebilden zusammengeschmolzen sind, die Sie um 22.30 Uhr sehen: Die daraus resultierende Entropiezunahme deckt sich mit dem Zweiten Hauptsatz der Thermodynamik und unserer Erfahrung. Doch eine Abweichung zwischen Mathematik und Intuition erwächst daraus, dass unsere Intuition im Gegensatz zur Mathematik die Wahrscheinlichkeit leugnet, oder vielmehr den Mangel an Wahrscheinlichkeit, dass es um 22.00 Uhr tatsächlich vollständig ausgebildete Eiswürfel gab, *ausgehend von der einen Beobachtung, die wir für unanfechtbar und absolut vertrauenswürdig halten, dass Sie nämlich genau jetzt, um 22.30 Uhr, teilweise geschmolzene Eiswürfel in Ihrem Glas sehen.*

Das ist der springende Punkt, daher lassen Sie mich etwas weiter ausholen. Aus dem Zweiten Hauptsatz der Thermodynamik ergibt sich als wichtigste Erkenntnis, dass physikalische Systeme äußerst bestrebt sind, Konfigurationen mit hoher Entropie anzunehmen, weil es sehr viel mehr Möglichkeiten gibt, solche Zustände herzustellen. Sobald sich physikalische Systeme in hochentropischen Zuständen befinden, zeigen sie eine extreme Tendenz, darin zu verharren. Solche Zustände sind die Norm. Im Gegensatz dazu bedarf es einer Erklärung, warum sich ein gegebenes physikalisches System in einem geordneten Zustand, einem Zustand niedriger Entropie, befindet. Solche Zustände

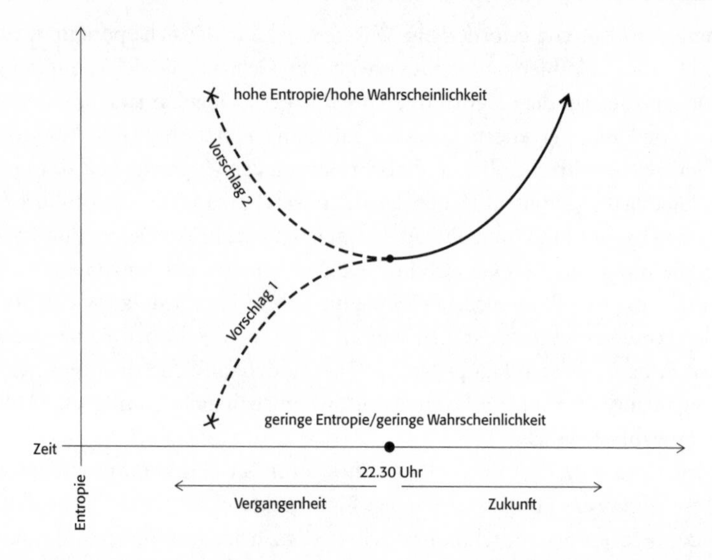

Abbildung 6.3 Ein Vergleich zweier Vorschläge für die Entwicklung, welche die Eiswürfel genau jetzt, um 22.30 Uhr, in ihren teilweise geschmolzenen Zustand geführt haben könnte. Vorschlag 1 entspricht Ihren Erinnerungen an das Schmelzen des Eises, setzt aber um 22.00 Uhr einen vergleichsweise niederentropischen Ausgangspunkt voraus. Vorschlag 2 stellt zwar Ihre Erinnerungen in Frage, indem er behauptet, das teilweise geschmolzene Eis, das Sie um 22.30 Uhr sehen, habe sich aus dem Wasser im Glas gebildet, beginnt aber um 22.00 Uhr mit einem Zustand hoher Entropie, das heißt mit einer hochwahrscheinlichen ungeordneten Konfiguration. Bei jedem Schritt in der Entwicklung bis 22.30 Uhr umfasst Vorschlag 2 Zustände, die wahrscheinlicher sind als diejenigen in Vorschlag 1 – weil sie, wie Sie dem Diagramm entnehmen können, eine höhere Entropie besitzen; daher ist Vorschlag 2 statistisch begünstigt.

sind nicht die Norm. Sie können zwar eintreten, sind aber aus Sicht der Entropie seltene Abweichungen, die nach einer Erklärung verlangen. Daher ist in unserer Episode die einzige Tatsache, die wir für unstrittig wahr halten – Ihre Beobachtung um 22.30 Uhr, dass sich niederentropische, teilweise geformte Eiswürfel in Ihrem Glas befinden –, ein Umstand, der einer Erklärung bedarf.

Aus Sicht der Wahrscheinlichkeit ist es absurd, diesen niederentropischen Zustand durch Berufung auf einen Zustand von *noch geringerer* Entropie, *noch geringerer* Wahrscheinlichkeit erklären zu wollen, nämlich die Behauptung, es wären *noch geordnetere*, *noch vollständiger ausgeformte* Eiswürfel in einer *früheren*, *geordneteren* Umgebung entdeckt worden. Vielmehr spricht die Wahrscheinlichkeit mit überwältigendem Nachdruck dafür, dass die Dinge in einem wenig überraschenden, vollkommen normalen, hochentropischen Zustand begannen: mit einem Glas voll gleichmäßig flüssigem Wasser ohne eine Spur von Eis. Durch eine zwar unwahrscheinliche, aber gelegentlich doch zu erwartende statistische Fluktuation verstieß das Glas Wasser gegen den Zweiten Hauptsatz und entwickelte sich zu einem Zustand geringerer Entropie, in dem teilweise geformte Eiswürfel erschienen. Obwohl diese Entwicklung noch seltenere und unvertrautere Prozesse voraussetzt, vermeidet sie gänzlich den noch unwahrscheinlicheren, noch selteneren Zustand *vollständig* ausgeformter Eiswürfel. In jedem Augenblick zwischen 22.00 Uhr und 22.30 Uhr hat diese seltsam anmutende Entwicklung eine *höhere* Entropie als das normale Szenario des schmelzenden Eises, wie Sie aus Abbildung 6.3 ersehen können, daher bindet sie die akzeptierte Beobachtung um 22.30 Uhr in einer Weise ein, die *wahrscheinlicher* – enorm viel wahrscheinlicher – ist als das Szenario, in dem vollständig ausgeformte Eiswürfel schmelzen.[13] Das ist die Krux bei der Sache.*

Für Boltzmann bedurfte es nur noch eines kleinen Schrittes, um zu erkennen, dass sich das gesamte Universum auf diese Weise analysieren lässt. Wenn Sie sich in diesem Augenblick im Universum umsehen, erblicken Sie ein hohes Maß an biologischer Organisation, chemischer Struktur und physikalischer Ordnung. Das Universum könnte durchaus ein vollkommen ungeordnetes Durcheinander sein, ist es aber nicht. Warum nicht? Woher kam die Ordnung? Nun, genau wie bei den Eiswürfeln ist es außerordentlich unwahrscheinlich,

* Erinnern Sie sich an den enormen Unterschied zwischen der Zahl geordneter und ungeordneter Konfigurationen bei lediglich 693 Doppelseiten von Seite 181f. Jetzt beschäftigen wir uns mit dem Verhalten von rund 10^{24} H_2O-Molekülen, und da nimmt der Unterschied zwischen der Zahl geordneter und ungeordneter Zustände atemberaubende Ausmaße an. Mehr noch: Das gleiche Argument gilt für alle anderen Atome und Moleküle in Ihnen und in der Umgebung (Gehirn, Überwachungskamera, Luftmoleküle und so fort). Nach der Standarderklärung, derjenigen, bei der Sie Ihren Erinnerungen trauen können, hätten nämlich um 22.00 Uhr nicht nur die teilweise geschmolzenen Eiswürfel in einem geordneteren – weniger wahrscheinlichen – Zustand begonnen, sondern auch alle anderen Dinge: Wenn eine Videokamera eine Ereignisfolge aufzeichnet, gibt es insgesamt einen Entropiezuwachs (durch die Wärme und das Rauschen, das beim Aufzeichnungsprozess freigesetzt wird). Gleiches gilt, wenn ein Gehirn eine Erinnerung aufzeichnet; zwar verstehen wir die mikroskopischen Einzelheiten weniger genau, zweifellos erfolgt jedoch ein Gesamtzuwachs der Entropie (das Gehirn mag zwar einen Zustand höherer Ordnung annehmen, doch wie bei jedem Zustand, der Ordnung hervorbringt, ergibt sich insgesamt eine Zunahme der Entropie, wenn wir die erzeugte Wärme einrechnen). Vergleichen wir die beiden Szenarien – das eine, in dem Sie Ihren Erinnerungen trauen, und das andere, in dem sich die Dinge aus einem ursprünglichen Zustand der Unordnung spontan so anordnen, dass sie dem entsprechen, was Sie jetzt, um 22.30 Uhr, erblicken – in Hinblick auf die Gesamtentropie in der Bar zwischen 22.00 und 22.30 Uhr, so ergibt sich ein enormer Entropieunterschied. Das zweite Szenario weist in jedem Abschnitt seiner Entwicklung *ungeheuer* viel mehr Entropie auf als das erste und ist daher auch ungeheuer viel wahrscheinlicher.

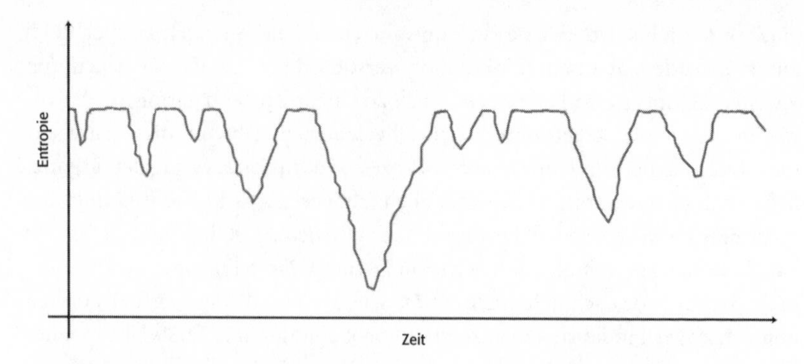

Abbildung 6.4 Die Gesamtentropie des Universums durch die Zeit in einem schematischen Diagramm. Die Kurve zeigt, dass das Universum den größten Teil der Zeit in einem Zustand völliger Unordnung verbringt – einem Zustand hoher Entropie –, aber durch gelegentliche Fluktuationen in Ordnungszustände unterschiedlicher Ausprägung geworfen wird. Je größer das Entropietal, desto weniger wahrscheinlich ist die Fluktuation. Tiefe Entropieeinschnitte, das heißt Ordnungszustände, wie sie unser heutiges Universum aufweist, sind außerordentlich unwahrscheinlich und dürften nur sehr selten auftreten.

dass sich das Universum, das wir sehen, aus einem noch geordneteren – einem noch weniger wahrscheinlichen – Zustand in der fernen Vergangenheit langsam zu seiner gegenwärtigen Form entfaltet hat. Da der Kosmos so viele Bestandteile aufweist, gibt es ungleich mehr Möglichkeiten für einen ungeordneten Zustand als für einen geordneten. Daher gilt, was auf die Bar zutrifft, in umso höherem Maße für das gesamte Universum: Es ist *weit* wahrscheinlicher – unvorstellbar viel wahrscheinlicher –, dass das gesamte Universum, das wir heute vor Augen haben, als statistisch seltene Fluktuation aus einer normalen, wenig überraschenden, hochentropischen und vollkommen ungeordneten Konfiguration entstanden ist.

Stellen Sie sich das folgendermaßen vor: Wenn Sie eine Hand voll Cents immer und immer wieder in die Luft werfen, liegen sie irgendwann alle mit der Kopfseite nach oben. Falls Sie die nahezu unendliche Geduld aufbringen, die erforderlich ist, um die durcheinander gebrachten Seiten von *Krieg und Frieden* immer aufs Neue in die Luft zu werfen, werden die Blätter früher oder später in der korrekten numerischen Reihenfolge landen. Wenn Sie mit Ihrer offenen Flasche schaler Cola lange genug warten, wird früher oder später das Zufallsgedränge der Kohlendioxidmoleküle dazu führen, dass sie alle wieder in die Flasche fahren. Und, was Boltzmanns Erkenntnis angeht, wenn das Universum lange genug wartet – vielleicht fast eine Ewigkeit –, wird sein üblicher, hochentropischer, hochwahrscheinlicher, vollkommen ungeordneter Zustand durch das eigene Gestoße, Gedränge und seine Zufallsströme von Teilchen und Strahlung über kurz oder lang die Konfiguration annehmen, die wir genau jetzt erblicken. Unsere Körper und Gehirne erwüchsen vollkommen ausgeformt aus dem Chaos – versehen mit Erinnerungen, Kenntnissen und Fertigkeiten –, obwohl die Vergangenheit, die sie widerzuspiegeln scheinen, in Wirklichkeit nie stattgefunden hat. Alles, was wir wissen, alles, worauf wir Wert legen, wäre nichts anderes als eine seltene, aber gelegentlich eben zu erwartende statistische Fluktuation, die einen Augenblick lang eine Quasi-Ewigkeit der Unordnung unterbricht. Das ist schematisch in Abbildung 6.4 wiedergegeben.

Ein Schritt zurück

Als ich vor vielen Jahren zum ersten Mal von dieser Idee hörte, war sie eine Art Schock für mich. Bis dahin hatte ich mir eingebildet, ich hätte eine recht klare Vorstellung vom Entropiekonzept, tatsächlich aber hatte ich in den Erläuterungen der Lehrbücher, die ich gelesen hatte, immer nur etwas über die Bedeutung der Entropie für die Zukunft erfahren. Wenn wir die Entropie auf die Zukunft anwenden, bestätigt sie unsere Intuition und Erfahrung, doch auf die Vergangenheit bezogen, widerspricht sie ihnen, wie eben gesehen, gründlich. Es war zwar nicht ganz so schlimm, als hätte ich gerade erfahren, dass mich ein langjähriger Freund verraten hatte, aber ein bisschen so fühlte ich mich schon.

Dennoch ist es manchmal gut, nicht vorschnell zu urteilen, und das scheinbare Versagen der Entropie, unseren Erwartungen gerecht zu werden, ist ein Beispiel dafür. Ihnen wird es vermutlich nicht anders ergehen als mir: Die Vorstellung, alles, was uns vertraut ist, sei gerade mit einem Schlage ins Leben gerufen worden, ist so unbefriedigend wie unglaubwürdig. Und es ist nicht »nur« der Umstand, dass diese Erklärung des Universums die Wahrhaftigkeit all dessen in Frage stellt, was wir für wirklich und wichtig halten. Sie bleibt auch die Antwort auf entscheidende Fragen schuldig. Je geordneter das Universum heute zum Beispiel ist – je größer der Einschnitt in Abbildung 6.4 –, desto überraschender und unwahrscheinlicher ist die statistische Abweichung, die erforderlich ist, um es hervorzubringen. Wenn das Universum die Möglichkeit gehabt hätte, ökonomischer zu verfahren und den Dingen mehr oder weniger das Erscheinungsbild zu geben, das wir heute vor Augen haben, dabei aber Abstriche an der Gesamtmenge von Ordnung vorzunehmen, so führen uns Wahrscheinlichkeitserwägungen zu der Annahme, dass das Universum es dann auch getan hätte. Doch wenn wir das Universum untersuchen, scheinen wir auf zahlreiche ungenutzte Gelegenheiten zu stoßen, denn viele Dinge weisen einen viel höheren Grad von Ordnung auf, als sie müssten. Wenn Michael Jackson niemals *Thriller* aufgenommen hätte und die vielen Millionen Exemplare dieses Albums, die heute weltweit verkauft wurden, alle durch eine verrückte Fluktuation in Richtung niedrigerer Entropie in die Welt gekommen wären, wäre die Abweichung weit weniger extrem, wenn nur eine Million, eine halbe Million oder nur ein paar Alben entstanden wären. Hätte die Evolution nie stattgefunden und wären wir Menschen durch eine sprunghafte Abweichung in Richtung niedrigerer Entropie in die Welt gekommen, wäre die Abweichung weit weniger extrem, gäbe es keine so schlüssigen und geordneten fossilen Belege für die Evolution. Hätte der Urknall nie stattgefunden und wären die mehr als 100 Milliarden Galaxien, die wir heute sehen, durch einen unwahrscheinlichen Sprung in Richtung niedrigerer Entropie entstanden, wäre die Abweichung weniger extrem, wenn es 50 Milliarden, 5000, eine Hand voll oder nur eine Galaxie gäbe. Ob die Idee, unser Universum sei eine statistische Fluktuation – ein Glückstreffer –, irgendeinen Wert hat, hängt nicht zuletzt von der Frage ab, wie und warum das Universum so übertrieben und einen Zustand *derart* geringer Entropie hergestellt hat.

Noch entscheidender: Wenn wir unseren Erinnerungen und Aufzeichnungen wirklich nicht trauen können, dann können wir auch den Gesetzen der Physik nicht trauen. Ihre Gültigkeit beruht auf zahlreichen Experimenten, deren positive Ergebnisse uns durch eben diese Erinnerungen und Aufzeichnungen bestätigt werden. Alle Argumente, die sich auf die Zeitumkehrsymmetrie der allgemein anerkannten physikalischen Gesetze stützen, wären also grundsätzlich in Frage gestellt. Unserem Verständnis der Entropie wäre ebenso wie der gegenwärtigen Diskussion die Grundlage entzogen. Wenn wir uns den Schluss zu Eigen machen, das Universum, wie wir es kennen, sei eine seltene, aber gelegentlich zu erwartende Fluktuation einer Konfiguration totaler Unordnung, geraten wir rasch in eine Sackgasse, in der wir gar nichts mehr verstehen, einschließlich der Schlusskette, die uns veranlasste, eine so merkwürdige Erklärung überhaupt in Betracht zu ziehen.*

Indem wir unsere Zweifel unterdrückten und uns gewissenhaft an die

* Damit eng verbunden ist folgender Aspekt: Sollten wir zu der Auffassung kommen, dass die Welt, die wir genau jetzt sehen, sich gerade eben aus vollkommener Unordnung gebildet hat, würde uns haargenau die gleiche Argumentation – zu einem beliebigen späteren Zeitpunkt bemüht – dazu zwingen, unsere gegenwärtige Annahme aufzugeben und stattdessen die geordnete Welt einer noch jüngeren Fluktuation zuzuschreiben. Nach dieser Auffassung setzt jeder nächste Augenblick die Überzeugungen außer Kraft, die im Augenblick zuvor Geltung hatten – eine zweifellos wenig überzeugende Art, den Kosmos zu erklären.

physikalischen Gesetze und die Mathematik der Entropie hielten – Konzepte, die zusammengenommen für eine überwältigende Wahrscheinlichkeit sprechen, dass die Unordnung zu jedem gegebenen Zeitpunkt *sowohl* in Richtung Zukunft *als auch* in Richtung Vergangenheit zunehme –, haben wir uns selbst in eine ausweglose Situation manövriert. Und das ist, auch wenn es sich vielleicht nicht so anhört, aus zwei Gründen eine sehr gute Sache. Denn erstens wird uns damit überdeutlich vor Augen geführt, warum Misstrauen gegen Erinnerungen und Aufzeichnungen – etwas, worauf wir instinktiv mit Hohn und Spott reagieren – sinnlos ist. Zweitens wird uns dadurch, dass wir einen Punkt erreichen, wo unser ganzes analytisches Gerüst zusammenzubrechen droht, nachdrücklich klar gemacht, dass wir in unserer Argumentation irgendeinen entscheidenden Gesichtspunkt außer Acht gelassen haben *müssen*.

Um nicht im analytischen Abgrund zu landen, müssen wir uns also fragen: Mit welchen neuen Ideen und Konzepten neben der Entropie und der zeitlichen Symmetrie der Naturgesetze können wir an den Punkt zurückkommen, an dem wir wieder Vertrauen zu unseren Erinnerungen und Aufzeichnungen fassen – zu unserer Erfahrung, die uns sagt, dass Eiswürfel bei Zimmertemperatur schmelzen und nicht »entschmelzen«, dass Sahne und Kaffee sich mischen und nicht »entmischen«, dass Eier zerbrechen und nicht »entbrechen«? Kurzum, wohin gelangen wir, wenn wir versuchen, eine asymmetrische Entwicklung der Ereignisse in der Raumzeit zu erklären, wobei die Entropie in Richtung unserer Zukunft höher, in Richtung unserer Vergangenheit aber niedriger ist? Ist das möglich?

Es ist. Aber nur, wenn die Dinge sich am Anfang in einem ganz besonderen Zustand befanden.[14]

Ei, Henne und Urknall

Um zu sehen, was das bedeutet, betrachten wir das Beispiel eines unversehrten, niederentropischen, vollständig ausgeformten Eis. Wie ist dieses niederentropische physikalische System entstanden? Nun, wenn wir wieder Vertrauen zu unseren Erinnerungen und Aufzeichnungen fassen, kennen wir die Antwort alle. Das Ei stammt von einer Henne. Und diese Henne stammt von einem Ei, das von einer Henne stammt, die von einem Ei stammt und so fort. Doch wie uns nachdrücklich von dem englischen Mathematiker Roger Penrose klar gemacht wurde,[15] vermittelt uns diese Geschichte vom Ei und der Henne eine tiefe Einsicht und hat durchaus ein Ende.

Ein Huhn ist, wie jedes Lebewesen, ein physikalisches System von erstaunlich hoher Ordnung. Woher kommt diese Organisation, und wie wird sie bewahrt? Ein Huhn erhält sich am Leben – lange genug vor allem, um Eier zu legen –, indem es frisst und atmet. Nahrung und Sauerstoff dienen als Rohstoffe, aus denen Lebewesen die erforderliche Energie gewinnen. Doch diese Energie hat eine entscheidende Eigenschaft, die wir unbedingt berücksichtigen müssen, wenn wir wirklich verstehen wollen, was vor sich geht. Im Laufe seines Lebens nimmt ein Huhn, das gesund bleibt, gerade so viel Energie in Gestalt von Nahrung auf, wie es wieder an die Umgebung zurückgibt, meist in Form von Wärme und anderen Abfallprodukten, die es durch seine Stoffwechselprozesse und täglichen Aktivitäten erzeugt. Gäbe es dieses Gleichgewicht von Energieaufnahme und -abgabe nicht, würde das Tier kräftig zunehmen.

Doch der entscheidende Punkt ist, dass nicht alle Energieformen gleich sind. Die Energie, die ein Huhn an seine Umgebung in Form von Wärme abgibt, ist hochgradig ungeordnet – häufig führt sie dazu, dass ein paar Luftmoleküle sich hier und dort ein bisschen rascher bewegen, als sie es sonst täten. Derartige Energie besitzt hohe Entropie – sie ist diffus und mit der Umgebung vermischt – und kann daher nicht ohne Schwierigkeiten für nützliche Zwecke verwendet werden. Dagegen besitzt die Energie, die das Huhn in Form von Nahrung aufnimmt, geringe Entropie und lässt sich leicht für wichtige, lebenserhaltende Zwecke nutzen. Daher ist das Huhn, wie jedes andere Lebewesen, ein System zur Aufnahme von niederentropischer und zur Abgabe von hochentropischer Energie.

Diese Erkenntnis lässt uns bei der Suche nach einer Antwort auf die Frage, woher die niedrige Entropie eines Eis stammt, einen Schritt früher beginnen. Wie kommt es, dass die Energiequelle des Huhns, seine Nahrung, so geringe Entropie besitzt? Wie erklären wir diesen aus dem Rahmen fallenden Ursprung von Ordnung? Ist die Nahrung tierischen Ursprungs, landen wir wieder bei der Ausgangsfrage, warum Tiere eine so niedrige Entropie besitzen. Doch wenn wir der Nahrungskette folgen, gelangen wir schließlich zu Tieren, die (wie ich) nur Pflanzen fressen. Wie bewahren Pflanzen und Früchte ihre niedrige Entropie? Bei der Photosynthese zerlegen Pflanzen mittels Sonnenlicht das Kohlendioxid in ihrer Umgebung in Sauerstoff, den sie wieder an die Umgebung abgeben, und Kohlenstoff, den sie verwenden, um zu wachsen und zu gedeihen. Auf diese Weise können wir den Ursprung der niederentropischen, nichttierischen Energie bis zur Sonne zurückverfolgen.

Was uns zwingt, bei dem Versuch, die niedrige Entropie zu erklären, noch einen Schritt früher anzusetzen: Woher stammt unsere hochgeordnete Sonne? Die Sonne bildete sich vor rund fünf Milliarden Jahren aus einer anfänglich diffusen Gaswolke, die unter der Gravitationsanziehung aller ihrer Bestandteile begann, sich kreisend zusammenzuballen. Als die Gaswolke sich verdichtete, wurde die Gravitationsanziehung zwischen den Teilen stärker, woraufhin die Wolke weiter in sich zusammenstürzte. Je dichter die Wolke zusammengepresst wurde, desto heißer wurde sie. Schließlich war sie so heiß, dass Kernprozesse zündeten, die genügend nach außen gerichtete Strahlung erzeugten, um der weiteren Gravitationskontraktion des Gases entgegenzuwirken. Ein heißer, stabiler, hell brennender Stern war geboren.

Aber woher kam die diffuse Gaswolke? Sie hat sich wahrscheinlich aus den Überresten älterer Sterne gebildet, die ans Ende ihrer Lebenszeit gelangten, zu Supernovä wurden und ihre Inhalte ins All schleuderten. Woher kam das diffuse Gas, das für diese frühen Sterne verantwortlich war? Wir glauben, dass sich das Gas in den Nachwehen des Urknalls gebildet hat. Unsere derzeit genauesten Theorien über den Ursprung des Universums – unsere besten *kosmologischen* Theorien – sagen uns, dass das Universum zu der Zeit, als es wenige Minuten alt war, mit einem *fast gleichförmigen, heißen Gas* gefüllt war, das zu rund 75 Prozent aus Wasserstoff, 23 Prozent aus Helium und aus kleinen Mengen Deuterium und Lithium bestand. Für uns ist entscheidend, dass dieses Gas, welches das Universum füllte, eine ungewöhnlich *niedrige* Entropie besaß. Der Urknall ließ das Universum in einem Zustand niedriger Entropie beginnen, und dieser Zustand scheint der Ursprung jener Ordnung zu sein, die wir heute erblicken. Mit anderen Worten, *die gegenwärtige Ordnung ist ein Überbleibsel der kosmologischen Frühzeit.* Betrachten wir diese wichtige Erkenntnis etwas genauer.

Entropie und Gravitation

Da Theorie und Beobachtung zeigen, dass das Urgas wenige Minuten nach dem Urknall gleichförmig im Universum verteilt war, könnten Sie in Erinnerung an unsere frühere Diskussion der Cola und ihrer Kohlendioxidmoleküle meinen, das Urgas habe sich in einem hochentropischen, ungeordneten Zustand befunden. Doch das erweist sich als falsch. Unsere früheste Erörterung der Entropie ließ die Gravitation vollkommen außer Acht, was durchaus vernünftig war, weil die Gravitation kaum eine Rolle für das Verhalten der minimalen Gasmenge spielt, die aus einer Colaflasche entweicht. Von dieser Annahme ausgehend, gelangten wir zu dem Ergebnis, dass das gleichförmig verteilte Gas eine hohe Entropie besitzt. Doch wenn die Gravitation eine Rolle spielt, ergibt sich ein ganz anderes Bild. Die Gravitation ist eine universell wirkende Anziehungskraft. Wenn Sie es also mit einer Gasmasse zu tun haben, die groß genug ist, wird jede Gasregion auf jede andere einwirken, mit dem

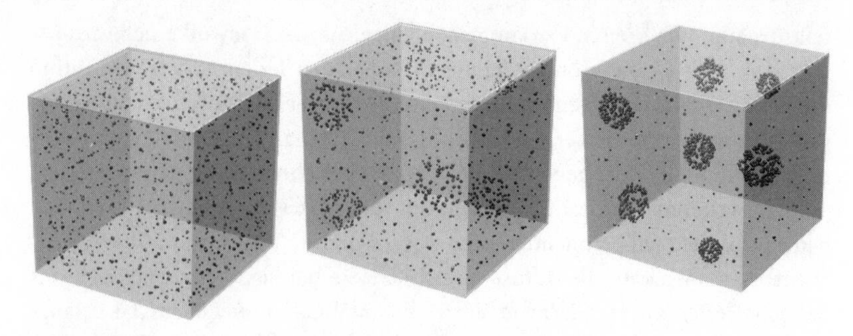

Abbildung 6.5 Bei riesigen Gasvolumina, in denen die Gravitation eine Rolle spielt, entwickeln sich die zunächst gleichmäßig verteilten Atome und Moleküle zu einer Konfiguration, die durch dichtere Klumpengebiete gekennzeichnet ist.

Erfolg, dass sich das Gas zu einzelnen Wolken zusammenballt, so wie die Oberflächenspannung das Wasser auf einem Blatt Wachspapier veranlasst, sich in Tröpfchen aufzuteilen. Wenn die Gravitation eine Rolle spielt, wie es in dem extrem dichten frühen Universum der Fall war, ist Klumpigkeit – nicht gleichmäßige Verteilung – die Norm. Sie ist der Zustand, den die Entwicklung eines Gases anstrebt, wie in Abbildung 6.5 gezeigt.

Obwohl die Klumpen geordneter erscheinen als das ursprünglich diffuse Gas – wie ein Kinderzimmer, in dem das Spielzeug säuberlich in Schränken und Kisten verstaut ist, ordentlicher erscheint als eines, in dem die Spielsachen gleichmäßig über den Fußboden verteilt sind –, muss man bei der Berechnung der Entropie die Beiträge aus *allen* Quellen berücksichtigen. Im Beispiel des Kinderzimmers wird die Entropieabnahme, die durch den Übergang überall verstreuter Spielsachen in ihren »klumpigen« Zustand in Schränken und Kisten hergestellt wird, mehr als aufgewogen durch das Fett, das die Eltern verbrennen, und die Wärme, die sie erzeugen, wenn sie Stunden damit verbringen, Ordnung zu schaffen. Entsprechend zeigt sich bei der ursprünglich diffusen Gaswolke, dass die Entropieabnahme durch die Bildung geordneter Klumpen mehr als aufgewogen wird durch die Wärme, welche die Gaskompression erzeugt, und letztlich durch die enorme Menge von Wärme und Licht, die freigesetzt wird, wenn Kernprozesse einzusetzen beginnen.

Das ist ein wichtiger Punkt, der gelegentlich übersehen wird. Das überwältigende Bestreben nach Unordnung bedeutet nicht, dass sich geordnete Strukturen wie Sterne und Planeten oder geordnete Lebensformen wie Pflanzen und Tiere nicht bilden können. Sie können. Und sie tun es offensichtlich. Der Zweite Hauptsatz der Thermodynamik besagt, dass bei der Hervorbringung von Ordnung eine mehr als gleichwertige Erzeugung von Unordnung erfolgt. Die Entropiebilanz ist noch immer in der Gewinnzone, selbst wenn einige Bestandteile ein höheres Maß an Ordnung annehmen. Und keine der fundamentalen Naturkräfte macht sich dieses entropische Prinzip der Gegenrechnung so gründlich zunutze wie die Gravitation. Da die Gravitation über weite Entfernungen wirkt und immer anziehend wirkt, veranlasst sie die Bildung jener geordneten Klumpen – jener Sterne –, die das Licht abgeben, das wir an einem klaren Nachthimmel sehen, sorgt aber unter dem Strich trotzdem für eine Entropiezunahme.

Denn je komprimierter, dichter und massereicher die Gasklumpen sind, desto größer ist die Gesamtentropie. Schwarze Löcher, die extremste Form der Gravitationsklumpung und -kontraktion im Universum, zeigen das im Extrem. Die Gravitationsanziehung eines Schwarzen Lochs ist so stark, dass nichts, noch nicht einmal das Licht, in der Lage ist, zu entkommen, was erklärt, warum Schwarze Löcher schwarz sind. Im Gegensatz zu gewöhnlichen Sternen halten Schwarze Löcher hartnäckig alle Entropie fest, die sie hervorrufen: Nichts kann sich der mächtigen Gravitationsumklammerung des Schwarzen Lochs entziehen.[16] Tatsächlich enthält, wie wir in Kapitel 16 erörtern werden, nichts im Universum mehr Unordnung – mehr Entropie – als ein Schwarzes Loch.* Das entspricht unserer intuitiven Vorstellung: Hohe Entropie bedeutet, dass viele Umordnungen der Bestandteile eines Objekts unbemerkt bleiben. Da wir nicht in das Innere eines Schwarzen Lochs blicken können, ist es uns unmöglich, *irgendeine* Umordnung seiner Bestandteile zu entdecken – egal, worum es sich bei diesen Bestandteilen handeln mag –, und daher haben Schwarze Löcher eine maximale Entropie. Wenn die Gravitation ihre Muskeln richtig spielen lässt, wird sie zum leistungsfähigsten Entropieerzeuger im bekannten Universum.

Endlich sind wir dorthin gelangt, wo sich der Schwarze Peter nicht mehr weitergeben lässt. *Der tatsächliche Ursprung der Ordnung, der niedrigen Entropie, muss der Urknall selbst sein.* In seinen frühesten Augenblicken war das werdende Universum aus irgendeinem Grund nicht mit riesigen Entropiebehältern wie Schwarzen Löchern angefüllt – wie auf Grund von Wahrscheinlichkeitserwägungen zu erwarten wäre –, sondern enthielt eine gleichmäßige, gasförmige Mischung aus Wasserstoff und Helium. Obwohl diese Konfiguration hohe Entropie besitzt, wenn die Dichte so gering ist, dass wir die Gravitation außer Acht lassen können, liegt eine andere Situation vor, wenn wir die

* Das heißt, ein Schwarzes Loch von gegebener Größe enthält mehr Entropie als *irgendetwas* anderes von gleicher Größe.

Gravitation berücksichtigen müssen. Dann hat ein solches Gas nämlich eine außerordentlich geringe Entropie. Im Vergleich zu Schwarzen Löchern befindet sich das diffuse, fast gleichförmige Gas in einem außerordentlich niederentropischen Zustand. Seither ist die Gesamtentropie im Universum gemäß dem Zweiten Hauptsatz der Thermodynamik immer größer und größer geworden. Das Ausmaß der Unordnung hat insgesamt allmählich zugenommen. Nach rund einer Milliarde Jahre hat die Gravitation das Urgas veranlasst zu klumpen, und aus den Klumpen haben sich letztlich Sterne und Galaxien gebildet, während aus einigen leichteren Klumpen Planeten geworden sind. Zumindest einem dieser Planeten diente ein naher Stern als relativ niederentropische Energiequelle, welche die Entwicklung niederentropischer Lebensformen ermöglichte, und unter diesen Lebensformen war irgendwann ein Huhn, das ein Ei legte, welches seinen Weg auf einen Küchentisch fand und von dort aus sehr zu Ihrem Ärger seinen Weg in einen höherentropischen Zustand unaufhaltsam fortsetzte, indem es vom Tisch rollte und auf dem Fußboden zerbrach. Das Ei zerbricht eher, als dass es »entbricht«, weil es das Streben nach höherer Entropie in sich trägt, das durch den außerordentlich niederentropischen Zustand, in dem das Universum begann, auf den Weg gebracht wurde. Eine unglaublich hochgradige Ordnung stand am Anfang, und seither erlebt die Welt eine Entfaltung zu immer größerer Unordnung.

Das ist der verblüffende Tatbestand, auf den wir uns während des gesamten Kapitels zubewegt haben. *Ein zerbrechendes Ei teilt uns etwas sehr Bedeutsames über den Urknall mit.* Es teilt uns mit, dass der Urknall den Kosmos in einem außerordentlich geordneten Zustand gebar.

Gleiches gilt für alle anderen Beispiele. Der Grund, warum wir einen Zustand höherer Entropie erhalten, wenn wir die von ihrem Einband befreiten Seiten von *Krieg und Frieden* in die Luft werfen, liegt darin, dass sie in einer so stark geordneten, niederentropischen Form begannen. Ihre ursprüngliche, geordnete Form war die Voraussetzung für ihre Entropiezunahme. Wären die Seiten hingegen von Anfang an numerisch vollkommen ungeordnet, änderte sich an ihrem Zustand, soweit es die Entropie beträfe, kaum etwas, wenn man sie in die Luft werfen würde. Folglich lautet die Frage abermals: Wie haben sie diesen geordneten Zustand angenommen? Ganz einfach, Tolstoi hat sie geschrieben, damit sie dem Leser in dieser Ordnung dargeboten werden, und Drucker und Buchbinder haben sich an seine Anweisungen gehalten. Die hochgeordneten Körper und Gehirne von Tolstoi und den Buchherstellern, die wiederum erforderlich waren, um ein Buch von derart geordneter Form zu schaffen, lassen sich dadurch erklären, dass wir der gleichen Schlusskette folgen, an die wir uns bei dem Ei gehalten haben, einer Kette, die uns wieder zum

Urknall zurückführen würde. Wie steht es mit den teilweise geschmolzenen Eiswürfeln, die Sie um 22.30 Uhr in Ihrem Drink sahen? Da wir jetzt Gedächtnis und Aufzeichnungen trauen, erinnern Sie sich, dass der Barkeeper Ihnen kurz vor 22.00 Uhr vollständig geformte Eiswürfel ins Glas getan hat. Er nahm die Eiswürfel aus einem Gefrierschrank, der von einem klugen Ingenieur entworfen und von einem geschickten Mechaniker hergestellt wurde. Beide sind in der Lage, Dinge von so hochgradiger Ordnung herzustellen, weil sie selbst hochgeordnete Lebensformen sind. Abermals können wir ihre Ordnung Schritt für Schritt auf den hochgeordneten Ursprung des Universums zurückführen.

Der entscheidende Input

Die Erkenntnis, zu der wir gelangt sind, besagt, dass wir unseren Erinnerungen an eine Vergangenheit mit geringerer, nicht höherer, Entropie nur trauen können, wenn der Urknall – der Prozess, das Ereignis oder das Geschehnis, welches das Universum hervorgebracht hat – das Universum mit einem extrem ungewöhnlichen, hochgeordneten Anfangszustand geringer Entropie ausgestattet hat. Ohne diesen entscheidenden Input kämen wir wegen unserer obigen Einsicht, dass die Entropie von jedem gegebenen Augenblick aus in Richtung Zukunft wie in Richtung Vergangenheit zunehmen müsste, zu dem Schluss, dass alle Ordnung, die wir sehen, aus der Zufallsfluktuation eines gewöhnlichen ungeordneten Zustands hoher Entropie entstanden wäre, ein Schluss, der, wie wir gesehen haben, eben jene Beweisführung untergräbt, auf die er sich stützt. Durch Einbeziehung des unwahrscheinlichen, niederentropischen Ausgangspunktes des Universums in unsere Analyse ergibt sich als logische Schlussfolgerung, dass die Entropie in Richtung Zukunft zunimmt, da die Wahrscheinlichkeitsargumentation jetzt vorbehaltlos und ausschließlich in diese Richtung weist. In Richtung Vergangenheit nimmt die Entropie nicht mehr zu, da *diese* Anwendung des Wahrscheinlichkeitsarguments unserer neuen Bedingung zuwiderliefe, derzufolge das Universum in einem Zustand niedriger, nicht hoher Entropie begann.[17] Daher sind die Bedingungen bei der Geburt des Universums von entscheidender Bedeutung für die Richtung des Zeitpfeils. *Die Zukunft ist tatsächlich die Richtung anwachsender Entropie. Der Zeitpfeil – die Tatsache, dass die Dinge auf* diese *Weise anfangen und auf* jene *enden, aber niemals auf* jene *anfangen und auf* diese *enden – hob in dem hochgeordneten, niederentropischen Zustand zu seinem Flug ab, den das Universum bei seinem Ursprung hatte.*[18]

Das verbleibende Rätsel

Dass das frühe Universum die Richtung des Zeitpfeils festgelegt hat, ist eine schöne und befriedigende Schlussfolgerung, doch noch sind wir nicht am Ende unserer Überlegungen angelangt. Ein großes Rätsel bleibt. Wie kommt es, dass das Universum in einer so hochgeordneten Konfiguration begann und die Dinge so einrichtete, dass im Laufe der Jahrmilliarden alles sich langsam über allmählich immer ungeordnetere Zustände zu immer höherer und höherer Entropie entwickeln konnte? Verlieren Sie nicht aus den Augen, wie erstaunlich das ist. Wie wir betont haben, liegt es vom Standpunkt der Wahrscheinlichkeit aus viel näher, dass die teilweise geschmolzenen Eiswürfel, die Sie um 22.30 Uhr gesehen haben, dorthin kamen, weil sich ein statistischer Zufallstreffer in einem Wasserglas ausgetobt hat, als dass sie aus dem noch viel weniger wahrscheinlichen Zustand vollständig ausgeformter Eiswürfel hervorgingen. Und was für die Eiswürfel gilt, wiederholt sich ungezählte Male im Universum. Es ist ungeheuer viel wahrscheinlicher, dass alles, was wir jetzt im Universum erblicken, aus einer seltenen, aber gelegentlich zu erwartenden Abweichung der totalen Unordnung erwuchs, als dass es sich langsam aus dem noch unwahrscheinlicheren, unglaublich stärker geordneten, erstaunlich niederentropischen Ausgangspunkt entwickelte, den der Urknall voraussetzt.[19]

Doch als wir den Wahrscheinlichkeitsüberlegungen folgten und uns vorstellten, dass alles durch einen statistischen Glücksfall in die Welt kam, gerieten wir in eine Sackgasse: Auf diesem Weg stellten wir die physikalischen Gesetze selbst in Frage. Daher haben wir uns entschlossen, auf alle Wettquoten zu pfeifen und uns für einen niederentropischen Urknall als Erklärung für den Zeitpfeil zu entscheiden. *Das* ist die Frage, auf die der Zeitpfeil weist. Alles läuft auf die Kosmologie hinaus.[20]

Eine eingehende Erörterung der Kosmologie werden wir in den Kapiteln 8 bis 11 wieder aufnehmen, doch zunächst sei noch einmal darauf hingewiesen, dass unsere Analyse der Zeit unter einem schwerwiegenden Mangel leidet: Alles, was wir ausgeführt haben, beruht ausschließlich auf der klassischen Physik. Jetzt wollen wir betrachten, wie sich die Quantenmechanik auf unseren Zeitbegriff und die Erörterung des Zeitpfeils auswirkt.

ZEIT UND QUANT

Einsichten in das Wesen der Zeit aus der Quantenperspektive

Wenn wir über so etwas wie die Zeit nachdenken, etwas, worin wir uns befinden, etwas, was völlig in unsere normale Existenz integriert ist, etwas, was so allgegenwärtig ist, dass es sich nicht – auch nicht vorübergehend – aus der Alltagssprache herauslösen lässt, wird unser Denken nachhaltig von unseren Erfahrungen beeinflusst. Diese alltäglichen Erfahrungen sind klassische Erfahrungen; in hohem Maße decken sie sich mit den physikalischen Gesetzen, die Newton vor mehr als dreihundert Jahren aufgestellt hat. Doch von allen Entdeckungen, die während der letzten hundert Jahre in der Physik gemacht wurden, ist die Quantenmechanik mit Abstand die erstaunlichste, da sie das gesamte Begriffsschema der klassischen Physik untergräbt.

Daher lohnt sich die Mühe, unseren klassischen Erfahrungshorizont etwas zu erweitern, indem wir einige Experimente betrachten, die auf verblüffende Weise offenbaren, wie sich Quantenprozesse in der Zeit entfalten. In diesem erweiterten Kontext werden wir dann die Gedanken aus dem letzten Kapitel wieder aufgreifen und uns fragen, ob es in der quantenmechanischen Beschreibung der Natur einen Zeitpfeil gibt. Wir werden auf eine Antwort stoßen, die allerdings sogar unter Physikern noch umstritten ist. Und wieder wird uns unsere Erörterung an den Anfang des Universums führen.

Die Vergangenheit aus Quantensicht

Im letzten Kapitel spielte die Wahrscheinlichkeit eine zentrale Rolle, doch wie mehrfach erwähnt, kommt sie dort nur zur Anwendung, weil sie praktisch und informativ ist. Den Bewegungen der 10^{24} H_2O-Moleküle in einem Glas Wasser exakt zu folgen, überfordert die Leistungsfähigkeit unserer Computer bei weitem, und selbst wenn es möglich wäre – was sollten wir mit dem Datengebirge anfangen? Es wäre eine Herkulesarbeit, anhand eines Katalogs von 10^{24} Positionen und Geschwindigkeiten zu bestimmen, ob sich Eiswürfel in dem Glas befinden. Also hielten wir uns stattdessen an Wahrscheinlichkeitsaspekte, die sich im Rahmen unserer Rechnerkapazitäten bewegen und sich darüber hinaus mit jenen makroskopischen Eigenschaften befassen – Ordnung versus Unordnung, zum Beispiel Eis versus Wasser –, die uns im Allgemeinen interessieren. Denken Sie jedoch daran, dass die Wahrscheinlichkeit keineswegs fest mit der Struktur der klassischen Physik verwoben ist. Würden wir genau wissen, wie die Dinge in diesem Augenblick sind – würden wir die Orte und Geschwindigkeiten jedes einzelnen Teilchens kennen, das zu den Bausteinen des Universums gehört –, dann könnten wir im Prinzip, so sagt die klassische Physik, diese Information nutzen, um vorherzusagen, wie die Dinge zu einem beliebigen Zeitpunkt in der Zukunft sein würden oder wie sie zu einem beliebigen Zeitpunkt in der Vergangenheit gewesen wären. Egal, ob Sie der Entwicklung von einem zum anderen Augenblick folgen oder nicht, könnten Sie laut klassischer Physik über die Vergangenheit und Zukunft im Prinzip mit einer Gewissheit reden, die davon abhängt, wie detailliert und genau Ihre Beobachtungen der Gegenwart sind.[1]

Die Wahrscheinlichkeit wird auch in diesem Kapitel eine entscheidende Rolle spielen. Doch da die Wahrscheinlichkeit ein *unvermeidlicher* Aspekt der Quantenmechanik ist, verändert sie unsere theoretische Einstellung zu Vergangenheit und Zukunft grundsätzlich. Wir haben bereits gesehen, dass die Quantenunschärfe die gleichzeitige Kenntnis der exakten Orte und Geschwindigkeiten verhindert. Entsprechend haben wir auch gesehen, dass die Quantenphysik nur die Wahrscheinlichkeit vorhersagt, mit der die eine oder die andere Zukunft eintreten wird. Natürlich haben wir Vertrauen in diese Wahrscheinlichkeiten, aber da es sich nun mal um Wahrscheinlichkeiten handelt, müssen wir uns auch klar machen, dass unseren Vorhersagen der Zukunft ein *unvermeidliches* Zufallselement innewohnt.

Bei der Beschreibung der Vergangenheit gibt es ebenfalls einen entscheidenden Unterschied zwischen der klassischen und der quantenmechanischen Physik. Gemäß der Gleichbehandlung, die alle Zeitpunkte in der klassischen Physik erfahren, werden dort die Ereignisse, die zu einer Beobachtung führen, in genau der Sprache mit Hilfe genau der Attribute beschrieben, mit deren Hilfe wir die Beobachtung selbst beschreiben. Wenn wir einen feurigen Meteor am Nachthimmel sehen, sprechen wir über seine Position und Geschwindigkeit; wenn wir rekonstruieren, wie er dorthin gelangt ist, sprechen wir auch über eine bestimmte Folge von Positionen und Geschwindigkeiten, um den Weg des Meteors durch das All zur Erde zu beschreiben. Doch sobald wir in der Quantenphysik etwas beobachten, ergibt sich dort die seltene Situation, dass wir zuvor irgendetwas mit hundertprozentiger Sicherheit wissen (Probleme, die mit der Genauigkeit unserer Ausrüstung und ähnlichen Dingen zu tun haben, außer Acht gelassen). Doch die Vergangenheit – unter der wir vor allem die »unbeobachtete« Vergangenheit verstehen, die Zeit, bevor wir oder irgendjemand beziehungsweise irgendetwas anderes eine gegebene Beobachtung ausgeführt hat – verharrt im üblichen Bereich der Quantenunschärfe, der Wahrscheinlichkeiten. Auch wenn wir messen, dass der Aufenthaltsort eines Elektrons genau jetzt genau hier ist, gab es einen Augenblick zuvor lediglich die Wahrscheinlichkeiten, mit denen es hier, dort oder ganz woanders war.

Und wie wir gesehen haben, ist es nicht so, dass sich das Elektron (oder irgendein anderes Teilchen) in Wirklichkeit nur an einem dieser möglichen Orte aufgehalten hat und wir es einfach nicht gewusst haben.[2] In gewissem Sinne war das Elektron an allen diesen Orten, weil jede der Möglichkeiten – jede der möglichen Geschichten – zu dem beiträgt, was wir jetzt beobachten. Erinnern Sie sich: Einen Beweis dafür lieferte uns das in Kapitel 4 geschilderte Experiment – als die Elektronen gezwungen wurden, zwei Spalte zu passieren. Nach der klassischen Physik, die sich an die alltägliche Auffassung hält und glaubt, dass Ereignisse eindeutige, konventionelle Geschichten haben, hätte jedes Elektron, das zum Detektorschirm gelangt, entweder den linken *oder* den rechten Spalt durchquert. Doch diese Auffassung führt uns in die Irre: Sie würde die Ergebnisse vorhersagen, die in Abbildung 4.3 (a) wiedergegeben sind, aber nicht mit dem tatsächlichen Geschehen übereinstimmen, das Abbildung 4.3 (b) illustriert. Das beobachtete Interferenzmuster lässt sich nur dadurch erklären, dass etwas, das *beide* Spalte durchquert hat, sich überlagert.

Eine solche Erklärung liefert die Quantenphysik; damit verändert sie jedoch tief greifend unsere Geschichten der Vergangenheit – unsere Beschreibung, wie die besonderen Dinge, die wir beobachten, entstanden sind. Laut Quantenmechanik durchquert die Wahrscheinlichkeitswelle jedes Elektrons *tatsächlich* beide Spalte, und da die Teile der Welle, die aus jedem Spalt hervordringen, sich mischen, manifestiert sich das daraus resultierende Wahrscheinlichkeitsprofil – und folglich auch die Verteilung der Aufschlagpunkte der Elektronen – als Interferenzmuster.

Verglichen mit der Alltagserfahrung erscheint diese Beschreibung, der zufolge die Vergangenheit des Elektrons ein Kreuz und Quer von Wahrscheinlichkeitswellen ist, höchst fremdartig. Doch wenn wir uns über alle Bedenken hinwegsetzen, lässt sich diese quantenmechanische Beschreibung noch einen Schritt weiterführen, mit dem Erfolg, dass wir zu einer vollends bizarr anmutenden Möglichkeit gelangen. Vielleicht durchquert ja jedes einzelne Elektron beide Spalte auf seinem Weg zum Schirm, so dass sich die Daten aus einer Interferenz zwischen diesen beiden Klassen von Geschichten ergeben. Das heißt, wir sind versucht zu glauben, dass die Wellen, die aus den beiden Spalten hervorkommen, zwei mögliche Geschichten eines einzelnen Elektrons darstellen – ein Durchgang durch den linken oder den rechten Spalt –, und da beide Wellen zu dem beitragen, was wir auf dem Schirm beobachten, teilt uns die Quantenmechanik vielleicht mit, dass auch die beiden potenziellen Geschichten des Elektrons ihren Beitrag leisten.

Überraschenderweise liefert uns diese seltsame und wunderbare Idee – sie stammt von Nobelpreisträger Richard Feynman, einem der kreativsten Physiker des zwanzigsten Jahrhunderts – einen durchaus praktikablen Ansatz zum Verständnis der Quantenmechanik. Wenn es verschiedene Möglichkeiten gibt, um ein bestimmtes Ergebnis zu erreichen – ein Elektron schlägt beispielsweise auf dem Detektorschirm auf, indem es den linken Spalt durchquert, oder trifft den gleichen Punkt auf dem Schirm, indem es den rechten Spalt durchquert –, geschehen laut Feynman die alternativen Geschichten in gewissem Sinne tatsächlich, und zwar gleichzeitig. Feynman hat gezeigt, dass jede solche Geschichte zu der Wahrscheinlichkeit beiträgt, dass ihr gemeinsames Ergebnis zustande kommt und dass bei korrekter Addition dieser Beiträge das Ergebnis mit der Gesamtwahrscheinlichkeit übereinstimmt, die von der Quantenmechanik vorhergesagt wird. Feynman nannte diesen quantenmechanischen Ansatz die *Summe über alle Geschichten.* Demnach verkörpert eine Wahrscheinlichkeitswelle alle möglichen Vergangenheiten, die einer gegebenen Beobachtung hätten vorausgehen können, und stellt so nachdrücklich unter Beweis, dass die Quantenmechanik, um dort Erfolg zu haben, wo die klassische Physik scheiterte, den Horizont der Geschichte erheblich erweitern muss.[3]

Auf dem Weg ins Land Oz

Es gibt eine Version des Doppelspaltexperiments, in der die Interferenz zwischen alternativen Geschichten noch deutlicher wird, weil die beiden Wege zum Detektorschirm vollkommen getrennt sind. Da es ein bisschen leichter ist, das Experiment anhand von Photonen anstelle von Elektronen zu beschreiben, beginnen wir mit einer Photonenquelle – einem Laser – und feuern ihn auf ein Gerät ab, das man als *Strahlteiler* bezeichnet. Dieses Gerät besteht aus einem halbversilberten Spiegel, wie man ihn für Überwachungszwecke benutzt – er reflektiert die Hälfte des Lichts und lässt die andere Hälfte passieren. Auf diese Weise wird der eine ursprüngliche Lichtstrahl in zwei aufgeteilt, den linken und den rechten Strahl – ein ähnliches Schicksal, wie es dem Lichtstrahl widerfährt, der auf die beiden Spalte in der Doppelspalt-Anordnung

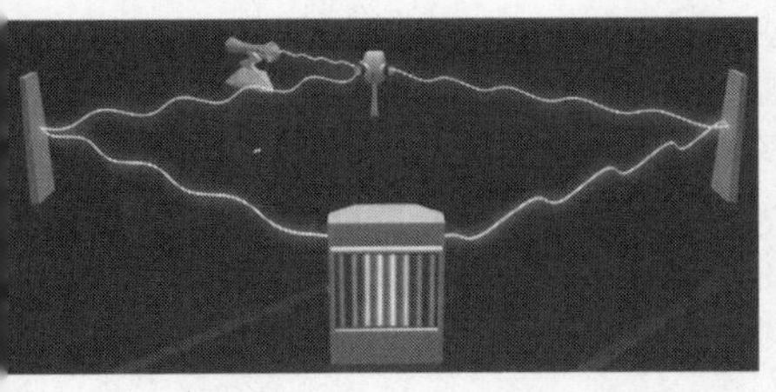

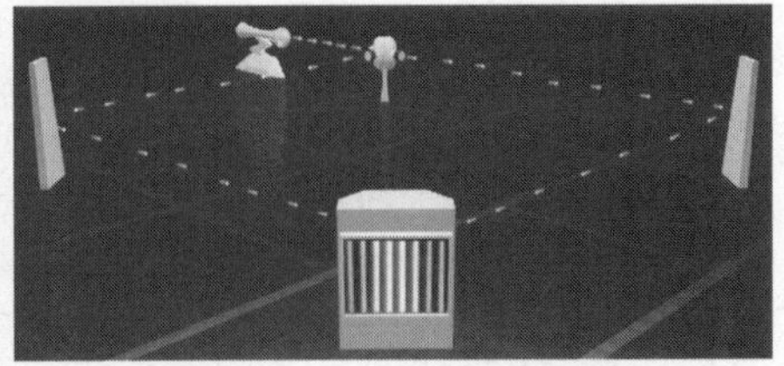

Abbildung 7.1 (**a**) In einem Strahlteiler-Experiment wird Laserlicht in zwei Strahlen aufgeteilt, die auf zwei separaten Bahnen zum Detektorschirm gelangen. (**b**) Der Laser kann so gedrosselt werden, dass er einzelne Photonen abfeuert. Im Laufe der Zeit bilden die Aufschlagstellen der Photonen ein Interferenzmuster.

trifft. Mit Hilfe sorgfältig aufgestellter herkömmlicher Spiegel wie in Abbildung 7.1 werden die beiden Strahlen ein Stück weiter, am Detektorschirm, wieder zusammengeführt. Wenn wir das Licht als Welle behandeln, wie in Maxwells Beschreibung, erwarten wir ein Interferenzmuster auf dem Schirm – und finden es. Die Weglänge der rechten und linken Bahnen ist – ausgenommen zum Mittelpunkt des Schirms – etwas verschieden. Während vom linken Strahl also vielleicht bei einem gegebenen Punkt auf dem Detektorschirm gerade ein Wellenberg ankommt, liefert der rechte Strahl einen Berg, ein Tal oder irgendetwas dazwischen. Der Detektor zeichnet die kombinierten Höhen der beiden Wellen auf und zeigt daher das charakteristische Interferenzmuster.

Die Unterscheidung zwischen klassischer und quantenmechanischer Physik wird erkennbar, wenn wir die Intensität des Lasers so stark zurücknehmen, dass er nur noch vereinzelt Photonen abschießt, sagen wir, alle paar Sekunden ein Photon. Wenn ein einzelnes Photon auf den Strahlteiler trifft, gelangt es, so sagt uns die klassische Intuition, entweder hindurch oder wird reflektiert. Das klassische Verständnis lässt noch nicht einmal einen Anflug von Interferenz zu, weil es nichts gibt, was sich überlagern könnte: Alles, was wir haben, sind einzelne, individuelle, separate Photonen, die den Weg von der Quelle zum Detektor zurücklegen, eines nach dem anderen, wobei sich einige nach links wenden, andere nach rechts. Doch wenn das Experiment durchgeführt wird, bilden die einzelnen Photonen, die im Laufe der Zeit aufgezeichnet werden, ganz wie in Abbildung 4.4 *tatsächlich* ein Interferenzmuster, siehe Abbildung 7.1 (b). Laut Quantenphysik passiert dies, weil jedes registrierte Photon auf dem linken oder auf dem rechten Weg zum Detektor hätte gelangen *können*. Daher sind wir gezwungen, diese beiden möglichen Geschichten zu kombinieren, um die Wahrscheinlichkeit zu bestimmen, mit der ein Photon den Schirm an einem bestimmten Punkt oder einem anderen trifft. Wenn die linke und die rechte Wahrscheinlichkeitswelle für jedes einzelne Photon auf diese Weise zusammengefasst werden, erzeugen sie das wogende Muster der Welleninterferenz. Daher können wir, anders als Dorothy, die verwirrt reagiert, als die Vogelscheuche nach links und nach rechts zeigt, um dem Mädchen den Weg nach Oz zu zeigen, die Daten durchaus erklären, indem wir uns vorstellen, dass jedes Photon sowohl den linken als auch den rechten Weg zum Detektor einschlägt.

Wahlfreiheit

Zwar haben wir die Verschmelzung der möglichen Geschichten lediglich im Kontext von zwei spezifischen Beispielen beschrieben, dennoch handelt es sich um einen allgemeingültigen Ansatz zum Verständnis der Quantenmechanik. Während die Gegenwart in der Beschreibung der klassischen Physik eine eindeutige Vergangenheit hat, erweitern die Wahrscheinlichkeitswellen der Quantenmechanik den Schauplatz der Geschichte: In Feynmans Formulierung repräsentiert die beobachtete Gegenwart eine Mischung – eine besondere Form des *Durchschnitts* – aller denkbaren Vergangenheiten, die kompatibel sind mit dem, was wir jetzt sehen.

In den Experimenten mit Doppelspalt und Strahlteiler gibt es für ein Elektron oder Photon zwei Wege, von der Quelle zum Detektorschirm zu gelangen – links oder rechts –, und nur durch die Kombination der möglichen Geschichten erhalten wir eine Erklärung dessen, was wir beobachtet haben. Hätte die Barriere drei Spalte, müssten wir drei Arten von Geschichten berücksichtigen; bei 300 Spalten wären die Beiträge der ganzen Fülle daraus resultierender möglicher Geschichten einzubeziehen. Im Extremfall, wenn wir uns vorstellen, eine Riesenzahl von Spalten einzuritzen – so viele, dass die Barriere schließlich verschwindet –, besagt die Quantenmechanik, dass jedes Elektron dann *jede* mögliche Bahn auf seinem Weg zu einem bestimmten Punkt auf dem Schirm zurücklegen würde und wir nur durch die Kombination der Wahrscheinlichkeiten, die mit jeder dieser Geschichten assoziiert sei, die Ergebnisse erklären könnten. Das mutet seltsam an. (Es *ist* seltsam.) Doch durch diesen bizarren Umgang mit vergangenen Zeiten erhalten wir eine Erklärung für die Daten aus Abbildung 4.4, Abbildung 7.1 (b) und jedem anderen Experiment, das sich mit der Mikrowelt befasst.

Vielleicht fragen Sie sich, wie wörtlich Sie die Beschreibung der Summe über alle Geschichten nehmen sollen. Gelangt ein Elektron, das auf den Detektorschirm trifft, *wirklich* dorthin, indem es alle möglichen Wege einschlägt, oder ist Feynmans Verfahren nur ein raffinierter mathematischer Trick, der zur richtigen Antwort führt? Das ist eine der wichtigsten Fragen, um die wahre Natur der Quantenwirklichkeit in Erfahrung zu bringen, daher wünschte ich, ich könnte Ihnen eine eindeutige Antwort geben. Leider ist das nicht der Fall. Für Physiker ist es häufig nützlich, sich eine Fülle einander überlagernder Geschichten vorzustellen. Ich bediene mich dieses Ansatzes in meiner eigenen Forschung so häufig, dass er mir mittlerweile vollkommen real erscheint. Doch zu behaupten, er sei real, ist eine ganz andere Sache. Entscheidend ist, dass die Quantenrechnung uns ganz unzweideutig die Wahrscheinlichkeit mitteilt, mit der ein Elektron an dem einen oder anderen Punkt auf dem Detektorschirm landen wird. Diese Vorhersagen stimmen mit den Daten überein, und zwar haargenau. Soweit es die Verifizierung der Theorie und den Vorhersagenutzen angeht, ist die Geschichte von dem Weg, den das Elektron einschlägt, um zum Schirm zu gelangen, kaum von Bedeutung.

Aber Sie erweisen sich als hartnäckig und bringen vor, man könnte die Frage, was wirklich geschieht, durch eine Veränderung der Versuchsanordnung klären, und zwar so, dass wir die angebliche unscharfe Mischung von möglichen Wegen beobachten können, die sich laut der Theorie zur beobachteten Gegenwart zusammenfügen. Ein guter Vorschlag, aber wir wissen bereits, dass er einen Haken hat. In Kapitel 4 haben wir erfahren, dass die Wahrscheinlichkeitswellen nicht direkt beobachtbar sind. Da Feynmans verschmelzende Geschichten lediglich eine bestimmte Art sind, uns die Wahrscheinlichkeitswelle zu vergegenwärtigen, müssen auch sie sich der direkten Beobachtung entziehen. Und das tun sie in der Tat. Beobachtungen können die individuellen Geschichten nicht separieren. Vielmehr spiegeln Beobachtungen *Durchschnitte* aller Geschichten wider, die möglich sind. Wenn Sie also die Versuchsanordnung so verändern, dass Sie die Elektronen im Flug beobachten, werden Sie sehen, dass jedes Elektron an Ihrem zusätzlichen Detektor an dem einen oder anderen Ort vorbeifliegt; nie werden Sie irgendwelche unscharfen, multiplen Geschichten beobachten können. Wenn Sie mit Hilfe der Quantenmechanik erklären, *warum* Sie das Elektron an dem einen oder anderen Ort gesehen haben, bilden Sie dazu den Durchschnitt über alle möglichen Geschichten, die zu dieser Zwischenbeobachtung geführt haben. Doch die Beobachtung selbst macht nur Geschichten zugänglich, die bereits in dieser Weise verschmolzen sind. Wenn Sie das Elektron im Flug betrachten, haben Sie lediglich den Begriff dessen verändert, was Sie unter einer Geschichte verstehen. Die Quantenmechanik ist ergebnisorientiert: Sie erklärt, was Sie sehen, hindert Sie aber daran, die Erklärung selbst zu sehen.

Nun könnten Sie weiter fragen: Warum ist dann die klassische Physik – die Physik des gesunden Menschenverstands –, die Bewegung mit Hilfe eindeutiger Geschichten und Bahnen beschreibt, überhaupt von Bedeutung für das Universum? Warum gelingt es ihr so gut, die Bewegung der verschiedensten Objekte von Basebällen über Planeten bis hin zu Kometen zu erklären und vorherzusagen? Wie kommt es, dass wir im Alltag keine Anzeichen für die seltsame Art und Weise finden, in der die Vergangenheit sich offenbar zur Gegenwart entwickelt? Der Grund ist, wie wir kurz in Kapitel 4 erwähnt haben und gleich eingehender erläutern werden, dass Basebälle, Planeten und Kometen relativ groß sind, zumindest wenn man sie mit Teilchen wie Elektronen vergleicht. In der Quantenmechanik gilt: Je größer etwas ist, desto einseitiger wird der Durchschnitt. Alle möglichen Bahnen *tragen* zur Bewegung eines Baseballs im Flug bei, aber die gewöhnliche Bahn – die eine Bahn, die von Newtons Gesetzen vorhergesagt wird – leistet einen *weit* größeren Beitrag als alle anderen Bahnen zusammengenommen. Bei großen Objekten erweist sich, dass klassische Bahnen zur Durchschnittsbildung unverhältnismäßig stark beitragen, und daher sind sie es, mit denen wir vertraut sind. Sind die Objekte hingegen klein wie Elektronen, Quarks und Photonen, tragen viele verschiedene Geschichten etwa in gleichem Maße bei und spielen daher alle eine wichtige Rolle für die Durchschnittsbildung.

Schließlich könnten Sie noch fragen: Was ist so besonders an dem Beobachtungs- oder Messvorgang, dass er alle möglichen Geschichten veranlassen kann, zu einem einzigen Ergebnis beizusteuern, sich zu vereinigen und dieses Ergebnis zu produzieren? Wie kann ein Beobachtungsakt einem Teilchen mitteilen, dass es an der Zeit sei, die Geschichten zusammenzurechnen, ihren Durchschnitt zu bilden und sie auf ein eindeutiges Ergebnis festzulegen? Wieso haben wir Menschen und die von uns gefertigten Geräte diese besondere Fähigkeit? Und ist sie wirklich so besonders? Oder fügt sich der menschliche Beobachtungsvorgang vielleicht in einen allgemeineren Rahmen von Umwelteinflüssen ein, die zeigen, dass wir in Bezug auf die Quantenmechanik gar nicht so besonders sind? Wir werden diese verwirrenden und strittigen Fragen in der zweiten Hälfte dieses Kapitels wieder aufnehmen, da sie nicht nur für das Wesen der Quantenwirklichkeit von entscheidender Bedeutung sind, sondern auch einen wichtigen Rahmen für unsere weiteren Überlegungen zur Quantenmechanik und den Zeitpfeil bilden.

Die Berechnung quantenmechanischer Durchschnitte setzt erhebliche mathematische Fertigkeiten voraus. Um genau zu verstehen, wie, wann und wo die Durchschnitte bestimmt werden müssen, sind Konzepte erforderlich, an deren Formulierung die Physiker noch immer arbeiten. Die entscheidende Erkenntnis aber lässt sich ganz einfach ausdrücken: Die Quantenmechanik ist der Schauplatz höchster Wahlfreiheit; jede mögliche »Wahl«, die ein Objekt auf seinem Weg von hier nach dort treffen kann, wird in die quantenmechanische Wahrscheinlichkeit einbezogen, die mit dem einen oder anderen möglichen Ergebnis verknüpft ist.

Die klassische und die quantenmechanische Physik behandeln die Vergangenheit auf vollkommen unterschiedliche Weise.

Die Geschichte beschneiden

Die Idee, dass sich ein unteilbares Objekt – ein Elektron oder ein Photon – gleichzeitig auf mehr als einer Bahn bewegt, ist mit unseren klassischen Vorstellungen absolut unvereinbar. Wohl niemand unter uns könnte, und sei er oder sie noch so selbstbeherrscht, der Versuchung widerstehen, einen Blick zu riskieren: Wenn das Elektron oder Photon den Schirm mit dem Doppelspalt oder den Strahlteiler passiert, warum nicht einmal rasch nachschauen, welchem Weg das Teilchen auf seinem Weg zum Detektorschirm *tatsächlich* folgt? Warum sollen wir im Doppelspaltexperiment nicht kleine Detektoren vor jedem Spalt aufstellen, um festzustellen, ob das Elektron die eine Öffnung, die andere oder beide durchquert hat (ohne dadurch den weiteren Weg des Elektrons zum Hauptdetektor zu beeinträchtigen); warum nicht im Strahlteilerexperiment auf jede Bahn, die vom Strahlteiler fortführt, einen kleinen Detektor montieren, der uns informiert, ob das Photon den Weg nach links, nach rechts oder in beide Richtungen genommen hat (abermals ohne den weiteren Weg des Elektrons zum Detektorschirm zu beeinträchtigen)?

Die Antwort lautet, Sie *können* solche zusätzlichen Detektoren einbauen, aber dann werden Sie zwei Dinge entdecken. Erstens werden Sie beobachten, dass jedes Elektron und jedes Photon stets einen und nur einen Detektor durchquert, das heißt, Sie können bestimmen, welcher Bahn jedes Elektron oder Photon folgt, und Sie werden sehen, dass es stets nur den einen oder den anderen Weg einschlägt, nie beide. Zweitens werden Sie außerdem feststellen, dass sich die resultierenden Messdaten die von den Hauptdetektoren aufgezeichnet wurden, verändert haben. Statt die Interferenzmuster der Abbildungen 4.3 (b) und 7.1 (b) zu erhalten, werden Sie auf die Ergebnisse stoßen, die von der klassischen Physik vorhergesagt werden, wie in Abbildung 4.3 (a). Durch Einführung neuer Elemente – der neuen Detektoren – haben Sie unbeabsichtigt die Experimente verändert. Die Veränderung bewirkt, dass genau das Paradox, das aufzudecken Sie *im Begriff* waren – wie kann es eine Interferenz mit einer anderen Bahn geben, die das Teilchen nachweislich nicht eingeschlagen hat? –, abgewendet wird. Der Grund ergibt sich unmittelbar aus dem letzten Abschnitt. Ihre neue Beobachtung wählt genau jene Geschichten aus, die dem, was Ihre neue Beobachtung offen gelegt hat, hätten vorausgehen können. Da diese Beobachtung bestimmt, welche Bahn das Photon genommen hat, *berücksichtigen wir nur jene Geschichten, die sich auf dieser Bahn bewegen, womit die Möglichkeit einer Interferenz ausgeschlossen wird.*

Niels Bohr hat bei solchen Fragen gern sein *Komplementaritätsprinzip* ins Feld geführt. Jedes Elektron, jedes Photon, einfach *alles* besitzt danach sowohl wellenartige als auch teilchenartige Aspekte. Diese Eigenschaften sind komplementär. Der Rahmen der konventionellen Teilchentheorie – jedes Teilchen folgt einer einzigen, eindeutigen Bahn – ist unvollständig, weil er die wellenartigen Aspekte unterschlägt, die durch die Interferenzmuster bewiesen werden.* Ein theoretischer Rahmen, der nur den wellenartigen Charakter berücksichtigt, ist ebenfalls unvollständig, weil er die teilchenartigen Aspekte vernachlässigt, wie sie durch Messungen belegt werden – die Entdeckung genau lokalisierter Teilchen, deren Ankunft beispielsweise durch einen einzigen Punkt auf einem Detektorschirm festgehalten wird (siehe Abbildung 4.4). Ein vollständiges Bild kann nur entstehen, wenn die beiden komplementären Aspekte berücksichtigt werden. In jeder gegebenen Situation können Sie dadurch, dass Sie sich für eine bestimmte Interaktionsweise entscheiden, dafür sorgen, dass der eine oder der andere Aspekt vorherrscht. Wenn Sie es zulassen, dass die Elektronen sich unbeobachtet von der Quelle zum Schirm bewegen, können ihre wellenartigen Eigenschaften in den Vordergrund rücken, und es kommt zu Interferenzen. Beobachten Sie dagegen das Elektron unterwegs, wissen Sie zwar, welchen Weg es genommen hat, berauben sich aber der Möglichkeit, die Interferenz zu erklären. Doch die Wirklichkeit kommt Ihnen zu Hilfe. Ihre neue Beobachtung beschneidet die Verzweigungen der Quantengeschichte. Sie zwingen das Elektron, sich als Teilchen zu verhalten. Da Teilchen den einen *oder* den anderen Weg einschlagen, bildet sich kein Interferenzmuster. Folglich ist auch nichts zu erklären.

Die Natur verhält sich seltsam. Sie lebt gefährlich. Aber sie tänzelt so geschickt herum, dass sie dem fatalen K.-o.-Schlag eines logischen Paradoxons auszuweichen vermag.

* Obwohl Feynmans Ansatz der Summe über alle Geschichten den Eindruck erwecken könnte, er behandle den Teilchenaspekt vorrangig, handelt es sich einfach um eine besondere Deutung der *Wahrscheinlichkeitswellen* (da der Ansatz viele Geschichten für ein einzelnes Teilchen vorsieht, die alle ihren eigenen Wahrscheinlichkeitsbeitrag leisten) und ist daher der wellenartigen Seite der Komplementarität zuzurechnen. Wenn wir davon sprechen, dass sich etwas wie ein Teilchen verhält, meinen wir damit immer ein konventionelles Teilchen, das einer und nur einer Bahn folgt.

Optionale Geschichte

Diese Experimente sind bemerkenswert. Sie liefern einen einfachen, aber überzeugenden Beweis, dass unsere Welt von jenen Quantengesetzen regiert wird, welche die Physiker im zwanzigsten Jahrhundert entdeckt haben, und nicht von den klassischen Gesetzen, die Newton, Maxwell und Einstein aufgestellt haben – Gesetze, die aus heutiger Sicht nützliche und scharfsinnige Näherungsmodelle darstellen, mit denen sich Ereignisse auf hinreichenden Größenskalen beschreiben lassen. Wir haben bereits gesehen, dass die Quantengesetze die konventionelle Vorstellung über die Bedeutung vergangener Geschehnisse in Frage stellen – jener unbeobachteten Ereignisse, die dafür verantwortlich sind, was wir jetzt sehen. Einige einfache Veränderungen an diesen Experimenten erschüttern unsere Vorstellung dessen, wie sich die Dinge in der Zeit entwickeln, noch stärker und noch grundsätzlicher.

Die erste Modifikation ist das so genannte Delayed-Choice-Experiment – wörtlich: ein Experiment mit verzögerter Entscheidung. Das Konzept wurde 1980 von dem bedeutenden Physiker John Wheeler vorgeschlagen. Das Experiment hat mit einer äußerst seltsam anmutenden Frage zu tun: Hängt die Vergangenheit von der Zukunft ab? Was nicht mit der Frage zu verwechseln ist, ob wir in der Zeit zurückgehen und die Vergangenheit verändern können (ein Thema, mit dem wir uns in Kapitel 15 beschäftigen werden). Vielmehr offenbart Wheelers Experiment, das inzwischen praktisch durchgeführt und eingehend analysiert wurde, eine verwirrende Wechselbeziehung zwischen Ereignissen, von denen wir meinen, sie hätten in der Vergangenheit, sogar in der fernen Vergangenheit stattgefunden, und denen, die wir genau jetzt vor Augen haben.

Um einen Eindruck von den physikalischen Vorgängen zu bekommen, können Sie sich vorstellen, Sie seien Kunstsammler, und Mr. Smithers, Vorsitzender der neuen Springfield Art and Beautification Society, sei vorbeigekommen, um sich verschiedene Werke anzuschauen, die Sie zum Kauf anbieten. Sie wissen jedoch, dass sein eigentliches Interesse *The Full Monty* gilt, einem Gemälde aus Ihrer Sammlung, das nie so recht dazu gepasst hat, Ihnen aber von Ihrem geliebten Großonkel Monty Burns hinterlassen wurde; die Frage, ob Sie es verkaufen sollen, stürzt Sie daher in einen seelischen Konflikt. Nach Mr. Smithers' Eintreffen sprechen Sie über Ihre Sammlung, kürzliche Auktionen, die gegenwärtige Ausstellung im Metropolitan. Zu Ihrer Überraschung erfahren Sie, dass Smithers vor Jahren der wichtigste Berater Ihres Onkels war. Am Ende des Gesprächs haben Sie sich entschieden, sich von *The Full Monty* zu trennen. Es gibt so viele andere Kunstwerke, die Sie haben möchten, und Sie müssen Enthaltsamkeit üben, damit Ihre Sammlung das Profil nicht verliert. In der Welt des Kunstsammelns, so haben Sie sich immer wieder gesagt, ist weniger manchmal mehr.

Als Sie im Nachhinein über diese Entscheidung nachdenken, scheint es Ihnen, als hätten Sie sich bereits vor Mr. Smithers' Besuch zum Verkauf entschlossen. Obwohl Sie immer eine gewisse gefühlsmäßige Bindung an *The Full Monty* verspürten, haben Sie sich stets davor gehütet, sich eine wild wuchernde Sammlung zuzulegen, und der erotische Nuklearrealismus der Simpson-Welt im späten zwanzigsten Jahrhundert ist selbst für erfahrene Sammler ein schwieriges Gebiet. Und auch wenn Sie Ihrer Erinnerung nach vor der Ankunft Ihres Gastes gedacht haben, Sie wüssten nicht, was Sie tun sollen, kommt es Ihnen aus Ihrem gegenwärtigen Blickwinkel so vor, als hätten Sie es doch gewusst. Es ist nicht ganz so, als hätten sich künftige Ereignisse auf die Vergangenheit ausgewirkt, aber Ihr erfreuliches Treffen mit Mr. Smithers und die Tatsache, dass Sie sich anschließend bereit erklärten, das Bild zu verkaufen, tauchen die Vergangenheit in ein anderes Licht, wodurch Dinge, die damals unentschieden erschienen, einen eindeutigen Charakter erhalten. Es ist, als hätten das Treffen und Ihre Verlautbarung Ihnen geholfen, eine Entscheidung zu akzeptieren, die bereits getroffen worden war, eine Entscheidung, die nur darauf wartete, zutage gefördert zu werden. Die Zukunft hat Ihnen geholfen, eine vollständigere Geschichte vergangener Ereignisse zu erzählen.

Natürlich wirken sich in diesem Beispiel künftige Ereignisse nur auf Ihre Wahrnehmung oder Deutung der Vergangenheit aus, daher sind die Ereignisse weder verwirrend noch überraschend. Doch Wheelers Delayed-Choice-Experiment überträgt dieses psychologische Wechselspiel zwischen Zukunft und Vergangenheit in die Quantenwelt, wo es sowohl exakt als auch verwirrend wird. Wir beginnen mit dem Experiment in Abbildung 7.1 (a) und verändern es, indem wir erstens den Laser so drosseln, dass er nur ein Photon zur Zeit abschießt wie in Abbildung 7.1 (b), und zweitens am Strahlteiler einen neuen Detektor anbringen. Wird der neue Detektor abgeschaltet (siehe Abbildung 7.2 [b]), haben wir wieder die ursprüngliche Experimentalanordnung, und die Photonen erzeugen ein Interferenzmuster auf dem Detektorschirm. Wird der neue Detektor jedoch eingeschaltet wie in Abbildung 7.2 (a), teilt er uns mit, welcher Bahn jedes Photon gefolgt ist: Wenn er ein Photon entdeckt, dann hat das Photon diese Bahn genommen, entdeckt er das Photon nicht, hat es die andere genommen. Eine derartige »Welcher-Weg-Information«, wie wir sie nennen wollen, zwingt das Photon, sich wie ein Teilchen zu verhalten, daher wird das wellenartige Interferenzmuster nicht mehr erzeugt.

Nun wollen wir das Ganze à la Wheeler verändern, indem wir den neuen

Abbildung 7.2 (**a**) Durch Einschalten der »Welcher-Weg-Detektoren« verderben wir das Interferenzmuster. (**b**) Wenn die neuen Detektoren abgeschaltet werden, haben wir wieder die Situation aus Abbildung 7.1: Das Interferenzmuster baut sich auf.

Photonendetektor weiter unten auf einer der Bahnen anbringen. Im Prinzip dürfen die Bahnen beliebig lang sein, daher können wir uns vorstellen, der neue Detektor befände sich in erheblicher Entfernung zum Strahlteiler. Abermals das gleiche Bild: Wird dieser neue Photonendetektor abgeschaltet, haben wir die übliche Situation, und die Photonen zeichnen das Interferenzmuster auf den Detektorschirm. Wird der neue Detektor eingeschaltet, liefert er die Welcher-Weg-Information und schließt damit die Existenz eines Interferenzmusters aus.

Diese neue Seltsamkeit erwächst aus der Tatsache, dass die Welcher-Weg-Messung stattfindet, lange *nachdem* das Photon am Strahlteiler »entschieden« hat, ob es sich als Welle verhalten und beiden Bahnen folgen oder ob es sich als Teilchen verhalten und nur einer folgen soll. Wenn das Photon den Strahlteiler durchquert, kann es nicht »wissen«, ob der neue Detektor eingeschaltet ist oder nicht – tatsächlich kann das Experiment so angeordnet werden, dass der An-Aus-Schalter am Detektor erst betätigt wird, *nachdem* das Photon den Teiler durchquert hat. Um auf die Möglichkeit vorbereitet zu sein, dass der Detektor ausgeschaltet ist, müsste sich die Quantenwelle des Photons eigentlich aufteilen und beiden Wegen folgen, damit eine Mischung aus beiden Wellen das beobachtete Interferenzmuster bilden kann. Wenn sich allerdings herausstellt, dass der neue Detektor an war – oder wenn er eingeschaltet wird, nachdem das Photon den Teiler ganz hinter sich gelassen hat –, scheint eine Identitätskrise des Photons unvermeidlich zu sein: Bei der Durchquerung des Teilers hat es sich bereits auf den wellenartigen Charakter festgelegt, da es beiden Bahnen folgte, doch jetzt, einige Zeit, nachdem es die Wahl getroffen hat, »bemerkt« es, dass es sich eindeutig für Existenz als Teilchen entscheiden muss, das sich auf einem und nur einem Weg bewegt.

Doch irgendwie bekommen es die Photonen immer hin. Jedes Mal, wenn der Detektor an ist – es sei noch einmal betont: auch wenn die Entscheidung, ihn anzustellen, hinausgeschoben wird, bis ein gegebenes Photon den Strahlteiler schon längst durchquert hat –, verhält sich das Photon absolut wie ein Teilchen. Wir stellen fest, dass es sich auf einer und nur einer Bahn zum Detektorschirm befindet (selbst wenn wir die Photonendetektoren ein gutes Stück abwärts entlang beider Wege aufstellen, wird jedes Photon, das der Laser aussendet, nur von dem einen oder dem anderen Detektor entdeckt, aber nie von beiden); die sich ergebenden Daten zeigen kein Interferenzmuster. Immer, wenn der neue Detektor abgeschaltet ist – wiederum: auch dann, falls diese Entscheidung getroffen wird, nachdem jedes Photon den Teiler durchquert hat –, verhalten sich die Photonen gänzlich wie Wellen und produzieren das aufschlussreiche Interferenzmuster, aus dem hervorgeht, dass sie beiden Wegen gefolgt sind. Es ist, als ob die Photonen ihr Verhalten in der Vergangenheit an der künftigen Entscheidung ausgerichtet hätten, ob der neue Detektor angeschaltet wird; als ob die Photonen eine »Vorahnung« von der Experimentalsituation hätten, die sie auf ihrem weiteren Weg antreffen werden, und sich entsprechend verhielten; als ob eine in sich schlüssige und eindeutige Geschichte erst manifest würde, nachdem die Zukunft, in die sie führt, vollständig entschieden ist.[4]

Es besteht eine Ähnlichkeit mit der Erfahrung, die Sie machten, als Sie sich entschieden, *The Full Monty* zu verkaufen. Bevor Sie mit Mr. Smithers zusammenkamen, befanden Sie sich in einer ambivalenten, unentschiedenen, verschwommenen, gemischten Verfassung – zugleich willens und nicht willens, das Gemälde zu verkaufen. Doch das Gespräch über die Kunstwelt und die Information, dass Smithers Ihren Großonkel sehr mochte, veranlassten Sie dazu, sich mehr und mehr mit dem Gedanken an einen Verkauf anzufreunden. Das Gespräch führte zu einer endgültigen Entscheidung, die ihrerseits die Voraussetzung dafür schuf, dass sich aus der vorherigen Ungewissheit eine Geschichte der Entscheidung herauskristallisierte. In der Rückschau wirkte es dann so, als sei die Entscheidung in Wirklichkeit schon vor langer Zeit gefallen. Doch wenn Sie sich nicht so gut mit Mr. Smithers verstanden hätten und wenn er Ihnen nicht das Gefühl vermittelt hätte, dass *The Full Monty* bei ihm in guten Händen sein würde, hätten Sie sich womöglich entschieden, nicht zu verkaufen. Und die Geschichte der Vergangenheit, die Sie vielleicht erzählen würden, hätte leicht zu der Erkenntnis führen können, dass Sie sich schon längst entschlossen hatten, *nicht* zu verkaufen – dass Sie, egal, wie vernünftig es sein mochte, das Gemälde zu verkaufen, ganz tief in Ihrem Inneren schon immer gewusst hätten, dass Ihre gefühlsmäßige Bindung an das Kunstwerk zu stark sei, um sich tatsächlich von ihm zu trennen. Die eigentliche Vergangen-

Abbildung 7.3 Licht von einem fernen Quasar, das durch eine dazwischen liegende Galaxie geteilt und gebündelt wird, liefert im Prinzip ein Interferenzmuster. Würde ein zusätzlicher Detektor eingeschaltet, mit dem sich bestimmen ließe, welchen Weg jedes Photon eingeschlagen hat, würden die dann kommenden Photonen kein Interferenzmuster mehr bilden.

heit hat sich natürlich kein bisschen verändert. Doch eine andere Erfahrung würde Sie jetzt veranlassen, eine andere Geschichte zu beschreiben.

Auf dem Schauplatz der Psychologie ist das Umschreiben oder die Umdeutung der Vergangenheit ein Gemeinplatz; unsere Schilderung der Vergangenheit ist häufig durch unsere Erfahrungen in der Gegenwart beeinflusst. Doch auf dem Schauplatz der Physik – den wir häufig als objektiv und ein für alle Mal feststehend erachten – macht uns eine Rückwirkung der Gegenwart auf die Geschichte schwindeln. Um das Schwindelgefühl noch zu verstärken, erfand Wheeler eine kosmische Version des Delayed-Choice-Experiments, bei dem die Lichtquelle kein Laborlaser ist, sondern ein mächtiger Quasar tief im All. Der Strahlteiler ist auch kein Laborgerät, sondern eine dazwischen liegende Galaxie, deren Gravitation wie eine Linse wirkt, die vorbeikommende Photonen bündelt und sie zur Erde lenkt wie in Abbildung 7.3. Obwohl niemand dieses Experiment bislang durchgeführt hat, müssten die Photonen des Quasars, wenn es gelänge, genügend aufzufangen, auf einer Platte bei langer Belichtungszeit ein Interferenzmuster bilden, genau wie in dem Laborexperiment mit dem Strahlteiler. Doch wenn wir einen anderen Photonendetektor direkt am Ende des einen oder anderen Weges aufstellten, würde er »Welcher-Weg-Informationen« liefern und damit das Interferenzmuster zerstören.

Verblüffend an dieser Version ist, dass die Photonen aus unserer Perspektive seit vielen Milliarden Jahren unterwegs sein könnten. Ihre Entscheidung, die Galaxie wie Teilchen auf der einen Seite oder wie Wellen auf beiden Seiten zu passieren, müsste, so würde man denken, schon lange getroffen worden sein, bevor es den Detektor, einen von uns oder auch nur die Erde selbst gab. Und doch, Jahrmilliarden später wird der Detektor gebaut, auf einem der Wege angebracht, auf dem sich die Photonen der Erde nähern, und eingeschaltet. Irgendwie sorgen diese Handlungen jüngeren Datums dafür, dass die betreffenden Photonen sich wie Teilchen verhalten. Sie verhalten sich, als wären sie auf ihrem langen Weg zur Erde der einen oder der anderen Bahn gefolgt. Doch wenn wir nach einigen Minuten den Detektor abstellen, beginnen die Photonen, die anschließend die fotografische Platte erreichen, ein Interferenzmuster zu bilden, was darauf schließen lässt, dass sie seit Jahrmilliarden gemeinsam mit ihren gespenstischen Partnern gereist sind und die Galaxie auf entgegengesetzten Bahnen passiert haben.

Kann es für die Bewegung von Photonen vor Milliarden Jahren von irgendwelcher Bedeutung gewesen sein, ob wir im 21. Jahrhundert einen Detektor ein- oder abschalten? Gewiss nicht. Die Quantenmechanik stellt nicht in Abrede, dass die Vergangenheit geschehen ist, und zwar unwiderruflich. Der Konflikt erwächst einfach daraus, dass der Begriff der *Vergangenheit* in der Quantenmechanik eine andere Bedeutung als in der klassischen Vorstellung hat. In der klassischen Vorstellung aufgewachsen, sind wir versucht zu sagen, ein gegebenes Photon habe *dieses* oder *jenes* getan. In der Quantenwelt, unserer Welt, verleiht diese Auffassung dem Photon jedoch eine zu eingeschränkte Wirklichkeit. Wie wir gesehen haben, ist in der Quantenmechanik eine aus vielen Strängen bestehende, unentschiedene, unscharfe Vielfachwirklichkeit die Norm, die erst zu einer vertrauten, eindeutigen Realität gerinnt, wenn eine geeignete Beobachtung ausgeführt wird. Es ist nicht so, dass das Photon vor Jahrmilliarden entschied, die Galaxie auf der einen Bahn, der anderen oder auf beiden zu passieren, sondern über Jahrmilliarden hat die Quantennorm geherrscht – eine Vielfachwirklichkeit der Möglichkeiten.

Der Beobachtungsakt verknüpft die fremde Quantenrealität mit der Alltagswelt der klassischen Erfahrung. Beobachtungen, die wir heute vornehmen, bewirken, dass sich einer der Stränge der Quantengeschichte in unserer Erzählung der Vergangenheit durchsetzt. Obwohl also die Quantenentwicklung von der Vergangenheit bis jetzt durch nichts beeinflusst wird, was wir jetzt tun, kann die Geschichte, die wir über die Vergangenheit erzählen, insofern doch die Spur heutiger Handlungen in sich tragen. Wenn wir Photonendetektoren auf den beiden Bahnen anbringen, denen das Licht auf dem Weg zu einem Schirm folgt, gehört zu unserer Geschichte der Vergangenheit, dass wir beschreiben, welche Bahn jedes Photon genommen hat; durch Anbringung der Photonendetektoren sorgen wir dafür, dass die Welcher-Weg-Information ein wesentliches und entscheidendes Detail unserer Geschichte ist.

Wenn wir allerdings die Photonendetektoren nicht anbringen, können wir nicht erzählen, welchen Weg die Photonen nahmen. Ohne die Photonendetektoren sind Welcher-Weg-Einzelheiten prinzipiell nicht verfügbar. Beide Geschichten sind gültig. Beide Geschichten sind interessant. Sie beschreiben einfach verschiedene Situationen.

So kann eine Beobachtung, die wir heute vornehmen, dazu beitragen, die Geschichte zu vervollständigen, die wir über einen Prozess erzählen, der gestern oder vorgestern oder vielleicht vor einer Milliarde Jahren begann. Eine Beobachtung, die wir heute vornehmen, kann die Einzelheiten hervorheben, die wir in die heutige Erzählung der Vergangenheit einbeziehen können und müssen.

Die Vergangenheit ausradieren

Wir müssen uns vor Augen halten, dass die Vergangenheit in diesen Experimenten in keiner Weise von unserem heutigen Handeln verändert wird und dass keine noch so schlaue Veränderung der Experimente uns an dieses ungewisse Ziel bringen wird. Das wirft die Frage auf: Wenn Sie etwas, was bereits geschehen ist, nicht ändern können, sind Sie dann wenigstens zu der zweitbesten Lösung fähig und können seine *Wirkung* auf die Gegenwart ausradieren? Bis zu einem gewissen Grade lässt sich diese Fantasie manchmal verwirklichen. Ein Verteidiger, der fünf Minuten vor Spielende seine Mannschaft durch ein Eigentor an den Rand einer Niederlage bringt, kann die Wirkung seines Fehlers ungeschehen machen, indem er gleich darauf nach einem spektakulären Alleingang den Ausgleich schießt. Natürlich ist ein solches Beispiel nicht im Geringsten rätselhaft. Nur wenn ein Ereignis in der Vergangenheit das Eintreten eines anderen Ereignisses in der Zukunft eindeutig auszuschließen scheint (wie das Eigentor eindeutig einen torlosen Spielstand beim Abpfiff ausschloss), würden wir meinen, dass da etwas nicht stimmen kann, wenn man uns mitteilen würde, dass das ausgeschlossene Ereignis doch stattgefunden hat. Der *Quantenradierer*, der 1982 von Marlan Scully und Kai Drühl vorgeschlagen wurde, verweist auf genau diese Art von Seltsamkeit in der Quantenmechanik.

Eine einfache Version des Quantenradierer-Experiments beruht auf folgender Abänderung der Doppelspalt-Anordnung: Vor jedem Spalt wird eine Markiervorrichtung angebracht. Sie markiert jedes Photon, das vorbeikommt, so dass Sie später, wenn das Photon untersucht wird, bestimmen können, welchen Spalt es durchquert hat. Man fragt sich natürlich, wie wir ein Photon mit einer Markierung versehen können – einem Photon, das durch den linken

Spalt gelangt, gewissermaßen ein »L« verpassen und einem Photon, das den rechten Spalt durchquert, ein »R«. Das ist eine gute Frage, doch die Antwort ist ohne große Bedeutung. Allgemein gesagt, benutzt man dazu eine Vorrichtung, die dem Photon die ungehinderte Passage durch den Spalt gestattet, aber seine Spinachse zwingt, in eine bestimmte Richtung zu zeigen. Wenn die Geräte vor dem linken und dem rechten Spalt die Spins der Photonen auf bestimmte, unterscheidbare Art verändern, dann wird ein verbesserter Detektorschirm, der nicht nur die Aufschlagstelle eines Photons durch einen Punkt registriert, sondern auch die Spinausrichtung des Photons aufzeichnet, offenbaren, welchen Spalt ein gegebenes Photon durchquert hat.

Wird dieses Doppelspaltexperiment mit Markierung durchgeführt, bilden die Photonen kein Interferenzmuster, wie Abbildung 7.4 (a) illustriert. Mit der Erklärung sollten wir inzwischen vertraut sein: Die neuen Markierer erlauben die Sammlung von Welcher-Weg-Informationen, und Welcher-Weg-Informationen wählen die eine oder die andere Geschichte aus. Die Daten zeigen, dass jedes gegebene Photon entweder durch den linken oder den rechten Spalt gelangte. Und ohne die Kombination der Bahnen durch den linken Spalt mit denen durch den rechten Spalt wird kein Interferenzmuster hervorgerufen.

Hier kommt nun die Idee von Scully und Drühl ins Spiel. Was passiert, wenn Sie, kurz bevor das Photon auf den Detektorschirm trifft, die Markierung des Photons löschen, so dass sich nicht mehr bestimmen lässt, welchen Spalt das Teilchen durchquert hat? Kommen ohne die Möglichkeit, dem entdeckten Photon auch nur im Prinzip die Welcher-Weg-Information zu entlocken, wieder beide Klassen von Geschichten zur Geltung, mit dem Erfolg, dass das Interferenzmuster erneut sichtbar wird? Beachten Sie, dass diese Art, die Vergangenheit ungeschehen zu machen, weit schockierender wäre als der Ausgleich des Verteidigers in letzter Minute. Wenn der Markierer eingeschaltet wird, gehen wir davon aus, dass sich das Photon gehorsam als Teilchen verhält und den linken *oder* den rechten Spalt durchquert. Wenn wir, kurz bevor es auf den Schirm trifft, irgendwie die Markierung ausradieren, die es trägt, scheint es für die Bildung eines Interferenzmusters zu spät zu sein. Zur Interferenz kann es nur kommen, wenn sich das Photon wie eine Welle verhält. Es muss durch beide Spalte, um sich auf dem Weg zum Detektorschirm mit sich selbst mischen zu können. Doch die ursprüngliche Markierung des Photons scheint sicherzustellen, dass es sich wie ein Teilchen verhält, entweder den linken oder den rechten Spalt durchquert und so das Eintreten der Interferenz verhindert.

In einem Experiment, das von Raymond Chiao, Paul Kwiat und Aephraim Steinberg durchgeführt wurde, war die schematische Versuchsanord-

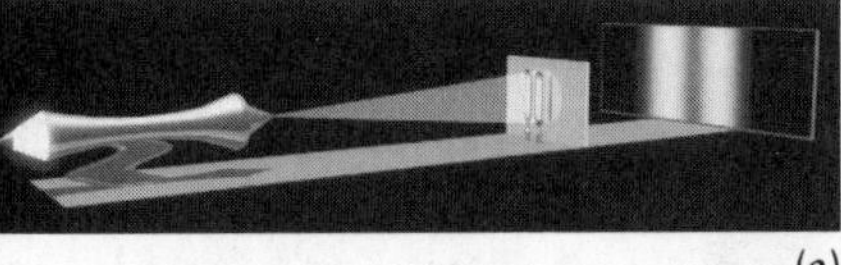

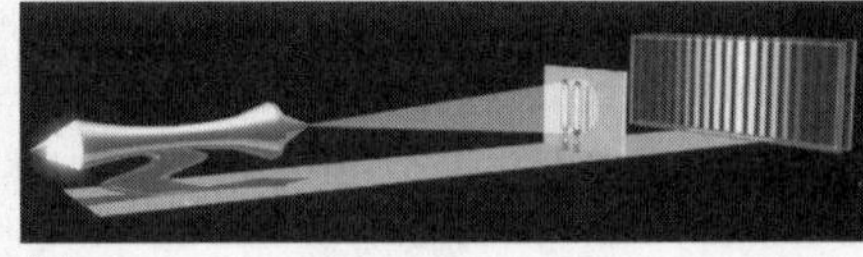

(a) (b)

Abbildung 7.4 Im Quantenradierer-Experiment markiert eine Vorrichtung vor jedem der beiden Spalte die Photonen dergestalt, dass eine spätere Untersuchung offen legen kann, welchen der Spalte jedes Photon durchquert hat. In (**a**) sehen wir, dass diese Welcher-Weg-Information das Interferenzmuster verdirbt. In (**b**) wird ein Gerät, das die Markierung auf den Photonen ausradiert, unmittelbar vor dem Detektorschirm angebracht. Da die Welcher-Weg-Information ausgelöscht wird, erscheint das Interferenzmuster wieder.

nung wie in Abbildung 7.4, diesmal mit einer Radiervorrichtung kurz vor dem Detektorschirm. Abermals sind die Einzelheiten ohne Bedeutung. Nur so viel sei gesagt, dass der Radierer, egal, ob ein Photon vom linken oder rechten Spalt kommt, den Spin so manipuliert, dass er stets in die gleiche Richtung zeigt. Eine nachfolgende Untersuchung des Spins gibt daher keinen Aufschluss darüber, welchen Spalt das Photon passiert hat, folglich ist die Welcher-Weg-Information wieder ausradiert worden. Bemerkenswerterweise erzeugen die Photonen, die nach dieser Markierungslöschung vom Schirm erfasst werden, *tatsächlich* ein Interferenzmuster. Wird der Radierer kurz vor dem Detektorschirm angebracht, beseitigt er die Wirkung der Markierung, welche die Photonen weit vorher bei Annäherung an die Spalte erhielten. Er radiert sie gleichsam aus. Wie im Delayed-Choice-Experiment könnte diese Art von Löschung im Prinzip Milliarden Jahre nach dem Einfluss erfolgen, den sie aufhebt. Damit macht sie praktisch die Vergangenheit ungeschehen, selbst die fernste Vergangenheit.

Wie sollen wir das verstehen? Nun, denken Sie daran, dass die Daten sich vollkommen mit den theoretischen Vorhersagen der Quantenmechanik decken. Scully und Drühl haben dieses Experiment vorgeschlagen, weil sie auf Grund ihrer quantenmechanischen Berechnungen überzeugt waren, dass es klappen würde. Und es klappt. Wie üblich in der Quantenmechanik, entsteht bei diesem Rätsel kein Widerspruch zwischen Theorie und Experiment. Der Widerspruch tritt vielmehr zwischen der – durch das Experiment bestätigten – Theorie und unserem intuitiven Empfinden für Zeit und Wirklichkeit auf. Um diesen Konflikt abzumildern, sei Folgendes festgestellt: Würden Sie einen *Photonendetektor* vor jedem Spalt aufstellen, würden die Ergebnisse des Detektors mit Sicherheit anzeigen, ob das Photon den linken oder den rechten Spalt durchquert hätte, und es gäbe keine Möglichkeit, eine so eindeutige Information wieder auszuradieren – das Interferenzmuster wiederherzustellen. Mit Markierern verhält es sich anders, weil sie nur die *Möglichkeit* schaffen, Welcher-Weg-Informationen zu bestimmen – und Möglichkeiten gehören genau zu den Dingen, die sich ausradieren oder löschen lassen. Einfach gesagt, verändert eine Markiervorrichtung ein vorbeikommendes Photon dergestalt, dass es zwar immer noch beiden Wegen folgt, der linke Teil seiner Wahrscheinlichkeitswelle aber relativ zum rechten verwischt ist oder umgekehrt. Infolgedessen ist auch die geordnete Folge von Wellenbergen und -tälern, die normalerweise aus jedem Spalt hervorkämen – wie in Abbildung 4.2 (b) –, ebenfalls verwischt, daher bildet sich kein Interferenzmuster auf dem Detektorschirm. Entscheidend ist jedoch, dass sowohl die linke wie die rechte Welle noch vorhanden sind. Die Funktion des Quantenradierers beruht darauf, dass er den Wellen die alte Schärfe zurückgibt. Wie eine Brille hebt er die Verschwommenheit auf, verleiht er beiden Wellen wieder deutliche Konturen und ermöglicht ihnen so, sich abermals zu einem Interferenzmuster zu vereinigen. Es ist, als würde das Interferenzmuster, nachdem die Markierer ihre Aufgabe erfüllt haben, aus unserem Blick entschwinden, aber irgendwo geduldig warten, bis jemand es wieder hervorholt.

Diese Erklärung mag dem Quantenradierer ein bisschen von seiner Rätselhaftigkeit nehmen, allerdings hält er noch eine letzte Überraschung parat – eine verblüffende Abänderung des Quantenradierer-Experiments, die unsere herkömmlichen Vorstellungen von Raum und Zeit noch gründlicher in Frage stellt.

*Die Vergangenheit formen**

Auch dieses Experiment, der *Delayed-Choice-Quantenradierer*, wurde von Scully und Drühl vorgeschlagen. Er beginnt mit dem Strahlteiler-Experiment aus Abbildung 7.1, das durch den Einbau zweier so genannter *Down-Converter*, eines auf jeder Bahn, modifiziert wird. Down-Converter sind Geräte, die ein Photon als Input aufnehmen und zwei Photonen als Output produzieren, jedes mit der halben Energie (»abwärtsgewandelt«) des ursprünglichen Teilchens. Eines der beiden Photonen (das *Signalphoton*) wird auf den Weg gebracht, auf dem das ursprüngliche Photon zum Detektorschirm gelangt wäre. Das andere Photon, das der Down-Converter erzeugt (das *Idlerphoton* – nach

* Wenn Sie diesen Abschnitt ein bisschen schwierig finden, können Sie getrost zum nächsten übergehen, ohne den Zusammenhang zu verlieren. Aber ich möchte Sie eigentlich ermutigen, sich durchzubeißen, weil die Ergebnisse wirklich verblüffend sind.

dem englischen Wort für »Müßiggänger«), wird in eine ganz andere Richtung geschickt, siehe Abbildung 7.5 (a). Bei jedem Durchgang des Experiments können wir bestimmen, auf welchem Weg ein Signalphoton zum Schirm gelangt ist, indem wir beobachten, welcher Down-Converter das Partnerteilchen, das Idlerphoton, aussendet. Die Fähigkeit, Welcher-Weg-Informationen über die Signalphotonen zu sammeln – auch wenn sie vollkommen indirekt sind, da wir nicht im Mindesten mit einem Signalphoton wechselwirken –, verhindert abermals, dass sich ein Interferenzmuster bildet.

Nun zum noch seltsameren Teil. Was ist, wenn wir das Experiment so verändern, dass sich nicht mehr entscheiden lässt, aus welchem Down-Converter ein gegebenes Idlerphoton stammt? Wenn wir also die Welcher-Weg-Information ausradieren, die das Idlerphoton verkörpert? Dann geschieht etwas Erstaunliches: Obwohl wir mit den Signalphotonen direkt überhaupt nicht in Berührung kommen, wenn wir die Welcher-Weg-Informationen der Idlerphotonen löschen, erhalten wir jetzt wieder ein Interferenzmuster der Signalphotonen. Ich möchte Ihnen erklären, wie das geschieht, denn es ist wirklich bemerkenswert.

Schauen Sie sich Abbildung 7.5 (b) an, die alle wesentlichen Ideen enthält. Aber lassen Sie sich nicht einschüchtern. Das Ganze ist einfacher, als es den Anschein hat. Wir werden es in überschaubaren Schritten nachvollziehen. Die Anordnung in Abbildung 7.5 (b) unterscheidet sich von derjenigen in Abbildung 7.5 (a) durch die Art und Weise, wie wir die Idlerphotonen nachweisen, nachdem sie emittiert worden sind. In Abbildung 7.5 (a) haben wir sie direkt nachgewiesen, daher konnten wir unmittelbar bestimmen, von welchem Down-Converter jedes produziert wurde – das heißt, welchem Weg ein gegebenes Signalphoton folgte. In dem neuen Experiment wird jedes Idlerphoton durch ein kleines Labyrinth geschickt, das unsere Fähigkeit beeinträchtigt, eine solche Bestimmung vorzunehmen. Stellen Sie sich beispielsweise vor, ein Idlerphoton wird vom Down-Converter mit der Bezeichnung »L« ausgesandt. Statt sofort in einen Detektor einzutreten (wie in Abbildung 7.5 [a]), wird dieses Photon zu einem Strahlteiler gesandt (als »a« bezeichnet) und hat folglich eine 50-prozentige Chance, den Weg mit der Bezeichnung »A« einzuschlagen, und eine 50-prozentige Chance, dem Weg mit der Bezeichnung »B« zu folgen. Nimmt es Weg A, gelangt es zu einem Photonendetektor (mit der Bezeichnung »1«), wo sein Eintreffen entsprechend aufgezeichnet wird. Wenn das Idlerphoton jedoch Weg B folgt, wird es einer weiteren »Spezialbehandlung« unterzogen. Es gelangt in noch einen Strahlteiler (»c« genannt) und hat daher eine 50-prozentige Chance, Bahn E zu dem Detektor mit der Bezeichnung »2« zu folgen, und eine 50-prozentige Chance, Bahn F zu dem Detektor mit der Be-

(a)

(b)

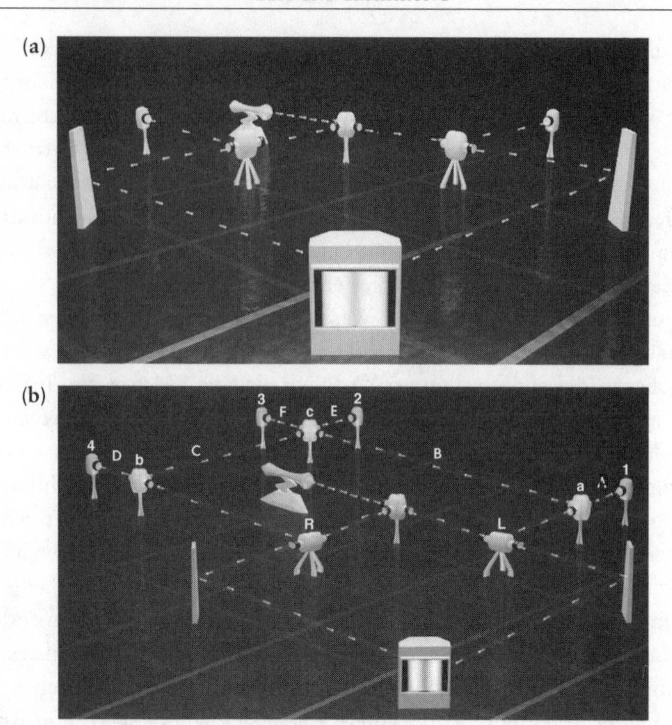

Abbildung 7.5 (**a**) Ein Strahlteiler-Experiment, ergänzt durch Down-Converter, produziert kein Interferenzmuster, da die Idlerphotonen Welcher-Weg-Informationen übermitteln. (**b**) Wenn die Idlerphotonen nicht direkt nachgewiesen, sondern stattdessen durch das abgebildete Labyrinth geschickt werden, lässt sich aus den Daten ein Interferenzmuster gewinnen. Idlerphotonen, die von Detektor 2 oder 3 entdeckt werden, liefern keine Welcher-Weg-Informationen, folglich erzeugen ihre Signalphotonen ein Interferenzmuster.

zeichnung »3« zu folgen. Haben Sie noch einen Augenblick Geduld, wir kommen gleich zu dem springenden Punkt: Haargenau die gleiche Überlegung, auf ein Idlerphoton angewandt, das von dem anderen Down-Converter mit der Bezeichnung »R« emittiert wird, sagt uns, dass das Idlerphoton, wenn es Weg D folgt, von Detektor 4 entdeckt wird, dass es aber, wenn es Weg C folgt, entweder von Detektor 3 oder Detektor 2 entdeckt wird, je nachdem, welchen Weg es nach Durchquerung von Strahlteiler c einschlägt.

Nun zu der Frage, wozu alle diese Komplikationen gut sind. Wenn ein Idlerphoton von Detektor 1 entdeckt wird, folgt daraus, dass das dazu gehörige Signalphoton den linken Weg eingeschlagen hat, da es für ein Idlerphoton, das vom Down-Converter R ausgesandt wurde, keine Möglichkeit gibt, zu diesem Detektor zu gelangen. Entsprechend gilt: Wenn ein Idlerphoton von Detektor

4 entdeckt wird, folgt daraus, dass sein Signalphoton auf dem rechten Weg eingetroffen ist. Doch wenn ein Idlerphoton in Detektor 2 auftaucht, haben wir keine Ahnung, welchen Weg sein Signalphoton eingeschlagen hat, da die Wahrscheinlichkeit, dass es von Down-Converter L emittiert wurde und Weg B-E eingeschlagen hat, genauso groß ist wie die Wahrscheinlichkeit, dass es von Down-Converter R ausgesandt wurde und Weg C-E folgte. Wenn ein Idlerphoton von Detektor 3 entdeckt wird, verhält es sich genauso: Es könnte von Down-Converter L emittiert worden sein und Weg B-F eingeschlagen haben oder aus dem Down-Converter R stammen und Weg C-F gefolgt sein. *Für Signalphotonen, deren Idlerphotonen von Detektor 1 oder 4 entdeckt wurden, haben wir Welcher-Weg-Informationen, doch bei den Signalphotonen, deren Idlerphotonen in Detektor 2 oder 3 auftauchen, sind die Welcher-Weg-Informationen ausradiert.*

Bedeutet diese Löschung einiger Welcher-Weg-Informationen – obwohl wir *nicht direkt* auf die Signalphotonen eingewirkt haben – die Wiederherstellung der Interferenzeffekte? Das ist tatsächlich der Fall – aber nur für jene Signalphotonen, deren Idlerphotonen in Detektor 2 oder 3 auftauchen. Die Gesamtheit der Auftrefforte, welche die Signalphotonen auf dem Detektorschirm hinterlassen, sieht aus wie die Daten in Abbildung 7.5 (a), *ohne den geringsten Anflug eines Interferenzmusters* – genauso wie Photonen, die dem einen *oder* dem anderen Weg gefolgt sind. Doch wenn wir uns auf eine *Untermenge* der Datenpunkte konzentrieren – beispielsweise auf die Signalphotonen, deren Idlerphotonen in Detektor 2 eingetreten sind –, dann *bildet* diese Untermenge der Punkte ein Interferenzmuster! Diese Signalphotonen – deren Idlerphotonen zufällig keine Welcher-Weg-Informationen übermitteln – verhalten sich, als wären sie beiden Wegen gefolgt! Würden wir unsere Versuchsanordnung so wählen, dass der Detektorschirm die Aufschlagstelle jedes Signalphotons, dessen Idlerphoton von Detektor 2 entdeckt wird, durch einen roten Punkt und die Aufschlagstellen aller anderen Signalphotonen durch einen grünen Punkt bezeichnete, nähme ein Farbenblinder kein Interferenzmuster wahr, jeder andere dagegen würde erkennen, dass die roten Punkte zu hellen und dunklen Streifen angeordnet wären – einem Interferenzmuster. Das Gleiche gilt für Detektor 3 anstelle von Detektor 2. Kein Interferenzmuster dieser Art gäbe es indessen, wenn wir uns auf die Signalphotonen beschränkten, die von Detektor 1 oder 2 erfasst werden, da das die Idlerphotonen sind, die Welcher-Weg-Informationen über ihre Partner liefern.

Diese Ergebnisse – die durch Experimente bestätigt wurden[5] – sind verwirrend: Durch Einbeziehung von Down-Convertern, die Welcher-Weg-Informationen liefern können, geht das Interferenzmuster verloren wie in Abbildung 7.5 (a). Ohne Interferenz müssen wir natürlich zu dem Schluss gelangen, dass jedes Photon entweder dem linken oder dem rechten Weg gefolgt ist. Doch jetzt erkennen wir, dass das ein voreiliger Schluss wäre. Dadurch, dass wir die potenziellen Welcher-Weg-Informationen einiger Idlerphotonen sorgfältig eliminieren, können wir den Daten ein Interferenzmuster entlocken, was darauf schließen lässt, dass einige Photonen doch beide Wege eingeschlagen haben.

Beachten Sie auch das vielleicht verblüffendste Ergebnis überhaupt: Die drei zusätzlichen Strahlteiler und die vier Idlerphotonen-Detektoren können sich auf der anderen Seite des Labors befinden, ja auf der anderen Seite des Universums, da nichts in unserer Erörterung davon abhing, dass sie ein gegebenes Idlerphoton nachweisen, bevor oder nachdem sein Signalpartner auf den Schirm trifft. Stellen wir uns vor, diese Geräte wären alle weit entfernt, zehn Lichtjahre, um einen konkreten Wert zu nennen, und überlegen wir uns, was das bedeutet. Sie führen heute das Experiment in Abbildung 7.5 (b) aus, zeichnen die Aufschlagstellen einer großen Anzahl von Signalphotonen auf – eine nach der anderen – und machen die Beobachtung, dass sie kein Anzeichen von Interferenz erkennen lassen. Wenn jemand Sie auffordert, die Daten zu erklären, könnten Sie versucht sein zu antworten, dass infolge der Idlerphotonen Welcher-Weg-Informationen verfügbar seien und dass daher jedes Signalphoton zweifelsfrei dem einen oder dem anderen Weg gefolgt sei, wodurch jede Möglichkeit von Interferenz ausgeschlossen sei. Doch wie oben wäre das eine voreilige Schlussfolgerung bezüglich der Geschehnisse. Es wäre eine völlig übereilte Beschreibung der Vergangenheit.

Zehn Jahre später würden nämlich die vier Photonendetektoren – einer nach dem anderen – die Idlerphotonen empfangen. Würden Sie anschließend darüber informiert, welche Idlerphotonen zu, sagen wir, Detektor 2 gelangten (zum Beispiel das erste, siebte, achte, zwölfte … Idlerphoton in der Folge), und würden Sie daraufhin in den Daten, die Sie Jahre zuvor gesammelt haben, die Aufschlagorte der entsprechenden Signalphotonen (zum Beispiel des ersten, siebten, achten, zwölften … Signalphotons in der Folge) auf dem Detektorschirm hervorheben, würden Sie feststellen, dass die hervorgehobenen Daten ein Interferenzmuster bilden. Ihre Beschreibung dieser Signalphotonen hätte also berücksichtigen müssen, dass sie beiden Wegen folgten. Wenn Ihnen hingegen ein Witzbold 9 Jahre und 364 Tage, nachdem Sie die Signalphotonendaten gesammelt hätten, einen Streich spielen und die Strahlteiler a und b entfernen würde – um so dafür zu sorgen, dass die Idlerphotonen bei ihrer Ankunft am folgenden Tag alle entweder in Detektor 1 oder Detektor 4 landeten und damit *alle* Welcher-Weg-Informationen bewahrten –, dann würden Sie beim Empfang dieser Informationen zu dem Schluss gelangen, dass *jedes*

Signalphoton entweder den linken oder den rechten Weg eingeschlagen habe und dass aus den Signalphotonendaten kein Interferenzmuster zu gewinnen sei. Wie uns diese Überlegungen nachdrücklich vor Augen führen, hängt die Geschichte, die Sie erzählen würden, um die Signalphotonendaten zu erklären, in erheblichem Maße von den Messungen ab, die Sie zehn Jahre nach Sammlung dieser Daten durchführten.

Lassen Sie mich noch einmal darauf hinweisen, dass die künftigen Messungen nicht das Geringste an den Dingen ändern, die heute in Ihrem Experiment stattfinden; die künftigen Messungen ändern nichts an den Daten, die Sie heute gesammelt haben. Wohl aber verändern künftige Messungen etwas an den Einzelheiten, auf die Sie verweisen können, wenn Sie anschließend beschreiben, was heute geschehen ist. Bevor Sie nicht die Ergebnisse der Idlerphotonenmessungen haben, können Sie beim besten Willen nichts über die Welcher-Weg-Geschichte eines gegebenen Signalphotons aussagen. Doch sobald Sie über die Ergebnisse verfügen, leiten Sie daraus ab, dass sich über Signalphotonen, mit deren Idler-Partnern eine erfolgreiche Bestimmung von Welcher-Weg-Informationen vorgenommen wurde, sagen lässt, sie seien – Jahre zuvor – entweder dem linken oder dem rechten Weg gefolgt. Weiterhin gelangen Sie zu dem Schluss, dass sich über Signalphotonen, bei deren Idler-Partnern die Welcher-Weg-Informationen ausgelöscht wurden, *nicht* sagen lässt, sie hätten – Jahre zuvor – eindeutig den einen oder den anderen Weg eingeschlagen (ein Schluss, den Sie überzeugend belegen können, indem Sie mit Hilfe der neu gewonnenen Idlerphotonendaten das zuvor verborgene Interferenzmuster zwischen den Signalphotonen letzterer Klasse aufdecken). Wir sehen also, dass die Zukunft zur Gestaltung der Geschichte beiträgt, die Sie über die Vergangenheit erzählen.

Diese Experimente sind ein dreister Angriff auf unsere konventionellen Vorstellungen von Raum und Zeit. Etwas, was lange vor und weit entfernt von etwas anderem stattfindet, ist trotzdem von entscheidender Bedeutung für unsere Beschreibung von diesem anderen. Aus der Perspektive der klassischen Vorstellung – des gesunden Menschenverstands – ist das schlicht und ergreifend … verrückt. Das ist natürlich der springende Punkt: Die klassische Vorstellung ist der falsche Weg zum Verständnis eines Quantenuniversums. Aus der Erörterung des Einstein-Podolsky-Rosen-Artikels haben wir gelernt, dass die Quantenphysik räumlich nichtlokal ist. Wenn Sie diese Einsicht richtig verinnerlicht haben – eine Einsicht, die allein schon schwer genug zu verdauen ist –, dürften Ihnen diese Experimente, die eine Art Verschränkung in Raum und Zeit bedeuten, nicht mehr ganz so exotisch erscheinen. Doch nach den Maßstäben unserer Alltagserfahrung sind sie es zweifellos.

Quantenmechanik und Erfahrung

Als ich zum ersten Mal von diesen Experimenten hörte, befand ich mich einige Tage lang in einer Art entrückter Hochstimmung. Mir war, als hätte man mir einen Blick auf eine verschleierte Seite der Wirklichkeit gewährt. Die Alltagserfahrung – profane, gewöhnliche, normale Verrichtungen – wirkte auf mich plötzlich wie Teil einer klassischen Scharade, welche die wahre Natur unserer Quantenwelt verbarg. Unversehens schien die gewöhnliche Welt eine Art umgekehrtes Zauberkunststück zu sein, das seinem Publikum die Dinge so vorgaukelte, dass es an die üblichen, vertrauten Begriffe von Raum und Zeit glaubte, während die erstaunliche Wahrheit der Quantenwirklichkeit gleichzeitig durch die Taschenspielertricks der Natur verborgen wurde.

In den letzten Jahren haben Physiker viel Mühe darauf verwandt, die listigen Kunstgriffe der Natur zu entlarven – herauszufinden, wie sich die fundamentalen Gesetze der Quantenphysik mit den klassischen Gesetzen vereinbaren lassen, denen es so erfolgreich gelingt, die Alltagserfahrung zu erklären. Im Wesentlichen richtete sich dieses Bestreben auf die Frage, wie es den atomaren und subatomaren Objekten gelingt, ihre an Zauberei erinnernde Fremdartigkeit abzuwerfen, wenn sie sich zu makroskopischen Gegenständen zusammenfügen. Die Forschung ist noch lange nicht abgeschlossen, doch vieles haben wir bereits herausgefunden. Schauen wir uns einige Aspekte von besonderer Bedeutung für die Frage des Zeitpfeils an, aber jetzt aus dem Blickwinkel der Quantenmechanik.

Die klassische Mechanik beruht auf Gleichungen, die Newton Ende des siebzehnten Jahrhunderts entdeckte. Der Elektromagnetismus stützt sich auf Gleichungen, die Maxwell Ende des neunzehnten Jahrhunderts aufstellte. Die spezielle Relativitätstheorie fußt auf Gleichungen, die Einstein 1905 entwickelte, die allgemeine Relativitätstheorie auf Gleichungen, die er 1915 entdeckte. Allen diesen Gleichungen ist eine Eigenschaft gemeinsam, die (wie im letzten Kapitel erläutert) von zentraler Bedeutung für das Dilemma des Zeitpfeils ist: ihre völlige Symmetrie in der Behandlung von Vergangenheit und Zukunft. In keiner dieser Gleichungen findet sich ein einziger Anhaltspunkt, der die »Vorwärtszeit« von der »Rückwärtszeit« unterscheidet. Vergangenheit und Zukunft sind vollkommen gleichgestellt.

Die Quantenmechanik beruht auf einer Gleichung, die Erwin Schrödinger 1926 entwickelte.[6] Sie müssen über diese Gleichung nichts wissen außer dem Umstand, dass sie als Input die Form einer quantenmechanischen Wahrscheinlichkeitswelle zu einem gegebenen Zeitpunkt verarbeitet (wie sie etwa in Abbildung 4.5 wiedergegeben ist) und es uns ermöglicht, das Aussehen der Wahrscheinlichkeitswelle zu einem beliebigen anderen Zeitpunkt, früher oder später, zu bestimmen. Wenn die Wahrscheinlichkeitswelle mit einem Teilchen wie einem Elektron assoziiert ist, können Sie mit ihrer Hilfe die Wahrscheinlichkeit vorhersagen, mit der ein Experiment zu einem beliebig gewählten Zeitpunkt das Elektron an einem bestimmten Ort antrifft. Wie die klassischen Gesetze von Newton, Maxwell und Einstein setzt Schrödingers Quantengesetz die Gleichbehandlung von künftiger und vergangener Zeit voraus. Ein »Film«, der zeigte, wie eine Wahrscheinlichkeitswelle auf *diese* Weise begönne und auf *jene* endete, könnte rückwärts laufen – eine Wahrscheinlichkeitswelle zeigend, die auf *jene* Weise begönne und auf *diese* endete –, ohne dass es eine Möglichkeit gäbe zu entscheiden, ob die eine Entwicklung richtig und die andere falsch wäre. Beide wären Lösungen der Schrödinger-Gleichung von gleicher Gültigkeit. Beide wären gleich vernünftige Beispiele dafür, wie sich die Dinge entwickeln könnten.[7]

Natürlich ist der »Film«, von dem hier die Rede ist, ganz anders als die Filme, mit deren Hilfe wir im letzten Kapitel die Bewegung eines Tennisballs oder eines zerbrechenden Eis untersucht haben. Wahrscheinlichkeitswellen sind nichts, was wir direkt sehen könnten; es gibt keine Kameras, die Wahrscheinlichkeitswellen auf einem Film festhalten können. Um Wahrscheinlichkeitswellen zu beschreiben, brauchen wir mathematische Gleichungen, und vor unserem geistigen Auge können wir uns die einfachsten von ihnen so vorstellen, wie in Abbildung 4.5 und 4.6 dargestellt. Doch der einzige Zugang, den wir zu den Wahrscheinlichkeitswellen selbst haben, ist indirekt, durch den Messprozess.

Wie in Kapitel 4 skizziert und in den oben beschriebenen Experimenten wiederholt gesehen, beschreibt die Standardformulierung der Quantenmechanik die Entwicklung der Phänomene mit Hilfe *zweier* sehr verschiedener Stadien. In Stadium eins, dem der Wahrscheinlichkeitswelle – oder in der exakteren Sprache des Feldes, der *Wellenfunktion* –, entwickelt sich ein Objekt wie ein Elektron gemäß der von Schrödinger entdeckten Gleichung. Diese sorgt dafür, dass die Form der Wellenfunktion sich stetig, gleichmäßig und allmählich verändert, ganz so, wie eine Wasserwelle ihre Form verändert, während sie sich von einer Seite eines Sees zur anderen bewegt.* In der Standardbe-

* Vollkommen zu Recht steht die Quantenmechanik in dem Ruf, in ihrem Verhalten alles andere als gleichmäßig und allmählich zu sein. Vielmehr ist sie, wie wir in späteren Kapiteln noch deutlich sehen werden, für einen turbulenten und nervösen Mikrokosmos verantwortlich. Ursprung dieser nervösen Unruhe ist die wahrscheinlichkeitstheoretische Natur der Wellenfunktion – es besteht immer die Wahrscheinlichkeit, dass sich die Dinge von einem zum anderen Augenblick beträchtlich verändern. Es handelt sich aber um *keine* Unruhe, die der Wellenfunktion selbst innewohnt.

schreibung des zweiten Stadiums nehmen wir Kontakt zur beobachtbaren Wirklichkeit auf, indem wir den Aufenthaltsort des Elektrons messen, und in dem Augenblick, da wir das tun, verändert sich die Form der Wellenfunktion jäh und plötzlich. Die Wellenfunktion des Elektrons unterscheidet sich von vertrauteren Beispielen wie Wasser- und Schallwellen: Wenn wir den Aufenthaltsort des Elektrons messen, bekommt seine Wellenfunktion einen steilen Gipfel und erleidet, wie in Abbildung 4.7 wiedergegeben, einen Kollaps. Überall, wo das Teilchen nicht angetroffen wird, fällt der Wert auf 0, während er an dem einzigen Ort, wo die Messung das Teilchen ermittelt, auf 100 Prozent hochschießt.

Stadium eins – die Entwicklung der Wellenfunktion gemäß Schrödingers Gleichung – ist mathematisch streng, vollkommen eindeutig und von der physikalischen Gemeinschaft einhellig akzeptiert. Stadium zwei – der Kollaps einer Wellenfunktion infolge einer Messung – führt bei Physikern seit acht Jahrzehnten im besten Falle zu mildem Staunen, im schlimmsten Falle zu einer verbissenen, Karrieren verschlingenden Auseinandersetzung mit den anstehenden Problemen, Rätseln und potenziellen Paradoxa. Wie am Ende von Kapitel 4 erwähnt, liegt die Schwierigkeit darin, dass Wellenfunktionen nach der Schrödinger-Gleichung *nicht* kollabieren. Der Kollaps der Wellenfunktion ist eine nachträgliche Zugabe. Nachdem Schrödinger seine Gleichung entdeckt hatte, wurde der Kollaps eingeführt, um das zu erklären, was Experimentatoren tatsächlich sehen. Während eine rohe, nicht kollabierte Wellenfunktion die seltsame Idee verkörpert, dass ein Teilchen zugleich hier und dort ist, bekommen Experimentatoren so etwas nicht zu sehen. Stets finden sie ein Teilchen nur eindeutig an dem einen oder dem anderen Ort. Nie offenbart ein Blick auf ihre Messgeräte ein gespenstisches Zittern der Nadeln, weil sie auf diesen und zugleich auf jenen Wert zeigen.

Gleiches gilt natürlich für unsere eigenen beiläufigen Beobachtungen unserer Umgebung. Niemals erblicken wir einen Stuhl, der zugleich hier und dort ist. Niemals beobachten wir, dass der Mond an einer Stelle des Nachthimmels steht und zugleich an einer anderen. Niemals sehen wir eine Katze, die gleichzeitig tot und lebendig ist. Das Konzept vom Kollaps der Wellenfunktion wird unserer Erfahrung gerecht, indem es postuliert, der Messakt veranlasse die Wellenfunktion, das quantenmechanische Zwischenreich zu verlassen und sich für eine der vielen Möglichkeiten zu entscheiden (Teilchen hier oder Teilchen dort).

Das Rätsel der Quantenmessung

Wie bringt die Messung eines Experimentators eine Wellenfunktion zum Kollaps? Beziehungsweise: Findet der Kollaps der Wellenfunktion überhaupt wirklich statt, und wenn, was geht dann tatsächlich auf der mikroskopischen Ebene vor? Bewirkt jede einzelne Messung einen Kollaps? Wann tritt der Kollaps ein, und wie viel Zeit ist dazu nötig? Da gemäß der Schrödinger-Gleichung Wellenfunktionen nicht kollabieren, welche Gleichung ist dann für das zweite Stadium der Quantenentwicklung zuständig, und wie entthront die neue Gleichung die Schrödinger-Gleichung, die doch normalerweise die Quantenprozesse fest im Griff hat? Für unser gegenwärtiges Interesse am Zeitpfeil ist die folgende Frage von besonderer Bedeutung: Führt die Gleichung für Stadium zwei im Gegensatz zur Schrödinger-Gleichung, die das erste Stadium bestimmt und keinen Unterschied zwischen der Vorwärts- und Rückwärtsrichtung der Zeit macht, eine grundsätzliche Asymmetrie zwischen der Zeit vor und nach Durchführung einer Messung ein? Das heißt, führt die Quantenmechanik, *einschließlich ihrer durch Messungen und Beobachtungen zustande kommenden Schnittstelle mit der Alltagswelt*, einen Zeitpfeil in die fundamentalen Gesetze der Physik ein? Schließlich haben wir oben erörtert, auf welche Weise sich die quantenmechanische Behandlung der Vergangenheit von derjenigen der klassischen Physik unterscheidet, und verstanden dabei unter *Vergangenheit* die Zeit, bevor eine bestimmte Beobachtung oder Messung stattgefunden hatte. Stellen also Messungen, wie sie sich im Kollaps der Wellenfunktion während Stadium zwei manifestieren, eine Asymmetrie zwischen Vergangenheit und Zukunft her, zwischen dem Vorher und Nachher einer Messung?

Diese Fragen haben sich hartnäckig jeder vollständigen Lösung widersetzt und sind bis auf den heutigen Tag strittig. Das Vorhersagevermögen der Quantentheorie hat unter dieser Unsicherheit allerdings mitnichten gelitten. Auch wenn Stadium zwei nach wie vor rätselhaft ist, sagt die Stadium-eins/Stadium-zwei-Formulierung der Quantentheorie dennoch Wahrscheinlichkeiten für die Messungen des einen oder anderen Ergebnisses voraus. Diese Vorhersagen sind dadurch bestätigt worden, dass man ein gegebenes Experiment immer aufs Neue wiederholt und die Häufigkeit untersucht hat, mit der das eine oder das andere Ergebnis ermittelt wurde. Der fantastische experimentelle Erfolg dieses Ansatzes macht das Unbehagen mehr als wett, das sich einstellt, weil wir keine exakte Formulierung dessen haben, was tatsächlich in Stadium zwei geschieht.

Dennoch war das Unbehagen ein steter Begleiter. Dabei geht es nicht einfach darum, dass ein paar Einzelheiten in Bezug auf den Kollaps der Wellenfunktion nicht ganz ausgearbeitet wären. Das *quantenmechanische Messproblem*, wie es genannt wird, ist eine grundsätzliche Frage, die die Grenzen und die Universalität der Quantenmechanik betrifft. Das ist nicht schwer zu erkennen. Der Stadium-eins/Stadium-zwei-Ansatz spaltet die Welt auf in das, was beobachtet wird (beispielsweise ein Elektron, ein Proton oder ein Atom), und den Experimentator, der die Beobachtung vornimmt. Bevor der Experimentator auf der Bildfläche erscheint, entwickeln sich die Wellenfunktionen friedlich und gelassen gemäß der Schrödinger-Gleichung. Doch wenn der Experimentator sich in die Dinge einmischt, um eine Messung vorzunehmen, verändern sich die Spielregeln plötzlich. Die Schrödinger-Gleichung wird beiseite geschoben, und stattdessen übernimmt der Stadium-zwei-Kollaps das Kommando. Da es jedoch zwischen den Atomen, Protonen und Elektronen, aus denen der Experimentator und seine Ausrüstung bestehen, und denen, die er untersucht, keinen Unterschied gibt, stellt sich die Frage, warum in aller Welt es überhaupt eine Spaltung in der Art und Weise gibt, wie die Quantenmechanik sie behandelt. Wenn die Quantenmechanik eine universelle Theorie ist, die sich ohne Einschränkungen auf *alles* anwenden lässt, müssten das Beobachtete und der Beobachter auf genau die gleiche Weise behandelt werden.

Niels Bohr sah das anders. Nach seiner Ansicht sind Experimentatoren und ihre Ausrüstung *durchaus* verschieden von Elementarteilchen. Obwohl jene aus den gleichen Teilchen bestehen, sind sie »große« Ansammlungen von Elementarteilchen und folglich den Gesetzen der klassischen Physik unterworfen. Irgendwo zwischen der winzigen Welt der einzelnen Atome und subatomaren Teilchen einerseits und der vertrauten Welt der Menschen und ihrer Ausrüstung andererseits ändern sich die Spielregeln, weil sich die Größenverhältnisse ändern. Das Motiv für das Postulat dieser Teilung liegt auf der Hand: Gemäß der Quantenmechanik kann ein winziges Teilchen sich in einer unscharfen Mischung aus Hier und Dort befinden, während wir in der großen, alltäglichen Welt kein derartiges Verhalten finden. Aber wo genau verläuft die Grenze? Und, noch wichtiger, wie sind die beiden Regelwerke miteinander verflochten, wenn sich die große Welt der alltäglichen Dinge mit der winzigen Welt der atomaren und subatomaren Verhältnisse einlässt, etwa im Falle einer Messung? Nachdrücklich erklärte Bohr diese Fragen für nicht zulässig, womit er, um die Wahrheit zu sagen, meinte, sie lägen außerhalb der Grenzen dessen, was er oder jemand anders beantworten könne. Da die Theorie, auch ohne sich mit diesen Fragen zu befassen, erstaunlich exakte Vorhersagen machen konnte, standen diese Probleme lange Zeit ganz unten auf der Dringlichkeitsliste der Physiker.

Doch um die Quantenmechanik vollständig zu verstehen, um ganz zu bestimmen, was sie über die Wirklichkeit zu sagen hat, und um herauszufinden, welche Rolle sie für die Richtung des Zeitpfeils spielen könnte, müssen wir das quantenmechanische Messproblem klären.

In den nächsten beiden Abschnitten werden wir einige der bekanntesten und verheißungsvollsten Ansätze beschreiben. Sollten Sie zu irgendeinem Zeitpunkt den Wunsch verspüren, zum letzten Abschnitt dieses Kapitels vorzublättern, der sich mit der Quantenmechanik und dem Zeitpfeil beschäftigt, sei Ihnen als Fazit gesagt, dass viel scharfsinnige Arbeit auf dem Gebiet des Messproblems geleistet und beträchtliche Erfolge erzielt wurden, dass aber eine allgemein akzeptierte Lösung noch nicht in Sicht ist. Für viele Forscher ist das die schmerzlichste Lücke in unserer Formulierung der Quantengesetze.

Die Wirklichkeit und das quantenmechanische Messproblem

Im Laufe der Jahre hat es viele Vorschläge zur Lösung des Messproblems gegeben. Obwohl sie auf unterschiedlichen – teilweise extrem unterschiedlichen – Wirklichkeitsbegriffen beruhen, stimmen sie in den Vorhersagen bezüglich der Messergebnisse in so gut wie allen Experimenten überein. Es wirkt wie Zauberei: Jeder Vorschlag führt das gleiche Theaterstück auf, doch wenn Sie hinter die Kulissen schauen, erkennen Sie, dass die Vorgehensweisen sich grundsätzlich unterscheiden.

Wenn es um Unterhaltung geht, möchten Sie im Allgemeinen nicht wissen, was hinter den Kulissen vorgeht. Sie sind vollkommen damit zufrieden, sich das Ergebnis auf der Bühne anzuschauen. Wenn es jedoch um das Verständnis des Universums geht, verspüren wir den unwiderstehlichen Drang, alle Vorhänge zurückzuziehen, alle Türen zu öffnen und die innersten Prozesse der Wirklichkeit an den Tag zu bringen. Bohr hielt diesen Drang für grundlos und fehlgeleitet. Für ihn war die Wirklichkeit *tatsächlich* eine Darbietung. Wie ein Monolog von Spalding Gray sind die nüchternen Messungen eines Experimentators die ganze Show. Mehr gibt es nicht. Laut Bohr existiert keine Hinterbühne. Der Versuch herauszufinden, wie, wann und warum eine quantenmechanische Wellenfunktion auf alle Möglichkeiten bis auf eine verzichtet und eine einzige, exakte Zahl auf einem Messgerät erscheinen lässt, ist sinnlos. Die gemessene Zahl selbst ist alles, was Aufmerksamkeit verdient.

Jahrzehntelang behauptete diese Auffassung das Feld. Doch ungeachtet ihrer beruhigenden Wirkung auf den menschlichen Verstand, der mit der Quantentheorie ringt, kann man sich des Eindrucks nicht erwehren, dass das spektakuläre Vorhersagevermögen der Quantenmechanik auf irgendeine verborgene Realität schließen lässt, die den Prozessen des Universums zugrunde liegt. Man verspürt das Bedürfnis, weiter vorzudringen und zu verstehen, wie die Quantenmechanik mit der Alltagserfahrung verknüpft ist – wie sie die Lücke zwischen Wellenfunktion und Beobachtung überbrückt und welche verborgene Wirklichkeit den Beobachtungen zugrunde liegt. Im Laufe der Jahre haben sich zahlreiche Forscher der Herausforderung gestellt. Es folgen einige Vorschläge, die sie entwickelt haben.

Ein Ansatz, dessen Wurzeln bis zu Heisenberg zurückreichen, verzichtet auf die Ansicht, die Wellenfunktionen seien objektive Eigenschaften der Quantenwirklichkeit, und sieht in ihnen einfach eine Verkörperung dessen, was wir über die Wirklichkeit wissen. Bevor wir eine Messung vornehmen, wissen wir, laut dieser Auffassung, nicht, wo das Elektron ist, und unsere Unwissenheit bezüglich seines Aufenthaltsortes spiegelt sich in seiner Wellenfunktion wider, nach deren Beschreibung es sich an einer Vielzahl verschiedener Orte aufhalten kann. Aber in dem Augenblick, da wir seinen Ort messen, verändert sich unser Wissen über seinen Aufenthalt plötzlich: Wir kennen seinen Ort im Prinzip mit absoluter Exaktheit. (Laut Unschärferelation haben wir allerdings überhaupt keine Erkenntnisse über seine Geschwindigkeit, wenn wir seinen Aufenthaltsort genau kennen, doch darum geht es hier nicht.) Diese plötzliche Veränderung unseres Wissens manifestiert sich, laut dieser Auffassung, durch eine plötzliche Veränderung in der Wellenfunktion des Elektrons: Sie kollabiert unvermittelt und zeigt den scharfen Gipfel, den Abbildung 4.7 illustriert – Ausdruck unserer exakten Kenntnis des Aufenthaltsortes des Elektrons. Diesem Ansatz zufolge ist also der plötzliche Kollaps der Wellenfunktion überhaupt keine Überraschung: Er ist nichts anderes als die plötzliche Veränderung des Wissens, die wir alle erleben, wenn wir etwas Neues erfahren.

Ein zweiter Ansatz, den 1957 Wheelers Schüler Hugh Everett vorgeschlagen hat, stellt in Abrede, dass Wellenfunktionen jemals kollabieren. Vielmehr erblickt demnach absolut jedes potenzielle Ergebnis, das in einer Wellenfunktion verkörpert ist, das Licht der Welt. Doch das Licht, das da erblickt wird, gehört zu separaten Welten, separaten Universen. Nach diesem Ansatz, der *Viele-Welten-Interpretation*, wird der Begriff des »Universums« so erweitert, dass er unzählige »Paralleluniversen« – unzählige Versionen unseres Universums – einbezieht. So kommt es, dass sich alles, was nach der Vorhersage der Quantenmechanik geschehen *könnte* – und wenn auch nur mit winziger Wahrscheinlichkeit –, *tatsächlich* in mindestens einer der Kopien ereignet. Wenn eine Wellenfunktion sagt, dass ein Elektron hier, dort und da drüben sein kann, findet in einem Universum eine Version von Ihnen es hier; in einem anderen Universum entdeckt eine andere Kopie von Ihnen das Elektron dort; und in einem dritten Universum stößt eine weitere Version von Ihnen da drüben auf das Elektron. Die Folge von Beobachtungen, die wir alle von einer Sekunde zur anderen machen, spiegelt also eine Wirklichkeit wider, die nur in einem Teil dieses riesigen, unendlichen Netzwerks von Universen stattfindet. In den anderen Universen leben lauter Kopien von Ihnen, mir und allen anderen, die in dem betreffenden Universum, in dem bestimmte Beobachtungen zu bestimmten Ergebnissen geführt haben, noch am Leben sind. In einem solchen Universum lesen Sie jetzt diese Worte, in einem anderem machen Sie eine Pause und surfen ein bisschen im Internet, und in wieder einem anderen warten Sie aufgeregt darauf, dass sich der Vorhang für Ihr Broadwaydebüt hebt. Es ist, als gäbe es nicht nur einen Raumzeitblock, wie in Abbildung 5.1 dargestellt, sondern eine unendliche Zahl davon, und als würde jeder Block einen möglichen Geschehensverlauf verwirklichen. Im Viele-Welten-Ansatz bleibt also kein potenzielles Ergebnis reine Möglichkeit. Wellenfunktionen kollabieren nicht. Jedes potenzielle Ereignis ereignet sich in einem der Paralleluniversen tatsächlich.

Ein dritter Vorschlag, der in den fünfziger Jahren von David Bohm entwickelt wurde – jenem Physiker, dem wir bereits in Kapitel 4 begegnet sind, als wir das Einstein-Podolsky-Rosen-Paradox erörterten –, schlägt einen ganz anderen Weg ein.[8] Bohm vertrat die Ansicht, dass Teilchen wie Elektronen *sehr wohl* eindeutige Aufenthaltsorte und Geschwindigkeiten besitzen – genau wie in der klassischen Physik und genauso, wie Einstein es hoffte. Doch in Übereinstimmung mit der Unschärferelation sind diese Eigenschaften unserem Blick entzogen. Sie sind Beispiele für die *verborgenen Variablen*, von denen in Kapitel 4 die Rede war. Wir können nicht beide gleichzeitig bestimmen. Für Bohm bildete diese Unbestimmtheit eine Grenze dessen, was wir wissen können, sagte aber nichts über die tatsächlichen Eigenschaften der Teilchen selbst aus. Dieser Ansatz gerät mit Bells Ergebnissen nicht in Konflikt, weil diese, wie am Ende von Kapitel 4 erläutert, *nicht* den Besitz von eindeutigen Eigenschaften, welche die Quantenunschärfe verbietet, ausschließen, sondern nur die Lokalität, und Bohms Ansatz ist *nichtlokal.*[9] Bohm meinte, die Wellenfunktion eines Teilchens sei ein anderes, *separates Element der Wirklichkeit,* eines, das *zusätzlich zum Teilchen* existiere. Nicht Teilchen *oder* Wellen, wie in Bohrs Komplementaritätsphilosophie, sondern, laut Bohm, Teilchen *und* Wellen. Darüber hinaus behauptete Bohm, die Wellenfunktion eines Teilchens wechselwirke mit diesem selbst – sie »führe« oder »stoße« das Teilchen umher –, und zwar in einer Weise, die seine anschließende Bewegung bestimme. In vollkommener Übereinstimmung mit den erfolgreichen Vorhersagen der Quantenmechanik gelangte Bohm zu dem Ergebnis, dass Veränderungen der Wellenfunktion an einer Stelle in der Lage sind, ein Teilchen augenblicklich an einen fernen Ort zu befördern, ein Resultat, das die Nichtlokalität seines Ansatzes offenkundig macht. Im Doppelspaltexperiment durchquert beispielsweise jedes Teilchen den einen oder den anderen Spalt, während seine Wellenfunktion beide passiert und der Interferenz unterliegt. Da die Wellenfunktion die Bewegung des Teilchens leitet, dürfte es keine große Überraschung sein, dass das Teilchen, folgt man den Gleichungen, mit hoher Wahrscheinlichkeit dort landet, wo der Wert der Wellenfunktion groß ist, und mit geringer Wahrscheinlichkeit dort, wo er niedrig ist, womit die Daten in Abbildung 4.4 erklärt wären. Nach Bohms Hypothese ist der Kollaps der Wellenfunktion kein separates Stadium, denn wenn wir den Aufenthaltsort eines Teilchens messen und es *hier* finden, dann war es auch in dem Augenblick, bevor die Messung stattfand, hier.

Ein vierter Ansatz, der von den italienischen Physikern Giancarlo Ghirardi, Alberto Rimini und Tullio Weber entwickelt wurde, nimmt eine kühne und intelligente Veränderung an Schrödingers Gleichung vor, und zwar so, dass sie sich auf die Entwicklung individueller Teilchen kaum auswirkt, aber die Quantenentwicklung nachhaltig beeinflusst, wenn wir die »großen« Objekte unserer Alltagswelt betrachten. Nach der vorgeschlagenen Modifikation sind Wellenfunktionen von Haus aus instabil. Auch ohne äußere Einmischung kollabiert nach Ansicht dieser Forscher jede Wellenfunktion von sich aus über kurz oder lang und nimmt die spitzgipflige Form an. Für ein individuelles Teilchen lautet die Prognose von Ghirardi, Rimini und Weber, dass der Kollaps spontan und zufällig erfolge, und zwar im Durchschnitt nur ein Mal in etwa einer Milliarde Jahren.[10] Damit ist es ein so seltenes Ereignis, dass es nur eine minimale Veränderung an der konventionellen quantenmechanischen Beschreibung individueller Teilchen erforderlich macht. Und das ist gut so, denn die Quantenmechanik beschreibt die Mikrowelt mit beispielloser Exaktheit. Bei großen Objekten indessen, wie Experimentatoren und ihren Geräten, die aus Milliarden und Abermilliarden Teilchen bestehen, ist die Wahrscheinlichkeit hoch, dass in einem winzigen Bruchteil jeder Sekunde der postulierte Spontankollaps bei mindestens einem der beteiligten Bestandteile eintritt und seine Wellenfunktion zum Kollaps bringt. Nun sorge, so Ghirardi, Rimini, Weber und andere, die Verschränkung aller individuellen Wellenfunktionen in einem großen Objekt dafür, dass dieser Kollaps eine Art quantenmechanischen Dominoeffekt auslöse, mit dem Erfolg, dass die Wellenfunktionen aller anderen Bestandteile ebenfalls kollabieren. Da dies in einem kurzen Sekundenbruchteil geschieht, garantiert die vorgeschlagene Modifikation, dass große Objekte sich im Wesentlichen immer in einer eindeutigen Konfiguration befinden: Zeiger auf Messgeräten geben immer einen exakten Wert an; der Mond steht immer an einer bestimmten Position am Himmel; Katzen sind immer entweder tot oder lebendig.

Jeder dieser Ansätze – und viele andere, die wir hier nicht betrachten werden – hat seine Anhänger und Gegner. Der Ansatz »Wellenfunktion als Wissen« umgeht das Kollapsproblem, indem er die Wirklichkeit der Wellenfunktionen leugnet und sie zu bloßen Beschreibungswerkzeugen dessen macht, was wir wissen. Doch warum, so fragen die Gegner, sollte die fundamentale Physik so eng an das menschliche Bewusstsein geknüpft sein? Würden Wellenfunktionen nie kollabieren oder wäre vielleicht sogar der Begriff der Wellenfunktion selbst nicht vorhanden, wenn wir nicht hier wären, um die Welt zu beobachten? War das Universum ein ganz anderer Ort, bevor die Evolution auf der Erde das menschliche Bewusstsein schuf? Was, wenn anstelle von menschlichen Experimentatoren Mäuse, Ameisen, Amöben oder Computer die einzigen Beobachter wären? Wäre die Veränderung ihres »Wissens« entsprechend mit dem Kollaps einer Wellenfunktion verknüpft?[11]

Im Gegensatz dazu vermeidet die Viele-Welten-Interpretation das ganze Problem des Kollapses, da in diesem Ansatz Wellenfunktionen nicht kollabieren. Der Preis dafür ist eine enorme Vermehrung der Universen, ein Umstand, den viele Kritiker unerträglich finden.[12] Auch Bohms Ansatz umgeht den Kollaps der Wellenfunktion, doch seine Kritiker behaupten, dadurch, dass die Theorie sowohl den Teilchen als auch den Wellen Unabhängigkeit zugestehe, fehle es ihr an Ökonomie. Des Weiteren wird zu Recht eingewandt, in Bohms Formulierung könne die Wellenfunktion überlichtschnelle Einflüsse auf die Teilchen ausüben, die von ihr geführt oder gestoßen werden. Die Befürworter halten dagegen, der erste Einwand sei bestenfalls subjektiv, und der zweite entspreche der Nichtlokalität, die Bell als unvermeidlich nachgewiesen habe, daher könne keiner der Kritikpunkte überzeugen. Trotzdem hat Bohms Ansatz, vielleicht zu Unrecht, nie richtig Anklang gefunden.[13] Der Ansatz von Ghirardi, Rimini und Weber befasst sich direkt mit dem Kollaps, indem er einen neuen, spontanen Kollapsmechanismus in die Gleichungen einführt. Doch wie Kritiker zu bedenken geben, haben wir bis jetzt noch nicht den Hauch eines experimentellen Belegs für die vorgeschlagene Veränderung der Schrödinger-Gleichung.

Die Forschung, die nach einer zuverlässigen und vollkommen einleuchtenden Verbindung zwischen dem Formalismus der Quantenmechanik und der Alltagserfahrung sucht, wird sicherlich noch einige Zeit fortgesetzt werden. Dabei lässt sich nur schwer, wenn überhaupt, entscheiden, welcher der bekannten Ansätze am Ende die mehrheitliche Zustimmung der physikalischen Gemeinschaft erhalten wird. Würde man heute eine Umfrage unter Physikern durchführen, gäbe es meiner Meinung nach keinen klaren Favoriten. Leider ist die experimentelle Forschung hier nur von begrenztem Wert. Zwar lassen sich aus der Hypothese von Ghirardi, Rimini und Weber Vorhersagen ableiten, die in bestimmten Situationen von der quantenmechanischen Standardversion – Stadium eins/Stadium zwei – abweichen, doch die Abweichungen sind so klein, dass sie mit den heutigen technischen Möglichkeiten nicht überprüft werden können. Bei den anderen drei Ansätzen ist die Situation noch schwieriger, weil sie sich einer empirischen Überprüfung ganz entziehen. Sie decken sich völlig mit der Standardversion und machen daher die gleichen Vorhersagen für Dinge, die sich beobachten und messen lassen. Sie unterscheiden sich sozusagen nur in Hinblick auf das Geschehen hinter den Kulissen. Das heißt, sie unterscheiden sich in der Frage, was die Quantenmechanik für die zugrunde liegende Natur der Wirklichkeit bedeutet.

Obwohl das quantenmechanische Messproblem ungelöst bleibt, wird seit einigen Jahrzehnten an einem Gerüst gearbeitet, das zwar noch unvollständig ist, aber weithin als Voraussetzung jeder vernünftigen Lösung gilt. Die Rede ist von der *Dekohärenz.*

Dekohärenz und Quantenwirklichkeit

Bei der ersten Bekanntschaft mit dem Wahrscheinlichkeitsaspekt der Quantenmechanik neigt man zu der Annahme, er sei nicht ungewöhnlicher als die Wahrscheinlichkeiten, die bei Münzwürfen oder beim Roulettespiel auftreten. Doch wenn man dann von der Quanteninterferenz hört, wird einem klar, dass die Wahrscheinlichkeit in der Quantenmechanik eine viel grundsätzlichere Rolle spielt. In alltäglichen Beispielen ordnen wir unterschiedliche Ergebnisse – Kopf oder Zahl, Rot oder Schwarz, eine Losnummer oder eine andere – zwar bestimmten Wahrscheinlichkeiten zu, gehen aber davon aus, dass das eine oder andere Resultat eindeutig eintreten wird und dass jedes Resultat das Endergebnis einer zusammenhängenden, eindeutigen Geschichte ist. Wenn eine Münze geworfen wird, besitzt sie manchmal genau die richtige Drehbewegung, um so liegen zu bleiben, dass sie Zahl zeigt, und manchmal, um so liegen zu bleiben, dass sie Kopf zeigt. Die 50:50-Wahrscheinlichkeit, die wir jedem Ergebnis zuschreiben, bezieht sich nicht auf das Endergebnis – Kopf- oder Zahlwürfe –, sondern auf die Geschichten, die zu jedem einzelnen Resultat führen. Die Hälfte der Möglichkeiten, eine Münze zu werfen, führt zu »Kopf«, die andere Hälfte zu »Zahl«. Die Geschichten selbst sind jedoch vollkommen separate, isolierte Alternativen. Weder verstärken noch annullieren sich die verschiedenen Bewegungsmöglichkeiten der Münze in irgendeiner Hinsicht. Sie sind alle voneinander unabhängig.

Ganz anders verhält es sich in der Quantenmechanik. Die unterschiedlichen Wege, denen ein Elektron von den beiden Spalten aus folgen kann, sind keine separaten, isolierten Geschichten. Die beiden möglichen Geschichten mischen sich, um das beobachtete Resultat hervorzurufen. Einige Bahnen verstärken sich, andere heben sich auf. Diese Quanteninterferenz zwischen den verschiedenen möglichen Geschichten ist für das Muster heller und dunkler Streifen auf dem Detektorschirm verantwortlich. *Der aufschlussreiche Unterschied zwischen dem quantenmechanischen und dem klassischen Wahrscheinlichkeitsbegriff liegt also darin, dass jener der Interferenz unterliegt, dieser nicht.*

Dekohärenz ist ein verbreitetes Phänomen, das eine Brücke zwischen der Quantenphysik der kleinen Dinge und der klassischen Physik der nicht so kleinen Dinge herstellt, indem sie die Quanteninterferenz unterdrückt – das heißt, indem sie den entscheidenden Unterschied zwischen quantenmechanischen und klassischen Wahrscheinlichkeiten nachdrücklich verringert. Die Bedeutung der Dekohärenz wurde schon in den frühen Tagen der Quantentheorie erkannt, doch ihre moderne Form ist jüngeren Datums. Sie wurde 1970 in einem bahnbrechenden Aufsatz des deutschen Physikers Dieter Zeh[14] entworfen und seither von vielen Forschern weiterentwickelt, unter anderem von Erich Joos, ebenfalls ein Deutscher, und Wojciech Zurek vom Los Alamos National Laboratory in New Mexico.

Die Idee sieht folgendermaßen aus: Wenn wir Schrödingers Gleichung auf eine einfache Situation anwenden, etwa einzelne, isolierte Photonen, die einen Schirm mit zwei Spalten durchqueren, ruft sie das berühmte Interferenzmuster hervor. Doch es gibt zwei sehr spezielle Merkmale dieses Laborbeispiels, die nicht für Ereignisse in der wirklichen Welt charakteristisch sind. Erstens sind die Dinge, mit denen wir es im alltäglichen Leben zu tun bekommen, größer und komplizierter als ein einzelnes Photon. Zweitens sind die Dinge, mit denen wir es im alltäglichen Leben zu tun bekommen, nicht isoliert: Sie wechselwirken mit uns und mit der Umgebung. Das Buch, das Sie jetzt in Händen halten, ist menschlicher Berührung ausgesetzt und wird, grundsätzlicher betrachtet, ständig von Photonen und Luftmolekülen getroffen. Da das Buch überdies selbst aus vielen Molekülen und Atomen besteht, stoßen diese ständig in unruhiger Bewegung befindlichen Bestandteile ständig miteinander zusammen. Gleiches gilt für die Zeiger von Messgeräten, für Katzen, für menschliche Gehirne und für einfach alle Dinge, mit denen Sie es in

Ihrem Alltag zu tun haben. Auf astrophysikalischen Größenskalen werden Erde, Mond, Asteroide und andere Planeten ständig von den Photonen der Sonne bombardiert. Sogar ein Staubkorn, das in der Dunkelheit des Alls schwebt, ist dem fortwährenden Beschuss durch niederenergetische Mikrowellenphotonen ausgesetzt, die das All – fast seit dem Urknall – durchströmen. Um zu verstehen, was die Quantenmechanik über diese realen Geschehnisse aussagt – im Unterschied zu sterilen Laborexperimenten –, müssen wir die Schrödinger-Gleichung auf diese komplexeren, unübersichtlicheren Situationen anwenden.

Das ist der Umstand, den Zeh hervorgehoben hat. Seine Arbeit offenbarte, zusammen mit derjenigen vieler anderer Forscher, die ihm folgten, etwas ganz Wundervolles. Obwohl Photonen und Luftmoleküle zu klein sind, um nennenswerte Auswirkungen auf die Bewegung eines großen Objektes wie dieses Buchs zu haben, sind sie in der Lage, etwas anderes zu bewirken. Ständig »stupsen« sie die Wellenfunktion des großen Objektes an oder, physikalisch ausgedrückt, stören ihre *Kohärenz*: Sie verwischen die geordnete Folge ihrer Wellenberge und -täler. Das ist von entscheidender Bedeutung, weil die regelmäßige Wellenform einer Wellenfunktion erforderlich ist, um Interferenzeffekte hervorzurufen (siehe Abbildung 4.2). Ähnlich, wie der Einbau von Markiervorrichtungen in das Doppelspaltexperiment die Wellenfunktion verzerrt und dadurch Interferenzeffekte verwischt, so schaltet auch die ständige Bombardierung alltäglicher Objekte durch Bestandteile ihrer Umgebung die Möglichkeit von Interferenzphänomenen aus. Sobald die Quanteninterferenz nicht mehr möglich ist, sind die der Quantenmechanik innewohnenden Wahrscheinlichkeiten praktisch gleich den Wahrscheinlichkeiten, die Münzwürfen und Roulettescheiben eigen sind. Sobald die durch die Umgebung bewirkte Dekohärenz eine Wellenfunktion verwischt hat, verliert sich der exotische Charakter der Quantenwahrscheinlichkeiten, und sie gleichen sich den vertrauteren Wahrscheinlichkeiten des alltäglichen Lebens an.[15] Darin deutet sich eine Lösung des quantenmechanischen Messrätsels an, die, wenn sie sich umsetzen ließe, das Beste wäre, worauf wir hoffen können. Ich werde sie zunächst aus einer möglichst optimistischen Perspektive schildern und dann zeigen, was noch zu tun bleibt.

Wenn die Wellenfunktion für ein isoliertes Elektron zeigt, dass es, sagen wir, eine 50-prozentige Chance hat, hier zu sein, und eine 50-prozentige Chance, dort zu sein, müssen wir bei der Deutung dieser Wahrscheinlichkeiten die ganze Fremdartigkeit der Quantenmechanik berücksichtigen. Da sich beide Alternativen durch Mischung und die daraus folgende Erzeugung eines Interferenzmusters offenbaren können, müssen wir sie uns als gleich real denken. Etwas vereinfacht ausgedrückt, *ist* das Elektron in gewissem Sinne an beiden Orten zugleich. Was geschieht nun, wenn wir den Aufenthaltsort des Elektrons mit einem nicht isolierten, alltags-großen Laborinstrument messen? Gemäß dem doppeldeutigen Aufenthalt des Elektrons hat der Zeiger auf dem Gerät eine 50-prozentige Chance, diesen Wert anzuzeigen, und eine 50-prozentige Chance, jenen Wert anzuzeigen. Doch infolge der Dekohärenz wird sich der Zeiger *nicht* in einem gespenstischen Mischzustand befinden und beide Werte anzeigen. Dank der Dekohärenz können wir *diese* Wahrscheinlichkeiten im üblichen, klassischen, alltäglichen Sinne interpretieren. Wie eine Münze eine 50-prozentige Chance hat, Kopf, und eine 50-prozentige Chance, Zahl zu zeigen, aber *entweder* Kopf *oder* Zahl zeigt, hat der Zeiger eine 50-prozentige Chance, auf diesen Wert, und eine 50-prozentige Chance, auf jenen Wert zu weisen, wird aber auf diesen *oder* den anderen zeigen.

Ähnliche Überlegungen gelten für alle anderen komplexen, nicht isolierten Objekte. Wenn eine Quantenberechnung zeigt, dass eine Katze, die in einem geschlossenen Kasten sitzt, eine 50-prozentige Chance hat, tot zu sein, und eine 50-prozentige Chance, am Leben zu sein – weil es eine 50-prozentige Wahrscheinlichkeit gibt, dass ein Elektron einen Mechanismus auslöst, der die Katze dem Einfluss von Giftgas aussetzt, und eine 50-prozentige Wahrscheinlichkeit, dass das Elektron den Auslösemechanismus verfehlt –, lässt die Dekohärenz darauf schließen, dass sich die Katze *nicht* in irgendeinem absurden Mischzustand zwischen Tod und Leben befinden wird. Jahrzehntelang wurden Fragen wie »Was bedeutet es für eine Katze, sowohl tot als auch lebendig zu sein?« oder »Wie zwingt die Öffnung des Kastens und die Beobachtung der Katze diese, einen eindeutigen Zustand anzunehmen, das heißt, tot oder lebendig zu sein?« hitzig debattiert. Die Dekohärenz lässt jedoch darauf schließen, dass die Umgebung schon lange, bevor Sie den Kasten geöffnet haben, Milliarden von Beobachtungen vorgenommen hat, die fast augenblicklich alle geheimnisvollen Quantenwahrscheinlichkeiten in ihre weniger geheimnisvollen klassischen Pendants verwandelt haben. Lange bevor Sie einen Blick auf die Katze werfen, hat die Umgebung diese gezwungen, einen einzigen, eindeutigen Zustand anzunehmen. Die Dekohärenz zwingt die Seltsamkeit der Quantenphysik dazu, großen Objekten weitgehend zu »entweichen« – die Quantenseltsamkeit wird von unzähligen aus der Umgebung einwirkenden Teilchen Stück um Stück davongetragen.

Es lässt sich kaum eine befriedigendere Lösung für das Quantenmessproblem vorstellen. Durch größeren Realismus und Aufgabe der vereinfachenden Annahme, welche die Umgebung außer Acht lässt – eine Vereinfachung, die für die frühen Erfolge auf diesem Forschungsfeld entscheidend war –, kämen wir also zu dem Ergebnis, dass die Quantenmechanik die Lösung des Problems in sich trägt. Menschliches Bewusstsein, menschliche Experimentatoren und menschliche Beobachtungen würden keine besondere Rolle mehr spielen, weil sie (wir!) einfach Elemente der Umgebung wären, so wie Luftmoleküle und Photonen, die mit einem gegebenen physikalischen System wechselwirken können. Es gäbe keine Stadium-eins/Stadium-zwei-Spaltung mehr zwischen der Entwicklung der Objekte und dem Experimentator, der sie misst. Alles – Beobachtetes und Beobachter – wäre gleichgestellt. Alles – Beobachtetes und Beobachter – wäre dem gleichen quantenmechanischen Gesetz unterworfen, dem Gesetz, das in der Schrödinger-Gleichung niedergelegt ist. Der Messakt hätte keinen Sondercharakter mehr, er wäre nur ein spezifisches Beispiel für den Kontakt mit der Umgebung.

War's das? Löst die Dekohärenz das quantenmechanische Messproblem? Ist die Dekohärenz dafür verantwortlich, dass Wellenfunktionen alle potenziellen Ergebnisse, zu denen sie führen können, bis auf eines ausschließen? Einige Forscher glauben es, unter anderem Robert Griffiths von der Carnegie Mellon University, Roland Omnès von der Universität Orsay, der Nobelpreisträger Murray Gell-Mann vom Santa Fe Institute und Jim Hartle von der University of California in Santa Barbara. Sie haben große Fortschritte erzielt und behaupten, sie hätten die Dekohärenz zu einem vollständigen theoretischen Gerüst entwickelt (*dekohärente Geschichten* genannt), welches das Messproblem löse. Andere, wie ich, sind fasziniert, aber noch nicht ganz überzeugt. Der Vorzug der Dekohärenz liegt darin, dass es ihr gelingt, künstliche Hindernisse beiseite zu räumen, die Bohr zwischen großen und kleinen physikalischen Systemen errichtet hat, und alle Dinge den gleichen quantenmechanischen Formeln zu unterwerfen. Das ist ein wichtiger Fortschritt, den Bohr meiner Meinung nach vorbehaltlos begrüßt hätte. Zwar hat das ungelöste Quantenmessproblem nie die Fähigkeit der Physiker beeinträchtigt, theoretische Berechnungen mit Experimentaldaten in Einklang zu bringen, es veranlasste aber Bohr und seine Kollegen, eine quantenmechanische Theorie zu formulieren, die einige sehr unglückliche Eigenschaften besaß. Viele Forscher empfanden es als lästig, dass die Theorie auf so verschwommene Bezeichnungen wie den Kollaps der Wellenfunktion oder so wenig exakte Begriffe wie die »großen« Systeme angewiesen war, die dem Reich der klassischen Physik angehören. Mit Hilfe der Dekohärenz konnte man einen großen Teil dieser vagen Ideen ausmustern.

Allerdings habe ich in der obigen Beschreibung ein Schlüsselproblem ausgespart, den Umstand nämlich, dass die Dekohärenz zwar die Quanteninterferenz unterdrückt und dadurch seltsame Quantenwahrscheinlichkeiten veranlasst, sich wie ihre klassischen Pendants zu verhalten, *dass aber jedes der potenziellen Ergebnisse, die in einer Wellenfunktion verkörpert sind, immer noch bestrebt ist, sich zu verwirklichen.* Und so fragen wir uns nach wie vor, warum eines der Ergebnisse »gewinnt« und wohin die vielen anderen Möglichkeiten »gehen«, wenn es dazu kommt. Beim Münzenwurf gibt die klassische Physik eine Antwort auf die entsprechende Frage. Sie sagt, wenn Sie die Art und Weise, wie die Münze in Rotation versetzt wurde, hinreichend genau untersuchen, können Sie im Prinzip *vorhersagen*, ob sie Kopf oder Zahl zeigen wird. Bei genauerem Hinsehen wird exakt ein Ergebnis durch Einzelheiten bestimmt, die Sie anfänglich übersehen haben. Das gilt nicht für die Quantenphysik. Zwar schafft Dekohärenz die Möglichkeit, Quantenwahrscheinlichkeiten ganz ähnlich wie klassische Wahrscheinlichkeiten zu deuten, liefert aber keine genaueren Einzelheiten, die eine der vielen möglichen Ergebnisse als das tatsächlich eintretende auswählen.

Ganz im Geist von Bohr glauben einige Physiker, das Bemühen, die Entstehung des einzelnen, endgültigen Ergebnisses zu erklären, sei verfehlt. Die Quantenmechanik in ihrer aktuellen Form, einschließlich der Dekohärenz, sei eine exakt formulierte Theorie, deren Vorhersagen das Verhalten von Labormessgeräten erklären. Und *das* sei das Ziel der Wissenschaft. Das Verlangen nach einer Erklärung dessen, *was wirklich vor sich gehe*, der Drang zu verstehen, *wie ein bestimmtes Ergebnis zustande komme*, die Suche nach *einer Wirklichkeitsebene jenseits von Detektorwerten und Computerausdrucken* verrate unangebrachte geistige Neugier.

Das sehen viele Forscher, ich eingeschlossen, etwas anders. Daten zu erklären, *ist* zweifellos das Anliegen der Wissenschaft. Doch viele Forscher glauben, zu den Aufgaben der Wissenschaft gehöre auch, mit Hilfe der Theorien, die durch die Daten bestätigt werden, größtmögliche Einsicht in die Beschaffenheit der Wirklichkeit zu gewinnen. Ich vermute sehr stark, dass wir auf wichtige Erkenntnisse stoßen werden, wenn wir uns um eine vollständige Lösung des Messproblems bemühen.

Obwohl sich die physikalische Gemeinschaft also weitgehend einig ist, dass die umgebungsbedingte Dekohärenz ein entscheidender Ansatz ist, um die Kluft zwischen klassischer Physik und Quantenmechanik zu überbrücken, und obwohl viele Forscher hoffen, dass aus diesen Überlegungen eines Tages eine vollständige und schlüssige Verbindung zwischen diesen beiden Teilbereichen der Physik entstehen könnte, sind beileibe nicht alle überzeugt, dass der Bau dieser Brücke schon abgeschlossen ist.

Quantenmechanik und Zeitpfeil

Also, was haben wir über das Messproblem gelernt, und welche Bedeutung hat es für den Zeitpfeil? Generell betrachtet, gibt es zwei Klassen von Vorschlägen zur Verknüpfung von alltäglicher Erfahrung und Quantenrealität. In der ersten Klasse (zum Beispiel Wellenfunktion als Wissen, Viele Welten, Dekohärenz) ist die Schrödinger-Gleichung das A und O des Ganzen. Die Vorschläge liefern einfach unterschiedliche Interpretationen dessen, was die Gleichung für die physikalische Wirklichkeit bedeutet. In der zweiten Klasse (beispielsweise Bohm, Ghirardi-Rimini-Weber) muss die Schrödinger-Gleichung durch andere Gleichungen ergänzt werden (in Bohms Fall durch eine Gleichung, die zeigt, wie eine Wellenfunktion ein Teilchen herumstößt), oder sie muss abgeändert werden (im Fall von Ghirardi, Rimini und Weber dergestalt, dass sie einen neuen Kollapsmechanismus einschließt). Um die Wirkung auf den Zeitpfeil zu bestimmen, ist die Frage entscheidend, ob diese Vorschläge eine fundamentale Asymmetrie zwischen den beiden Zeitrichtungen einführen. Sie erinnern sich: Schrödingers Gleichung behandelt genau wie diejenigen von Newton, Maxwell und Einstein die Vorwärts- und Rückwärtsrichtung in der Zeit vollkommen gleich. Sie besitzt keinen Pfeil, mit dem sie die zeitliche Entwicklung ausstatten könnte. Ändert einer der Vorschläge etwas daran?

In der ersten Klasse von Vorschlägen wird Schrödingers theoretischer Rahmen nicht im Mindesten verändert, daher bleibt die zeitliche Symmetrie erhalten. In der zweiten Klasse könnte die zeitliche Symmetrie vielleicht überleben, vielleicht auch nicht – das hängt von den Einzelheiten ab. In Bohms Ansatz zum Beispiel behandelt die vorgeschlagene neue Gleichung die künftige und vergangene Zeit gleich, folglich wird keine Asymmetrie eingeführt. Dagegen bringt der Vorschlag von Ghirardi, Rimini und Weber einen Kollapsmechanismus ins Spiel, der *tatsächlich* einen Zeitpfeil besitzt – eine »nicht kollabierende« Wellenfunktion, die sich von spitzgipfliger zu ausgebreiteter Form entwickelt, würde nicht den modifizierten Gleichungen entsprechen. Je nach Vorschlag besteht also die Möglichkeit, dass die Quantenmechanik – zusammen mit einer Lösung des Messproblems – weiterhin jede Zeitrichtung gleich behandelt oder auch nicht. Schauen wir uns die Folgen der beiden Möglichkeiten an.

Wenn die Zeitsymmetrie fortdauert (was ich vermute), lassen sich alle Überlegungen und Schlussfolgerungen des letzten Kapitels ohne große Veränderungen auf die Quantenwelt übertragen. Der entscheidende physikalische Aspekt in unserer Erörterung des Zeitpfeils war die Zeitumkehrsymmetrie der klassischen Physik. Zwar unterscheiden sich mathematische Formulierung und theoretischer Rahmen der Quantenphysik von denen der klassischen

Physik – Wellenfunktionen anstelle von Aufenthaltsorten und Geschwindigkeiten, Schrödinger-Gleichung anstelle von Newtonschen Gesetzen –, dennoch würde die Zeitumkehrsymmetrie aller Quantengleichungen dafür sorgen, dass die Behandlung des Zeitpfeils unverändert bliebe. Entropie in der Quantenwelt lässt sich im Großen und Ganzen genauso definieren wie in der klassischen Physik, solange wir Teilchen anhand ihrer Wellenfunktion beschreiben. Die Aussage, dass die Entropie ständig anwachsen muss – sowohl in der Zeitrichtung, die wir Zukunft nennen, als auch in derjenigen, die wir Vergangenheit nennen –, wäre nach wie vor gültig.

Wir stießen auf das gleiche Rätsel, dem wir in Kapitel 6 begegnet sind. Wenn wir unsere Beobachtungen der Welt genau jetzt als gegeben, als unleugbar real hinnehmen und wenn die Entropie tatsächlich in Richtung Zukunft und in Richtung Vergangenheit anwachsen sollte – wie erklären wir dann die Entwicklung der Welt zu dem, was sie ist, und ihr künftiges Schicksal? Und es würden sich dieselben zwei Möglichkeiten anbieten: Entweder ist alles, was wir sehen, von einem Augenblick zum anderen durch einen statistischen Zufall entstanden, wie er gelegentlich zu erwarten ist in einem ewigen Universum, das den Großteil seiner Zeit in einem vollkommen ungeordneten Zustand verbringt, oder die Entropie war aus irgendeinem Grund unmittelbar nach dem Urknall außerordentlich niedrig, und nun sind die Dinge seit vierzehn Milliarden Jahren damit beschäftigt, diesen Zustand zu normalisieren, und werden damit auch in Zukunft fortfahren. Wie in Kapitel 6 sind wir gut beraten, die Sackgassen zu meiden, in die wir geraten, wenn wir unseren Erinnerungen, Aufzeichnungen und physikalischen Gesetzen nicht trauen, entscheiden uns stattdessen für die zweite Option – einen niederentropischen Urknall – und versuchen zu erklären, wie und warum die Dinge in einem so außergewöhnlichen Zustand begannen. Wenn dagegen die Zeitsymmetrie verloren geht – wenn die Lösung des Messproblems, die man eines Tages allgemein akzeptieren wird, eine fundamentale Asymmetrie zwischen der Behandlung von Zukunft und Vergangenheit offenbart –, ergäbe sich dadurch möglicherweise die einfachste Erklärung des Zeitpfeils. Sie könnte beispielsweise zeigen, dass Eier zerbrechen, aber nicht »entbrechen«, weil das Zerbrechen – anders als bei Anwendung der klassischen physikalischen Gesetze – die Quantengleichungen vollständig löst, das »Entbrechen« jedoch nicht. Ein rückwärts laufender Film eines zerbrechenden Eis würde dann eine Bewegung zeigen, die sich in der wirklichen Welt nicht zutragen könnte, was erklären würde, warum wir diesen Vorgang nie beobachten. Und das wär's.

Möglich. Doch auch wenn das wie eine vollkommen andere Erklärung des Zeitpfeils erscheinen mag, ist der Unterschied vielleicht gar nicht so groß, wie er uns vorkommt. Wie in Kapitel 6 dargelegt, müssen die Seiten von *Krieg und Frieden*, um zunehmend ungeordnet zu werden, in einem geordneten Zustand beginnen, muss ein Ei, um durch Zerbrechen ungeordnet zu werden, in einem geordneten, unversehrten Zustand beginnen, muss die Entropie, um in Richtung Zukunft zunehmen zu können, in der Vergangenheit niedrig sein – nur so können die Dinge die Fähigkeit besitzen, ungeordnet zu werden. Aber nur weil ein Gesetz die Vergangenheit und Zukunft unterschiedlich behandelt, ist noch nicht gewährleistet, dass das Gesetz eine Vergangenheit mit niedrigerer Entropie vorschreibt. Aus dem Gesetz könnte trotzdem eine höhere Entropie auch in Richtung Vergangenheit folgen (vielleicht würde die Entropie asymmetrisch in Richtung Vergangenheit und Zukunft anwachsen). Es wäre sogar denkbar, dass ein zeitasymmetrisches Gesetz nicht das Geringste über die Vergangenheit aussagen könnte. Letzteres gilt für den Ansatz von Ghirardi, Rimini und Weber, eine der wenigen schlüssigen zeitasymmetrischen Hypothesen, die im Angebot sind. Sobald ihr Kollapsmechanismus seine Aufgabe erfüllt hat, gibt es keine Möglichkeit, das Geschehen rückgängig zu machen – keine Möglichkeit, mit der kollabierten Wellenfunktion zu beginnen und eine Entwicklung einzuleiten, die zu ihrer einstigen, verbreiteten Form führt. Die detaillierte Form der Wellenfunktion geht im Kollaps verloren – sie verwandelt sich in einen Gipfel –, daher ist es unmöglich »zurückzusagen«, wie die Dinge zu irgendeinem Zeitpunkt vor dem Kollaps waren.

Obwohl also ein zeitasymmetrisches Gesetz teilweise erklären würde, warum die Dinge bei ihrer Entwicklung einer zeitlichen Ordnung folgen, aber nie der umgekehrten, könnte es ebenso auf die gleiche entscheidende Ergänzung angewiesen sein wie zeitsymmetrische Gesetze: eine Erklärung dafür, warum die Entropie in der fernen Vergangenheit niedrig war. Mit Sicherheit gilt dies für die zeitasymmetrischen Modifikationen der Quantenmechanik, die bislang vorgeschlagen wurden. Falls nicht eine künftige Entdeckung zwei Merkmale offenbart, die ich beide für unwahrscheinlich halte – eine zeitasymmetrische Lösung für das quantenmechanische Messproblem, die zusätzlich sicherstellt, dass die Entropie in Richtung Vergangenheit abnimmt –, führen uns unsere Bemühungen, den Zeitpfeil zu erklären, abermals zum Ursprung des Universums zurück, dem Thema des folgenden Teils unseres Buches.

Wie diese Kapitel gezeigt haben, berühren kosmologische Überlegungen viele Rätsel, die das Innerste von Raum, Zeit und Materie betreffen. Daher empfiehlt es sich, auf der Reise zu den modernen kosmologischen Erkenntnissen über den Zeitpfeil die Landschaft nicht in rasender Fahrt vorüberfliegen zu lassen, sondern einen ruhigen, aufmerksamen Spaziergang durch die kosmische Geschichte zu unternehmen.

RAUMZEIT UND KOSMOLOGIE

8

VON SCHNEEFLOCKEN UND RAUMZEIT

Symmetrie und die Entwicklung des Kosmos

Richard Feynman hat einmal gesagt, müsste er das wichtigste Ergebnis der modernen Naturwissenschaft in einem Satz zum Ausdruck bringen, entschiede er sich für: »Die Welt besteht aus Atomen.« Wenn wir uns vergegenwärtigen, in welchem Maße unser Verständnis des Universums durch die Eigenschaften und Wechselwirkungen der Atome bestimmt wird – von dem Grund, warum Sterne leuchten und der Himmel blau ist, bis zu der Erklärung, warum Sie dieses Buch in Ihrer Hand fühlen und Ihre Augen diese Worte sehen –, können wir gut nachvollziehen, warum Feynman unser wissenschaftliches Erbe in dieser Form zusammenfassen würde. Viele führende Wissenschaftler sind sich heute einig, dass sie, gewährte man ihnen einen zweiten Satz, hinzufügen würden: »Den Gesetzen des Universums liegt Symmetrie zugrunde.« Während der letzten hundert Jahre hat es viele tief greifende Veränderungen in der Wissenschaft gegeben, aber die überdauernden Entdeckungen haben ein gemeinsames Merkmal: Sie nahmen an der natürlichen Welt Eigenschaften wahr, die unverändert bleiben, auch wenn man sie einer breiten Palette von Manipulationen unterzieht. In diesen unveränderlichen Eigenschaften manifestiert sich, was Physiker Symmetrien nennen. Symmetrien spielen in vielen entscheidenden Fortschritten der Disziplin eine Rolle von zunehmender Bedeutung. So hat sich immer wieder gezeigt, dass die Symmetrie – in all ihren rätselhaften und raffinierten Verkleidungen – ein helles Licht in jene Dunkelheit trägt, in der die Wahrheit ihrer Entdeckung harrt.

Tatsächlich werden wir sehen, dass die Geschichte des Universums in hohem Maße die Geschichte der Symmetrie ist. Die entscheidenden Augenblicke in der Entwicklung des Universums sind jene, in denen sich Gleichgewicht und Ordnung plötzlich verändern und kosmische Schauplätze schaffen, die sich von den vorangehenden Zeitaltern grundsätzlich unterscheiden. Nach der gegenwärtigen Theorie hat das Universum in den frühesten Augenblicken seiner Existenz eine Reihe solcher Übergänge durchlaufen, und *alles*, was uns über den Weg läuft, stammt letztlich aus einer früheren, symmetrischeren Epoche. Doch es gibt noch eine grundsätzlichere Perspektive, eine Meta-Perspektive, die zeigt, dass die Symmetrie die Entwicklung des Kosmos im Innersten bestimmt. Die Zeit selbst ist auf das Engste mit der Symmetrie verknüpft. Die praktische Bedeutung der Zeit als Maß der Veränderung und überhaupt die Existenz einer kosmischen Zeit, die es uns ermöglicht, sinnvoll über Dinge zu sprechen wie »das Alter und die Entwicklung des Universums als Ganzes«, haben unmittelbar mit Aspekten der Symmetrie zu tun. Als die Forscher sich mit dieser Entwicklung befassten und auf der Suche nach der wahren Beschaffenheit von Raum und Zeit bis zu den Anfängen zurückgingen, hat sich die Symmetrie als die zuverlässigste Richtschnur erwiesen, denn sie hat Erkenntnisse und Antworten geliefert, die sonst völlig außerhalb unserer Reichweite gewesen wären.

Symmetrie und die physikalischen Gesetze

Symmetrie begegnet uns immer und überall. Nehmen Sie eine Billardkugel in die Hand, drehen Sie sie so oder so – lassen Sie sie um jede beliebige Achse rotieren –, stets sieht sie genau gleich aus. Drehen Sie einen flachen, runden Teller auf einem Platzdeckchen um seinen Mittelpunkt: Er sieht vollkommen unverändert aus. Fangen Sie vorsichtig eine Schneeflocke auf, die sich gerade erst gebildet hat, und drehen Sie sie so, dass jede Spitze genau in die Position gelangt, die vorher von ihrer Nachbarin eingenommen wurde, und Sie gewinnen den Eindruck, dass Sie gar nichts getan hätten. Nehmen Sie den Buchstaben »A«, klappen Sie ihn entlang der senkrechten Achse um, die durch seine Spitze geht, und Sie haben eine vollkommene Kopie des Originals vor sich.

Wie diese Beispiele verdeutlichen, sind die Symmetrien eines Objekts die realen oder vorgestellten Manipulationen, denen es unterzogen werden kann, ohne dass sich sein Erscheinungsbild verändert. Je vielfältiger die Manipulationen, die an einem Objekt ohne erkennbare Wirkung vorgenommen werden können, desto symmetrischer ist es. Eine vollkommene Kugel ist hochsymmetrisch, da jede Drehung um ihren Mittelpunkt – um eine senkrechte, waagerechte oder beliebige andere Achse – damit endet, dass die Kugel genauso aussieht wie vorher. Ein Würfel ist weniger symmetrisch, da er nur nach Drehungen in Einheiten von 90 Grad um Achsen, die durch die Mittelpunkte seiner Seiten verlaufen (und deren Kombinationen), wieder gleich aussieht. Würde jemand andere Drehungen wie in Abbildung 8.1 (c) mit dem Würfel vornehmen, würden Sie den Würfel natürlich immer noch wiedererkennen, aber bemerken, dass sich jemand an ihm zu schaffen gemacht hat. Im Gegensatz dazu sind

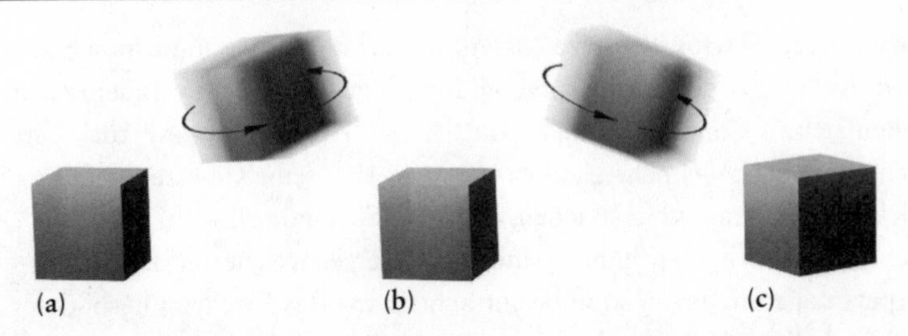

Abbildung 8.1 Wenn ein Würfel wie etwa in (**a**) um 90 Grad oder Vielfache davon gedreht wird, und zwar um Achsen, die durch irgendeine seiner Seiten verläuft, sieht er unverändert aus, siehe (**b**). Dagegen lässt sich jede andere Drehung feststellen, siehe (**c**).

Symmetrien Meister im Untertauchen – sie sind Manipulationen, die nicht die geringste Spur hinterlassen.

All das sind Beispiele für Symmetrien von Objekten *im* Raum. Die Symmetrien, die den bekannten physikalischen Gesetzen zugrunde liegen, sind mit diesen Symmetrien eng verwandt, laufen aber auf eine abstraktere Fragestellung hinaus: Welche Manipulationen – wiederum: real oder vorgestellt – lassen sich an Ihnen oder an der Umgebung vornehmen, ohne die geringste Auswirkung auf die *Gesetze* zu haben, welche die von Ihnen beobachteten physikalischen Phänomene erklären? Beachten Sie, dass Manipulationen dieser Art nicht unbedingt Ihre Beobachtungsergebnisse unverändert lassen müssen, um Symmetrien zu sein. Vielmehr interessiert uns, ob die Gesetze, aus denen diese Beobachtungsergebnisse folgen – die Gesetze, die erklären, was Sie vor und was Sie nach einer Manipulation sehen –, unverändert sind. Da dies die zentrale Idee ist, wollen wir sie uns anhand einiger Beispiele klar machen.

Stellen Sie sich vor, Sie seien Kunstturner oder Kunstturnerin und arbeiten fleißig in Ihrem Trainingszentrum in Connecticut. Im Zuge endloser Wiederholungen haben Sie alle Bewegungsfolgen Ihrer Übungssequenzen verinnerlicht – Sie wissen, wie kräftig Sie sich vom Schwebebalken abdrücken müssen, um einen Überschlag auszuführen, wie hoch Sie beim Bodenturnen abspringen müssen, um nach doppelter Schraube in den Stand zu gelangen, oder wie schnell Sie am Barren schwingen müssen, damit Ihr Körper die Bewegungen eines perfekten Abgangs mit Doppelsalto ausführt. Tatsächlich macht sich Ihr Körper einen angeborenen Sinn für die Newtonschen Gesetze zunutze, da seine Bewegungen von eben diesen Gesetzen regiert werden. Wenn Sie nun in New York City, wo die Meisterschaft ausgetragen wird, vor dicht gefüllten Rängen antreten, verlassen Sie sich auf die Gültigkeit eben dieser Gesetze, da Sie vorhaben, Ihre Übungen genauso vorzuführen, wie Sie sie trainiert haben. Alles, was wir über Newtons Gesetze wissen, spricht für die Vernunft Ihrer Strategie. Newtons Gesetze gelten nicht speziell für einige Orte und für andere nicht. Sie wirken sich in Connecticut nicht auf die eine Art und in New York City auf eine andere aus. Vielmehr glauben wir, dass sich seine Gesetze überall auf die gleiche Weise bemerkbar machen, egal, wo Sie sind. Obwohl Sie einen Ortswechsel vorgenommen haben, sind die Gesetze, welche die Bewegung Ihres Körpers regieren, davon so unbeeinträchtigt wie das Erscheinungsbild der Billardkugel, die gedreht wurde.

Diese Symmetrie heißt *Translationssymmetrie* oder *Translationsinvarianz*. Sie gilt nicht nur für Newtons Gesetze, sondern auch für Maxwells Gesetze des Elektromagnetismus, für Einsteins spezielle und allgemeine Relativitätstheorie, für die Quantenmechanik und für so ziemlich jede Hypothese der modernen Physik, die irgendjemand ernst genommen hat.

Auf eines ist allerdings zu achten. Die Einzelheiten Ihrer Beobachtungen und Erfahrungen können sich manchmal von Ort zu Ort unterscheiden. Sollten Sie Ihr turnerisches Programm auf dem Mond vorführen, würden Sie feststellen, dass die Bahn, die Ihr Körper beschreibt, wenn Sie mit gleicher Kraft wie auf der Erde abspringen, ganz anders verliefe. Doch wir haben keinerlei Probleme, diesen besonderen Unterschied zu verstehen. Er ist in den Gesetzen selbst bereits berücksichtigt. Der Mond hat weniger Masse als die Erde, daher übt er eine geringere Anziehungskraft aus, infolgedessen bewegt sich Ihr Körper auf anderen Bahnen. Dieser Umstand – dass die Gravitationsanziehung eines Körpers von seiner Masse abhängt – ist ein *integraler* Bestandteil des Newtonschen Gravitationsgesetzes (und des verbesserten Modells in Form von Einsteins allgemeiner Relativitätstheorie). Der Unterschied zwischen Ihren Erfahrungen auf der Erde und denen auf dem Mond bedeutet nicht, dass sich das Gravitationsgesetz von einem Ort zum anderen verändert hätte. Darin drücken sich einfach unterschiedliche Eigenschaften Ihrer Umgebung aus, die das Gravitationsgesetz zulässt. Wenn wir also gesagt haben, dass die bekannten Gesetze der Physik in Connecticut genauso gelten wie in New York – oder auf dem Mond, wie wir jetzt hinzufügen müssen –, dann ist das zwar richtig, doch sollten Sie beachten, dass Sie möglicherweise unterschiedliche Umgebungseigenschaften berücksichtigen müssen, von denen die Auswirkungen der Gesetze abhängen. Dennoch, und das ist der entscheidende Schluss, wird die Aussagekraft dieser Gesetze durch einen Ortswechsel nicht im Mindesten verändert. Ein Ortswechsel zwingt die Physiker nicht, wieder an die Wandtafel zu gehen und neue Gesetze zu entwickeln.

Die physikalischen Gesetze müssen nicht so beschaffen sein. Wir können uns ein Universum vorstellen, in dem die physikalischen Gesetze genauso veränderlich sind wie die regionalen und nationalen Regierungen. Wir können uns ein Universum vorstellen, in dem uns die physikalischen Gesetze, mit denen wir vertraut sind, nichts über die Gesetze auf dem Mond, in der Andromeda-Galaxie, im Krebsnebel oder auf der anderen Seite des Universums mitteilen. Genau genommen wissen wir gar nicht mit absoluter Sicherheit, dass die Gesetze, die hier gelten, die gleichen Gesetze sind, die in irgendwelchen fernen Winkeln des Kosmos herrschen. Aber eines wissen wir: Sollten sich die Gesetze irgendwo dort draußen ändern, müsste es *weit* draußen sein, weil uns immer genauere astronomische Beobachtungen immer überzeugendere Beweise dafür geliefert haben, dass die Gesetze im gesamten All, zumindest in dem Teil, den wir sehen können, gleich sind. Das unterstreicht die erstaunliche Macht der Symmetrie. Wir sind an den Planeten Erde und seine unmittelbare Nachbarschaft gefesselt. Und doch können wir, ohne unsere engere kosmische Heimat zu verlassen, dank der Translationssymmetrie in Erfahrung bringen, welche Gesetze im gesamten Universum herrschen, weil die Gesetze, die wir hier entdecken, jene Gesetze *sind.*

Die *Rotationssymmetrie* oder *Rotationsinvarianz* ist ein naher Verwandter der Translationsinvarianz. Sie beruht auf der Idee, dass jede Richtung des Raumes mit jeder anderen gleichgestellt ist. Der Blick von der Erde aus lässt Sie mit Sicherheit nicht zu dieser Schlussfolgerung gelangen. Wenn Sie aufblicken, sehen Sie ganz andere Dinge, als wenn Sie hinabblicken. Doch darin kommen wiederum nur Einzelheiten der Umgebung zum Ausdruck, nichts Typisches der zugrunde liegenden Gesetze selbst. Wenn Sie die Erde verlassen und tief im All schweben, weit entfernt von irgendwelchen Sternen, Galaxien oder anderen Himmelskörpern, wird die Symmetrie offenkundig: Es gibt nichts, was eine bestimmte Richtung der schwarzen Leere von einer anderen unterscheidet. Sie sind alle gleichberechtigt. Wenn Sie ein Weltraumlabor einrichten würden, um die Eigenschaften der Materie oder der Kräfte zu erforschen, brauchten Sie keinen Gedanken daran zu verschwenden, ob es so oder anders ausgerichtet sein müsste, weil die zugrunde liegenden Gesetze dieser Wahl gegenüber unempfindlich sind. Sollte eines Nachts ein Witzbold das gyroskopische System des Labors verstellen und damit bewirken, dass sich seine Ausrichtung im Raum um ein paar Winkelgrade verschiebt, stünde nicht zu erwarten, dass dies irgendwelche Konsequenzen für die von Ihnen untersuchten physikalischen Gesetze hätte. Jede jemals durchgeführte Messung bestätigt diese Erwartungen vollkommen. Daher glauben wir, dass die Gesetze, welche Ihre Experimente bestimmen und die gefundenen Ergebnisse erklären, unempfindlich dem gegenüber sind, wo Sie sich befinden – Translationssymmetrie – und wie Sie im Raum zufällig ausgerichtet sind – Rotationssymmetrie.[1]

Wie in Kapitel 3 erörtert, waren sich Galilei und andere noch einer weiteren Symmetrie bewusst, welche die physikalischen Gesetze berücksichtigen müssen. Wenn Ihr Weltraumlabor sich mit konstanter Geschwindigkeit bewegt – ganz gleich, ob mit fünf Stundenkilometern in diese oder mit 100 000 Stundenkilometern in jene Richtung –, sollte sich die Bewegung nicht im Mindesten auf die Gesetze auswirken, die Ihre Beobachtungen erklären, weil Sie mit dem gleichen Recht wie jeder andere behaupten können, Sie befänden sich in Ruhe und alles andere bewege sich. Wie wir gesehen haben, erweiterte Einstein diese Symmetrie in eine vollkommen unerwartete Richtung, indem er die Lichtgeschwindigkeit in die Menge der Beobachtungsergebnisse einreihte, die weder von Ihrer Bewegung noch derjenigen der Lichtquelle beeinflusst werden. Das war ein verblüffender Schritt, weil wir gewöhnlich die Besonderheiten der Geschwindigkeit eines Objekts in einen Topf mit anderen Umgebungsdetails werfen, da wir wissen, dass die beobachtete Geschwindigkeit im Allgemeinen von der Bewegung des Beobachters abhängt. Doch Einstein, der die Lichtsymmetrie durch die Risse in der Newtonschen Fassade der Natur sickern sah, erhob die Lichtgeschwindigkeit in den Rang eines unverletzlichen Naturgesetzes, indem er erklärte, sie werde von Bewegungen ebenso wenig beeinträchtigt wie die Billardkugel von Drehungen.

Die allgemeine Relativitätstheorie, Einsteins nächste große Entdeckung, fügt sich nahtlos in diesen Aufbruch zu immer symmetrischeren Theorien ein. So wie Sie sich die spezielle Relativitätstheorie als Herstellung einer Symmetrie zwischen allen Beobachtern, die sich relativ zueinander mit konstanter Geschwindigkeit bewegen, denken können, können Sie die allgemeine Relativitätstheorie als einen weitergehenden Schritt auffassen, mit dem diese Symmetrie auf alle beschleunigten Beobachter ausgedehnt wird. Das ist so außerordentlich, weil wir, wie mehrfach betont, zwar keine konstante Geschwindigkeit spüren können, wohl aber *beschleunigte* Bewegung. Daher sollte man meinen, dass die physikalischen Gesetze, die unsere Beobachtungen beschreiben, natürlich anders sein müssten, wenn wir beschleunigen, damit sie die von uns empfundenen zusätzlichen Kräfte erklären könnten. Bei Newton ist das auch der Fall. Seine Gesetze, die in allen Lehrbüchern für Studienanfänger auftauchen, bedürfen der Modifikation, wenn wir den Fall eines beschleunigten Beobachters betrachten. Doch das in Kapitel 3 erörterte Äquivalenzprinzip verhalf Einstein zu der Erkenntnis, dass sich die Kraft, die Sie bei Beschleunigung empfinden, nicht von der Kraft unterscheiden lässt, die Sie in einem Gravitationsfeld von entsprechender Stärke spüren (je größer die Beschleunigung, desto größer das Gravitationsfeld). Aus Einsteins differenzierterer Sicht verändern sich die physikalischen Gesetze also nicht, solange Sie ein angemessenes Gravitationsfeld in Ihre Beschreibung der Umgebung einbeziehen. Die allgemeine Relativitätstheorie behandelt alle Beobachter gleich, auch diejenigen, die sich mit beliebiger nichtkonstanter Geschwindigkeit bewegen – sie sind vollkommen symmetrisch –, weil jeder behaupten kann, er sei in Ruhe, indem er die verschiedenen Kräfte, die er spürt, der Wirkung verschiedener Gravitationsfelder zuschreibt. Die Unterschiede in den Beobachtungen zwischen einem beschleunigenden Beobachter und einem anderen sind daher nicht überraschender und kein überzeugenderer Beleg für eine Veränderung in den Naturgesetzen als die Unterschiede, mit denen Sie es zu tun bekommen, wenn Sie Ihre Turnübungen auf dem Mond statt auf der Erde ausführen.[2]

Diese Beispiele machen Ihnen vielleicht deutlich, warum viele Forscher der Meinung sind – und ich vermute, Feynman hätte ihnen darin zugestimmt –, die vielfältigen Symmetrien, die den Naturgesetzen zugrunde liegen, könnten der Atomhypothese den Spitzenplatz in der Rangliste naturwissenschaftlicher Erkenntnisse möglicherweise sogar streitig machen. Aber es gibt noch einen weiteren Aspekt. Im Laufe der letzten Jahrzehnte haben Physiker den Erklärungswert von Symmetrieprinzipien immer höher eingestuft. Wenn ein Naturgesetz vorgeschlagen wird, stellt sich natürlich die Frage: Warum dieses Gesetz? Warum die spezielle Relativitätstheorie? Warum Maxwells Theorie des Elektromagnetismus? Warum die Yang-Mills-Theorien der starken und der schwachen Kernkraft (mit denen wir uns gleich beschäftigen wollen)? Eine wichtige Antwort lautet, dass diese Theorien Vorhersagen treffen, die wiederholt von exakten Experimenten bestätigt worden sind. Das ist natürlich von entscheidender Bedeutung für das Vertrauen, das Physiker in ihre Theorien setzen, lässt indes einen wichtigen Punkt außer Acht.

Physiker glauben nämlich auch, dass diese Theorien auf dem richtigen Weg sind, weil sie auf eine schwer zu beschreibende Weise das *Gefühl* vermitteln, richtig zu sein, und für dieses Gefühl spielen Symmetriebegriffe eine entscheidende Rolle. Dieses Gefühl vermittelt beispielsweise die Tatsache, dass kein Ort im Universum eine Sonderstellung gegenüber irgendeinem anderen einnimmt, und daher gehen die Physiker zuversichtlich davon aus, dass die Translationssymmetrien zu den Symmetrien der Naturgesetze gehören. Dieses Gefühl vermittelt auch der Umstand, dass keine bestimmte Bewegung mit konstanter Geschwindigkeit eine Sonderstellung gegenüber einer anderen einnimmt, daher gehen die Physiker zuversichtlich davon aus, dass die spezielle Relativitätstheorie, da sie eine vollständige Symmetrie zwischen allen Beobachtern mit konstanter Geschwindigkeit voraussetzt, ein wesentlicher Teil der Naturgesetze ist. Dieses Gefühl vermittelt ebenfalls die Auffassung, *jeder* Beobachtungsstandpunkt – egal, ob möglicherweise eine beschleunigte Bewegung beteiligt ist – müsse so gültig sein wie jeder andere, daher gehen die Physiker zuversichtlich davon aus, dass die allgemeine Relativitätstheorie, die einfachste Theorie, die diese Symmetrie verkörpert, zu den tiefsten, die Naturerscheinungen bestimmenden Wahrheiten gehört. Wie wir gleich sehen werden, sind die Theorien der drei Kräfte, die es außer der Gravitation noch gibt – Elektromagnetismus, starke und schwache Kernkraft –, auf andere, etwas abstraktere, aber ebenso schlüssige Symmetrieprinzipien gegründet. Die Symmetrien der Natur sind nicht bloß Konsequenzen der Naturgesetze, sondern aus moderner Sicht die Grundlage, aus der die Gesetze hervorgehen.

Symmetrie und Zeit

Abgesehen davon, dass Symmetrie-Ideen für die Gesetze, die das Verhalten der Naturkräfte bestimmen, prägend sind, sind sie auch von entscheidender Bedeutung für den Zeitbegriff selbst. Zwar hat noch niemand die endgültige, fundamentale Definition der Zeit gefunden, aber zweifellos ist für ihre Rolle beim Aufbau des Kosmos der Umstand von Bedeutung, dass die Zeit die Buchhalterin der Veränderung ist. Verstrichene Zeit erkennen wir daran, dass die Dinge jetzt anders sind, als sie es vorher waren. Der Stundenzeiger auf unserer Uhr weist auf eine andere Ziffer, die Sonne steht an einer anderen Position am Himmel, die losen Seiten unseres Exemplars von *Krieg und Frieden* befinden sich in einem ungeordneteren Zustand, das Kohlendioxid, das aus Ihrer Colaflasche entwichen ist, hat sich weiter ausgebreitet – all das führt uns vor Augen, dass die Dinge sich verändert haben, und die Zeit schafft die Möglichkeit für den Eintritt solcher Veränderungen. Frei nach John Wheeler: Mittels der Zeit verhindert die Natur, dass alles – das heißt alle Veränderung – auf einmal geschieht.

Folglich beruht die Existenz der Zeit auf der *Abwesenheit* einer bestimmten Symmetrie: Dinge im Universum müssen sich von Augenblick zu Augenblick *verändern*, damit wir überhaupt einen Begriff dieses *von Augenblick zu Augenblick* definieren können, der irgendeine Ähnlichkeit mit unserer intuitiven Vorstellung besitzt. Gäbe es eine vollkommene Symmetrie zwischen dem Zustand, in dem sich die Dinge jetzt befinden, und dem Zustand, in dem sie vorher waren, das heißt, wäre die Veränderung von Augenblick zu Augenblick nicht folgenreicher als die Drehungen einer Billardkugel, würde die Zeit, wie wir sie normalerweise verstehen, nicht existieren.[3] Das heißt nicht, dass es das Raumzeitgebilde, wie es in Abbildung 5.1 schematisch dargestellt ist, nicht mehr gäbe. Doch da entlang der Zeitachse alles vollkommen gleichförmig wäre, gäbe es im Universum keine Entwicklung oder Veränderung mehr. Auf diesem Schauplatz der Wirklichkeit wäre die Zeit ein abstraktes Merkmal – die vierte Dimension des Raumzeitkontinuums –, ansonsten aber nicht zu erkennen.

Obwohl die Existenz der Zeit mit der Abwesenheit einer bestimmten Form von Symmetrie verknüpft ist, verlangt ihre Anwendung auf eine kosmische Größenordnung, dass das Universum einer anderen Symmetrie sehr strikt gehorcht. Die Idee ist einfach und beantwortet eine Frage, die Ihnen vielleicht schon in den Sinn gekommen ist, als Sie Kapitel 3 gelesen haben. Wenn uns die Relativitätstheorie lehrt, dass das Verstreichen der Zeit von der Schnelligkeit Ihrer Bewegung und von dem Gravitationsfeld abhängt, in das Sie eingetaucht sind, was bedeutet es dann, wenn Astronomen und Physiker dem gesamten Universum ein bestimmtes Alter zuschreiben – ein Alter, das man heute mit etwa vierzehn Milliarden Jahren ansetzt? Vierzehn Milliarden Jahre aus welcher Perspektive? Vierzehn Milliarden Jahre auf welcher Uhr? Würden Lebewesen, die in der fernen Tadpole-Galaxie (»Kaulquappengalaxie«) leben, ebenfalls zu dem Schluss gelangen, das Universum sei vierzehn Milliarden Jahre alt, und wenn, was hätte dafür gesorgt, dass ihre Uhren synchron mit unseren ticken? Die Antwort stützt sich auf Symmetrie – Symmetrie im Raum.

Wenn Ihre Augen Licht sehen könnten, dessen Wellenlänge sehr viel größer wäre als die von Orange oder Rot, könnten Sie nicht nur beobachten, wie das Innere Ihres Mikrowellengeräts in wilde Aktivität verfällt, sobald Sie den Startknopf drücken, sondern würden auch ein schwaches und fast gleichförmiges Leuchten dort erkennen, wo wir anderen nur dunklen Nachthimmel wahrnehmen. Vor mehr als vierzig Jahren haben Wissenschaftler entdeckt, dass das Universum von Mikrowellenstrahlung – langwelligem Licht – erfüllt ist, dem kühlen Relikt der glühend heißen Verhältnisse kurz nach dem Urknall.[4] Diese *kosmische Hintergrundstrahlung* ist vollkommen harmlos. Anfangs war sie ungeheuer heiß, doch mit zunehmender Entwicklung und Ausdehnung des Universums hat sich die Strahlung stetig abgeschwächt und abgekühlt. Heute liegt ihre Temperatur gerade noch 2,7 Grad über dem absoluten Nullpunkt, und ihre Schädlichkeit beschränkt sich auf einen winzigen Beitrag zu dem Schnee, den Sie auf dem Bildschirm Ihres Fernsehapparates sehen, wenn Sie das Antennenkabel gezogen haben.

Diese schwache atmosphärische Störung bedeutet jedoch für Astronomen dasselbe wie die Knochen des Tyrannosaurus Rex für Paläontologen: Wie ein Fenster gibt sie den Blick auf frühere Epochen frei und eröffnet den Forschern so die Möglichkeit, die Geschehnisse einer fernen Vergangenheit zu rekonstruieren. Eine wesentliche Eigenschaft der Strahlung, die sich während der letzten Jahrzehnte in exakten Satellitenmessungen zeigte, ist ihre extreme Gleichförmigkeit. Die Temperatur der Strahlung in einem Teil des Himmels unterscheidet sich von derjenigen in einem anderen Teil um weniger als ein tausendstel Grad. Auf der Erde würde eine derartige Symmetrie die Wettervorhersagen zu einer höchst uninteressanten Angelegenheit verkümmern lassen. Würde man 35 Grad in Jakarta messen, wüssten wir sofort, dass die Temperatur in Adelaide, Shanghai, Cleveland, Anchorage oder irgendeinem anderen Ort zwischen 34,999 und 35,001 liegen müsste. Auf kosmischer Größenordnung betrachtet, ist die Gleichförmigkeit der Strahlungstemperatur dagegen geradezu *faszinierend*, da sie uns zwei wichtige Einsichten schenkt.

Erstens liefert sie uns Beobachtungsdaten, die zeigen, dass das Universum in seinen frühesten Stadien nicht von großen, klumpigen, hochentropischen Materieansammlungen wie Schwarzen Löchern erfüllt war, weil eine so inhomogene Umgebung eine inhomogene Spur in der Strahlung hinterlassen hätte. Vielmehr bezeugt die Gleichmäßigkeit der Strahlungstemperatur die Homogenität des jungen Universums. Wenn die Gravitation eine Rolle spielt – was in dem dichten jungen Universum der Fall war –, bedeutet Homogenität, wie in Kapitel 6 gezeigt, niedrige Entropie. Und das ist gut so, weil unsere Erörterung des Zeitpfeils weitgehend auf der Annahme beruht, dass das Universum mit niedriger Entropie begonnen habe. Eines der Ziele in diesem Teil des Buches ist es, die beschriebene Beobachtung soweit wie möglich zu erklären – zu verstehen, wie die homogene, niederentropische, völlig unwahrscheinliche Umgebung des frühen Universums zustande kam. Damit würden wir unserem Vorhaben – den Ursprung des Zeitpfeils zu verstehen – einen großen Schritt näher kommen.

Zweitens muss, obwohl das Universum sich seit dem Urknall entwickelt, die Entwicklung des gesamten Kosmos im Großen und Ganzen überall gleich verlaufen sein. Denn die Temperatur hier stimmt mit derjenigen in der Whirlpool-Galaxie, im Coma-Haufen und überall sonst bis zur vierten Dezimalstelle überein. Die physikalischen Bedingungen in jeder Raumregion müssen sich seit dem Urknall im Wesentlichen auf die gleiche Weise entwickelt haben. Das ist eine wichtige Schlussfolgerung, die wir allerdings richtig verstehen müssen. Ein Blick in den Nachthimmel offenbart ohne jeden Zweifel einen vielfältigen Kosmos: Planeten und Sterne verschiedener Art verteilen sich über das gesamte Firmament. Entscheidend ist jedoch, dass, wenn wir die Entwicklung des ganzen Universums untersuchen, das heißt eine Makroperspektive wählen und den Durchschnitt dieser »kleinräumigen«, leicht unterschiedlichen Eigenschaften bilden, die großräumigen Durchschnittswerte *in der Tat* fast vollkommen gleich zu sein scheinen. Stellen Sie sich ein Glas Wasser vor. Auf der Größenordnung von Molekülen ist das Wasser außerordentlich heterogen: Hier finden wir ein H_2O-Molekül, dann folgt leerer Raum, dann wieder ein H_2O-Molekül und so fort. Aber wenn wir den Durchschnitt der kleinräumigen molekularen Klumpigkeit ermitteln und das Wasser auf der »großen«, alltäglichen Größenordnung untersuchen, können wir mit bloßem Auge erkennen, dass das Wasser im Glas vollkommen gleichförmig aussieht. Die Nichtgleichförmigkeit, die wir erblicken, wenn wir in den Himmel schauen, entspricht dem, was der mikroskopische Blick auf ein einzelnes H_2O-Molekül offenbart. Doch wenn das Universum auf Skalen untersucht wird, die groß genug sind – in der Größenordnung von Hunderten von Millionen Lichtjahren –, erscheint es, wie das Glas Wasser, vollkommen homogen. Die Gleichförmigkeit der Strahlung ist also ein fossiler Beleg für die Gleichförmigkeit sowohl der physikalischen Gesetze als auch der Umwelteigenschaften im gesamten Kosmos.

Diese Schlussfolgerung ist sehr wichtig, weil die Gleichförmigkeit des Universums uns erlaubt, einen Zeitbegriff zu definieren, der auf das Universum als Ganzes anwendbar ist. Wenn wir beschließen, die verstrichene Zeit in gewisser Weise als Maß der Veränderung zu definieren, dann ist die Gleichförmigkeit der Verhältnisse im gesamten All ein Beleg für die Gleichförmigkeit der Veränderung überall im Kosmos und lässt damit auch auf die Gleichmäßigkeit der verstrichenen Zeit schließen. Wie die Gleichförmigkeit der geologischen Struktur der Erde dafür sorgt, dass Geologen in Amerika, in Afrika und in Asien in Hinblick auf die Geschichte und das Alter der Erde zu übereinstimmenden Ergebnissen kommen, ermöglicht die Gleichförmigkeit der kosmologischen Entwicklung im gesamten All es Physikern in der Milchstraße, in der Andromeda-Galaxie, und in der Tadpole-Galaxie, in Hinblick auf die Geschichte und das Alter des *Universums* zum gleichen Ergebnis zu gelangen. Konkret bedeutet die homogene Entwicklung des Universums, dass eine Uhr hier, eine Uhr in der Andromeda-Galaxie und eine Uhr in der Tadpole-Galaxie im Durchschnitt fast identischen physikalischen Bedingungen unterworfen gewesen sind und daher das Verstreichen der Zeit auf fast identische Weise festhalten. Die Homogenität des Alls sorgt so für eine universelle Synchronizität.

Zwar habe ich bislang wichtige Einzelheiten ausgeklammert (etwa die Expansion des Raums, mit der ich mich im nächsten Abschnitt beschäftigen werde), dafür aber den entscheidenden Aspekt hervorgehoben: Die Zeit steht am Scheideweg der Symmetrie. Besäße das Universum eine vollkommene zeitliche Symmetrie – wiese es keinerlei Veränderung auf –, ließe sich die Bedeutung von »Zeit« kaum definieren. Hätte das Universum andererseits keine Symmetrie im Raum – wäre beispielsweise die Hintergrundstrahlung vollkommen chaotisch, mit wilden Temperaturschwankungen zwischen verschiedenen Regionen –, dann wäre Zeit in kosmologischem Sinne praktisch ohne Bedeutung. Uhren an verschiedenen Orten würden das Verstreichen der Zeit mit unterschiedlichem Tempo messen. Wenn Sie also fragen würden, wie das Universum vor drei Milliarden Jahren aussah, hinge die Antwort davon ab, wessen Uhr Sie zu Rate ziehen. Das wäre kompliziert. Glücklicherweise ist unser Universum nicht so symmetrisch, dass es die Zeit bedeutungslos macht, besitzt aber dennoch so viel Symmetrie, dass wir die beschriebenen Komplikationen vermeiden können und in der Lage sind, vom allgemeinen Alter des Universums und seiner allgemeinen Entwicklung in der Zeit zu sprechen.

Wenden wir uns deshalb nun dieser Entwicklung zu und betrachten wir die Geschichte des Universums.

Den Stoff strecken

»Geschichte des Universums«, das hört sich nach einem großen Thema an, in großen Zügen umrissen, ist es jedoch überraschend einfach und reduziert sich im Wesentlichen auf einen entscheidenden Tatbestand: Das Universum expandiert. Da dies der zentrale Aspekt der kosmischen Geschichte ist und gewiss eine der bedeutendsten Entdeckungen der Menschheit, wollen wir uns kurz vergegenwärtigen, woher wir wissen, dass es sich so verhält.

1929 hat Edwin Hubble mit dem 2,5-Meter-Teleskop des Mount-Wilson-Observatoriums im kalifornischen Pasadena herausgefunden, dass sich die zwei Dutzend Galaxien, die er entdecken konnte, alle mit großem Tempo von der Erde entfernten.[5] Tatsächlich kam Hubble zu der Erkenntnis, dass die Galaxien umso rascher entwichen, je weiter sie entfernt waren. Um Ihnen einen Eindruck von den Größenordnungen zu vermitteln: Verbesserte Versionen von Hubbles ursprünglichen Beobachtungen (in denen Tausende von Galaxien unter anderem mit dem Hubble-Weltraumteleskop untersucht wurden) zeigen, dass sich Galaxien, wenn sie hundert Millionen Lichtjahre von uns entfernt sind, mit rund 9 Millionen Kilometern pro Stunde von uns fortbewegen. Bei einer Entfernung von zweihundert Millionen Lichtjahren ist die Fluchtgeschwindigkeit etwa doppelt so hoch, rund 18 Millionen Kilometer pro Stunde, bei dreihundert Millionen Lichtjahren ist sie fast dreimal so hoch, also rund 27 Millionen Stundenkilometer, und so fort. Hubbles Entdeckung schockierte die Welt, weil das Universum nach vorgefasster wissenschaftlicher und philosophischer Meinung in seiner Gesamtheit als statisch, ewig und unveränderlich galt. Diese Lehrmeinung stürzte Hubble mit einem Schlag vom Sockel. Und in einem denkwürdigen Zusammenwirken von Experiment und Theorie vermochte Einsteins allgemeine Relativitätstheorie eine wunderbare Erklärung für Hubbles Entdeckung zu liefern.

Nun denken Sie vielleicht, es wäre nicht besonders schwierig gewesen, mit einer Erklärung aufzuwarten. Wenn Sie an einer Fabrik vorbeifahren und sehen, dass alle möglichen Trümmerteile mit Wucht in sämtliche Richtungen davongeschleudert werden, nehmen Sie wahrscheinlich auch an, dass dort eine Explosion stattgefunden hat. Würden Sie den Wegen, den die Metall- und Betonteile genommen haben, in umgekehrter Richtung folgen, würden Sie feststellen, dass sie alle in einem Ort zusammenlaufen – vermutlich dort, wo die Explosion stattgefunden hat. Wie Hubbles Daten und nachfolgende Beobachtungen belegen, zeigt der Blick von der Erde, dass die Galaxien nach außen driften, daher könnten Sie auf den Gedanken kommen, unsere Position im All sei der Ort, an dem vor langer Zeit eine Explosion stattgefunden hat, die das Rohmaterial der Sterne und Galaxien hinausschleuderte. Das Problem dieser Theorie besteht allerdings darin, dass sie eine Region des Alls – unsere Region – als einzigartig heraushebt, indem sie sie zum Geburtsort des Universums erklärt. Damit wäre eine grundlegende Asymmetrie gegeben: Regionen, die weit von der Urexplosion – weit von uns – entfernt wären, unterlägen ganz anderen Bedingungen als unsere Region hier. Da es in den astronomischen Daten für eine derartige Asymmetrie keinen Beleg gibt und wir anthropozentrischen Erklärungen, die mit präkopernikanischem Denken behaftet sind, äußerst misstrauisch gegenüberstehen, sind wir auf eine scharfsinnigere Deutung von Hubbles Entdeckung angewiesen, eine Deutung, die nicht unterstellt, dass wir eine Sonderstellung in der kosmischen Ordnung der Dinge einnehmen.

Eine solche Deutung liefert uns die allgemeine Relativitätstheorie. Mit dieser Theorie entdeckte Einstein, dass Raum und Zeit flexibel sind, nicht starr, sondern gummiartig. Er entwickelte Gleichungen, die uns exakt mitteilen, wie Raum und Zeit auf die Anwesenheit von Materie und Energie reagieren. In den zwanziger Jahren untersuchten der russische Mathematiker und Meteorologe Alexander Friedmann und der belgische Priester und Astronom Georges Lemaître unabhängig voneinander, wie sich Einsteins Gleichungen verhalten, wenn man sie auf das gesamte Universum anwendet, und beide stießen auf ein verblüffendes Ergebnis: Genau wie aus der Gravitation der Erde folgt, dass ein Baseball, der sich nach einem Schlag hoch über dem Fänger befindet, entweder weiter steigen oder sich wieder in Richtung Erde bewegen muss, aber auf keinen Fall verharren kann, wo er ist (ausgenommen jenen winzigen Augenblick lang, wo er seinen höchsten Punkt erreicht), so muss die Gravitationsanziehung der Materie und Strahlung, die im ganzen Kosmos verteilt ist, dazu führen, dass sich der Raum entweder streckt oder zusammenzieht, nicht aber eine konstante Größe beibehalten kann. Tatsächlich ist das eines der seltenen Beispiele, in denen die Metapher nicht nur das Wesen der physikalischen Verhältnisse erfasst, sondern auch ihren mathematischen Inhalt, denn es stellt sich heraus, dass die Gleichungen, welche die Höhe des Baseballs über dem Erdboden bestimmen, fast identisch mit den Einsteinschen Gleichungen sind, welche die Größe des Universums bestimmen.[6]

Die Flexibilität des Raums in der allgemeinen Relativitätstheorie eröffnet eine neue, tief greifende Interpretation für Hubbles Entdeckung. Statt die Flucht der Galaxien als eine kosmische Version der Fabrikexplosion zu erklären, sagt die allgemeine Relativitätstheorie, der Raum dehne sich seit Jahrmilliarden aus. Und in diesem Aufblähen habe er die Galaxien so voneinander entfernt, wie die Rosinen in einem Brötchen auseinander gezogen werden, wenn das Rosinenbrötchen beim Backen aufgeht. Der Ursprung der Galaxienflucht ist also *nicht* eine Explosion, die im Raum stattgefunden hätte, vielmehr entsteht diese Bewegung, weil sich der Raum selbst ständig aufbläht und nach außen drängt.

Um diese Idee richtig zu verstehen, können wir uns auch an das überaus nützliche Ballonmodell des expandierenden Universums halten, ein Modell, das häufig von Physikern bemüht wird, um diese Zusammenhänge zu erklären (und dessen Ursprünge mindestens bis zu einer amüsanten Zeichnung zurückreichen, die 1930 in einer holländischen Zeitung erschien, im Anschluss an ein Interview mit Willem de Sitter, einem Wissenschaftler, dem wir wichtige Beiträge zur Kosmologie verdanken[7]). Diese Analogie vergleicht unseren dreidimensionalen Raum mit der leichter vorstellbaren zweidimensionalen Oberfläche eines kugelförmigen Ballons (siehe Abbildung 8.2 [a]), der immer weiter aufgeblasen wird. Die Galaxien werden durch zahlreiche, gleichmäßig verteilte Pennies dargestellt, die auf die Oberfläche des Ballons geklebt sind. Beachten Sie, dass sich die Pennies alle voneinander entfernen, wenn der Ballon expandiert. Damit haben wir eine einfache Analogie für die Art und Weise, wie der expandierende Raum alle Galaxien auseinander treibt.

Ein wichtiges Merkmal dieses Modells ist die vollkommene Symmetrie zwischen den Pennies, da der Anblick, der sich jedem einzelnen Lincoln auf der Kopfseite der Münzen bietet, der gleiche Anblick ist, den jeder andere Lincoln vor sich sieht. Stellen Sie sich zur besseren Veranschaulichung vor, Sie schrumpften, legten sich auf einen Penny und blickten in alle Richtungen über die Oberfläche des Pennys (denken Sie daran, in diesem Vergleich stellt die Oberfläche des Ballons den gesamten Raum dar, das heißt, von der Oberfläche des Ballons emporzublicken, ergibt keinen Sinn.) Was beobachten Sie? Während der Ballon expandiert, sehen Sie Pennies, die in alle Richtungen davondriften. Und was sehen Sie, wenn Sie sich auf einen anderen Penny legen? Die Symmetrie sorgt dafür, dass Sie das Gleiche sehen: Pennies, die sich in alle Richtungen davonbe-

(a)

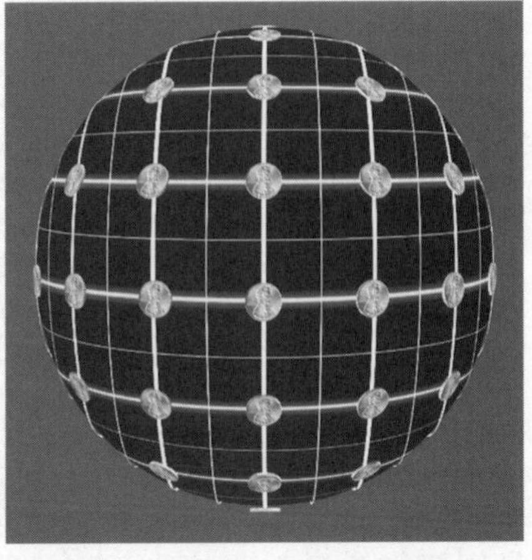

(b)

Abbildung 8.2 (**a**) Wenn gleichmäßig verteilte Pennies auf die Oberfläche einer Kugel geklebt werden, bietet sich jedem Lincoln (auf der Kopfseite) der gleiche Anblick. Das deckt sich mit der Überzeugung, dass sich von jeder Galaxie im Universum aus im Großen und Ganzen derselbe Anblick böte. (**b**) Wenn die Kugel expandiert, nehmen die Entfernungen zwischen allen Pennies zu. Mehr noch, je weiter zwei Pennies in 8.2 (a) voneinander entfernt sind, desto größer ist der Entfernungszuwachs, den sie beim Übergang von 8.2 (a) zu 8.2 (b) durch die Expansion erfahren. Das entspricht den Messungen, die zeigen, dass eine Galaxie sich umso rascher von einem gegebenen Standpunkt entfernt, je größer der Abstand ursprünglich war. Beachten Sie, dass kein Penny besonders hervorgehoben ist, was sich ebenfalls mit unserer Überzeugung deckt, dass keine Galaxie im Universum eine Sonderstellung einnimmt oder den Mittelpunkt der Raumexpansion bildet.

wegen. Dieses anschauliche Bild bringt unsere – durch immer genauere astronomische Beobachtungen gestützte – Überzeugung zum Ausdruck, dass in jeder der mehr als hundert Milliarden im Universum vorhandenen Galaxien alle Beobachter, die zu ihren Nachthimmeln hinaufschauen, ein im Großen und Ganzen sehr ähnliches Bild wie wir sehen: lauter Galaxien, die in alle Richtungen davondriften.

Im Gegensatz zu einer Fabrikexplosion in einem unveränderlichen, seit Ewigkeiten vor sich hin existierenden Raum muss es in einem Raum, der sich ausdehnt, keinen besonderen Ort – keinen besonderen Penny, keine besondere Galaxie – geben, der den Mittelpunkt der nach außen gerichteten Bewegung bildet. Jeder Ort – jeder Penny, jede Galaxie – ist vollkommen gleichgestellt mit jedem anderen. Der Blick von einem beliebigen Ort *scheint* der Blick vom Mittelpunkt einer Explosion zu sein: Jeder Lincoln sieht alle anderen Lincolns davondriften. Ein Beobachter wie Sie in einer beliebigen Galaxie sieht alle anderen Galaxien davonjagen. Doch da dies für alle Orte gilt, gibt es keinen besonderen, keinen einzigartigen Ort, welcher tatsächlich der Mittelpunkt wäre, vom dem die nach außen gerichtete Bewegung ausginge.

Diese Beschreibung erklärt nicht nur qualitativ die nach außen gerichtete Bewegung der Galaxien in einer räumlich homogenen Weise, sondern findet auch für die Einzelheiten, die Hubble entdeckte und die durch nachfolgende Beobachtungen mit größter Genauigkeit bestätigt wurden, eine quantitative Erklärung. Wenn der Ballon sich in einem gegebenen Zeitintervall aufbläht, sagen wir, seine Größe verdoppelt, verdoppeln, wie Abbildung 8.2 (b) zeigt, auch alle räumlichen Abstände ihre Größe: Pennies, die einen Zentimeter auseinander waren, sind jetzt zwei Zentimeter auseinander, Pennies, die zwei Zentimeter auseinander waren, sind jetzt vier Zentimeter auseinander, Pennies, die drei Zentimeter auseinander waren, sind jetzt sechs Zentimeter auseinander und so fort. Das heißt, in jedem gegebenen Zeitintervall nimmt der Abstand zwischen den Pennies proportional zur ursprünglichen Entfernung zwischen ihnen zu. Und da eine größere Zunahme des Abstands binnen eines gegebenen Zeitintervalls eine höhere Geschwindigkeit bedeutet, treiben Pennies, die weiter voneinander entfernt sind, schneller auseinander. Je weiter zwei Pennies also voneinander entfernt sind, desto mehr Ballonoberfläche liegt zwischen ihnen und desto weiter werden sie auseinander gedrängt, wenn sich der Ballon aufbläht. Wenn wir genau die gleiche Überlegung auf den expandierenden Raum und die darin enthaltenen Galaxien anwenden, erhalten wir eine Erklärung für Hubbles Beobachtungen. Je weiter zwei Galaxien voneinander entfernt sind, desto mehr Raum liegt zwischen ihnen und desto weiter werden sie auseinander gedrängt, wenn sich der Raum zwischen ihnen aufbläht.

Dadurch, dass die allgemeine Relativitätstheorie die beobachtete Galaxienbewegung der Raumexpansion zuschreibt, bietet Einsteins Theorie eine Erklärung, die nicht nur alle Orte im Raum symmetrisch behandelt, sondern alle Daten Hubbles mit einem Schlage erklärt. Es ist einer jener Vorschläge, welche ganz neue Wege beschreiten (in diesem Fall die des expandierenden Raums) und die vorliegenden Daten mit einer derartig quantitativen Genauigkeit und eleganten Symmetrie erklären, dass Physiker sagen, solche Theorien seien fast zu schön, um falsch zu sein. Im Wesentlichen sind sich alle einig, dass sich der Stoff, die Struktur, des Raumes ausdehnt.

Zeit in einem expandierenden Universum

Mit einer leichten Abwandlung des Ballonmodells können wir jetzt genauer verstehen, wie Symmetrie im Raum, selbst in einem expandierenden Raum, einen Zeitbegriff liefert, der gleichmäßig für den ganzen Kosmos gilt. Stellen Sie sich vor, Sie ersetzten jeden Penny, wie in Abbildung 8.3, durch eine von vielen identischen Uhren. Aus der Relativitätstheorie wissen wir, dass identische Uhren unterschiedlich schnell gehen, wenn sie unterschiedlichen physikalischen Einflüssen unterworfen sind – unterschiedlichen Bewegungen oder unterschiedlichen Gravitationsfeldern. Doch man kann auch sehen – eine einfache, aber grundlegende Erkenntnis –, dass die vollkommene Symmetrie unter allen Lincolns auf dem expandierenden Ballon sich überträgt und zu einer vollständigen Symmetrie zwischen allen Uhren wird. Alle Uhren unterliegen identischen physikalischen Bedingungen, daher ticken sie in exakt dem gleichen Tempo und zeigen identische Intervalle verstrichener Zeit an. Entsprechend gilt in einem expandierenden Universum, in dem ein hohes Maß an Symmetrie zwischen allen Galaxien vorliegt: *Uhren, die sich mit der einen oder der anderen Galaxie bewegen, müssen gleich schnell gehen und daher auch gleiche Zeiträume anzeigen.* Wie sollte es auch anders sein? Jede Uhr ist mit jeder anderen gleichgestellt, da sie im Mittel denselben physikalischen Bedingungen unterworfen war. Das wiederum stellt die erstaunliche Macht der Symmetrie unter Beweis. Ohne eine Berechnung oder eine detaillierte Analyse erkennen wir, dass die Gleichförmigkeit der physikalischen Umgebung, wie sie in der Gleichförmigkeit der Mikrowellenhintergrundstrahlung und der gleichförmigen Galaxienverteilung im Raum zum Ausdruck kommt,[8] uns auf die Gleichförmigkeit der Zeit schließen lässt.

Obwohl diese Argumentation einfach ist, kann die Schlussfolgerung Verwirrung stiften. Da die Galaxien alle auseinander driften, treiben auch Uhren, die sich mit der einen oder der anderen Galaxie bewegen, rasch auseinander. Mehr noch, sie bewegen sich relativ zueinander mit einer enormen Vielzahl von Geschwindigkeiten, die durch eine enorme Vielfalt von Abständen bestimmt werden. Müsste diese Bewegung die Uhren nicht veranlassen, ihren Gleichtakt zu verlieren, wie uns Einstein in seiner speziellen Relativitätstheorie gelehrt hat? Aus verschiedenen Gründen lautet die Antwort Nein. Besonders einleuchtend ist das folgende Argument:

Wie wir aus Kapitel 3 wissen, hat Einstein entdeckt, dass Uhren, die sich *durch* den Raum bewegen, unterschiedlich schnell gehen (weil sie unterschiedliche Beträge ihrer Bewegung durch die Zeit in Bewegung durch den Raum umwandeln; erinnern Sie sich an den Vergleich mit Bart, der auf seinem Skate-

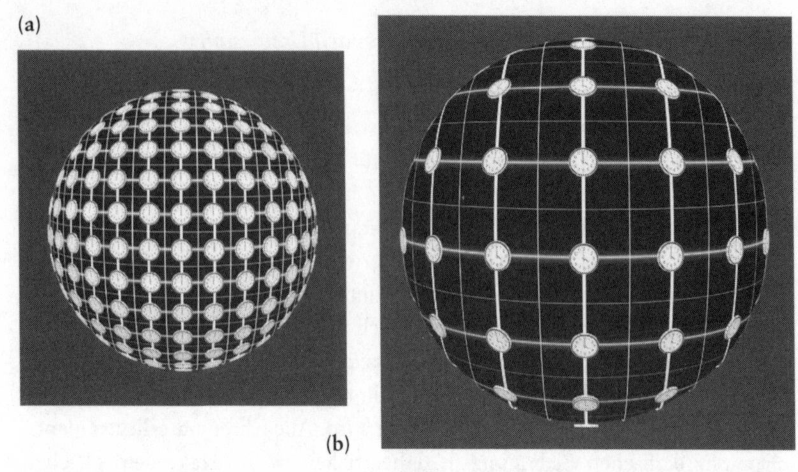

Abbildung 8.3 Wenn Uhren sich mit Galaxien bewegen – deren Bewegung im Durchschnitt von der Expansion des Raumes abhängt –, erweisen sie sich als universell zuverlässige kosmische Chronometer. Sie bleiben synchron, obwohl sie voneinander getrennt sind, da sie sich *mit* dem Raum und nicht *durch* ihn bewegen.

board zunächst nach Norden fährt und dann einen Teil seiner Geschwindigkeit zur Bewegung nach Osten nutzt). Doch die Uhren, über die wir hier sprechen, bewegen sich *überhaupt nicht* durch den Raum. Wie jeder Penny auf einen Punkt der Ballonoberfläche geklebt ist und sich infolge der Expansion des Ballons nur relativ zu anderen Pennies bewegt, so nimmt jede Galaxie eine Raumregion ein und bewegt sich relativ zu anderen Galaxien überwiegend nur auf Grund der Raumexpansion. Folglich sind relativ zum Raum selbst alle Uhren in Wirklichkeit ruhend, das heißt, sie gehen gleich schnell. Genau diese Uhren – *Uhren, deren einzige Bewegung aus der Expansion des Raumes resultiert* – sind es, die uns als synchrone kosmische Zeitmesser Auskunft über das Alter des Universums geben.

Natürlich steht es Ihnen frei, Ihre Uhr zu nehmen, sich an Bord eines Raumschiffs zu begeben und mit gewaltigen Geschwindigkeiten, die diejenige der kosmischen Fluchtbewegung bei weitem übersteigen, hierhin und dorthin zu flitzen. Unter diesen Bedingungen *wird* Ihre Uhr eine andere Gangart anschlagen, so dass Sie zu dem Ergebnis kommen, seit dem Urknall sei ein anderer Zeitraum verstrichen. Das ist ein vollkommen gültiger Standpunkt, aber einer, der absolut individualistisch ist: Die gemessene Zeit ist untrennbar mit der Geschichte Ihrer besonderen Aufenthaltsorte und Bewegungszustände verbunden. Wenn Astronomen vom Alter des Universums sprechen, suchen sie dagegen etwas Universelles – ein Maß, das überall die gleiche Bedeutung hat. Und dazu eröffnet die Gleichförmigkeit der Veränderung im gesamten Raum eine Möglichkeit.[9]

Tatsächlich liefert die Gleichförmigkeit der Mikrowellenhintergrundstrahlung einen gebrauchsfertigen Test, um festzustellen, ob Sie sich tatsächlich mit dem Expansionsstrom des Raums bewegen. Denn obwohl sich die Mikrowellenstrahlung homogen über den Raum verteilt, werden Sie die Strahlung nicht als homogen wahrnehmen, wenn Sie eine Bewegung zusätzlich zum kosmischen Fluss der Raumexpansion aufnehmen. Wie die Hupe eines rasch fahrenden Autos heller klingt, wenn es sich nähert, und tiefer, wenn es sich entfernt, so werden, wenn Sie in einem Raumschiff umhersausen, die Berge und Täler der Mikrowellen, die sich auf den Bug Ihres Gefährts zubewegen, diesen mit höherer Frequenz treffen als jene, die sich dem Heck Ihres Schiffes nähern. Höhere Mikrowellenfrequenzen manifestieren sich als höhere Temperaturen, daher stellen Sie fest, dass die Strahlung in Fahrtrichtung ein bisschen wärmer ist als die Strahlung, die von hinten kommt. *Tatsächlich* messen Astronomen bei uns auf dem »Raumschiff« Erde, dass die Mikrowellenstrahlung aus einer Richtung des Raums etwas wärmer und aus der entgegengesetzten Richtung etwas kälter ist. Die Erde bewegt sich nämlich nicht nur um die Sonne und die Sonne nicht nur um das galaktische Zentrum, sondern die gesamte Galaxie Milchstraße hat neben der kosmischen Expansion noch eine kleine Geschwindigkeit in Richtung des Sternbilds Nördliche Wasserschlange. Nur wenn die Astronomen den Effekt dieser relativ geringen Zusatzbewegungen auf die Mikrowellen abziehen, zeigen diese die wunderbare Gleichförmigkeit der Temperatur zwischen einem Teil des Himmels und einem anderen. Diese Gleichförmigkeit, diese generelle Symmetrie zwischen einem Ort und einem beliebigen anderen, ermöglicht es uns, bei der Beschreibung des gesamten Universums dem Zeitbegriff eine vernünftige Bedeutung zu verleihen.

Wenig beachtete Aspekte eines expandierenden Universums

Einige Punkte, die in unserer Erklärung der kosmischen Expansion vielleicht etwas untergegangen sind, sollen hier noch einmal hervorgehoben werden. Denken Sie bitte erstens daran, dass in der Ballonmetapher nur die *Ballonoberfläche* eine Rolle spielt – eine Oberfläche, die lediglich zweidimensional ist (jeder Ort lässt sich durch zwei Zahlen bestimmen, entsprechend der geographischen Länge und Breite auf der Erde), während der Raum, den wir sehen, wenn wir uns umschauen, drei Dimensionen besitzt. Wir verwenden dieses niederdimensionale Modell, weil es alle Elemente bewahrt, die für die echten dreidimensionalen Verhältnisse wichtig sind, aber die bildliche Vorstellung wesentlich erleichtert. Daran müssen Sie denken, vor allem, wenn Sie versucht waren einzuwenden, dass es im Ballonmodell *doch* einen besonderen Punkt gebe: den Mittelpunkt im Inneren des Ballons, von dem sich die gesamte Gummioberfläche entfernt. Das stimmt zwar, ist in der Ballonanalogie allerdings ohne Belang, weil kein Punkt, der sich nicht auf der Ballonoberfläche befindet, irgendeine Rolle spielt. Die Oberfläche des Ballons repräsentiert den *gesamten* Raum. Punkte, die nicht auf der Ballonoberfläche liegen, sind lediglich irrelevante Nebenprodukte des Vergleichs und entsprechen keinem Ort im Universum.*

Wenn zweitens die Fluchtgeschwindigkeit umso größer ist, je weiter die Galaxien entfernt sind, heißt das dann nicht, dass Galaxien, die weit genug entfernt sind, sich von uns mit Geschwindigkeiten entfernen, welche die des Lichts überschreiten? Die Antwort ist ein klares, entschiedenes Ja. Doch das ist kein Verstoß gegen die spezielle Relativitätstheorie. Warum? Nun, aus demselben Grund, aus dem Uhren, die sich mit dem Expansionsstrom des kosmischen Raums voneinander fortbewegen, synchron bleiben. Wie in Kapitel 3 dargelegt, hat Einstein gezeigt, dass sich nichts schneller *durch* den Raum bewegen kann als das Licht. Doch Galaxien bewegen sich im Großen und Ganzen kaum durch den Raum. Ihre Bewegung ergibt sich fast ausschließlich aus der *Dehnung des Raums*. Einsteins Theorie hindert den Raum nicht an einer Expansion, die zwei Punkte – zwei Galaxien – überlichtschnell auseinander driften lässt. Seine Ergebnisse begrenzen nur Geschwindigkeiten, bei denen die Bewegung infolge der Expansion des Raums schon abgezogen wurde, das heißt nur Geschwindigkeiten, die zu denen der räumlichen Expansion hinzukommen.

* Über die zweidimensionale Metapher der Ballonoberfläche hinauszugehen und ein dreidimensionales Modell zu entwickeln, ist mathematisch keine Schwierigkeit, aber selbst für gelernte Mathematiker und Physiker schwer vorstellbar. Vielleicht sind Sie versucht, an eine massive, dreidimensionale Kugel zu denken, so etwas wie eine Bowlingkugel ohne Fingerlöcher. Das ist jedoch keine Form, die für unsere Zwecke in Frage kommt. Wir wollen, dass alle Punkte im Modell vollkommen gleichgestellt sind, denn wir meinen, dass jeder Ort im Universum (im Durchschnitt) genau wie jeder andere ist. Die Bowlingkugel dagegen hat eine Fülle von verschiedenen Punkten: Einige befinden sich auf der äußeren Oberfläche, andere tief im Inneren, einer liegt direkt im Zentrum. Wie die zweidimensionale Oberfläche eines Ballons eine *dreidimensionale* kugelförmige Region umgibt (welche die Luft des Ballons enthält), so müsste eine akzeptable runde dreidimensionale Form eine *vierdimensionale* kugelförmige Region umgeben. Die dreidimensionale Kugelfläche eines Ballons in einem vierdimensionalen Raum ist also eine akzeptable Form. Doch wenn Ihre Vorstellungskraft an diesem Modell scheitert, dann tun Sie lieber, was auch die gesamte Zunft der Mathematiker und Physiker tut: Halten Sie sich an die leichter vorstellbaren niederdimensionalen Analogien. Sie besitzen fast alle wichtigen Eigenschaften. In Kürze werden wir uns mit einem dreidimensionalen flachen Raum beschäftigen – im Gegensatz zur runden Form einer Kugel – und sehen, dass dieser Raum sich vorstellen lässt.

Die astronomischen Beobachtungen bestätigen, dass bei Galaxien, die im kosmischen Strom treiben, derartige Zusatzgeschwindigkeiten in der Regel minimal sind und voll und ganz im Rahmen der speziellen Relativitätstheorie bleiben, auch wenn ihre relative, aus der Raumexpansion erwachsende Geschwindigkeit die des Lichts übertreffen kann.*

Ergibt sich drittens aus der Raumexpansion neben der Schlussfolgerung, dass die Galaxien auseinander getrieben werden, nicht auch, dass der expandierende Raum in jeder Galaxie die Sterne auseinander driften lässt, dass der expandierende Raum in jedem Stern, in jedem Planeten, in Ihnen, in mir, in allem und jedem die Atome auseinander drängt und in den Atomen die Elementarteilchen weiter auseinander zwingt? Kurzum, würde der expandierende Raum nicht alle Dinge anwachsen lassen, auch unsere Messlatten, so dass es am Ende unmöglich wäre, die Expansion überhaupt noch festzustellen? Die Antwort lautet Nein. Denken Sie an unser Ballon-und-Penny-Modell. Wenn die Oberfläche des Ballons expandiert, werden alle Pennies auseinander getrieben, doch die Pennies selbst verändern ihre Größe nicht. Sicher, hätten wir mit einem Filzstift kleine schwarze Kreise auf die Oberfläche des Ballons gezeichnet, um die Galaxien darzustellen, dann wären mit der Expansion des Ballons auch die kleinen Kreise angewachsen. Doch die Pennies, nicht die schwarzen Kreise, geben wieder, was tatsächlich passiert. Jeder Penny behält seine Größe, weil die Kräfte, die seine Zink- und Kupferatome zusammenhalten, weit stärker sind als die Expansion des Ballons, an dessen Oberfläche sie kleben. Entsprechend sind die Kernkraft, welche die einzelnen Atome zusammenhält, und die elektromagnetische Kraft, die Ihre Knochen und Haut zusammenhält, und die Gravitationskraft, die für die Unversehrtheit von Planeten und Sternen sorgt, stärker als die Expansion des Raums; daher dehnt sich keines dieser Objekte aus. Nur auf den größten Skalen, supergalaktischen Größenordnungen, die also einzelne Galaxien bei weitem übertreffen, stößt die Expansion des Raums auf wenig oder keinen Widerstand (die Gravitationsanziehung zwischen weit getrennten Galaxien ist wegen der großen Abstände vergleichsweise gering) und treibt Objekte tatsächlich auseinander.

* Je nachdem, ob sich die Expansionsrate des Universums im Laufe der Zeit beschleunigt oder verlangsamt, könnte das Licht, das von solchen Galaxien ausgesandt wird, einen Kampf austragen, der den griechischen Philosophen Zenon mit Stolz erfüllt hätte: Während das Licht mit seiner charakteristischen Geschwindigkeit auf uns zufliegt, könnte die Expansion des Raums die Entfernung, die das Licht zurückzulegen hätte, immer mehr anwachsen lassen und so verhindern, dass es uns je erreichte. Zu einer eingehenderen Darstellung verweise ich auf den Anmerkungsteil.[10]

Kosmologie, Symmetrie und die Form des Raums

Würde Sie jemand mitten in der Nacht aus tiefem Schlaf wecken und auffordern, ihm die Form des Universums zu beschreiben – die Form des gesamten Raums –, täten Sie sich möglicherweise schwer mit einer Antwort. Selbst in Ihrem benommenen Zustand wüssten Sie, dass der Raum bei Einstein eine Art Knetgummi ist und daher im Prinzip jede Form annehmen kann. Wie sollten Sie die Frage Ihres Gesprächspartners beantworten? Wir leben auf einem kleinen Planeten eines durchschnittlichen Sterns in den Randbezirken einer Galaxie, die nur eine unter vielen hundert Milliarden im gesamten All ist. Also wie in aller Welt sollen Sie irgendwas über die Form des gesamten Universums wissen? Langsam weicht die Schlaftrunkenheit, und Sie erkennen, dass Ihnen die Macht der Symmetrie abermals zu Hilfe kommt.

Wenn Sie sich die weithin akzeptierte Auffassung der physikalischen Gemeinschaft ins Gedächtnis rufen, dass im Bereich sehr großer Größenordnungen im Durchschnitt alle Orte und Richtungen in symmetrischer Beziehung stehen, sind Sie auf dem besten Weg, die Frage Ihres nächtlichen Störenfrieds zu beantworten. Der Grund ist, dass fast alle Formen dieses Symmetriekriterium *nicht* erfüllen, weil ein Teil oder eine Region der Form sich prinzipiell von einem anderen Teil oder einer anderen Region unterscheidet. Eine Birne wird am unteren Ende erheblich breiter als im oberen Teil. Ein Ei ist in der Mitte flacher als an den Enden. Diese Formen besitzen zwar ein gewisses Maß an Symmetrie, sind aber nicht vollkommen symmetrisch. Indem Sie solche Formen ausklammern und sich auf diejenigen beschränken, in der eine Region und Richtung wie die andere ist, sind Sie in der Lage, die Bandbreite der Möglichkeiten enorm einzugrenzen.

Einer Form, die den Ansprüchen genügt, sind wir bereits begegnet. Die Kugelfläche des Ballons war das Schlüsselelement, mit dem sich die Symmetrie zwischen all den Lincolns auf der expandierenden Oberfläche herstellen ließ, daher ist die Form der dreidimensionalen Version dieser Fläche, die so genannte *Dreikugel*, ein Kandidat für die Form des Raums. Doch sie ist nicht die einzige Form, die vollkommene Symmetrie offenbart. Bleiben Sie bei den leichter vorstellbaren zweidimensionalen Modellen und denken Sie sich ein *unendlich* breites und *unendlich* langes Gummituch – eines, das vollkommen glatt ist –, auf das in gleichen Abständen Pennies geklebt sind. Wenn sich das gesamte Tuch ausdehnt, herrschen abermals eine vollkommene räumliche Symmetrie und vollkommene Übereinstimmung mit Hubbles Entdeckung: Jeder Lincoln sieht jeden anderen Lincoln mit einer Geschwindigkeit davondriften, die zu seiner Entfernung proportional ist (siehe Abbildung 8.4). Daher ist ein

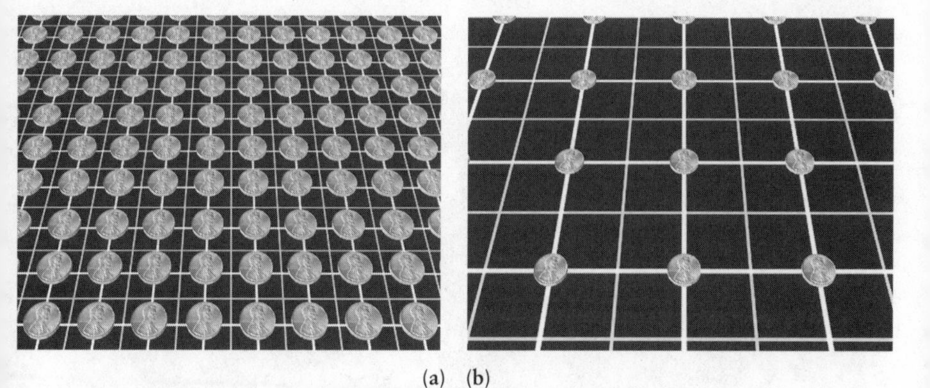

(a) (b)

Abbildung 8.4 (**a**) Der Blick von einem beliebigen Penny auf eine unendliche, flache Ebene gleicht dem Blick von jedem anderen Penny. (**b**) Je weiter zwei Pennies in der Abbildung 8.4 (a) voneinander entfernt sind, desto stärker wächst ihr Abstand an, wenn die Fläche expandiert.

Raum mit der dreidimensionalen Version dieser Form, so etwas wie ein unendlicher, expandierender Würfel aus durchsichtigem Gummi mit Galaxien, die gleichmäßig in seinem Inneren verteilt sind, eine weitere mögliche Form für den Raum. (Wenn Sie kulinarische Metaphern bevorzugen, stellen Sie sich ein Rosinenbrötchen vor, das wie ein unendlich großer Würfel geformt ist und in dem die Rosinen die Rolle von Galaxien spielen. Beim Backen expandiert der Teig, mit dem Erfolg, dass jede Rosine sich von jeder anderen entfernt.) Diese Form heißt *flacher Raum*, weil sie im Unterschied zum kugelförmigen Beispiel keine Krümmung besitzt (eine Bedeutung von »flach«, die Mathematiker und Physiker verwenden, die sich aber von der umgangssprachlichen Bedeutung im Sinne von »platt« unterscheidet)[11].

Eine hübsche Eigenschaft der kugeligen und der unendlichen flachen Formen ist der Umstand, dass wir endlos herumwandern können, ohne jemals einen Rand oder eine Grenze zu erreichen. Das ist hübsch, weil es uns unangenehme Fragen erspart: Was kommt hinter dem Rand des Raums? Was geschieht, wenn Sie eine Grenze des Raums überschreiten? Hat der Raum keine Ränder oder Grenzen, ist die Frage ohne Bedeutung. Doch sollten Sie sich klar machen, dass die beiden Formen diese angenehme Eigenschaft auf unterschiedliche Weise realisieren. Wenn Sie in einem kugelförmigen Raum geradeaus gehen, stellen Sie wie Magellan fest, dass Sie früher oder später wieder an Ihren Ausgangspunkt gelangen, ohne auf einen Rand gestoßen zu sein. Gehen Sie dagegen in einem unendlichen flachen Raum geradeaus, werden Sie feststellen, dass Sie wie Energizer Bunny – der rosa Hase, der läuft und läuft und läuft … –

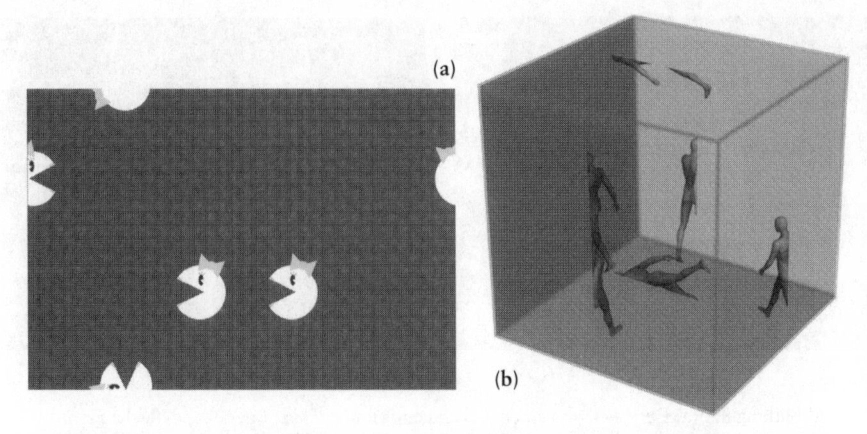

Abbildung 8.5 (**a**) Der Bildschirm eines Videospiels ist flach (im Sinne von nicht gekrümmt) und von endlicher Größe, besitzt aber keine Ränder oder Grenzen, sondern ist in sich geschlossen. Unter Mathematikern heißt ein solches Gebilde *zweidimensionaler Torus*. (**b**) Eine dreidimensionale Version dieser Form, der so genannte *dreidimensionale Torus*, ist ebenfalls flach (im Sinne von nicht gekrümmt), hat ein endliches Volumen und keinerlei Grenzen oder Ränder, da er in sich geschlossen ist: Wenn Sie den Würfel auf der einen Seite verlassen, tauchen Sie auf der gegenüberliegenden wieder auf.

immer weiter gehen können, nie an einen Rand, aber auch nie wieder an den Ausgangspunkt Ihrer Reise gelangen. Das mag zwar wie ein grundsätzlicher Unterschied zwischen der Geometrie einer gekrümmten und einer flachen Form erscheinen, doch gibt es eine einfache Spielart des flachen Raums, die der Kugelfläche in dieser Hinsicht verblüffend ähnelt.

Stellen Sie sich dazu eines jener Videospiele vor, in denen der Bildschirm Ränder zu besitzen scheint, die in Wirklichkeit jedoch gar nicht vorhanden sind, weil Sie nicht wirklich aus dem Bild verschwinden können: Wenn Sie über den rechten Rand hinausgehen, tauchen Sie am linken wieder auf; wenn Sie die Spielfläche am oberen Rande verlassen, erscheinen Sie am unteren Rand. Der Bildschirm »wickelt sich rundherum«: Oberer und unterer Rand sind miteinander identifiziert, und das Gleiche gilt für linken und rechten Rand. Auf diese Weise ist die Fläche flach (ungekrümmt) und von *endlicher Größe*, besitzt aber keine Ränder. Mathematisch ist dies die Form eines *zweidimensionalen Torus*, wie in Abbildung 8.5 (a) dargestellt.[12] Die dreidimensionale Version dieser Form – ein dreidimensionaler Torus – bietet sich als weitere mögliche Form des Raums an. Sie können sich diese Form mit Hilfe eines enormen Würfels vorstellen, der entlang allen drei Richtungen in sich geschlossen ist: Wenn Sie oben hinaustreten, tauchen Sie von unten wieder auf, treten Sie hinten hinaus, tauchen Sie von vorne wieder auf, wenn Sie durch die linke Seite verschwinden, tauchen Sie von rechts wieder auf wie in Abbildung 8.5 (b). Ein Raum dieser Form ist flach – wiederum: im Sinne von nicht gekrümmt und nicht von platt wie ein Pfannkuchen –, dreidimensional, endlich in allen Richtungen und doch ohne Ränder und Grenzen.

Von diesen Möglichkeiten abgesehen, gibt es noch eine weitere Form, die sich mit der Erklärung von Hubbles Entdeckung als Expansion eines symmetrischen Raums verträgt. In drei Dimensionen ist sie schwer zu verbildlichen, aber wie beim kugelförmigen Beispiel gibt es einen guten zweidimensionalen Ersatz: eine unendlich ausgedehnte Version eines Kartoffelchips. Diese Form, häufig als *Sattel* bezeichnet, ist in gewisser Weise die Umkehrung einer Kugelfläche: Während sich die Kugelfläche symmetrisch nach außen wölbt, ist der Sattel symmetrisch nach innen eingesunken, wie in Abbildung 8.6 zu erkennen. In mathematischer Terminologie sprechen wir davon, dass die Kugelfläche *positiv gekrümmt* ist, der Sattel dagegen *negativ gekrümmt*, während der flache Raum – egal, ob unendlich oder endlich – *keine Krümmung* besitzt.*

Man hat nachgewiesen, dass diese Liste – gleichförmig positiv, negativ oder null – alle möglichen Krümmungen ausschöpft, welche die Bedingung einer Symmetrie zwischen allen Orten und allen Richtungen erfüllen. Das ist wahrhaft verblüffend. Wir sprechen über die Form des *gesamten Universums*, etwas, für das es endlos viele Möglichkeiten gibt. Doch dadurch, dass sich die Forscher die ungeheure Macht der Symmetrie zunutze gemacht haben, konnten sie die Möglichkeiten extrem eingrenzen. Wenn Sie sich also bei Ihrer Antwort an die Symmetrie halten und Ihr nächtlicher Störenfried Ihnen eine Hand voll Versuche zugesteht, können Sie die gestellte Aufgabe lösen.[13]

Trotzdem, so könnten Sie sich fragen, was soll diese Bandbreite möglicher Formen für die Raumzeit? Wir bewohnen ein einziges Universum, warum können wir uns da nicht auf eine einzige Form festlegen? Ganz einfach: weil die Formen, die wir genannt haben, die einzigen sind, die nicht im Widerspruch zu unserer Überzeugung stehen, dass jeder Beobachter, egal, wo er sich im Universum befindet, einen Kosmos vor Augen haben muss, der im größten Maßstab

* Genau wie der Bildschirm des Videospiels eine endliche Version eines flachen Raums ist, der keine Ränder oder Grenzen besitzt, gibt es endliche Versionen der Sattelform, die ebenfalls keine Ränder und Grenzen haben. Wir wollen das nicht weiter ausführen, es sei nur so viel angemerkt, dass sich alle drei möglichen Krümmungen (positiv, null, negativ) in Form von Räumen endlicher Größe ohne Ränder oder Grenzen manifestieren können. (Im Prinzip gäbe es daher für einen Raumfahrt-Magellan zu jeder der drei Krümmungsmöglichkeiten mindestens ein Universum, in dem er eine kosmische Version der historischen Entdeckungsfahrt durchführen könnte.)

Abbildung 8.6 Wenn wir die zweidimensionale Analogie für den Raum verwenden, gibt es drei Krümmungsarten, die vollkommen symmetrisch sind – das heißt, Krümmungen, in denen der Blick von einem beliebigen Ort dem Blick von jedem anderen Ort gleicht. Es sind (**a**) die *positive* Krümmung, die sich gleichförmig nach außen wölbt, wie auf einer Kugel; (**b**) die Krümmung *null*, die sich überhaupt nicht wölbt, wie auf einer unendlichen Ebene oder dem Bildschirm eines Videospiels; (**c**) die *negative* Krümmung, die sich gleichförmig nach innen wölbt, wie auf einem Sattel.

identisch aussehen sollte. Nun sind Symmetrieerwägungen zwar sehr selektiv, reichen aber nicht aus, um eine einzige Antwort zu bestimmen. Dazu brauchen wir Einsteins Gleichungen der allgemeinen Relativitätstheorie.

Als Ausgangsinformation benötigen Einsteins Gleichungen die Menge an Materie und Energie im Universum (bei denen aus Symmetriegründen abermals vorausgesetzt wird, dass sie gleichförmig verteilt sind) und als Ergebnis liefern sie uns die Raumkrümmung. Die Schwierigkeit liegt darin, dass die Astronomen sich seit vielen Jahren nicht einig werden können, wie viel Materie und Energie dort tatsächlich ist. Würde man alle Materie und Energie im Universum gleichförmig über den Raum verschmieren und erhielte danach mehr als die so genannte *kritische Dichte* von rund 0,00000000000000000000001 (10^{-23}) Gramm pro Kubikmeter* – rund fünf Wasserstoffatome pro Kubikmeter –, ergäbe sich nach den Einstein-Gleichungen eine positive Krümmung. Bei weniger als der kritischen Dichte würden die Gleichungen eine negative Krümmung ergeben, hätten wir exakt die kritische Dichte, entnähmen wir den Gleichungen, dass es insgesamt keine Krümmung gäbe. Obwohl dieses Beobachtungsproblem noch nicht endgültig geklärt ist, lassen die besten Daten gegenwärtig auf die Krümmung null schließen – die flache Form. (Doch die Frage, ob der Energizer Bunny ewig in eine Richtung läuft und in der Dunkelheit verschwindet oder eines Tages einen Kreis beschreibt und Sie von hinten

* Heute gibt es im Universum mehr Materie als Strahlung, daher liegt es nahe, die kritische Dichte in Einheiten anzugeben, die der Masse besser entsprechen – Gramm pro Kubikmeter. Auch wenn sich 10^{-23} Gramm pro Kubikmeter vielleicht nicht nach viel anhören, so müssen Sie bedenken, dass es dort draußen im Kosmos *viele* Kubikmeter gibt. Je weiter Sie im Übrigen in der Zeit zurückblicken, desto kleiner wird der Raum, in dem die Masse/Energie zusammengedrängt wird, das heißt, desto dichter wird das Universum.

überrascht – ob der Raum sich ewig fortsetzt und in sich geschlossen ist wie ein Videoschirm –, ist noch immer vollkommen offen.)[14]

Selbst so, ohne eine endgültige Antwort auf die Frage nach der Grundform des Kosmos, zeigt sich mit aller Deutlichkeit, dass Symmetrie *der* entscheidende Gesichtspunkt ist, der es uns erlaubt, Raum und Zeit in Hinblick auf das ganze Universum zu verstehen. Ohne die Kraft der Symmetrie wären wir keinen Schritt vorangekommen.

Kosmologie und Raumzeit

Jetzt können wir die kosmische Geschichte darstellen, indem wir das Konzept des expandierenden Raums mit der Brotlaib-Beschreibung der Raumzeit aus Kapitel 3 kombinieren. Wir erinnern uns: Im Brotlaib-Porträt steht jede Scheibe – obwohl zweidimensional – für den gesamten dreidimensionalen Raum zu einem Zeitpunkt, betrachtet aus der Perspektive eines bestimmten Beobachters. Verschiedene Beobachter teilen den Laib in verschiedenen Winkeln in Scheiben auf, je nach den Einzelheiten ihrer relativen Bewegung. In den oben erwähnten Beispielen haben wir die Raumexpansion nicht berücksichtigt und uns stattdessen vorgestellt, der Stoff, aus dem der Kosmos ist, sei starr und verändere sich nicht im Laufe der Zeit. Diese Beispiele können wir jetzt weiterentwickeln, indem wir die kosmologische Entwicklung einbeziehen.

Dazu wollen wir die Perspektive von Beobachtern einnehmen, die sich hinsichtlich des Raums in Ruhe befinden – das heißt von Beobachtern, deren einzige Bewegung aus der kosmischen Expansion erwächst, so wie die der Lincolns, die auf den Ballon geklebt waren. Abermals gilt: Obwohl sie sich relativ zueinander bewegen, herrscht Symmetrie zwischen solchen Beobachtern – ihre Uhren stimmen alle überein –, daher schneiden sie den Raumzeitlaib in genau der gleichen Weise auf. Nur relative Bewegung zusätzlich zu derjenigen, die sich aus der Raumexpansion ergibt, nur relative Bewegung *durch* den Raum im Gegensatz zur Bewegung *infolge* des expandierenden Raums würde ihre Uhren aus dem Gleichtakt bringen und dazu führen, dass ihre Scheiben des Raumzeitlaibs in unterschiedlichen Winkeln geschnitten wären. Wir müssen auch die Form des Raums angeben und werden zu Vergleichszwecken einige der oben erörterten Möglichkeiten betrachten.

Am einfachsten zu zeichnen ist die flache und endliche Form, die des Videospiels. In Abbildung 8.7 (a) zeigen wir eine Scheibe in einem solchen Universum, ein schematisches Bild, dass Sie als eine Darstellung des Raums genau *jetzt* verstehen sollten. Stellen Sie sich aus Gründen der Einfachheit vor, unsere Galaxis, die Milchstraße, befände sich in der Mitte der Figur, doch bedenken

Sie, dass kein Ort im Vergleich zu irgendeinem anderen eine Sonderstellung einnimmt. Selbst die Ränder sind illusorisch. Die Oberseite ist kein Ort, wo der Raum endet, weil Sie hindurchgelangen können, um an der Unterseite wieder aufzutauchen. Entsprechend ist die linke Seite kein Ort, wo der Raum endet, weil Sie sie durchqueren und auf der rechten Seite wieder erscheinen können. Um den astronomischen Beobachtungen Rechnung zu tragen, sollte sich jede Seite mindestens vierzehn Milliarden Lichtjahre (rund 135 Milliarden Billionen Kilometer) von ihrem Mittelpunkt erstrecken, doch könnte jede auch viel länger sein.

Beachten Sie, dass wir, wie in Kapitel 5 erörtert, genau jetzt die Sterne und Galaxien, die auf diese *Jetzt*-Scheibe gezeichnet sind, nicht wirklich sehen können, weil das Licht, das genau jetzt von einem Objekt ausgesandt wird, Zeit braucht, um uns zu erreichen. Vielmehr wurde das Licht, das wir sehen, wenn wir in einer klaren, dunklen Nacht emporblicken, vor langer Zeit emittiert – vor Millionen und sogar Milliarden von Jahren – und hat erst jetzt, da es in unsere Teleskope gelangt und uns ermöglicht, die Wunder des Alls staunend zu betrachten, seine lange Reise zur Erde abgeschlossen. Da der Raum expandiert, war das Universum, vor Äonen, als dieses Licht ausgesandt wurde, erheblich kleiner. Das zeigt die Abbildung 8.7 (b), in der Sie unsere aktuelle *Jetzt*-Scheibe

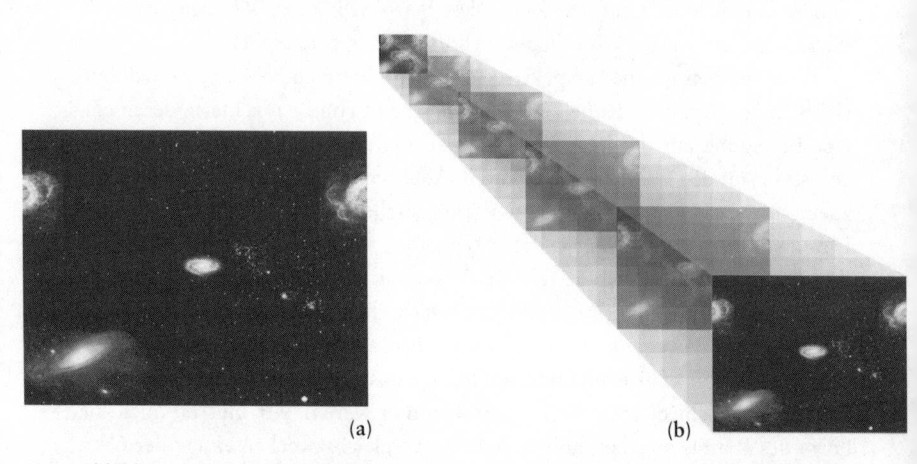

Abbildung 8.7 (**a**) Ein schematisches Bild, das den gesamten Raum genau jetzt wiedergibt und von der Annahme ausgeht, dass der Raum flach und in seiner Ausdehnung endlich, das heißt wie der Bildschirm eines Videospiels geformt ist. Beachten Sie, dass die Galaxie oben rechts sich oben links fortsetzt. (**b**) Ein schematisches Bild, das den gesamten Raum wiedergibt, wie er sich in der Zeit entwickelt, wobei aus Gründen der Übersichtlichkeit nur einige wenige Zeitscheiben dargestellt sind. Beachten Sie, dass die Gesamtgröße des Raums und die Abstände zwischen den Galaxien abnehmen, je weiter wir in der Zeit zurückblicken.

am rechten Ende des Laibs erkennen. Links ist eine Folge von Scheiben abgebildet, die unser Universum zu immer früheren Zeitpunkten wiedergeben. Wie Sie sehen können, nehmen sowohl die Gesamtgröße des Raums als auch die Abstände zwischen einzelnen Galaxien ab, wenn wir das Universum zu immer früheren Augenblicken betrachten.

In Abbildung 8.8 können Sie außerdem die Geschichte des Lichts erkennen, wie es vor vielleicht einer Milliarde Jahren von einer fernen Galaxie ausgesandt wurde und den langen Weg zu uns hier in der Milchstraße zurücklegte. Auf der Anfangsscheibe in Abbildung 8.8 (a) wird das Licht emittiert, auf den folgenden Scheiben können Sie das Licht näher und näher kommen sehen, obwohl das Universum immer größer wird, bis es uns schließlich auf der Scheibe ganz rechts erreicht. In Abbildung 8.8 (b) verbinden wir jene Orte auf jeder Scheibe, die die Vorderflanke des Lichts auf seiner Reise durchquert hat, und

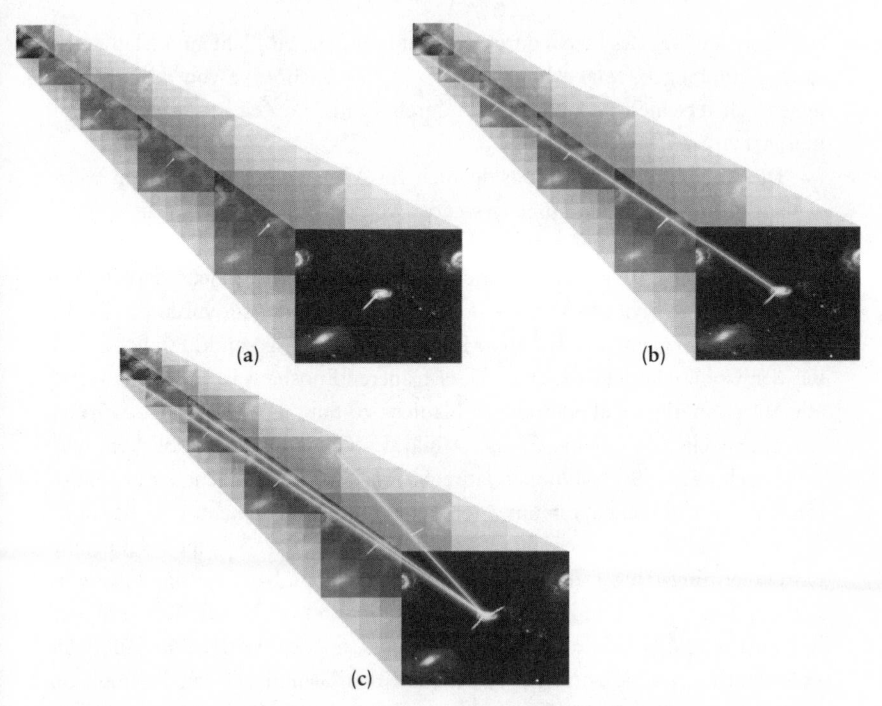

Abbildung 8.8 (**a**) Licht, das vor langer Zeit von einer fernen Galaxie ausgesandt wurde, kommt auf sukzessiven Zeitscheiben der Milchstraße immer näher. (**b**) Wenn wir die ferne Galaxie schließlich erblicken, sehen wir sie durch Raum und Zeit, weil das Licht, das wir wahrnehmen, vor langer Zeit ausgesandt wurde. Der Weg, den das Licht durch die Raumzeit nimmt, ist hervorgehoben. (**c**) Das Licht verschiedener astronomischer Körper, die wir heute sehen, auf seinen Wegen durch die Raumzeit.

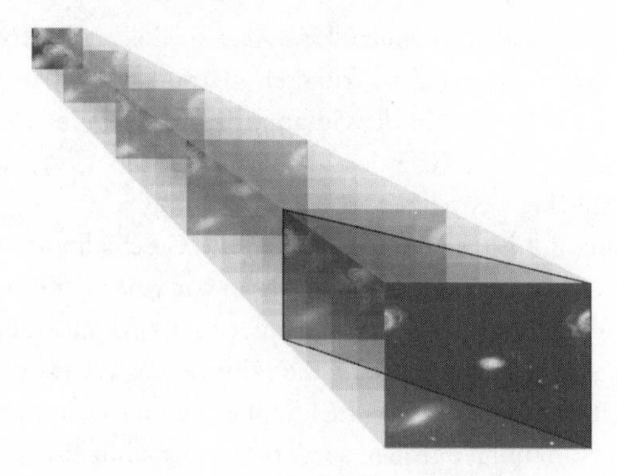

Abbildung 8.9 Die Zeitscheibe eines Beobachters, der gegenüber dem kosmischen Strom der Raumexpansion eine deutliche Zusatzgeschwindigkeit aufweist.

zeigen so den Weg des Lichts durch die Raumzeit. Da wir Licht aus vielen Richtungen empfangen, zeigt Abbildung 8.8 (c) eine Stichprobe von Bahnen, auf denen sich verschiedene Lichtstrahlen durch Raum und Zeit bewegt haben, um uns jetzt zu erreichen.

Die Abbildungen führen uns deutlich vor Augen, wie Licht aus dem Weltraum als kosmische Zeitkapsel verwendet werden kann. Wenn wir die Andromeda-Galaxie betrachten, empfangen wir Licht, das vor drei Millionen Jahren ausgesandt wurde, daher sehen wir die Andromeda, wie sie in jener fernen Vergangenheit war. Schauen wir uns den Coma-Haufen an, so wurde das Licht, das wir empfangen, vor etwa 300 Millionen Jahren ausgesandt, folglich sehen wir den Coma-Haufen, wie er in dieser früheren Epoche war. Falls genau jetzt alle Sterne in allen Galaxien dieses Haufens zu Supernovae würden, würden wir auch weiterhin das unveränderte Bild des Coma-Haufens erblicken, und zwar noch weitere 300 Millionen Jahre. So lange würde das Licht der explodierenden Sterne brauchen, um uns zu erreichen. Würde umgekehrt eine Astronomin im Coma-Haufen, die sich auf unserer aktuellen Jetzt-Scheibe befände, ihr extrem leistungsfähiges Teleskop auf die Erde richten, hätte sie eine Fülle von Farnen, Arthropoden und frühen Reptilien vor der Linse. Um die Große Mauer in China oder den Eiffelturm zu sehen, müsste sie noch weitere 300 Millionen Jahre warten. Da sie natürlich bestens mit den Grundlagen der Kosmologie vertraut wäre, wüsste sie, dass sie Licht sähe, welches aus der Frühgeschichte der Erde stammte. Mittels des Entwurfs eines eigenen Raumzeitlaibs würde sie die frühen Erdbakterien der entsprechenden Epoche den entsprechenden Zeitscheiben zuordnen.

Dabei setzen wir allerdings voraus, dass die Astronomin im Coma-Haufen

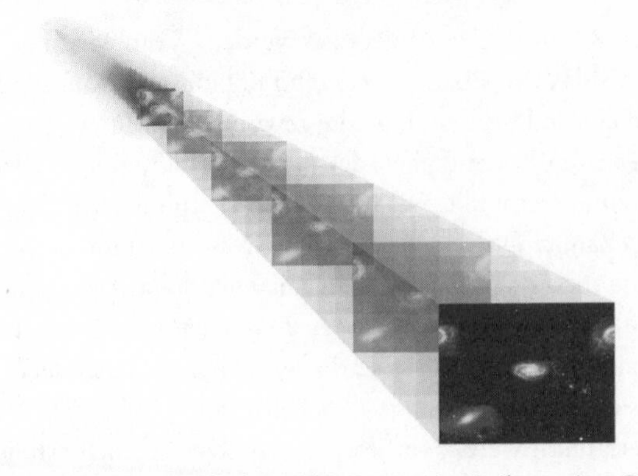

Abbildung 8.10 Kosmische Geschichte – der Raumzeit-»Laib« – eines Universums, das flach und von endlicher räumlicher Ausdehnung ist. Die Verschwommenheit an der Spitze gibt unsere mangelnden Kenntnisse hinsichtlich der Geschehnisse am Anfang des Universums wieder.

und wir uns nur mit dem kosmischen Strom der Raumexpansion bewegen, weil nur so garantiert ist, dass ihre Aufteilung des Raumzeitlaibs sich mit der unseren deckt – dass ihre *Jetzt*-Listen mit unseren *Jetzt*-Listen übereinstimmen. Doch sollte sie sich aufmachen und sich mit einer deutlichen Geschwindigkeit zusätzlich zu der des kosmischen Expansionsstroms durch den Raum bewegen, würden sich ihre Scheiben relativ zu den unseren drehen (siehe Abbildung 8.9). Wie wir an Chewies Beispiel in Kapitel 5 gelernt haben, würde das *Jetzt* dieser Astronomin mit dem zusammenfallen, was wir als unsere Zukunft oder unsere Vergangenheit betrachten (je nachdem, ob die zusätzliche Bewegung in unsere Richtung oder von uns fort führt). Allerdings wären die Scheiben der Astronomin nicht mehr räumlich homogen. Jede ihrer schiefwinkeligen Scheiben in Abbildung 8.9 würde das Universum in einer Reihe verschiedener Epochen schneiden, und daher wären die Scheiben alles andere als gleichförmig. Das erschwert die Beschreibung der kosmischen Geschichte erheblich, weshalb Physiker und Astronomen solche Perspektiven in der Regel nicht berücksichtigen. Stattdessen beschäftigen sie sich meist mit der Perspektive von Beobachtern, die sich allein mit dem kosmischen Strom bewegen, da sich dann Scheiben ergeben, die homogen sind – doch grundsätzlich gilt, dass jeder Standpunkt so gültig ist wie jeder andere.

Je weiter wir auf die linke Seite des kosmischen Raumzeitlaibs blicken, desto kleiner und dichter wird das Universum. Wie ein Fahrradschlauch heißer und heißer wird, wenn Sie mehr und mehr Luft in ihn hineinpumpen, so wird das Universum umso heißer, je stärker die Materie und Strahlung in dem schrumpfenden Raum zusammengepresst werden. Wenn wir zu dem Zeitpunkt zurückgehen, als das Universum bloße zehn millionstel Sekunden alt war, treffen wir es so dicht und heiß an, dass die gewöhnliche Materie in ein Urplasma aus den elementaren Bestandteilen der Natur zerfällt. Setzen wir nun unsere Reise fast bis zum Zeitpunkt null fort – dem Zeitpunkt des *Urknalls* –, wird das gesamte bekannte Universum auf eine Größe zusammengepresst, die den Punkt am Ende dieses Satzes riesenhaft aussehen lässt. Die Dichten in dieser frühen Epoche waren so hoch und die Bedingungen so extrem, dass selbst die besten physikalischen Theorien, über die wir heute verfügen, nicht in der Lage sind, uns Einsicht in das damalige Geschehen zu verschaffen. Aus Gründen, die ich noch erläutern werde, verlieren die außerordentlich erfolgreichen Gesetze der Physik, die im zwanzigsten Jahrhundert entwickelt wurden, angesichts so extremer Bedingungen ihre Gültigkeit und können uns bei unserer Suche nach dem Anfang der Zeit nicht mehr als Anhaltspunkte dienen. Wir werden in Kürze sehen, dass jüngere Entwicklungen verheißungsvolle Orientierungszeichen setzen, doch zum gegenwärtigen Zeitpunkt bleibt uns nichts anderes übrig, als unser weitgehendes Unverständnis einzugestehen, was die Geschehnisse am Anfang der Zeit angeht. Dafür steht der verschwommene Fleck am linken Ende unseres kosmischen Raumzeitlaibs – unsere Version der Terra incognita auf den Karten der Alten. Mit dieser letzten Ergänzung können wir Abbildung 8.10 als eine grobe Skizze der kosmischen Geschichte präsentieren.

Alternative Formen

Bislang haben wir angenommen, der Raum sei geformt wie der Bildschirm eines Videospiels, doch weist der Verlauf in den anderen Möglichkeiten viele ähnliche Merkmale auf. Sollten die Daten beispielsweise eines Tages zeigen, dass der Raum kugelförmig ist, dann würde die Kugel, je weiter wir in der Zeit zurückgingen, immer kleiner werden, mit dem Erfolg, dass das Universum immer heißer und dichter würde und wir zum Zeitpunkt null auf eine Art Urknall stießen. Ein entsprechendes Bild wie in Abbildung 8.10 zu zeichnen ist schwierig, weil sich Kugeln nicht so säuberlich aufreihen lassen (man könnte sich beispielsweise einen »Kugellaib« vorstellen, in dem jede Scheibe eine Kugelfläche ist, welche die vorhergehende umgibt), doch von den Schwierigkeiten der graphischen Wiedergabe abgesehen, bleibt die Physik weitgehend die gleiche.

Auch die Fälle eines unendlich ausgedehnten flachen Raums und eines unendlich ausgedehnten sattelförmigen Raums haben viele Merkmale mit den

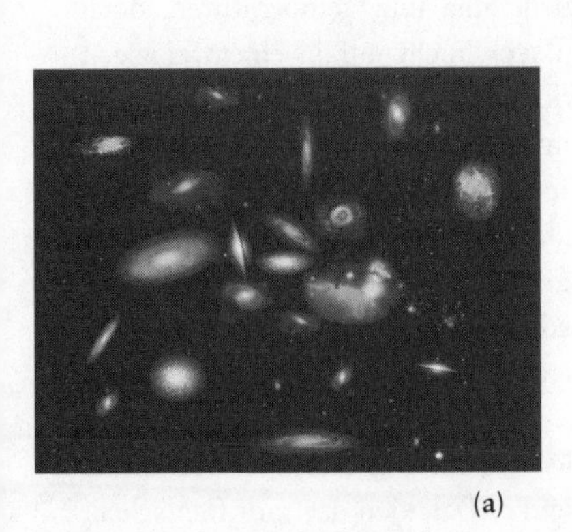

(a)

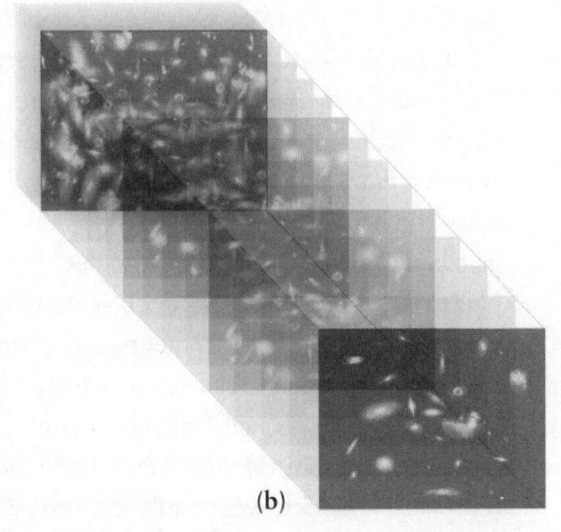

(b)

Abbildung 8.11 (**a**) Schematische Wiedergabe eines unendlichen Raums mit Galaxien darin. (**b**) Je früher die Zeiten, desto stärker schrumpft der Raum – daher sind die Galaxien in früheren Epochen enger und dichter angeordnet –, doch die Gesamtgröße des unendlichen Raums bleibt unendlich. Unsere Unwissenheit hinsichtlich dessen, was in frühester Zeit geschah, ist abermals durch einen verschwommenen Fleck angedeutet, doch hier erstreckt sich der Fleck durch die Unendlichkeit des Raumes.

beiden bereits erörterten Formen gemein, allerdings unterscheiden sie sich in einer wesentlichen Hinsicht. Betrachten Sie Abbildung 8.11, in der die Scheiben den flachen Raum darstellen, der sich endlos erstreckt (von dem wir aber nur einen Teil zeigen können). Wenn Sie in immer frühere Zeiten hineinblicken, schrumpft der Raum. Die Galaxien rücken umso näher zusammen, je weiter Sie in Abbildung 8.11 (b) zurückblicken. Doch die Gesamtgröße des Raums bleibt gleich. Warum? Weil die Unendlichkeit eine komische Sache ist. Wenn der Raum unendlich ist und Sie alle Entfernungen um einen Faktor zwei schrumpfen lassen, reduziert sich die Größe des Raums auf eine halbe Unendlichkeit, und die ist immer noch unendlich. Obwohl also alles zusammenrückt und die Dichte immer größer wird, wenn Sie weiter in der Zeit zurückgehen, bleibt die Gesamtgröße des Universums unendlich. In einem unendlichen Raum werden die Dinge überall dichter. Das vermittelt ein ganz anderes Bild vom Urknall.

Normalerweise stellen wir uns vor, das Universum habe als Punkt begonnen wie in Abbildung 8.10, als Punkt ohne äußeren Raum oder Zeit. Durch eine Art eruptiven Prozess hätten sich dann Raum und Zeit aus ihrer zusammengepressten Form befreit und die rasende Expansion des Universums eingeleitet. Doch wenn das Universum räumlich unendlich ist, *gab es im Augenblick des Urknalls bereits eine räumlich unendliche Ausdehnung.* Im Augenblick des Anfangs herrschten unvorstellbare Energiedichten und Temperaturen, doch diese extremen Bedingungen lagen überall vor, nicht nur in einem einzigen Punkt. In dieser Situation fand auch der Urknall nicht nur in einem Punkt statt, sondern entfaltete seine Eruption *überall* im unendlichen Raum. Im Vergleich zum konventionellen Ein-Punkt-Anfang ist das so, als hätte es viele Urknalle gegeben, einen an jedem Punkt des unendlichen Raums. Nach dem Urknall blähte sich der Raum auf, doch seine Gesamtgröße wuchs nicht an, da etwas, was bereits unendlich ist, nicht größer werden kann. Was anwuchs, waren die Abstände zwischen Objekten wie den Galaxien (sobald sich diese gebildet hatten), was Sie erkennen können, wenn Sie in Abbildung 8.11 von links nach rechts schauen. Ein Beobachter wie Sie oder ich, der von der einen oder anderen Galaxie blickt, würde alle ihn umgebenden Galaxien davondriften sehen, genau wie es Hubbles Entdeckung besagt.

Behalten Sie im Gedächtnis, dass dieses Beispiel des unendlichen flachen Raums weit mehr ist als nur ein theoretisches Gedankenspiel. Wie wir sehen werden, mehren sich die Hinweise, dass der Raum in seiner Gänze nicht gekrümmt ist, und da es bislang keine Anhaltspunkte dafür gibt, dass der Raum die Form eines Videospiels hat, ist die Unendlichkeit die bislang heißeste Kandidatin für die großräumige Struktur der Raumzeit.

Kosmologie und Symmetrie

Symmetrieaspekte sind offenkundig unentbehrliche Gesichtspunkte für die Entwicklung der modernen kosmologischen Theorie. Die Bedeutung der Zeit, ihre Anwendbarkeit auf das Universum insgesamt, die generelle Form des Raums und selbst das Fundament der allgemeinen Relativitätstheorie – sie alle beruhen auf Symmetrie. Und da ist noch ein weiterer Bereich, in dem Symmetrieaspekte die Entwicklung des Kosmos prägten. Im Laufe der Geschichte hat die Temperatur des Universums einen enormen Wertebereich durchlaufen, von den unvorstellbar heißen Augenblicken kurz nach dem Urknall bis zu den wenigen Grad über dem absoluten Nullpunkt, die Sie heute messen, wenn Sie ein Thermometer tief im All platzieren. Wie ich im nächsten Kapitel erklären werde, ist infolge einer bedeutsamen Wechselbeziehung zwischen Wärme und Symmetrie das, was wir heute sehen, wahrscheinlich ein kühles Überbleibsel der weit komplexeren Symmetrie, die im frühen Universum herrschte und einige der vertrautesten und wichtigsten Merkmale des Universums bestimmte.

DAS VAKUUM VERDAMPFEN

Wärme, Nichts und Vereinheitlichung

Über mehr als 95 Prozent der Geschichte des Universums hätte ein Korrespondent, der sich mit der weiträumigen, übergreifenden Form des Universums befasst hätte, weitgehend die gleiche Geschichte zu berichten: *Universum setzt Expansion fort. Materie breitet sich infolge der Expansion weiterhin aus. Dichte des Universums verringert sich nach wie vor. Temperatur sinkt unaufhaltsam. Auf größtem Maßstab bleibt Erscheinungsbild des Universums symmetrisch und homogen.* Doch die Berichterstattung über den Kosmos wäre nicht immer so leicht gewesen. In den frühesten Stadien hätte unser Korrespondent eine hektische Nachrichtentätigkeit entfalten müssen, denn in diesen Anfangsstadien war das Universum raschen Veränderungen unterworfen. Wie wir heute wissen, ist das, was damals geschah, von entscheidender Bedeutung für das, was wir heute erleben.

In diesem Kapitel werden wir uns auf die wichtigsten Augenblicke in den ersten Sekundenbruchteilen nach dem Urknall konzentrieren, einen Zeitraum, in dem, wie wir annehmen, das Maß an Symmetrie, das im Universum verkörpert ist, eine Reihe plötzlicher Veränderungen durchlief, wobei jede Veränderung eine ganz neue Epoche der kosmischen Geschichte einleitete. Während unser Korrespondent heute gelassen alle paar Milliarden Jahre seine wenigen Zeilen praktisch unverändert an seine Redaktion faxen kann, dürfte sein Job in jenen frühen Augenblicken rasch veränderlicher Symmetrie sehr viel anstrengender gewesen sein, weil die Grundstruktur der Materie und die für ihr Verhalten verantwortlichen Kräfte vollkommen fremdartig waren. Die Ursache dafür hängt mit einer Wechselbeziehung zwischen *Wärme* und *Symmetrie* zusammen und zwingt uns zu einem völligen Umdenken, was unsere Vorstellungen vom leeren Raum und dem Nichts angeht. Wie wir sehen werden, bereichert ein solches Umdenken nicht nur wesentlich unser Verständnis von den ersten Augenblicken des Universums, sondern bringt uns auch der Verwirklichung eines Traums ein Stück näher, dessen Ursprünge bis zu Newton, Maxwell und vor allem Einstein zurückreichen – dem Traum von der *Vereinheitlichung*. Genauso wichtig ist, dass diese Entwicklungen die Voraussetzung für die modernsten kosmologischen Theorien schufen, die Inflationsmodelle, einen Ansatz, der Antworten auf einige der dringlichsten Fragen und schwierigsten Rätsel verspricht, zu denen sich das Standardmodell des Urknalls in Schweigen hüllt.

Wärme und Symmetrie

Wenn Dinge sehr heiß oder sehr kalt werden, verändern sie sich gelegentlich. Manchmal ist die Veränderung so stark, dass Sie die Dinge, mit denen Sie angefangen haben, noch nicht einmal wiedererkennen können. Da kurz nach dem Urknall glühend heiße Bedingungen herrschten und dann ein rascher Temperaturabfall einsetzte, als sich das All infolge der Expansion abkühlte, können wir die Frühgeschichte des Universums nur verstehen, wenn wir uns klar machen, wie sich solche Temperaturveränderungen auswirken. Doch lassen Sie uns mit etwas Einfacherem beginnen, lassen Sie uns mit Eis beginnen.

Wenn Sie ein sehr kaltes Stück Eis erwärmen, geschieht zunächst gar nichts. Obwohl seine Temperatur ansteigt, bleibt sein Erscheinungsbild weitgehend unverändert. Doch wenn Sie seine Temperatur auf 0 Grad Celsius erhöhen und mit der Erwärmung fortfahren, kommt es plötzlich zu einem spektakulären Vorgang. Das feste Eis beginnt zu schmelzen und verwandelt sich in flüssiges Wasser. Lassen Sie sich durch die Vertrautheit dieses Übergangs nicht den Blick für die Außergewöhnlichkeit des Schauspiels trüben. Ohne vorherige Erfahrungen mit Eis und Wasser wäre es sehr schwer, sich die enge Beziehung zwischen ihnen zu vergegenwärtigen. Das eine ist ein fester Körper, hart wie Stein, das andere eine Flüssigkeit. Bloße Beobachtung liefert keine direkten Anhaltspunkte dafür, dass ihre molekulare Zusammensetzung – H_2O – gleich ist. Hätten Sie noch nie zuvor Eis oder Wasser gesehen und würde man Ihnen nun beide in einem Gefäß präsentieren, würden Sie wahrscheinlich zunächst denken, die beiden hätten nichts miteinander zu tun. Doch wenn eines von beiden die Grenze von 0 Grad überschritte, würden Sie Zeuge eines magischen alchimistischen Prozesses – der Transmutation des einen in das andere.

Wenn Sie nun das flüssige Wasser weiter erwärmen, können Sie abermals beobachten, dass eine ganze Zeit lang nicht viel geschieht, von einem stetigen Anstieg der Temperatur abgesehen. Doch sobald Sie 100 Grad Celsius erreichen, zeigt sich wieder eine jähe Veränderung: Das flüssige Wasser beginnt zu kochen und verwandelt sich in Dampf, ein heißes Gas, das abermals keine offenkundige Verbindung mit flüssigem Wasser oder Eis erkennen lässt. Aber natürlich haben sie alle drei die gleiche molekulare Zusammensetzung. Die Veränderungen vom festen zum flüssigen Zustand und vom flüssigen zum gasförmigen Zustand bezeichnet man als *Phasenübergänge*. Die meisten Stoffe durchlaufen eine ähnliche Folge von Veränderungen, wenn man ihre Temperaturen einen hinreichend großen Wertebereich durchlaufen lässt.[1]

Die Symmetrie spielt bei Phasenübergängen eine zentrale Rolle. In fast allen Fällen, in denen wir mit Hilfe eines passenden Maßes die Symmetrien eines Systems vor und nach einem Phasenübergang vergleichen, beobachten wir eine signifikante Veränderung. Auf molekularer Größenordnung hat Eis beispielsweise eine kristalline Form, in der die H_2O-Moleküle sich zu einem regelmäßigen, sechseckigen Gitter anordnen. Wie die Symmetrie des Würfels in Abbildung 8.1 bleibt das Gesamtmuster der Eismoleküle nur bei bestimmten Manipulationen unverändert, etwa bei Drehungen um Vielfache von 60 Grad um bestimmte Achsen der sechseckigen Anordnungen. Wenn wir das Eis hingegen erwärmen, schmilzt die Kristallanordnung zu einem ungeordneten, gleichförmigen Klumpen von Molekülen – flüssigem Wasser –, der bei Drehungen in jedem beliebigen Winkel um jede beliebige Achse unverändert bleibt. Dadurch, dass wir das Eis erwärmt und es veranlasst haben, einen Phasenübergang von fest zu flüssig zu durchlaufen, haben wir es symmetrischer gemacht. (Sie erinnern sich: Obwohl Sie vielleicht intuitiv meinen, etwas, was geordneter ist, müsse auch symmetrischer sein, trifft das Gegenteil zu. Etwas ist symmetrischer, wenn es mehr Transformationen wie etwa Drehungen unterzogen werden kann, ohne sich zu verändern.)

Wenn wir flüssiges Wasser erwärmen und es in gasförmigen Dampf verwandeln, führt dieser Phasenübergang zu einem ähnlichen Anwachsen der Symmetrie. In einem Klumpen Wasser sind die einzelnen H_2O-Moleküle im Durchschnitt mit der Wasserstoffseite eines Moleküls der Sauerstoffseite des Nachbarn zugewandt. Würde man nun das eine oder andere Molekül in einem solchen Klumpen drehen, durchbräche man damit das molekulare Muster. Doch wenn das Wasser kocht und sich in Dampf verwandelt, schießen die Moleküle frei umher. Die Orientierung der H_2O-Moleküle ließe überhaupt kein Muster mehr erkennen, folglich könnten Sie ein Molekül und eine Molekülgruppe beliebig drehen, ohne etwas am Aussehen des Gases zu verändern. Daher führt nicht nur der Übergang von Eis zu Wasser zu erhöhter Symmetrie, sondern auch der Übergang von Wasser zu Dampf. Die meisten Stoffe (jedoch nicht alle)[2] verhalten sich ähnlich, das heißt, sie werden symmetrischer, wenn sie einen Phasenübergang von fest zu flüssig oder von flüssig zu gasförmig durchlaufen.

Ganz ähnlich – nur umgekehrt – ist das Bild, wenn Sie Wasser oder fast alle anderen Stoffe abkühlen. Senken Sie beispielsweise die Temperatur gasförmigen Dampfes, geschieht zunächst nicht viel, aber wenn die Temperatur auf 100 Grad Celsius absinkt, beginnt der Dampf plötzlich zu flüssigem Wasser zu kondensieren. Kühlen Sie flüssiges Wasser ab, geschieht nicht viel, bis Sie 0 Grad Celsius erreichen, woraufhin es plötzlich beginnt, zu festem Eis zu gefrieren. Und von den gleichen Überlegungen zur Symmetrie ausgehend – nur in umgekehrter Richtung –, gelangen wir zu dem Schluss, dass diese beiden Phasenübergänge von einem *Rückgang* der Symmetrie begleitet sind. *

So weit zu Eis, Wasser, Dampf und ihren Symmetrien. Doch was hat das alles mit der Kosmologie zu tun? Ganz einfach, in den siebziger Jahren wurde den Physikern klar, dass nicht nur Objekte *im* Universum Phasenübergänge durchlaufen können, *sondern auch der Kosmos als Ganzes.* Seit vierzehn Milliarden Jahren expandiert und dekomprimiert das Universum unaufhörlich. Und genau wie die Luft, die Sie aus einem prall gefüllten Fahrradschlauch entweichen lassen, sich ausdehnt und abkühlt, so ist auch die Temperatur des expandierenden Universums stetig gefallen. Über weite Strecken dieses Temperaturrückgangs ist nicht viel geschehen. Doch es gibt Grund zu der Annahme, dass das Universum bei speziellen, kritischen Temperaturwerten – entsprechend den 100 oder 0 Grad Celsius beim Wasser – radikalen Veränderungen unterworfen ist und starke Symmetrieeinbußen erleidet. Viele Forscher glauben, dass wir heute in einer »kondensierten« oder »gefrorenen« Phase des Universums leben, einer Phase, die sich grundlegend von früheren Epochen unterscheidet. Bei den kosmologischen Phasenübergängen handelte es sich zwar nicht buchstäblich darum, dass ein Gas zu einer Flüssigkeit kondensierte oder eine Flüssigkeit zu einem festen Körper gefror, doch es gibt viele qualitative Ähnlichkeiten mit diesen vertrauteren Beispielen. Allerdings handelt es sich bei dem »Stoff«, der kondensierte oder gefror, wenn das Universum auf bestimmte Temperaturen abkühlte, um ein Feld – genauer um ein *Higgs-Feld.* Schauen wir uns an, was es damit auf sich hat.

Kraft, Materie und Higgs-Felder

Felder liefern für große Teile der modernen Physik das Gerüst. Das elektromagnetische Feld, das in Kapitel 3 erörtert wurde, ist vielleicht das einfachste und bekannteste Beispiel für die Felder der Natur. Angesichts von Radio- und Fern-

* Obwohl ein Rückgang an Symmetrie bedeutet, dass weniger Manipulationen unbemerkt bleiben, trägt die Wärme, die während dieser Übergänge an die Umgebung abgegeben wird, dafür Sorge, dass die Gesamtentropie – einschließlich derjenigen der Umgebung – weiter ansteigt.

sehübertragungen, Handy-Gesprächen, der Wärme und des Lichts der Sonne sind wir alle ständig in ein Meer von elektromagnetischen Feldern getaucht. Photonen sind die elementaren Bestandteile elektromagnetischer Felder. Wir können sie uns gewissermaßen als die mikroskopischen Übermittler der elektromagnetischen Kraft vorstellen. Wenn Sie etwas sehen, können Sie sich den Vorgang entweder so vorstellen, dass ein wellenförmig schwingendes elektromagnetisches Feld in Ihr Auge eindringt und Ihre Netzhaut stimuliert, oder so, dass teilchenförmige Photonen in Ihr Auge eintreten und dort die gleiche Wirkung erzielen. Aus diesem Grund wird das Photon manchmal auch als das *Botenteilchen* der elektromagnetischen Kraft bezeichnet.

Das Gravitationsfeld ist uns ebenfalls vertraut, weil es uns und alles um uns herum fortwährend an der Erdoberfläche festhält. Wie im Falle elektromagnetischer Felder sind wir alle ständig in ein Meer von Gravitationsfeldern getaucht. Das der Erde ist der vorherrschende Einfluss, doch wir verspüren auch die Gravitationsfelder der Sonne, des Mondes und der anderen Planeten. Wie Photonen Teilchen sind, die ein elektromagnetisches Feld konstituieren, sind *Gravitonen* nach Ansicht der Physiker Teilchen, die ein Gravitationsfeld konstituieren. Noch steht der experimentelle Nachweis der Gravitonen aus, was jedoch nicht weiter überrascht. Die Gravitation ist die mit Abstand schwächste aller Kräfte (beispielsweise kann man mit einem gewöhnlichen Kühlschrankmagneten eine Büroklammer aufheben und damit die Gravitation der *gesamten* Erde überwinden). Es ist also durchaus verständlich, dass es den Experimentatoren noch nicht gelungen ist, die kleinsten Bestandteile der schwächsten Kraft zu entdecken. Aber auch ohne experimentelle Bestätigung sind die meisten Physiker der Meinung, dass Gravitonen die Gravitationskraft übertragen (und damit die Botenteilchen der Gravitationskraft sind), so wie die Photonen die elektromagnetische Kraft übertragen (und damit die Botenteilchen der elektromagnetischen Kraft sind). Wenn Sie ein Glas fallen lassen, haben Sie verschiedene Möglichkeiten, sich den Vorgang vorzustellen: Das Gravitationsfeld zieht an dem Glas; oder – ausgehend von Einsteins differenzierterer geometrischer Beschreibung – das Glas gleitet in eine durch die Gegenwart der Erde verursachte Ausbeulung der Raumzeit hinein; oder Gravitonen – falls es sie wirklich gibt – bewegen sich pausenlos zwischen Erde und Glas hin und her und übermitteln ihm eine gravitative »Botschaft«, die dem Glas »mitteilt«, es solle zur Erde fallen.

Neben diesen allgemein bekannten Kraftfeldern gibt es zwei andere Naturkräfte, die *starke Kernkraft* und die *schwache Kernkraft*, die ihren Einfluss ebenfalls durch Felder ausüben. Die Kernkräfte sind uns weniger vertraut als Elektromagnetismus und Gravitation, weil sie nur in atomarem und subatomarem Maßstab operieren. Trotzdem ist ihr Wirken im Alltag nicht weniger bedeutsam – durch die Kernfusion, welche die Sonne scheinen lässt, die Kernspaltung, die in Kernreaktoren abläuft, und den radioaktiven Zerfall von Elementen wie Uran und Plutonium. Die Felder der starken und schwachen Kernkraft heißen *Yang-Mills-Felder* nach C. N. Yang und Robert Mills, die in den fünfziger Jahren die theoretischen Grundlagen zur Beschreibung solcher Felder entwickelten. Wie elektromagnetische Felder aus Photonen und Gravitationsfelder (zumindest angenommen) aus Gravitonen bestehen, so haben auch die Felder der starken und der schwachen Kraft teilchenartige Bestandteile. Die Teilchen der starken Kraft heißen *Gluonen* und die der schwachen Kraft W- und Z-Teilchen. Die Existenz dieser Kraftteilchen wurde Ende der siebziger und Anfang der achtziger Jahre durch Beschleunigerexperimente in Deutschland und der Schweiz bestätigt.

Das Feldkonzept lässt sich auch auf Materie anwenden. Etwas vereinfacht können wir uns die Wahrscheinlichkeitswellen der Quantenmechanik als raumfüllende Felder vorstellen, welche die Wahrscheinlichkeit angeben, dass sich das eine oder andere Teilchen an dem einen oder anderen Ort befindet. Ein Elektron zum Beispiel können wir uns als Teilchen vorstellen – eines, das einen Punkt auf einem Phosphorschirm hinterlassen kann wie in Abbildung 4.4 –, aber wir können (und müssen) es uns auch als wellenartiges Feld denken, das zu einem Interferenzmuster auf einem Phosphorschirm wie in Abbildung 4.3 (b) beitragen kann.[3] Ich möchte hier nicht weiter auf die Einzelheiten eingehen[4] und begnüge mich daher mit dem Hinweis, dass die Wahrscheinlichkeitswelle eines Elektrons eng mit einem so genannten *Elektronenfeld* verbunden ist – einem Feld, das in vielerlei Hinsicht einem elektromagnetischen Feld gleicht, allerdings spielt hier das Elektron die Rolle des Photons, ist also der kleinste Bestandteil des Elektronenfelds. Die gleiche Art der Feldbeschreibung gilt genauso für alle anderen Arten von Materieteilchen.

Nachdem wir sowohl Materiefelder als auch Kraftfelder erörtert haben, könnten Sie meinen, dass wir damit alles erfasst hätten. Doch das wird allgemein bezweifelt. Viele Physiker sind der festen Überzeugung, dass es noch eine dritte Art von Feld gibt, für das bislang zwar der experimentelle Nachweis fehlt, das aber dennoch in den letzten zwanzig Jahren in der modernen Kosmologie und Teilchenphysik zunehmend an Bedeutung gewonnen hat. Man bezeichnet es nach dem schottischen Physiker Peter Higgs als Higgs-Feld.[5] Wenn die Ideen des nächsten Abschnitts zutreffen, wird das ganze Universum von einem Higgs-Feld-Ozean, einem kalten Relikt des Urknalls, durchzogen, das für viele Eigenschaften der Teilchen verantwortlich ist, aus denen Sie und ich und alle anderen Dinge, die wir je zu Gesicht bekommen haben, bestehen.

Felder in einem abkühlenden Universum

Felder reagieren auf Temperaturen weitgehend genauso wie gewöhnliche Materie. Je höher die Temperatur, desto wilder sind die Schwankungen, denen der Wert eines Feldes ausgesetzt ist – ähnlich der Oberfläche von heftig kochendem Wasser. Bei der eisigen Temperatur, die heute für das All charakteristisch ist (2,7 Grad über dem absoluten Nullpunkt, oder 2,7 Kelvin, wie die übliche Bezeichnung lautet), und selbst bei den wärmeren Temperaturen hier auf der Erde sind die Schwankungen des Felds minimal. Doch die Temperatur kurz nach dem Urknall war so enorm – 10^{-43} Sekunden nach dem Urknall schätzt man sie auf rund 10^{32} Kelvin –, dass alle Felder heftig hin und her wogten. In dem Maße, wie das Universum expandierte und abkühlte, fiel die anfänglich ungeheure Dichte der Materie und Strahlung stetig ab. Die riesigen Räume des Universums leerten sich zunehmend, und die Feldschwankungen verliefen immer gedämpfter. Für die meisten Felder bedeutete dies, dass ihre Werte im Durchschnitt näher an null rückten. Gelegentlich mochte der Wert eines bestimmten Feldes leicht über null aufschießen (ein Gipfel), dann wieder leicht unter null absacken (ein Tal), doch im Mittel pendelte sich der Wert der meisten Felder auf null ein – den Wert, den wir intuitiv mit Abwesenheit oder Leere assoziieren.

Hier kommt das Higgs-Feld ins Spiel. Wie man nach und nach herausfand, handelt es sich um ein Feld, das bei den glühend heißen Temperaturen kurz nach dem Urknall ähnliche Eigenschaften hatte wie die anderen Felder: Es fluktuierte wild nach oben und nach unten. Doch als die Temperatur des Universums genügend gesunken war, kondensierte das Higgs-Feld, wie man annahm, im gesamten All zu einem bestimmten *nichtverschwindenden* Wert (ganz ähnlich wie Dampf zu flüssigem Wasser kondensiert, wenn seine Temperatur hinreichend fällt). Physiker bezeichnen das als die Bildung eines *nichtverschwindenden Vakuumserwartungswertes des Higgs-Feldes* – doch um den physikalischen Jargon etwas zu entschärfen, werde ich davon als Bildung eines *Higgs-Ozeans* sprechen.

Der Vorgang ähnelt ein bisschen dem, was geschähe, wenn Sie einen Frosch in eine heiße Metallschüssel setzen würden, in deren Mitte ein Haufen Würmer läge, wie in Abbildung 9.1 (a): Zunächst springt der Frosch hierhin und dorthin – ganz nach oben, weit nach unten, nach links, nach rechts –, verzweifelt bemüht, sich nicht die Füße zu verbrennen. Im Durchschnitt wird er dabei den Würmern so fern bleiben, dass er sie noch nicht einmal bemerkt. Doch in dem Maße, wie die Schüssel abkühlt, beruhigt sich der Frosch, springt kaum noch und lässt sich gelassen zur bequemsten Stelle am Boden der Schüssel gleiten. Wenn er in der Mitte angekommen ist, stößt er endlich auf seine Mahlzeit, wie Abbildung 9.1 (b) zeigt.

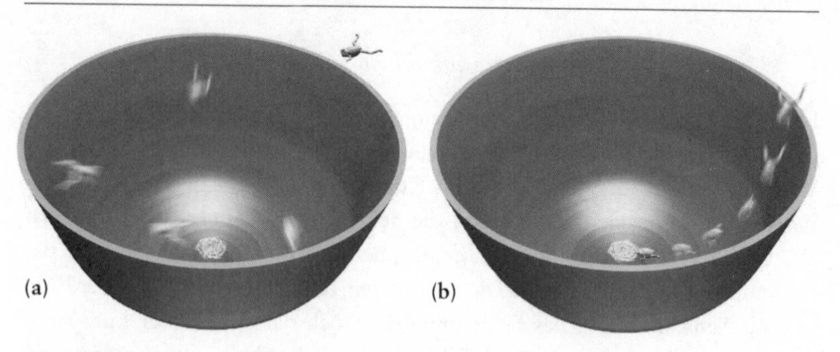

Abbildung 9.1 (a) Ein Frosch, den wir in eine heiße Metallschüssel setzen, springt unaufhörlich hin und her. (b) Wenn die Schüssel abkühlt, beruhigt sich der Frosch, springt weniger und lässt sich zur Mitte der Schüssel gleiten.

Wenn die Schüssel jedoch eine andere Form hat – wie in Abbildung 9.1 (c) –, nehmen auch die Ereignisse einen anderen Verlauf. Stellen Sie sich wieder vor, die Schüssel sei zunächst sehr heiß und der Würmerhaufen liege wieder in der Mitte der Schüssel, jetzt allerdings auf einer Erhebung. Wenn Sie den Frosch hineinsetzen, springt er wieder wie wild hierhin und dorthin, so dass die Belohnung auf der Erhebung in der Mitte seiner Aufmerksamkeit entgeht. In dem Maße, wie die Schüssel abkühlt, beruhigt sich der Frosch wieder, springt weniger und gleitet an der glatten Wand der Schüssel hinab. Doch auf Grund der neuen Form gelangt der Frosch nicht zur Schüsselmitte. Er rutscht auf den Boden der Schüssel, rund um die Erhebung in der Mitte, und bleibt in einer gewissen Entfernung vom Würmerhaufen wie in Abbildung 9.1 (d).

Wenn wir uns die Entfernung zwischen dem Frosch und dem Würmerhaufen

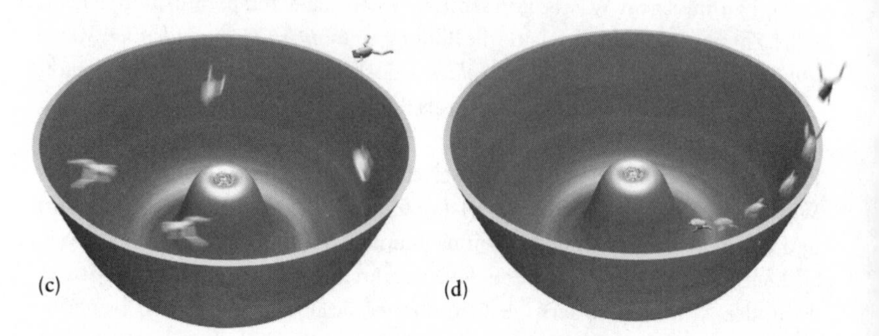

Abbildung 9.1 (c) Wie (a), aber mit einer anders geformten heißen Schüssel. (d) Wie (b), doch wenn die Schüssel jetzt abkühlt, gleitet der Frosch in die Vertiefung am Boden der Schüssel, die sich in einiger Entfernung von der Schüsselmitte befindet (wo die Würmer liegen).

als Wert eines Feldes vorstellen – je weiter der Frosch von den Würmern entfernt ist, desto größer der Wert des Feldes – und die Höhe des Frosches in der Schüssel als die Energie, die in diesem Feldwert enthalten ist – je höher der Frosch, desto mehr Energie enthält das Feld –, dann zeigen diese Beispiele anschaulich das Verhalten von Feldern bei Abkühlung des Universums. Wenn das Universum heiß ist, springen die Felder wild von Wert zu Wert, ganz so wie der Frosch in der Schüssel. Kühlt das Universum ab, »beruhigen« sich die Felder, sie springen weniger häufig und weniger heftig, und ihre Werte rutschen ab zu niedrigerer Energie.

Das ist der entscheidende Punkt. Wie im Froschbeispiel besteht die Möglichkeit zweier qualitativ unterschiedlicher Ergebnisse. Wenn die Form der Potenzialschüssel des Feldes – seine so genannte *potenzielle Energie* – derjenigen in Abbildung 9.1 (a) ähnelt, wird der Wert des Feldes überall im Raum auf null, entsprechend dem Mittelpunkt der Schüssel, abfallen, so wie der Frosch bis zum Würmerhaufen hinabgleitet. Hat die potenzielle Energie jedoch die Form wie in Abbildung 9.1 (c), schafft der Wert des Feldes es nicht bis auf null, bis zur Mitte der Potenzialschüssel. Stattdessen rutscht er – wie der Frosch in die Vertiefung gleitet, die sich in einem *nichtverschwindenden* Abstand vom Mittelpunkt der Schüssel befindet – ins Tal, und das heißt, dass das Feld einen *nichtverschwindenden* Wert besitzt.[6] Dieses Verhalten ist charakteristisch für das Higgs-Feld. Wenn das Universum abkühlt, wird der Higgs-Wert im Tal gefangen und erreicht niemals den Nullwert. Und da das, was wir beschreiben, gleichförmig im gesamten All geschieht, ist das Universum von einem gleichförmigen und nichtverschwindenden Higgs-Feld durchdrungen – einem Higgs-Ozean.

Der Grund, warum das passiert, hat mit einer fundamentalen Besonderheit von Higgs-Feldern zu tun. Je kälter und spärlicher besetzt eine Raumregion wird – weil Materie und Strahlung immer rarer werden –, desto niedriger wird die Energie in der Region. Im Extrem heißt das, wir wissen, dass eine Region ihren weitestgehend entleerten Zustand erreicht hat, wenn wir ihre Energie so weit wie möglich verringert haben. Bei gewöhnlichen Feldern in einer Raumregion ist der Energiebeitrag am niedrigsten, wenn ihr Wert bis in die Schüsselmitte hinabgerutscht ist wie in Abbildung 9.1 (b). Das Feld besitzt null Energie, wenn sein Wert null ist. Das leuchtet intuitiv ein, weil wir die Leerung einer Raumregion damit in Verbindung bringen, dass wir alles, auch die Feldwerte, auf null setzen.

Doch bei einem Higgs-Feld sieht die Sache anders aus. Wie ein Frosch die Erhebung in der Mitte wie in Abbildung 9.1 (c) und damit einen Abstand *null* vom Würmerhaufen nur erreichen kann, wenn er genügend Energie besitzt, um aus der Vertiefung emporzuspringen, kann ein Higgs-Feld die Schüsselmitte und den *Wert null* nur erreichen, wenn es, wie der Frosch, genügend Energie enthält, um die Erhebung in der Mitte der Schüssel zu überwinden. Hat der Frosch dagegen nur wenig oder keine Energie, wird er wie in Abbildung 9.1 (d) in das Tal gleiten – wo er einen *nichtverschwindenden* Abstand vom Würmerhaufen bewahrt. Genauso gleitet ein Higgs-Feld mit wenig oder keiner Energie ins Tal der Schüssel – in einen nichtverschwindenden Abstand von der Schüsselmitte – und besitzt daher einen *nichtverschwindenden* Wert.

Um ein Higgs-Feld zu veranlassen, einen Wert von null anzunehmen – den Wert, der wohl der vollkommenen Beseitigung des Feldes aus der Region, dem Zustand des Nichts, am nächsten käme –, müssten Sie die Energie des Feldes *erhöhen*, so dass die Raumregion, energetisch betrachtet, nicht so leer wäre, wie sie es sein könnte. So widersinnig es klingt: Die Entfernung des Higgs-Feldes – das heißt die Verringerung seines Wertes auf null – läuft darauf hinaus, der Region Energie zuzuführen. Das funktioniert etwa so wie die raffinierten Schallschutz-Kopfhörer, die Schallwellen erzeugen, um die Schallwellen aus der Umgebung aufzuheben und sie so daran zu hindern, auf Ihr Trommelfell einzuwirken. Wenn der Kopfhörer perfekt arbeitet, hören Sie gar nichts, obwohl er Schall erzeugt. Sobald Sie ihn abschalten, hören Sie das Umgebungsgeräusch. So wie Sie *weniger* hören, wenn der Kopfhörer mit den Geräuschen erfüllt ist, die er seinem Programm gemäß erzeugt, so beherbergt nach Überzeugung der Physiker der kalte, leere Raum die kleinstmögliche Energiemenge – er ist so leer, wie er sein kann –, wenn er mit einem Higgs-Ozean erfüllt ist. Den weitestmöglich entleerten Raum bezeichnet man in der Physik als *Vakuum*, und so erfahren wir, dass das Vakuum in Wirklichkeit von einem gleichförmigen Higgs-Feld durchdrungen sein könnte.

Der Prozess, durch den ein Higgs-Feld einen nichtverschwindenden Wert überall im Raum annimmt – einen Higgs-Ozean bildet –, heißt *spontane Symmetriebrechung**[7] und ist eine der wichtigsten Ideen, welche die theoretische Physik in den letzten Jahrzehnten des zwanzigsten Jahrhunderts entwickelt hat. Schauen wir uns den Grund dafür an.

* Die Terminologie ist nicht besonders wichtig, trotzdem sei hier kurz erwähnt, woher sie kommt. Das Tal in Abbildung 9.1 (c) und 9.1 (d) hat eine symmetrische Form – ist kreisförmig –, so dass jeder Punkt mit jedem anderen Punkt gleichgestellt ist (jeder Punkt bezeichnet den Wert eines Higgs-Feldes von kleinstmöglicher Energie). Doch wenn der Wert des Higgs-Feldes die Schüssel hinabgleitet, landet er auf *einem* bestimmten Punkt des kreisförmigen Tals. Dadurch weist er »spontan« einem Ort im Tal eine Sonderstellung zu. Folglich sind die Punkte im Tal nicht mehr alle gleichgestellt, da einer unter ihnen ausgewählt wurde. Das Higgs-Feld stört oder »bricht« also die bisherige Symmetrie zwischen ihnen. Durch Aneinanderreihung dieser Wörter hat man für den Prozess, in dessen Verlauf das Higgs-Feld zu einem bestimmten nichtverschwindenden Wert im Tal hinabgleitet, die Bezeichnung *spontane Symmetriebrechung* gefunden. Später im Text werden wir konkretere Aspekte der Symmetrieverringerung betrachten, die mit dieser Bildung eines Higgs-Ozeans einhergeht.

Der Higgs-Ozean und der Ursprung der Masse

Wenn ein Higgs-Feld einen nichtverschwindenden Wert besitzt – wenn wir alle in einem Higgs-Ozean leben –, sollten wir dieses Meer dann nicht fühlen, sehen oder in irgendeiner anderen Weise wahrnehmen? Gewiss. Die moderne Theorie behauptet auch, dass wir es tun. Schwingen Sie Ihren Arm vor und zurück. Sie können fühlen, wie Ihre Muskeln arbeiten, wie sie die Masse Ihres Arms von links nach rechts und wieder zurück bewegen. Wenn Sie eine Bowlingkugel greifen, müssen Ihre Muskeln noch mehr Arbeit leisten, denn je größer die Masse, die zu bewegen ist, desto größer die Kraft, die aufgewendet werden muss. Insofern repräsentiert die Masse eines Objekts den Widerstand, den er dem Bestreben, ihn zu bewegen, entgegensetzt. Genauer: Die Masse repräsentiert den Widerstand, den ein Objekt Veränderungen seiner Bewegung entgegensetzt – Beschleunigungen –, wie zum Beispiel einer Bewegung erst nach rechts und dann wieder nach links. Doch woher kommt dieser Widerstand gegen Beschleunigung? Oder, physikalisch ausgedrückt, was verleiht einem Objekt seine Trägheit?

In den Kapiteln 2 und 3 haben wir verschiedene Hypothesen von Newton, Mach und Einstein kennen gelernt, die als *Teilantworten* auf diese Frage vorgeschlagen wurden. Diese Forscher suchten nach einem ruhenden Bezugspunkt, relativ zu dem Beschleunigungen, wie sie etwa in dem Experiment mit dem rotierenden Eimer auftraten, definiert werden können. Für Newton war der absolute Raum das Bezugssystem, für Mach waren es die fernen Sterne und für Einstein zunächst die absolute Raumzeit (in der speziellen Relativitätstheorie) und dann das Gravitationsfeld (in der allgemeinen Relativitätstheorie). Aber nachdem sie ein ruhendes Bezugssystem, insbesondere zur Definition von Beschleunigungen, beschrieben hatten, unternahm keiner von ihnen den nächsten Schritt und versuchte zu erklären, *warum* Objekte Widerstand gegen Beschleunigungen leisten. Das heißt, keiner von ihnen bezeichnete einen Mechanismus, durch den ein Objekt seine Masse – seine Trägheit – erwirbt, also die Eigenschaft, die sich gegen Beschleunigungen wehrt. Mit dem Higgs-Feld hat die Forschung jetzt eine Antwort vorgeschlagen.

Ihr Arm und die Bowlingkugel, die Sie ergriffen haben, bestehen aus Atomen, die ihrerseits alle aus Protonen, Neutronen und Elektronen bestehen. Wie Experimente Ende der sechziger Jahre ergaben, ist jedes Proton und Neutron aus drei kleineren Teilchen, so genannten Quarks, zusammengesetzt. Wenn Sie also Ihren Arm hin und her schwingen, schwingen Sie in Wirklichkeit all die Quarks und Elektronen, aus denen er besteht, hin und her, was uns zu dem entscheidenden Punkt führt. Der Higgs-Ozean, in den wir alle gemäß der modernen Theorie getaucht sind, *wechselwirkt* mit Quarks und Elektronen: Er widersetzt sich der Beschleunigung wie Sirup den Bewegungen eines eingetauchten Tischtennisballs. Dieser Widerstand, dieses Zerren an den teilchenförmigen Bestandteilen, trägt zu dem bei, was Sie als die Masse Ihres Arms und der Bowlingkugel, die Sie schwingen, wahrnehmen, als die Masse eines Gegenstandes, den Sie werfen, oder als die Masse Ihres gesamten Körpers, den Sie bei einem 100-Meter-Sprint in Richtung Ziellinie beschleunigen. Dergestalt *fühlen* wir den Higgs-Ozean. Die Kräfte, die wir alle tausend Mal am Tag aufwenden, um die Geschwindigkeit verschiedenster Objekte zu verändern – ihnen Beschleunigungen zu vermitteln –, sind Kräfte, die sich gegen den Widerstand des Higgs-Ozeans richten.[8]

Die Sirupmetapher gibt einige Aspekte des Higgs-Ozeans sehr anschaulich wieder. Um einen in Sirup eingetauchten Tischtennisball zu beschleunigen, müssen Sie ihn *viel* stärker anstoßen als beim Spiel auf der Platte in Ihrem Keller. Er widersteht Ihren Versuchen, seine Geschwindigkeit zu verändern, nachdrücklicher als außerhalb des Sirups. Folglich verhält er sich, als hätte das Eintauchen in Sirup seine Masse erhöht. Entsprechend widersetzen sich Elementarteilchen infolge ihrer Wechselwirkung mit dem allgegenwärtigen Higgs-Ozean dem Versuch, ihre Geschwindigkeiten zu verändern – sie erhalten Masse. Allerdings hat die Sirupmetapher drei irreführende Züge, deren Sie sich bewusst sein sollten.

Erstens können Sie jederzeit in den Sirup greifen, den Tischtennisball herausholen und feststellen, wie sich sein Widerstand gegen Beschleunigung verringert. Für Elementarteilchen gilt das nicht. Wir glauben, dass der Higgs-Ozean heute das gesamte All füllt, so dass es keine Möglichkeit gibt, irgendwelche Teilchen seinem Einfluss zu entziehen. Alle Teilchen haben die Masse, die sie besitzen, unabhängig von dem Ort, an dem sie sich befinden. Zweitens widersetzt sich Sirup jeglicher Bewegung, das Higgs-Feld dagegen nur beschleunigter Bewegung. Anders als ein Tischtennisball, der sich durch Sirup bewegt, wird ein Teilchen, das sich durch das leere All bewegt, nicht durch »Reibung« mit dem Higgs-Ozean abgebremst, sondern setzt seine Bewegung unverändert fort. Erst wenn wir versuchen, die Geschwindigkeit des Teilchens zu erhöhen oder zu verlangsamen, macht sich der Ozean des Higgs-Feldes durch die Kraft bemerkbar, die wir für diesen Versuch aufwenden müssen. Drittens gibt es einen weiteren wichtigen Masse-Ursprung, wenn wir es mit vertrauter Materie zu tun bekommen, die aus Ansammlungen von Elementarteilchen besteht. Die einzelnen Quarks, aus denen sich Protonen und Neutronen zusammensetzen, werden durch die starke Kernkraft zusammengehalten: Gluonen (die Botenteilchen der starken Kraft) strömen zwischen Quarks hin und her und »kleben«

(englisch: *glue)* sie zusammen. Experimente haben gezeigt, dass diese Gluonen hochenergetisch sind, und da wir aus Einsteins Gleichung $E = mc^2$ wissen, dass sich Energie *(E)* als Masse *(m)* manifestieren kann, ist klar, dass die Gluonen im Inneren von Protonen und Neutronen einen erheblichen Bruchteil von deren Gesamtmasse stellen. Genauer wäre also die Vorstellung, dass die sirupartige Widerstandskraft des Higgs-Ozeans *fundamentalen* Teilchen wie Elektronen und Quarks Masse verleiht, dass aber, wenn diese Teilchen Zusammensetzungen wie Protonen, Neutronen und Atome bilden, auch andere (wohlverstandene) Masse-Ursprünge ins Spiel kommen.

Das Maß des Widerstandes, den der Higgs-Ozean der Beschleunigung eines Teilchens entgegensetzt, hängt vermutlich davon ab, zu welcher Art das Teilchen gehört. Das spielt eine Rolle, weil die bekannten Arten von Elementarteilchen alle verschiedene Massen haben. Während beispielsweise Protonen und Neutronen aus zwei Quarkarten bestehen (den *up*-Quarks und den *down*-Quarks: ein Proton setzt sich aus zwei *ups* und einem *down* zusammen, ein Neutron aus zwei *downs* und einem *up)*, hat man in Teilchenbeschleunigern im Laufe der Jahre noch vier weitere Quark-Arten entdeckt, deren Massen eine große Bandbreite aufweisen – vom 0,0047fachen bis zum 198fachen einer Protonenmasse. Wir vermuten den Grund für diese Masseunterschiede darin, dass die einzelnen Teilchenarten mehr oder weniger stark mit dem Higgs-Ozean wechselwirken. Wenn sich ein Teilchen glatt, das heißt mit wenig oder keiner Wechselwirkung, durch den Higgs-Ozean bewegt, gibt es kaum oder keinen Widerstand – das Teilchen besitzt wenig oder keine Masse. Ein schönes Beispiel ist das Photon. Photonen durchqueren den Higgs-Ozean vollkommen ungehindert und haben daher überhaupt keine Masse. Wenn ein Teilchen dagegen erheblich mit dem Higgs-Ozean wechselwirkt, besitzt es eine größere Masse. Das schwerste Quark (das *top*-Quark), dessen Masse rund 350 000 Mal so groß ist wie die eines Elektrons, wechselwirkt dementsprechend 350 000 Mal so stark mit dem Higgs-Ozean wie ein Elektron. Es hat größere Schwierigkeiten, im Higgs-Ozean zu beschleunigen, und deshalb hat es auch eine größere Masse. Wenn wir die Masse eines Teilchens mit der Prominenz eines Menschen vergleichen, ähnelt der Higgs-Ozean den Paparazzi: Wer unbekannt ist, gelangt unbehelligt durch die Traube der Fotografen, während berühmte Politiker und Filmstars sehr viel stärker drängen müssen, um an ihr Ziel zu kommen.[9]

Das vermittelt uns zwar eine anschauliche Vorstellung davon, warum ein Teilchen eine andere Masse hat als ein anderes, aber bis heute gibt es noch keine genaue Erklärung für die speziellen Wechselwirkungen der einzelnen Teilchenarten mit dem Higgs-Ozean. Infolgedessen können wir auch noch nicht genau erklären, warum die bekannten Teilchen die besonderen Massen besitzen, die wir in Experimenten gefunden haben. Doch die meisten Physiker glauben, dass ohne den Higgs-Ozean *alle fundamentalen Teilchen wie das Photon wären und nicht die geringste Masse hätten.* Tatsächlich könnte das, wie wir gleich sehen werden, der Zustand gewesen sein, in dem sich die Dinge in den frühesten Augenblicken des Universums befunden haben.

Vereinheitlichung in einem abkühlenden Universum

Während gasförmiger Dampf bei 100 Grad Celsius zu flüssigem Wasser kondensiert und flüssiges Wasser bei 0 Grad Celsius zu festem Eis gefriert, kondensiert das Higgs-Feld, wie theoretische Studien gezeigt haben, bei einer Million Milliarden (10^{15}) Grad zu einem nichtverschwindendem Wert. Das ist fast 100 Millionen Mal mehr als die Temperatur im Kern der Sonne und entspricht etwa der Temperatur, auf die sich das Universum rund eine hundertstel milliardstel (10^{-11}) Sekunde nach dem Urknall (NDU) abgekühlt haben dürfte. Früher als 10^{-11} Sekunden NDU schwankte das Higgs-Feld auf und ab, hatte aber einen Durchschnittswert von null. Wie Wasser bei über 100 Grad Celsius konnte sich der Higgs-Ozean bei diesen Temperaturen nicht bilden, weil er noch zu heiß war. Der Ozean wäre augenblicklich verdunstet. Ohne Higgs-Ozean konnte es keinen Widerstand von Teilchen gegen beschleunigte Bewegung (keine Paparazzi) geben, woraus folgt, dass alle bekannten Elementarteilchen (Elektronen, *up*-Quarks, *down*-Quarks und alle übrigen) die gleiche Masse hatten: null.

Diese Beobachtung erklärt teilweise, warum die Bildung des Higgs-Ozeans als kosmologischer Phasenübergang beschrieben wird. In den Phasenübergängen von Dampf zu Wasser und von Wasser zu Eis geschehen zwei wichtige Dinge. Es gibt eine bemerkenswerte qualitative Veränderung im Erscheinungsbild, und der Phasenübergang wird von einer Symmetrieverringerung begleitet. Die gleichen beiden Merkmale sehen wir bei der Bildung des Higgs-Ozeans. Erstens gab es eine deutliche qualitative Veränderung: Teilchenarten, die eben noch masselos gewesen waren, nahmen plötzlich Massen an – die Massen, die wir heute noch an ihnen beobachten. Zweitens war diese Veränderung von einer Symmetrieeinbuße begleitet: Vor der Bildung des Higgs-Ozeans hatten alle Teilchen die gleiche Masse – null –, ein hochsymmetrischer Stand der Dinge. Hätten Sie die Masse einer Teilchenart gegen die einer anderen ausgetauscht, hätte niemand es bemerkt, weil die Massen alle gleich waren. Doch nachdem das Higgs-Feld kondensiert war, erhielten die Teilchenmassen nichtverschwindende – und je nach Teilchensorte verschiedene – Werte, daher ging die Symmetrie zwischen den Massen verloren.

Tatsächlich ist der Symmetrieverlust infolge der Bildung des Higgs-Ozeans noch weitreichender. Bei mehr als 10^{15} Grad, als die Kondensation des Higgs-Feldes noch nicht stattgefunden hatte, waren nicht nur alle Teilchenarten der normalen Materie masselos, sondern auch – ohne den Widerstand durch einen Higgs-Ozean – alle Arten von Kraftteilchen. (Heute haben die W- und Z-Botenteilchen der schwachen Kernkraft Massen, die rund 86 bis 97 Mal so groß sind wie die Masse des Protons.) Wie Sheldon Glashow, Steven Weinberg und Abdus Salam in den sechziger Jahren entdeckten, ging die Masselosigkeit aller Kraftteilchen mit einer weiteren, wunderbaren Symmetrie einher.

Ende des neunzehnten Jahrhunderts erkannte Maxwell, dass Elektrizität und Magnetismus, die man lange Zeit für vollkommen separate Kräfte gehalten hatte, in Wirklichkeit nur zwei Seiten derselben Kraft sind – der elektromagnetischen Kraft (siehe Kapitel 3). Wie seine Arbeit zeigte, ergänzen sich Elektrizität und Magnetismus. Sie sind das Yin und Yang eines symmetrischeren, einheitlichen Ganzen. Glashow, Salam und Weinberg schlugen das nächste Kapitel in dieser Vereinheitlichungsgeschichte auf. Sie fanden heraus, dass vor der Bildung des Higgs-Ozeans nicht nur alle Kraftteilchen die gleiche Masse hatten – null –, sondern dass Photonen sowie W- und Z-Teilchen auch in fast jeder anderen Hinsicht identisch waren.[10] Genau wie die Schneeflocke durch jene Drehung unbeeinträchtigt bleibt, die die Orte ihrer Spitzen vertauscht, würden in Abwesenheit des Higgs-Ozeans die physikalischen Prozesse nicht dadurch beeinflusst, dass man die Teilchen der elektromagnetischen Kraft und der schwachen Kernkraft – Photonen und W- und Z-Teilchen – in bestimmter Weise miteinander vertauscht. Und wie in der Unempfindlichkeit einer Schneeflocke gegen Drehung eine Symmetrie (Rotationssymmetrie) zum Ausdruck kommt, spiegelt die Unempfindlichkeit gegenüber Vertauschungen dieser Kraftteilchen eine Symmetrie wider, die man aus technischen Gründen als *Eichsymmetrie* bezeichnet. Sie hat weit reichende Folgen. Da diese Teilchen ihre jeweiligen Kräfte übertragen – sie sind die Botenteilchen ihrer Kräfte –, bedeutet die Symmetrie zwischen ihnen, dass es eine Symmetrie zwischen den Kräften gab. Bei Temperaturen, die hoch genug sind, Temperaturen, bei denen das heutige Higgs-gefüllte Vakuum verdampfen würde, gibt es daher keinen Unterschied zwischen der schwachen Kernkraft und der elektromagnetischen Kraft. Wenn der Higgs-Ozean verdampft, verdampft auch der Unterschied zwischen der schwachen und der elektromagnetischen Kraft.

Glashow, Weinberg und Salam erweiterten Maxwells hundert Jahre alte Entdeckung, indem sie zeigten, dass die elektromagnetische Kraft und die schwache Kernkraft in Wirklichkeit Teil ein und derselben Kraft sind. Sie *ver-*

einheitlichten die Beschreibung dieser beiden Kräfte zu dem, was heute als *elektroschwache* Kraft bezeichnet wird.

Die Symmetrie zwischen der elektromagnetischen und der schwachen Kraft ist in der Gegenwart nicht mehr ersichtlich, weil sich mit der Abkühlung des Universums der Higgs-Ozean bildete und weil – das ist von entscheidender Bedeutung – Photonen und W- und Z-Teilchen anders mit dem kondensierten Higgs-Feld wechselwirken. Photonen gleiten so mühelos durch den Higgs-Ozean wie einstige Größen von B-Filmen durch Ansammlungen von Paparazzi und bleiben daher masselos. W- und Z-Teilchen dagegen müssen sich wie Bill Clinton und Madonna mühsam ihren Weg bahnen und erwerben daher Massen, die 86 beziehungsweise 97 Mal so groß wie die eines Protons sind. (Anmerkung: Diese Metapher ist nicht maßstabsgerecht!) Aus diesem Grund unterscheiden sich die elektromagnetische Kraft und die schwache Kernkraft in der Welt, die uns umgibt, so deutlich voneinander. Die grundlegende Symmetrie zwischen beiden ist durch den Higgs-Ozean »gebrochen« oder verschleiert.

Das ist ein wirklich atemberaubendes Ergebnis. Zwei Kräfte, die bei heutigen Temperaturen sehr unterschiedlich aussehen – die elektromagnetische Kraft ist zuständig für Licht, Elektrizität und magnetische Anziehung, die schwache Kernkraft für radioaktiven Zerfall –, sind im Grunde Teil derselben Kraft und erscheinen nur deswegen verschieden, weil das nichtverschwindende Higgs-Feld die Symmetrie zwischen ihnen verschleiert. Was wir uns normalerweise als leeren Raum vorstellen – das Vakuum, das Nichts –, ist also entscheidend daran beteiligt, dass die Dinge in unserer Welt ihr vertrautes Erscheinungsbild annehmen. Nur durch Verdampfen des Vakuums, durch eine Erhöhung der Temperatur, die das Higgs-Feld zum Verdampfen bringen würde – das heißt dafür sorgte, dass es im gesamten Raum einen Durchschnittswert von null annimmt –, ließe sich die ganze Symmetrie, die den Naturgesetzen zugrunde liegt, sichtbar machen.

Als Glashow, Weinberg und Salam diese Ideen entwickelten, stand der experimentelle Nachweis der W- und Z-Teilchen noch aus. Nur aus dem unbedingten Glauben an die Kraft der Theorie und die Schönheit der Symmetrie schöpften diese Physiker die Zuversicht für ihr Vorhaben. Ihr Mut erwies sich als wohl begründet. Wenig später wurden die W- und Z-Teilchen entdeckt, damit war die elektroschwache Theorie experimentell bestätigt. Glashow, Weinberg und Salam hatten hinter die vordergründige Erscheinung der Dinge geblickt – den Schleier des Nichts gelüftet – und eine tiefe und verborgene Symmetrie entdeckt, die zwei Naturkräfte verbindet. 1979 erhielten sie für die erfolgreiche Vereinheitlichung der schwachen Kernkraft mit dem Elektromagnetismus den Nobelpreis.

Große Vereinheitlichung

In meinem ersten Jahr im College schaute ich hin und wieder bei meinem Mentor, dem Physiker Howard Georgi, vorbei. Ich wusste zwar nie viel zu sagen, aber das spielte kaum eine Rolle. Es gab immer etwas, was Georgi begeisterte und was er interessierten Studenten unbedingt mitteilen wollte. Einmal war Georgi besonders in Fahrt und redete eine Stunde lang wie ein Maschinengewehr, wobei er die Tafel immer wieder mit Symbolen und Gleichungen füllte. Fortwährend begleitete ich seine Ausführung mit eifrigem Nicken. Doch, ehrlich gesagt, verstand ich kaum ein Wort. Jahre später wurde mir klar, dass Georgi mir von seinen Plänen berichtet hatte, eine seiner Entdeckung zu überprüfen, die *Große Vereinheitlichung*.

Die Große Vereinheitlichung greift eine Frage auf, die durch den Erfolg der elektroschwachen Vereinheitlichung zwangsläufig aufgeworfen wird: Wenn zwei Kräfte Teil eines einheitlichen Ganzen im frühen Universum waren, könnte es dann nicht sein, dass bei noch höheren Temperaturen zu noch früheren Zeiten in der Geschichte des Universums die Unterschiede zwischen drei, vielleicht sogar allen vier Kräften möglicherweise ebenfalls verdampften und noch größere Symmetrien offenbarten? Damit kommt die faszinierende Möglichkeit in den Blick, dass es eine einzige fundamentale Naturkraft geben könnte, die durch eine Reihe kosmologischer Phasenübergänge zu den vier scheinbar verschiedenen Kräften erstarrt ist, die wir gegenwärtig beobachten. 1974 schlugen Georgi und Glashow die erste Theorie vor, die sich diesem Ziel vollkommener Einheit ein Stück weit näherte. Ihre *große vereinheitlichte Theorie*, später ergänzt durch Einsichten von Georgi, Helen Quinn und Weinberg, besagte, dass drei der vier Kräfte – die starke, die schwache und die elektromagnetische Kraft – alle Teil einer einheitlichen Kraft waren, als die Temperatur über 10 Milliarden Milliarden Milliarden (10^{28}) Grad betrug und damit rund tausend Milliarden Milliarden Mal so hoch war wie die Temperatur im Zentrum der Sonne heute. Diese extremen Bedingungen herrschten im Universum, bevor es 10^{-35} Sekunden alt war. Nach Ansicht von Georgi und Glashow waren oberhalb dieser Temperatur die Photonen, die Gluonen der starken Kernkraft sowie die W- und Z-Teilchen ohne beobachtbare Konsequenzen frei gegeneinander austauschbar – eine noch veränderungstolerantere Eichsymmetrie als die elektroschwache Theorie. Bei hinreichend hohen Energien und Temperaturen gibt es danach vollkommene Symmetrie zwischen den drei nichtgravitativen Kraftteilchen und damit auch vollkommene Symmetrie zwischen allen fundamentalen Kräften außer der Gravitation.[11]

Der großen vereinheitlichten Theorie von Glashow und Georgi zufolge sehen wir diese Symmetrie deshalb nicht in der Welt, die uns umgibt – die starke Kernkraft, die Protonen und Neutronen eng zusammenhält, scheint von der schwachen und der elektromagnetischen Kraft vollkommen getrennt zu sein –, weil sich ein Higgs-Feld anderer Art bildete, als die Temperatur unter 10^{28} Grad fiel. Es heißt *großes vereinigtes Higgs-Feld*. (Immer wenn Verwechslungsgefahr besteht, bezeichnet man das Higgs-Feld, das an der elektroschwachen Vereinheitlichung beteiligt ist, als *elektroschwaches Higgs-Feld*.) Wie sein elektroschwacher Vetter fluktuierte das große vereinheitlichte Higgs-Feld wie wild bei Temperaturen von über 10^{28} Grad, doch aus den Berechnungen geht hervor, dass es zu einem nichtverschwindenden Wert kondensierte, als das Universum unter diese Temperatur fiel. Ähnlich wie im Falle des elektroschwachen Higgs-Feldes durchlief das Universum einen Phasenübergang mit begleitendem Symmetrieverlust, als sich der große vereinheitlichte Higgs-Ozean bildete. Da dieser Ozean sich auf die Gluonen anders auswirkt als auf die anderen Kraftteilchen, spaltete sich die starke von der elektroschwachen Kraft ab, so dass es jetzt zwei nichtgravitative Kräfte gab, wo vorher nur eine war. Einen Sekundenbruchteil und einen Temperaturrückgang um Milliarden Grad später kondensierte das elektroschwache Higgs-Feld und veranlasste auch die schwache und die elektromagnetische Kraft, sich zu teilen.

So schön die große Vereinheitlichung als Idee auch ist, experimentell konnte sie (im Unterschied zur elektroschwachen Vereinheitlichung) noch nicht bestätigt werden. Im Gegenteil, Georgis und Glashows ursprünglicher Entwurf sagte eine schwache Spur vorher, ein kleines Relikt der frühen Symmetrie des Universums, das heute noch zu beobachten sein müsste, ein Relikt, das es Protonen hin und wieder ermöglichen müsste, sich in andere Teilchen (wie Anti-Elektronen und so genannte Pionen) zu verwandeln. Doch aufwendige unterirdische Experimente – von jener Art, die Georgi mir damals in seinem Büro erläuterte – blieben auch nach Jahren ohne Ergebnis. Das schloss Georgis und Glashows Hypothese aus. Seither haben Physiker allerdings Spielarten des ursprünglichen Modells entwickelt, die sich mit den Ergebnissen dieser Experimente vertragen. Aber auch diese alternativen Theorien harren noch der Bestätigung.

Unter Physikern ist man sich einig, dass die große Vereinheitlichung zwar eine der wichtigsten Ideen der Teilchenphysik ist, aber noch auf ihre endgültige Verwirklichung wartet. Da sich Vereinheitlichung und kosmologische Phasenübergänge als so entscheidend für Elektromagnetismus und schwache Kernkraft erwiesen haben, glauben viele, es sei nur eine Frage der Zeit, bis auch andere Kräfte im Rahmen der Vereinheitlichung zusammengefasst würden. Wie wir in Kapitel 12 sehen werden, sind in jüngerer Zeit große Fortschritte in dieser Richtung mit Hilfe eines anderen Ansatzes – der *Superstringtheorie* – erzielt worden. Dort hat man zum ersten Mal *alle* Kräfte, auch die Gravitation, in eine vereinheitlichte Theorie eingegliedert, an deren Entwicklung allerdings zu dem Zeitpunkt, da ich dies schreibe, noch heftig gearbeitet wird. Doch selbst wenn wir uns auf die elektroschwache Theorie beschränken, wird erkennbar, dass das Universum, wie wir es heute vor Augen haben, nur noch ein schwacher Abglanz einstiger symmetrischer Herrlichkeit ist.

Die Rückkehr des Äthers

Das Konzept der Symmetriebrechung und seine Verwirklichung durch das elektroschwache Higgs-Feld spielen offenkundig eine zentrale Rolle in der Teilchenphysik und Kosmologie. Dennoch ist Ihnen bei unserer Erörterung vielleicht die folgende Frage in den Sinn gekommen: Wenn ein Higgs-Ozean eine unsichtbare Gegebenheit ist, die füllt, was wir uns gewöhnlich als leeren Raum vorstellen, ist er dann nicht einfach eine andere Inkarnation des lange geschmähten Ätherbegriffs? Die Antwort ist Ja und Nein. Die Erklärung: Ja, in gewisser Weise erinnert der Higgs-Ozean tatsächlich an den Äther. Wie der Äther erfüllt ein kondensiertes Higgs-Feld den Raum, umgibt uns alle, durchdringt alle Stoffe und vermittelt uns als nicht zu entfernendes Merkmal des leeren Raums (es sei denn, wir würden das Universum auf über 10^{15} Grad erhitzen, was uns schwerlich möglich sein dürfte) einen neuen Begriff vom Nichts. Doch im Gegensatz zum ursprünglichen Äther, der als ein unsichtbares Medium eingeführt wurde, das als Träger der Lichtwellen dienen sollte, ganz so, wie die Luft als Trägerin von Schallwellen fungiert, hat der Higgs-Ozean nichts mit der Lichtbewegung zu tun. Er wirkt sich auf die Lichtgeschwindigkeit nicht im Mindesten aus. Daher haben die Experimente, die um die Jahrhundertwende die Existenz des Äthers widerlegten, indem sie die Bewegung des Lichts untersuchten, nicht die geringste Bedeutung für den Higgs-Ozean.

Da der Higgs-Ozean überdies keine Auswirkung auf irgendetwas hat, was sich mit konstanter Geschwindigkeit bewegt, räumt er dem Blickwinkel keines Beobachters eine Sonderstellung ein, wie es der Äther tat. Auch bei einem Higgs-Ozean bleiben alle Beobachter mit konstanter Geschwindigkeit vollkommen gleichberechtigt, daher gibt es keinen Widerspruch zwischen einem Higgs-Ozean und der speziellen Relativitätstheorie. Natürlich beweisen diese Überlegungen nicht, dass Higgs-Felder existieren, aber sie zeigen, dass diese Felder trotz gewisser Ähnlichkeiten mit dem Äther weder mit unseren theoretischen Erkenntnissen noch den Experimentaldaten in Konflikt geraten.

Wenn es jedoch einen Higgs-Ozean gibt, müsste er andere Konsequenzen haben, die in den nächsten Jahren einer experimentellen Überprüfung unterzogen werden können. Da wäre zunächst die Tatsache, dass Higgs-Felder wie elektromagnetische Felder, die aus Photonen bestehen, ebenfalls aus Teilchen zusammengesetzt sind, die – wen wundert es? – *Higgs-Teilchen* heißen. Sollte ein Higgs-Ozean den Raum durchdringen, dann müssten sich, wie theoretische Berechnungen ergeben haben, Higgs-Teilchen unter den Trümmern der hochenergetischen Teilchenzusammenstöße im Large Hadron Collider befinden, einem riesigen Teilchenbeschleuniger, der gegenwärtig am Sitz der Europäischen Organisation für Kernforschung (CERN) in Genf gebaut wird und 2007 in Betrieb genommen werden soll. Vereinfacht ausgedrückt, sollten enorm energiereiche Frontalzusammenstöße zwischen Protonen in der Lage sein, ein Higgs-Teilchen aus dem Higgs-Ozean zu schleudern, etwa so, wie energiereiche Unterwasserkollisionen H_2O-Moleküle aus dem Atlantik schleudern können. Über kurz oder lang werden wir in der Lage sein, anhand solcher Experimente zu entscheiden, ob diese moderne Form des Äthers existiert oder ob ihr das gleiche Schicksal beschieden ist wie ihrer früheren Inkarnation. Das ist die entscheidende Frage, die es zu klären gilt, weil kondensierende Higgs-Felder, wie gesehen, eine weit reichende und entscheidende Rolle in unserer gegenwärtigen Formulierung der fundamentalen Physik spielen.

Wird der Higgs-Ozean nicht gefunden, muss das theoretische Gerüst, mit dem die Physik seit mehr als dreißig Jahren arbeitet, grundsätzlich überdacht werden. Findet man ihn jedoch, wird er ein Triumph für die theoretische Physik sein: Er wird das Vermögen der Symmetrie bestätigen, uns als Richtschnur für unsere mathematischen Überlegungen zu dienen, wenn wir uns mit ihrer Hilfe auf den Weg ins Unbekannte machen. Darüber hinaus würde ein Beleg für die Existenz des Higgs-Ozeans erstens direkt beweisen, dass es einmal ein kosmisches Zeitalter gab, in dem verschiedene Aspekte, die im heutigen Universum verschieden und getrennt erscheinen, Teile eines symmetrischen Ganzen waren. Zweitens würde er zeigen, dass unsere intuitive Vorstellung vom leeren Raum – von dem, was übrig bleibt, wenn wir alles, was wir können, aus einer Region entfernt und damit ihre Energie und Temperatur auf kleinstmögliche Werte gebracht haben – äußerst naiv ist. Ein denkbar leerer Raum muss kein Zustand des absoluten Nichts sein. Auch ohne uns auf religiöse Inhalte zu berufen, geraten wir bei unserer Suche nach einer Erklärung von Raum und Zeit auf diese Weise ganz in die Nähe der Gedankenwelt von Henry More (Kapitel 2). Für More hatte der übliche Begriff des leeren Raums keine Bedeutung, weil er diesen stets vom göttlichen Geist erfüllt wähnte. Für uns könnte sich die gewöhnliche Vorstellung vom leeren Raum als ebenso flüchtig erweisen, weil der leere Raum, der uns umgibt, immer mit einem Higgs-Ozean gefüllt wäre.

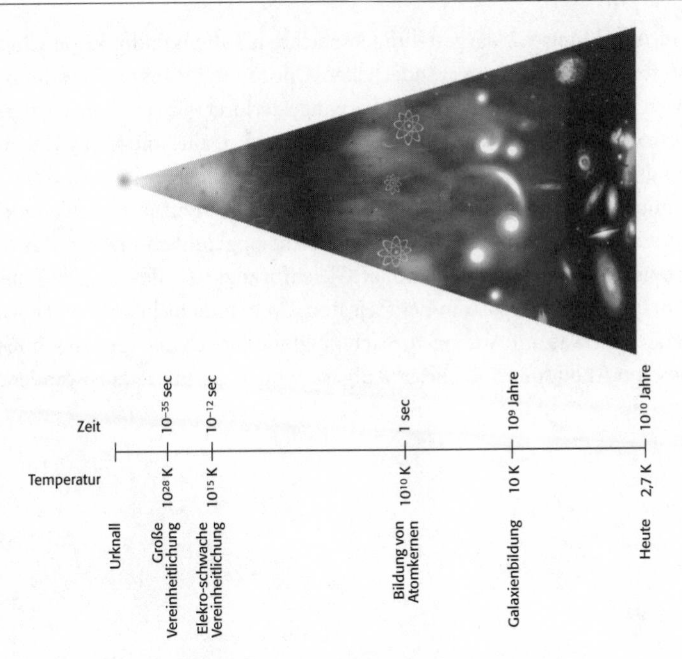

Abbildung 9.2 Eine Zeitleiste, die schematisch das kosmologische Standardmodell des Urknalls illustriert.

Entropie und Zeit

Die Zeitleiste in Abbildung 9.2 ordnet die erörterten Phasenübergänge in ihren historischen Kontext ein und vermittelt uns daher eine klarere Vorstellung von der Ereignisfolge, die das Universum vom Urknall bis zum Ei auf Ihrem Küchentisch durchlaufen hat. Doch noch immer sind entscheidende Informationen in dem verschwommenen Fleck verborgen. Erinnern Sie sich: Zu wissen, wie die Dinge beginnen – die Ordnung des Seitenstapels von *Krieg und Frieden*, die zusammengepressten Kohlendioxidmoleküle in Ihrer Colaflasche, der Zustand des Universums beim Urknall –, ist entscheidend, um zu verstehen, wie sie sich entwickeln. Die Entropie kann nur anwachsen, wenn man ihr dazu Gelegenheit gibt. Die Entropie kann nur anwachsen, wenn sie niedrig beginnt. Wenn die Seiten von *Krieg und Frieden* gleich zu Anfang vollkommen ungeordnet sind, werden weitere Würfe nichts an diesem Zustand ändern. Nimmt das Universum in einem vollkommen ungeordneten, hochentropischen Zustand seinen Anfang, kann die weitere kosmische Entwicklung die Unordnung lediglich bewahren.

Die in Abbildung 9.2 dargestellte Geschichte ist offenkundig keine Chronik einer fortwährenden, unveränderlichen Unordnung. Obwohl bestimmte Symmetrien durch kosmische Phasenübergänge verloren gingen, hat die allgemeine Entropie des Universums stetig zugenommen. Daher muss das Universum anfangs hochgeordnet gewesen sein, ein Umstand, der uns »vorwärts« in der Zeit mit der Richtung anwachsender Entropie gleichsetzen lässt; dennoch brauchen wir immer noch eine Erklärung für die unglaublich niedrige Entropie – für den Zustand unglaublich hoher Gleichförmigkeit – des neugeborenen Universums. Wir müssen also in der Zeit noch weiter als bisher zurückgehen, um zu verstehen, was am Anfang vor sich ging: im Bereich des verschwommenen Flecks von Abbildung 9.2. Dieser Aufgabe wollen wir uns jetzt zuwenden.

10

DEKONSTRUKTION DES KNALLS

Was knallte?

Einem verbreiteten Missverständnis zufolge liefert der Urknall uns eine Theorie der kosmischen Ursprünge. Das ist keineswegs der Fall. Der Urknall ist eine Theorie, die, wie in den letzten beiden Kapiteln teilweise beschrieben, die kosmische Entwicklung schildert und dabei einen Sekundenbruchteil nach jenem Ereignis beginnt – was immer es gewesen sein mag –, bei dem das Universum entstand. *Die Theorie sagt aber nicht das Geringste über den Zeitpunkt null selbst aus.* Da nach der Urknalltheorie der Knall am Anfang gestanden haben soll, lässt der Urknall den Knall aus. Er teilt uns nicht mit, was geknallt, warum es geknallt, wie es geknallt und, um ehrlich zu sein, ob es überhaupt geknallt hat.[1] Tatsächlich werden Sie feststellen, wenn Sie einen Augenblick darüber nachdenken, dass uns der Urknall vor ein ziemliches Rätsel stellt. Bei den ungeheuren Dichten von Materie und Energie, welche die frühesten Augenblicke des Universums kennzeichneten, war die Gravitation die bei weitem vorherrschende Kraft. Doch die Gravitation ist eine *Anziehungskraft.* Sie veranlasst die Dinge zusammenzukommen. Was also konnte unter diesen Umständen für die *nach außen wirkende* Kraft verantwortlich sein, welche die Expansion des Raums vorantrieb? Folglich müsste irgendeine Abstoßungskraft zur Zeit des Urknalls eine entscheidende Rolle gespielt haben. Doch um welche der Naturkräfte soll es sich dabei gehandelt haben?

Viele Jahrzehnte lang blieb diese grundsätzlichste aller kosmologischen Fragen unbeantwortet. In den achtziger Jahren wurde eine alte, längst begrabene Idee Einsteins zu neuem Leben erweckt und diente als strahlender Ausgangspunkt der so genannten *Inflationsmodelle* oder *inflationären Kosmologie.* Mit dieser Entdeckung konnte das Verdienst am Knall endlich jener Kraft zugerechnet werden, der es gebührte: der *Gravitation.* Man machte die überraschende Entdeckung, dass die Gravitation unter ganz bestimmten Bedingungen abstoßend wirken kann, und laut der Theorie herrschten genau diese Bedingungen in den frühesten Augenblicken der kosmischen Geschichte vor.

Während eines Zeitintervalls, neben dem eine Nanosekunde wie ein Ewigkeit erschiene, bot das Universum Voraussetzungen, in denen die Gravitation ihre abstoßende Wirkung so heftig entfalten konnte, dass jede Raumregion von jeder anderen mit ungeheurer Wucht fortgetrieben wurde. Die Abstoßung der Gravitation war so heftig, dass damit nicht nur der Knall identifiziert war, sondern er sich auch als größer – viel größer – erwies, als sich irgendjemand hatte träumen lassen. Im theoretischen Rahmen der Inflation expandierte das frühe Universum um einen verblüffend großen Faktor, verglichen mit den Vorhersagen im Standardmodell der Urknalltheorie. Damit erfuhr unsere kosmologische Perspektive eine Ausweitung, neben der sich selbst die Entdeckung aus dem letzten Jahrhundert, dass unsere Galaxie nur eine unter vielen hundert Milliarden ist, winzig ausnimmt.[2]

In diesem und im nächsten Kapitel beschäftigen wir uns mit den Inflationsmodellen. Wir werden sehen, dass sie sozusagen eine »Ergänzungstheorie« zum Standardmodell des Urknalls darstellen, deren Aussagen über die Ereignisse während der frühesten Augenblicke des Universums entscheidend von dem Bild abweichen, das die Urknalltheorie zeichnet. Dadurch löst die inflationäre Kosmologie Schlüsselprobleme, die sich dem Zugriff des Standardmodells entziehen, macht eine Reihe von Vorhersagen, die entweder bereits überprüft worden sind oder in naher Zukunft getestet werden können, und zeigt, was vielleicht am erstaunlichsten ist, wie die Quantenprozesse durch kosmologische Expansion winzige Falten in die Raumstruktur pressen können, die eine sichtbare Spur auf dem Nachthimmel hinterlassen. Neben diesen Leistungen eröffnet uns die inflationäre Kosmologie wichtige Einblicke in die Frage, wie das frühe Universum seine extrem niedrige Entropie erworben haben könnte, und bringt uns damit der Erklärung des Zeitpfeils einen Schritt näher.

Einstein und die abstoßende Gravitation

Nachdem Einstein 1915 letzte Hand an die allgemeine Relativitätstheorie gelegt hatte, wandte er seine neuen Gravitationsgleichungen auf eine Vielzahl von Problemen an. Eines war die so genannte Perihelverschiebung des Merkur – die Beobachtung, dass Merkur nicht bei jedem Umlauf um die Sonne der gleichen Bahn folgt, sondern dass sich seine Bahn jedes Mal ein wenig verschiebt. Als Einstein mit seinen neuen Gleichungen die üblichen Bahnberechnungen durchführte, bekam er als Ergebnis exakt die von den Astronomen beobachtete Perihelverschiebung des Merkur heraus, ein Resultat, das ihm nach eigenem Bekunden Herzklopfen verursachte.[3] Einstein wandte die allgemeine Relativitätstheorie auch auf die Frage an, wie stark Licht, das ein ferner Stern aussendet, durch die Raumzeitkrümmung abgelenkt wird, wenn es auf seinem Weg zur Erde dicht an der Sonne vorbeikommt. 1919 wurde seine Vorhersage während einer Sonnenfinsternis von zwei Astronomenteams überprüft – einem auf der Insel Principe vor der afrikanischen Westküste und einem anderen in Brasilien. Man verglich die Beobachtungen des Sternenlichts, das dicht an der Sonnenoberfläche vorbeistrich (die Lichtstrahlen, auf welche die Gegenwart der Sonne am stärksten einwirkt und die nur während einer Sonnenfinsternis sichtbar sind), mit Fotografien, die man aufgenommen hatte, als die Erde zwischen den bewussten Sternen und der Sonne gestanden hatte, so dass der Gravitationseinfluss der Sonne auf die Bahn des Sternenlichts praktisch aufgehoben war. Der Vergleich offenbarte einen Ablenkungswinkel, der Einsteins Berechnungen abermals bestätigte. Als die Presse von diesem Ergebnis hörte, wurde Einstein über Nacht weltweit zu einer Berühmtheit. Mit der allgemeinen Relativitätstheorie, kann man mit Fug und Recht behaupten, war Einstein äußerst erfolgreich.

Und doch: Nachdem Einstein die Relativitätstheorie zum ersten Mal auf die größte aller Aufgaben – die Erklärung des Universums als Ganzes – angewandt hatte, weigerte er sich noch jahrelang mit aller Entschiedenheit, die Antwort zu akzeptieren, die sich aus seinen Gleichungen ergab. Schon vor Friedmann und Lemaître, von deren Arbeiten in Kapitel 8 die Rede war, hatte Einstein erkannt, dass das Universum nach den Gleichungen der allgemeinen Relativitätstheorie nicht statisch sein konnte. Es war denkbar, dass der Raum sich dehnte oder zusammenzog, auf keinen Fall aber, dass er von unveränderlicher Größe war. Daraus folgte, dass das Universum möglicherweise einen bestimmten Anfang hatte, als der Raum maximal zusammengezogen war, und vielleicht sogar ein eindeutiges Ende. Hartnäckig sträubte Einstein sich, diese Konsequenz der allgemeinen Relativitätstheorie zu akzeptieren, weil er und jeder andere doch »wüssten«, dass das Universum ewig und auf größtem Maßstab unveränderlich sei. Ungeachtet der Schönheit und der Erfolge der allgemeinen Relativitätstheorie nahm Einstein deshalb sein Notizbuch wieder vor und versuchte die Gleichungen so abzuändern, dass sich aus ihnen ein Universum ableiten ließ, das dem herrschenden Vorurteil entsprach. Er brauchte nicht lange. 1917 verwirklichte er sein Vorhaben, indem er einen neuen Term in die Gleichungen der allgemeinen Relativitätstheorie einführte: die *kosmologische Konstante*.[4]

Was Einstein mit Einführung dieser Modifikation bezweckte, ist leicht einzusehen. Die Gravitationskraft zwischen zwei beliebigen Objekten – ob Baseballe, Planeten, Sterne, Kometen oder sonst etwas – wirkt anziehend, daher ist die Gravitation fortwährend bestrebt, Objekte einander anzunähern. Die Gravitationsanziehung zwischen der Erde und einer Tänzerin, die nach oben springt, veranlasst die Tänzerin, in ihrer Aufwärtsbewegung langsamer zu werden, eine maximale Höhe zu erreichen und wieder zurückzufallen. Wenn ein Choreograph eine statische Konfiguration wünscht, in der die Tänzerin in der Luft verharrt, muss er eine Abstoßungskraft zwischen Tänzerin und Erde bereitstellen, eine Kraft, welche die Gravitationsanziehung zwischen ihnen exakt ausgleicht: Eine statische Konfiguration kann nur entstehen, wenn eine vollkommene Aufhebung zwischen Anziehung und Abstoßung stattfindet. Wie Einstein erkannte, gilt genau die gleiche Überlegung für das gesamte Universum. Auf die gleiche Weise, wie die Anziehungskraft der Gravitation die Aufwärtsbewegung der Tänzerin abbremst, wirkt sie auch der Expansionsbewegung des Universums entgegen. Und ebenso wenig, wie die Tänzerin Stillstand erreichen kann – sie ist nicht in der Lage, in einer bestimmten Höhe zu verharren –, ohne dass eine Abstoßungskraft die übliche Gravitationsanziehung ausgleicht, kann der Raum statisch sein – bei einer festen Gesamtgröße verharren –, ohne dass irgendeine Form von Abstoßungskraft für Ausgleich sorgt. Einstein führte die kosmologische Konstante ein, weil er der Meinung war, die Gravitation würde nach Aufnahme des neuen Terms in die Gleichungen genau diese Abstoßungskraft liefern.

Doch für welchen physikalischen Sachverhalt steht dieser mathematische Term? Woher kommt die kosmologische Konstante, woraus besteht sie und wie gelingt es ihr, die üblicherweise anziehende Gravitationskraft umzukehren und einen abstoßenden Druck nach außen auszuüben? Das moderne Verständnis der Einsteinschen Arbeit – ein Verständnis, das auf Lemaître zurückgeht – deutet die kosmologische Konstante als eine exotische Energieform, die den Raum gleichförmig und homogen füllt. Ich sage »exotisch«, weil Einstein in seiner Analyse nicht angab, woher diese Energie kommen könnte, und weil, wie wir gleich sehen werden, aus der von ihm gewählten mathematischen Beschreibung hervorging, dass die vertrauten Elementarteilchen wie Protonen, Neutronen, Elektronen oder Photonen als Energielieferanten nicht in Frage kamen. Heute suchen die Physiker bei Formulierungen wie »die Energie des Raumes selbst« oder »dunkle Energie« Zuflucht, wenn sie über die Bedeutung von Einsteins kosmologischer Konstante diskutieren, weil der Raum, gäbe es eine kosmologische Konstante, mit einer durchsichtigen, amorphen Präsenz gefüllt wäre, die man nicht direkt sehen könnte. Auch ein mit einer kosmologischen Konstanten gefüllter Raum wäre nach wie vor dunkel. (Das ähnelt dem Begriff vom Äther und dem neueren vom Higgs-Feld, das im gesamten Raum einen nichtverschwindenden Wert besitzt. Letztere Ähnlichkeit ist mehr als bloßer Zufall, weil es eine wichtige Verbindung zwischen einer kosmologischen

Konstanten und Higgs-Feldern gibt, worauf wir gleich zu sprechen kommen werden.) Doch auch ohne den Ursprung oder die Beschaffenheit der kosmologischen Konstanten zu spezifizieren, konnte Einstein ihr Zusammenwirken mit der Gravitation ableiten, und die Antwort, die er fand, war bemerkenswert.

Um sie zu verstehen, müssen Sie sich eine Eigenschaft der allgemeinen Relativitätstheorie vor Augen halten, auf die wir bislang noch nicht eingegangen sind. In Newtons Gravitationstheorie hängt die Stärke der Anziehungskraft zwischen zwei Objekten allein von zwei Dingen ab: ihrer Masse und der Entfernung zwischen ihnen. Je massiver die Objekte und je näher sie zusammen sind, desto größer ist die Gravitationsanziehung, die sie aufeinander ausüben. Die Situation in der allgemeinen Relativitätstheorie ist annähernd die gleiche, allerdings zeigen Einsteins Gleichungen, dass Newtons Beschränkung auf die Masse zu eng war. Nach der allgemeinen Relativitätstheorie ist nicht nur die Masse (und der Abstand) der Objekte für die Stärke des Gravitationsfeldes bestimmend. Auch *Energie* und *Druck* leisten einen Beitrag. Das ist wichtig, daher wollen wir uns einen Augenblick mit der Bedeutung dieses Umstands beschäftigen.

Stellen Sie sich vor, wir schrieben das 25. Jahrhundert und Sie säßen im Rätselkerker ein, dem neuesten Experiment der Strafvollzugsbehörde zur meritokratischen Resozialisierung von Wirtschaftsstraftätern. Jeder Häftling erhält ein Rätsel und kann seine Freiheit nur dadurch wiedergewinnen, dass er es löst. Ihr Zellennachbar muss herausfinden, warum die Wiederholung der *Schwarzwaldklinik* ausgerechnet im 22. Jahrhundert ein Sensationserfolg wurde, und wird daher seinen Aufenthalt im Rätselkerker nicht so bald beenden können. Ihr Rätsel ist einfacher. Sie erhalten zwei identische Würfel aus massivem Gold – von gleicher Größe und mit exakt den gleichen Goldmengen. Ihre Aufgabe: Sie sollen dafür sorgen, dass die Würfel auf einer fest stehenden, außerordentlich genauen Waage unterschiedliche Gewichte haben. Dabei sind Sie an eine Bedingung gebunden: Sie dürfen die Materiemenge in keinem der Würfel verändern – also kein Schaben, Kratzen, Löten, Meißeln oder dergleichen. Hätten Sie Newton dieses Rätsel aufgegeben, hätte er unverzüglich erklärt, es gebe keine Lösung. Nach Newtons Gesetzen entsprechen identische Goldmengen identischen Massen. Da beide Würfel auf derselben fest stehenden Waage ruhen, ist die Wirkung der Erdanziehung auf beide Würfel identisch. Newton wäre zu dem Schluss gekommen, dass beide Würfel gleich viel wiegen müssen, ohne Wenn und Aber.[5]

Doch im 25. Jahrhundert sehen Sie mit Ihrem Schulwissen von der allgemeinen Relativitätstheorie einen Ausweg. Die allgemeine Relativitätstheorie lehrt nämlich, dass die Stärke der Gravitationsanziehung zwischen zwei Objekten nicht nur von ihren Massen (und ihrem Abstand) abhängt,[6] sondern auch von absolut jedem zusätzlichen Beitrag zur *Gesamtenergie* jedes Objekts. Und bislang haben wir nichts über die Temperatur der Goldwürfel gesagt. Die Temperatur gibt an, wie schnell sich die Goldatome der beiden Würfel durchschnittlich hin- und herbewegen – wie energiereich die Atome sind (die Temperatur ist ein Maß für die mittlere *Bewegungsenergie* der Goldatome). Ihnen wird also klar, dass Sie nur einen der Würfel erwärmen müssen, um seinen Atomen Energie zuzuführen, und schon wird dieser Würfel ein bisschen mehr wiegen als sein kühleres Gegenstück. Dieser Umstand war Newton unbekannt (eine Temperaturerhöhung um zehn Grad Celsius würde das Gewicht eines Goldwürfels der Masse 1 Kilogramm um rund ein billionstel Prozent erhöhen, ein wahrhaft winziger Effekt), und mit dieser Lösung kommen Sie aus dem Rätselkerker frei.

Jedenfalls beinahe. Da Ihr Vergehen besonders schändlich war, entscheidet die Bewährungskommission, dass Sie noch ein zweites Rätsel lösen müssen. Sie erhalten zwei identische Schachtelmännchen – diese altmodischen Spielzeuge, bei denen ein Männchen an einer Sprungfeder aus der Schachtel schnellt, wenn sie geöffnet wird – und den Auftrag, den beiden Spielzeugen unterschiedliche Gewichte zu verleihen. Bei dieser Aufgabe aber ist es Ihnen nicht nur verboten, die Massen der Objekte zu verändern, Sie sind auch gehalten, bei beiden für exakt die gleiche Temperatur zu sorgen. Wieder hätte Newton angesichts dieses Rätsels sofort die Flinte ins Korn geworfen und sich mit dem Leben im Rätselkerker abgefunden. Da die Spielzeuge identische Massen haben, wäre er zu dem Schluss gelangt, dass ihre Gewichte identisch seien und sich das Rätsel daher nicht lösen lasse. Abermals kommen Ihnen Ihre Kenntnisse der allgemeinen Relativitätstheorie zur Hilfe: Bei einem der Spielzeuge drücken Sie die Feder zusammen und schließen den Deckel, während das Männchen beim anderen Spielzeug bei offenem Deckel aus dem Kasten heraushängt. Warum? Ganz einfach, eine zusammengepresste Feder besitzt mehr Energie als eine nicht zusammengepresste. Sie mussten Energie aufwenden, um die Feder hinunterzudrücken, und den Beleg für Ihre Mühe erkennen Sie daran, dass die zusammengepresste Feder Druck ausübt und bewirkt, dass sich der Deckel der Schachtel ein bisschen nach außen wölbt. Wiederum sagt uns Einstein, dass sich *jede* zusätzliche Energie auf die Gravitation auswirkt und in zusätzlichem Gewicht manifestiert. Folglich wiegt das Männchen in der geschlossenen Schachtel – mit der Feder, die einen nach außen gerichteten Druck ausübt – einen Hauch mehr als das Männchen, das sich außerhalb der Schachtel befindet und dessen Feder keinen Druck ausübt. Diese Erkenntnis wäre Newton verschlossen gewesen, und mit ihr gewinnen Sie *endlich* Ihre Freiheit zurück.

Die Lösung dieses zweiten Rätsels leitet zu der subtilen, aber entscheidenden Eigenschaft der allgemeinen Relativitätstheorie über, um die es uns geht. In dem Artikel, in dem Einstein seine allgemeine Relativitätstheorie publizierte, wies er mathematisch nach, dass die Gravitationskraft nicht nur von Masse und nicht nur von Energie (wie etwa Wärme) abhängt, sondern von jeglichem *Druck*, der möglicherweise ausgeübt wird. Das ist der entscheidende physikalische Aspekt, den wir brauchen, um die kosmologische Konstante zu verstehen. Und zwar aus folgendem Grund: Nach außen gerichteter Druck, wie der, den eine zusammengepresste Feder ausübt, heißt *positiver Druck*, und positiver Druck leistet einen positiven Beitrag zur Gravitation. Doch es gibt Situationen, und das ist der entscheidende Punkt, in denen der Druck in einer Region, anders als die Masse und die Gesamtenergie, *negativ* sein kann, was heißt, dass der Druck nach innen saugt, statt nach außen zu drücken. Obwohl sich das vielleicht nicht besonders aufregend anhört, kann negativer Druck aus Sicht der allgemeinen Relativitätstheorie höchst ungewöhnliche Konsequenzen haben: *Während positiver Druck zur gewöhnlichen anziehenden Gravitation beiträgt, fördert negativer Druck »negative« Gravitation, das heißt abstoßende Gravitation!*[7]

Mit dieser verblüffenden Erkenntnis offenbarte Einsteins allgemeine Relativitätstheorie eine Lücke in der mehr als zweihundertjährigen Überzeugung, die Gravitation sei immer eine Anziehungskraft. Planeten, Sterne und Galaxien üben tatsächlich, wie Newton völlig zu Recht darlegte, eine Gravitationsanziehung aus. Aber wenn der Druck beträchtlich wird (bei gewöhnlicher Materie unter alltäglichen Bedingungen ist der Beitrag des Drucks zur Gravitation vernachlässigbar klein), insbesondere wenn der Druck negativ ist (bei gewöhnlicher Materie, etwa Protonen und Elektronen, ist der Druck positiv, weshalb die kosmologische Konstante nicht durch vertraute Dinge bewirkt werden kann), kommt es zu einem Gravitationsbeitrag, der Newton zutiefst verstört hätte. *Dieser Beitrag wirkt abstoßend.*

Dieses Ergebnis ist von zentraler Bedeutung für alles, was folgt, und führt leicht zu Missverständnissen. Lassen Sie mich deshalb noch auf einen wesentlichen Punkt hinweisen. Gravitation und Druck sind zwei verwandte, aber unterschiedliche Protagonisten dieser Geschichte. Drücke, oder besser, Druckunterschiede, können ihre eigenen, nichtgravitativen Kräfte entfalten. Wenn Sie tauchen, spüren Ihre Trommelfelle den Druckunterschied zwischen dem Wasser, das von außen auf sie drückt, und der Luft, die von innen drückt. Uns geht es jedoch um einen ganz anderen Aspekt von Druck und Gravitation. Laut der allgemeinen Relativitätstheorie kann Druck indirekt eine andere Kraft ausüben – eine Gravitationskraft –, weil Druck zum Gravitationsfeld beiträgt.

Druck ist wie Masse und Energie ein Ursprung von Gravitation. Und wenn der Druck in einer Region negativ ist, besteht sein Beitrag bemerkenswerterweise in einer gravitativen *Abstoßung*, keiner gravitativen *Anziehung*.

Mit anderen Worten: Wenn der Druck negativ ist, herrscht Konkurrenz zwischen der gewöhnlichen Gravitationsanziehung, die aus gewöhnlicher Masse und Energie erwächst, und der exotischen Gravitationsabstoßung, die aus negativem Druck entsteht. Ist der negative Druck in einer Region negativ genug, gewinnt die Gravitationsabstoßung die Oberhand – die Gravitation drängt die Dinge auseinander und bringt sie nicht zusammen. Hier kommt die kosmologische Konstante ins Spiel. Der kosmologische Term, den Einstein den Gleichungen der allgemeinen Relativitätstheorie hinzufügte, würde bedeuten, dass der Raum gleichförmig mit Energie erfüllt ist, aber – und das ist entscheidend – die Gleichungen zeigen, dass diese Energie einen gleichförmigen, negativen Druck ausübt. Mehr noch, die Gravitationsabstoßung des negativen Drucks der kosmologischen Konstante überwindet die Gravitationsanziehung, die aus ihrer positiven Energie erwächst, daher setzt sich die Gravitationsabstoßung durch: *Eine kosmologische Konstante übt insgesamt eine gravitative Abstoßungskraft aus.*[8]

Damit hatte Einstein genau das, was er sich erhofft hatte. Gewöhnliche Materie und Strahlung, die im ganzen Universum verbreitet ist, üben Gravitationsanziehung aus und veranlassen jede Raumregion, an jeder anderen zu *ziehen*. Der neue kosmologische Term, von dem er meinte, er sei ebenfalls gleichförmig über das Universum verteilt, übt Gravitationsabstoßung aus und veranlasst jede Raumregion, auf jede andere zu *drücken*. Einstein fand heraus, dass er durch eine geschickte Wahl der Größe des neuen Terms die gewöhnliche Gravitationsanziehung mit der neu entdeckten Gravitationsabstoßung exakt ausgleichen und auf diese Weise ein statisches Universum herstellen konnte.

Da die neue Gravitationsabstoßung im Übrigen aus der Energie und dem Druck des Raums selbst erwächst, stellte Einstein fest, dass ihre Stärke kumulativ ist. Die Kraft wird über größere räumliche Abstände stärker, da mehr dazwischentretender Raum mehr Druck nach außen bedeutet. Wie Einstein zeigte, ist die neue Gravitationsabstoßung auf den typischen Größenskalen der Erde oder des gesamten Sonnensystems unermesslich klein. Zu Buche schlägt sie erst über enorm viel größere kosmische Abstände, womit die Erfolge von Newtons Theorie und seiner eigenen Relativitätstheorie bei der Beschreibung unserer unmittelbaren nicht beeinträchtigt werden. Einstein konnte also das eine und das andere haben: Er durfte all die angenehmen, experimentell bestätigten Eigenschaften der allgemeinen Relativitätstheorie behalten und sich zugleich an der tröstlichen Ewigkeit eines unveränderlichen Kosmos erfreuen, eines Kosmos, der sich weder ausdehnte noch zusammenzog.

Zweifellos hat Einstein dieses Ergebnis mit einem Seufzer der Erleichterung zur Kenntnis genommen. Was wäre es auch für eine Tragödie gewesen, wenn die zehnjährige Mühsal, die er in die Formulierung der allgemeinen Relativitätstheorie investiert hatte, zu einem Entwurf geführt hätte, der mit dem statischen Universum unvereinbar gewesen wäre, das doch jeder vor Augen hatte, wenn er zum Himmel emporblickte! Aber wie wir gesehen haben, nahm die Geschichte zwölf Jahre später eine ganz andere Wendung. Denn 1929 bewies Hubble, wie irreführend ein flüchtiger Blick gen Himmel sein kann. Seine systematischen Beobachtungen offenbarten, dass das Universum *nicht* statisch ist, sondern expandiert. Hätte Einstein mehr Vertrauen in die ursprünglichen Gleichungen der allgemeinen Relativitätstheorie gehabt, hätte er die Expansion des Universums mehr als zehn Jahre vor ihrer empirischen Entdeckung vorhergesagt. Das wäre zweifellos eine der größten Entdeckungen aller Zeiten gewesen, vielleicht sogar *die* größte. Als Einstein von Hubbles Ergebnissen hörte, bereute er die Einführung der kosmologischen Konstante und entfernte sie umgehend aus den Gleichungen der allgemeinen Relativitätstheorie. Er hoffte, die ganze traurige Episode würde rasch in Vergessenheit geraten, und viele Jahrzehnte hindurch war das auch der Fall.

Doch in den achtziger Jahren kam es zur Renaissance der kosmologischen Konstante in verblüffender, neuer Gestalt, was zu einer der größten Revolutionen im kosmologischen Denken führte, seit die Menschheit zum ersten Mal über das Universum nachzusinnen begann.

Von springenden Fröschen und Unterkühlung

Wenn Sie einen aufwärts fliegenden Baseball sehen, könnten Sie mit Hilfe von Newtons Gravitationsgesetz (oder Einsteins verbesserten Gleichungen) ermitteln, wie er auf seiner Bahn weiterfliegt. Würden Sie die erforderlichen Berechnungen durchführen, verstünden Sie die Bewegung des Balls in allen Einzelheiten. Trotzdem bliebe eine unbeantwortete Frage: Wer oder was hat den Ball geworfen? Wie hat der Ball jene ursprüngliche Aufwärtsbewegung erhalten, deren weiteren Verlauf Sie berechnet haben? In diesem Beispiel bedarf es in der Regel nur einiger weniger Nachforschungen, um die Antwort zu finden (es sei denn natürlich, die angehenden Baseballstars bemerken, dass der Ball sich auf Kollisionskurs mit der Windschutzscheibe eines Mercedes befindet). Eine weitaus schwierigere Version dieser Frage ergibt sich, wenn wir versuchen, die Expansion des Universums durch die allgemeine Relativitätstheorie zu erklären.

Einstein und der holländische Physiker de Sitter, später auch Friedmann und Lemaître haben gezeigt, dass die Gleichungen der allgemeinen Relativitätstheorie eine Expansion des Universums zulassen. Doch so, wie Newtons Gleichungen keine Auskunft darüber geben, wie der Aufstieg des Balls begonnen hat, sagen uns Einsteins Gleichungen nicht, wie die Expansion des Universums begonnen hat. Viele Jahre lang nahmen Kosmologen die ursprüngliche, nach außen gerichtete Expansion des Raums als gegeben hin und setzten erst an diesem Punkt mit den Gleichungen an. Das habe ich oben gemeint, als ich sagte, der Urknall schweige sich über den eigentlichen Knall aus.

So war der Stand der Dinge bis zu jener schicksalhaften Nacht im Dezember 1979, als Alan Guth, ein Physiker, der nach seiner Promotion am Stanford Linear Accelerator Center arbeitete (heute ist er Professor am Massachusetts Institute of Technology), nachwies, dass wir uns damit nicht begnügen müssen. Ganz und gar nicht. Obwohl es immer noch Einzelheiten gibt, die heute, mehr als zwanzig Jahre später, der vollständigen Klärung harren, machte Guth eine Entdeckung, die endlich das kosmologische Schweigen beendete, indem sie den Urknall mit einem Knall versah – und zwar mit einem Knall, der gewaltiger war, als irgendjemand erwartet hatte.

Guth war gar kein gelernter Kosmologe. Sein Spezialgebiet war die Teilchenphysik. Ende der siebziger Jahre untersuchte er zusammen mit Henry Tye von der Cornell University verschiedene Aspekte von Higgs-Feldern in großen vereinheitlichten Theorien. Erinnern Sie sich an die Erörterung der spontanen Symmetriebrechung im letzten Kapitel, wonach ein Higgs-Feld den kleinsten ihm möglichen Energiebetrag zu einer Raumregion beisteuert, wenn sich sein Wert auf eine bestimmte nichtverschwindende Zahl einpendelt (eine Zahl, die von der genauen Form der »Schüssel« seiner potenziellen Energie abhängt). Wie erwähnt, wies der Wert eines Higgs-Feldes bei den außerordentlich hohen Temperaturen des frühen Universums wilde Schwankungen auf. Er sprang von einer Zahl zur anderen, wie der Frosch in der heißen Metallschüssel, die ihm die Füße versengt. Doch als das Universum abkühlte, rollte das Higgs-Feld die Schüsselwand hinab bis zu einem Wert, der seine Energie minimierte.

Guth und Tye wollten herausfinden, warum das Higgs-Feld die letzte Energiekonfiguration (das Schüsseltal in Abbildung 9.1 [c]) möglicherweise mit Verzögerung erreichte. Wenn wir unsere Froschanalogie auf die Frage anwenden, mit der sich Guth und Tye beschäftigten, lautet sie folgendermaßen: Was wäre, wenn der Frosch bei einer seiner früheren Sprünge, als die Schale gerade abzukühlen begann, auf der Erhebung in der Mittel gelandet wäre? Und während der weiteren Abkühlung der Schale dort geblieben wäre (um genüsslich seine Würmer zu fressen), statt ins Schüsseltal zu rutschen? Physikalisch ausgedrückt: Was wäre, wenn der fluktuierende Wert eines Higgs-Feldes auf dem Mittelplateau der Potenzialschüssel landete und dort bliebe, während das Universum weiter abkühlte? Wenn dies geschieht, dann, so sagen die Physiker, ist das Higgs-Feld *unterkühlt*, das heißt, obwohl die Temperatur auf einen Punkt gefallen ist, wo wir erwarten würden, dass sich der Wert des Higgs-Feldes dem energiearmen Tal nähert, bleibt das Universum einer energiereicheren Konfiguration verhaftet. (Das entspricht dem Verhalten von hochreinem Wasser, das auf unter 0 Grad abgekühlt werden kann – also auf eine Temperatur, bei der wir erwarten würden, dass es sich in Eis verwandelt – und doch flüssig bleibt, weil die Eisbildung auf kleine Verunreinigungen angewiesen ist, an denen sich die ersten Kristallkeime bilden können.)

Guth und Tye interessierten sich für diese Möglichkeit, weil ihre Berechnungen darauf schließen ließen, dass sie für ein Problem bedeutsam sein konnte (das Problem der *magnetischen Monopole*[9]), auf das man bei verschiedenen Versuchen der großen Vereinheitlichung gestoßen war. Aber Guth und Tye erkannten, dass diese Möglichkeit auch eine andere Konsequenz in sich barg, und in der Rückschau ist dies der weit wichtigere Aspekt ihrer Arbeit. Sie nahmen an, dass die Energie, die mit einem unterkühlten Higgs-Feld verknüpft ist – wie erwähnt, repräsentiert die Höhe des Feldes seine Energie, daher hat das Feld nur dann keine Energie, wenn der Wert im Tal der Schüssel liegt –, sich auf die Expansion des Universums auswirken könnte. Anfang Dezember 1979 begann Guth mit der Untersuchung dieser Vermutung und gelangte zu folgendem Ergebnis:

Ein Higgs-Feld, das auf einem Plateau gefangen ist, erfüllt den Raum nicht nur mit Energie, sondern trägt auch, wie Guth erkannte, zu einem einheitlichen *negativen Druck* bei. Tatsächlich stellte er fest, dass ein auf einem Plateau gefangenes Higgs-Feld die gleichen Eigenschaften aufweist wie eine kosmologische Konstante, soweit Energie und Druck betroffen sind: Es erfüllt den Raum mit Energie und negativem Druck, und zwar im gleichen Verhältnis wie bei einer kosmologischen Konstanten. Guth fand also heraus, dass sich ein unterkühltes Higgs-Feld nachhaltig auf die Raumexpansion auswirkt: Wie eine kosmologische Konstante übt es eine abstoßende Gravitationskraft aus, welche die Expansion des Raums antreibt.[10]

Da Sie bereits mit den Begriffen von negativem Druck und abstoßender Gravitation vertraut sind, denken Sie an diesem Punkt möglicherweise: Na gut, hübsch, dass Guth einen bestimmten physikalischen Mechanismus gefunden hat, der Einsteins Idee einer kosmologischen Konstanten verwirklicht; aber was soll's? Was ist schon groß dabei? Das Konzept der kosmologischen Konstanten ist doch längst passé. Sie überhaupt in die Physik einzuführen, war doch eine einzige Peinlichkeit für Einstein. Was soll die Aufregung darüber, dass jemand etwas wiederentdeckt hat, was schon mehr als sechzig Jahre zuvor ad acta gelegt wurde?

Inflation

Schauen wir uns also an, was die Aufregung soll. Obwohl ein unterkühltes Higgs-Feld einige Merkmale mit einer kosmologischen Konstanten gemeinsam hat, sind die beiden, wie Guth erkannte, nicht vollkommen identisch. Sie weisen zwei grundsätzliche Unterschiede auf.

Erstens muss, während eine kosmologische Konstante konstant ist – sie verändert sich nicht mit der Zeit und sorgt daher für einen konstanten, unveränderlichen Druck nach außen –, ein unterkühltes Higgs-Feld nicht unbedingt konstant sein. Stellen Sie sich auf der Erhebung in Abbildung 10.1 (a) einen Frosch vor. Möglicherweise hält er sich dort eine Zeit lang auf, doch früher oder später wird ihn ein zufälliger Sprung hierhin oder dorthin – ein Sprung, den er nicht macht, weil die Schüssel heiß wäre (das ist sie nicht mehr), sondern einfach weil er unruhig wird – von der Erhebung tragen, woraufhin das Tier auf den niedrigsten Punkt der Schüssel rutschen wird wie in Abbildung 10.1 (b). Ein Higgs-Feld kann sich ähnlich verhalten. Sein Wert über den gesamten Raum kann auf dem Plateau in der Schüssel verharren, während die Temperatur zu niedrig wird, um noch große thermische Aktivität auszulösen. Doch Quantenprozesse werden für Zufallssprünge beim Wert des Higgs-Feldes sorgen, bis ein ausreichend großer Sprung es vom Plateau trägt, mit dem Erfolg,

Abbildung 10.1 (**a**) Der Wert eines unterkühlten Higgs-Feldes wird auf dem Hochenergieplateau der Potenzialschüssel festgehalten wie der Frosch auf der Mittelerhebung. (**b**) In der Regel wird ein unterkühltes Higgs-Feld das Plateau rasch verlassen und auf einen Wert von niedrigerer Energie fallen – wie der Frosch, der von der Erhebung in der Schüsselmitte hinabspringt.

dass seine Energie und sein Druck auf null zurückgehen.[11] Guths Berechnungen zeigten, dass, je nach der genauen Form der Erhebung in der Schüsselmitte dieser Sprung unter Umständen rasch hätte erfolgen können, in der extrem kurzen Zeit von 0,00000000000000000000000000000000001 (10^{-35}) Sekunden. Anschließend entdeckten Andrei Linde, der damals am Lebedew-Institut für Physik in Moskau war, sowie Paul Steinhardt und sein Student Andreas Albrecht von der University of Pennsylvania eine Möglichkeit, wie die Energie und der Druck des Higgs-Feldes im gesamten Raum noch effizienter und im Vergleich verschiedener Raumregionen erheblich gleichmäßiger auf null fallen können (wodurch sie bestimmte technische Probleme beseitigten, die Guths ursprünglichen Entwurf beeinträchtigten[12]). Wenn die Potenzialschüssel (die Schüssel der potenziellen Energie) glatter und weniger steil wäre, wie in Abbildung 10.2 dargestellt, wären keine Quantensprünge erforderlich: Der Wert des Higgs-Feldes würde rasch ins Tal hinabrollen, ganz so, wie ein Ball einen Hügel hinabrollt. Das Fazit lautet, dass ein Higgs-Feld, wenn es sich wie eine kosmologische Konstante verhielte, dies nur für einen kurzen Augenblick täte.

Der zweite Unterschied: Während Einstein den Wert der kosmologischen Konstanten – den Energiebetrag und den negativen Druck, den sie zu jedem Raumvolumen beiträgt –, sorgfältig und gezielt selbst definierte, damit ihre nach außen gerichtete Abstoßungskraft die nach innen gerichtete Anziehungskraft, die aus der gewöhnlichen Materie und Strahlung erwächst, genau aufwiegt, war Guth in der Lage, die Energie und den negativen Druck zu schätzen, den die von Tye und ihm untersuchen Higgs-Felder beisteuern. Das Ergebnis, das er fand, war 100000000000000000000000000000000000000000000000 00000000000000000000000000000000000000000000000000000 (10^{100}) Mal größer als der Wert, den Einstein gewählt hatte. Diese Zahl ist offenkundig rie-

Abbildung 10.2 Eine glatte und weniger steile Erhebung in der Schüsselmitte lässt den Wert des Higgs-Feldes leichter und – im Vergleich zwischen verschiedenen Raumregionen – gleichmäßiger in das Tal mit der Energie null rollen.

sig, daher ist der nach außen gerichtete Druck, den die abstoßende Gravitation des Higgs-Feldes liefert, *ungeheuer* verglichen mit dem, was Einstein ursprünglich mit seiner kosmologischen Konstante vorhatte.

Wenn wir jetzt diese beiden Ideen miteinander verbinden – dass das Higgs-Feld nur einen winzig kleinen Augenblick in dem Zustand hoher Energie und negativen Drucks auf dem Plateau verharrt und dass es, während es sich dort befindet, eine enorme nach außen gerichtete Abstoßungskraft erzeugt –, was haben wir dann? Wie Guth erkannte, haben wir dann einen ungeheuren, kurzlebigen, nach außen gerichteten Ausbruch. Mit anderen Worten, wir haben, was der Urknalltheorie bislang fehlte: einen *Knall*, und einen großen dazu. Deshalb löste Guths Entdeckung solche Aufregung aus.[13]

Durch Guths bahnbrechende Entdeckung ergibt sich folgendes kosmologisches Bild: Vor langer Zeit, als das Universum ungeheuer dicht war, verharrte die Energie eines Higgs-Feldes bei einem Wert, der weit von dem niedrigsten Punkt seiner Potenzialschüssel entfernt war. Um dieses besondere Higgs-Feld von anderen zu unterscheiden (etwa dem elektroschwachen Higgs-Feld, das den vertrauten Teilchenarten Masse verleiht, oder dem Higgs-Feld, dass sich aus den großen vereinheitlichten Theorien ergibt[14]), nennt man es gewöhnlich das *Inflaton*-Feld.* Infolge seines negativen Drucks erzeugt das Inflaton-Feld eine gigantische Gravitationsabstoßung, die jede Raumregion veranlasste, sich von jeder anderen in rasendem Tempo zu entfernen. In Guths Worten veranlasste die Inflation das Universum, sich *aufzublähen* (englisch: *inflate*). Die Abstoßungsphase dauerte nur rund 10^{-35} Sekunden, war aber so machtvoll, dass das Universum selbst in diesem kurzen Augenblick um einen ungeheuren Faktor anschwoll. Je nach den Einzelheiten – etwa der Frage, welche exakte Form die potenzielle Energie des Inflaton-Feldes besaß – könnte sich das Universum leicht um einen Faktor von 10^{30}, 10^{50}, 10^{100} oder mehr ausgedehnt haben.

Diese Zahlen sind ungeheuerlich. Ein Expansionsfaktor von 10^{30} – eine vorsichtige Schätzung – würde bedeuten, dass man ein DNA-Molekül etwa zur Größe der Milchstraße anschwellen ließe, und das in einem Zeitintervall, das noch nicht einmal ein milliardstel milliardstel Milliardstel eines Lidschlags ausmachte. Zum Vergleich: Selbst dieser vorsichtig geschätzte Expansionsfaktor übertrifft die Expansion, die im gleichen Zeitintervall nach dem Standardmodell der Urknalltheorie stattgefunden hätte, um einen Faktor von vielen Milliarden. Er übertrifft sogar den Gesamtfaktor der Expansion, die in den fol-

* Möglicherweise meinen Sie, ich hätte in der letzten Silbe von »Inflaton« ein »i« unterschlagen; das stimmt nicht. In der Physik erhalten Felder häufig Namen, die auf »on« enden, wie etwa Photon oder Gluon.

genden vierzehn Milliarden Jahren stattgefunden hat! In den vielen Inflationsmodellen, in denen der errechnete Expansionsfaktor erheblich größer als 10^{30} ist, ergibt sich eine räumliche Ausdehnung von so ungeheuren Ausmaßen, dass die Region, die wir selbst mit unseren leistungsfähigsten Teleskopen sehen können, nur ein winziger Bruchteil des gesamten Universums ist. Laut diesen Modellen kann uns das Licht aus den weit überwiegenden Bereichen des Kosmos noch gar nicht erreicht haben. Ein Großteil dieses Lichts wird erst zu uns gelangen, wenn Erde und Sonne schon längst gestorben sind. Würde man den gesamten Kosmos auf die Größe der Erde schrumpfen, wäre der unseren Beobachtungen zugängliche Teil weit kleiner als ein Sandkorn.

Rund 10^{-35} Sekunden nach Beginn des Expansionsausbruchs rutschte das Inflaton-Feld vom Hochenergieplateau, woraufhin sein Wert im gesamten Raum auf den Boden der Schüssel glitt und die Abstoßungskraft erlahmte. In dem Maße, wie der Inflaton-Wert hinabrollte, setzte er seine aufgestaute Energie in die Erzeugung gewöhnlicher Materieteilchen und Strahlung um – wie Tau, der sich in den Morgenstunden auf Gräsern und Blättern niederschlägt – und füllte damit gleichförmig den expandierenden Raum.[15] Von diesem Punkt an entspricht die Geschichte im Wesentlichen dem Standardmodell des Urknalls: Nach dem Expansionsausbruch expandierte und kühlte der Raum weiter ab, mit dem Ergebnis, dass sich Materieteilchen zu Strukturen wie Galaxien, Sternen und Planeten zusammenballen konnten, die sich langsam zu dem Universum anordneten, das wir heute sehen, wie in Abbildung 10.3 dargestellt.

Guths Entdeckung – die *inflationäre Kosmologie* – lieferte in Verbindung mit den wichtigen Ergänzungen, die Linde sowie Albrecht und Steinhardt beisteuerten, eine Erklärung für den Ursprung der Raumexpansion. Ein Higgs-Feld, das auf einem Plateau über seinem Energiewert von null verharrt, erzeugt unter Umständen eine explosive, nach außen gerichtete Kraft, die eine ungeheure Aufblähung des Raums bewirken kann. Guth versah den Urknall mit einem Knall.

Das theoretische Gerüst der Inflation

Rasch wurde Guths Entdeckung als wichtiger Fortschritt erkannt und ist heute eine feste Größe der kosmologischen Forschung. Allerdings sind zwei Dinge zu beachten. Erstens fand nach dem Standardmodell des Urknalls der Knall vermeintlich zur Zeit null statt, also ganz zu Anfang des Universums, und wird daher als das Schöpfungsereignis angesehen. Doch wie der Dynamitstab nur explodiert, wenn er gezündet wird, so ereignete sich der Urknall gemäß den In-

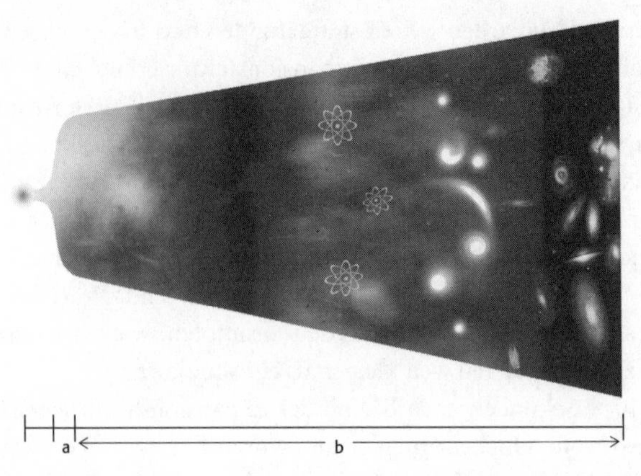

Abbildung 10.3 (**a**) Die inflationäre Kosmologie fügt in die Geschichte des Universums eine Episode ein, in der es zu einem raschen, enormen Expansionsausbruch des Raums kommt. (**b**) Nach dem Ausbruch vereinigt sich die Entwicklung des Universums mit der Standardentwicklung, die laut Urknalltheorie stattgefunden hat.

flationsmodellen erst, als die richtigen Bedingungen vorlagen – als es ein Inflaton-Feld mit der Energie und dem negativen Druck gab, die den Expansionsausbruch der Gravitationsabstoßung speisten –, und das muss zeitlich nicht unbedingt mit der »Schöpfung« des Universums zusammengefallen sein. Aus diesem Grund stellt man sich den inflationären Knall am besten als *ein* Ereignis im bereits vorhandenen Universum vor und nicht unbedingt als *das* Ereignis, welches das Universum erschuf. Das verdeutlichen wir in Abbildung 10.3, indem wir einen Teil des verschwommenen Flecks aus Abbildung 9.2 beibehalten, um unsere nach wie vor bestehende Unwissenheit in Hinblick auf den eigentlichen Ursprung zum Ausdruck zu bringen: dass wir, wenn die Inflationsmodelle stimmen, immer noch nicht wissen, warum es ein Inflaton-Feld gibt, warum die Potenzialschüssel die richtige Form für die Entstehung der Inflation hatte, warum es den Raum und die Zeit gibt, in dem sich die gesamte Erörterung abspielt, und warum es, in Leibniz' grundsätzlicherer Formulierung, etwas gibt anstelle von nichts.

Ein zweiter, verwandter Aspekt ist der Umstand, dass die Inflation nicht eine einzige, eindeutig bestimmte Theorie ist, sondern ein kosmologisches Gerüst, das um die Erkenntnis aufgebaut wurde, dass Gravitation abstoßend sein und folglich eine Aufblähung des Raums bewirken kann. Die genauen Einzelheiten des Expansionsausbruchs – wann er stattfand, wie lange er dauerte, wie stark sein Drang nach außen war, um welchen Faktor das Universum während des Ausbruchs expandierte, wie viel Energie das Inflaton gegen Ende des Ausbruchs in gewöhnliche Materie umwandelte und so fort – hängen von bestimmten Fragen ab, vor allem davon, wie groß die potenzielle Energie des Inflaton-Feldes war und welche Form es hatte, die wir allein auf der Grundlage von theoretischen Überlegungen gegenwärtig nicht beantworten können. Daher untersuchen die Physiker seit vielen Jahren verschiedene Möglichkeiten – verschiedene Formen der potenziellen Energie, verschiedene Zahlen von Inflaton-Feldern, die zusammenarbeiten, und so fort –, um zu bestimmen, welche Optionen zu Modellen führen, die mit den astronomischen Beobachtungen in Einklang stehen. Wichtig ist, dass es Aspekte der Inflationsmodelle gibt, die durch die Einzelheiten nicht beeinflusst werden und daher allen Modellen gemeinsam sind. Der Expansionsausbruch selbst ist definitionsgemäß ein solches Merkmal, daher weist jedes inflationäre Modell einen Knall auf. Doch es gibt zahlreiche andere, allen Inflationsmodellen inhärente Eigenschaften, die von entscheidender Bedeutung sind, weil sie wichtige Probleme lösen, an denen die Standardkosmologie des Urknalls gescheitert ist.

Inflation und Horizontproblem

Ein solches Problem ist das *Horizontproblem*. Es betrifft die Gleichförmigkeit der Mikrowellen-Hintergrundstrahlung, von der bereits oben die Rede war. Erinnern wir uns daran, dass die Temperatur der Mikrowellenstrahlung, die uns aus einer Richtung des Alls erreicht, mit derjenigen, die aus einer anderen Richtung zu uns gelangt, fantastisch genau übereinstimmt (genauer als auf ein tausendstel Grad). Diese Beobachtung ist von entscheidender Bedeutung, weil sie die Homogenität des Universums bezeugt und damit große Vereinfachungen der theoretischen kosmologischen Modelle ermöglicht. In vorangehenden Kapiteln haben wir wegen dieser Homogenität die Zahl möglicher Formen des Raums erheblich eingeschränkt und eine gleichförmige kosmische Zeit postuliert. Wie haben es diese ungeheuer fernen Regionen des Universums bewerkstelligt, nahezu identische Temperaturen zu besitzen?

Erinnern wir uns an Kapitel 4: So wie eine nichtlokale Quantenverschränkung die Spins zweier weit voneinander getrennter Teilchen korrelieren kann, ist sie vielleicht auch in der Lage, die Temperaturen zweier weit entfernter Raumregionen aufeinander abzustimmen. Die Hypothese ist zwar interessant, wird aber durch die enorme Abschwächung der Verschränkung in Kontexten, die nicht extrem kontrolliert sind (siehe Ende Kapitel 4), weitgehend ausgeschlossen. Gut, vielleicht gibt es eine einfachere Erklärung. Möglicherweise befand sich vor langer Zeit jede Raumregion näher an jeder anderen, und ihre Temperaturen glichen sich durch den engen Kontakt aneinander an, so wie eine heiße Küche und ein kühles Wohnzimmer die gleiche Temperatur annehmen, wenn eine Tür zwischen ihnen längere Zeit offen steht. Doch in der Standardtheorie des Urknalls versagt auch diese Erklärung. Ein Grund dafür ist der folgende:

Stellen Sie sich vor, Sie sähen einen Film, der den gesamten Verlauf der kosmischen Entwicklung von den Anfängen bis heute zeigt. Halten Sie den Film zu einem beliebigen Zeitpunkt an und fragen Sie sich: Könnten zwei gegebene Raumregionen ihre Temperaturen gegenseitig beeinflusst haben, wie die Küche und das Wohnzimmer? Könnten sie Licht und Wärme ausgetauscht haben? Die Antwort hängt von zwei Dingen ab: der Entfernung zwischen den Regionen und der Zeit, die seit dem Urknall verstrichen ist. Wenn ihr Abstand kleiner ist als die Entfernung, die das Licht in der seit dem Urknall verstrichenen Zeit zurückgelegt haben könnte, wären die Regionen in der Lage gewesen, einander zu beeinflussen. Sonst nicht. Nun könnten Sie meinen, *alle* Regionen des beobachtbaren Universums hätten nahe des Anfangs miteinander wechselwirken können, weil die Regionen umso näher zusammen sind und umso leichter wechselwirken können, je weiter wir den Film zurückdrehen. Das ist jedoch ein voreiliger Schluss, weil er nicht berücksichtigt, dass den näher zusammenliegenden Raumregionen auch weniger Zeit zum Austausch zur Verfügung gestanden hat.

Um die Situation angemessen zu untersuchen, müssen Sie sich daher vorstellen, Sie ließen den kosmischen Film zurücklaufen und konzentrierten sich dabei auf zwei Raumregionen, die sich gegenwärtig an entgegengesetzten Seiten des beobachtbaren Universums befinden – Regionen, die so weit voneinander entfernt sind, dass sie momentan ihren wechselseitigen Einflusssphären entzogen sind. Wenn wir den kosmischen Film um mehr als die Hälfte zurückdrehen müssen, um den Abstand zwischen ihnen zu halbieren, dann waren die Raumregionen zu dieser Zeit zwar näher beieinander, aber trotzdem nicht in der Lage zu kommunizieren: Sie waren halb so weit auseinander, aber die seit dem Urknall verstrichene Zeit belief sich auf *weniger* als die Hälfte der heutigen Zeit, daher konnte sich das Licht auch nur *weniger* als halb so weit ausbreiten. Entsprechend gilt: Wenn wir den Film von diesem Punkt aus wieder um mehr als die Hälfte zurückdrehen müssen, um den Abstand zwischen den Regionen abermals zu halbieren, wird die Kommunikation noch schwieriger. Obwohl die Regionen in der Vergangenheit näher zusammen waren, ist es bei dieser Art kosmischer Entwicklung ein noch größeres – und nicht kleineres – Rätsel, dass es ihnen irgendwie gelang, ihre Temperaturen anzugleichen. Gemessen an der Entfernung, die das Licht zurücklegen kann, sind die Regionen umso deutlicher voneinander getrennt, je weiter wir in der Zeit zurückgehen.

Genau das geschieht in der Standardtheorie des Urknalls. Im Standardmodell wirkt die Gravitation nur als Anziehungskraft und hat daher von Anfang an die Expansion des Raums abgebremst. Wenn etwas langsamer wird, braucht es natürlich mehr Zeit, um eine gegebene Entfernung zurückzulegen. Stellen Sie sich beispielsweise vor, der Galopper Secretariat verließe die Startmaschine in atemberaubendem Tempo und legte die erste Hälfte der Rennstrecke in zwei Minuten zurück, ließe in seinem Tempo aber, da er nicht seinen besten Tag hat, auf der zweiten Hälfte beträchtlich nach, so dass er noch drei Minuten bis zum Ziel brauchte. Wenn wir einen rückwärts laufenden Film des Rennens sehen, müssen wir den Film um mehr als die Hälfte zurückspulen, um Secretariat an der Wegemarke für die Hälfte der Strecke zu entdecken (wir müssen den fünfminütigen Film des Rennens bis zur Zwei-Minuten-Markierung zurücklaufen lassen). Da die Gravitation in der Standardtheorie des Urknalls die Raumexpansion abbremst, müssen wir von jedem Punkt aus den kosmischen Film um mehr als die Hälfte zurückspulen, um den Abstand zwischen zwei gegebenen Regionen zu halbieren. Wie oben folgt daraus, dass es den Raumregionen in früheren Zeiten, obwohl sie näher zusammen waren, schwerer – nicht leichter – fiel, einander zu beeinflussen, und dass es daher ein größeres – und kein kleineres – Rätsel ist, dass sie irgendwie gleiche Temperaturen annahmen.

Physiker definieren als den *kosmischen Horizont* (oder einfach *Horizont*) einer Region die fernsten Raumregionen um sie herum, die gerade noch so nahe sind, dass sie in der Zeit seit dem Urknall mit der gegebenen Region Lichtsignale austauschen konnten. Das entspricht den fernsten Dingen, die wir auf der Erde von einem gegebenen Standpunkt aus sehen können.[16] Das *Horizontproblem* bezeichnet also die von den Beobachtungsdaten aufgeworfene Frage, wie Regionen, deren Horizonte immer getrennt waren – Regionen, die nie wechselgewirkt, kommuniziert oder irgendeinen Einfluss aufeinander ausgeübt haben –, fast identische Temperaturen haben können.

Aus dem Horizontproblem folgt nicht, dass das Standardmodell des Urknalls falsch ist, aber es verlangt nach einer Erklärung. Und die Inflationsmodelle liefern eine.

In diesen Modellen gab es einen kurzen Augenblick, wo die Gravitation abstoßend war, und der bewirkte, dass der Raum immer rascher und rascher expandierte. In diesem Teil des kosmischen Films müssen Sie die Rolle um *weniger* als die Hälfte zurückspulen, um zum halben Abstand zwischen zwei Regionen zu gelangen. Stellen Sie sich ein Rennen vor, in dem Secretariat die erste Hälfte der Strecke in zwei Minuten zurücklegt und in der zweiten Hälfte, weil er das Rennen seines Lebens läuft, enorm zulegt, so dass er nur noch eine Minute braucht. Sie müssen den Drei-Minuten-Film nur bis zur Zwei-Minuten-Markierung – um weniger als die Hälfte – zurückspulen, um den Galopper an der Marke für die Hälfte der Strecke zu entdecken. Entsprechend folgt aus der immer rascheren Trennung zweier beliebiger Raumregionen während der inflationären Expansion, dass wir den kosmischen Film zur Halbierung des Abstands weniger – *weit weniger* – als bis zur Hälfte zurückspulen müssen. Wenn wir also weiter in der Zeit zurückgehen müssen, wird es daher für zwei gegebene Raumregionen *leichter*, einander zu beeinflussen, weil sie, relativ zu dem Abstand, den es zu überwinden gilt, mehr Zeit haben, miteinander zu kommunizieren. Wenn die inflationäre Expansionsphase den Raum veranlasste, um mindestens einen Faktor 10^{30} zu expandieren, einen Betrag, der in bestimmten Spielarten der inflationären Expansion leicht erreicht wird, waren, wie Berechnungen zeigen, alle Regionen im Raum, die wir gegenwärtig sehen – alle Regionen im Raum, deren Temperaturen wir gemessen haben –, in der Lage, so leicht miteinander zu kommunizieren wie Küche und Wohnzimmer, folglich konnten sie in den frühesten Augenblicken des Universums ohne Mühe zu einer gemeinsamen Temperatur gelangen.[17] Kurzum, der Raum expandiert ganz zu Anfang so langsam, dass sich weiträumig dieselbe Temperatur einstellen kann, um dann, durch einen heftigen Ausbruch einer immer rascher beschleunigenden Expansion, den trägen Start wieder wettzumachen und benachbarte Regionen weit auseinander zu treiben.

So erklärt die inflationäre Kosmologie die lange Zeit rätselhafte Gleichförmigkeit der das All durchdringenden Mikrowellen-Hintergrundstrahlung.

Inflation und Flachheitsproblem

Ein zweites Problem, dessen sich die inflationäre Kosmologie annimmt, betrifft die Form des Raums. In Kapitel 8 haben wir bestimmte räumliche Symmetrien für verbindlich erklärt und herausgefunden, dass sich der Raum auf drei verschiedene Weisen krümmen kann. Ausgehend von unseren zweidimensionalen Visualisierungen sind diese Möglichkeiten: positive Krümmung (eine Form wie die Oberfläche einer Kugel), negative Krümmung (sattelförmig) und keine Krümmung (wie eine unendliche flache Tischplatte oder wie ein Videoschirm von endlicher Größe). Schon bald nach Veröffentlichung der allgemeinen Relativitätstheorie erkannten die Physiker, dass die Gesamtmenge an Materie und Energie in jedem Raumvolumen – die *Materie/Energie-Dichte* – die Raumkrümmung bestimmt. Ist die Materie/Energie-Dichte hoch, krümmt sich der Raum wie eine Kugel in sich selbst zurück, das heißt, er besitzt eine positive Krümmung. Ist die Materie/Energie-Dichte gering, krümmt er sich wie ein Sattel, das heißt, er hat eine negative Krümmung. Bei einer ganz bestimmten Materie/Energie-Dichte jedoch – der kritischen Dichte, entsprechend der Masse von etwa fünf Wasserstoffatomen (rund 10^{-23} Gramm) pro Kubikmeter – liegt, wie im letzten Kapitel erläutert, der Raum genau zwischen diesen beiden Extremen und ist vollkommen flach; das heißt, es gibt keine Krümmung.

Nun zum Rätsel.

Aus den Gleichungen der allgemeinen Relativitätstheorie, die dem Standardmodell des Urknalls zugrunde liegen, geht hervor, dass die Materie/Energie-Dichte während der Expansion den Wert der kritischen Dichte behalten wird, wenn sie in den frühesten Phasen *genau* gleich der kritischen Dichte war.[18] Wäre die Materie/Energie-Dichte jedoch auch nur ein wenig größer oder kleiner als die kritische Dichte, würde sie sich während der nachfolgenden Expansion extrem weit von der kritischen Dichte entfernen. Um Ihnen einen Eindruck von den Zahlen zu vermitteln: Hätte das Universum eine Sekunde NDU knapp unter der Kritikalität gelegen, das heißt 99,99 Prozent der kritischen Dichte aufgewiesen, wäre seine Dichte, wie entsprechende Berechnungen zeigen, bis heute auf 0,00000000001 Prozent der kritischen Dichte reduziert worden. Das hat ein bisschen Ähnlichkeit mit der Situation einer Bergsteigerin, die auf einem messerscharfen Grat balanciert, der zu beiden Seiten von steilen Abgründen gesäumt ist. Wenn sie ihre Schritte exakt setzt, kommt sie hinüber. Doch ein winziger Fehltritt, nur ein bisschen zu weit rechts oder links, führt zu einem vollkommen anderen Ergebnis. (Dieses Merkmal des Urknall-Standardmodells erinnert mich, auch auf die Gefahr hin, mit zu vielen Vergleichen aufzuwarten, an die Dusche vor vielen Jahren im Wohnheim meines Colleges: Gelang es einem, den Knopf perfekt einzustellen, konnte man bei angenehmer Wassertemperatur duschen. Doch bei der geringsten Abweichung wurde das Wasser kochend heiß oder eisig kalt. Einige Studenten gaben daraufhin das Duschen ganz auf.)

Seit Jahrzehnten versucht man, die Materie/Energie-Dichte im Universum zu messen. In den achtziger Jahren waren die Messungen zwar beileibe noch nicht abgeschlossen, doch eines ließ sich damals schon eindeutig erkennen: Die Materie/Energie-Dichte des Universums ist keineswegs viele tausend Mal kleiner oder größer als die kritische Dichte. Folglich ist der Raum auch nicht wesentlich gekrümmt, weder positiv noch negativ. Diese Erkenntnis wirft ein ungünstiges Licht auf das Standardmodell des Urknalls. Um das Standardmodell mit den Beobachtungen in Einklang zu bringen, hätte man irgendeinen Mechanismus annehmen müssen, der die Materie/Energie-Dichte des frühen Universums *außerordentlich* exakt auf die kritische Dichte eingestellt hätte; einen solchen Mechanismus konnte allerdings niemand benennen oder erklären. So zeigten Berechnungen, dass bei einer Sekunde NDU die Materie/Energie-Dichte des Universums nicht mehr als ein *millionstel millionstel Prozent* von der kritischen Dichte abweichen durfte. Hätte die Materie/Energie-Dichte sich um mehr als diesen winzigen Betrag von der kritischen Dichte unterschieden, wäre nach den Vorhersagen des Standardmodells die heutige Materie/Energie-Dichte vollkommen verschieden von derjenigen, die wir tatsächlich beobachten. Laut Standardmodell des Urknalls hat also das frühe Universum große Ähnlichkeit mit der Bergsteigerin, die auf ihrem extrem schmalen Grat entlangkraxelt. Eine winzige Abweichung in den Bedingungen vor Jahrmilliarden hätte zu einem ganz anderen Universum geführt, als es die Beobachtungen heutiger Astonomen nahe legen. Das wird als *Flachheitsproblem* bezeichnet.

Zwar haben wir den entscheidenden Gedanken schon beschrieben, aber es ist wichtig zu verstehen, in welchem Sinne das *Flachheitsproblem* ein Problem ist. Das Flachheitsproblem zeigt keineswegs, dass das Standardmodell des Urknalls falsch ist. Ein überzeugter Anhänger reagiert auf das Flachheitsproblem mit einem Achselzucken und der knappen Antwort: »So war es halt damals.« Er nimmt die exakt abgestimmte Materie/Energie-Dichte des frühen Universums – die nach der Standardtheorie des Urknalls erforderlich ist, um zu Vorhersagen zu gelangen, die im gleichen Bereich liegen wie die Beobachtungen – als unerklärte Gegebenheit hin. Doch diese Antwort verursacht den meisten Physikern Bauchschmerzen. Sie empfinden eine Theorie als außerordentlich unnatürlich, wenn ihr Erfolg von einer extrem feinen Abstimmung verschiedener Merkmale abhängt, ohne dass es dafür eine grundlegende Erklärung gibt. Ohne einen plausiblen Grund, warum die Materie/Energie-Dichte des frühen Universums so fein auf einen geeigneten Wert eingestimmt gewesen sein sollte, hielten viele Forscher das Standardmodell des Urknalls für sehr konstruiert. Das Flachheitsproblem unterstreicht also, wie außerordentlich abhängig das Standardmodell von den Bedingungen in fernster Vergangenheit ist, über die wir nur sehr wenig wissen. Es zeigt, dass die Theorie von der Annahme ausgehen musste, das Universum sei *genau so* gewesen, um zu vernünftigen Ergebnissen zu gelangen.

Im Gegensatz dazu wünschen sich Physiker Theorien, deren Vorhersagen auf unbekannte Größen wie etwa den Zustand bestimmter Merkmale vor langer Zeit unempfindlich reagieren. Solche Theorien wirken robust und natürlich, weil ihre Vorhersagen nicht in so hohem Maße von Einzelheiten abhängen, die sich direkt kaum oder gar nicht bestimmen lassen. Einen derart robusten Unterbau liefern die Inflationsmodelle, und ihre Lösung des Flachheitsproblems zeigt, warum.

Entscheidend ist die folgende Beobachtung: Während die anziehende Gra-

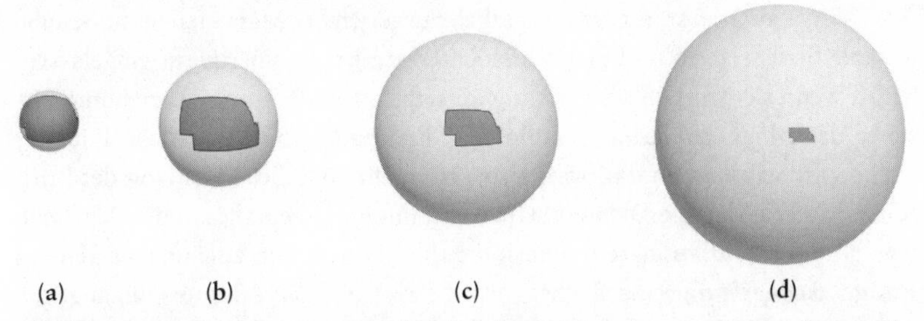

Abbildung 10.4 Eine Form von gleichbleibender Größe, wie etwa die des Staates Nebraska, erscheint flacher und flacher, wenn sie auf immer größere und größere Kugeln gelegt wird. In diesem Vergleich repräsentiert die Kugel das gesamte Universum, Nebraska das *beobachtbare* Universum – den Teil innerhalb unseres kosmischen Horizonts.

vitation jede Abweichung von der kritischen Materie/Energie-Dichte verstärkt, bewirkt die abstoßende Gravitation der Inflationsmodelle das Gegenteil – sie verringert jede Abweichung von der kritischen Dichte. Dazu wählen wir am besten eine geometrische Sichtweise und betrachten die enge Verbindung zwischen der Materie/Energie-Dichte und der Krümmung des Universums. Genauer: Nach der inflationären Expansion eines Universums, das in einer früheren Phase beträchtlich gekrümmt war, sieht jeder Teilbereich des Raums, der gerade groß genug ist, um das heute beobachtbare Universum zu umfassen, fast vollkommen flach aus. Das ist eine Eigenschaft der Geometrie, die uns allen wohl bekannt ist: Die Oberfläche eines Basketballs ist deutlich gekrümmt, doch viel Zeit und kühnes Denken waren erforderlich, bis alle Welt davon überzeugt war, dass auch die Erdoberfläche gekrümmt ist. Bei ansonsten gleichen Bedingungen gilt nämlich: Je größer etwas ist, desto allmählicher krümmt es sich und desto flacher erscheint ein Ausschnitt von gegebener Größe auf seiner Oberfläche. Wenn Sie den amerikanischen Bundesstaat Nebraska um eine Kugel wickeln, deren Durchmesser einige hundert Kilometer beträgt, wie in Abbildung 10.4 (a), sähe der Staat gekrümmt aus, doch auf der Erdoberfläche wirkt er, darin sind sich fast alle Bewohner Nebraskas einig, flach. Würden Sie Nebraska auf eine Kugel legen, die eine Milliarde Mal größer als die Erde wäre, sähe der Staat noch flacher aus. Gemäß der Inflationsmodelle wurde der Raum in der Vergangenheit um einen derart gewaltigen Faktor gestreckt, dass das beobachtbare Universum, der Teil, den wir sehen können, lediglich ein kleiner Fleck in einem riesigen Kosmos ist. Und wie Nebraska, das auf der riesigen Kugel der Abbildung 10.4 (d) ausgebreitet ist, so wäre auch das *beobachtbare* Universum fast vollkommen flach, selbst wenn das Universum als Ganzes eine Krümmung aufwiese.[19]

Es ist, als wären starke, gegensätzlich ausgerichtete Magneten in die Schuhe unserer Bergsteigerin und den schmalen Grat, den sie überquert, eingelassen. Selbst wenn sie den Fuß nicht richtig aufsetzt, sorgt die starke Anziehung zwischen den Magneten dafür, dass ihr Fuß direkt auf dem Grat landet. Entsprechend gilt: Selbst wenn das frühe Universum ein hübsches Stück von der kritischen Materie/Energie-Dichte abwich und infolgedessen alles andere als flach war, sorgte die inflationäre Expansion dafür, dass der uns zugängliche Teil des Raums *zwangsläufig* eine flache Form bekam und dass die uns zugängliche Materie/Energie-Dichte *zwangsläufig* den kritischen Wert annahm.

Fortschritt und Vorhersage

Die Einsichten der inflationären Kosmologie in das Horizont- und Flachheitsproblem bedeuten einen enormen Fortschritt. Damit ein homogenes Universum, dessen Materie/Energie-Dichte auch nur entfernte Ähnlichkeit mit den heute beobachteten Verhältnissen hat, am Ende einer am Standardmodell des Urknalls ausgerichteten kosmologischen Entwicklung steht, muss eine exakte, fast unheimliche Feinabstimmung der Bedingungen in der Frühzeit stattgefunden haben. Diese Abstimmung könne man einfach annehmen, sagen die überzeugten Anhänger des Standardmodells, doch die fehlende Erklärung lässt die Theorie künstlich erscheinen. Dagegen *sagen* die Inflationsmodelle *vorher*, dass unabhängig von den Einzelheiten der Materie/Energie-Dichte im frühen Universum der Teil, den wir sehen können, heute annähernd flach sein muss, das heißt, sie *sagen vorher*, dass die Materie/Energie-Dichte, die wir beobachten, fast exakt 100 Prozent der kritischen Dichte entsprechen sollte.

Diese Unempfindlichkeit gegenüber den genauen Eigenschaften des frühen Universums ist ein wunderbares Merkmal der Inflationstheorie, weil sie eindeutige Vorhersagen zulässt, unabhängig von unserer Unkenntnis der Bedingungen vor langer Zeit. Doch jetzt müssen wir fragen: Wie halten diese Vorhersagen detaillierten und genauen Beobachtungen stand? Bestätigen die Daten die Vorhersage der inflationären Kosmologie, denen zufolge wir ein flaches Universum mit der kritischen Dichte an Materie und Energie beobachten müssten?

Lange Jahre schien die Antwort »nicht ganz« zu lauten. Zahlreiche sorgfältige astronomische Erhebungen, in denen die Menge der im Kosmos zu erkennenden Materie und Energie sorgfältig gemessen wurde, erzielten ein Ergebnis von rund fünf Prozent der kritischen Dichte. Das ist weit entfernt von den riesigen oder winzigen Dichten, die ohne künstliche Feinabstimmung nach dem Standardmodell des Urknalls zu erwarten wären, und entspricht genau dem, was ich oben meinte, als ich sagte, die Beobachtungen hätten gezeigt, dass die

Materie/Energie-Dichte des Universums nicht viele tausend Mal größer oder kleiner sei als der kritische Betrag. Trotzdem sind fünf Prozent nicht die 100 Prozent, welche die Inflation vorhersagt. Allerdings ist Physikern seit langem klar, dass bei der Auswertung von Daten Vorsicht geboten ist. Die astronomischen Untersuchungen, die auf einen Wert von fünf Prozent kamen, berücksichtigten nur Materie und Energie, die Licht abgaben und daher in den Teleskopen der Astronomen zu sehen waren. Doch schon seit Jahrzehnten, noch vor der Entdeckung der inflationären Kosmologie, mehrten sich die Hinweise, dass das Universum eine kräftig zu Buche schlagende dunkle Seite besitzt.

Dunkle Vorhersagen

Fritz Zwicky, ein Astronomieprofessor vom California Institute of Technology, war nicht nur für seinen Sarkasmus berüchtigt – beispielsweise nannte er seine Kollegen in kritischer Würdigung der Symmetriegesetze kugelförmige Bastarde, weil sie Bastarde seien, egal, von welcher Seite man sie betrachte[20] –, sondern fand in den frühen dreißiger Jahren auch heraus, dass sich die Galaxien in den Außenbezirken des Coma-Haufens, einer Ansammlung von mehreren tausend Galaxien, etwa 370 Millionen Lichtjahre von der Erde entfernt, so rasch bewegen, dass die Gravitationskraft der sichtbaren Materie des Haufens nicht ausreicht, um diese Randgalaxien an die Gruppe zu binden. Seine Analyse zeigte vielmehr, dass viele der Galaxien, die sich am raschesten bewegten, eigentlich aus dem Haufen hinausgeschleudert werden müssten, wie Wassertropfen, die von einem rotierenden Fahrradreifen fliegen. Und doch geschah nichts dergleichen. Zwicky vermutete, in dem Haufen sei zusätzliche Materie, die kein Licht abgebe, aber die zusätzliche Gravitationskraft bereitstelle, die erforderlich sei, um den Galaxienhaufen zusammenzuhalten. Falls diese Erklärung richtig war, musste die Masse des Haufens seinen Berechnungen zufolge überwiegend aus solchem nichtleuchtenden Material bestehen. 1936 kam Sinclair Smith vom Mount-Wilson-Observatorium zu einem ähnlichen Ergebnis, als er den Virgo-Haufen untersuchte. Doch da die Beobachtungen dieser beiden und zahlreicher anderer Forscher mit verschiedenen Unsicherheiten behaftet waren, ließen sich viele Wissenschaftler nicht zu der Auffassung bekehren, dass es große Mengen unsichtbarer Materie gebe, deren Gravitationsanziehung die Galaxienhaufen zusammenhalte.

In den nächsten dreißig Jahren mehrten sich die Beobachtungsindizien für die nichtleuchtende Materie ständig,[21] doch erst die Astronomin Vera Rubin von der Carnegie Institution in Washington brachte – in Zusammenarbeit mit Kent Ford und anderen – wirklich Klarheit in die Angelegenheit. Rubin und

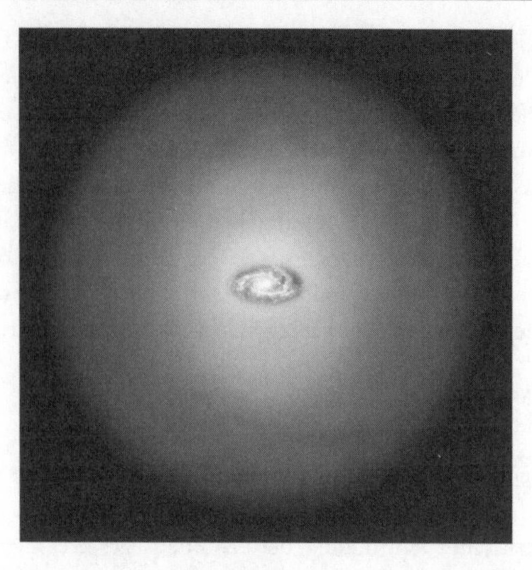

Abbildung 10.5 Eine Galaxie, die in eine Kugel dunkler Materie eingebettet ist (wobei die dunkle Materie künstlich hervorgehoben ist, um sie in der Abbildung sichtbar zu machen).

ihre Kollegen untersuchten die Bewegungen der Sterne in zahlreichen rotierenden Galaxien und gelangten zu dem Schluss, dass viele Sterne aus ihren Galaxien hinausgeschleudert werden müssten, wenn nur vorhanden wäre, was man sieht. Aus ihren Beobachtungen ging schlüssig hervor, dass die sichtbare galaktische Materie keine Gravitationsanziehung ausüben konnte, die auch nur annähernd stark genug wäre, um die besonders raschen Sterne daran zu hindern, sich aus dem Schwerkraftgriff der betreffenden Galaxien zu lösen. Ihre eingehenden Analysen zeigten aber auch, dass die Sterne gravitativ eingebunden *blieben*, wenn ihre jeweilige Galaxie in eine riesige Kugel aus nichtleuchtender Materie eingebettet wäre (siehe Abbildung 10.5), deren Gesamtmasse die der leuchtenden Materie der Galaxie bei weitem überträfe. Wie Zuschauer die Anwesenheit eines dunkel gekleideten Darstellers schlussfolgern, obwohl sie auf der unbeleuchteten Bühne nur seine weißbehandschuhten Hände umhertanzen sehen, so gelangten die Astronomen zu dem Schluss, das Universum müsse von *dunkler Materie* durchdrungen sein – einer Materie, die nicht zu Sternen verklumpe, daher kein Licht abgebe und auf diese Weise eine Gravitationsanziehung ausübe, ohne selbst sichtbar zu werden. Die leuchtenden Bestandteile des Universums – die Sterne – erwiesen sich also als bloße Markierungslichter, die auf einem riesigen Meer von dunkler Materie schwimmen.

Doch wenn es dunkle Materie geben muss, damit die beobachteten Bewegungen von Sternen und Galaxien zustande kommen können, woraus besteht sie dann? Bisher weiß das niemand zu sagen. Die Beschaffenheit der dunklen Materie bleibt ein großes, beunruhigendes Rätsel, obwohl Astronomen und Physiker eine Vielzahl möglicher Bestandteile vorgeschlagen haben, die von verschiedenen Arten exotischer Teilchen bis zu einer kosmischen See von winzigen Schwarzen Löchern reichen. Aber auch ohne die Zusammensetzung der dunklen Materie zu kennen, haben Astronomen durch eingehende Analyse ihrer Gravitationseffekte mit erheblicher Genauigkeit bestimmen können, wie viel von dieser Materie über das Universum verteilt ist. Das Ergebnis, zu dem sie gelangt sind, beläuft sich auf rund 25 Prozent der kritischen Dichte.[22] Die beobachteten fünf Prozent an sichtbarer Materie hinzugerechnet, kommen wir also mit der dunklen Materie auf 30 Prozent des Betrags, den die Inflationsmodelle vorhersagen.

Das ist zweifellos ein Fortschritt, allerdings zerbrach man sich lange Zeit den Kopf über die restlichen 70 Prozent, die sich offensichtlich aus dem Staub gemacht hatten. 1998 kamen dann zwei astronomische Forschungsteams unabhängig voneinander zum gleichen schockierenden Schluss, der uns zu unserem Ausgangspunkt zurückführt und einmal mehr unter Beweis stellt, wie hellsichtig Albert Einstein war.

Das fliehende Universum

So wie Sie unter Umständen eine zweite Meinung einholen, um sich eine ärztliche Diagnose bestätigen zu lassen, so sind auch Physiker um zweite Meinungen bemüht, wenn sie auf Daten oder Theorien stoßen, die auf verwirrende Ergebnisse schließen lassen. Unter solchen zweiten Meinungen sind diejenigen am überzeugendsten, die aus einer ganz anderen Perspektive als die ursprüngliche Analyse zur gleichen Schlussfolgerung gelangen. Wenn die »Erklärungspfeile« aus verschiedenen Winkeln auf dieselbe Stelle zufliegen, bestehen gute Aussichten, dass sie wissenschaftlich ins Schwarze treffen. Da sich aus der inflationären Kosmologie mit ziemlicher Sicherheit eine vollkommen bizarre Voraussage ergab – dass nämlich 70 Prozent der Masse/Energie des Universums noch entdeckt und gemessen werden müssten –, war das Verlangen der Physiker nach einer unabhängigen Bestätigung natürlich groß. Und es war längst klar geworden, dass eine Messung des so genannten *Bremsparameters* dazu in der Lage wäre.

Fast seit dem Anfang des ursprünglichen inflationären Ausbruchs bremst die gewöhnliche Gravitationsanziehung die Expansion des Raums ab. Die Rate, mit der sich diese Verlangsamung vollzieht, bezeichnet man als Bremsparameter. Eine genaue Messung des Parameters würde einen unabhängigen Anhaltspunkt für die Gesamtmenge der Materie im Universum liefern: Mehr Materie, ganz gleich, ob sie Licht abgibt oder nicht, bewirkt größere Gravitationsanziehung und daher eine stärkere Verlangsamung der räumlichen Expansion.

Seit vielen Jahrzehnten versuchen Astronomen, die Abbremsung der Expansion zu messen, aber auch wenn das Prinzip einfach ist, erweist sich die Praxis als schwierig. Wenn wir ferne Himmelskörper wie Galaxien oder Quasare beobachten, sehen wir sie, wie sie vor langer Zeit waren: Je weiter sie entfernt sind, desto weiter blicken wir in der Zeit zurück. Ließe sich also messen, wie rasch sie vor uns zurückweichen, hätten wir ein Maß dafür, wie rasch das Universum in der fernen Vergangenheit expandierte. Mehr noch: Könnten wir solche Messungen für astronomische Objekte in unterschiedlichen Entfernungen vornehmen, wären wir in der Lage, die Expansionsrate des Universums zu verschiedenen Zeitpunkten in der Vergangenheit zu bestimmen. Durch einen Vergleich dieser Expansionsraten ließe sich ermitteln, wie die Expansion des Raums sich im Laufe der Zeit verlangsamt, und auf diese Weise der Bremsparameter beziffern.

Die Umsetzung dieser Strategie zur Messung des Bremsparameters setzt also zwei Dinge voraus: ein Mittel, um die Entfernung eines gegebenen astronomischen Objekts zu bestimmen (damit wir wissen, wie weit wir in der Zeit zurückblicken), und ein Mittel, um die Geschwindigkeit herauszufinden, mit der sich das Objekt von uns entfernt (damit wir die Expansionsrate des Raums zu diesem Zeitpunkt in der Vergangenheit kennen). Die zweite Voraussetzung lässt sich relativ leicht erfüllen. Wie der Ton der Sirene tiefer wird, wenn ein Polizeiauto sich in rascher Fahrt von uns entfernt, so ist auch die Schwingungsfrequenz des Lichts, das eine rasch entweichende astronomische Quelle aussendet, niedriger als normal. Da es genaue Laboruntersuchungen dazu gibt, welches Licht Atome wie Wasserstoff, Helium und Sauerstoff emittieren – Atome, die zu den Bestandteilen von Sternen, Quasaren und Galaxien gehören –, lässt sich die Geschwindigkeit des Objekts exakt bestimmen, indem man untersucht, wie sich das Licht, das wir empfangen, von demjenigen unterscheidet, das wir im Labor beobachten.

Die erste Voraussetzung – eine Methode, um die Entfernung eines Objekts exakt zu bestimmen – hat den Astronomen jedoch Kopfzerbrechen bereitet. Je weiter ein Objekt entfernt ist, desto lichtschwächer sollte es sein, aber es erweist sich als schwierig, aus dieser einfachen Beobachtung ein quantitatives Entfernungsmaß zu entwickeln. Um die Entfernung eines Objekts anhand seiner scheinbaren Helligkeit zu bestimmen, müssen Sie seine intrinsische Helligkeit kennen – wie hell es schiene, wenn es sich direkt neben Ihnen befände. Doch wie soll man die intrinsische Helligkeit eines Objekts bestimmen, das Milliarden Lichtjahre entfernt ist? Allgemein behelfen sich Astronomen damit, dass sie eine Art von Himmelskörpern suchen, die aus grundsätzlichen astrophysikalischen Gründen immer mit der gleichen, zuverlässigen Helligkeit brennen. Wäre das All mit leuchtenden 100-Watt-Glühlampen bestückt, könnten sie diese Aufgabe übernehmen, weil wir die Entfernung einer gegebenen Glühlampe leicht daran erkennen würden, wie lichtstark oder -schwach sie uns erscheint (obwohl es nicht ganz leicht sein dürfte, eine Glühlampe aus größerer Entfernung zu sehen). Da das All leider nicht über eine solche Ausstattung verfügt, fragt sich, was dann die Rolle der Glühlampen mit ihrer Standardhelligkeit – oder, astronomisch ausgedrückt, die Funktion von *Standardkerzen* – übernehmen könnte. Im Laufe der Jahre haben die Astronomen eine ganze Reihe von Möglichkeiten durchprobiert und dabei als verheißungsvollste Kandidatin eine bestimmte Klasse von Supernova-Explosionen ermittelt.

Wenn Sterne ihren Kernbrennstoff erschöpfen, vermindert sich der nach außen wirkende Druck, der auf die Kernfusion im Inneren des Sterns zurückgeht, woraufhin der Stern unter dem eigenen Gewicht zu implodieren beginnt. Während nun der Kern des Sterns in sich zusammenfällt, steigt seine Temperatur rasch an, was gelegentlich zu einer gewaltigen Explosion führt, die in einem spektakulären kosmischen Feuerwerk die Außenschichten des Sterns absprengt. Eine solche Explosion bezeichnet man als Supernova. Einige Wochen lang kann ein einziger explodierender Stern so hell wie eine Milliarde Sonnen brennen. Es ist nahezu unfassbar: Ein einziger Stern brennt so hell wie fast eine ganze Galaxie! Verschiedene Sternarten – von unterschiedlicher Größe, unterschiedlichen Häufigkeiten der Elemente und so fort – lösen unterschiedliche Supernova-Explosionen aus, doch seit einigen Jahren wissen die Astronomen, dass bestimmte Supernova-Explosionen stets mit der gleichen intrinsischen Helligkeit zu brennen scheinen: Typ-Ia-Supernovä. Bei einer Typ-Ia-Supernova saugt ein Weißer Zwerg – ein Stern, der seinen gesamten Vorrat an Kernbrennstoff verbraucht hat, aber nicht genügend Masse besitzt, um aus eigener Kraft eine Supernova-Explosion zu entzünden – Oberflächenmaterial eines benachbarten Begleitsterns auf. Wenn die Masse des Zwergsterns auf diese Weise einen bestimmten kritischen Wert erreicht, ungefähr 1,4 Mal so groß wie die Masse der Sonne, kommt es zu einer sich aufschaukelnden Kernreaktion, die den Stern in eine Supernova verwandelt. Da solche Supernova-Explosionen immer dann stattfinden, wenn ein Zwergstern genau diese kritische Masse erreicht, sind die Merkmale der Explosionen, einschließlich ihrer gesamten intrinsischen Helligkeit, von Fall zu Fall weitgehend gleich. Mehr noch, da Supernovä, anders als 100-Watt-Glühlampen, außerordentlich energiereich sind, haben sie nicht nur eine zuverlässige Standardhelligkeit, sondern sind im Universum auch deutlich zu sehen. Daher sind sie die idealen Kandidaten für Standardkerzen.[23]

In den neunziger Jahren begannen zwei Gruppen von Astronomen, die eine unter Leitung von Saul Perlmutter am Lawrence Berkeley National Laboratory und die andere unter Leitung von Brian Schmidt an der Australian National University, mit dem Versuch, die Abbremsung – und damit die gesamte Masse/Energie – des Universums zu ermitteln, indem sie Fluchtgeschwindigkeiten von Typ-Ia-Supernovä maßen. Eine Supernova als Typ Ia zu identifizieren ist ziemlich leicht, weil das Licht, das durch die Explosion erzeugt wird, einer charakteristischen Zeitentwicklung folgt: Zunächst steigt die Lichtstärke steil an, um dann allmählich abzufallen. Tatsächlich ist es aber gar nicht so leicht, eine Typ-Ia-Supernova »auf frischer Tat zu ertappen«, da sie in einer durchschnittlichen Galaxie nur etwa einmal alle hundert Jahre stattfinden. Doch durch die gleichzeitige Beobachtung tausender Galaxien mit Hilfe einer neuen Weitwinkel-Optik *(Wide-Field-of-View)* waren die Arbeitsgruppen in der Lage, fast vier Dutzend Typ-Ia-Supernovä in verschiedenen Entfernungen von der Erde zu entdecken. Nachdem die Forscher in jedem einzelnen Fall sorgfältig Entfernung und Fluchtgeschwindigkeit bestimmt hatten, gelangten beide Gruppen zu einer vollkommen unerwarteten Schlussfolgerung: Seit das Universum etwa sieben Milliarden Jahre alt ist, hat sich seine Expansionsrate *nicht* verlangsamt, sondern *beschleunigt*.

Die Gruppen kamen zu dem Ergebnis, dass die Expansion des Universums sich in den ersten sieben Milliarden Jahren nach der ersten explosionsartigen Ausdehnung verlangsamt hat, wie ein Auto seine Geschwindigkeit verringert, wenn es sich einer Mautstation nähert. Das entsprach den Erwartungen. Aber die Daten zeigten auch, dass die Expansion seither ständig beschleunigt, wie ein Fahrer, der das Gaspedal durchtritt, nachdem er die Mautspur verlassen hat. Die Expansionsrate des Raums sieben Milliarden Jahre NDU war geringer als acht Milliarden NDU, die wiederum war geringer als neun Milliarden NDU und so fort. Sie alle waren geringer als die Expansionsrate heute. Anstelle der erwarteten Abbremsung der räumlichen Ausdehnung war man auf eine unerwartete *Beschleunigung* gestoßen.

Wie war das möglich? Mit der Antwort auf diese Frage ergibt sich die bestätigende zweite Meinung bezüglich der fehlenden 70 Prozent Masse/Energie, nach denen die Physiker suchen.

Die fehlenden 70 Prozent

Wenn Sie an das Jahr 1917 zurückdenken und an Einsteins Einführung der kosmologischen Konstanten, verfügen Sie über genügend Information, um eine Erklärung für die Beschleunigung des Universums vorschlagen zu können. Gewöhnliche Materie und Energie rufen die gewöhnliche Gravitationsanziehung hervor, welche die räumliche Ausdehnung abbremst. In dem Maße, wie sich das Universum ausdehnt und sich die Dinge immer weiter verteilen, wird diese anziehende Gravitation jedoch, obwohl sie immer noch verlangsamend auf die Expansion einwirkt, allmählich schwächer. Das schafft die Voraussetzung für eine neue und überraschende Wendung. Sollte das Universum eine kosmologische Konstante haben – und sollte diese gerade den richtigen, kleinen Wert aufweisen –, wäre ihre Gravitationsabstoßung bis ungefähr sieben Milliarden Jahre NDU von der normalen Gravitationsanziehung der gewöhnlichen Materie mehr als ausgeglichen worden, was insgesamt zu einer mit den Daten übereinstimmenden Expansionsverlangsamung geführt hätte. Als sich dann aber die Gravitationsanziehung der gewöhnlichen Materie im Zuge ihrer Ausbreitung verringerte, setzte sich die Abstoßungskraft der kosmologischen Konstanten (deren Stärke sich nicht verändert, während sich die Materie ausbreitet) allmählich durch. *Die Ära der gebremsten Expansion des Raums wurde durch eine neue Ära beschleunigter Expansion abgelöst.*

Ende der neunziger Jahre führten solche Überlegungen und eingehende Analysen der Daten sowohl die Perlmutter-Gruppe wie die Schmidt-Gruppe zu der Auffassung, Einstein habe sich achtzig Jahre vorher keineswegs geirrt, als er in die Gravitationsgleichungen eine kosmologische Konstante einführte. Das von ihnen vermutete Universum *besitzt* eine kosmologische Konstante.[24] Ihre Größe entspricht nicht Einsteins Vorschlag, denn dem war es um ein statisches Universum zu tun, in dem sich Gravitationsanziehung und -abstoßung genau die Waage halten. Im Gegensatz dazu entdeckten diese Forscher, dass die Abstoßung seit Jahrmilliarden überwiegt. Sollte sich die Entdeckung dieser beiden Gruppen in der eingehenden Überprüfung und den Folgestudien bestätigen, die gegenwärtig vorgenommen werden, hätte Einstein allerdings noch eine weitere grundlegende Eigenschaft des Universums erkannt, wobei diese achtzig Jahre auf ihre experimentelle Bestätigung warten musste.

Die Fluchtgeschwindigkeit einer Supernova hängt von dem Unterschied zwischen der Gravitationsanziehung der gewöhnlichen Materie und der Gravitationsabstoßung der »dunklen Energie« ab, die durch die kosmologische Konstante gestellt wird. Von der Schätzung ausgehend, dass die dunkle und die sichtbare Materie ungefähr 30 Prozent der kritischen Dichte ausmachen, gelangten die Supernova-Forscher zu dem Schluss, dass die beschleunigte Expansion, die sie beobachtet hatten, den nach außen gerichteten Druck einer kosmologischen Konstanten voraussetze, die einen Beitrag von ungefähr 70 Prozent zur kritischen Dichte leiste.

Das ist eine bemerkenswerte Zahl. Wenn sie richtig ist, heißt das nicht nur, dass die gewöhnliche Materie – Protonen, Neutronen, Elektronen – lediglich lächerliche fünf Prozent der Masse/Energie des Universums stellt, und nicht nur, dass die bislang nicht identifizierte Form der dunklen Materie mindestens die *fünffache* Menge ausmacht, sondern vor allem, dass die *Mehrheit* der Masse/Energie im Universum von einer vollkommen anderen und ziemlich mysteriösen Form dunkler Energie beigesteuert wird, die im ganzen All verbreitet ist. Falls diese Ideen zutreffen, führen sie die kopernikanische Revolution ein gutes Stück weiter: Wir befinden uns dann nicht nur nicht im Mittelpunkt des Universums, sondern der Stoff, aus dem wir gemacht sind, schwimmt auch wie Treibgut auf dem kosmischen Ozean. Hätte man die Protonen, Neutronen und Elektronen im großen Plan einfach fortgelassen, hätte sich dadurch die Masse/Energie des Universums kaum verringert.

70 Prozent ist aus einem zweiten, ebenso wichtigen Grund eine bemerkenswerte Zahl. Eine kosmologische Konstante, die 70 Prozent zur kritischen Dichte beiträgt, brächte zusammen mit den 30 Prozent, die von der gewöhnlichen und der dunklen Materie stammen, die gesamte Masse/Energie des Universums auf genau die 100 Prozent, die von den Inflationsmodellen vorhergesagt werden! Mit anderen Worten: Der nach außen gerichtete Druck, den die Supernova-Daten offenbaren, lässt sich durch dunkle Energie von exakt jener Menge erklären, die den inflationären Kosmologen solches Kopfzerbrechen bereitet hat: durch die unsichtbaren 70 Prozent des Universums. Die Supernova-Messungen und die Inflation ergänzen einander auf wunderbare Weise. Sie bekräftigen einander. Die eine dient als bestätigende zweite Meinung für die andere.[25]

Wenn wir die Supernovä-Beobachtungsergebnisse mit den theoretischen Erkenntnissen der Inflationsmodelle verbinden, kommen wir also zu dem Bild der kosmischen Entwicklung, das in Abbildung 10.6 skizziert ist. Anfangs wurde die Energie des Universums vom Inflaton-Feld getragen, das in einiger Entfernung von seinem minimalen Energiezustand verharrte. Infolge seines negativen Drucks löste das Inflaton-Feld einen enormen inflationären Expansionsausbruch aus. Etwa 10^{-35} Sekunden später, als das Inflaton-Feld in seiner Potenzialschüssel nach unten glitt, endete der Expansionsausbruch, woraufhin das Inflaton-Feld seine aufgestaute Energie in der Erzeugung von gewöhnlicher Materie und Strahlung freisetzte. Viele Milliarden Jahre hindurch übten diese

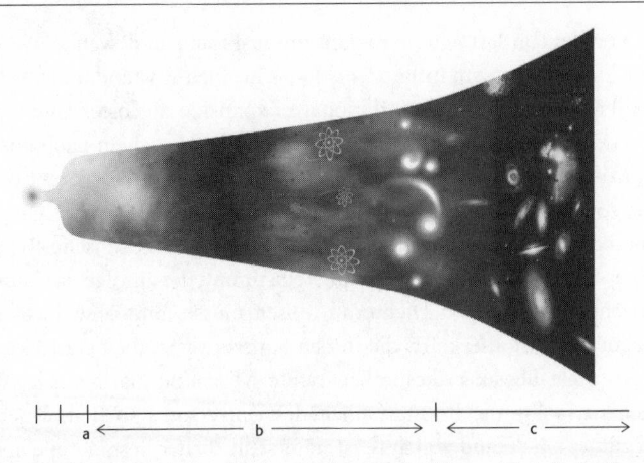

Abbildung 10.6 Eine Zeitleiste der kosmischen Entwicklung: (a) inflationärer Expansionsausbruch, (b) Entwicklung nach der Standard-Urknalltheorie, (c) Epoche der beschleunigten Expansion.

vertrauten Bestandteile des Universums eine gewöhnliche Gravitationsanziehung aus, welche die räumliche Expansion abbremste. Doch als sich das Universum ausdehnte und ausdünnte, verringerte sich die Gravitationsanziehung. Vor rund sieben Milliarden Jahren wurde die gewöhnliche Gravitationsanziehung so schwach, dass die Gravitationsabstoßung der kosmologischen Konstanten im Universum die Vorherrschaft übernehmen konnte. Seither nimmt die Expansionsrate des Raums stetig zu.

In etwa hundert Milliarden Jahren werden alle Galaxien, bis auf die nächstliegenden, von dem expandierenden Raum schneller als das Licht fortgerissen werden und daher für uns auch mit den leistungsstärksten Teleskopen nicht mehr zu sehen sein. Wenn diese Überlegungen stimmen, wird das Universum in ferner Zukunft ein riesiger, leerer und einsamer Ort sein.

Puzzles und Fortschritt

Angesichts dieser Entdeckungen schienen sich die Stücke des kosmischen Puzzles zusammenzufügen. Fragen, auf welche die Standardtheorie des Urknalls keine Antworten gewusst hatte – was hat die Expansion des Raums ausgelöst, warum ist die Temperatur der Mikrowellen-Hintergrundstrahlung so gleichförmig, warum scheint der Raum eine flache Form zu haben? –, wurden von der inflationären Theorie beantwortet. Dennoch türmten sich auch weiterhin schwierige Probleme auf, die den eigentlichen Ursprung betrafen: Gab es eine

Epoche vor dem inflationären Expansionsausbruch, und wenn, wie sah sie aus? Wie kam es zu einem Inflaton-Feld, das in einen Zustand höherer Energie geriet und auf diese Weise die inflationäre Expansion auslöste? Und die Frage jüngsten Datums: Warum ist das Universum allem Anschein nach aus einem solchen Mischmasch von Bestandteilen zusammengesetzt – 5 Prozent vertraute Materie, 25 Prozent dunkle Materie, 70 Prozent dunkle Energie? Ungeachtet des außerordentlich tröstlichen Umstands, dass dieses kosmische Rezept mit der Vorhersage der Inflationstheorie übereinstimmt, der zufolge das Universum 100 Prozent der kritischen Dichte aufweisen müsse, und obwohl es die beschleunigte Expansion erklärt, die in den Supernova-Studien entdeckt wurde, empfinden viele Physiker diese allzu bunte Mischung als misslich. Warum, so fragen sie, sollte die Beschaffenheit des Universums so kompliziert sein? Warum gibt es eine Hand voll äußerst unterschiedlicher Bestandteile in scheinbar so zufälligen Häufigkeiten? Liegt all dem irgendeine vernünftige Idee zugrunde, welche die theoretischen Studien nur noch nicht entdeckt haben?

Noch hat niemand überzeugende Antworten auf diese Fragen gefunden. Sie gehören zu den dringendsten Problemen der aktuellen kosmologischen Forschung, und sie erinnern uns daran, wie viele komplizierte Knoten wir noch aufknüpfen müssen, bevor wir behaupten dürfen, wir hätten die Geburt des Universums vollständig verstanden. Doch trotz der großen Herausforderungen, die bleiben, ist die Inflation noch immer bei weitem der Spitzenreiter unter den kosmologischen Theorien. Der Glaube der Physiker an die Inflation gründet sich einerseits natürlich auf die bisher erörterten Befunde, andererseits hat er aber auch viel tiefere Wurzeln. Wie wir im nächsten Kapitel sehen werden, haben zahlreiche weitere Entdeckungen – empirischer wie theoretischer Art – zu der Überzeugung vieler auf diesem Feld tätigen Physiker beigetragen, dass das theoretische Gerüst der Inflation der wichtigste und dauerhafteste Beitrag unserer Generation zur Kosmologie ist.

11

QUANTEN IN THE SKY WITH DIAMONDS

Inflation, Quantenfluktuationen und der Zeitpfeil

Die Entdeckung der Inflationstheorie leitete eine neue Ära der kosmologischen Forschung ein. In den Jahrzehnten seither sind viele tausend Artikel zum Thema veröffentlicht worden. Die Forscher haben jeden nur denkbaren Winkel der Theorie untersucht. Während sich viele dieser Arbeiten auf mathematisch-physikalische Einzelheiten konzentrierten, haben andere einen breiteren Ansatz gewählt und gezeigt, dass die Inflation nicht nur spezifisch kosmologische Probleme löst, die sich der Standardtheorie des Urknalls entziehen, sondern auch leistungsfähige neue Ansätze für zahlreiche uralte Probleme liefert. Darunter sind drei Entwicklungen – sie betreffen die Bildung klumpiger Strukturen wie etwa Galaxien, die Energiemenge, die erforderlich ist, um das Universum hervorzubringen, das wir vor Augen haben, und (besonders wichtig für unsere Geschichte) den Ursprung des Zeitpfeils –, für die die Inflationstheorie einen erheblichen, manche sagen spektakulären, Fortschritt bedeutet hat.

Werfen wir einen Blick darauf.

Quanten – die Schrift am Himmel

Die Lösungen für das Horizont- und Flachheitsproblem, die sich aus den Inflationsmodellen ergaben, brachten ursprünglich den Ruhm, und das zu Recht. Wie erläutert, war das eine große Leistung. Doch in den Jahren danach sind viele Physiker zu der Überzeugung gelangt, dass eine weitere Errungenschaft der Inflationstheorie zu ihren größten Leistungen zu zählen ist.

Die hoch gelobte Erkenntnis betrifft eine Frage, auf die ich Sie bisher mit Absicht nicht aufmerksam gemacht habe: Wie kommt es, dass es Galaxien, Sterne, Planeten und andere Verklumpungen im Universum gibt? In den letzten drei Kapiteln habe ich Sie ausdrücklich aufgefordert, sich auf astronomisch große Maßstäbe zu konzentrieren – Maßstäbe, in denen das Universum homogen erscheint, Skalen, die so groß sind, dass Sie sich ganze Galaxien als einzelne

H_2O-Moleküle und das Universum selbst als das ganze, gleichförmige Glas Wasser vorstellen sollten. Aber früher oder später muss sich die Kosmologie mit der Tatsache auseinander setzen, dass wir klumpige Strukturen wie zum Beispiel Galaxien entdecken, wenn wir den Kosmos in »feineren« Größenordnungen untersuchen. Und wieder stoßen wir auf ein Rätsel.

Wenn das Universum auf größeren Skalen tatsächlich glatt, gleichförmig und homogen ist – Merkmale, die durch Beobachtungen bestätigt werden und von zentraler Bedeutung für alle kosmologischen Analysen sind –, woher könnte dann die Klumpigkeit auf kleineren Skalen kommen? Die überzeugten Anhänger der Standard-Urknalltheorie mögen sich dieser Frage einmal mehr durch Rückgriff auf die äußerst günstige und geheimnisvolle Feinabstimmung der Bedingungen im frühen Universum entziehen. »In unmittelbarer Nähe des Uranfangs«, dürfte solch ein Anhänger sagen, »waren die Dinge im Großen und Ganzen glatt und gleichförmig, aber nicht *vollkommen* gleichförmig. Wie es zu diesen Bedingungen gekommen ist, kann ich nicht sagen. So war das damals eben. Im Laufe der Zeit wuchs diese winzige Klumpigkeit an, da ein Klumpen auf Grund seiner höheren Dichte eine größere Gravitationsanziehung ausübt als seine Umgebung. Die Klumpen zogen Material in der Nähe an, wurden noch größer und waren schließlich groß genug, um Sterne und Galaxien zu bilden.« Das wäre eine überzeugende Geschichte, hätte sie nicht zwei Haken: den vollkommenen Mangel an Erklärung sowohl für die ursprüngliche allgemeine Homogenität als auch für diese wichtigen winzigen Unregelmäßigkeiten. Genau hier verdanken wir der inflationären Kosmologie befriedigende Fortschritte. Wir haben bereits gehört, dass die Inflation eine Erklärung für die großräumige Gleichförmigkeit bietet, und wie wir nun erfahren, reicht die Aussagekraft der Theorie noch weiter. Bemerkenswerterweise geht laut den Inflationsmodellen die ursprüngliche Unregelmäßigkeit, die letztlich zu Bildung von Sternen und Galaxien führte, aus der *Quantenmechanik* hervor.

Diese prachtvolle Idee beruht auf dem Wechselspiel zweier Gebiete der Physik, die auf den ersten Blick wenig miteinander zu tun haben: der inflationären Expansion des Raums und der quantenmechanischen Unschärferelation. Die Unschärferelation sagt uns, dass wir bei jeder exakten Messung komplementärer Eigenschaften im Kosmos Kompromisse eingehen müssen. Das bekannteste Beispiel (siehe Kapitel 4) betrifft die Materie: Je genauer wir den Ort eines Teilchens bestimmen, desto weniger genau können wir seine Geschwindigkeit messen. Doch die Unschärferelation gilt auch für Felder. Im Wesentlichen aus den gleichen Gründen folgt aus der Unschärferelation daher: Je genauer der Wert eines Feldes an einem Ort im Raum bestimmt wird, desto weniger genau lässt sich an dieser Stelle die Änderungsrate des Feldes ermitteln.

(In der Quantenmechanik spielen der Ort eines Teilchens und die Änderungsrate seines Ortes die gleiche Rolle wie der Wert eines Feldes und die Änderungsrate des Feldwertes an einem gegebenen Ort im Raum.)

Lassen Sie mich die Unschärferelation folgendermaßen zusammenfassen: Die Quantenmechanik macht die Dinge quirliger und turbulenter. Wenn wir die Geschwindigkeit eines Teilchens nicht mit absoluter Genauigkeit ermitteln können, ist es uns auch nicht möglich herauszufinden, wo sich das Teilchen auch nur den Bruchteil einer Sekunde später befinden wird, da die Geschwindigkeit *jetzt* den Aufenthaltsort *dann* bestimmt. In gewissem Sinne steht es dem Teilchen frei, diese oder jene Geschwindigkeit zu wählen oder, genauer, eine Mischung aus vielen verschiedenen Geschwindigkeiten anzunehmen, daher wird es wild hin und her flitzen, zufällig hier und dort auftauchen. Für Felder ist die Situation ähnlich. Wenn sich die Änderungsrate eines Feldes nicht mit vollkommener Genauigkeit ermitteln lässt, können wir auch nicht bestimmen, welchen Wert das Feld an einem beliebigen Ort einen Augenblick später aufweisen wird. In gewissem Sinne wird das Feld mit dieser oder jener Geschwindigkeit auf- und abschwanken oder, genauer, es wird eine seltsame Mischung aus vielen verschiedenen Änderungsraten annehmen, daher wird sein Wert hektisch und zufällig hin- und herschwanken.

Im Alltag nehmen wir die Fluktuationen nicht unmittelbar wahr, weder bei Teilchen noch bei Feldern, weil sie in subatomaren Größenordnungen stattfinden. Hier zeigt die Inflation ihre Wirkung. Der plötzlich inflationäre Expansionsausbruch dehnte den Raum um einen so gewaltigen Faktor, dass das, was ursprünglich in mikroskopischen Verhältnissen angesiedelt war, auf die makroskopische Ebene gehoben wurde. Um ein wichtiges Beispiel zu nennen: Die Pioniere der Inflationsmodelle[1] erkannten, dass Zufallsunterschiede zwischen den Quantenfluktuationen an einem Ort und an einem anderen kleine Unregelmäßigkeiten auf mikroskopischer Skala hervorrufen können; durch wahllose Quantenturbulenzen fiel die Energiemenge an einem Ort etwas anders aus als an einem anderen. Bei der anschließenden Expansion des Raumes wurden diese winzigen Unregelmäßigkeiten zu Ausmaßen aufgebläht, die weit größer waren als die Größenskalen der Quantentheorie, und trugen so zur Klumpigkeit des Kosmos bei – ganz so, als würden wir mit einem Magic Marker winzige Wellenlinien auf einen Ballon zeichnen, die deutlich auf der Oberfläche des Ballons zutage träten, wenn wir ihn aufbliesen. Das ist nach Ansicht von vielen Physikern der Ursprung der Klumpigkeit, von der die unerschütterlichen Anhänger des Standard-Urknallmodells einfach behaupten, so sei es »eben damals gewesen«. Durch die enorme Aufblähung unvermeidlicher Quantenfluktuationen liefern die Inflationsmodelle eine Erklärung: Die inflationäre Expansion dehnt winzige, inhomogene Quantenschwankungen und verschmiert sie groß und klar am Himmel.

Im Laufe einiger Milliarden Jahre nach Ende der kurzen Inflationsphase wuchsen diese winzigen Klumpen durch zusätzliche Gravitationsverklumpung an: Wie in der Standardversion des Urknalls besitzen Klumpen eine etwas höhere Gravitationsanziehung als ihre Umgebung, daher ziehen sie benachbartes Material an und werden noch größer. Mit der Zeit sammelten die Klumpen genügend Materie an, um Galaxien und die sie bevölkernden Sterne zu bilden. Natürlich gibt es im Einzelnen *zahlreiche* Schritte auf dem Weg vom kleinen Klumpen zur Galaxie, und viele bedürfen noch der Klärung. Doch der große Rahmen ist klar: In einer Quantenwelt ist infolge der Fluktuationen, die der Unschärferelation innewohnen, niemals irgendetwas vollkommen gleichförmig. Und in einer Quantenwelt, die einer inflationären Expansion unterworfen ist, kann eine solche Ungleichförmigkeit derart gedehnt werden, dass sie aus der Mikrowelt auf weit größere Skalen gelangt und damit den Keim zur Bildung gewaltiger astrophysikalischer Körper wie Galaxien legt.

Das ist die Grundidee, daher können Sie, wenn Sie wollen, den nächsten Absatz auslassen. Doch für interessierte Leser möchte ich die Dinge noch etwas eingehender schildern. Sie erinnern sich vielleicht: Die inflationäre Expansion endete, als der Wert des Inflaton-Feldes in seiner Potenzialschüssel herunterrutschte und das Feld alle aufgestauten Energien und negativen Drücke freisetzte. Wir haben gesagt, dies sei überall im Raum gleichförmig geschehen – der Inflaton-Wert hier, dort und überall sonst habe die gleiche Entwicklung durchlaufen. Das ergibt sich ganz natürlich aus den zuständigen Gleichungen. Aber genauer betrachtet, ist es nur richtig, wenn wir die Effekte der Quantenmechanik außer Acht lassen. *Im Durchschnitt* ist der Wert des Inflaton-Feldes tatsächlich in seiner Schüssel hinabgerutscht, wie wir es erwarten, wenn wir an ein einfaches klassisches Objekt denken, etwa eine Murmel, die eine schräge Fläche hinabrollt. Doch wie ein Frosch, der in einer Schüssel herunterrutscht, vermutlich ein bisschen hüpft und zappelt, zittert und zuckt auch das Inflaton-Feld, wie wir dank der Quantenmechanik wissen. Auf dem Weg nach unten ist der Wert vielleicht dort ein bisschen nach oben gesprungen und hier ein wenig nach unten. Infolge dieser Fluktuationen erreichte das Inflaton-Feld den niedrigsten Energiewert an verschiedenen Orten zu etwas verschiedenen Zeiten. Daher endete die inflationäre Expansion an verschiedenen Orten im Raum zu etwas verschiedenen Zeiten, mit dem Erfolg, dass das Ausmaß der räumlichen Expansion an verschiedenen Orten etwas schwankte und auf diese Weise Inhomogenitäten – Runzeln – entstanden, ähnlich den Unregelmäßigkeiten, die Sie sehen, wenn der Pizzabäcker den Teig an einer Stelle ein bisschen mehr auseinander zieht als an einer anderen, so dass sich ein kleiner Huckel bildet. Intuitiv würden wir meinen, Fluktuationen quantenmechanischen Ursprungs seien zu klein, um auf astrophysikalischen Skalen Bedeutung zu erlangen. Doch durch die Inflation dehnte sich der Raum in so ungeheurem Tempo aus – er verdoppelte seine Größe alle 10^{-37} Sekunden –, dass selbst ein winziger Unterschied in der Inflationsdauer benachbarter Orte zu einer beträchtlichen Runzel führte. Tatsächlichen haben Berechnungen im Rahmen spezieller Inflationsversionen gezeigt, dass die auf diese Weise hervorgerufenen Inhomogenitäten in der Regel zu groß sind; häufig müssen die Forscher die Einzelheiten in einem gegebenen Inflationsmodell anpassen (die genaue Form der Potenzialschüssel des Inflaton-Feldes), um sicherzustellen, dass die Quantenfluktuationen nicht ein Universum vorhersagen, das *zu* klumpig ist. Mithin liefert die inflationäre Kosmologie einen gebrauchsfertigen Mechanismus, der uns verstehen lässt, wie die kleinskalige Ungleichförmigkeit, die für klumpige Strukturen wie Sterne und Galaxien verantwortlich ist, in einem Universum entstand, das auf den größten Skalen vollkommen homogen erscheint.

Laut Inflationstheorie sind die mehr als hundert Milliarden Galaxien, die im All wie himmlische Diamanten schimmern, nichts als Quantenmechanik, die in großen Buchstaben an den Himmel geschrieben wurde. Für mich ist diese Erkenntnis eines der größten Wunder des modernen wissenschaftlichen Zeitalters.

Das goldene Zeitalter der Kosmologie

Spektakuläre Belege für diese Ideen ergaben sich, als man mit Hilfe von Satelliten die Temperatur des Mikrowellen-Hintergrunds extrem genau maß. Mehrfach habe ich darauf hingewiesen, dass die Temperatur der Strahlung in einem Teil des Himmels mit derjenigen in einem anderen Teil in hohem Maße übereinstimmt. Dabei habe ich allerdings bisher unterschlagen, dass sich die Temperaturen an verschiedenen Orten ab der vierten Dezimalstelle *doch* unterscheiden. Exakte Messungen, die 1992 erstmals von COBE (dem Cosmic-Background-Explorer-Satelliten) und kürzlich mit größerer Genauigkeit von WMAP (der Wilkinson-Microwave-Anisotropy-Probe) durchgeführt wurden, haben ergeben, dass die Temperatur an einer Stelle des Weltraums 2,7249 Kelvin, an einer anderen 2,7250 Kelvin und an wieder einer anderen 2,7251 Kelvin betragen kann.

Wunderbarerweise folgen diese außerordentlich geringfügigen Temperaturschwankungen am Himmel einem Muster, das sich erklären lässt, indem man es auf den gleichen Mechanismus zurückführt, der auch für die Entstehung der Galaxienbildung herangezogen wurde: Quantenfluktuationen, die durch Inflation gedehnt wurden. Im Wesentlichen liegt dem die Idee zugrunde,

(a)

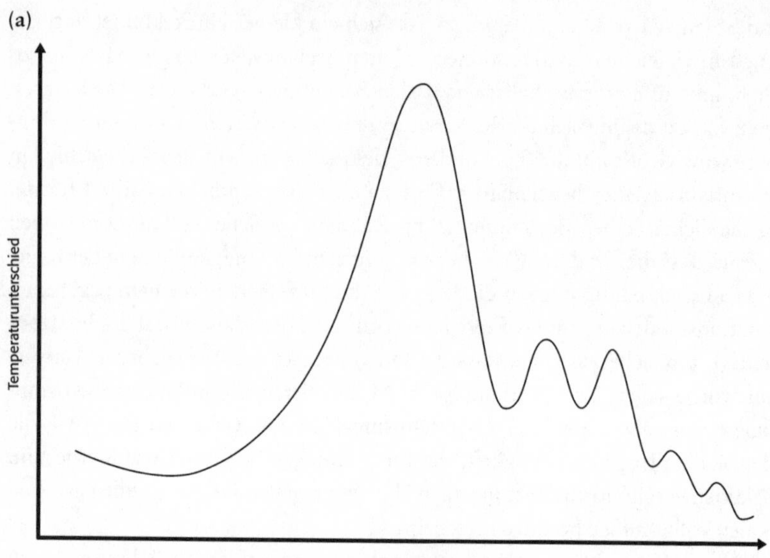

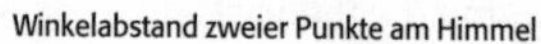

(b)

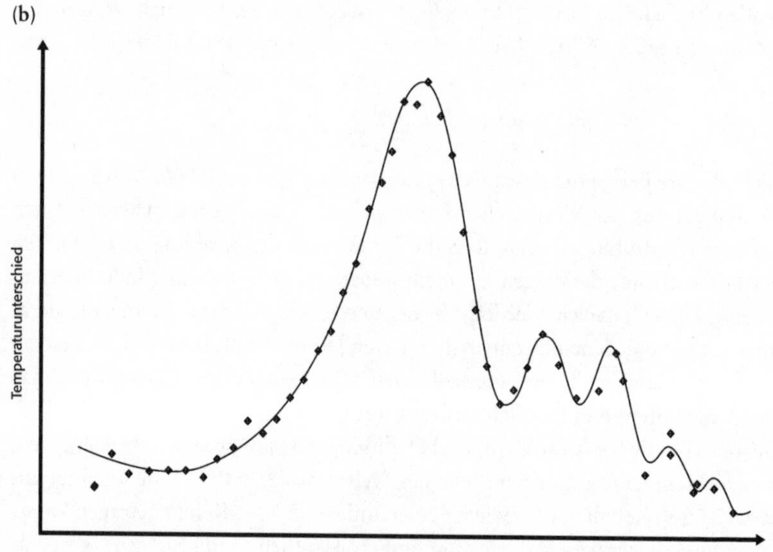

Abbildung 11.1 (a) Vorhersage der inflationären Kosmologie für Temperaturschwankungen der Mikrowellen-Hintergrundstrahlung zwischen verschiedenen Stellen am Himmel. (b) Vergleich dieser Vorhersagen mit satellitengestützten Beobachtungen.

dass winzige Quantenschwankungen, die über den Raum verschmiert werden, dafür sorgen, dass es in einer Region etwas wärmer und in einer anderen etwas kälter ist (Photonen, die uns aus einer etwas dichteren Region erreichen, haben etwas mehr Energie verbraucht, um das etwas stärkere Gravitationsfeld zu überwinden, daher sind ihre Temperatur und Energie etwas geringer als diejenigen von Photonen, die aus weniger dichten Regionen kommen). Man hat von dieser Hypothese ausgehend exakte Berechnungen vorgenommen und daraus Vorhersagen abgeleitet, wie die Temperatur der Mikrowellenstrahlung zwischen verschiedenen Stellen des Himmels schwanken müsste (siehe Abbildung 11.1 [a]). (Die Einzelheiten sind nicht wichtig, nur so viel sei gesagt, dass die waagerechte Achse den Winkelabstand zweier Punkte am Himmel und die senkrechte Achse ihren Temperaturunterschied angibt.) In Abbildung 11.1 (b) werden diese Vorhersagen mit Satellitenbeobachtungen verglichen, die durch kleine Diamanten dargestellt sind. Wie Sie erkennen können, liegt eine *außergewöhnliche Übereinstimmung* vor.

Ich hoffe, diese Übereinstimmung zwischen Theorie und Beobachtung hat Sie wirklich umgehauen, denn wenn nicht, ist es mir nicht gelungen, Ihnen den wunderbaren Charakter dieses Resultats in seinem ganzen Ausmaß zu vermitteln. Lassen Sie mich also für alle Fälle noch einmal unterstreichen, worum es geht: Satellitengestützte Teleskope haben vor kurzem die Temperatur von Mikrowellenphotonen gemessen, die sich seit nahezu vierzehn Milliarden Jahren ungehindert auf dem Weg zu uns befinden. Dabei hat sich herausgestellt, dass Photonen, die aus verschiedenen Richtungen im Raum kommen, fast identische Temperaturen haben, das heißt, sie unterscheiden sich lediglich um einige zehntausendstel Grad. Ferner haben die Beobachtungen gezeigt, dass diese winzigen Temperaturunterschiede ein bestimmtes Muster am Himmel beschreiben, das durch die geordnete Kette der Diamanten in Abbildung 11.1 (b) wiedergegeben ist. Und – Wunder über Wunder – heutige Berechnungen im Rahmen der Inflationstheorie *erklären* das Muster dieser winzigen Temperaturschwankungen, immerhin Schwankungen, die vor fast vierzehn Milliarden Jahren angelegt wurden. Um dem allen die Krone aufzusetzen, erweisen sich Fluktuationen, die aus der Quantenunschärfe entstehen, als Schlüssel dieser Erklärung. Wahnsinn, oder?

Dieser Erfolg hat viele Physiker von der Gültigkeit der Inflationstheorie überzeugt. Genauso wichtig: Diese und andere exakte astronomische Messungen, die erst kürzlich möglich wurden, haben dafür gesorgt, dass sich die Kosmologie von einem Gebiet, das sich auf Spekulationen und Vermutungen gründete, zu einem Forschungsfeld mauserte, das auf einem festen Fundament von Beobachtungsdaten ruht – ein Reifungsprozess, der viele Forscher veranlasst hat, die Gegenwart als das goldene Zeitalter der Kosmologie zu bezeichnen.

Ein Universum erschaffen

Angesichts solcher Fortschritte wollten die Physiker natürlich wissen, wozu die inflationäre Kosmologie noch fähig ist. Kann sie beispielsweise das letzte Rätsel lösen, das Leibniz in die Frage fasste, warum es überhaupt ein Universum gibt? Mit dieser Frage sind wir, zumindest nach unserem gegenwärtigen Wissensstand, überfordert. Selbst wenn sich eine kosmologische Theorie mit dieser Frage befassen sollte, bliebe offen, warum diese besondere Theorie – ihre Annahmen, Bestandteile und Gleichungen – relevant sein sollte, womit wir die Frage nach dem Ursprung nur ein Stück hinausschöben. Wenn die reine Logik in irgendeiner Weise danach verlangte, dass es das Universum gibt, dass es von ganz bestimmten Gesetzen bestimmt wird und ganz bestimmte Bestandteile enthält, dann ließe sich vielleicht eine überzeugende Begründung finden. Aber das ist bislang reine Fantasie.

Eine verwandte, aber etwas weniger ehrgeizige Frage wurde im Laufe der Jahrhunderte gleichfalls in unterschiedlichster Form gestellt und lautet: Woher kommt all die Masse/Energie, aus der das Universum besteht? Zwar können die Inflationsmodelle auch hier keine vollständige Antwort geben, sie haben aber in faszinierender Weise ein neues Licht auf die Frage geworfen.

Stellen Sie sich eine riesige, aber flexible Kiste vor, in der es von Kindern wimmelt, die unaufhörlich umherlaufen und -springen. Die Kiste ist vollkommen undurchdringlich, daher kann keine Wärme oder Energie entweichen, doch weil sie flexibel ist, können sich ihre Wände nach außen bewegen. Während die Kinder unaufhörlich gegen die Kistenwände stoßen – Hunderte und Aberhunderte, Augenblick um Augenblick –, dehnt sich die Kiste stetig aus. Nun könnten Sie erwarten, dass die Gesamtenergie, die sich in den tobenden Kindern manifestiert, vollständig in der expandierenden Kiste bleibt. Wohin sollte sie auch sonst? Das ist zwar eine vernünftige Annahme, aber nicht ganz richtig. Es *gibt* nämlich noch einen Ort, wohin sie kann. Die Kinder wenden jedes Mal Energie auf, wenn sie gegen eine der elastischen Wände rennen. Ein Großteil dieser Energie wird auf die *Bewegung der Wand* übertragen. Die Expansion der Kiste absorbiert die Energie der Kinder, das heißt, sie verbraucht sie.

Stellen Sie sich nun vor, ein paar Spaßvögel unter den Kindern beschlössen, die Dinge ein wenig zu verändern. Sie haken riesige Gummibänder zwischen die gegenüberliegenden, nach außen zurückweichenden Wände. Die Gummibänder üben einen nach innen gerichteten, negativen Druck auf die Kistenwände aus, der dem nach außen gerichteten, positiven Druck der Kinder genau entgegengesetzt ist. Statt Energie für die Expansion der Kiste aufzuwenden,

»saugt« der negative Druck der Gummibänder Energie aus der Expansion. Während die Kiste expandiert, spannen sich die Gummibänder immer stärker an, das heißt, sie verkörpern wachsende Energiemengen.

Natürlich gilt unser eigentliches Interesse nicht expandierenden Kisten, sondern dem expandierenden Universum. Und unsere Theorien sagen uns, dass Raum nicht mit tobenden Kindern und einer Menge Gummibändern gefüllt ist, sondern je nach kosmologischer Epoche mit einem gleichförmigen Ozean eines Inflaton-Feldes oder einem Durcheinander gewöhnlicher Teilchen (Elektronen, Photonen, Protonen und so weiter). Trotzdem lassen sich die Schlussfolgerungen, zu denen uns die Kiste verholfen hat, durch eine einfache Überlegung auf die Kosmologie übertragen. Wie die in rascher Bewegung befindlichen Kinder während der Expansion der nach innen gerichteten Kraft der Kistenwand entgegenwirken, so wirken die in rascher Bewegung befindlichen Teilchen in unserem Universum der nach innen gerichteten Kraft entgegen, während der Raum expandiert: Sie wirken der Gravitationskraft entgegen. Das legt den Schluss nahe (und die mathematischen Ergebnisse bestätigen ihn), dass wir eine Analogie zwischen Universum und Kiste herstellen können, indem wir die Kistenwände durch die Gravitationskraft ersetzen.

Wie die von den Kindern verkörperte Gesamtenergie fällt, weil sie im Zuge der Expansion der Kiste ständig an die Energie der Wände übertragen wird, so fällt die Gesamtenergie, die von gewöhnlichen Materieteilchen und Strahlung getragen wird, weil sie bei der Expansion des Universums ständig *an die Gravitation übertragen wird.* Weiter wissen wir, dass ein gleichförmiges Inflaton-Feld, analog zum negativen Druck, den die Gummibänder der Witzbolde innerhalb der expandierenden Kiste ausüben, einen negativen Druck innerhalb des expandierenden Universums entfaltet. Und wie die Gesamtenergie, die in den Gummibändern verkörpert ist, mit der Expansion der Kiste anwächst, weil sie den Kistenwänden Energie entziehen, wächst auch die im Inflaton-Feld verkörperte Gesamtenergie mit der Expansion des Universums an, weil es *Energie aus der Gravitation gewinnt.**

* Der Vergleich mit dem Gummiband ist zwar nützlich, aber nicht ganz zutreffend. Der nach innen gerichtete, negative Druck, den Gummibänder ausüben, erschwert die Expansion der Kiste, während der negative Druck des Inflaton-Feldes die Expansion des Raumes antreibt. Dieser wichtige Unterschied ist ein Beispiel dafür, was auf Seite 317 klargestellt wurde: In der Kosmologie wird die Expansion nicht durch gleichförmigen negativen Druck bewirkt (nur Druckunterschiede schlagen sich in Kräften nieder, daher übt gleichförmiger Druck, egal, ob positiv oder negativ, keine Kraft aus). Vielmehr bewirkt Druck wie Masse eine Gravitationskraft. Und negativer Druck bewirkt eine abstoßende Gravitationskraft, welche die Expansion antreibt. Für unsere Schlussfolgerung ist das jedoch nicht von Belang.

Zusammenfassend können wir also feststellen: *In dem Maße, wie das Universum expandiert, verlieren Materie und Strahlung Energie an die Gravitation, während ein Inflaton-Feld Energie aus der Gravitation gewinnt.**

Die zentrale Bedeutung dieser Überlegungen erweist sich, wenn wir versuchen, den Ursprung der Materie und Strahlung zu erklären, aus denen Galaxien, Sterne und alle anderen im Kosmos vorhandenen Dinge bestehen. Nach der Standardtheorie des Urknalls hat die Masse/Energie, die in Form von Materie und Strahlung vorliegt, mit der Expansion des Universums stetig abgenommen, so dass die Masse/Energie im frühen Universum das, was wir heute sehen, bei weitem übertrifft. Statt uns also zu erklären, wie all die Masse/Energie entstanden ist, die wir heute im Universum vorfinden, führt die Standardversion der Urknalltheorie einen aussichtslosen Kampf: Je weiter die Theorie zurückblickt, desto *mehr* Masse/Energie muss sie irgendwie erklären.

Für die inflationäre Kosmologie indessen gilt genau das Gegenteil. Erinnern wir uns, dass die Inflationsmodelle vorbringen, Materie und Strahlung seien am Ende der Inflationsphase erzeugt worden, als das Inflaton-Feld seine aufgestaute Energie freisetzte, indem es von der Erhebung in der Mitte seiner Potenzialschüssel ins Tal gerollt sei. Die entscheidende Frage lautet also, ob die Theorie erklären kann, wie das Inflaton-Feld gegen Ende der Inflationsphase die *ungeheure* Menge an Masse/Energie verkörpern konnte, die erforderlich waren, um die Masse und Strahlung des heutigen Universums bereitzustellen.

Die Antwort auf diese Frage lautet, dass die Inflation dazu ohne die geringste Mühe in der Lage ist. Wie oben erläutert, ist das Inflaton-Feld ein Gravitationsparasit – es ernährt sich von der Gravitation –, daher wuchs die Gesamtenergie des Inflaton-Feldes mit der Expansion des Raumes an. Genauer: Die mathematische Analyse zeigt, dass die *Energiedichte* des Inflaton-Feldes während der inflationären Phase rascher Expansion konstant blieb, woraus zu schließen ist, dass die von ihm verkörperte Gesamtenergie direkt proportional zum Volumen des durch ihn erfüllten Raumes anwuchs. Im vorangehenden Kapitel haben wir gesehen, dass die Größe des Universums während der Inflation um mindestens einen Faktor 10^{30} angewachsen ist, wor-

* Bei der Expansion des Universums lässt sich der Energieverlust der Photonen direkt beobachten, denn ihre Wellenlänge dehnt sich – sie unterliegen einer *Rotverschiebung*, und je größer die Wellenlänge eines Photons, desto geringer ist seine Energie. Die Photonen der Mikrowellen-Hintergrundstrahlung erleiden diese Rotverschiebung seit fast vierzehn Milliarden Jahren, was ihre große (Mikrowellen-) Wellenlänge und ihre niedrige Temperatur erklärt. Die Materie erfährt einen ähnlichen Verlust an kinetischer Energie (an Energie der Teilchenbewegung), doch die Gesamtenergie, die in der Masse der Teilchen gebunden ist (ihre *Ruheenergie* – das Energieäquivalent ihrer Masse, wenn sie sich in Ruhe befinden), bleibt konstant.

aus folgt, dass das Volumen des Universums um mindestens einen Faktor $(10^{30})^3 = 10^{90}$ zugenommen hat. Infolgedessen *stieg* die Energie, die im Inflaton-Feld verkörpert war, um den gleichen ungeheuren Faktor an: Als die Inflationsphase zu Ende ging, nur etwa 10^{-35} Sekunden, nachdem sie begonnen hatte, wuchs die Energie im Inflaton-Feld um einen Faktor in der Größenordnung von 10^{90}, wenn nicht noch mehr. *Daraus folgt, dass zu Beginn der Inflation das Inflaton-Feld nicht viel Energie zu haben brauchte, weil die enorme Expansion, die auszulösen es sich anschickte, die Energie, die es trug, außerordentlich verstärken sollte.* Eine einfache Rechnung zeigt, dass ein winziges Klümpchen, rund 10^{-26} Zentimeter im Durchmesser, das mit einem gleichförmigen Inflaton-Feld erfüllt ist – und lediglich *zehn Kilo* wiegt –, durch die nachfolgende inflationäre Expansion genügend Energie erwerben würde, um alles zu erklären, was wir heute im Universum sehen.[2]

In krassem Gegensatz zur Standardversion der Urknalltheorie, in der die gesamte Masse/Energie des frühen Universums unvorstellbar hoch war, kann die inflationäre Kosmologie durch »Anzapfen« der Gravitation alle gewöhnliche Materie und Strahlung im Universum aus einem winzigen Zehn-Kilo-Fleck im Inflaton-gefüllten Raum hervorbringen. Allerdings ist das keineswegs eine Antwort auf Leibniz' Frage, warum es etwas anstelle von nichts gebe, da wir noch nicht erklärt haben, warum es eine Inflation gibt – oder auch nur den Raum, in dem sie sich ereignet. Doch das Etwas, das da erklärt werden muss, wiegt eine ganze Menge weniger als mein Hund Rocky, und das ist gewiss ein ganz anderer Ausgangspunkt als derjenige, mit dem die Standardversion der Urknalltheorie beginnt.*

Inflation, Glätte und Zeitpfeil

Vielleicht äußert sich in meiner Begeisterung eine gewisse Voreingenommenheit, aber die vielen wissenschaftlichen Fortschritte, die in unserer Zeit erzielt wurden, flößen mir ein Gefühl größter Ehrfurcht und Demut ein. Anscheinend habe ich jene Erregung nie verloren, die mich vor Jahren ergriff, als ich mich

* Einige Forscher, unter ihnen Alan Guth und Eddie Farhi, haben untersucht, ob man – hypothetisch – ein neues Universum im Labor erzeugen kann, indem man ein Klümpchen Inflaton-Feld herstellt. Abgesehen von der Tatsache, dass wir noch immer keine direkte experimentelle Bestätigung für die Existenz von Inflaton-Feldern haben, bleibt anzumerken, dass die zehn Kilo Inflaton-Feld auf winzigem Raum zusammengepresst werden müssten, auf Ausmaße von rund 10^{-26} Zentimetern, daher wäre die Dichte ungeheuer – etwa 10^{67} Mal größer als die eines Atomkerns – und damit weit dichter als alles, was wir heute, und vielleicht jemals, erzeugen können.

zum ersten Mal mit den Grundlagen der allgemeinen Relativitätstheorie auseinander setzte und mir klar wurde, dass es uns in unserem winzigen, verlorenen Winkel der Raumzeit dank Einsteins Theorie möglich ist, die Entwicklung des gesamten Kosmos zu begreifen. Heute, einige Jahrzehnte später, erlaubt uns der technische Fortschritt, diese einst abstrakten Hypothesen über das Verhalten des Universums in seinen frühesten Augenblicken anhand von Beobachtungen zu überprüfen – und es stellt sich heraus, dass die Theorie *wirklich funktioniert*.

Erinnern wir uns jedoch daran, dass wir nicht nur an der allgemeinen Bedeutung der Kosmologie für die Geschichte von Zeit und Raum interessiert waren, sondern in den Kapiteln 6 und 7 die Frühgeschichte des Universums auch unter einer speziellen Zielsetzung betrachtet haben: den Ursprung des Zeitpfeils zu entdecken. Wie Sie sich vielleicht erinnern, fanden wir in diesen Kapiteln nur einen überzeugenden Ansatz zur Erklärung des Zeitpfeils – dass sich das frühe Universum in einem hochgeordneten Zustand befand, das heißt eine extrem niedrige Entropie besaß, und dass dieser Zustand die Voraussetzung für eine Zukunft schuf, in der die Entropie immer größer wurde. Wie die Seiten von *Krieg und Frieden* nicht die Möglichkeit gehabt hätten, mit der Zeit immer weiter durcheinander zu geraten, wären sie nicht irgendwann säuberlich geordnet gewesen, so hätte auch das Universum nicht die Fähigkeit zu wachsender Unordnung – Milch, die verschüttet wird, Eier, die zerbrechen, Menschen, die altern –, hätte es sich nicht anfangs in einem hochgeordneten Zustand befunden. Das Rätsel, vor dem wir standen, war die Frage, wie dieser hochgeordnete, niederentropische Ausgangspunkt zustande kam.

Die inflationäre Kosmologie kann uns hier ein gutes Stück weiterhelfen, doch zunächst möchte ich Ihnen das Rätsel etwas genauer ins Gedächtnis rufen, falls wichtige Einzelheiten entfallen sein sollten.

Es gibt überzeugende Hinweise dafür und wenig Zweifel daran, dass die Materie in der Frühgeschichte des Universums gleichförmig über den Raum verteilt war. Gewöhnlich würde man das als hochentropische Konfiguration beschreiben – wie etwa die Kohlendioxidmoleküle aus einer Colaflasche, die sich gleichmäßig in einem Zimmer verteilt haben –, dann wäre es ein Gemeinplatz und bedürfte keiner Erklärung. Wenn aber die Gravitation eine Rolle spielt, wie es der Fall ist, wenn wir das gesamte Universum betrachten, dann ist eine gleichförmige Verteilung der Materie eine seltene, niederentropische, hochgeordnete Konfiguration, weil die Gravitation die Materie veranlasst, Klumpen zu bilden. Entsprechend hat auch eine glatte und gleichförmige Raumkrümmung eine niedrige Entropie. Sie ist hochgeordnet im Vergleich zu einer extrem unebenen, ungleichförmigen Raumkrümmung. (Analog zu den

Seiten von *Krieg und Frieden*, die viele Möglichkeiten für einen ungeordneten Zustand haben, aber nur eine, geordnet zu sein, hat der Raum *viele* Möglichkeiten für eine ungeordnete, ungleichförmige Form, aber nur sehr wenige Möglichkeiten, vollkommen geordnet, glatt und gleichförmig zu sein.) Wir stehen also vor einem Rätsel: Warum lag im frühen Universum eine niederentropische (hochgeordnete), gleichförmige Materieverteilung vor und keine hochentropische (extrem ungeordnete), klumpige Materieverteilung, etwa in Gestalt einer vielfältigen Population von Schwarzen Löchern? Und warum war die Raumkrümmung in hohem Maße glatt, geordnet und gleichförmig, statt mit starken Verzerrungen und ausgeprägten Krümmungen durchsetzt zu sein, wie sie zum Beispiel von Schwarzen Löchern hervorgerufen werden?

Wie Paul Davies und Don Page[3] erstmals im Einzelnen gezeigt haben, liefert die inflationäre Kosmologie wichtige Einsichten in diese Fragen. Um den Grund zu verstehen, müssen Sie sich Folgendes vor Augen halten: Sobald sich hier oder dort ein Klumpen bildet, zieht seine größere Gravitationskraft mehr Material an und lässt den Klumpen wachsen. Entsprechend gilt: Sobald sich hier oder dort eine Verzerrung im Raum bildet, vergrößert sie sich durch ihre stärkere Gravitationsanziehung, so dass eine unebene, extrem ungleichförmige Raumkrümmung entsteht. Wenn die Gravitation eine Rolle spielt, sind gewöhnliche, häufige, hochentropische Konfigurationen klumpig und uneben.

Bedenken Sie aber dabei, dass diese Argumentation vollkommen auf der *anziehenden* Wirkung gewöhnlicher Gravitation beruht. Klumpen und Höcker wachsen, weil sie benachbartes Material stark *anziehen* und sich einverleiben. Doch während der kurzen Inflationsphase war die Gravitation *abstoßend*, und das änderte alles. Nehmen wir die Form des Raums. Durch die enorme, nach außen gerichtete, abstoßende Gravitation blähte sich der Raum so rasch auf, dass anfängliche Unebenheiten und Krümmungen durch die Dehnung geglättet wurden, so wie sich die runzelige Oberfläche eines Ballons beim vollständigen Aufblasen dehnt und glättet.* Da überdies das Raumvolumen während der kurzen Inflationsperiode um einen kolossalen Faktor anwuchs, wurde die mittlere Dichte aller Materieklumpen enorm verdünnt, ganz so, wie die mittlere Fischdichte in Ihrem Aquarium abrupt geschmälert würde, wenn Sie die Größe des Behälters plötzlich auf die eines Schwimmbeckens von Wettkampfmaßen ausdehnen würden. Während also Gravitationsanziehung das Wachstum von

* Lassen Sie sich nicht verwirren: Die inflationäre Dehnung von Quantenfluktuationen, die wir im letzten Abschnitt erörtert haben, erzeugte eine winzige, unvermeidliche Ungleichförmigkeit von rund 1 zu 100 000. Doch diese winzige Ungleichförmigkeit überlagerte ein ansonsten homogenes Universum. Wir beschreiben hier, wie dieses – die zugrunde liegende Gleichförmigkeit – zustande kam.

Materieklumpen und ein Verknittern des Raums veranlasst, bewirkt Gravitationsabstoßung das Gegenteil: Unter dem Einfluss dieser Gravitationsvariante nehmen Materieverklumpung und Raumzerknitterung ab und stehen einem homogenen, gleichförmigeren Erscheinungsbild nicht mehr im Wege.

Am Ende des inflationären Expansionsausbruchs hatte die Größe also fantastisch zugenommen, alle Ungleichförmigkeiten der Raumkrümmung waren durch Dehnung beseitigt worden, und alle Klumpigkeit, die es anfänglich gegeben haben mochte, war zur Bedeutungslosigkeit verdünnt. Während das Inflaton-Feld auf den Boden seiner Potenzialschüssel rutschte und damit den inflationären Energieausbruch beendete, verwandelte es außerdem seine aufgestaute Energie in ein nahezu gleichförmig über den Raum verteiltes Bad von Teilchen gewöhnlicher Materie (gleichförmig bis auf die winzigen, aber wichtigen Ungleichförmigkeiten, die aus Quantenfluktuationen entstanden). Insgesamt klingt das alles nach großem Fortschritt. Das Ergebnis, zu dem wir mittels der Inflation gelangt sind – *eine glatte, gleichförmige Raumexpansion, von fast gleichförmig verteilter Materie bevölkert* –, war genau das, was wir zu erklären versuchten. Es ist exakt die niederentropische Konfiguration, die wir brauchen, um den Zeitpfeil zu erklären.

Entropie und Inflation

Es handelt sich in der Tat um einen bedeutenden Fortschritt. Doch zwei wichtige Probleme bleiben.

Erstens scheint die Schlussfolgerung zu lauten, dass der inflationäre Expansionsausbruch die Dinge glättet, folglich die Gesamtentropie verringert und damit einen physikalischen Mechanismus – und nicht nur einen statistischen Zufall – verkörpert, der offenbar den Zweiten Hauptsatz der Thermodynamik verletzt. In diesem Falle wäre entweder unser Verständnis des Zweiten Hauptsatzes oder unsere Argumentation falsch. Tatsächlich aber brauchen wir uns mit keiner dieser beiden Optionen zu befassen, weil die Gesamtentropie infolge der Inflation nicht zurückgeht, sondern während des inflationären Ausbruchs zunimmt, allerdings *weit weniger, als es der Fall hätte sein können.* Gewiss, am Ende der inflationären Phase war der Raum glatt gedehnt, daher blieb der Gravitationsbeitrag zur Entropie minimal – zu jener Entropie, die mit einer möglichen unebenen, ungeordneten, ungleichförmigen Form des Raums verknüpft ist. Doch man schätzt, dass das Inflaton-Feld, als es in seiner Schüssel herunterrutschte und seine aufgestaute Energie freisetzte, ungefähr 10^{80} gewöhnliche Materie- und Strahlungsteilchen erzeugte. Eine solch riesige Zahl von Teilchen verkörpert wie ein Buch mit einer riesigen Zahl von Seiten eine riesige Entropiemenge. Obwohl also die gravitative Entropie abnahm, wurde dieser Rückgang durch die Entropiezunahme infolge der umfangreichen Teilchenerzeugung mehr als wettgemacht. Daher nahm die Gesamtentropie zu, genauso wie wir es nach dem Zweiten Hauptsatz erwarten.

Dadurch, dass der Inflationsausbruch den Raum glättete und für ein homogenes, gleichförmiges, niederentropisches Gravitationsfeld sorgte, erzeugte er allerdings, und das ist der entscheidende Punkt, eine *gewaltige* Lücke zwischen dem Beitrag zur Entropie, den die Gravitation tatsächlich beisteuerte, und dem, den sie hätte leisten können. Zwar wuchs während der Inflation die Gesamtentropie an, jedoch um einen armseligen Betrag, verglichen mit der Zunahme, die tatsächlich hätte erzielt werden *können*. Insofern hat die Inflation ein niederentropisches Universum geschaffen: Am Ende der Inflation hatte die Entropie zwar zugenommen, aber nicht im Entferntesten um den Faktor, um den die räumliche Ausdehnung angewachsen war. Wenn wir die Entropie mit der Vermögenssteuer vergleichen, ist es so, als hätte New York City die Sahara erworben: Das Gesamtaufkommen durch die Vermögenssteuer würde zwar zunehmen, aber nur um einen winzigen Betrag im Vergleich zum Gesamtzuwachs an Fläche.

Seit dem Ende der Inflationsphase ist die Gravitation bestrebt, den Entropieunterschied auszugleichen. Jeder Klumpen – egal, ob eine Galaxie, ein Stern in einer Galaxie, ein Planet oder ein Schwarzes Loch –, den die Gravitation danach aus der Gleichförmigkeit bildete (mit Hilfe winziger Ungleichförmigkeiten infolge von Quantenfluktuationen), hat die Entropie erhöht und die Gravitation in ihrer Aufholjagd einen Schritt weiter gebracht. Insofern ist die Inflation ein Mechanismus, der ein großes Universum mit relativ geringer Gravitationsentropie zustande gebracht und auf diese Weise die Voraussetzung für die Jahrmilliarden währende Gravitationsverklumpung geschaffen hat, deren Auswirkungen wir heute vor Augen haben. Die Inflationsmodelle geben dem Zeitpfeil also eine Richtung, indem sie eine Vergangenheit mit außerordentlich niedriger Gravitationsentropie erzeugen. Die Zukunft ist die Richtung, in der die Entropie anwächst.[4]

Das zweite Problem wird ersichtlich, wenn wir dem Weg weiter folgen, auf den uns der Zeitpfeil in Kapitel 6 geführt hat. Vom Ei zum Huhn, das es gelegt hat, zum Hühnerfutter, zum Pflanzenreich, zum Licht und zur Wärme der Sonne, zum gleichförmig verteilten Urgas des Urknalls haben wir die Entwicklung des Universums Schritt für Schritt in eine Vergangenheit verfolgt, in der jeweils größere Ordnung herrschte, wobei wir in jeder Phase das Rätsel niedriger Entropie nur einen Schritt weiter in der Zeit zurückverlagerten. Erst jetzt haben wir erkannt, dass ein noch früheres Stadium inflationärer Expansion das homogene Nachspiel des Urknalls mühelos erklären kann. Doch was ist mit der Inflation selbst? Können wir das erste Glied in der Kette erklären, die wir bis hierher verfolgt haben? Können wir erklären, warum die richtigen Bedingungen für einen inflationären Expansionsausbruch vorlagen?

Das ist eine Frage von höchster Bedeutung. Egal, wie viele Rätsel die Inflationsmodelle theoretisch lösen können; wenn es nie eine Ära inflationärer Expansion gegeben hätte, wäre der Ansatz völlig bedeutungslos. Da wir das frühe Universum nicht direkt aufsuchen können, um festzustellen, ob die Inflation stattgefunden hat, können wir nur entscheiden, ob wir mit unserer Festlegung der Zeitpfeilrichtung einen wirklichen Fortschritt erzielt haben, wenn wir herausfinden, wie *wahrscheinlich* die erforderlichen Bedingungen für einen inflationären Expansionsausbruch waren. Etwas genauer: Den Physikern sträuben sich die Haare, wenn sie sehen, wie sich die Standardversion der Urknalltheorie auf die Feinstabstimmung homogener Anfangsbedingungen verlässt, die zwar durch die Beobachtungsdaten nahe gelegt werden, sich aber theoretisch nicht erklären lassen. Es ist zutiefst unbefriedigend, wenn der niederentropische Zustand des Universums einfach so angenommen wird, und es hinterlässt einen faden Nachgeschmack, wenn der Zeitpfeil dem Universum ohne Erklärung lediglich auferlegt wird. Auf den ersten Blick scheint die Inflation hier Fortschritte zu bringen, weil sie zeigt, dass sich das, was in der Standardversion der Urknalltheorie schlicht behauptet wird, aus der inflationären Entwicklung ergibt. Doch wenn die Einleitung der Inflation ihrerseits hochspezifische, extrem niederentropische Bedingungen voraussetzt, sind wir kein Stück weitergekommen. Dann haben wir einfach die Sonderbedingungen des Urknalls gegen diejenigen eingetauscht, die notwendig sind, um die Inflation auszulösen, und das Rätsel des Zeitpfeils hat nichts von seinem Geheimnis verloren.

Welche Bedingungen sind notwendig für die Inflation? Wie wir gesehen haben, kommt es unausweichlich zur Inflation, wenn der Wert des Inflaton-Feldes nur einen Augenblick und innerhalb einer winzigen Region auf dem Hochenergie-Plateau seiner Potenzialschüssel verharrt. Daher müssen wir feststellen, wie wahrscheinlich diese Ausgangskonfiguration der Inflation tatsächlich ist. Erweist es sich als einfach, eine Inflation in Gang zu setzen, sind wir fein heraus. Wenn aber die notwendigen Bedingungen außerordentlich unwahrscheinlich sind, haben wir die Frage nach dem Zeitpfeil nur einen Schritt weiter nach hinten verschoben und müssen nun die Entstehung des niederentropischen Inflaton-Feldes erklären, die das Ganze in Gang gesetzt hat.

Zunächst werde ich die gegenwärtigen theoretischen Überlegungen zu dieser Frage in einem denkbar optimistischen Licht zeigen, um mich anschließend mit den wichtigen Elementen der Theorie zu beschäftigen, die noch unklar sind.

Boltzmanns Rückkehr

Wie im vorigen Kapitel erwähnt, stellt man sich den inflationären Expansionsausbruch am besten als ein Ereignis vor, das in einem bereits vorhandenen Universum geschah, und nicht als eines, das den Schöpfungsakt selbst bezeichnet. Obwohl wir keine sichere Vorstellung davon haben, wie das Universum in einer solchen prä-inflationären Ära ausgesehen haben könnte, wollen wir dennoch einmal schauen, wie weit wir kommen, wenn wir annehmen, der Stand der Dinge sei normal, das heißt, hochentropisch gewesen. Insbesondere wollen wir davon ausgehen, der prä-inflationäre Ur-Raum sei mit Verzerrungen und Unebenheiten gespickt gewesen und auch das Inflaton-Feld habe sich in einem extrem ungeordneten Zustand befunden: Sein Wert sei hin und her gesprungen wie der Frosch in der heißen Metallschüssel.

So, wie Sie an einem nicht manipulierten Glückspielautomaten damit rechnen können, dass die zufällig rotierenden Räder irgendwann drei Diamanten zeigen, wenn Sie genug Geduld aufbringen, erwarten wir, dass auf diesem energiereichen, turbulenten Schauplatz des Ur-Universums früher oder später eine Zufallsfluktuation den Wert des Inflaton-Feldes veranlassen wird, in einem kleinen Raumklümpchen auf den korrekten, gleichförmigen Wert zu springen, wodurch ein inflationärer Expansionsausbruch ausgelöst wird. Wie im vorangehenden Abschnitt erklärt, zeigen entsprechende Berechnungen, dass die nachfolgende kosmologische Expansion (die inflationäre Expansion, gefolgt von einer Expansion der Standard-Urknalltheorie) ein winziges Raumklümpchen – mit einem Durchmesser von ungefähr 10^{-26} Zentimetern – zu größeren Ausmaßen gedehnt hätte, als unser heutiges Universum aufweist. Statt also anzunehmen oder einfach zu behaupten, die Bedingungen im frühen Universum hätten die richtigen Voraussetzungen für die inflationäre Inflation geboten, würde in diesem Modell bereits eine ultramikroskopische Fluktuation mit einem Gewicht von lediglich zehn Kilo, die in einer gewöhnlichen, ungeordneten Umgebung auftritt, die notwendigen Bedingungen schaffen.

Wie im Übrigen der Glücksspielautomat eine riesige Zahl von Ergebnissen zeigt, bei denen Sie nichts gewinnen, so kam es nach dieser Auffassung auch in anderen Regionen des Ur-Raums zu Inflaton-Fluktuationen. In den meisten Fällen hatten die Fluktuationen nicht den richtigen Wert oder waren nicht homogen genug, um eine inflationäre Expansion auszulösen. (Selbst in einer Region von lediglich 10^{-26} Zentimetern Durchmesser kann ein Feldwert enorme Schwankungen aufweisen.) Doch uns interessiert hier lediglich, dass ein Klümpchen jenen raumglättenden, inflationären Expansionsausbruch produzierte, das erste Glied in der niederentropischen Kette, die letztlich zu dem uns vertrauten Kosmos führt. Da wir nur unser eines, großes Universum sehen, genügt es uns, wenn unser kosmischer Glücksspielautomat ein einziges Mal den Hauptgewinn ausschüttet.[5]

Da wir das Universum auf eine statistische Fluktuation des Ur-Chaos zurückführen, hat diese Erklärung gewisse Eigenschaften mit Boltzmanns ursprünglicher Hypothese gemein. In Kapitel 8 hieß es, Boltzmann habe vorgeschlagen, dass alles, was wir heute sehen, aus einer seltenen, aber hin und wieder zu erwartenden Fluktuation der vollkommenen Unordnung entstanden sei. Das Problem bei Boltzmanns ursprünglicher Formulierung lag allerdings darin, dass sie nicht erklären konnte, warum die Zufallsfluktuation so weit übers Ziel hinausgeschossen ist und ein Universum geschaffen hat, das ein so viel höheres Maß an Ordnung aufweist, als selbst zur Erhaltung des Lebens in seiner uns bekannten Form erforderlich wäre. Warum ist das Universum so riesig, warum hat es Milliarden und Abermilliarden von Galaxien, jede mit Milliarden und Abermilliarden von Sternen, wo es doch sehr viel ökonomischer vorgehen und sich mit, sagen wir, ein paar Galaxien oder auch nur einer hätte begnügen können?

Statistisch betrachtet, wäre eine bescheidenere Fluktuation, die eine gewisse Ordnung hergestellt hätte, aber beileibe nicht so viel, wie wir gegenwärtig erblicken, *bei weitem* wahrscheinlicher gewesen. Da im Übrigen die Entropie im Mittel anwächst, folgt aus Boltzmanns Argumentation, dass es sehr viel wahrscheinlicher wäre, wenn alles, was wir *genau jetzt* sehen, als ein seltener statistischer Sprung zu niedrigerer Entropie entstanden wäre. Sie erinnern sich an den Grund: Je weiter in der Vergangenheit die Fluktuation stattgefunden hätte, desto geringer die Entropie, die sie hätte erreichen müssen (die Entropie beginnt nach jedem Rückfall auf ein niedrigeres Entropieniveau wieder anzusteigen [siehe Abbildung 6.4], das heißt, wenn die Fluktuation gestern eingetreten wäre, hätte sie auf das niedrigere Niveau von gestern abfallen müssen, und hätte sie vor einer Milliarde Jahren stattgefunden, hätte sie das noch niedrigere Entropieniveau jener Epoche erreichen müssen). Mit anderen Worten: Je weiter wir in der Zeit zurückgehen, desto stärker und unwahrscheinlicher hätte die erforderliche Fluktuation sein müssen. Folglich ist es wahrscheinlicher, dass der Sprung gerade eben passiert ist. Doch wenn wir diese Schlussfolgerung akzeptieren, können wir weder Erinnerungen noch Aufzeichnungen, noch selbst den dieser Erörterung zugrunde liegenden Gesetzen der Physik trauen – eine unhaltbare Position.

Die inflationäre Inkarnation von Boltzmanns Idee besitzt den ungeheuren Vorteil, dass eine *kleine* Fluktuation am Anfang – ein *bescheidener* Sprung zu günstigen Bedingungen innerhalb eines *winzigen* Raumklümpchens – unvermeidlich zu dem riesigen und geordneten Universum führt, das wir vor Augen haben. Sobald die inflationäre Expansion einsetzte, wurde das Klümpchen *unausweichlich* auf Ausmaße gedehnt, die mindestens so groß waren wie das Universum, das wir heute sehen. Infolgedessen brauchen wir uns nicht zu fragen, warum das Universum nicht ökonomischer verfahren ist. Es ist kein Rätsel, warum das Universum so riesig ist und eine so ungeheure Zahl von Galaxien enthält. Von Anfang an erwies sich die Inflation als ein erstaunlich gutes Geschäft für das Universum. Ein Sprung auf eine niedrigere Entropie innerhalb eines winzigen Raumklümpchens bewirkte eine inflationäre Expansion zu riesigen kosmischen Weiten. Dabei ist von größter Bedeutung, dass die inflationäre Ausdehnung nicht einfach irgendein großes Universum produzierte. Vielmehr brachte sie *unser* großes Universum hervor: Die Inflation erklärt die Form des Raums, die großräumige Gleichförmigkeit und sogar die »kleinen« Inhomogenitäten wie Galaxien und Temperaturschwankungen in der Hintergrundstrahlung. Die Inflation packt eine Fülle von Erklärungs- und Vorhersagevermögen in eine einzige Fluktuation auf ein niedrigeres Entropieniveau.

Insofern könnte Boltzmann durchaus Recht gehabt haben. Alles, was wir sehen, könnte aus einer Zufallsfluktuation eines extrem ungeordneten Zustands des Ur-Chaos entstanden sein. In dieser Formulierung seiner Ideen können wir jedoch unseren Aufzeichnungen und Erinnerungen trauen: Die Fluktuation ist nicht genau jetzt eingetreten. Die Vergangenheit hat wirklich stattgefunden. Unsere Aufzeichnungen sind Aufzeichnungen von Dingen, die sich ereignet haben. Die inflationäre Expansion vergrößert einen winzigen Fleck der Ordnung im frühen Universum – sie »zieht« das Universum zu einem riesigen Gebilde mit minimaler Gravitationsentropie »auf« –, daher geben die vierzehn Milliarden Jahre »Abspulen«, das Verklumpen zu Galaxien, Sternen und Planeten, kein Rätsel mehr auf.

Tatsächlich teilt uns dieser Ansatz sogar ein bisschen mehr mit. So wie es möglich ist, an mehreren einarmigen Banditen in Las Vegas den Jackpot zu knacken, gab es im Urzustand hoher Entropie und allgemeinen Chaos keinen Grund, warum die für die inflationäre Expansion erforderlichen Bedingungen nur in einem einzigen Raumklümpchen auftreten sollten. Stattdessen, wie es Andrei Linde vorgeschlagen hat, hätten viele hier und dort verstreute Klümpchen einer raumglättenden, inflationären Expansion unterworfen sein können. Wenn dem so gewesen wäre, wäre unser Universum eines unter vielen, die entstanden – und vielleicht noch weiterhin entstehen –, als Zufallsfluktuationen geeignete Bedingungen für einen inflationären Expansionsausbruch schufen (siehe Abbildung 11.2). Da diese anderen Universen wahrscheinlich auf ewig von dem unseren getrennt wären, ist schwer vorstellbar, dass wir diese »Multi-

Abbildung 11.2 Die Inflation kann wiederholt stattfinden und neue Universen aus älteren hervorgehen lassen.

versum-Hypothese« jemals überprüfen können. Doch als theoretischer Rahmen ist sie komplex und faszinierend zugleich. Unter anderem legt sie nahe, dass wir in der Kosmologie möglicherweise zu einem Umdenken gezwungen sind: In Kapitel 10 habe ich die Inflation als Spitzenreiter der kosmologischen Theorien bezeichnet, weil dort der Knall als flüchtiger Ausbruch einer raschen Expansion verstanden wird. Doch wenn wir uns die inflationäre Entstehung jedes neuen Universums in Abbildung 11.2 als einen eigenen Urknall vorstellen, dann ist die Inflation selbst eher das übergreifende kosmologische Gerüst, innerhalb dessen Urknall-ähnliche Entwicklungen stattfinden – Blase um Blase. Statt also die Inflation in die Standardversion der Urknalltheorie einzugliedern, wird bei diesem Ansatz der Standardurknall in die Inflation eingegliedert.

Inflation und Ei

Also, warum sehen Sie, wie ein Ei zerbricht, aber nicht, wie es »entbricht«? Woher kommt der Zeitpfeil, der unser aller Erfahrung zugrunde liegt? Schauen wir, wohin uns dieser Ansatz geführt hat. Durch eine zufällige, aber gelegentlich zu erwartende Fluktuation aus einem unspektakulären Urzustand mit hoher Entropie stellten sich in einem winzigen, zehn Kilo schweren Raumklümpchen Bedingungen ein, die zu einem kurzen, inflationären Expansionsausbruch führten. Die ungeheure Ausdehnung bewirkte, dass der Raum zu enormer Weite und extremer Glätte gedehnt wurde und dass das Inflaton-Feld, als der Ausbruch endete, seine ungeheuer verstärkte Energie freisetzte, indem es den Raum fast gleichförmig mit Materie und Strahlung füllte. In dem Maße, wie sich die abstoßende Gravitation des Inflaton-Feldes verringerte, gewann die gewöhnliche Gravitationsanziehung die Oberhand. Wie gezeigt, macht sich die

Anziehungskraft der Gravitation winzige, durch Quantenfluktuationen hervorgerufene Inhomogenitäten zunutze, um die Materie zu verklumpen. So bildeten sich Galaxien und Sterne, was schließlich zur Entstehung der Sonne, der Erde, des übrigen Sonnensystems und aller anderen Merkmale unseres beobachtbaren Universums führte. (Wie dargelegt, wurde rund sieben Milliarden Jahre NDU die Gravitationsabstoßung abermals vorherrschend, doch das gilt nur für die größten kosmischen Skalen und hat keinen direkten Einfluss auf kleinere Objekte wie einzelne Galaxien oder unser eigenes Sonnensystem, wo weiterhin die gewöhnliche Gravitationsanziehung vorherrscht.) Die relativ niederentropische Energie wurde von niederentropischen Pflanzen- und Tierformen auf der Erde zur Erzeugung von Lebensformen noch niederer Entropie verwendet, wodurch sich die Gesamtentropie infolge von Wärme und Abfallprodukten erhöhte. Letztlich brachte diese Kette ein Huhn hervor, das ein Ei legte – und den Rest der Geschichte kennen Sie: Das Ei rollte von Ihrem Küchentisch, zerbrach auf dem Fußboden und tat damit dem unaufhörlichen Drang des Universums nach höherer Entropie Genüge. Die niederentropische, hochgeordnete, gleichförmige Beschaffenheit der durch die inflationäre Dehnung hervorgerufenen Raumstruktur entspricht den nach Seitenzahl geordneten Blättern von *Krieg und Frieden*. Dieser frühe, geordnete Zustand – das Fehlen von großen Unebenheiten, Verzerrungen oder kolossalen Schwarzen Löchern – präparierte das Universum für die anschließende Entwicklung zu höherer Entropie und lieferte damit den Zeitpfeil, den wir aus dem Alltag kennen. Beim gegenwärtigen Stand unseres Wissens ist das die vollständigste Erklärung für den Zeitpfeil, die bislang vorgelegt wurde.

Das Haar in der Suppe

Ich bin von dieser Geschichte der inflationären Kosmologie und des Zeitpfeils hingerissen. In einer ungezügelten und hochenergetischen Region des Ur-Chaos entstand durch eine ultramikroskopische Fluktuation ein gleichförmiges Inflaton-Feld, das noch nicht einmal das Gewichtslimit für Handgepäck überschritt. Dadurch wurde eine inflationäre Expansion ausgelöst, die dem Zeitpfeil eine Richtung gab, und der Rest ist Geschichte.

Bei der Erzählung dieser Geschichte gehen wir allerdings von einer entscheidenden Voraussetzung aus, die noch nicht belegt ist. Um zu beurteilen, wie wahrscheinlich der Beginn der Inflation ist, müssen wir die Merkmale der prä-inflationären Umgebung bestimmen, aus der sich laut diesem Ansatz die inflationäre Expansion entwickelt hat. Die besondere Umgebung, die wir uns ausgemalt haben – ungezügelt, chaotisch, energiereich –, klingt plausibel, doch erweist es sich als schwierig, diese intuitive Beschreibung mit mathematischer Exaktheit nachzuzeichnen. Im Übrigen handelt es sich nur um eine Vermutung. Genau genommen, wissen wir nicht, welche Bedingungen in der angenommenen prä-inflationären Umgebung herrschten, in dem verschwommenen Fleck der Abbildung 10.3. Ohne diese Information sind wir nicht in der Lage, überzeugende Einschätzungen der Wahrscheinlichkeiten vorzunehmen: Jede Berechnung der Wahrscheinlichkeit hängt entscheidend von unseren Annahmen ab.[6]

Angesichts dieser Lücke in unserem Verständnis läuft das vernünftigste Fazit darauf hinaus, dass die Inflation einen leistungsfähigen Erklärungsansatz liefert, der scheinbar separate Probleme zusammenfasst – das Horizont-Problem, das Flachheitsproblem, das Problem der Strukturentstehung, das Problem der niedrigen Entropie im frühen Universum – und für alle Probleme mit einer einzigen Lösung aufwartet. Das hinterlässt einen überzeugenden Eindruck. Aber um den nächsten Schritt zu tun, brauchen wir eine Theorie, welche die extremen Bedingungen bewältigen kann, die für den verschwommenen Fleck charakteristisch sind – die extreme Wärme und die kolossale Dichte –, so dass wir Aussicht haben, klare, eindeutige Einsichten in die frühesten Augenblicke des Kosmos zu gewinnen.

Wie wir im nächsten Kapitel erfahren werden, ist dazu eine Theorie erforderlich, die das vielleicht größte Hindernis überwinden kann, auf das die theoretische Physik im Laufe der letzten achtzig Jahre gestoßen ist: den tiefen Graben zwischen allgemeiner Relativitätstheorie und Quantenmechanik. Viele Forscher glauben, dass ein relativ neuer Ansatz, die *Superstringtheorie*, dieses Kunststück möglicherweise schon vollbracht hat, doch wenn die Superstringtheorie stimmt, ist die Struktur des Kosmos weit seltsamer, als sich fast alle Forscher und Denker haben träumen lassen.

URSPRUNG UND VEREINHEITLICHUNG

12

DIE WELT AUF EINEM STRING

Die Raumzeitstruktur nach der Stringtheorie

Stellen Sie sich ein Universum vor, in dem Sie alles verstehen müssten, um irgendetwas zu verstehen. Ein Universum, in dem Sie nicht sagen könnten, warum ein Planet einen Stern umkreist, warum ein Baseball im Flug einer bestimmten Bahn folgt, wie ein Magnet oder eine Batterie funktioniert, wie Licht und Gravitation wirken – ein Universum, in dem Sie nichts über irgendetwas sagen könnten, ohne die fundamentalsten Gesetze zu entdecken und ohne zu erklären, wie sie auf die feinsten Bestandteile der Materie einwirken. Glücklicherweise ist dieses Universum nicht unser Universum.

Wäre dem so, lässt sich kaum denken, dass die Wissenschaft überhaupt irgendwelche Fortschritte gemacht hätte. Nur Schritt für Schritt sind wir im Laufe der Jahrhunderte vorangekommen. Stück um Stück konnten wir die Rätsel lösen, wobei wir mit jeder neuen Entdeckung ein bisschen tiefer in das Geheimnis eingedrungen sind. Newton musste nichts von Atomen wissen, um unser Verständnis von Bewegung und Gravitation entscheidend zu erweitern. Maxwell musste nichts von Elektronen und anderen geladenen Teilchen wissen, um eine leistungsfähige Theorie des Elektromagnetismus zu entwickeln. Einstein brauchte sich nicht mit dem Urzustand von Raum und Zeit zu beschäftigen, um eine Theorie zu formulieren, die zeigt, wie diese sich im Dienst der Gravitationskraft krümmen. Vielmehr fand jede dieser Entdeckungen wie viele andere, die unserer gegenwärtigen Vorstellung vom Kosmos zugrunde liegen, in einem begrenzten Kontext statt, in dem viele grundlegende Fragen einfach unbeantwortet blieben. Jede Entdeckung vermochte ein Teil zum Puzzle beizutragen, obwohl niemand wusste – und wir heute noch nicht wissen –, zu welchem Gesamtbild all die Puzzleteile gehören.

In diesen Zusammenhang gehört auch die Erkenntnis, dass sich die heutige Physik zwar von derjenigen vor fünfzig Jahren erheblich unterscheidet, es aber zu einfach wäre, den wissenschaftlichen Fortschritt als eine Prozession von Theorien zu begreifen, in deren Verlauf die jeweils neueren die älteren ablösen. Zutreffender ist die Vorstellung, dass jede neue Theorie ihre Vorgängerin verbessert, indem sie einen genaueren und weiter reichenden Erklärungsansatz einführt. Newtons Gravitationstheorie wurde von Einsteins allgemeiner Relativitätstheorie abgelöst, doch es wäre naiv zu behaupten, Newtons Theorie sei falsch gewesen. Wenn sich Objekte nicht annähernd mit Lichtgeschwindigkeit bewegen und keine Gravitationsfelder erzeugen, die annähernd so stark sind wie die von Schwarzen Löchern, ist Newtons Theorie von fantastischer Genauigkeit. Das heißt aber nicht, dass Einsteins Theorie nur eine kleine Modifikation des Newtonschen Entwurfs wäre. Einstein verbesserte Newtons Ansatz, indem er ein vollkommen neues theoretisches Instrumentarium erfand, mit dem er unsere Vorstellung von Raum und Zeit radikal veränderte. Dadurch wird aber die Leistungsfähigkeit von Newtons Entdeckung in dem Bereich, für den sie bestimmt war (Planetenbewegung, gewöhnliche Bewegungen auf der Erde und so fort), nicht im Geringsten beeinträchtigt.

Wir halten es für möglich, dass jede neue Theorie uns dem schwer zugänglichen Ziel der Wahrheit näher bringt, doch ob es eine letzte Theorie gibt – eine Theorie, die sich nicht mehr weiter verbessern lässt, weil sie uns endlich die Prozesse des Universums auf der tiefstmöglichen Ebene offenbart –, ist eine Frage, die niemand beantworten kann. Trotzdem liefert das Muster, das sich in den wissenschaftlichen Entdeckungen der letzten dreihundert Jahre abzeichnet, faszinierende Hinweise darauf, dass eine solche Theorie entwickelt werden könnte. Einfach gesagt, hat jeder neue Durchbruch ein immer breiteres Spektrum physikalischer Phänomene unter dem Dach von immer weniger Theorien versammelt. Newtons Entdeckungen zeigten, dass die Kräfte, welche die Planetenbewegung bestimmen, die gleichen Kräfte sind, welche die Bewegung fallender Objekte hier auf der Erde regieren. Maxwells Entdeckungen machten deutlich, dass Elektrizität und Magnetismus zwei Seiten derselben Medaille sind. Einsteins Entdeckungen bewiesen, dass Raum und Zeit so untrennbar sind wie Midas' Berührung und Gold. Die Entdeckungen einer Generation von Physikern Anfang des zwanzigsten Jahrhunderts belegten, dass unzählige Rätsel der Mikrophysik sich mit Hilfe der Quantenmechanik exakt erklären lassen. In jüngerer Zeit zeigten die Entdeckungen von Glashow, Salam und Weinberg, dass Elektromagnetismus und schwache Kernkraft zwei Manifestationen einer einzigen Kraft, der elektroschwachen Kraft, sind. Wir haben ein indirektes Indiz dafür, dass die starke Kernkraft in einer größeren Synthese mit der elektroschwachen Kraft zusammengefasst werden könnte.[1] All das zusammengenommen, ergibt sich ein Muster, das sich von der Komplexität zur Einfachheit, von der Vielfalt zur Einheitlichkeit bewegt. Die »Erklärungspfeile« scheinen auf ein leistungsfähiges, noch zu entdeckendes System zuzulaufen, das alle Naturkräfte und alle Materie im Rahmen einer einzigen Theorie vereinigt und in der Lage ist, alle physikalischen Phänomene zu beschreiben.

Albert Einstein, der sich mehr als dreißig Jahre lang bemühte, den Elektromagnetismus und die allgemeine Relativitätstheorie in einer einzigen Theorie zu vereinigen, wird völlig zu Recht das Verdienst zugeschrieben, die moderne Suche nach einer vereinheitlichten Theorie eingeleitet zu haben. Über weite Strecken dieser Jahrzehnte war er der Einzige, der nach einer solchen Theorie suchte, und sein leidenschaftliches, aber einsames Bemühen entfremdete ihn den Vertretern der Mainstream-Physik. In den letzten zwanzig Jahren hat die Suche nach einer vereinheitlichten Theorie jedoch eine spektakuläre Renaissance erlebt. Einsteins einsamer Traum ist zur treibenden Kraft einer ganzen Generation von Physikern geworden. Doch mit den Entdeckungen, die seit Einstein gemacht wurden, hat sich der Schwerpunkt verlagert. Obwohl wir bislang noch keine Theorie besitzen, welche die starke Kernkraft und die elektroschwache Kraft erfolgreich verbindet, hat man diese drei Kräfte (die elektromagnetische, schwache und starke) in einer einzigen, einheitlichen Sprache beschrieben, die auf der Quantenmechanik beruht. Die allgemeine Relativitätstheorie jedoch, unsere beste Theorie der vierten Kraft, bleibt außerhalb dieses Rahmens. Die allgemeine Relativitätstheorie ist eine klassische Theorie: Sie lässt die gesamten theoretischen Wahrscheinlichkeitskonzepte außen vor. Ein vorrangiges Ziel des modernen Vereinheitlichungsprogramms besteht daher darin, die allgemeine Relativitätstheorie und die Quantenmechanik zu kombinieren und alle vier Kräfte mit derselben quantenmechanischen Begrifflichkeit zu beschreiben. Das hat sich allerdings als eines der schwierigsten Probleme erwiesen, mit denen die theoretische Physik es jemals zu tun bekommen hat.

Schauen wir uns den Grund an.

Quantenfluktuationen und leerer Raum

Müsste ich das charakteristischste Merkmal der Quantenmechanik bestimmen, würde ich mich für die Unschärferelation entscheiden. Wahrscheinlichkeiten und Wellenfunktionen stellen zweifellos einen vollkommen neuen theoretischen Rahmen dar, aber den endgültigen Bruch mit der klassischen Physik führte erst die Unschärferelation herbei. Bedenken Sie, dass die Naturwissenschaftler im siebzehnten und achtzehnten Jahrhundert der Meinung waren, eine vollständige Beschreibung der physikalischen Wirklichkeit laufe darauf hinaus, die Orte und Geschwindigkeiten jedes der Materieteilchen anzugeben, aus denen der Kosmos besteht. Mit der Entwicklung des Feldkonzepts im neunzehnten Jahrhundert und seiner anschließenden Anwendung auf die elektromagnetische Kraft und die Gravitation wurde diese Auffassung dahingehend erweitert, dass man den Wert jedes Feldes – das heißt seine Stärke – und die Änderungsrate jedes Feldwerts an jedem Ort im Raum hinzufügte. In den dreißiger Jahren des zwanzigsten Jahrhunderts betrat jedoch die Unschärferelation die Bühne und demontierte diesen Wirklichkeitsbegriff, indem sie zeigte, dass wir den Ort und die Geschwindigkeit eines Teilchens niemals gleichzeitig in Erfahrung bringen können. Nie können Sie den Wert eines Feldes an einem Ort im Raum ermitteln und gleichzeitig wissen, wie schnell sich der Feldwert verändert. Das verbietet die Quantenunschärfe.

Wie im letzten Kapitel beschrieben, bewirkt diese Quantenunschärfe, dass es turbulent und unstet zugeht in der Mikrowelt. Bislang haben wir uns auf die durch die Unschärfe bedingten Quantenfluktuationen beim Inflaton-Feld konzentriert, aber die Quantenunschärfe gilt für alle Felder. Das elektromagnetische Feld, die Felder der starken und der schwachen Kernkraft und das Gravitationsfeld sind alle in mikroskopischen Größenordnungen den hektischen Quantenfluktuationen unterworfen. Tatsächlich gibt es diese Feldfluktuationen sogar in dem Raum, den wir uns normalerweise als leer vorstellen, dem Raum, der weder Materie noch Felder zu enthalten scheint. Das ist eine Idee von entscheidender Bedeutung, doch sollten Sie noch nie von ihr gehört haben, brauchen Sie sich nicht zu grämen, wenn Sie verwirrt sind. Wenn eine Raumregion nichts enthält – wenn sie ein Vakuum ist –, heißt das dann nicht, dass es dort nichts gibt, was fluktuieren könnte? Nun, wir haben bereits gesehen, dass der Begriff des Nichts kompliziert ist. Denken Sie nur an den Higgs-Ozean, von dem die moderne Theorie behauptet, er durchdringe den leeren Raum. Die Quantenfluktuationen, von denen ich spreche, sind geeignet, den Begriff des »Nichts« noch komplizierter zu machen. Damit hat es folgende Bewandtnis:

In der Vorquanten-Ära (und Vor-Higgs-Ära) der Physik haben wir eine Raumregion für vollkommen leer erklärt, wenn sie keine Teilchen enthalte und der Wert aller Felder übereinstimmend null sei.* Betrachten wir nun die-

* Aus Gründen der Einfachheit wollen wir nur Felder betrachten, die ihre niedrigste Energie erreichen, wenn ihre Werte null sind. Die Erörterung anderer Felder – Higgs-Felder – ist identisch, mit dem einzigen Unterschied, dass Fluktuationen um den *nichtverschwindenden* niedrigsten Energiewert des Feldes schwanken. Sollten Sie versucht sein zu sagen, eine Raumregion sei nur dann leer, wenn sie keine Materie enthalte und wenn alle Felder nicht nur den Wert null hätten, sondern auch *nicht vorhanden* seien, sollten Sie die Anmerkungen zu Rate ziehen.[2]

sen klassischen Begriff der Leere im Licht der quantenmechanischen Unschärferelation. Wenn ein Feld einen verschwindenden Wert annimmt und behält, kennen wir diesen Wert – null – und auch die Änderungsrate seines Werts: ebenfalls null. Doch laut der Unschärferelation ist es unmöglich, diese beiden Eigenschaften genau in Erfahrung zu bringen. Stattdessen gilt: Wenn ein Feld zu einem gegebenen Zeitpunkt einen eindeutigen Wert hat, null im vorliegenden Fall, folgt aus der Unschärferelation, dass seine Änderungsrate vollkommen zufällig ist. Und eine zufällige Änderungsrate bedeutet, dass der Wert selbst in einem Raum, den wir uns normalerweise vollkommen leer vorstellen, von Augenblick zu Augenblick wild fluktuiert. Daher ist der intuitive Begriff der Leere, in der alle Felder den Wert null haben und behalten, mit der Quantenmechanik unvereinbar. *Der Wert eines Feldes kann um den Wert null schwanken, aber in einer gegebenen Region nicht länger als einen kurzen Augenblick einheitlich identisch null sein.*[3] In der Sprache der Physik: Das Feld ist *Vakuumfluktuationen* unterworfen.

Der Zufallscharakter der Vakuumfluktuationen von Feldern sorgt dafür, dass es in allen Regionen, bis auf diejenigen kleinster Ausmaße, gleich viele Schwankungen »nach oben« wie »nach unten« gibt, so dass sie im Durchschnitt null ergeben, genauso wie die Oberfläche einer Marmorplatte dem bloßen Auge vollkommen glatt erscheint, obwohl ein Elektronenmikroskop offenbart, dass sie, auf winzigen Skalen betrachtet, wild zerklüftet ist. Obwohl wir diese Quantenfluktuationen von Feldern nicht direkt sehen können, wurde die Tatsache, dass sie sogar im leeren Raum existieren, vor mehr als fünfzig Jahren durch eine einfache, aber grundlegende Entdeckung bewiesen.

1948 suchte der holländische Physiker Hendrik Casimir nach einem Weg, die Vakuumfluktuationen des elektromagnetischen Feldes experimentell nachzuweisen. Nach der Quantentheorie nehmen die Schwankungen des elektromagnetischen Feldes im leeren Raum eine Vielzahl von Formen an wie in Abbildung 12.1 (a). Entscheidend war Casimirs Erkenntnis, dass er mit zwei gewöhnlichen Metallplatten, die er in einer ansonsten leeren Region anbrachte (siehe Abbildung 12.1 [b]), eine leichte Veränderung dieser Vakuumfeldschwankungen hervorrufen konnte. Die Quantengleichungen zeigen nämlich, dass es in den Regionen dort zwischen den Platten zu weniger Fluktuationen kommt (sie lassen nur die elektromagnetischen Feldfluktuationen zu, deren Werte am Ort jeder Platte null sind). Casimir untersuchte, welche Folgen diese Verringerung der Feldfluktuationen hatte, und stieß auf ein ungewöhnliches Ergebnis. Wie eine Verringerung der Luftmenge in einer Region Druckungleichgewicht hervorruft (beispielsweise spüren Sie in größeren

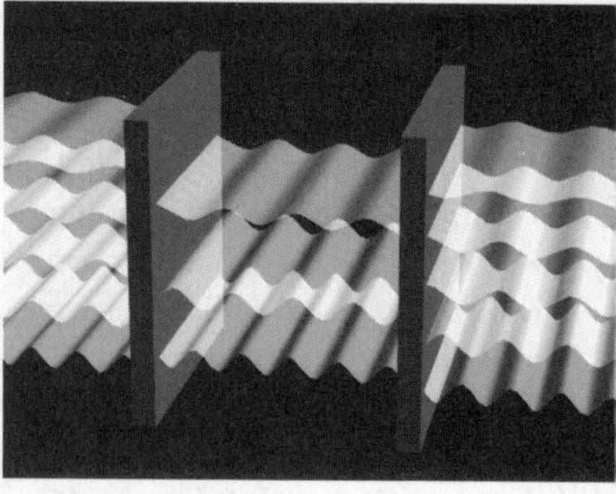

Abbildung 12.1 (a) Vakuumfluktuationen des elektromagnetischen Feldes. (b) Vakuumfluktuationen zwischen zwei Metallplatten und außerhalb der Platten.

Höhen, dass die dünnere Luft auf Ihr Trommelfell weniger Druck von außen ausübt), so erzeugt die Verringerung der Quantenfluktuationen von Feldern zwischen den Platten ebenfalls ein Druckungleichgewicht: Die Quantenfeldfluktuationen zwischen den Platten werden ein wenig schwächer als diejenigen außerhalb der Platten, und dieses Ungleichgewicht *drückt die Platten aufeinander zu.*

Überlegen Sie einmal, wie außerordentlich merkwürdig das ist. Sie stellen zwei schlichte, gewöhnliche, ungeladene Metallplatten so in einer *leeren* Raumregion auf, dass sie sich gegenüberstehen. Da ihre Massen winzig sind, lässt sich die Gravitationsanziehung zwischen ihnen vollkommen vernachlässigen. Sonst ist nichts vorhanden, daher können Sie mit Recht vermuten, dass die Platten sich nicht vom Fleck rühren werden. Doch Casimirs Berechnungen sagten etwas *anderes* vorher. Er gelangte zu dem Schluss, die Platten würden sich unter dem geisterhaften Einfluss der Quantenvakuumfluktuationen leicht aufeinander zubewegen.

Als Casimir diese theoretischen Ergebnisse erstmals publizierte, gab es noch keine Geräte, die empfindlich genug waren, um diese Vorhersagen zu überprüfen. Doch nach rund zehn Jahren war Marcus Spaarnay, ein anderer holländischer Physiker, in der Lage, einen ersten vorläufigen Test der *Casimir-Kraft* vorzunehmen. Seither sind immer genauere Experimente durchgeführt worden. So hat 1997 Steve Lamoreaux, damals an der University of Washington, Casimirs Vorhersagen mit einer Genauigkeit von ± 5 Prozent bestätigt.[4] (Bei Platten, die etwa die Größe von Spielkarten und einen Abstand von einem zehntausendstel Zentimeter haben, entspricht die Kraft zwischen ihnen ungefähr dem Gewicht einer Träne; das zeigt, was für eine experimentelle Herausforderung es bedeutet, die Casimir-Kraft zu messen.) Heute besteht kaum Zweifel daran, dass die intuitive Vorstellung vom leeren Raum als statischem, ruhigem, ereignislosem Schauplatz vollkommen falsch ist. Infolge der Quantenunschärfe ist der leere Raum ein Tummelplatz turbulenter Quantenaktivitäten.

Die Forscher brauchten mehr als die Hälfte des zwanzigsten Jahrhunderts, um alle mathematischen Werkzeuge zu entwickeln, die erforderlich waren, um diese Quantenaktivität der elektromagnetischen, der starken und der schwachen Kraft zu beschreiben. Die Mühe hat sich gelohnt: Berechnungen mit Hilfe dieser mathematischen Verfahren entsprechen den Experimentalergebnissen mit beispielloser Genauigkeit (so stimmen Berechnungen zu den Auswirkungen von Vakuumfluktuationen auf die magnetischen Eigenschaften von Elektronen und die Ergebnisse aus Experimenten mit einer Genauigkeit von eins zu einer Milliarde überein).[5]

Doch trotz all dieser Erfolge sind sich Physiker seit vielen Jahrzehnten darüber klar, dass die Quantenfluktuationen in den Gesetzen der Physik Unfrieden stiften.

Fluktuationen und Unfrieden[6]

Bislang haben wir nur Quantenfluktuationen für Felder erörtert, die *innerhalb* des Raums existieren. Was ist mit Quantenfluktuationen des Raums selbst? Auch wenn es rätselhaft klingen mag, ist das tatsächlich nur ein weiteres Beispiel für Quantenfeldfluktuationen – ein Beispiel jedoch, das sich als besonders vertrackt erweist. In der allgemeinen Relativitätstheorie hat Einstein bewiesen, dass die Gravitationskraft durch Verzerrungen und Krümmungen im Raum beschrieben werden kann. Wie er zeigte, manifestieren sich Gravitationsfelder durch die Form oder Geometrie des Raums (allgemeiner: der Raumzeit). Wie jedes andere Feld ist das Gravitationsfeld Quantenfluktuationen unterworfen: Die Unschärferelation sorgt dafür, dass das Gravitationsfeld bei winzigen Abständen auf und ab schwankt. Und da »Gravitationsfeld« ein Synonym für »Form des Raums« ist, bedeuten solche Quantenfluktuationen, dass die Form des Raums zufällig fluktuiert. Wie bei allen Beispielen der Quantenunschärfe sind die Fluktuationen auf alltäglichen Skalen zu klein, um direkt wahrgenommen werden zu können, daher erscheint die Umgebung, in der sie stattfinden, glatt, friedlich und vorhersagbar. Doch je kleiner der Beobachtungsmaßstab, desto größer ist die Unschärfe und desto turbulenter sind auch die Quantenfluktuationen.

Das illustriert die Abbildung 12.2, in der wir die Struktur des Raums

Abbildung 12.2 Sukzessive Ausschnittsvergrößerungen des Raums offenbaren, dass er unterhalb der Planck-Länge infolge von Quantenfluktuationen äußerst turbulent wird und nicht mehr wiederzuerkennen ist. (Es handelt sich um imaginäre Vergrößerungsgläser, von denen jedes zwischen 10-millionen- und 100-millionenfach vergrößert.)

Stück für Stück vergrößern, um seine Beschaffenheit bei immer kleineren Abständen zu verdeutlichen. Die unterste Ebene dieser Abbildung zeigt die Quantenfluktuationen des Raums in vertrauten Größenordnungen. Wie Sie sehen können, ist nichts zu sehen: Die Schwankungen sind so klein, dass sie nicht zu beobachten sind, daher erscheint der Raum ruhig und flach. Doch wenn wir genauer hinschauen, indem wir die Region nach und nach vergrößern, sehen wir, dass die Schwankungen des Raums immer heftiger werden. Auf der höchsten Ebene der Abbildung, welche die Struktur der Raumzeit auf Skalen kleiner als die *Planck-Länge* zeigt – ein millionstel milliardstel milliardstel milliardstel (10^{-33}) Zentimeter –, wird der Raum zu einem brodelnden, siedenden Hexenkessel turbulenter Fluktuationen. Wie die Abbildung vor Augen führt, werden die üblichen Begriffe von links/rechts, vorne/hinten und oben/unten durch den ultramikroskopischen Aufruhr derart aus den Angeln gehoben, dass sie jegliche Bedeutung verlieren. Selbst der alltägliche Begriff von vorher/nachher, den wir durch aufeinander folgende Scheiben des Raumzeitlaibs dargestellt haben, wird bei Quantenfluktuationen auf

Zeitskalen, die kürzer sind als die Planck-Zeit (rund eine millionstel billionstel billionstel billionstel [10^{-43}] Sekunde, was etwa der Zeit entspricht, die das Licht braucht, um eine Planck-Länge zurückzulegen), sinnlos. Analog zu einem verschwommenen Foto machen die wilden Schwankungen in Abbildung 12.2 es unmöglich, eine Zeitscheibe eindeutig von der anderen zu unterscheiden, wenn das Zeitintervall zwischen ihnen kürzer als die Planck-Zeit wird. Mit anderen Worten: Auf Größenordnungen, die Planck-Abstände und -Zeitintervalle unterschreiten, bewirkt die Quantenunschärfe so starke Verwerfungen und Verzerrungen in der Raumzeitstruktur des Kosmos, dass die üblichen Begriffe von Raum und Zeit nicht mehr anwendbar sind.

So fremdartig die Vorstellung, die Abbildung 12.2 vermittelt, im Einzelnen auch sein mag, im Grunde kennen wir sie bereits: Begriffe und Schlussfolgerungen, die auf einer Größenordnung gültig sind, lassen sich unter Umständen nicht auf alle Skalen übertragen. Das ist ein Grundprinzip der Physik, dem wir auch in weit banaleren Zusammenhängen begegnen. Nehmen Sie ein Glas Wasser. Das Wasser als glatte, gleichförmige Flüssigkeit zu beschreiben, ist bei alltäglichen Maßstäben nützlich und angebracht, trotzdem handelt es sich um eine Näherung, die ihre Gültigkeit verliert, wenn wir das Wasser mit submikroskopischer Genauigkeit untersuchen: Dann nämlich macht das glatte Bild einem ganz anderen Gefüge von weit getrennten Molekülen und Atomen Platz. Entsprechend zeigt Abbildung 12.2, dass Einsteins Konzept einer glatten, sanft gekrümmten Struktur von Raum und Zeit zwar eine erfolgreiche und genaue Methode zur Beschreibung des Universums auf großen Skalen ist, dass es aber seine Gültigkeit einbüßt, wenn wir das Universum bei extrem kleinen Abständen und kurzen Zeitintervallen betrachten. Nach Meinung der Physiker verhält es sich mit dieser glatten Darstellung von Raum und Zeit wie mit dem Wasser – sie ist eine Näherung und weicht einem anderen, grundsätzlicheren Bild, wenn wir eine Analyse auf ultramikroskopischen Skalen vornehmen. Was dann für eine Struktur sichtbar wird – was die »Moleküle« und »Atome« der Raumzeit sind –, ist eine Frage, die augenblicklich mit großem Eifer erforscht wird. Sie muss noch gelöst werden.

Doch auch so zeigt Abbildung 12.2 eindeutig, dass bei winzigen Größenordnungen die glatte Beschaffenheit von Raum und Zeit, von der die allgemeine Relativitätstheorie ausgeht, zum turbulenten, fluktuierenden Charakter der Quantenmechanik in Widerspruch gerät. Das Grundprinzip von Einsteins allgemeiner Relativitätstheorie, dem zufolge Raum und Zeit sanft gekrümmte, geometrische Objekte sind, steht in krassem Gegensatz zum Grundprinzip der Quantenmechanik, dem zufolge die Unschärferelation uns lehrt, dass wir auf den winzigsten Skalen eine wilde, stürmische und turbulente Umgebung antreffen. Der heftige Konflikt zwischen den zentralen Ideen der allgemeinen Relativitätstheorie und der Quantenmechanik hat die Verflechtung der beiden Theorien zur schwierigsten Aufgabe werden lassen, mit der es die Physik in den letzten achtzig Jahren zu tun bekommen hat.

Spielt es eine Rolle?

In der Praxis hebt die Unvereinbarkeit zwischen allgemeiner Relativitätstheorie und Quantenmechanik ihr scheußliches Haupt auf eine ganz spezielle Weise. Wenn Sie die Gleichungen von allgemeiner Relativitätstheorie und Quantenmechanik gemeinsam verwenden, ergibt sich fast immer das gleiche Resultat: unendlich. Und das ist ein Problem. Denn ein solches Ergebnis ist unsinnig. Experimentatoren messen nie Unendliches. Größenordnungen reichen nicht bis unendlich. Messgeräte verzeichnen nichts Unendliches. Taschenrechner werfen nichts Unendliches aus. Fast immer ist ein unendliches Resultat sinnlos. Daraus ersehen wir lediglich, dass die Gleichungen der allgemeinen Relativitätstheorie und der Quantenmechanik uns in die Irre führen, wenn wir sie kombinieren.

Lassen Sie mich darauf hinweisen, dass dieser Konflikt etwas ganz anderes ist als die Spannung zwischen der *speziellen* Relativitätstheorie und der Quantenmechanik, von der bei unserer Erörterung der quantenmechanischen Nichtlokalität in Kapitel 4 die Rede war. Um die Prinzipien der speziellen Relativitätstheorie (insbesondere die Symmetrie zwischen allen Beobachtern mit konstanter Geschwindigkeit) mit dem Verhalten verschränkter Teilchen in Einklang zu bringen, müssten wir, wie sich zeigte, das Quantenmessproblem gründlicher verstehen, als es uns bisher gelungen ist (siehe Seiten 144–147). Doch dieses unvollständig gelöste Problem führt nicht zu mathematischen Widersprüchen oder zu Gleichungen, aus denen sich unsinnige Resultate ergeben. Ganz im Gegenteil: Noch nie sind in der Geschichte der Wissenschaft Vorhersagen so exakt bestätigt worden wie diejenigen, die mit Hilfe der kombinierten Gleichungen der speziellen Relativitätstheorie und der Quantenmechanik gemacht wurden. Die stille Spannung zwischen spezieller Relativitätstheorie und Quantenmechanik deutet auf ein Feld hin, das in theoretischer Hinsicht noch bestellt werden muss, das aber kaum die Vorhersagefähigkeit der vereinigten Theorien beeinträchtigt. Ganz anders verhält es sich bei der explosiven Vereinigung von allgemeiner Relativitätstheorie und Quantenmechanik: Hier geht jegliche Vorhersagekraft verloren.

Trotzdem können Sie fragen, ob die Unverträglichkeit zwischen allgemeiner Relativitätstheorie und Quantenmechanik wirklich eine Rolle spielt.

Gewiss, die zusammengefassten Gleichungen mögen unsinnige Ergebnisse hervorbringen, doch wann muss man sie schon mal zusammen verwenden? Jahrelange astronomische Beobachtungen haben gezeigt, dass die allgemeine Relativitätstheorie die Makrowelt der Sterne, Galaxien und sogar die ganze Weite des Kosmos mit beeindruckender Genauigkeit beschreibt. Jahrzehntelange Experimente haben bestätigt, dass die Quantenmechanik das Gleiche für die Mikrowelt der Moleküle, Atome und subatomaren Teilchen leistet. Da jede Theorie in ihrem Zuständigkeitsbereich Wunder bewirkt – wozu soll man sich darum sorgen, wie man sie zusammenfasst? Warum lassen wir sie nicht getrennt? Warum verwenden wir die allgemeine Relativitätstheorie nicht weiterhin für Dinge, die groß und massereich sind, und die Quantenmechanik für Dinge, die winzig und leicht sind, und freuen uns an der beeindruckenden Fähigkeit der Menschheit, eine solche Bandbreite physikalischer Phänomene so gründlich zu verstehen?

Tatsächlich haben die meisten Physiker seit den ersten Jahrzehnten des zwanzigsten Jahrhunderts *genau das* getan, und zweifellos war das ein ausgesprochen fruchtbarer Ansatz, mit dem auf diesen separaten Forschungsfeldern beeindruckende Fortschritte erzielt worden sind. Dennoch sprechen zahlreiche Gründe dafür, den Gegensatz zwischen allgemeiner Relativitätstheorie und Quantenmechanik zu überwinden. Hier sind zwei.

Erstens widerstrebt es uns intuitiv, dass das unbehagliche Nebeneinander zweier letztlich unvereinbarer Theorien bereits der Weisheit letzter Schluss sein soll. Schließlich gibt es im Universum ja keine Linie im Sand, um die Dinge, die angemessen durch die Quantenmechanik beschrieben werden, von denen zu scheiden, die besser durch die allgemeine Relativitätstheorie zu beschreiben sind. Das Universum in zwei getrennte Bereiche aufzuteilen, ist künstlich und plump. Für viele Forscher ist das ein Beleg dafür, dass es eine tiefere, einheitliche Wahrheit geben muss, die den Graben zwischen allgemeiner Relativitätstheorie und Quantenmechanik überwindet und die für *alles* zuständig ist. Wir haben nur ein Universum und sollten daher, wie viele meinen, auch nur eine Theorie haben.

Zweitens sind zwar die meisten Dinge entweder groß und schwer oder klein und leicht und lassen sich daher aus praktischen Gründen besser mit Hilfe der allgemeinen Relativitätstheorie *oder* der Quantenmechanik beschreiben, doch trifft das nicht auf alle Dinge zu. Schwarze Löcher sind ein schönes Beispiel. Laut der allgemeinen Relativitätstheorie wird alle Materie, aus der ein Schwarzes Loch besteht, in einem einzigen winzigen Punkt in der Mitte des Schwarzen Lochs zusammengepresst.[7] Infolgedessen ist das Zentrum eines Schwarzen Lochs sowohl außerordentlich massereich als auch unglaublich winzig und gehört daher auf beide Seiten der vermeintlichen Trennlinie: Wir müssen die allgemeine Relativitätstheorie verwenden, weil die große Masse ein beträchtliches Gravitationsfeld erzeugt, und wir müssen die Quantenmechanik heranziehen, weil die gesamte Masse auf einen winzigen Punkt zusammengepresst wird. Doch dergestalt kombiniert, brechen die Gleichungen zusammen, weshalb bisher noch niemand bestimmen konnte, was direkt im Zentrum eines Schwarzen Lochs geschieht.

Aber falls Sie ein echter Skeptiker sind, könnten Sie sich noch immer fragen, ob wir uns von einem solchen Ding tatsächlich um den Schlaf bringen lassen müssen. Schließlich können wir nicht in ein Schwarzes Loch hineinsehen, ohne hineinzuspringen, und sprängen wir hinein, wären wir nie mehr in der Lage, der Außenwelt von unseren Beobachtungen zu berichten, also lässt sich mit Fug und Recht behaupten, unsere begrenzten Kenntnisse über das Innere des Schwarzen Lochs seien nicht besonders tragisch. Doch für Physiker ist die Existenz eines Bereichs, in dem die bekannten Gesetze der Physik ihre Gültigkeit verlieren, ein Alarmzeichen – mag dieser Bereich noch so fern liegend und exotisch sein. Wenn die bekannten physikalischen Gesetze unter irgendwelchen Umständen zusammenbrechen, ist das ein eindeutiger Beleg dafür, dass wir in unserem Bemühen, das Universum zu verstehen, noch nicht weit und noch nicht tief genug vorangekommen sind. Schließlich funktioniert das Universum. Soweit wir sagen können, verliert es nirgends seine Gültigkeit und bricht nirgendwo zusammen. Die richtige Theorie des Universums sollte zumindest den gleichen Ansprüchen genügen.

Gewiss, das klingt plausibel. Allerdings zeigt sich nach meiner Meinung die ganze Dringlichkeit des Konflikts zwischen allgemeiner Relativitätstheorie und Quantenmechanik erst in einem anderen Beispiel. Schauen Sie sich noch einmal Abbildung 10.6 an. Wie Sie erkennen, haben wir große Fortschritte bei dem Versuch gemacht, eine schlüssige Geschichte der kosmischen Entwicklung zusammenzustellen, aus der sich möglichst weitreichende Vorhersagen über das Universum treffen lassen. Dennoch bleibt das Bild wegen des verschwommenen Flecks zu Beginn des Universums unvollständig. Hinter diesem Schleier, der die frühesten Augenblicke verhüllt, verbirgt sich das faszinierendste aller Geheimnisse: der Ursprung und die fundamentale Beschaffenheit von Raum und Zeit. Was hat uns daran gehindert, diesen Schleier zu lüften? Schuld ist eindeutig der Konflikt zwischen allgemeiner Relativitätstheorie und Quantenmechanik. Der Gegensatz zwischen den Gesetzen des Großen und denen des Kleinen ist der Grund, warum der verschwommene Fleck undurchdringlich bleibt und wir noch immer nicht wissen, was am eigentlichen Beginn des Universums geschah.

Dazu stellen Sie sich am besten wie in Kapitel 10 vor, Sie ließen einen Film von der Expansion des Universums rückwärts laufen, so dass sich die Ereignisse auf den Urknall zubewegen. Beim Zurückspulen kommt alles, was jetzt auseinander strebt, wieder zusammen. Je weiter wir den Film zurück laufen lassen, desto kleiner, heißer und dichter wird das Universum. Wenn wir uns der Zeit null nähern, wird das ganze beobachtbare Universum auf die Größe der Sonne zusammengepresst, dann auf die Größe der Erde, auf die Größe einer Bowlingkugel, einer Erbse, eines Sandkorns – kleiner und kleiner schnurrt das Universum zusammen, während der Film sich seinen allerersten Bildern nähert. Es kommt bei dieser umgekehrten Filmvorführung der Augenblick, wo das gesamte bekannte Universum eine Größe nahe der Planck-Länge annimmt – jenem millionstel milliardstel milliardstel milliardstel Zentimeter, über den die allgemeine Relativitätstheorie und die Quantenmechanik in Streit geraten. In diesem Augenblick ist alle Masse und Energie, die für die Entstehung des beobachtbaren Universums verantwortlich ist, in einem Fleck enthalten, der noch nicht einmal ein hundertstel milliardstel Milliardstel der Größe eines einzigen Atoms besitzt.[8]

Wie das Zentrum des Schwarzen Lochs gehört also auch das frühe Universum auf beide Seiten der Trennlinie: Die enorme Dichte des frühen Universums verlangt die Anwendung der allgemeinen Relativitätstheorie. Die winzigen Ausmaße des frühen Universums erfordern die Anwendung der Quantenmechanik. Doch einmal mehr brechen diese Gesetze zusammen, wenn sie miteinander kombiniert werden. Der kosmische Film verwickelt sich im Projektor, fängt Feuer, und abermals ist uns der Zugang zu den frühesten Augenblicken des Universums verwehrt. Durch den Konflikt zwischen allgemeiner Relativitätstheorie und Quantenmechanik sind wir in Bezug auf die Geschehnisse am Anfang zur Unwissenheit verurteilt, so dass uns nichts anderes übrig bleibt, als den verschwommenen Fleck der Abbildung 10.6 zu zeichnen.

Wir können *nur dann* hoffen, den Ursprung des Universums zu verstehen – eine der wichtigsten Fragen überhaupt in der Naturwissenschaft –, wenn es uns gelingt, den Konflikt zwischen allgemeiner Relativitätstheorie und Quantenmechanik zu lösen. Wir müssen den Gegensatz zwischen den Gesetzen des Großen und den Gesetzen des Kleinen überwinden und sie in einer einzigen, harmonischen Theorie vereinigen.

*Der unwahrscheinliche Weg zu einer Lösung**

Wie die Arbeiten von Newton und Einstein belegen, sind wissenschaftliche Durchbrüche manchmal schlicht und einfach der verblüffenden Genialität Einzelner zu verdanken; dennoch ist dieser Weg eher die Ausnahme. Weit häufiger manifestiert sich in großen Fortschritten die kollektive Anstrengung vieler Wissenschaftler, von denen jeder auf den Erkenntnissen anderer aufbaut, um zu leisten, was kein Einzelner allein hätte erreichen können. Ein Wissenschaftler entwickelt eine Idee, die einen anderen auf einen interessanten Gedanken bringt, der zu einer Beobachtung führt, die eine unerwartete Beziehung offenbart, die zum Ausgangspunkt einer wichtigen Entwicklung wird, die wiederum einen neuen Zyklus von Entdeckungen einleitet. Umfassendes Wissen, fachliche Fähigkeiten, flexibles Denken, Offenheit für unerwartete Verbindungen, Vertrautheit mit dem weltweiten freien Gedankenaustausch, harte Arbeit und eine gehörige Portion Glück sind wichtige Voraussetzungen wissenschaftlicher Entdeckungen. In jüngerer Zeit hat es vielleicht keinen großen wissenschaftlichen Fortschritt gegeben, der das besser belegt als die Entdeckung der *Superstringtheorie*.

Nach Meinung vieler Physiker ist die Superstringtheorie ein Ansatz, dem es gelingt, die allgemeine Relativitätstheorie und die Quantenmechanik zu verschmelzen. Und wie wir sehen werden, besteht sogar Anlass zu noch größeren Hoffnungen. Obwohl die Arbeiten noch lange nicht abgeschlossen sind, könnte die Superstringtheorie durchaus die vollständig vereinheitlichte Theorie aller Kräfte und aller Materie sein, eine Theorie, die Einsteins Traum verwirklicht und sogar über ihn hinausgeht – eine Theorie, die, wie ich und viele mit mir glauben, einen Weg vorzeichnet, der uns eines Tages zu den wahrlich fundamentalen Gesetzen des Universums führen könnte. Allerdings wurde die Superstringtheorie, ehrlich gesagt, nicht entwickelt, um diese altehrwürdigen und edlen Ziele zu verwirklichen. Vielmehr ist die Geschichte der Superstringtheorie gespickt mit Zufallsentdeckungen, Sackgassen, verpassten Gelegenheiten und fast verpatzten Karrieren. Sie ist, mit einem Wort, ein Musterbeispiel für die Entdeckung der richtigen Lösung für das falsche Problem.

1968 gehörte Gabriele Veneziano, ein junger Wissenschaftler mit einem Postdoc-Forschungsstipendium am CERN, zu den vielen Physikern, die ver-

* Im verbleibenden Teil diese Kapitels berichte ich über die Entdeckung der Superstringtheorie und erörtere die wichtigsten Ideen der Theorie, welche die Vereinheitlichung und die Struktur der Raumzeit betreffen. Leser des *Eleganten Universums* (besonders der Kapitel 6 bis 8) dürften damit vertraut sein und können sich getrost dem Anfang des nächsten Kapitels zuwenden.

suchten, die starke Kernkraft dadurch zu verstehen, dass sie die Ergebnisse energiereicher Teilchenstöße untersuchten, die in Teilchenbeschleunigern rund um die Welt erzeugt wurden. Nachdem Veneziano monatelang Muster und Regelmäßigkeiten in den Messdaten analysiert hatte, stieß er auf eine überraschende und unerwartete Verbindung zu einem entlegenen Gebiet der Mathematik. Er erkannte, dass eine zweihundert Jahre alte Formel, die der berühmte Schweizer Mathematiker Leonhard Euler entdeckt hatte (die *Eulersche Betafunktion*), den Daten der starken Kernkraft exakt zu entsprechen schien. Das mag vielleicht nicht besonders ungewöhnlich klingen – theoretische Physiker hantieren ständig mit exotischen Formeln –, doch hier handelte es sich um den geradezu klassischen Fall eines von hinten aufgezäumten Pferdes. Meist entwickeln Physiker zunächst eine Intuition, ein Vorstellungsbild, ein allgemeines Verständnis von den physikalischen Prinzipien, die ihrem Untersuchungsgegenstand zugrunde liegen, und machen sich erst dann auf die Suche nach den Gleichungen, die erforderlich sind, um ihre Intuition mit einer soliden mathematischen Basis zu versehen. Veneziano dagegen wandte sich sofort den Gleichungen zu. Seine Leistung bestand darin, ungewöhnliche Muster in den Daten zu erkennen und eine unverhoffte Verbindung zu einer Formel herzustellen, die Jahrhunderte zuvor aus rein mathematischem Interesse entwickelt worden war.

Doch obwohl Veneziano nun über die Formel verfügte, hatte er keine Erklärung dafür, *warum* sie funktionierte. Ihm fehlte jegliche physikalische Vorstellung davon, warum die Eulersche Betafunktion von Bedeutung für Teilchen sein sollte, die einander durch die starke Kernkraft beeinflussen. Innerhalb von zwei Jahren veränderte sich diese Situation vollkommen. 1970 lieferten Leonard Susskind von der Stanford University, Holger Nielsen vom Niels-Bohr-Institut und Yoichiro Nambu von der University of Chicago die physikalischen Grundlagen für Venezianos Entdeckung nach. Wenn sich die starke Kraft zwischen zwei Teilchen auf einen winzigen, außerordentlich dünnen, fast gummibandartigen Strang zurückführen ließe, der die beiden Teilchen verbände, dann könnte man, so legten diese Physiker dar, die Quantenprozesse, über die sich Veneziano und viele andere den Kopf zerbrachen, mit Hilfe der Eulerschen Formel beschreiben. Man bezeichnete die kleinen elastischen Stränge als *Strings* (Saiten), womit die Stringtheorie – da nun das Zaumzeug richtig angelegt war – offiziell aus der Taufe gehoben war.

Aber freuen Sie sich nicht zu früh. Für diejenigen, die auf diesem Forschungsfeld arbeiteten, war es befriedigend, den physikalischen Ursprung von Venezianos Entdeckung zu verstehen, da es den Schluss nahe legte, dass sie dem Rätsel der starken Kernkraft auf der Spur waren. Allgemein wurde die

Entdeckung jedoch nicht mit Begeisterung aufgenommen. Weit gefehlt. Sehr weit gefehlt. Susskinds Aufsatz wurde von der Zeitschrift, bei der er ihn einreichte, mit dem Kommentar abgelehnt, die Arbeit sei von minimalem Interesse, eine Einschätzung, an die sich Susskind noch sehr genau erinnert: »Ich war wie vor den Kopf geschlagen, vom Stuhl gehauen, am Boden zerstört. Deshalb ging ich nach Hause und betrank mich.«[9] Schließlich wurde sein Aufsatz samt den anderen, die das Stringkonzept beschrieben, doch noch veröffentlicht, aber schon bald erlitt die Theorie zwei weitere verheerende Rückschläge. Die genaue Prüfung noch besserer Daten zur starken Kernkraft, die Anfang der siebziger Jahre ermittelt wurden, zeigten, dass es dem String-Ansatz nicht gelang, die neueren Ergebnisse exakt zu beschreiben, was – schlimmer noch – einem anderen neuen Ansatz der *Quantenchromodynamik*, die ausschließlich mit der herkömmlichen Beschreibung von Teilchen und Feldern arbeitete – also ohne Strings –, überzeugend gelang. 1974 war die Stringtheorie erledigt, mit einem linken und einem rechten Haken zu Boden gestreckt. Zumindest hatte es den Anschein.

John Schwarz gehörte zu den ersten Stringenthusiasten. Er hat mir einmal erzählt, er habe von Anfang an das instinktive Gefühl gehabt, die Theorie sei grundlegend und bedeutsam. Jahrelang beschäftigte sich Schwarz damit, die verschiedenen mathematischen Aspekte der Theorie zu untersuchen. Unter anderem führte das zur Entdeckung der *Superstringtheorie* – einer, wie wir sehen werden, wichtigen Verbesserung des ursprünglichen String-Ansatzes. Doch mit dem Aufstieg der Quantenchromodynamik und der Unfähigkeit der Stringtheorie, die starke Kraft zu beschreiben, ließ sich die Arbeit an der Stringtheorie immer schwerer rechtfertigen. Allerdings gab es da eine spezielle Diskrepanz zwischen Stringtheorie und starker Kernkraft, die Schwarz zu schaffen machte. Er konnte sie einfach nicht auf sich beruhen lassen. Die quantenmechanischen Gleichungen der Stringtheorie sagten vorher, dass ein bestimmtes, ziemlich ungewöhnliches Teilchen in großen Mengen durch die Hochenergiestöße erzeugt würde, die in Teilchenbeschleunigern herbeigeführt werden. Das Teilchen sollte, wie ein Photon, keine Masse haben, aber laut der Stringtheorie *Spin zwei*, das heißt, vereinfacht gesagt, doppelt so schnell rotieren wie ein Photon. In keinem der Experimente war jemals ein solches Teilchen gefunden worden, daher schien diese Behauptung zu den falschen Vorhersagen der Stringtheorie zu gehören.

Schwarz und sein Kollege Joël Scherk zerbrachen sich den Kopf über diesen Fall eines fehlenden Teilchens, bis sie durch einen großartigen Gedankensprung die Verbindung zu einem ganz anderen Problem herstellten. Obwohl niemand in der Lage war, die allgemeine Relativitätstheorie und die Quantenmechanik zusammenzufassen, hatte man bereits einige Merkmale bestimmt, die sich aus einer erfolgreichen Vereinheitlichung ergeben mussten. Wie in Kapitel 9 erwähnt, fand man unter anderem das folgende Merkmal: Genau wie die elektromagnetische Kraft mikroskopisch von Photonen übertragen wird, müsste die Gravitationskraft von einer anderen Klasse von Teilchen übertragen werden, den Gravitonen (den elementaren Teilchen dieser Kraft, den Gravitationsquanten). Zwar steht der experimentelle Nachweis der Gravitonen noch aus, doch die theoretischen Analysen stimmten alle darin überein, dass die Gravitonen zwei Eigenschaften aufweisen müssten: Sie sollten masselos sein und Spin zwei haben. Da klingelte es bei Schwarz und Scherk, waren das doch genau die Eigenschaften des nicht einzuordnenden Teilchens, das die Stringtheorie vorhersagte. Mutig entschlossen sie sich zu einem kühnen Schritt und retteten damit die Stringtheorie: Aus einem Schlag ins Wasser machten sie einen spektakulären Erfolg.

Statt die Stringtheorie als quantenmechanische Theorie der starken Kernkraft zu betrachten, erklärten sie, die Theorie sei zwar als ein Versuch zum Verständnis dieser Kraft entwickelt worden, bedeute in Wirklichkeit aber die Lösung eines anderen Problems: Es handle sich um die erste quantenmechanische Theorie der *Gravitationskraft*. Das masselose Spin-zwei-Teilchen, das von der Stringtheorie vorhersagt werde, sei das Graviton, daher enthielten die Gleichungen der Stringtheorie zwangsläufig eine quantenmechanische Beschreibung der Gravitation.

Schwarz und Scherk veröffentlichten ihre Hypothese 1974 und erwarteten eine heftige Reaktion der physikalischen Gemeinschaft. Stattdessen wurde ihre Arbeit überhaupt nicht zur Kenntnis genommen. In der Rückschau ist leicht zu verstehen, warum. Manche Forscher hatte den Eindruck, das Stringkonzept sei eine Theorie auf der Suche nach ihrer Anwendung geworden. Nach dem gescheiterten Versuch, mit der Stringtheorie die starke Kernkraft zu erklären, hatte es nun den Anschein, als wollten ihre Anhänger den Misserfolg nicht wahrhaben und seien wild entschlossen, ein anderes Betätigungsfeld für ihre Theorie zu finden. Zusätzliche Nahrung erhielt dieser Verdacht, als klar wurde, dass Schwarz und Scherk die Größe der Strings in ihrer Theorie radikal verändern mussten, damit die Kraft, die ihre vermeintlichen Gravitonen übermittelten, die vertraute, bekannte Stärke der Gravitation annahm. Da die Gravitation eine extrem schwache Kraft* ist und da die Kraft umso stärker

* Erinnern Sie sich: In Kapitel 9 haben wir erfahren, dass selbst ein winziger Magnet die Anziehungskraft der gesamten Erdgravitation überwinden und eine Büroklammer aufheben kann. Mit einer Zahl ausgedrückt, ist die Gravitationskraft rund 10^{-42} Mal so groß wie die elektromagnetische Kraft.

ist, je länger der String ist, stellten Schwarz und Scherk fest, dass Strings extrem kurz sein müssen, um eine Kraft von so geringer Stärke wie die Gravitation zu übermitteln. Sie sollten etwa die Planck-Länge haben – damit wären sie hundert Milliarden Milliarden Mal kleiner, als ursprünglich angenommen. So klein, merkten die Zweifler trocken an, dass man keine Geräte habe, um sie sichtbar zu machen, was bedeute, dass sich die Theorie nicht überprüfen lasse.[10]

Im Gegensatz dazu wurde den konventionelleren Theorien, die sich auf Punktteilchen und Felder stützten, in den siebziger Jahren ein Erfolg nach dem anderen zuteil. Theoretiker wie Experimentatoren präsentierten eine Fülle von konkreten Ideen, die es zu untersuchen, und von Vorhersagen, die es zu testen galt. Wozu sich also mit der spekulativen Stringtheorie befassen, wo es doch so viel aufregendere Dinge im bewährten Rahmen zu tun gab? Ganz ähnlich verhielt es sich mit dem Problem der Vereinheitlichung von Gravitation und Quantenmechanik: Zwar hatten alle Beteiligten im Hinterkopf, dass das Problem mit konventionellen Methoden nicht zu lösen war, aber man musste sich ihm nicht unbedingt stellen. Fast alle waren sich einig, dass es eine wichtige Frage sei, mit der man sich eines Tages würde befassen müssen, doch angesichts der Fülle von Aufgaben, die sich auf dem Feld der nichtgravitativen Kräfte stellten, maß man dem Problem der Gravitationsquantelung nur zweit- oder drittrangige Bedeutung zu. Hinzu kam, dass Mitte bis Ende der siebziger Jahre die Stringtheorie alles andere als ausgearbeitet war. Dass sie einen Kandidaten für das Graviton präsentierte, war ein Erfolg, doch viele begriffliche und technische Probleme mussten noch gelöst werden. Es erschien kaum plausibel, dass die Theorie eine oder gar mehrere dieser Schwierigkeiten würde überwinden können, daher bedeutete die Entscheidung, über die Stringtheorie zu arbeiten, ein beträchtliches Risiko. Möglicherweise würde sie schon nach wenigen Jahren zu Grabe getragen werden.

Schwarz ließ sich nicht beirren. Er hielt die Entdeckung der Stringtheorie, den ersten plausiblen Ansatz zur Beschreibung der Gravitation in der Sprache der Quantenmechanik, auch weiterhin für einen entscheidenden Durchbruch. Wenn sich niemand dafür interessierte – auch gut. Er jedenfalls war gewillt, seine Arbeit fortzusetzen und die Theorie weiterzuentwickeln, so dass sie sich in einer besseren Verfassung präsentieren würde, wenn die Fachwelt bereit war, ihr mehr Aufmerksamkeit zu schenken. Seine Entschlossenheit sollte sich als weitsichtig erweisen.

Ende der siebziger und Anfang der achtziger Jahre tat sich Schwarz mit Michael Green vom Queen Mary College in London zusammen, um gemeinsam einige der Hindernisse anzugehen, welche die Stringtheorie beeinträchtigten. Von vorrangiger Bedeutung war dabei das Problem der *Anomalien.* Die Details sind nicht von Bedeutung; vereinfacht ausgedrückt, ist eine Anomalie ein bösartiger Quanteneffekt, der das Aus für eine Theorie bedeutet, weil er gegen bestimmte geheiligte Grundsätze verstößt, wie zum Beispiel den der Energieerhaltung. Um lebensfähig zu sein, muss eine Theorie frei von allen Anomalien sein. Erste Untersuchungen hatten gezeigt, dass die Stringtheorie von Anomalien geradezu heimgesucht wird – einer der Hauptgründe dafür, dass die Theorie auf so wenig Gegenliebe stieß. Obwohl die Stringtheorie, da sie Gravitonen enthielt, einen quantenmechanischen Ansatz zur Beschreibung der Gravitation zu bieten schien, zeigten die Anomalien, die sich bei näherem Hinsehen offenbarten, dass die Theorie unter ihren eigenen mathematischen Widersprüchen litt.

Schwarz erkannte jedoch, dass die Situation nicht ganz so eindeutig war. Es bestand die – wenn auch geringe – Möglichkeit, dass sich die verschiedenen quantenmechanischen Anomalien der Stringtheorie bei einer vollständigen Berechnung, die *alle* Beiträge berücksichtigte, gegenseitig aufheben würden. Zusammen mit Green unterzog sich Schwarz der mühevollen Aufgabe, diese Anomalien auszurechnen. Im Sommer 1984 waren ihre Anstrengungen schließlich von Erfolg gekrönt. In einer stürmischen Nacht am Aspen Center for Physics in Colorado vollendeten sie eine der wichtigsten Rechnungen des Forschungsfeldes – eine Rechnung, die bewies, dass sich alle potenziellen Anomalien *tatsächlich* auf fast wundersame Weise aufhoben. Die Stringtheorie, so zeigten sie, war frei von Anomalien und damit auch von allen mathematischen Widersprüchen. Sie hatten bewiesen, dass die Stringtheorie quantenmechanisch lebensfähig war.

Dieses Mal hörte ihnen die physikalische Gemeinschaft zu. Es war Mitte der achtziger Jahre, und das Klima hatte sich erheblich gewandelt. Viele der wichtigsten Merkmale der drei nichtgravitativen Kräfte waren theoretisch ausgearbeitet und experimentell bestätigt worden. Trotz wichtiger offener Einzelheiten – die heute noch offen sind – war die Zunft bereit, das nächste große Problem in Angriff zu nehmen: die Verschmelzung von allgemeiner Relativitätstheorie und Quantenmechanik. Da tauchten Green und Schwarz aus einem relativ unbekannten Winkel der Physik mit einem ausgereiften, mathematisch schlüssigen und ästhetisch ansprechenden Ansatz auf. Fast über Nacht schnellte die Zahl der Forscher, die an der Stringtheorie arbeiteten, von zwei auf mehr als tausend. Die erste Stringrevolution hatte eingesetzt.

Die erste Revolution

Mein Promotionsstudium begann ich im Herbst 1984 an der Oxford University. Wenige Monate danach tobte auf den Gängen eine physikalische Revolution. Da das Internet noch nicht allgemein genutzt wurde, war die Gerüchteküche von vorrangiger Bedeutung für die Informationsverbreitung. Tag für Tag war von neuen Durchbrüchen zu hören. Nah und fern erklärten Forscher, die Atmosphäre sei aufgeladen wie in den frühen Tagen der Quantenmechanik, und es wurde ernsthaft erwogen, ob das Ende der theoretischen Physik in Sicht sei.

Fast für alle war die Stringtheorie neu, daher waren in dieser Anfangszeit die Einzelheiten nicht allgemein bekannt. In Oxford waren wir in einer besonders glücklichen Lage: Michael Green war unlängst in Oxford zu Gast gewesen und hatte eine Vorlesung über die Stringtheorie gehalten, daher waren viele von uns mit den Grundideen und den wichtigsten Behauptungen der Theorie vertraut. Und die Behauptungen waren nicht gerade bescheiden. Kurz gefasst, besagte die Theorie Folgendes:

Betrachten Sie ein beliebiges Stück Materie – einen Eisblock, einen Steinbrocken, eine Platte Roheisen – und stellen Sie sich vor, Sie halbierten es, zerteilten dann eines der Stücke wieder in Hälften und so fort. Malen Sie sich aus, Sie würden das Material in immer kleinere Stücke zerschneiden. Vor etwa 2500 Jahren hatten sich die alten Griechen dem Problem gestellt, den kleinsten, nicht mehr zu zerschneidenden, unteilbaren Bestandteil zu bestimmen, der das Endergebnis eines solchen Verfahrens wäre. Heute wissen wir, dass wir bei solcher Vorgehensweise früher oder später zu Atomen gelangen. Doch die Atome sind nicht die Antwort auf die Frage der Griechen, weil sie sich in noch kleinere Bestandteile zerlegen lassen. Atome sind zerteilbar. Wir wissen, dass sie aus Elektronen bestehen, die einen Atomkern umkreisen. Der wiederum besteht aus noch kleineren Teilchen – Protonen und Neutronen. Ende der sechziger Jahre zeigten schließlich Experimente am Stanford Linear Accelerator, dass sogar Neutronen und Protonen aus noch fundamentaleren Bestandteilen bestehen: Jedes Proton und jedes Neutron ist aus drei Teilchen zusammengesetzt, den Quarks, wie in Kapitel 9 erläutert und in Abbildung 12.3 (a) wiedergegeben.

Nach der konventionellen Theorie – und den Ergebnissen neuester Experimente – sind Elektronen und Quarks Punkte ohne die geringste räumliche Ausdehnung. Danach markieren sie das Ende der Fahnenstange, die letzte der Matrjoschka-Puppen, die sich in der mikroskopischen Struktur der Materie finden lässt. Hier kommt die Stringtheorie ins Spiel. Sie stellt das konventionelle Bild in Frage, indem sie behauptet, Elektronen und Quarks seien *keine* Teilchen ohne räumliche Ausdehnung. Das konventionelle, punktförmige

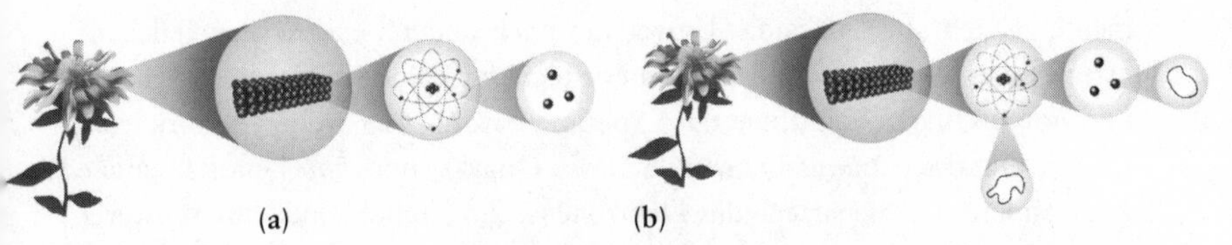

Abbildung 12.3 (a) Die konventionelle Theorie geht von Elektronen und Quarks als Grundbestandteilen der Materie aus. (b) Die Stringtheorie behauptet, dass jedes Teilchen tatsächlich ein schwingender String sei.

Teilchenmodell sei lediglich eine Näherung. Bei genauerem Hinsehen erweise sich, dass jedes Teilchen in Wirklichkeit ein winziger, schwingender Energiefaden sei, ein *String* wie in Abbildung 12.3 (b). Laut der Stringtheorie haben diese Saiten aus schwingender Energie keine Dicke, sondern nur Länge und sind daher eindimensionale Gebilde. Doch da die Strings so klein sind, einige hundert Milliarden Milliarden Mal kleiner als ein einzelner Atomkern (10^{-33} Zentimeter), erscheinen sie selbst in den modernsten Teilchenbeschleunigern als Punkte.

Da unser Verständnis der Stringtheorie alles andere als vollständig ist, weiß niemand mit Sicherheit, ob die Geschichte hier endet – ob, angenommen die Theorie stimmt, der String wirklich die letzte russische Puppe ist oder ob er möglicherweise aus noch kleineren Bestandteilen zusammengesetzt ist. Wir werden auf diese Frage zurückkommen, im Augenblick wollen wir jedoch die historische Entwicklung unseres Gegenstands verfolgen und davon ausgehen, der String sei wirklich das letzte Wort in dieser Sache: Er sei *der* elementarste Baustein des Universums.

Stringtheorie und Vereinheitlichung

Das ist die Stringtheorie in Kurzfassung, aber um Ihnen einen Eindruck von der Leistungsfähigkeit dieses neuen Ansatzes zu vermitteln, muss ich die konventionelle Teilchenphysik ein bisschen ausführlicher beschreiben. Im Laufe der letzten hundert Jahre haben Physiker die Materie auf der Suche nach ihren elementaren Bausteinen zerschlagen, zerstoßen und pulverisiert. Dabei haben sie in der Tat festgestellt, dass sich in fast allem, was irgendjemand irgendwann gefunden hat, die erwähnten Elektronen und Quarks als die fundamentalen Bestandteile erwiesen haben – genauer, wie in Kapitel 9 erläutert, Elektronen und zwei Arten von Quarks, *up*-Quarks und *down*-Quarks, die sich in Hinblick auf Masse und elektrische Ladung unterscheiden. Doch die Experimente zeigten auch, dass das Universum noch andere, exotischere Teilchenarten besitzt, die in gewöhnlicher Materie nicht vorkommen. Neben *up*-Quarks und *down*-Quarks identifizierten Experimentatoren vier weitere Quarkarten (*charm*-Quarks, *strange*-Quarks, *bottom*-Quarks und *top*-Quarks) sowie zwei andere Teilchenarten, die Elektronen sehr ähnlich sind, nur schwerer (*Myonen* und *Tauonen*). Wahrscheinlich hat es diese Teilchen kurz nach dem Urknall in Hülle und Fülle gegeben; heute werden sie nur als kurzlebige Trümmer durch Hochenergiestöße zwischen den vertrauteren Teilchenarten erzeugt. Schließlich stießen die Experimentatoren auf noch drei Arten geisterhafter Teilchen, die *Neutrinos* (*Elektron-Neutrinos*, *Myon-Neutrinos* und *Tauon-Neutrinos*), die Billionen Kilometer Blei so mühelos durchqueren wie wir die Luft. Diese Teilchen – das Elektron und seine beiden schwereren Vettern, die sechs Quark-Arten und die Neutrino-Arten – sind die Antwort moderner Teilchenphysiker auf die Frage der alten Griechen nach der Beschaffenheit der Materie.[11]

Der Katalog der Teilchenarten lässt sich in drei »Familien« oder »Generationen« gliedern wie in Tabelle 12.1. Jede Familie hat zwei Quarkarten, eine Neutrinoart und ein elektronartiges Teilchen. Der einzige Unterschied zwischen den entsprechenden Teilchen in jeder Familie besteht darin, dass ihre Massen in jeder nachfolgenden Familie anwachsen. Die Unterteilung in Familien lässt natürlich auf eine zugrunde liegende Systematik schließen, doch angesichts der Fülle von Teilchen kann einem leicht schwindelig (oder schlimmer noch, der Blick glasig) werden. Lassen Sie sich nicht davon beirren, denn eine der schönsten Eigenschaften der Stringtheorie ist der Umstand, dass sie ein Mittel zur Zähmung dieser scheinbaren Überfülle bietet.

Familie 1		**Familie 2**		**Familie 3**	
Teilchen	**Masse**	**Teilchen**	**Masse**	**Teilchen**	**Masse**
Elektron	0,00054	Myon	0,11	Tauon	1,9
Elektron-Neutrino	$< 10^{-9}$	Myon-Neutrino	$< 10^{-4}$	Tauon-Neutrino	$< 10^{-3}$
up-Quark	0,0047	*charm*-Quark	1,6	*top*-Quark	189
down-Quark	0,0074	*strange*-Quark	0,16	*bottom*-Quark	5,2

Tabelle 12.1 Die drei Familien fundamentaler Teilchen und ihrer Massen (in Vielfachen von Protonenmassen). Über die Werte der Neutrinomassen wissen wir, dass sie nichtverschwindend sind, doch exakt konnten sie bisher noch nicht bestimmt werden.

Laut Stringtheorie gibt es nämlich nur einen fundamentalen Baustein – den String –, während die Vielfalt der Teilchen einfach die verschiedenen Schwingungsmuster widerspiegelt, die ein String ausführen kann. Es ist genau das, was auch mit den vertrauteren Saiten (englisch: *strings)* auf einer Geige oder einem Cello geschieht. Eine Cellosaite kann auf viele verschiedene Weisen schwingen, wobei wir jedes Muster als anderen Ton wahrnehmen. Ganz ähnlich verhalten sich die Strings in der Stringtheorie: Auch sie können in verschiedenen Mustern schwingen. Doch statt verschiedene Töne zu produzieren, *entsprechen die verschiedenen Schwingungsmuster in der Stringtheorie verschiedenen Teilchenarten.* Die entscheidende Erkenntnis besagt, dass die besonderen Schwingungsmuster eines Strings eine bestimmte Masse hervorrufen, eine bestimmte elektrische Ladung, einen bestimmten Spin und so fort – einen ganzen Katalog bestimmter Eigenschaften und damit das, was eine Teilchenart von der anderen unterscheidet. Ein String, der in einem bestimmten Muster schwingt, hat beispielsweise die Eigenschaften eines Elektrons, während ein String, der in einem anderen Muster schwingt, möglicherweise die Eigenschaften eines *up*-Quarks, eines *down*-Quarks oder einer beliebigen anderen Teilchenart in Tabelle 12.1 aufweist. Das ist nicht so zu verstehen, dass ein Elektron aus einem »Elektron-String« besteht, ein *up*-Quark aus einem »*up*-Quark-String« oder ein *down*-Quark aus einem »*down*-Quark-String«, sondern so, dass die *eine einzige* Stringart eine große Vielfalt von Teilchen erklären kann, weil der String eine große Vielfalt von Schwingungsmustern ausführen kann.

Wie Sie unschwer erkennen können, bedeutet dies einen Riesenschritt in Richtung Vereinheitlichung. Wenn die Stringtheorie Recht hat, gehören Schwindelgefühle und glasige Blicke der Vergangenheit an, denn dann bezeichnet die Liste der Teilchen in Tabelle 12.1 lediglich das Schwingungsrepertoire eines einzigen grundlegenden Teilchens. Metaphorisch ausgedrückt: Die verschiedenen Töne, die auf einer einzigen Saite (Stringart) gespielt werden können, würden all die verschiedenen Teilchen erklären, die bislang entdeckt wurden. Auf der ultramikroskopischen Ebene gliche das Universum einer Streichersymphonie (*string symphony*), deren Schwingungen die Materie ins Leben riefen.

Das ist bereits ein herrlich eleganter Ansatz zur Erklärung der Teilchen in Tabelle 12.1, doch die von der Stringtheorie vorgeschlagene Vereinheitlichung geht noch weiter. In Kapitel 9 und in der vorstehenden Erörterung haben wir erfahren, wie die Naturkräfte auf Quantenebene durch andere Teilchen übertragen werden, die Botenteilchen, die in Tabelle 12.2 zusammengefasst sind. Die Stringtheorie erklärt die Botenteilchen auf genau die gleiche Weise wie die

Materieteilchen. Jedes Botenteilchen ist nämlich ein String, der ein bestimmtes Schwingungsmuster ausführt. Ein Photon ist ein String, der in einem bestimmten Muster schwingt, ein W-Teilchen ein String, der in einem anderen Muster schwingt, ein Gluon ein String, der wieder in einem anderen Muster schwingt. Ganz besonders wichtig: Wie Schwarz und Scherk 1974 zeigten, gibt es ein besonderes Schwingungsmuster, das all die Eigenschaften eines Gravitons besitzt, so dass die Gravitationskraft in den quantenmechanischen Rahmen der Stringtheorie hineingenommen wird. Aus schwingenden Strings entstehen also nicht nur Materieteilchen, sondern auch Botenteilchen – sogar das Botenteilchen für die Gravitation.

Kraft	**Kraftteilchen**	**Masse**
stark	Gluon	0
elektromagnetisch	Photon	0
schwach	W, Z	86, 97
Gravitation	Graviton	0

Tabelle 12.2 Die vier Naturkräfte zusammen mit den dazugehörigen Kraftteilchen und deren Massen als Vielfache der Protonenmasse. (Tatsächlich gibt es zwei W-Teilchen – eines mit der Ladung + 1 und eines mit der Ladung –1 –, welche die gleiche Masse haben. Aus Gründen der Einfachheit lassen wir diesen Umstand außer Acht und bezeichnen beide als W-Teilchen.)

Abgesehen davon, dass die Stringtheorie den ersten erfolgreichen Ansatz zur Verschmelzung von Gravitation und Quantenmechanik bot, offenbarte sie auch ihre Fähigkeit, eine einheitliche Beschreibung aller Materie und aller Kräfte zu liefern. Das war der Anspruch, der Tausende von Physikern Mitte der achtziger Jahre von ihren Stühlen haute, und noch bevor sie wieder aufstanden und sich den Staub abklopften, waren viele von ihnen bekehrt.

Warum funktioniert die Stringtheorie?

Vor der Entwicklung der Stringtheorie war der wissenschaftliche Fortschritt mit erfolglosen Versuchen zur Verschmelzung von Gravitation und Quantenmechanik gepflastert. Was ist also an der Stringtheorie, dass sie dort erste Erfolge vorweisen kann, wo sie anderen versagt blieben? Wir haben beschrieben, wie Schwarz und Scherk sehr zu ihrer Überraschung erkannten, dass ein bestimmtes String-Schwingungsmuster genau die richtigen Eigenschaften besitzt, um das Graviton zu sein, und wie sie daraus schlossen, dass die Stringtheorie eine naturgegebene Plattform zur Verschmelzung der beiden Theorien biete. Historisch betrachtet, ist das tatsächlich der Zufall, durch den sich die Aussagekraft und die Verheißung der Stringtheorie offenbarten, doch als Erklärung, warum der String-Ansatz Erfolg hatte, wo alle anderen Versuche scheiterten, kann uns das nicht genügen. In Abbildung 12.2 ist der Konflikt zwischen allgemeiner Relativitätstheorie und Quantenmechanik eingefangen: Auf ultrakurzen räumlichen (und zeitlichen) Skalen wird die Turbulenz der Quantenunschärfe so heftig, dass das glatte geometrische Modell der Raumzeit, das der allgemeinen Relativitätstheorie zugrunde liegt, zerstört wird. Daher lautet die Frage: Wie löst die Stringtheorie das Problem? Wie beruhigt die Stringtheorie die turbulenten Fluktuationen der Raumzeit bei ultramikroskopischen Abständen?

Die entscheidende neue Eigenschaft der Stringtheorie ist, dass ihr Grundbaustein kein Punktteilchen ist – kein Punkt ohne räumliche Ausdehnung –, sondern ein Objekt mit räumlicher Ausdehnung. Dieser Unterschied ist der Schlüssel zum Erfolg der Stringtheorie bei der Verschmelzung von Gravitation und Quantenmechanik.

Die wilden Turbulenzen, die in Abbildung 12.2 dargestellt sind, entstehen aus der Anwendung der Unschärferelation auf das Gravitationsfeld; auf immer kleineren und kleineren Skalen, so folgt aus der Unschärferelation, werden die Fluktuationen im Gravitationsfeld immer größer und größer. Bei so extrem winzigen Abständen müssten wir das Gravitationsfeld allerdings anhand seiner fundamentalen Bestandteile, der Gravitonen, beschreiben, so wie wir auf molekularen Größenordnungen Wasser anhand der H_2O-Moleküle beschreiben müssen. So gesehen, haben wir uns die hektischen Schwankungen des Gravitationsfelds als große Zahlen von Gravitonen vorzustellen, die wild hierhin und dorthin schießen, wie Staub und Schmutzteilchen, die von einem heftigen Tornado mitgerissen werden. Wenn nun Gravitonen Punktteilchen wären (wie in allen früheren, fehlgeschlagenen Versuchen zur Vereinheitlichung von allgemeiner Relativitätstheorie und Quantenmechanik angenommen), dann gäbe Abbildung 12.2 ihr kollektives Verhalten exakt wieder: je kürzer die Abstände, desto heftiger die Turbulenzen. Die Stringtheorie kommt jedoch zu einer anderen Schlussfolgerung.

In der Stringtheorie ist jedes Graviton ein schwingender String – etwas, was kein Punkt ist, sondern vielmehr eine Größe von etwa einer Planck-Länge (10^{-33}) hat.[12] Da Gravitonen die kleinsten, elementarsten Bestandteile des Gravitationsfeldes sind, hat es keinen Sinn, über das Verhalten von Gravitationsfeldern auf Skalen zu sprechen, die kleiner als die Planck-Länge sind. So wie die Auflösung unseres Fernsehschirms auf die Größe einzelner Bildpunkte beschränkt ist, so ist die Auflösung des Gravitationsfelds in der Stringtheorie auf die Grenze von Gravitonen beschränkt. Mithin zieht die nichtverschwindende Größe von Gravitonen (und allem anderen) bei etwa der Planck-Skala die Grenze, bis zu der ein Gravitationsfeld aufgelöst werden kann.

Das ist eine hochbedeutsame Erkenntnis. Die unkontrollierbaren Quantenfluktuationen der Abbildung 12.2 treten nur auf, wenn wir die Quantenunschärfe bei beliebig kleinen Abständen betrachten – bei Abständen, die kürzer als die Planck-Länge sind. In einer Theorie, die von Punktteilchen ohne Ausdehnung ausgeht, ist eine solche Anwendung der Unschärferelation gerechtfertigt. Das führt uns, wie die Abbildung zeigt, in ein Gebiet voller Turbulenzen, das der Zuständigkeit der allgemeinen Relativitätstheorie entzogen ist. Doch eine Theorie, die von Strings ausgeht, enthält eine Art eingebaute Pannensicherung. In der Stringtheorie sind die kleinsten Bestandteile Strings, daher endet unsere Reise in die Welt der ultramikroskopischen Dinge, sobald wir zur Planck-Länge kommen – der Größe der Strings. In Abbildung 12.2 ist die Planck-Skala durch die zweithöchste Ebene wiedergegeben. Wie Sie sehen können, gibt es auch auf solchen Skalen Schwankungen in der Raumstruktur, weil das Gravitationsfeld noch Quantenfluktuationen unterworfen ist; allerdings sind die Fluktuationen schwach genug, dass sie nicht wieder gutzumachende Konflikte mit der allgemeinen Relativitätstheorie vermeiden. Die exakten mathematischen Beschreibungen, die der allgemeinen Relativitätstheorie zugrunde liegen, müssten abgeändert werden, um diese Quantenschwankungen einzugliedern, doch das ist machbar, und die mathematischen Verhältnisse bleiben überschaubar.

Dadurch, dass die Stringtheorie das Vordringen zu immer kleineren Größenordnungen einschränkt, grenzt sie auch ein, wie heftig die Fluktuationen des Gravitationsfeldes sein können – und die Grenze reicht gerade aus, um den katastrophalen Zusammenprall zwischen Quantenmechanik und allgemeiner Relativitätstheorie zu vermeiden. Auf diese Weise unterdrückt die Stringtheorie den Gegensatz zwischen den beiden Theorien und ist erstmals in der Lage, sie zu vereinigen.

Kosmische Struktur im Reich des Kleinen

Was bedeutet das für die ultramikroskopische Beschaffenheit des Raums oder, allgemeiner, der Raumzeit? Zum einen wird damit nachdrücklich die herkömmliche Vorstellung in Frage gestellt, dass Raum und Zeit kontinuierliche

Gebilde sind – dass wir stets die Entfernung zwischen hier und dort oder die Dauer zwischen jetzt und dann halbieren und wieder halbieren können, das heißt, in der Lage sind, Raum und Zeit endlos in immer kleinere Einheiten aufzuteilen. Wenn wir zur Planck-Länge kommen (der Länge eines Strings) und zur Planck-Zeit (der Zeit, die das Licht braucht, um die Länge eines Strings zurückzulegen) und versuchen, Raum und Zeit noch weiter zu zerlegen, stellen wir fest, dass es nicht mehr geht. Der Begriff »kleiner« verliert seine Bedeutung, sobald Sie zur Größe der *kleinsten* Bausteine des Kosmos gelangen. Bei Punktteilchen ohne Ausdehnung bedeutete das keine Einschränkung, doch bei Strings, die ausgedehnt sind, sieht das ganz anders aus. Wenn die Stringtheorie stimmt, gelten die gewöhnlichen Begriffe von Zeit und Raum, das Bezugssystem, in dem all unsere alltägliche Erfahrung stattfindet, nicht mehr bei Abständen, die kleiner als die Planck-Skala sind – die Skala der Strings selbst.

Bislang gibt es noch keinen Konsens in der Frage, welche Konzepte dann gelten. Eine Möglichkeit, die sich mit der oben stehenden Erklärung deckt, wie die Stringtheorie Quantenmechanik und allgemeine Relativitätstheorie verzahnt, besagt, dass die Raumstruktur auf der Planck-Skala einer Art Gitter gleicht, wobei der »Raum« zwischen den Gitterlinien außerhalb der physikalischen Realität liegt. So wie eine mikroskopische Ameise, die sich auf einem Stück Tuch bewegte, von Faden zu Faden springen müsste, so verlangt vielleicht die Bewegung durch den Raum auf ultramikroskopischen Skalen in ähnlicher Weise diskrete Sprünge von einem »Strang« des Raums zum nächsten. Die Zeit könnte ebenfalls eine körnige Struktur haben, in der einzelne Augenblicke zwar dicht nebeneinander liegen, aber nicht zu einem bruchlosen Kontinuum verschmelzen. Bei dieser Vorstellung fänden die Konzepte von immer kleineren Raum- und Zeitintervallen bei der Planck-Skala ein jähes Ende. Wie es keinen amerikanischen Münzwert gibt, der kleiner als ein Penny ist, gäbe es in einer ultramikroskopischen Raumzeit mit einer Gitterstruktur keinen Abstand, der kleiner als die Planck-Länge, und kein Zeitintervall, das kürzer als die Planck-Zeit wäre.

Als eine andere Möglichkeit ist denkbar, dass Raum und Zeit auf extrem kleinen Skalen nicht plötzlich ihre Bedeutung verlieren, sondern sich stattdessen allmählich in andere, fundamentalere Konzepte verwandeln. Ein Schrumpfungsprozess, der über die Planck-Skala hinausginge, wäre nicht deshalb unzulässig, weil er auf ein fundamentales Gitter stieße, sondern weil die Konzepte von Raum und Zeit sich zu Begriffen wandelten, für die »noch kleiner schrumpfen« so sinnlos wäre wie die Frage, ob die Zahl neun glücklich ist. Bei der allmählichen Verwandlung der vertrauten, makroskopischen Begriffe von Raum und Zeit in ihre unvertrauten, ultramikroskopischen Gegenstücke ließe sich denken, dass viele ihrer üblichen Eigenschaften – etwa Länge und Dauer – irrelevant oder bedeutungslos werden. So, wie Sie sinnvoll die Temperatur und Viskosität von flüssigem Wasser untersuchen können – Begriffe, die für die makroskopischen Eigenschaften einer Flüssigkeit gelten –, diese Konzepte aber ihre Bedeutung verlieren, wenn Sie zur Größenskala einzelner H_2O-Moleküle vordringen, so ist zwar vorstellbar, dass Sie die Raumregionen und Zeitintervalle auf alltäglichen Skalen beliebig oft halbieren können, dass diese Konzepte aber beim Überschreiten der Planck-Skala Verwandlungen unterworfen sind, die solche Unterteilungen bedeutungslos machen.

Viele Stringtheoretiker, darunter auch ich, vermuten stark, dass etwas Derartiges geschieht, doch um weiter vorzudringen, müssen wir herausfinden, in welche fundamentaleren Konzepte sich Raum und Zeit verwandeln.* Gegenwärtig ist das eine ungeklärte Frage, allerdings lassen neueste Forschungsprojekte (die im Schlusskapitel beschrieben werden) auf Möglichkeiten mit weit reichenden Konsequenzen schließen.

Die Details

Angesichts der Beschreibung, die ich bisher geliefert habe, könnte es erstaunlich erscheinen, dass es überhaupt Physiker gibt, die sich dem Reiz der Stringtheorie entziehen können. Hier ist doch endlich eine Theorie, die verspricht, Einsteins Traum zu verwirklichen und noch darüber hinauszugehen, eine Theorie, die alle Konflikte zwischen Quantenmechanik und allgemeiner Relativitätstheorie beilegen könnte, eine Theorie mit der Fähigkeit, alle Materie und alle Kräfte dadurch zu vereinheitlichen, dass sie sie anhand schwingender Strings beschreibt, eine Theorie, die ein ultramikroskopisches Reich beschwört, in der die uns vertrauten Vorstellungen von Raum und Zeit so überholt sein könnten wie ein Telefon mit Wählscheibe, kurzum, eine Theorie, die verheißt, unsere Vorstellung vom Universum auf eine völlig neue Ebene zu heben. Vergessen Sie dabei aber nicht, dass noch niemand je einen String gesehen hat und dass es wohl auch dabei bleiben wird, falls sich nicht einige ungewöhnliche Ideen bewahrheiten sollten, von denen im nächsten Kapitel die Rede sein wird. Strings sind so klein, dass ihre direkte Beobachtung gleichbedeutend wäre mit der Lektüre dieses Textes aus einer Entfernung von

* Es sei angemerkt, dass die Vertreter eines anderen Ansatzes zur Verschmelzung von allgemeiner Relativitätstheorie und Quantenmechanik, der *Schleifen-Quantengravitation*, von der in Kapitel 16 kurz die Rede sein wird, einen Standpunkt einnehmen, der eher der ersten Vermutung entspricht – dass die Raumzeit auf kleinsten Skalen eine diskrete Struktur besitzt.

1200 Lichtjahren: Dazu wäre ein Auflösungsvermögen erforderlich, das fast eine Milliarde Milliarde Mal stärker sein müsste, als es der gegenwärtige Stand unserer Technik erlaubt. Einige Forscher verkünden lautstark, eine Theorie, die sich jedem direkten empirischen Test so weit entziehe, gehöre in den Bereich der Philosophie oder Theologie, aber nicht in den der Physik.

Ich finde diese Auffassung kurzsichtig, zumindest aber voreilig. Vielleicht werden wir nie über die technischen Möglichkeiten verfügen, die Strings direkt zu sehen, dennoch kennt die Wissenschaftsgeschichte eine Fülle von Theorien, die in indirekter Weise experimentell getestet wurden.[13] Die Stringtheorie ist nicht bescheiden. Ihre Ziele und Versprechen sind groß. Das ist aufregend und nützlich, weil eine Theorie nur dann *die* Theorie unseres Universums sein kann, wenn sie der wirklichen Welt nicht nur in den generellen Eigenschaften entspricht, die wir bisher erörtert haben, sondern auch in den winzigen Einzelheiten. Wie wir jetzt sehen werden, gibt es dort durchaus Testmöglichkeiten.

In den sechziger und siebziger Jahren erzielten Teilchenphysiker beim Verständnis der Quantenstruktur der Materie und der nichtgravitativen Kräfte, die ihr Verhalten bestimmen, große Fortschritte. Das Theoriegerüst, zu dem sie schließlich durch ihre Versuchsergebnisse und theoretischen Einsichten gelangten, bezeichnet man als das *Standardmodell* der Teilchenphysik. Es beruht auf der Quantenmechanik, den Materieteilchen in Tabelle 12.1 und den Kraftteilchen in Tabelle 12.2 (allerdings ohne Berücksichtigung des Gravitons, weil das Standardmodell die Gravitation nicht einbezieht, jedoch unter Einschluss des Higgs-Teilchens, das in den Tabellen nicht aufgeführt wird). Dabei werden alle Teilchen als Punktteilchen verstanden. Das Standardmodell ist im Prinzip in der Lage, alle Daten zu erklären, die weltweit von Teilchenbeschleunigern erzeugt werden, daher sind seine Erfinder im Laufe der Jahre zu Recht mit höchsten Ehren überhäuft worden. Trotzdem hat das Standardmodell klare Grenzen. Wie bereits erwähnt, scheiterte dieses Modell wie jeder andere Ansatz vor der Stringtheorie an dem Versuch, Gravitation und Quantenmechanik zu vereinigen. Doch es gibt noch weitere Mängel.

Das Standardmodell konnte nicht erklären, *warum* die Kräfte durch genau die in Tabelle 12.2 aufgelisteten Teilchen übertragen werden und *warum* die Materie aus genau den in Tabelle 12.1 aufgelisteten Teilchen besteht. Warum gibt es drei Familien von Materieteilchen, und warum hat jede Familie die Teilchen, die sie hat? Warum sind es nicht zwei Familien oder nur eine? Warum ist die elektrische Ladung des Elektrons drei Mal so groß wie die Ladung des *down*-Quarks? Warum wiegt das Myon 23,4 Mal so viel wie das *up*-Quark, und warum wiegt das *top*-Quark rund 350 000 Mal so viel wie ein

Elektron? Warum ist das Universum mit einer solchen Bandbreite scheinbar zufälliger Zahlen konstruiert? Für das Standardmodell muss man die Teilchen in den Tabellen 12.1 und 12.2 (abermals unter Nichtbeachtung des Gravitons) *vorgeben* und kann dann beeindruckende Vorhersagen dazu ableiten, wie die Teilchen wechselwirken und sich gegenseitig beeinflussen. Die vorgegebenen Daten selbst – die Teilchen und ihre Eigenschaften – kann das Standardmodell aber so wenig erklären wie Ihr Taschenrechner die Zahlen, die Sie eingegeben haben, als Sie ihn das letzte Mal benutzten.

Das Bemühen, die Eigenschaften dieser Teilchen zu erklären, ist keine rein akademische Frage, in der es darum geht, warum dieses oder jenes entlegene Detail zufällig so oder so ist. Im Laufe der letzten hundert Jahre hat die Wissenschaft herausgefunden, dass das Universum die vertrauten Eigenschaften der alltäglichen Erfahrung nur deshalb besitzt, weil die Teilchen in den Tabellen 12.1 und 12.2 genau die Eigenschaften haben, die sie haben. Sogar relativ geringe Veränderungen an den Massen oder elektrischen Ladungen einiger Teilchen würde sie beispielsweise außerstande setzen, an jenen Kernprozessen mitzuwirken, aus denen die Sterne ihre Energie gewinnen. Und ohne Sterne wäre das Universum ein ganz anderer Ort. Daher sind die genauen Eigenschaften der Elmentarteilchen auf das engste verknüpft mit der, wie viele meinen, zentralen Frage der Naturwissenschaft: *Warum haben die Elementarteilchen genau die richtigen Eigenschaften, mittels deren sie dafür sorgen können, dass Kernprozesse stattfinden, Sterne leuchten, Planeten sich in der Umgebung von Sternen bilden und auf mindestens einem dieser Planeten Leben existiert?*

Das Standardmodell kann zur Klärung dieser Fragen nicht beitragen, weil die Teilcheneigenschaften Teil der erforderlichen Eingabedaten sind. Die Theorie liefert keine Ergebnisse, bevor die Teilcheneigenschaften nicht festgelegt worden sind. Anders die Stringtheorie. Dort werden die Teilcheneigenschaften von den Schwingungsmustern des Strings *bestimmt*, daher hält die Theorie ihr Versprechen und liefert eine Erklärung.

Teilcheneigenschaften in der Stringtheorie

Um das neue Erklärungsvermögen der Stringtheorie zu verstehen, müssen wir etwas genauer betrachten, wie Stringschwingungen Teilcheneigenschaften hervorbringen. Schauen wir uns also die einfachste Eigenschaft eines Teilchens an, seine Masse.

Aus $E = mc^2$ wissen wir, dass Masse und Energie austauschbar sind. Wie Dollars und Euros sind sie konvertierbare Geldwährungen (doch im Unterschied zu Geldwährungen haben sie einen festen Wechselkurs, der gegeben ist durch Lichtgeschwindigkeit mal Lichtgeschwindigkeit: c^2). Unser Überleben hängt von Einsteins Gleichung ab, denn die Sonne erzeugt ihre lebenserhaltenden Produkte – Wärme und Licht –, indem sie jede Sekunde 4,3 Millionen Tonnen Materie in Energie umwandelt. Vielleicht werden es eines Tages Fusionsreaktoren auf der Erde der Sonne gleichtun und damit die Menschheit mit einem praktisch unerschöpflichen Energievorrat versorgen.

In diesen Beispielen wird die Energie aus Masse produziert. Doch Einsteins Gleichung lässt sich ohne weiteres auch umkehren – so dass Masse aus Energie produziert wird. Das ist die Richtung, in der die Stringtheorie Einsteins Gleichung anwendet. In der Stringtheorie ist die *Masse* eines Teilchens nichts als die *Energie* seines schwingenden Strings. Den Umstand, dass ein Teilchen schwerer ist als ein anderes, erklärt die Stringtheorie beispielsweise damit, dass der String, der das schwerere Teilchen bildet, rascher und heftiger schwingt als der String, der das leichtere Teilchen bildet. Raschere und heftigere Schwingungen bedeuten höhere Energie, und höhere Energie übersetzt sich dank Einsteins Gleichung in größere Masse. Umgekehrt gilt: Je leichter ein Teilchen ist, desto langsamer und weniger heftig ist die entsprechende Stringschwingung. Ein masseloses Teilchen wie ein Photon oder Graviton entspricht einem String, der ein denkbar sanftes und leichtes Schwingungsmuster ausführt.* [14]

Andere Eigenschaften eines Teilchens, etwa seine elektrische Ladung und sein Spin, sind durch kompliziertere Merkmale der Stringschwingungen verschlüsselt. Im Vergleich zur Masse sind diese Eigenschaften schwerer ohne Rückgriff auf die Mathematik zu beschreiben, aber sie folgen der gleichen Grundidee: Das Schwingungsmuster ist der Fingerabdruck des Teilchens. Alle Eigenschaften, mit dem wir ein Teilchen vom anderen unterscheiden, werden vom Schwingungsmuster des für dieses Teilchen zuständigen Strings bestimmt.

Anfang der siebziger Jahre, als Physiker die Schwingungsmuster, die sich aus der ersten Version der Stringtheorie ergaben – der *bosonischen Stringtheorie* –, mit der Absicht analysierten, die Arten von Teilcheneigenschaften zu bestimmen, welche die Theorie vorhersagte, stießen sie auf eine Schwierigkeit. Jedes Schwingungsmuster in der bosonischen Stringtheorie hatte einen ganzzahligen Spin: Spin 0, Spin 1, Spin 2 und so fort. Das war ein Problem, weil Botenteilchen zwar derartige Spinwerte haben, Materieteilchen (wie Elektronen und Quarks) aber nicht. Sie haben gebrochenzahlige Spins – Spin

* Die Beziehung zur Masse, die sich aus einem Higgs-Ozean ergibt, erörtern wir an späterer Stelle dieses Kapitels.

1/2 zum Beispiel. 1971 nahm sich Pierre Ramond von der University of Florida vor, diesem Mangel abzuhelfen. Rasch gelang es ihm, die Gleichungen der bosonischen Stringtheorie so abzuändern, dass sie auch halbzahlige Schwingungsmuster zuließen.

Tatsächlich offenbarten Ramonds Forschungsarbeiten zusammen mit den Ergebnissen von Schwarz und seinem Mitarbeiter André Neveu sowie späteren Erkenntnissen von Ferdinando Gliozzi, Joël Scherk und David Olive bei näherem Hinsehen ein vollkommenes Gleichgewicht – eine neuartige Symmetrie – zwischen den Schwingungsmustern mit verschiedenen Spins. In dieser modifizierten Stringtheorie zeigte sich, dass die neuen Schwingungsmuster in Paaren entstanden, deren Spinwerte sich um eine halbe Einheit unterschieden. Für jedes Schwingungsmuster mit Spin 1/2 gab es ein assoziiertes Schwingungsmuster mit Spin 0. Für jedes Schwingungsmuster mit Spin 1 zeigte sich ein assoziiertes Schwingungsmuster mit Spin 1/2 und so fort. Die Beziehung zwischen ganzzahligen und halbzahligen Spinwerten bezeichnete man als *Supersymmetrie*. Mit diesen Ergebnissen war die *supersymmetrische Stringtheorie* oder *Superstringtheorie* geboren. Als Schwarz und Green fast zehn Jahre später zeigten, dass sich alle potenziellen Anomalien, welche die Stringtheorie bedrohten, gegenseitig aufheben, arbeiteten sie tatsächlich im Rahmen der Superstringtheorie, daher müsste die Revolution, die ihr Aufsatz von 1984 auslöste, eigentlich die erste *Superstring*revolution heißen. (Im Folgenden wird häufig von Strings und Stringtheorie die Rede sein, doch das sind nur Kürzel. Gemeint sind stets Superstrings und Superstringtheorie.)

Mit diesem Hintergrundwissen können wir uns jetzt der Frage zuwenden, was es für die Stringtheorie bedeuten würde, über die grob skizzierten Merkmale hinauszugehen und das Universum im Detail zu erklären. Es läuft letztlich auf Folgendes hinaus: Unter den Schwingungsmustern, welche die Strings ausführen können, muss es solche geben, deren Eigenschaften mit denen der bekannten Teilchenarten übereinstimmen. Die Theorie weist Schwingungsmuster mit Spin 1/2 auf, aber sie muss Schwingungsmuster mit Spin 1/2 besitzen, die *genau* den bekannten Materieteilchen aus Tabelle 12.1 entsprechen. Die Theorie weist Schwingungsmuster mit Spin 1 auf, aber sie muss Schwingungsmuster mit Spin 1 besitzen, die *genau* den bekannten Botenteilchen aus Tabelle 12.2 entsprechen. Sollten in den Experimenten schließlich tatsächlich Spin-0-Teilchen entdeckt werden, wie sie für Higgs-Felder vorhergesagt werden, muss die Stringtheorie auch Schwingungsmuster liefern, die *genau* den Eigenschaften dieser Teilchen entsprechen. Mit anderen Worten: Die Stringtheorie kann nur überleben, wenn ihre Schwingungsmuster Entsprechungen und Erklärungen für die Teilchen des Standardmodells liefern.

Darin liegt die große Chance der Stringtheorie. Wenn sie Recht hat, *gibt* es eine Erklärung für die Teilcheneigenschaften, die man in Experimenten entdeckt hat, und zwar eine, die in den resonanten Schwingungsmustern zu finden ist, welche die Strings ausführen können. Wenn die Eigenschaften dieser Schwingungsmuster den Teilcheneigenschaften in den Tabellen 12.1 und 12.2 entsprechen, sollte das, denke ich, selbst die hartgesottensten Skeptiker von der Stringtheorie überzeugen, unabhängig davon, ob irgendjemand die ausgedehnte Struktur eines Strings gesehen hat oder nicht. Mit einer solchen Übereinstimmung zwischen Theorie und Experimentaldaten würde sich die Stringtheorie nicht nur als die lange gesuchte vereinheitlichte Theorie präsentieren, sondern auch erstmals grundlegend erklären, warum das Universum ist, wie es ist.

Also, wie schneidet die Stringtheorie bei diesem entscheidenden Test ab?

Zu viele Schwingungen

Nun, auf den ersten Blick scheitert sie. Zunächst einmal gibt es eine unendliche Zahl verschiedener Schwingungsmuster. Die ersten Repräsentanten einer endlosen Reihe sind schematisch in Abbildung 12.4 wiedergegeben. Doch die Tabellen 12.1 und 12.2 enthalten nur eine endliche Liste von Teilchen, daher scheint von Anfang an ein gewaltiges Missverhältnis zwischen der Stringtheorie und der wirklichen Welt vorzuliegen. Mehr noch, wenn wir die möglichen Energien – und damit die Massen – dieser Schwingungsmuster mathematisch analysieren, stoßen wir auf ein weiteres erhebliches Missverhältnis zwischen Theorie und Beobachtung. Die Massen der zulässigen Stringschwingungsmuster haben keine Ähnlichkeit mit den experimentell gemessenen Teilchenmassen, die in den Tabellen 12.1 und 12.2 aufgelistet sind. Dabei ist nicht schwer zu erkennen, wie es dazu kommt.

Bereits in den Anfängen der Stringtheorie hat man bemerkt, dass die Steifheit eines Strings umgekehrt proportional zu seiner Länge ist (seiner Länge zum Quadrat, um genau zu sein): Während sich lange Strings leicht biegen lassen, werden sie umso starrer, je kürzer sie sind. Als Schwarz und Scherk 1974 vorschlugen, die Größe von Strings zu verringern, damit sie eine Gravitationskraft der richtigen Stärke verkörperten, schlugen sie damit also auch vor, die Spannung der Strings zu erhöhen – wie sich herausstellte, um rund tausend Billionen Billionen Billionen (10^{39}) Tonnen, rund 100000000000000000000000000000000000000000 (10^{41}) Mal so groß wie die Spannung einer gewöhnlichen Klaviersaite. Wenn Sie sich nun vorstellen, dass Sie einen winzigen, außerordentlich steifen String in eines der zunehmend

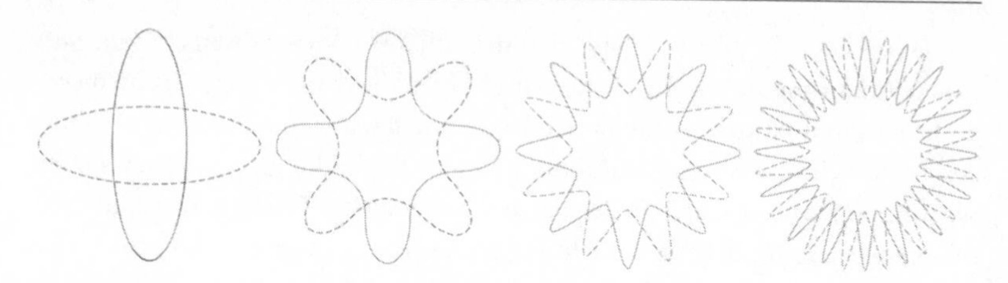

Abbildung 12.4 Die ersten Beispiele für Stringschwingungsmuster.

komplizierten Muster der Abbildung 12.4 biegen würden, dann erkennen Sie natürlich, dass Sie umso mehr Energie aufwenden müssten, je mehr Berge und Täler es gibt. Umgekehrt verkörpert ein String eine riesige Energiemenge, sobald er in einem so komplizierten Muster schwingt. Von den einfachsten Mustern abgesehen, sind Stringschwingungsmuster also äußerst energiereich und entsprechen daher – gemäß $E = mc^2$ – Teilchen mit riesigen Massen.

Und wenn ich riesig sage, meine ich riesig. Berechnungen zeigen, dass die Massen der Stringschwingungen eine Reihe bilden, die der harmonischen Reihe in der Musik ähnelt: Sie sind alle Vielfache einer Grundmasse, der *Planck*-Masse, so wie die Obertöne alle Vielfache einer Grundfrequenz oder eines Grundtons sind. Nach den Maßstäben der Elementarteilchenphysik ist die Planck-Masse kolossal – rund 10 Milliarden Milliarden (10^{19}) Mal die Masse eines Protons, was ungefähr der Masse eines Staubkorns oder einer Bakterie entspricht. Daher sind die möglichen Massen von Stringschwingungen 0-mal die Planck-Masse, 1-mal die Planck-Masse, 2-mal die Planck-Masse, 3-mal die Planck-Masse und so fort, woraus folgt, dass die Massen aller Stringschwingungen gewaltig sind, abgesehen von den Schwingungsmustern mit Masse null.[15]

Wie Sie sehen können, sind einige der Teilchen in den Tabelle 12.1 und 12.2 tatsächlich masselos, die meisten aber nicht. Und die nichtverschwindenden Massen in den Tabellen sind weiter von der Planck-Masse entfernt als der Sultan von Brunei von der Notwendigkeit eines Kredits. Daher erkennen wir deutlich, dass die bekannten Teilchenmassen nicht in das Muster passen, das die Stringtheorie produziert. Ist die Stringtheorie damit erledigt? Man könnte es meinen, doch dem ist nicht so. Die Tatsache, dass wir eine endlose Liste von Schwingungsmustern haben, deren Massen sich von denen der bekannten Teilchen immer weiter entfernen, ist eine Schwierigkeit, welche die Theorie überwinden muss. In jahrelanger Forschung wurden dafür vielversprechende Strategien entwickelt.

Zunächst einmal wissen wir aus Experimenten mit bekannten Teilchenarten, dass schwere Teilchen in der Regel instabil sind. Meist zerfallen schwere Teilchen rasch in eine Vielzahl von Teilchen mit geringeren Massen und erzeugen auf diese Weise letztlich die leichtesten und vertrautesten Arten der Tabellen 12.1 und 12.2. (Beispielsweise zerfällt das *top*-Quark in rund 10^{-24} Sekunden.) Wir gehen davon aus, dass dieses Prinzip für alle »überschweren« String-Schwingungsmuster gilt. Das würde erklären, warum nur wenige, wenn überhaupt, bis heute überlebt haben, selbst wenn sie im heißen, frühen Universum in großen Mengen produziert wurden. Sollte die Stringtheorie Recht haben, besteht unsere einzige Chance, die superschweren Teilchen zu beobachten, darin, sie durch Hochenergiestöße in Teilchenbeschleunigern zu erzeugen. Doch da heutige Beschleuniger nur Energien erreichen, die der rund 1000fachen Masse eines Protons entsprechen, sind sie viel zu schwach, um mehr hervorzubringen als die ruhigsten Schwingungsmuster der Stringtheorie. Daher steht die Vorhersage der Stringtheorie, dass es eine Reihe von Teilchen mit wachsenden Massen gibt, deren kleinste Millionen Milliarden Mal größer als diejenigen sind, die beim heutigen Stand der Technik erzeugt werden können, durchaus nicht im Widerspruch zu den Beobachtungen.

Aus dieser Erklärung geht auch hervor, dass sich alle Kontakte zwischen Stringtheorie und Teilchenphysik nur auf die niederenergetischsten – die masselosen – Stringschwingungen beschränken werden, da die anderen weit jenseits unserer heutigen technischen Möglichkeiten liegen. Was aber ist mit dem Umstand, dass die meisten Teilchen der Tabellen 12.1 und 12.2 nicht masselos sind? Eine wichtige Frage, die aber weniger beunruhigend ist, als sie zunächst erscheinen mag. Da die Planck-Masse riesig ist, bringt es selbst das massereichste Teilchen, das wir kennen, das *top*-Quark, nur auf das 0,0000000000000000143-(rund 10^{-17}-)fache der Planck-Masse. Die Masse des Elektrons entspricht gar nur dem 0,0000000000000000000000419-(rund 10^{-23}-)fachen der Planck-Masse. In einer ersten Näherung – *mit einer Genauigkeit von mehr als 1 zu* 10^{17} – entsprechen also die Massen aller Teilchen in den Tabellen 12.1 und 12.2 null mal der Planck-Masse (genauso wie der Besitz der meisten Erdbewohner in einer ersten Näherung dem Nullfachen des Vermögens entspricht, das der Sultan von Brunei sein Eigen nennt), was exakt von der Stringtheorie »vorhergesagt« wird. Unser Ziel ist es natürlich, diese Näherung zu verbessern und zu zeigen, dass die Stringtheorie jene winzigen Abweichungen vom Nullfachen der Planck-Masse erklärt, die charakteristisch für die Teilchen der Tabellen 12.1 und 12.2 sind. Dennoch stehen masselose Schwingungsmuster gar nicht in so krassem Widerspruch zu den Daten, wie Sie vielleicht anfänglich vermutet haben.

Das ist ermutigend, auch wenn sich bei näherer Prüfung weitere Probleme ergeben. Mit den Gleichungen der Superstringtheorie haben Physiker jedes masselose String-Schwingungsmuster aufgelistet. Ein Eintrag ist das Spin-2-Graviton – der große Erfolg, der dem ganzen Forschungsfeld den entscheidenden Impuls gab. Diese Entdeckung sorgt dafür, dass die Gravitation ein Teil der quantenmechanischen Stringtheorie ist. Doch die Berechnungen zeigen auch, dass es *viel* mehr masselose Spin-1-Schwingungsmuster gibt als Teilchen in der Tabelle 12.2 und *viel* mehr masselose Spin-1/2-Schwingungsmuster als Teilchen in der Tabelle 12.1. Mehr noch, die Liste der Spin-1/2-Schwingungsmuster lässt keine Spur jenes Wiederholungsmusters wie die Familienstruktur in Tabelle 12.1 erkennen. Bei genauerem Hinsehen scheinen sich dem Versuch, die Stringschwingungen mit den bekannten Teilchenarten zu vereinbaren, immer mehr Schwierigkeiten in den Weg zu stellen.

Mitte der achtziger Jahre gab es also nicht nur Gründe, über die Superstringtheorie zu jubeln, sondern durchaus auch welche, ihr mit Skepsis zu begegnen. Zweifellos markierte die Superstringtheorie einen kühnen Schritt in Richtung Vereinheitlichung. Dadurch, dass sie den ersten schlüssigen Ansatz zur Verschmelzung von Gravitation und Quantenmechanik lieferte, leistete die Superstringtheorie für die Physik, was Roger Bannister für die Vier-Minuten-Meile schaffte: Sie stellte unter Beweis, dass das scheinbar Unmögliche möglich war. Die Superstringtheorie machte eindeutig klar, dass wir die scheinbar unüberwindliche Barriere zwischen den beiden Säulen der Physik des zwanzigsten Jahrhunderts durchbrechen können.

Aber bei dem Bemühen, noch einen Schritt weiter zu gehen und zu zeigen, dass die Superstringtheorie die Merkmale der Materie und der Naturkräfte im Einzelnen erklären kann, stieß man auf Schwierigkeiten. Daraufhin verkündeten die Skeptiker, die Superstringtheorie sei trotz ihres Vereinheitlichungspotenzials lediglich ein mathematisches Modell ohne unmittelbare Bedeutung für das physikalische Universum.

Als reichten all die genannten Probleme noch nicht, stand ganz oben auf der Mängelliste der Skeptiker ein Merkmal der Superstringtheorie, von dem noch gar nicht die Rede war. Die Theorie leistet in der Tat eine erfolgreiche Fusion von Gravitation und Quantenmechanik – und zwar eine, die frei von den mathematischen Widersprüchen früherer Versuche ist. Doch so merkwürdig es klingt, schon in den ersten Jahren nach der Entdeckung der Superstringtheorie zeigte sich, dass ihre Gleichungen diese beneidenswerte Eigenschaft vermissen ließen, wenn das Universum nur drei räumliche Dimensionen hatte. Die Gleichungen der Superstringtheorie sind mathematisch nämlich nur schlüssig, wenn das Universum *neun* Dimensionen des Raums oder, unter Einbeziehung der Zeitdimension, *zehn* Raumzeitdimensionen besitzt!

Im Vergleich zu dieser bizarr klingenden Behauptung scheint die Schwierigkeit, eine detaillierte Übereinstimmung zwischen Schwingungsmustern und bekannten Teilchenarten herzustellen, nur noch von sekundärer Bedeutung zu sein. Die Superstringtheorie verlangt die Existenz von *sechs* räumlichen Dimensionen, die niemand je gesehen hat. Das ist kein Detail, sondern ein *massives* Problem.

Oder doch nicht?

Theoretische Entdeckungen, die in den ersten Jahrzehnten des zwanzigsten Jahrhunderts gemacht wurden, legten nahe, dass die Extradimensionen überhaupt kein Problem sein müssen. Ende des zwanzigsten Jahrhunderts zeigten die Stringtheoretiker mit einer Aktualisierung dieses Ansatzes, dass die Zusatzdimensionen tatsächlich die Möglichkeit eröffnen, den Graben zwischen den Schwingungsmustern der Stringtheorie und den experimentell nachgewiesenen Elementarteilchen zu überbrücken.

Das ist eine der verheißungsvollsten Entwicklungen, die die Theorie zu bieten hat; sehen wir, wie sie funktioniert.

Vereinigung in höheren Dimensionen

1919 fand Einstein einen Aufsatz in seiner Post, den er leicht als Hirngespinste eines Spinners hätte abtun können. Die Abhandlung stammte aus der Feder des relativ unbekannten Mathematikers Theodor Kaluza. Auf wenigen Seiten hatte dieser einen Ansatz zur Vereinheitlichung der beiden Kräfte entworfen, die damals bekannt waren – der Gravitation und des Elektromagnetismus. Zu diesem Zweck schlug Kaluza eine radikale Abkehr von einer so grundlegenden, selbstverständlichen Annahme vor, dass sein Ansatz vollkommen abwegig erschien. In seiner Hypothese forderte Kaluza Einstein und den Rest der physikalischen Gemeinschaft auf, nicht von drei räumlichen Dimensionen auszugehen, sondern von vier, so dass sich zusammen mit der Zeit insgesamt fünf Raumzeitdimensionen ergaben.

Zunächst einmal, was um alles in der Welt bedeutet das? Ganz einfach: Wenn wir sagen, dass es drei Raumdimensionen gibt, meinen wir damit, dass es drei unabhängige Richtungen oder Achsen gibt, an denen entlang wir uns bewegen können. Von Ihrem aktuellen Standort aus können Sie sie als links/rechts, vorne/hinten und oben/unten bezeichnen. In einem Universum mit drei Raumdimensionen ist jede Bewegung, die Sie ausführen, irgendeine Kombination von Bewegungen in diese drei Richtungen. Entsprechend brauchen Sie in einem Universum mit drei Raumdimensionen exakt drei Informationen, um einen Ort eindeutig zu bestimmen. In einer Stadt* müssen Sie zum Beispiel die Straße nennen, in der sich ein Gebäude befindet, die Querstraße und ein Stockwerk, um den Ort zu bezeichnen, wohin Sie zur Dinnerparty eingeladen haben. Und wenn Sie möchten, dass die Gäste sich einstellen, solange das Essen noch warm ist, müssen Sie noch eine vierte Information mitliefern: eine Zeit. Das ist gemeint, wenn von vierdimensionaler Raumzeit die Rede ist.

Kaluza postulierte nun, dass das Universum neben links/rechts, vorne/hinten und oben/unten *noch eine weitere Dimension besitze, die aus irgendeinem Grunde noch niemand je gesehen habe.* Wenn er Recht hätte, würde dies bedeuten, dass es noch eine zusätzliche unabhängige Richtung gäbe, in die sich die Dinge bewegen könnten. Wir müssten also vier Informationen liefern, um einen bestimmten Ort im Raum zu bestimmen, und insgesamt fünf Informationen, wenn wir auch die Zeit bestimmen wollten.

Das war im Grunde der Vorschlag, den Einstein im April 1919 erhielt. Die Frage lautet: Warum hat Einstein ihn nicht in den Papierkorb geworfen? Warum sehen wir diese zusätzliche Raumdimension nicht? Es passiert uns doch nie, dass wir ziellos umherwandern, weil eine Straße, eine Querstraße und ein Stockwerk aus irgendeinem Grund nicht ausreichen, um eine Adresse zu bezeichnen – warum also sollte man eine so abwegige Idee überhaupt ernst nehmen? Nun, wie Kaluza erkannte, lassen sich die Gleichungen von Einsteins allgemeiner Relativitätstheorie mathematisch ziemlich leicht dergestalt erweitern, dass sie ein Universum mit einer zusätzlichen Raumdimension beschreiben. Diese Erweiterung nahm Kaluza vor und stellte erwartungsgemäß fest, dass die höherdimensionale Version der allgemeinen Relativitätstheorie nicht nur Einsteins ursprüngliche Gravitationsgleichungen enthielt, sondern infolge der zusätzlichen Raumdimensionen noch weitere Gleichungen. Als Kaluza diese Extragleichungen untersuchte, bemerkte er allerdings etwas Außergewöhnliches: Bei den Zusatzgleichungen handelte es sich genau um die Gleichungen, die Maxwell im neunzehnten Jahrhundert entdeckt hatte, um das elektromagnetische Feld zu beschreiben! Durch die Ausstattung des Universums mit einer neuen Raumdimension hatte Kaluza eine Lösung für jenes Problem vorgeschlagen, das Einstein für eines der wichtigsten in der ganzen Physik hielt. *Kaluza hatte einen theoretischen Rahmen entwickelt, der Einsteins ursprüngliche Gleichungen der allgemeinen Relativitätstheorie mit*

* Am besten funktioniert dies in amerikanischen Städten mit schachbrettartigem Straßennetz, die für dieses Beispiel Pate gestanden haben dürften (A.d.Ü.).

Maxwells Gleichungen des Elektromagnetismus verband. Deshalb hat Einstein Kaluzas Aufsatz nicht fortgeworfen.

Bildlich können Sie sich Kaluzas Vorschlag folgendermaßen vorstellen: In der allgemeinen Relativitätstheorie weckte Einstein Raum und Zeit auf. Als sie sich dehnten und weiteten, erkannte Einstein, dass er die geometrische Verkörperung der Gravitationskraft gefunden hatte. Kaluza vertrat in seinem Aufsatz die Auffassung, die geometrische Reichweite von Raum und Zeit sei noch größer. Während Einstein herausfand, dass Gravitationsfelder als Krümmungen und Verzerrungen in den gewöhnlichen Dimensionen – den drei des Raumes und der einen der Zeit – angesehen werden können, kam Kaluza darauf, dass in einem Universum mit einer weiteren Raumdimension zusätzliche Krümmungen und Verzerrungen vorhanden wären, die, wie seine Analyse zeigte, geeignet wären, elektromagnetische Felder zu beschreiben. In Kaluzas Händen war Einsteins geometrischer Ansatz in der Lage, Gravitation und Elektromagnetismus zu vereinigen.

Natürlich hatte die Sache einen Haken. Zwar behielt die mathematische Beschreibung ihre Gültigkeit, aber es gab – und gibt – nicht den geringsten Hinweis auf eine Raumdimension neben den dreien, die wir alle kennen. War Kaluzas Entdeckung eine bloße Kuriosität oder doch von irgendeiner Bedeutung für unser Universum? Kaluza glaubte felsenfest an die Macht der Theorie – beispielsweise hatte er Schwimmen gelernt, indem er eine Abhandlung über das Schwimmen gelesen und sich anschließend ins Meer gestürzt hatte –, doch die Idee einer unsichtbaren Raumdimension hörte sich ungeheuerlich an, mochte die Theorie auch noch so überzeugend sein. 1926 gab dann der schwedische Physiker Oskar Klein Kaluzas Idee eine neue Wendung, die erkennen ließ, wo sich die Extradimension möglicherweise verbarg.

Die verborgenen Dimensionen

Denken Sie, um Kleins Idee zu verstehen, an den französischen Artisten Philippe Petit, wie er auf einem langen, gummiverkleideten Hochseil spaziert, das zwischen dem Mount Everest und dem Lhotse gespannt ist. Aus einer Entfernung von vielen Kilometern betrachtet, wie in Abbildung 12.5, sieht das Drahtseil wie ein eindimensionales Objekt aus, ein Objekt wie eine Linie, das Ausdehnung nur entlang seiner Länge besitzt. Wenn wir nun hören, dass sich vor Philippe ein winziger Wurm auf dem Seil entlangwindet, feuern wir ihn frenetisch an, weil er sich nicht von Philippe einholen lassen darf, wenn es nicht zur Katastrophe kommen soll. Natürlich brauchen wir alle nur einen Augenblick nachzudenken, um zu begreifen, dass es auf der Oberfläche des

Abbildung 12.5 Aus der Ferne sieht ein Drahtseil eindimensional aus, obwohl ein Teleskop, das stark genug ist, erkennen lässt, dass das Seil eine zweite, aufgewickelte Dimension besitzt.

Hochseils mehr als nur eine links/rechts-Dimension gibt, die wir direkt wahrnehmen können. Obwohl auf große Entfernung mit bloßem Auge schwer zu erkennen, hat die Oberfläche des Hochseils eine zweite Dimension: die Dimension im Uhrzeigersinn/gegen den Uhrzeigersinn, die um das Seil »gewickelt« ist. Mit Hilfe eines ganz normalen Teleskops wird diese kreisförmige Dimension sichtbar, und wir erkennen, dass sich der Wurm nicht nur in der langen, nicht aufgerollten links/rechts-Dimension bewegen kann, sondern auch in der kurzen »aufgewickelten« Richtung – der Dimension »im Uhrzeigersinn/gegen den Uhrzeigersinn«. Das heißt, an jedem Punkt des Hochseils hat der Wurm zwei unabhängige Richtungen, in die er sich bewegen kann (das ist gemeint, wenn wir sagen, die Oberfläche des Hochseils sei zweidimensional*), folglich kann er Philippe sicher aus dem Weg gehen, indem er entweder vor ihm dahingleitet, wie wir ihm anfänglich ans Herz legten, oder indem er

* Wenn Sie links, rechts, im Uhrzeigersinn und gegen den Uhrzeigersinn einzeln zählen, mögen Sie zu dem Schluss gelangen, der Wurm könne sich in vier Richtungen bewegen. Doch wenn wir von »unabhängigen« Richtungen sprechen, fassen wir immer diejenigen zusammen, die entlang der gleichen geometrischen Achse liegen – links und rechts sowie im und gegen den Uhrzeigersinn.

sich auf der winzigen kreisförmigen Dimension entlangwindet und Philippe oben vorbei lässt.

Das Hochseil illustriert, dass Dimensionen – die unabhängigen Richtungen, in die sich etwas bewegen kann – in zwei qualitativ unterschiedlichen Spielarten vorkommen können. Sie können groß und leicht zu erkennen sein, wie die links/rechts-Dimension der Seiloberfläche, oder winzig und kaum zu sehen, wie die Dimension im Uhrzeigersinn/gegen den Uhrzeigersinn, die sich kreisförmig um die Seiloberfläche legt. In diesem Beispiel war es kein großes Problem, den kleinen, kreisförmigen Umfang des Drahtseils ausfindig zu machen. Dazu brauchten wir lediglich ein einigermaßen leistungsfähiges Teleskop. Doch wie Sie sich vorstellen können, wird es umso schwerer, eine solche aufgewickelte Dimension zu erkennen, je kleiner sie ist. Auf eine Entfernung von einigen Kilometern lässt sich die kreisförmige Dimension einer Drahtseiloberfläche natürlich wahrnehmen, bei Zahnseide oder einer winzigen Nervenfaser wäre das weitaus schwieriger.

Kleins Beitrag war die These, dass auch für die Struktur des Universums selbst gelten könnte, was sich an einem Objekt *innerhalb* des Universums beobachten lässt. Genau wie die Seiloberfläche besitze auch der Raum große und kleine Dimensionen. Vielleicht sind die drei Dimensionen, die uns allen vertraut sind – links/rechts, hinten/vorne und oben/unten –, wie die waagerechte Ausdehnung des Hochseils Dimensionen der großen, leicht zu erkennenden Spielart. Doch genau wie das Seil eine zusätzliche, kleine, aufgewickelte und kreisförmige Dimension hat, verfügt möglicherweise auch die Raumstruktur über eine kleine, aufgewickelte, kreisförmige Dimension, die so klein ist, dass all unsere Vergrößerungsgeräte nicht leistungsfähig genug sind, um ihre Existenz zu enthüllen. Da die Dimension so winzig ist, bleibt sie laut Klein verborgen.

Wie klein ist klein? Nach Einbeziehung bestimmter quantenmechanischer Merkmale in Kaluzas ursprünglichem Ansatz zeigte Kleins mathematische Analyse, dass der Radius einer zusätzlichen kreisförmigen Raumdimension in etwa der Planck-Länge entspräche[16] und damit viel zu klein wäre, um experimentell nachgewiesen zu werden (unsere modernsten Geräte können nur bis zu etwa einem Tausendstel der Größe eines Atomkerns auflösen, womit sie noch durch einen Faktor von einer Million Milliarden von der Planck-Länge entfernt sind). Doch für einen imaginären Wurm von Planck-Größe würde diese winzige, aufgewickelte, kreisförmige Dimension eine neue Richtung darstellen, in der er sich ebenso frei bewegen könnte wie ein normaler Wurm in Richtung der kreisförmigen Dimension des Hochseils in Abbildung 12.5. Zwar käme auch ein Wurm von Planck-Größe, der sich entlang einer aufgewickelten Dimension bewegte, immer wieder an seinen Ausgangspunkt zurück wie ein gewöhnlicher Wurm, der feststellen muss, dass er bei der Erkundung der Richtung »im Uhrzeigersinn« nicht lange braucht, um wieder an seinen Ausgangspunkt zu gelangen. Aber abgesehen von der Weglänge würde eine aufgewickelte Dimension zweifellos eine Richtung zur Verfügung stellen, in der sich der winzige Wurm ebenso leicht bewegen könnte wie in den drei vertrauten, nicht aufgerollten Dimensionen.

Damit Sie sich ein intuitives Bild machen können, beachten Sie, dass die aufgewickelte Dimension des Seils – die Richtung im Uhrzeigersinn/gegen den Uhrzeigersinn – *an jedem Punkt entlang seiner ausgedehnten Dimension vorhanden ist.* Der Regenwurm kann an jedem Punkt der ausgedehnten Länge des Hochseils entlang des kreisförmigen Umfangs kriechen. Daher lässt sich die Seiloberfläche folgendermaßen beschreiben: Sie besitzt eine lange Dimension mit einer winzigen, kreisförmigen Richtung, die mit jedem Punkt verheftet ist (siehe Abbildung 12.6). Diese nützliche Vorstellung sollten Sie im Gedächtnis behalten, denn sie gilt auch für Kleins Vorschlag zum Verstecken von Kaluzas zusätzlicher Raumdimension.

Dazu wollen wir uns die Raumstruktur auf immer kleineren Abstandsskalen anschauen, wie in Abbildung 12.7 wiedergegeben. Auf den ersten Vergrößerungsebenen ist nichts Neues zu erkennen: Die Raumstruktur erscheint noch immer dreidimensional (was wir, wie üblich, auf der Bruchseite schematisch durch ein zweidimensionales Gitter wiedergeben). Doch wenn wir zur Planck-Skala kommen, der höchsten Vergrößerungsebene in der Abbildung, wird laut Klein eine neue, aufgewickelte Dimension sichtbar. Analog zur kreisförmigen Dimension des Hochseils, die an jedem Punkt seiner großen, ausgedehnten Dimension existiert, gibt es in diesem Ansatz die kreisförmige Dimension an jedem Punkt der vertrauten drei ausgedehnten Dimensionen unserer alltäglichen Welt. In Abbildung 12.7 haben wir das angeordnet, indem

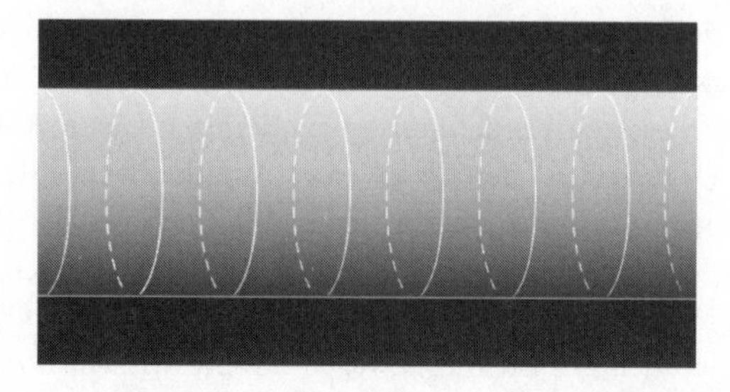

Abbildung 12.6 Die Oberfläche eines Hochseils hat eine lange Dimension mit einer kreisförmigen Dimension, die an jedem Punkt verheftet ist.

Abbildung 12.7 Nach dem Kaluza-Klein-Ansatz ist auf sehr kleinen Skalen an jeden Punkt des uns vertrauten Raums eine kreisförmige Extradimension geheftet.

wir die zusätzliche kreisförmige Dimension an ausgesuchten Punkten entlang der ausgedehnten Dimensionen eingezeichnet haben (hätten wir wirklich an jedem Punkt Kreise eingezeichnet, wäre die Zeichnung unübersichtlich geworden). Die Ähnlichkeit mit dem Drahtseil in Abbildung 12.6 ist auf den ersten Blick zu erkennen. In Kleins Ansatz müssen wir uns also vorstellen, dass der Raum drei nicht aufgerollte Dimensionen (von denen wir in der Abbildung nur zwei zeigen) und eine zusätzliche, mit jedem Punkt verheftete kreisförmige Dimension besitzt. Machen Sie sich dabei klar, dass die Extradimension keine Beule oder Schleife in den üblichen drei Raumdimensionen ist, wie die graphischen Beschränkungen der Abbildung suggerieren könnten. Vielmehr handelt es sich bei der Extradimension um eine neue Richtung, vollkommen verschieden von den dreien, die uns vertraut sind, eine Richtung, die an jedem Punkt in unserem gewöhnlichen dreidimensionalen Raum existiert, aber so klein ist, dass sie auch mit modernsten Geräten nicht zu entdecken ist.

Mit dieser Abänderung von Kaluzas ursprünglicher Idee gab Klein eine Antwort auf die Frage, wie das Universum es möglicherweise anstellt, mehr als die drei räumlichen Dimensionen der Alltagserfahrung zu besitzen – Dimensionen, die verborgen sein könnten. Dieser Ansatz heißt heute *Kaluza-*

Klein-Theorie. Und da Kaluza nur diese Extradimension des Raums brauchte, um allgemeine Relativität und Elektromagnetismus zu vereinigen, schien die Kaluza-Klein-Theorie genau das zu sein, wonach Einstein suchte. Tatsächlich löste diese Möglichkeit einer Vereinheitlichung durch eine neue, verborgene Raumdimension bei Einstein und vielen anderen Forschern große Begeisterung aus, und man machte sich aufgeregt an die Ausarbeitung der Einzelheiten. Aber schon bald stieß die Kaluza-Klein-Theorie auf eigene Probleme. Am offenkundigsten vielleicht, als sich alle Versuche, das Elektron in den extradimensionalen Entwurf einzubeziehen, als undurchführbar herausstellten.[17] Einstein setzte seine Versuche mit dem Kaluza-Klein-Ansatz mindestens bis Anfang der vierziger Jahre fort, doch als sich die Hoffnungen, die man anfangs in die Theorie gesetzt hatte, nicht erfüllten, erlosch das Interesse mehr und mehr.

Wenige Jahrzehnte später indes sollte die Kaluza-Klein-Theorie ein spektakuläres Comeback feiern.

Stringtheorie und verborgene Dimensionen

Neben den Schwierigkeiten, auf welche die Kaluza-Klein-Theorie bei dem Versuch stieß, die Mikrowelt zu beschreiben, gab es noch einen weiteren Grund für die zögernde Haltung vieler Forscher dem Ansatz gegenüber. Viele hielten es für willkürlich und abseitig, einfach eine zusätzliche Raumdimension zu postulieren. Schließlich hatte Kaluza die Idee einer neuen räumlichen Dimension nicht aus einer lückenlosen Kette deduktiver Schlussfolgerungen abgeleitet, sondern sie gleichsam aus dem Hut gezogen und war erst bei der Analyse ihrer Konsequenzen auf eine unverhoffte Verbindung zwischen allgemeiner Relativitätstheorie und Elektromagnetismus gestoßen. Obwohl an sich eine großartige Entdeckung, fehlte ihr doch die Aura der Unvermeidlichkeit. Hätte man Kaluza und Klein gefragt, *warum* das Universum fünf Raumzeitdimension habe statt vier oder sechs oder sieben oder auch 7000, hätten sie keine überzeugendere Antwort gehabt als die Gegenfrage: »Warum nicht?«

Mehr als drei Jahrzehnte später veränderte sich die Situation grundsätzlich. Die Stringtheorie ist der erste Ansatz, der allgemeine Relativitätstheorie und Quantenmechanik verbindet. Mehr noch: Sie verfügt über die Möglichkeit, unser Verständnis aller Kräfte und aller Materie zu vereinheitlichen. Doch die quantenmechanischen Gleichungen der Stringtheorie lassen sich nicht in vier räumlichen Dimensionen anwenden, nicht in fünf, sechs, sieben oder 7000, sondern sind aus Gründen, mit denen wir uns im nächsten Abschnitt beschäftigen werden, auf zehn Raumzeitdimensionen angewiesen –

neun des Raums plus die Zeit. Die Stringtheorie *verlangt* die zusätzliche Zahl an Dimensionen *zwingend*.

Das ist ein Ergebnis von grundsätzlich anderer Art, eines, das es in der Geschichte der Physik noch nie gegeben hat. Vor den Strings hat noch nie eine Theorie irgendeine Aussage über die Anzahl der räumlichen Dimensionen im Universum getroffen. Jede Theorie von Newton über Maxwell bis Einstein ging davon aus, dass das Universum drei Raumdimensionen habe – und zwar so selbstverständlich, wie wir alle annehmen, dass die Sonne morgen aufgeht. Kaluza und Klein stellten diese Annahme in Frage, indem sie behaupteten, es gebe vier Raumdimensionen, doch das lief einfach auf eine weitere Annahme hinaus – eine anders lautende Annahme zwar, aber trotzdem eine Annahme. Die Stringtheorie dagegen lieferte zum ersten Mal Gleichungen, welche die Zahl der Raumdimensionen *vorhersagten*. Eine Rechnung – keine Annahme, keine Hypothese, keine hellsichtige Vermutung – legt im Rahmen der Stringtheorie die Zahl der Raumdimensionen fest, und die Überraschung dabei ist, dass die errechnete Zahl nicht drei, sondern neun beträgt. Die Stringtheorie führt uns *unausweichlich* zu einem Universum mit sechs zusätzlichen Raumdimensionen und liefert daher eine überzeugende, natürliche Plattform für den Rückgriff auf die Ideen von Kaluza und Klein.

Die ursprüngliche Hypothese von Kaluza und Klein ging nur von einer verborgenen Dimension aus, sie lässt sich jedoch leicht auf zwei, drei oder auch die sechs von der Stringtheorie verlangten Extradimensionen verallgemeinern. Beispielsweise ersetzen wir in Abbildung 12.8 die zusätzliche kreisförmige Dimension der Abbildung 12.7, ein eindimensionales Gebilde, durch die Oberfläche einer Kugel, ein zweidimensionales Gebilde (wie in Kapitel 8 erläutert, ist die Oberfläche einer Kugel zweidimensional, weil wir zwei Informationen brauchen – auf der Erdoberfläche die geographische Breite und Länge –, um einen Ort zu bestimmen). Wie beim Kreis müssen Sie sich vorstellen, eine solche Kugel sei mit jedem Punkt der üblichen Dimensionen verheftet, auch wenn wir in Abbildung 12.8 (a) um der Übersichtlichkeit willen nur die Kugeln gezeichnet haben, die sich an Schnittpunkten der Gitterlinien befinden. In einem Universum dieser Art benötigten Sie insgesamt fünf Informationen, um einen Ort im Raum zu bestimmen: drei, um Ihren Standort in den großen Dimensionen zu bestimmen (Straße, Querstraße, Stockwerkzahl), und zwei, um Ihren Standort auf der mit jedem Punkt verhefteten Kugel zu bestimmen (Länge, Breite). Wenn die Kugeln sehr klein wären – Milliarden mal kleiner als ein Atom –, wären die letzten beiden Informationen für Geschöpfe von unserer Größe natürlich ohne Belang. Trotzdem wären die Extradimensionen ein integraler Bestandteil der ultramikroskopischen Beschaffenheit der Raum-

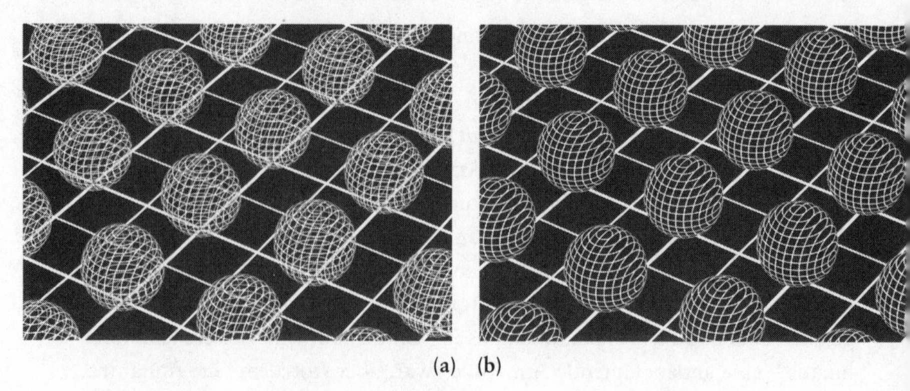

(a) (b)

Abbildung 12.8 Nahaufnahme eines Universums mit drei gewöhnlichen Dimensionen, wiedergegeben durch das Gitter, sowie (**a**) zwei aufgewickelten Dimensionen in Form von Hohlkugeln und (**b**) drei aufgewickelten Dimensionen in Gestalt von Vollkugeln.

struktur. Ein ultramikroskopischer Wurm brauchte alle fünf Informationen und wäre, wenn wir die Zeit einbeziehen, sogar auf sechs Informationen angewiesen, um zur richtigen Zeit bei der richtigen Dinnerparty zu erscheinen.

Nehmen wir noch eine Dimension hinzu. In Abbildung 12.8 (a) haben wir nur die Oberfläche der Kugeln betrachtet. Stellen Sie sich jetzt vor, zur Raumstruktur gehöre wie in Abbildung 12.8 (b) auch das Innere der Kugeln. Dann kann sich unser Würmchen von Planck-Größe in die Kugel fressen, wie es gewöhnliche Würmer mit Äpfeln tun, und sich frei im Inneren umherbewegen. Um jetzt den Aufenthaltsort des Wurms anzugeben, brauchen wir *sechs* Informationen: drei, um seine Position in den üblichen ausgedehnten Raumdimensionen zu bestimmen, und drei weitere, um seine Position in der mit diesem Punkt verhefteten Kugel zu bestimmen (Breite, Länge, Tiefe des Eindringens). Zusammen mit der Zeit handelt es sich also um das Beispiel eines Universums mit *sieben* Raumzeitdimensionen.

Nun kommt der Sprung. Obwohl es sich nicht zeichnen lässt, stellen Sie sich bitte vor, dass das Universum an jedem Punkt der drei ausgedehnten Dimensionen unserer Alltagswelt nicht eine Extradimension hätte wie in Abbildung 12.7, nicht zwei Extradimensionen wie in Abbildung 12.8 (a), nicht drei Extradimensionen wie in Abbildung 12.8 (b), sondern sechs zusätzliche Raumdimensionen. Das kann ich mir mit Sicherheit nicht mehr vorstellen, und ich kenne auch niemanden, der es könnte. Doch die Bedeutung ist klar. Um den Aufenthaltsort eines Wurms von Planck-Größe in einem solchen Universum zu bestimmen, brauchen wir *neun* Informationen: drei, um seine Position in den gewöhnlichen ausgedehnten Dimensionen zu bestimmen, und sechs, um seinen Standort in den aufgewickelten, mit diesem Punkt verhefteten Dimensionen zu ermitteln. Berücksichtigen wir auch die Zeit, handelt es sich um ein Universum mit zehn Raumzeitdimensionen, wie es die Gleichungen der Stringtheorie verlangen. Sind die sechs Extradimensionen klein genug aufgewickelt, könnten sie leicht der Entdeckung entgehen.

Die Form der verborgenen Dimensionen

Tatsächlich bestimmen die Gleichungen der Stringtheorie mehr als nur die Zahl der räumlichen Dimensionen. Sie legen nämlich auch fest, welche Formen die Zusatzdimensionen annehmen können.[18] In den vorstehenden Abbildungen haben wir uns auf die einfachsten Formen beschränkt – Kreise, Hohlkugeln, Vollkugeln –, die Gleichungen der Stringtheorie bekommen allerdings eine bedeutend kompliziertere Klasse von sechsdimensionalen Gebilden heraus, die so genannten Calabi-Yau-Räume, benannt nach den Mathematikern Eugenio Calabi und Shing-Tung Yau, die sie für die Mathematik entdeckten, lange bevor sich ihre Bedeutung für die Stringtheorie herausstellte. Eine grobe Wiedergabe eines Beispiels liefert die Abbildung 12.9 (a). Behalten Sie im Gedächtnis, dass es sich bei dieser Abbildung um die zweidimensionale graphische Darstellung eines sechsdimensionalen Objekts handelt und dass es dadurch zu einer Vielzahl erheblicher Verzerrungen kommt. Doch auch so vermittelt die Zeichnung eine ungefähre Vorstellung vom Aussehen dieser Ge-

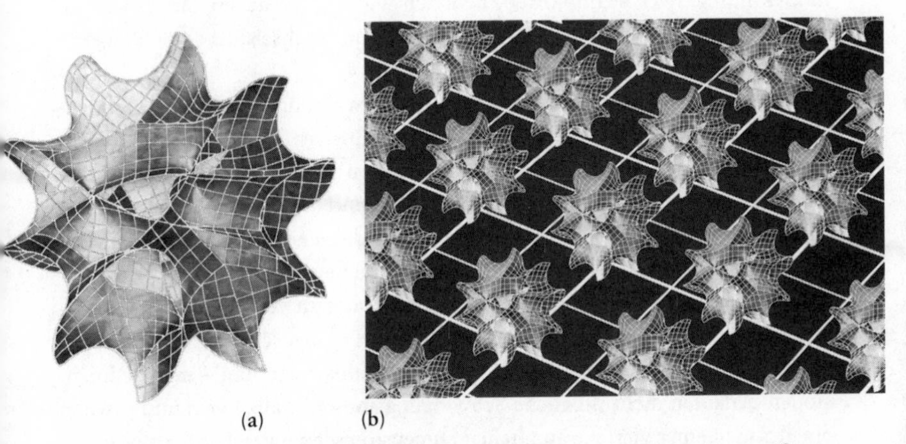

Abbildung 12.9 (**a**) Ein Beispiel für einen Calabi-Yau-Raum. (**b**) Ein stark vergrößerter Raumausschnitt mit zusätzlichen Dimensionen in der Form eines winzigen Calabi-Yau-Raums.

bilde. Wenn der besondere Calabi-Yau-Raum in Abbildung 12.9 (a) die sechs Extradimensionen der Stringtheorie darstellen würde, hätte der Raum auf ultramikroskopischen Skalen die in Abbildung 12.9 (b) wiedergegebene Form. Da der Calabi-Yau-Raum an jeden Punkt der gewöhnlichen drei Dimensionen geheftet wäre, wären Sie und ich und jedermann sonst ständig umgeben und angefüllt von diesen kleinen Räumen. Wenn Sie von einem Ort zu einem anderen gehen, würde sich Ihr Körper buchstäblich durch alle neun Dimensionen bewegen, dabei aber so rasch und so viele Male den gesamten Calabi-Yau-Raum durchmessen, dass im Mittel der Eindruck entsteht, Sie hätten sich in den sechs Zusatzdimensionen überhaupt nicht bewegt.

Sollten diese Ideen zutreffen, ist die ultramikroskopische Struktur des Kosmos von denkbar komplexen Mustern durchzogen.

Stringphysik und Extradimensionen

Die Schönheit der allgemeinen Relativitätstheorie liegt darin, dass die Gravitationsphysik von der Raumgeometrie bestimmt wird. Angesichts der zusätzlichen Raumdimensionen, die von der Stringtheorie vorgeschlagen werden, liegt die Vermutung natürlich nahe, dass damit der Einfluss der Geometrie auf die Physik erheblich anwächst. Und die Vermutung ist richtig. Vergewissern wir uns dessen zunächst dadurch, dass wir uns mit der Frage befassen, der ich bislang ausgewichen bin. Warum verlangt die Stringtheorie zehn Raumzeitdimensionen? Die Frage lässt sich unter Ausklammerung mathematischer Methoden nur schwer beantworten, dennoch will ich versuchen, sie so weit zu erläutern, dass verständlich wird, wie es zu einem Wechselspiel von Geometrie und Physik kommt.

Stellen Sie sich einen String vor, dessen Schwingungen auf die zweidimensionale Fläche einer flachen Tischplatte beschränkt ist. Der String wird in der Lage sein, eine Vielzahl von Schwingungsmustern auszuführen, jedoch nur diejenigen, die eine Bewegung in der links/rechts- und hinten/vorne-Richtung der Tischfläche betreffen. Wenn Sie es dem String dann ermöglichen, auch in der dritten Dimension zu schwingen, das heißt, eine Bewegung in der oben/unten-Dimension auszuführen und damit die Tischplatte zu verlassen, kommen zusätzliche Schwingungsmuster ins Spiel. Obwohl es uns schwer fällt, uns mehr als drei Dimensionen auszumalen, ist diese Schlussfolgerung – mehr Dimensionen bedeuten mehr mögliche Schwingungsmuster – allgemeingültig. Wenn ein String in einer vierten räumlichen Dimension schwingen kann, ist er in der Lage, mehr Schwingungsmuster auszuführen, als er es in dreien konnte. Wenn ein String in einer fünften räumlichen Dimension schwingen kann, ist er in der

Lage, mehr Schwingungsmuster auszuführen, als er es in vieren konnte – und so fort. Das ist eine wichtige Erkenntnis, weil es in der Stringtheorie eine Gleichung gibt, die verlangt, dass die Zahl unabhängiger Schwingungsmuster eine ganz bestimmte Bedingung erfüllt. Wird die Bedingung verletzt, verlieren die mathematischen Grundlagen der Stringtheorie ihre Gültigkeit, und die Gleichungen werden sinnlos. In einem Universum mit drei Raumdimensionen ist die Zahl der möglichen Schwingungsmuster so klein, dass die Bedingung nicht erfüllt wird. Auch fünf, sechs, sieben oder acht Dimensionen ändern nichts an diesem Umstand. Erst bei neun Raumdimensionen ist die Bedingung hinsichtlich der Zahl von Schwingungsmustern vollkommen erfüllt. Das ist die Art und Weise, wie die Stringtheorie die Zahl der Raumdimensionen bestimmt.*[19]

Das belegt zwar sehr schön die Wechselbeziehung zwischen Geometrie und Physik, doch ihre Verknüpfung innerhalb der Stringtheorie geht darüber hinaus und bietet eine Möglichkeit, ein kritisches Problem anzugehen, auf das wir oben gestoßen sind. Wie geschildert, stießen Physiker, die versuchten, den Zusammenhang zwischen String-Schwingungsmustern und bekannten Teilchenarten detailliert zu untersuchen, auf Schwierigkeiten. Sie stellten fest, dass es viel zu viele masselose String-Schwingungsmuster gibt, und mehr noch, dass die genauen Eigenschaften der Schwingungsmuster nicht mit denen der bekannten Materie- und Kraftteilchen in Einklang standen. Allerdings habe ich oben auf eine Ausführung verzichtet, weil wir die Idee der Extradimensionen noch nicht erörtert hatten: Zwar berücksichtigten diese Berechnungen die *Zahl* der Zusatzdimensionen (was teilweise erklärt, warum so viele String-Schwingungsmuster entdeckt wurden), trugen aber der geringen Größe und komplexen *Form* dieser Extradimensionen nicht Rechnung – sie gingen davon aus, alle Raumdimensionen wären flach und vollkommen entrollt –, und das macht einen erheblichen Unterschied aus.

Strings sind so klein, dass sie selbst dann, wenn die Extradimensionen in

* Ich möchte Sie auf eine wichtige Entwicklung vorbereiten, mit der wir uns im nächsten Kapitel beschäftigen werden. Die Stringtheoretiker wissen seit Jahrzehnten, dass die Gleichungen, die sie im Allgemeinen verwenden, um die Stringtheorie mathematisch zu analysieren, Näherungen sind (wie sich herausgestellt hat, sind die exakten Gleichungen schwer zu erkennen und zu verstehen). Man hielt jedoch im Großen und Ganzen die Näherungsgleichungen für genau genug, um die erforderliche Zahl von Extradimensionen zu bestimmen. Doch vor einiger Zeit (und zum Entsetzen der meisten auf diesem Gebiet tätigen Physiker) haben einige Stringtheoretiker nachgewiesen, dass die Näherungsgleichungen eine Dimension *nicht erfassten*. Heute geht man allgemein davon aus, dass die Theorie *sieben* Zusatzdimensionen braucht. Wie wir sehen werden, werden dadurch die Überlegungen, die wir in diesem Kapitel erörtert haben, nicht hinfällig, allerdings zeigt sich, dass sie in einen größeren, ja einheitlicheren theoretischen Rahmen zu stellen sind.[20]

einen Calabi-Yau-Raum zusammengestaucht werden, trotzdem in diesen Richtungen schwingen. Das ist aus zwei Gründen außerordentlich wichtig. Erstens sorgt es dafür, dass die Strings immer in allen neun Raumdimensionen schwingen und daher die Bedingung hinsichtlich der Zahl der Schwingungen stets erfüllt ist, auch wenn die zusätzlichen Dimensionen eng aufgewickelt sind. Zweitens unterliegen die Schwingungsmuster der Strings dem Einfluss der Windungen und Biegungen in der Geometrie der zusätzlichen sechs Dimensionen. Stellen Sie sich vor, wie die Schwingungsmuster der Luftströme, die durch eine Tuba geblasen werden, von den Windungen und Biegungen des Instruments bestimmt werden. Würden Sie die Form der Tuba verändern, indem Sie einen Durchlass enger oder eine Kammer länger machten, würden sich auch die Schwingungsmuster der Luft und damit der Ton des Instruments verändern. Genauso gilt: Wenn wir die Form und Größe der Zusatzdimensionen verändern, verändern wir damit auch erheblich die exakten Eigenschaften jedes möglichen Schwingungsmusters eines Strings. Da nun das Schwingungsmuster eines Strings seine Masse und Ladung bestimmt, folgt daraus, dass die Extradimensionen eine entscheidende Rolle bei der Festlegung der Teilcheneigenschaften spielen.

Das ist eine Erkenntnis von entscheidender Bedeutung. *Die exakte Größe und Form der Zusatzdimensionen hat einen weit reichenden Einfluss auf String-Schwingungsmuster und infolgedessen auch auf Teilcheneigenschaften.* Da die Grundstruktur des Universums – von der Bildung der Galaxien und Sterne bis hin zur Existenz des Lebens in der uns bekannten Form – empfindlich von den Teilcheneigenschaften abhängt, könnte der Code des Kosmos durchaus die Gestalt eines Calabi-Yau-Raums haben.

Ein Beispiel für einen Calabi-Yau-Raum haben wir in Abbildung 12.9 gesehen, doch gibt es mindestens Hunderttausende weiterer Möglichkeiten. Die Frage lautet also, welcher Calabi-Yau-Raum – wenn diese Annahme denn zutrifft – den extradimensionalen Teil der Raumzeitstruktur bildet. Darauf eine Antwort zu finden, zählt zu den wichtigsten Herausforderungen der Stringtheorie, denn nur durch die eindeutige Wahl eines Calabi-Yau-Raums lassen sich die Eigenschaften der String-Schwingungsmuster im Detail bestimmen. Gegenwärtig ist die Frage noch offen. Unsere heutige Kenntnis der String-Gleichungen liefert uns nämlich keinen Hinweis darauf, welche Form wir aus dem großen Angebot auswählen sollen. Aus Sicht der bekannten Gleichungen ist jeder Calabi-Yau-Raum so gut wie jeder andere. Die Gleichungen bestimmen noch nicht einmal die Größe der Zusatzdimensionen. Da wir die Extradimensionen nicht sehen, müssen sie klein sein, doch wie klein genau, ist ebenfalls eine ungelöste Frage.

Ist das ein fataler Fehler der Stringtheorie? Vielleicht. Doch ich glaube es nicht. Wie wir im nächsten Kapitel etwas genauer sehen werden, haben sich die exakten Gleichungen der Stringtheorie den Theoretikern jahrelang entzogen, weshalb vielfach *Näherungsgleichungen* verwendet wurden. Diese haben Einsichten in eine große Vielzahl von Merkmalen der Stringtheorie eröffnet, sind bei bestimmten Fragen – unter anderem der nach der exakten Größe und Form der Zusatzdimensionen – jedoch an ihre Grenzen gestoßen. In dem Maße, wie wir unsere mathematische Analyse und diese Näherungsgleichungen verbessern werden, dürfte es zu einem vorrangigen – und nach meiner Meinung erreichbaren – Ziel werden, die Form der Extradimensionen zu bestimmen. Bislang liegt dieses Ziel außerhalb unserer Reichweite.

Trotzdem können wir auch unter den gegebenen Bedingungen fragen, ob sich für *irgendeinen* der Calabi-Yau-Räume String-Schwingungsmuster ergeben, die die Eigenschaften der bekannten Teilchen zumindest ungefähr nachbilden können. Und hier ist die Antwort sehr befriedigend.

Obwohl wir noch lange nicht jede Möglichkeit untersucht haben, sind Beispiele für Calabi-Yau-Räume gefunden worden, deren String-Schwingungsmuster eine grobe Übereinstimmung mit den Tabellen 12.1 und 12.2 aufweisen. Beispielsweise entdeckten Mitte der achtziger Jahre Philip Candelas, Gary Horowitz, Andrew Strominger und Edward Witten (das Physikerteam, das auf die Bedeutung der Calabi-Yau-Räume für die Stringtheorie stieß), dass jedes Loch – der Begriff wird hier in einer exakt definierten mathematischen Bedeutung verwendet – in einem Calabi-Yau-Raum eine *Familie* von extrem energiearmen String-Schwingungsmustern erzeugt. Insofern würde ein Calabi-Yau-Raum mit drei Löchern eine Erklärung für die Wiederholungsmuster der drei Familien von Elementarteilchen in Tabelle 12.1 liefern. Tatsächlich hat man eine Anzahl solcher dreilöchriger Calabi-Yau-Räume gefunden. Unter diesen bevorzugten Calabi-Yau-Räumen gibt es sogar solche, die genau die richtige Anzahl von Botenteilchen sowie genau die richtigen elektrischen Ladungen und Kernkrafteigenschaften bieten, um in Einklang mit den Teilchen in den Tabellen 12.1 und 12.2 zu stehen.

Das ist ein außerordentlich ermutigendes Ergebnis, das keineswegs selbstverständlich ist. Bei der Vereinheitlichung von allgemeiner Relativitätstheorie und Quantenmechanik hätte die Stringtheorie durchaus das eine Ziel erreichen können, nur um festzustellen, dass es unmöglich ist, das andere, ebenso wichtige Ziel zu erreichen – die Eigenschaften der bekannten Materie- und Kraftteilchen zu erklären. Die Stringforscher fühlen sich durch die Tatsache, dass die Theorie diese beunruhigende Möglichkeit hinter sich gelassen hat, eindeutig bestärkt. Nun aber einen Schritt weiter zu gehen und die genauen

Massen der Teilchen auszurechnen, ist beträchtlich schwieriger. Wie erläutert, haben die Teilchen in den Tabellen 12.1 und 12.2 Massen, die von den energieärmsten Stringschwingungen – null mal die Planck-Masse – um weniger als eins zu einer Million Milliarde abweichen. Die Berechnung solcher verschwindend kleinen Abweichungen verlangt ein Maß an Genauigkeit, das weit über unsere gegenwärtige Beherrschung der String-Gleichungen hinausgeht.

Tatsächlich nehme ich wie viele andere Stringtheoretiker an, dass die winzigen Massen der Tabellen 12.1 und 12.2 in der Stringtheorie weitgehend genauso wie im Standardmodell entstehen. Aus Kapitel 9 wissen wir, dass im Standardmodell ein Higgs-Feld einen nichtverschwindenden Wert im gesamten Raum annimmt und dass die Masse eines Teilchens davon abhängt, wie viel Widerstand es erfährt, während es sich durch den Higgs-Ozean kämpft. Wahrscheinlich findet ein ähnliches Szenario in der Stringtheorie statt. Wenn eine riesige Anzahl von Strings koordiniert und in der richtigen Weise im gesamten Raum schwingt, könnten sie einen gleichförmigen Hintergrund liefern, der einem Higgs-Ozean in jeder Hinsicht gleichen würde. Stringschwingungen, die ursprünglich zu keiner Masse geführt hätten, würden durch den Widerstand, den sie erführen, während sie sich durch die stringtheoretische Spielart des Higgs-Ozeans bewegten, winzige, nichtverschwindende Massen annehmen.

Zu beachten ist allerdings, dass im Standardmodell die Widerstandskraft, die ein gegebenes Teilchen erfährt – und daher die Masse, die es erwirbt –, experimentelle Messungen bestimmt und der so gewonnene Zahlenwert der Theorie vorgegeben werden muss. In der stringtheoretischen Version würde die Widerstandskraft – und damit die Massen der Schwingungsmuster – auf Wechselwirkungen zwischen Strings zurückgeführt (da der Higgs-Ozean nach dieser Hypothese aus Strings bestünde) und müsste daher *berechenbar* sein. Die Stringtheorie bietet, zumindest im Prinzip, die Möglichkeit, alle Teilcheneigenschaften durch die Theorie selbst zu bestimmen.

Das hat bisher noch niemand geschafft, aber die Stringtheorie ist auch noch lange nicht abgeschlossen. Die Stringforscher hoffen, im Laufe der Zeit das gesamte Vereinheitlichungspotenzial dieses Ansatzes ausschöpfen zu können. Die Motivation ist hoch, weil der potenzielle Nutzen groß ist. Mit harter Arbeit und einer ordentlichen Portion Glück könnte die Stringtheorie eines Tages die fundamentalen Teilcheneigenschaften erklären und damit auch erklären, warum das Universum ist, wie es ist.

Die Struktur des Kosmos laut der Stringtheorie

Obwohl sich noch große Teile der Stringtheorie unserem Verständnis entziehen, hat sie uns bereits verheißungsvolle neue Ausblicke eröffnet. Insbesondere ergeben sich aus der spektakulären Art und Weise, wie sie den Graben zwischen allgemeiner Relativitätstheorie und Quantenmechanik überbrückt, Hinweise darauf, dass die Struktur des Kosmos möglicherweise viel mehr Dimensionen besitzt, als wir direkt wahrnehmen – Dimensionen, die uns den Schlüssel zur Lösung einiger der größten Rätsel des Universums liefern könnten. Die Theorie lässt sogar darauf schließen, dass die vertrauten Begriffe von Raum und Zeit nicht bis in die Bereiche unterhalb der Planck-Länge reichen, was zu der Vermutung Anlass gibt, Raum und Zeit, wie wir sie gegenwärtig verstehen, seien womöglich bloße Näherungen grundlegenderer Konzepte, die noch der Entdeckung harren.

In den ersten Augenblicken des Universums dürften diese Merkmale der Raumzeitstruktur, die heute nur noch mathematisch zugänglich sind, offenkundig gewesen sein. Am Anfang, als auch die drei vertrauten Raumdimensionen noch klein waren, gab es vermutlich kaum einen oder gar keinen Unterschied zwischen dem, was wir heute die großen und die aufgewickelten Dimensionen der Stringtheorie nennen. Ihr gegenwärtiger Größenunterschied wäre auf eine kosmologische Entwicklung zurückzuführen, die in einer Weise, die wir noch nicht ganz verstehen, drei der räumlichen Dimensionen eine Sonderstellung einräumte und nur sie der vierzehn Milliarden Jahre währenden Expansion unterzog, die in früheren Kapiteln geschildert wurde. Wenn wir noch weiter in der Zeit zurückblicken könnten, sähen wir das ganze beobachtbare Universum, wie es zu Ausmaßen unterhalb der Planck-Skala schrumpfte. Das, was wir als verschwommenen Fleck wiedergegeben haben (siehe Abbildung 10.6), können wir jetzt als den Bereich identifizieren, in dem Raum und Zeit, so wie wir sie kennen, erst noch aus jenen fundamentaleren Gegebenheiten – wie immer sie im Einzelnen beschaffen gewesen sein mögen – entstehen mussten, um deren Verständnis sich die aktuelle Forschung bemüht.

Um beim Verständnis des Ur-Universums weiter voranzukommen – und damit bei der Erklärung des Ursprungs von Raum, Zeit und Zeitpfeil –, müssen wir die theoretischen Werkzeuge schärfen, mit deren Hilfe wir uns um die Erforschung der Stringtheorie bemühen: ein Ziel, das vor noch nicht allzu langer Zeit als zwar edel, aber auch unerreichbar galt. Wie wir jetzt sehen werden, sind mit der Entwicklung der so genannten M-Theorie Fortschritte erzielt worden, die selbst viele der optimistischsten Vorhersagen der Optimisten übertroffen haben.

13

DAS UNIVERSUM AUF EINER BRAN

Spekulationen über Raum und Zeit in der M-Theorie

Kaum eine Revolution in der Wissenschaftsgeschichte fand auf so verschlungenen Wegen statt wie die Entwicklung der Stringtheorie. Selbst heute, mehr als drei Jahrzehnte nach ihrer ersten Formulierung, sind die meisten String-Forscher der Meinung, dass wir noch immer keine umfassende Antwort auf die grundlegende Frage haben: Was ist die Stringtheorie? Wir wissen viel *über* die Stringtheorie. Wir kennen ihre grundlegenden Merkmale, wir kennen ihre wichtigsten Erfolge, wir kennen die Versprechen, die sie macht, und die Probleme, vor denen sie steht. Auch sind wir in der Lage, mit den Gleichungen der Theorie im Einzelnen auszurechnen, wie sich Strings unter den verschiedensten Umständen verhalten und wechselwirken müssten. Trotzdem sind die meisten Forscher der Meinung, dass unserer gegenwärtigen Formulierung der Stringtheorie noch immer jenes Kernprinzip fehlt, das wir im Zentrum der meisten anderen großen Theorien antreffen. Bei der speziellen Relativitätstheorie ist es die Konstanz der Lichtgeschwindigkeit, bei der allgemeinen Relativitätstheorie das Äquivalenzprinzip und bei der Quantenmechanik die Unschärferelation. Die Stringtheoretiker suchen noch immer nach einem entsprechenden Prinzip, welches das Wesen der Theorie genauso vollständig erfassen könnte.

In hohem Maße erklärt sich dieser Mangel aus der Tatsache, dass die Stringtheorie stückweise entwickelt wurde, statt als großer, umfassender Entwurf aus der Taufe gehoben zu werden. Das *Ziel* der Stringtheorie – die Vereinheitlichung aller Kräfte und aller Materie in einem quantenmechanischen Rahmen – lässt es an Größe wahrhaft nicht fehlen, doch die Entwicklung der Theorie vollzog sich eindeutig in Etappen. Seit ihrer Zufallsentdeckung vor mehr als dreißig Jahren wurde die Stringtheorie zusammengestoppelt, wenn nämlich eine Gruppe von Theoretikern auf wichtige Eigenschaften durch die Untersuchung *dieser* Gleichungen und eine andere Gruppe auf entscheidende Konsequenzen durch die Untersuchung *jener* stieß.

Stringtheoretiker lassen sich mit einem primitiven Stamm vergleichen, der auf ein Raumschiff gestoßen ist und es jetzt ausgräbt. Durch Tasten und Probieren finden die Eingeborenen einige Funktionen des Fahrzeugs heraus, und das vermittelt ihnen die Ahnung, dass all die Knöpfe und Hebel geschlossen und einheitlich zusammenwirken. Ein ähnlicher Eindruck liegt bei Stringtheoretikern vor. Ergebnisse, die in langjähriger Forschung zusammengetragen wurden, verschränken und verzahnen sich jetzt. Das hat bei den Physikern, die auf diesem Feld tätig sind, die Zuversicht geweckt, dass die Stringtheorie im Begriff ist, sich zu einem leistungsfähigen, geschlossenen Theoriegebäude zusammenzufügen – einem Gebäude, das gewiss noch nicht abgeschlossen ist, aber letztlich die innersten Zusammenhänge der Natur mit beispielloser Klarheit und Vollständigkeit offenbaren wird.

In jüngerer Zeit gibt es dafür keinen besseren Beleg als die *zweite Superstringrevolution* – eine Revolution, die unter anderem eine weitere, in der Raumstruktur verborgene Dimension offenbarte, neue Möglichkeiten für experimentelle Tests der Stringtheorie eröffnete, die Vermutung nahe legte, dass es neben unserem Universum noch andere gibt, offenbarte, dass in der nächsten Generation von Hochenergiebeschleunigern möglicherweise Schwarze Löcher erzeugt werden, und zu einer neuen kosmischen Theorie führte, der zufolge die Zeit und ihr Pfeil sich wie die eleganten Ringe des Saturns unaufhörlich im Kreis bewegen.

Die zweite Superstringrevolution

Es gibt in Hinblick auf die Stringtheorie ein unschönes Detail, das ich bislang noch nicht preisgegeben habe, an das sich aber die Leser meines letzten Buches *Das elegante Universum* vielleicht erinnern werden. In den letzten dreißig Jahren hat man nicht eine, sondern *fünf* verschiedene Versionen der Stringtheorie entwickelt. Ihre Bezeichnungen, die nicht weiter wichtig sind, lauten: *Typ I, Typ IIA, Typ IIB, O-heterotisch, E-heterotisch.* Allen sind die grundlegenden Merkmale gemeinsam, die im vorigen Kapitel geschildert wurden – die Basis sind schwingende Energiefäden. Wie Berechnungen in den siebziger und achtziger Jahren zeigten, ist jede Theorie auf sechs Extradimensionen angewiesen. Doch wenn man sie im Detail untersucht, stößt man auf wesentliche Unterschiede. Beispielsweise gehören zur Theorie vom Typ I die schwingenden Stringschleifen, von denen im letzten Kapitel die Rede war, die so genannten *geschlossenen Strings*; im Gegensatz zu anderen Stringtheorien enthält sie allerdings auch *offene Strings*, schwingende Stringstücke mit zwei losen Enden. Im Übrigen machen die Berechnungen deutlich, dass sich die Liste der Stringschwingungsmuster und die Arten, wie jedes Muster mit anderen wechselwirkt und sie beeinflusst, von einer Formulierung zur anderen unterscheiden.

Besonders optimistische Stringtheoretiker hoffen, dass sich dank dieser Unterschiede vier der fünf Versionen streichen lassen, wenn eines Tages ein genauerer Vergleich mit Experimentaldaten möglich wird. Doch, ehrlich gesagt, war die bloße Existenz von fünf verschiedenen Formulierungen der Stringtheorie schon ein Anlass zu leiser Beunruhigung. Der Traum von der Vereinheitlichung sieht vor, dass Wissenschaftler zu einer einzigen Theorie des Universums geführt werden. Würde die Forschung zeigen, dass nur ein theoretischer Rahmen Quantenmechanik und allgemeine Relativitätstheorie einschließen kann, hätten die Theoretiker wirklich das Vereinheitlichungs-Nirwana erreicht. Damit hätten sie, auch ohne direkte experimentelle Verifizierung, einen überzeugenden Beleg für die Gültigkeit der Theorie. Schließlich gibt es schon eine Fülle von empirischen Belegen sowohl für die Quantenmechanik als auch für die Relativitätstheorie, und es dürfte sonnenklar sein, dass die Gesetze, die den Gang des Universums bestimmen, miteinander kompatibel sein müssen. Wenn eine bestimmte Theorie als einzige in der Lage wäre, zwischen den beiden experimentell bestätigten Säulen der Physik des zwanzigsten Jahrhunderts einen mathematisch schlüssigen Bogen zu schlagen, wäre das ein überzeugender, wenn auch indirekter Beweis für die Unvermeidlichkeit der Theorie.

Der Umstand, dass es fünf Versionen der Stringtheorie gibt, oberflächlich ähnlich, aber im Einzelnen verschieden, scheint jedoch darauf hinzuweisen, dass die Stringtheorie den Einzigartigkeits-Test nicht besteht. Selbst wenn die Optimisten eines Tages Recht behalten sollten und tatsächlich nur eine der fünf Stringtheorien experimentell bestätigt würde, hätten wir nach wie vor mit der Frage zu kämpfen, warum es noch vier andere schlüssige Formulierungen gibt. Wären die anderen dann einfach mathematische Kuriositäten? Hätten sie irgendeine Bedeutung für die physikalische Welt? Markierte ihr Vorhandensein vielleicht nur die Spitze eines theoretischen Eisbergs, und würden intelligente Forscher zeigen können, dass es eigentlich fünf andere Versionen gäbe oder sechs oder sieben oder womöglich eine unendliche Zahl von unterschiedlichen mathematischen Variationen über ein Stringthema?

Als Ende der achtziger und Anfang der neunziger Jahre viele Physiker eifrig nach einer Erklärung der einen oder der anderen Stringtheorie suchten, war das Rätsel der fünf Versionen kein Problem, das die Wissenschaftler in ihrem Forschungsalltag beschäftigte, sondern nur eine jener wenig aufregenden Fragen, von denen jeder annahm, sie würden in ferner Zukunft behandelt werden, wenn das Verständnis der einzelnen Stringtheorien erheblich weiter gediehen sei.

Fast aus heiterem Himmel wurden diese bescheidenen Hoffnungen im Frühjahr 1995 bei weitem übertroffen. Gestützt auf die Vorarbeiten zahlreicher Stringtheoretiker (darunter Chris Hull, Paul Townsend, Ashoke Sen, Michael Duff, John Schwarz und viele andere), entdeckte Edward Witten – seit zwei Jahrzehnten der namhafteste Stringtheoretiker der Welt – eine verborgene Einheit, die alle fünf Stringtheorien miteinander verband. Wie Witten zeigte, sind die fünf Theorien nicht etwa verschieden, sondern in Wirklichkeit nur fünf unterschiedliche Möglichkeiten, eine *einzige* Theorie mathematisch zu analysieren. So, wie die Übersetzungen eines Buches in fünf verschiedene Sprachen einem nur einer Sprache mächtigen Leser wie fünf unterschiedliche Texte vorkommen können, riefen die fünf Stringformulierungen nur deshalb den Eindruck hervor, verschieden zu sein, weil Witten erst noch das Wörterbuch zu ihrer Übersetzung schreiben musste. Doch einmal geschaffen, lieferte das Wörterbuch einen überzeugenden Beweis, dass eine einzige Master-Theorie die fünf Stringformulierungen miteinander verbindet – wie ein einziger Originaltext die fünf Übersetzungen. Die für die Vereinheitlichung verantwortliche Master-Theorie wird vorläufig als *M-Theorie* bezeichnet, wobei die schillernde Konnotationsvielfalt des Platzhalters *M* – Master? Majestätisch? Mutter? Magisch? Mysterium? Matrix? – darauf wartet, von den weltweiten Forschungsanstrengungen, die im Anschluss an Wittens beflügelnde Einsicht unternommen werden, mit endgültiger Bedeutung gefüllt zu werden.

Diese revolutionäre Entdeckung war ein befriedigender Schritt vorwärts. Die Stringtheorie, so bewies Witten in einem der höchst geschätzten Fachartikel des Forschungsfeldes (und in einer Anschlussstudie mit Petr Hořava), *ist* eine einzige Theorie. Nun brauchten die Stringtheoretiker die Bedeutung ihres Kandidaten für die vereinheitlichte Theorie, nach der Einstein suchte, nicht mehr dadurch einzuschränken, dass sie mit einer Spur von Verlegenheit hinzufügten, das vorgeschlagene vereinheitlichte Theoriegerüst entbehre der Einheitlichkeit, weil es in fünf verschiedenen Versionen vorkomme. Wie gut passt es dagegen, dass der am weitesten reichende Ansatz zur Vereinheitlichung selbst zum Gegenstand einer Meta-Vereinheitlichung wurde. Wittens Arbeit übertrug die Einheitlichkeit, die jeder einzelnen Stringtheorie innewohnte, auf das gesamten String-System.

Abbildung 13.1 skizziert den Zustand der fünf Stringtheorien vor und nach Wittens Entdeckung. Es empfiehlt sich, diese bildhafte Zusammenfassung im Gedächtnis zu behalten, zeigt sie doch, dass die M-Theorie nicht ein neuer Ansatz an sich ist, sondern durch Vertreibung der Wolke eine bessere und vollständigere Formulierung des physikalischen Gesetzes verspricht, als

(a)

(b)

Abbildung 13.1 (**a**) Schematisches Porträt der fünf Stringtheorien vor 1995. (**b**) Schematisches Porträt der Meta-Vereinheitlichung, die sich in der M-Theorie zeigt.

irgendeine der einzelnen Stringtheorien allein liefern könnte. Die M-Theorie verknüpft und verbindet alle fünf Stringtheorien, indem sie zeigt, dass jede von ihnen Teil einer größeren theoretischen Synthese ist.

Die Macht der Übersetzung

Obwohl Abbildung 13.1 den wesentlichen Inhalt von Wittens Entdeckung vermittelt, mag es Ihnen scheinen, als würde ein mittelmäßiger Treffer zum Tor des Monats hochgejubelt. Vor Wittens Durchbruch glaubte man, es mit fünf separaten Versionen der Stringtheorie zu tun zu haben. Nach seiner Entdeckung änderte sich das grundlegend. Doch was wäre gewesen, wenn man nie gewusst hätte, dass es fünf angeblich verschiedene Stringtheorien gab?

Hätte dann der Nachweis durch den intelligentesten Vertreter der Stringtheoretiker, dass sie gar nicht verschieden sind, irgendjemanden gekümmert? Mit anderen Worten: Warum war Wittens Entdeckung eine Revolution und nicht einfach eine bescheidene Erkenntnis, die eine Fehleinschätzung zurechtrückte?

Ganz einfach. In den letzten Jahrzehnten hatten sich die Stringtheoretiker immer wieder an einem mathematischen Problem festgebissen. Da sich die exakten Gleichungen, die eine der fünf Stringtheorien beschrieben, nur sehr schwer ableiten und analysieren ließen, stützten sich die Theoretiker in ihrer Forschung weitgehend auf Näherungsgleichungen, mit denen sich viel leichter arbeiten lässt. Zwar gibt es gute Gründe für die Annahme, dass die Näherungsgleichungen in vielen Fällen ganz ähnliche Ergebnisse liefern dürften wie die exakten Gleichungen. Dennoch wird Näherungen – wie Übersetzungen – immer etwas fehlen. Deshalb ließen sich bestimmte mathematische Schlüsselprobleme mit den Näherungsgleichungen nicht lösen, ein Umstand, der den Fortschritt erheblich behinderte.

Bei Ungenauigkeiten, die der Übersetzung von Texten innewohnen, stehen dem Leser zwei Möglichkeiten zur Verfügung, um sich zu informieren. Die beste Methode ist, sofern die sprachlichen Fähigkeiten des Lesers dafür ausreichen, das Originalmanuskript zu Rate zu ziehen. Gegenwärtig steht den Stringtheoretikern etwas, was dieser Option entspräche, noch nicht zur Verfügung. Dank der Schlüssigkeit des Wörterbuchs, das Witten und andere entwickelt haben, liegen uns zwar überzeugende Hinweise darauf vor, dass alle fünf Stringtheorien verschiedene Beschreibungen einer einzigen Master-Theorie, der M-Theorie, sind, aber eine vollständige Erklärung dieser Verknüpfung muss erst noch entwickelt werden. Wir haben in den letzten Jahren viel über die M-Theorie erfahren; dennoch haben wir noch einen weiten Weg vor uns, bis irgendjemand wirklich von sich behaupten kann, er habe die Theorie richtig und vollständig verstanden. Mit der Stringtheorie verhält es sich, als hätten wir fünf Übersetzungen eines noch zu entdeckenden Originaltextes.

Eine andere nützliche Methode – allen Lesern von Übersetzungen wohl bekannt, die entweder das Original nicht besitzen (wie in der Stringtheorie) oder, was häufiger der Fall ist, die Sprache nicht verstehen, in der es geschrieben ist – besteht darin, mehrere Übersetzungen des Urtextes in Sprachen zu vergleichen, mit denen man vertraut ist. Abschnitte, in denen die Übersetzungen übereinstimmen, flößen Zuversicht ein, Abschnitte, in denen sie sich unterscheiden, weisen auf mögliche Ungenauigkeiten hin oder lassen auf unterschiedliche Interpretationen schließen. Den Zugang zu dieser Methode eröffnete Witten mit der Entdeckung, dass die fünf Stringtheorien verschiedene Übersetzungen derselben zugrunde liegenden Theorie sind. Tatsächlich erwies sich seine Entdeckung in dieser Hinsicht als ein äußerst leistungsfähiger Ansatz, den wir am besten verstehen können, indem wir den Übersetzungsvergleich noch etwas erweitern.

Stellen Sie sich ein Originalmanuskript vor, derart gespickt mit Wortspielen, Reimen und versteckten Anspielungen auf die heimische Kultur, dass sich der Text in seiner ganzen Bedeutungsfülle in nur einer der fünf gegebenen Sprachen, in die er übersetzt wird, nicht angemessen zum Ausdruck bringen ließe. Einige Passagen wären vielleicht sehr schön ins Suaheli zu übertragen, während andere Teile sich dieser Sprache einfach verweigerten. Diese Abschnitte erschlössen sich möglicherweise weitgehend durch eine Übersetzung ins Eskimo-Aleütische, während der Sinn wieder anderer Kapitel in dieser Übersetzung vollkommen dunkel bliebe. Der wiederum könnte im Sanskrit erfasst werden, während andere, besonders schwierige Abschnitte Ihnen vielleicht in allen fünf Übersetzungen vollkommen rätselhaft vorkämen und nur im Originaltext verständlich würden. Das gibt die Situation der fünf Stringtheorien wesentlich besser wieder. Wie man herausgefunden hat, gibt es bestimmte Fragen, für die eine der fünf Theorien eine verständliche Beschreibung der physikalischen Konsequenzen liefert, während die Antworten der vier anderen mathematisch zu komplex sind, um nützlich zu sein. Darin liegt das Verdienst von Wittens Entdeckung. Vor diesem Durchbruch saßen Stringforscher, die in ihren Gleichungen auf unüberwindliche Schwierigkeiten stießen, hoffnungslos fest. Doch Wittens Arbeit zeigte, dass jede derartige Frage vier mathematische Übersetzungen zulässt – vier mathematische Umformulierungen –, und manchmal zeigt sich, dass eine der umformulierten Fragen weit einfacher zu beantworten ist. *Das Wörterbuch für das Übersetzen zwischen den fünf Theorien kann manchmal dazu dienen, Fragen, die unüberwindliche Schwierigkeiten bereiten, in vergleichsweise einfache Fragen zu übersetzen.*

Das klappt zwar nicht immer. Wie alle fünf Übersetzungen bestimmter Passagen in obigem Beispiel von gleicher Unverständlichkeit sein können, sind gelegentlich die mathematischen Beschreibungen aller fünf Stringtheorien gleich schwer zu verstehen. In diesen Fällen wären wir, so wie wir zum besseren Verständnis manchmal den Originaltext selbst zu Rate ziehen müssen, auf das vollständige Verständnis der rätselhaften M-Theorie angewiesen, um Fortschritte zu erzielen. Trotzdem hat sich Wittens Wörterbuch in einer Vielzahl von Situationen als ein leistungsfähiges neues Werkzeug zur Analyse der Stringtheorie erwiesen.

Kurzum, wie jede Übersetzung eines komplexen Textes eine unentbehrliche Funktion erfüllt, so dient auch jede Stringformulierung einem wichtigen Zweck. Dadurch, dass wir die Erkenntnisse zusammenfassen, die wir aus der Perspektive der verschiedenen Stringformulierungen gewonnen haben, können wir Fragen beantworten und Merkmale beschreiben, die sich dem Zugriff jeder einzelnen Stringformulierung vollkommen entziehen. Wittens Entdeckung verfünffachte das Arsenal an Werkzeugen, mit denen die Stringtheoretiker ihre Forschung vorantreiben konnten. Und das ist im Wesentlichen der Grund, warum sie eine Revolution auslöste.

Elf Dimensionen

Welche Einsichten haben sich also durch unsere neu entdeckte Fähigkeit, die Stringtheorie zu analysieren, eröffnet? Es sind viele. Ich will mich hier auf diejenigen beschränken, die sich am stärksten auf die Geschichte von Raum und Zeit ausgewirkt haben.

Zunächst und vor allem hat Wittens Arbeit gezeigt, dass die stringtheoretischen Näherungsgleichungen, mit denen man in den siebziger und achtziger Jahren zu dem Schluss gelangte, das Universum müsse neun Raumdimensionen besitzen, *die tatsächliche Zahl um eine Dimension verfehlten.* Wie seine Analyse zeigte, lautet die exakte Antwort, dass das Universum nach der M-Theorie zehn räumliche Dimensionen besitzt, das heißt elf Raumzeitdimensionen. Ähnlich wie Kaluza, der feststellte, dass ein Universum mit fünf Raumzeitdimensionen eine Plattform zur Vereinheitlichung von Elektromagnetismus und Gravitation bietet, und wie die Stringtheoretiker, die herausfanden, dass ein Universum mit zehn Raumzeitdimensionen die Voraussetzung zur Vereinheitlichung von Quantenmechanik und allgemeiner Relativitätstheorie schafft, entdeckte Witten, dass ein Universum mit elf Raumzeitdimensionen einen Rahmen zur Vereinheitlichung aller Stringtheorien liefert. Analog zu fünf Dörfern, die, vom Erdboden aus gesehen, vollkommen getrennt erscheinen, aber von einem Berggipfel aus betrachtet – von dem aus sich eine zusätzliche, senkrechte Dimension erschließt –, offenbaren, dass sie durch ein Netz von Wegen und Straßen verbunden sind, erwies sich die zusätzliche Raumdimension, die sich aus Wittens Analyse ergab, als entscheidend für die Verbindungen, die er zwischen allen fünf Stringtheorien entdeckte.

Zwar entsprach Wittens Entdeckung dem historischen Muster – mehr Einheitlichkeit durch mehr Dimensionen –, als er das Ergebnis 1995 auf der jährlichen internationalen Stringtheorie-Konferenz bekannt gab, dennoch erschütterte er damit die Grundlagen des Feldes. Viele Forscher, darunter auch ich, hatten lange und intensiv über die verwendeten Näherungsgleichungen nachgedacht, und alle waren davon überzeugt, dass die vielen Analysen endgültige Klarheit in Bezug auf die Dimensionen gebracht hätten. Doch Witten gelangte zu einem verblüffenden Ergebnis.

Er zeigte, dass alle vorhergehenden Analysen eine mathematische Vereinfachung vorgenommen hatten, die praktisch auf die *Annahme* hinauslief, eine bis dahin unentdeckte, zehnte räumliche Dimension wäre extrem klein, viel kleiner als alle anderen. Tatsächlich so klein, dass die stringtheoretischen Näherungsgleichungen, deren sich alle Forscher bedienten, nicht genügend Auflösungsvermögen besaßen, um einen mathematischen Hinweis auf die Existenz der Dimension zutage zu fördern. Das brachte alle Beteiligten zu dem Schluss, die Stringtheorie hätte nur neun Raumdimensionen. Mit den neuen Einsichten des vereinheitlichten M-theoretischen Rahmens konnte Witten jedoch über die Näherungsgleichungen hinausgehen, die Verhältnisse genauer untersuchen und nachweisen, dass bisher eine Raumdimension übersehen worden war. So konnte er zeigen, dass es sich bei den fünf zehndimensionalen Stringtheorien, die man seit mehr als einem Jahrzehnt entwickelte, in Wirklichkeit um fünf approximative Beschreibungen einer einzigen fundamentalen Theorie mit elf Dimensionen handelte.

Sie fragen sich vielleicht, ob diese unerwartete Entdeckung die bisherige Arbeit auf dem Gebiet der Stringtheorie entwertete. Im Großen und Ganzen nicht. Die neu gefundene zehnte Raumdimension ergänzte die Theorie durch ein überraschendes Merkmal, aber wenn die String/M-Theorie stimmt und wenn sich erweisen sollte, dass die zehnte räumliche Dimension viel kleiner als die anderen ist – wie man lange Zeit unwissentlich vorausgesetzt hatte –, würden die früheren Arbeiten ihre Gültigkeit behalten. Doch da die bekannten Gleichungen noch immer nicht in der Lage sind, die Größen oder Formen der Extradimensionen exakt anzugeben, haben Stringtheoretiker in den letzten Jahren viel Mühe darauf verwandt, die neuen Möglichkeiten einer nicht ganz so kleinen zehnten Raumdimension zu untersuchen. Die weit reichenden Ergebnisse dieser Studien haben unter anderem gezeigt, dass die Abbildung 13.1, welche die vereinheitlichende Kraft der M-Theorie schematisch wiedergibt, auf einer soliden mathematischen Grundlage steht.

Ich vermute, dass die Aktualisierung von zehn auf elf Dimensionen – unabhängig von ihrer großen Bedeutung für die mathematische Struktur der String/M-Theorie – das Bild der Theorie, das vor Ihrem geistigen Auge ersteht, nicht wesentlich verändert. Von wenigen Eingeweihten abgesehen, dürfte der Versuch, sich sieben aufgewickelte Dimensionen vorzustellen, so fruchtlos sein wie derjenige, sich sechs auszumalen.

Eine zweite, eng verwandte Erkenntnis, die aus der zweiten Superstringrevolution erwächst, verändert das intuitive Bild der Stringtheorie allerdings grundlegend. Die kollektiven Befunde einer Reihe von Forschern – Witten, Duff, Hull, Townsend und vieler anderer – belegen, dass *die Stringtheorie nicht nur eine Theorie der Strings ist.*

Branen

Eine nahe liegende Frage, die Ihnen während des letzten Kapitels vielleicht in den Sinn gekommen ist, lautet: *Warum Strings*? Was ist an eindimensionalen Bausteinen so besonders? Als wir Quantenmechanik und allgemeine Relativitätstheorie in Einklang zu bringen suchten, erwies es sich als wichtig, dass Strings keine Punkte sind, dass sie Ausdehnung haben. Doch diese Voraussetzung kann auch von zweidimensionalen Gebilden erfüllt werden, die wie kleine Scheiben oder Frisbees geformt sind, oder von dreidimensionalen tropfenartigen Gebilden, die aussehen wie Basebälle oder Tonklumpen. Wir könnten uns aber auch – da die Theorie ja reich gesegnet ist mit räumlichen Dimensionen – Klümpchen mit noch mehr Dimensionen vorstellen. Warum spielen solche Gebilde in unseren grundlegenden Theorien keine Rolle?

In den achtziger und neunziger Jahren schienen die meisten Stringtheoretiker darauf eine überzeugende Antwort zu haben. Sie erinnerten daran, dass Physik-Ikonen des zwanzigsten Jahrhunderts wie Werner Heisenberg und Paul Dirac versucht *hatten*, eine fundamentale Materietheorie auf der Basis von klümpchenartigen Bestandteilen zu formulieren. Aber ihre Arbeiten zeigten wie die vieler späterer Forscher, dass es außerordentlich schwer ist, eine Theorie zu entwickeln, die von winzigen Klümpchen ausgeht und gleichzeitig die grundsätzlichsten Voraussetzungen der Physik erfüllt – etwa die Forderung, dass alle quantenmechanischen Wahrscheinlichkeiten zwischen 0 und 1 liegen (negative Wahrscheinlichkeiten oder Wahrscheinlichkeiten größer als 1 sind sinnlos) und dass überlichtschnelle Kommunikation ausgeschlossen wird. Seit den zwanziger Jahren hatte ein halbes Jahrhundert der Forschung nachgewiesen, dass diese Bedingungen bei Punktteilchen erfüllt sind (solange die Gravitation außer Acht gelassen wurde). In den achtziger Jahren hatten Schwarz, Scherk, Green und andere in mehr als zehnjährigen Untersuchungen zur Überraschung der meisten ihrer Kollegen gezeigt, dass die Bedingungen auch durch eindimensionale Bestandteile erfüllt werden: die Strings (die notwendigerweise die Gravitation *einbezogen*). Es schien aber unmöglich, zu Gebilden mit zwei oder mehr räumlichen Dimensionen fortzuschreiten. Der Grund ist, kurz gesagt, dass die Zahl der Symmetrien, denen die Gleichungen genügen, bei eindimensionalen Objekten (Strings) enorm ansteigt und danach steil abfällt. Die betreffenden Symmetrien sind abstrakter als diejenigen, die in Kapitel 8 erörtert wurden (sie haben damit zu tun, wie sich Gleichungen verändern, wenn wir, um die Bewegung eines Strings oder eines höherdimensionalen Gebildes zu beobachten, näher herangehen oder weiter fort, das heißt plötzlich und willkürlich das Auflösungsvermögen unserer Beobachtungen verändern). Diese Transformationen erweisen sich als entscheidende Hilfsmittel zur Formulierung eines physikalisch sinnvollen Systems von Gleichungen. Jenseits der Strings schien die erforderliche Fülle von Symmetrien zu fehlen.[1]

Daher war es für die meisten Stringtheoretiker ein Schock, als Wittens Aufsatz und eine Flut von nachfolgenden Ergebnissen[2] zu der Erkenntnis führten, dass die Stringtheorie und der M-theoretische Rahmen, in den sie jetzt gehört, neben den Strings weitere Bestandteile enthält. Die Analysen ergaben, dass es zweidimensionale Objekte gibt, die naheliegenderweise *Membranen* heißen (eine weitere mögliche Bedeutung für das »M« in der M-Theorie) oder – mit Rücksicht auf die systematische Bezeichnung der höherdimensionalen Verwandten – *Zwei-Branen*; dass es Objekte mit drei räumlichen Dimensionen gibt, die *Drei-Branen* heißen, und – immer schwerer vorstellbar – Objekte mit p Raumdimensionen, wobei p für jede ganze Zahl kleiner als zehn stehen kann. Das sind die p-Branen, die im Englischen sinnigerweise *p-branes* heißen, homophon mit *pea-brains* – Erbsenhirnen. Damit sind Strings nur ein Bestandteil der Stringtheorie, nicht *der* Bestandteil.

Diese anderen Bestandteile entgingen früheren theoretischen Untersuchungen weitgehend aus demselben Grund wie die zehnte Raumdimension: Die stringtheoretischen Näherungsgleichungen erwiesen sich als zu grob, um sie zu erfassen. In den theoretischen Kontexten, welche die Stringforscher mathematisch erforscht hatten, stellen sich p-Branen als beträchtlich schwerer als Strings heraus. Je mehr Masse etwas besitzt, desto mehr Energie ist erforderlich, um es hervorzubringen. Ein Manko der approximativen Stringgleichungen – ein Manko, das in die Gleichungen eingebettet und allen Stringtheoretikern wohl bekannt ist – besteht darin, dass sie zunehmend an Genauigkeit verlieren, wenn sie Objekte und Prozesse beschreiben, an denen immer größere Energien beteiligt sind. Bei den extremen Energien, die bei p-Branen ins Spiel kommen, büßen die Näherungsgleichungen jene Genauigkeit ein, die erforderlich ist, um die im Schatten verborgenen Branen sichtbar zu machen, daher blieb ihre Anwesenheit von den Mathematikern jahrzehntelang unbemerkt. Doch durch die verschiedenen Umformulierungen und neuen Ansätze des vereinheitlichten M-theoretischen Rahmens war man schließlich in der Lage, einige der bisherigen fachlichen Hindernisse zu umgehen. Als sich den

Forschern daraufhin der vollständige Ausblick eröffnete, hatten sie die ganze Schar höherdimensionaler Bestandteile vor Augen.[3]

Mit der Erkenntnis, dass es neben den Strings auch andere Bestandteile in der Stringtheorie gibt, sind frühere Arbeiten ebenso wenig wertlos oder überholt, wie sie durch die Entdeckung der zehnten Raumdimension wären. Die Forschung zeigt, dass sich die höherdimensionalen Branen, wenn sie wesentlich massereicher sind als Strings – wovon man in früheren Studien unwissentlich ausging –, auf eine Vielzahl von theoretischen Berechnungen nur minimal auswirken. Doch ebenso wie die zehnte Raumdimension nicht viel kleiner sein muss als all die anderen, so müssen auch die höherdimensionalen Branen nicht viel schwerer sein. Es gibt vielfältige Umstände, alle noch hypothetisch, unter denen die Masse einer höherdimensionalen Bran genauso groß sein kann wie die Stringschwingungsmuster mit geringster Masse. In solchen Fällen hat die Bran sogar beträchtlichen Einfluss auf die resultierenden physikalischen Verhältnisse. Beispielsweise haben Andrew Strominger, David Morrison und ich gezeigt, dass sich eine Bran um eine kugelförmige Region eines Calabi-Yau-Raums wickeln kann wie eine Plastikfolie um eine Grapefruit. Wenn dieser Teil des Raums schrumpft, würde auch die herumgewickelte Bran schrumpfen, mit dem Erfolg, dass ihre Masse abnähme. Wie wir zeigen konnten, würde diese Masseabnahme den betreffenden Teil des Raums vollkommen kollabieren und aufreißen lassen – der Raum selbst kann auseinander reißen –, während die herumgewickelte Bran katastrophale physikalische Folgen verhinderte. Im Einzelnen habe ich darüber im *Eleganten Universum* berichtet und werde noch einmal kurz darauf zurückkommen, wenn wir in Kapitel 15 Zeitreisen behandeln, daher brauche ich das Thema hier nicht zu vertiefen. Doch schon dieser kleine Hinweis macht deutlich, wie nachhaltig sich höherdimensionale Branen auf die Physik der Stringtheorie auswirken können.

In unserem gegenwärtigen Zusammenhang wird die Vorstellung vom Universum, die aus der String/M-Theorie erwächst, jedoch in einer anderen Hinsicht weit reichend von Branen beeinflusst. Die riesigen Weiten des Kosmos – die Gesamtheit der Raumzeit, deren wir uns bewusst sind – sind möglicherweise selbst nichts anderes als eine kolossale Bran. Vielleicht leben wir in einer Branwelt.

Branwelten

Die Stringtheorie zu testen ist schwierig, weil Strings extrem klein sind. Doch erinnern wir uns an die physikalischen Bedingungen, welche die Stringgröße festlegen. Das Botenteilchen der Gravitation – das Graviton – gehört zu den energieärmsten Stringschwingungsmustern, und die Stärke der Gravitationskraft, die es überträgt, ist proportional zur Länge des Strings. Da die Gravitation eine extrem schwache Kraft ist, hat die Länge des Strings winzig zu sein. Den Berechnungen zufolge muss sie sich etwa im Bereich eines Faktors 100 der Planck-Länge bewegen, damit das Graviton-Schwingungsmuster des Strings eine Gravitationskraft von der beobachteten Stärke überträgt.

Angesichts dieser Erklärung wird deutlich, dass ein energiereicher String nicht zwangsläufig winzig sein muss, da er nicht mehr in direkter Verbindung zum Graviton-Teilchen steht (das Graviton ist ein *energiearmes*, masseloses Schwingungsmuster). Je mehr Energie einem String zugeführt wird, desto heftiger schwingt er zunächst. Doch ab einem bestimmten Punkt hat zusätzliche Energie einen anderen Effekt: Sie bewirkt eine Längenzunahme des Strings, wobei dem Wachstum keine Grenzen gesetzt sind. Bei Zuführung entsprechender Energie könnte man einen String sogar zu makroskopischer Größe anwachsen lassen. Beim Stand der heutigen Technik ist das zwar ausgeschlossen, aber es ist denkbar, dass in der siedend heißen, extrem energiereichen Zeit nach dem Urknall lange Strings erzeugt wurden. Wenn es einigen gelungen sein sollte, bis auf den heutigen Tag zu überleben, könnten sie sich durchaus am Himmel entlangziehen. Obwohl es nur eine vage Vermutung ist, wäre sogar vorstellbar, dass solche langen Strings winzige, aber nachweisbare Spuren in den Daten hinterlassen haben, die wir aus dem All empfangen, so dass die Stringtheorie eines Tages vielleicht durch astronomische Beobachtungen bestätigt wird.

Auch höherdimensionale *p*-Branen müssen nicht unbedingt winzig sein. Der Umstand, dass sie mehr Dimensionen haben als Strings, eröffnet eine qualitativ neue Möglichkeit. Wenn wir uns einen langen – vielleicht unendlich langen – String vorstellen, denken wir an ein langes, eindimensionales Objekt, das in den drei großen Raumdimensionen der Alltagswelt existiert. Eine Hochspannungsleitung, die in die Ferne führt, soweit das Auge reicht, liefert ein anschauliches Bild dafür. Wenn wir uns eine große – vielleicht unendlich große – Zwei-Bran vorstellen, denken wir entsprechend an eine große zweidimensionale Fläche, die in den drei großen Raumdimensionen der gewöhnlichen Erfahrung existiert. Mir fällt kein realistischer Vergleich ein, doch eine lächerlich große Leinwand in einem Autokino, extrem dünn, aber so hoch und breit, wie das Auge reicht, vermittelt vielleicht eine ungefähre Vorstellung. Bei einer großen Drei-Bran haben wir eine qualitativ neue Situation. Eine Drei-Bran hat drei Dimensionen, das heißt, wenn sie groß wäre – vielleicht unendlich groß –, würde sie alle drei großen Raumdimensionen *füllen*. Während eine Ein-Bran und eine Zwei-Bran, wie die Hochspannungsleitung und die Filmleinwand, Objekte wären, die *in* unseren drei großen Raumdimensionen existierten, würde eine große Drei-Bran den ganzen Raum in Anspruch nehmen, den wir wahrnehmen.

Dadurch ergibt sich eine faszinierende Möglichkeit. Leben wir vielleicht in diesem Augenblick innerhalb einer Drei-Bran? Wie Schneewittchens Disney-Welt sich auf einer zweidimensionalen Filmleinwand – einer Zwei-Bran – entfaltet, die ihrerseits in einem höherdimensionalen Universum existiert (den drei Dimensionen des Kinos), könnte alles, was wir kennen, in einer dreidimensionalen Leinwand – einer Drei-Bran – existieren, die sich ihrerseits im höherdimensionalen Universum der String/M-Theorie befindet. Könnte das, was Newton, Leibniz, Mach und Einstein den dreidimensionalen Raum nannten, in Wahrheit ein bestimmtes dreidimensionales Gebilde in der String/M-Theorie sein? Oder, relativistischer formuliert, könnte die vierdimensionale Raumzeit, die von Minkowski und Einstein entwickelt wurde, etwas sein, was eine Drei-Bran hinter sich herzieht, während sie sich in der Zeit entwickelt? Kurzum: Könnte das Universum, wie wir es kennen, eine Bran sein?[4]

Die Möglichkeit, dass wir in einer Drei-Bran leben – das so genannte *Branwelt-Szenario* –, ist die neueste Wendung in der Geschichte der String/M-Theorie. Wie wir sehen werden, liefert sie einen qualitativ neuen Denkansatz innerhalb der String/M-Theorie mit zahlreichen und weit reichenden Verzweigungen. Die physikalischen Resultate lassen darauf schließen, dass Branen wie kosmische Klettverschlüsse sind; in bestimmter Weise sind sie, wie sich gleich zeigen wird, sehr klebrig.

Klebrige Branen und schwingende Strings

Die Bezeichnung »M-Theorie« hat man unter anderem deshalb eingeführt, weil der Name »Stringtheorie« nur auf einen der vielen Bestandteile der Theorie verweist. Theoretische Untersuchungen stießen auf eindimensionale Strings, Jahrzehnte bevor sich bei genauerer Analyse die höherdimensionalen Branen zeigten, daher ist der Name »Stringtheorie« so etwas wie ein historisches Relikt. Doch obwohl die M-Theorie für demokratische Verhältnisse sorgt, unter denen ausgedehnte Objekte mit einer Vielzahl von Dimensionen Bürgerrecht genießen, spielen die Strings noch immer eine zentrale Rolle in unserer aktuellen Formulierung. In einer Hinsicht leuchtet das sofort ein. Wenn alle höherdimensionalen *p*-Branen viel schwerer als Strings sind, können sie außer Acht gelassen werden, wie es die Stringtheoretiker unwissentlich seit den siebziger Jahren getan hatten. Doch es gibt noch einen anderen, allgemeineren Grund, warum die Strings die Ersten unter Gleichen sind.

1995, kurz nachdem Witten seinen Durchbruch erzielt hatte, begann Joe Polchinski von der University of California in Santa Barbara über die veränderte Situation nachzudenken. Vor Jahren hatte er mit Robert Leigh und Jin Dai einen Artikel geschrieben, in dem sie die Entdeckung eines interessanten, aber ziemlich obskuren Merkmals der Stringtheorie geschildert hatten. Polchinskis Motivation und Schlussfolgerungen sind eher technischer Natur und brauchen uns hier nicht zu interessieren, wohl aber seine Ergebnisse. Er stellte fest, dass die Endpunkte offener Strings – wir erinnern uns, es handelt sich um Stringabschnitte mit losen Enden – unter gewissen Umständen nicht in der Lage sind, sich vollkommen frei zu bewegen. Wie eine Holzperle auf einem Draht sich zwar frei bewegen kann, aber dem Verlauf des Drahtes folgen muss, oder wie eine Kugel in einem Flipperautomaten zwar ungehindert rollen kann, aber durch die Fläche des Automaten in ihrer Bewegungsfreiheit eingeschränkt wird, so können sich auch die Endpunkte eines offenen Strings frei bewegen, sind aber auf bestimmte Gebilde oder Konturen im Raum beschränkt. Während der String ungehindert schwingen kann, sind seine Endpunkte, wie Polchinski und seine Kollegen zeigten, in bestimmten Regionen »verhaftet« oder »gefangen«.

In einigen Situationen könnte die Region eindimensional sein. Dann wären die Endpunkte des Strings wie zwei Holzperlen, die auf einem Draht hin- und herrutschen, und der String selbst wie eine Schnur, die sie verbände. In anderen Situationen könnte die Region zweidimensional sein, dann hätten die Endpunkte des Strings große Ähnlichkeit mit zwei durch eine Schnur verbundenen Flipperkugeln, die in einem Flipperapparat umherrollen. In wieder anderen Situationen könnte die Region drei, vier oder eine beliebige andere Dimensionenzahl unter zehn aufweisen. Wie Polchinski, aber auch Petr Hořava und Michael Green gezeigt haben, trugen diese Ergebnisse zur Lösung eines lange währenden Rätsels bei, das den Vergleich zwischen offenen und geschlossenen Strings betraf. Über Jahre blieben diese Arbeiten allerdings weitgehend unbeachtet.[5] Das änderte sich erst, als Polchinski diese frühen Erkenntnisse im Oktober 1995 im Lichte von Wittens neuen Entdeckungen überdachte.

Eine Frage, auf die Polchinskis Artikel keine vollständige Antwort gab, ist Ihnen vielleicht schon selbst in den Sinn gekommen, als Sie den letzten Absatz lasen: Wenn die Endpunkte offener Strings in einer bestimmten Raumregion verhaftet sind, *woran haften sie dann*? Drähte und Flipperapparate haben eine konkrete Existenz, unabhängig von den Holzperlen oder Kugeln, deren Bewegungen sie durch ihre Form bestimmen. Was ist mit den Raumregionen, auf die die Endpunkte offener Strings festgelegt sind? Sind sie mit einem unabhängigen und fundamentalen Bestandteil der Stringtheorie gefüllt, einem, der sich eifersüchtig an die Endpunkte offener Strings klammert? Vor 1995, als man dachte, die Stringtheorie sei eine Theorie nur für Strings, schien es keinen Kandidaten für diese Aufgabe zu geben. Aber nach Wittens Durchbruch und der Flut von neuen Forschungsergebnissen, die er auslöste, wurde die Antwort für Polchinski offenkundig: Wenn die Endpunkte offener Strings dazu verurteilt sind, sich innerhalb einer p-dimensionalen Raumregion zu bewegen, muss diese Raumregion von einer p-Bran ausgefüllt sein.* Seine Berechnungen zeigten, dass die neu entdeckten p-Branen über genau die richtigen Eigenschaften verfügten, um die Objekte zu sein, welche die Endpunkte offener Strings so eisern im Griff halten und sie zwingen, sich in der betreffenden p-dimensionalen Raumregion zu bewegen.

Obwohl von der Darstellung her zunehmend schwierig, ist die Situation bei höherdimensionalen Branen identisch. Endpunkte offener Strings können sich frei auf und in der p-Bran bewegen, diese selbst aber nicht verlassen. Was die Möglichkeit der Loslösung von einer Bran angeht, so erweist sich, dass Branen die klebrigsten Objekte sind, die man sich vorstellen kann. Es ist auch denkbar, dass ein Ende eines offenen Strings mit einer p-Bran verhaftet ist und das andere mit einer anderen p-Bran, welche die gleiche Dimension haben kann wie die erste (Abbildung 13.2 [b]), aber nicht muss (Abbildung 13.2 [c]).

Polchinskis Artikel lieferte ein zu Wittens Entdeckung der Verbindung zwischen den verschiedenen Stringtheorien passendes Manifest der zweiten Superstringtheorie. Während einige der klügsten Köpfe in der theoretischen Physik des zwanzigsten Jahrhunderts an dem Versuch gescheitert waren, eine Theorie zu formulieren, deren fundamentale Bestandteile mehr Dimensionen besaßen als Punkte (null Dimensionen) oder Strings (eine Dimension), eröffneten die Ergebnisse von Witten und Polchinski – zusammen mit den Erkenntnissen vieler anderer Forscher, die heute eine führende Rolle spielen – einen Weg zu weiteren Fortschritten. Es gelang nicht nur zu zeigen, dass die String/M-Theorie höherdimensionale Bestandteile umfasst, sondern mit den neuen Erkenntnissen – vor allem von Polchinski – ließen sich auch die physi-

* Die genauere Bezeichnung für diese klebrigen Gebilde lautet *Dirichlet-p-Branen* oder, kurz, *Dp-Branen*. Wir wollen bei dem noch kürzeren Namen *p-Bran* bleiben.

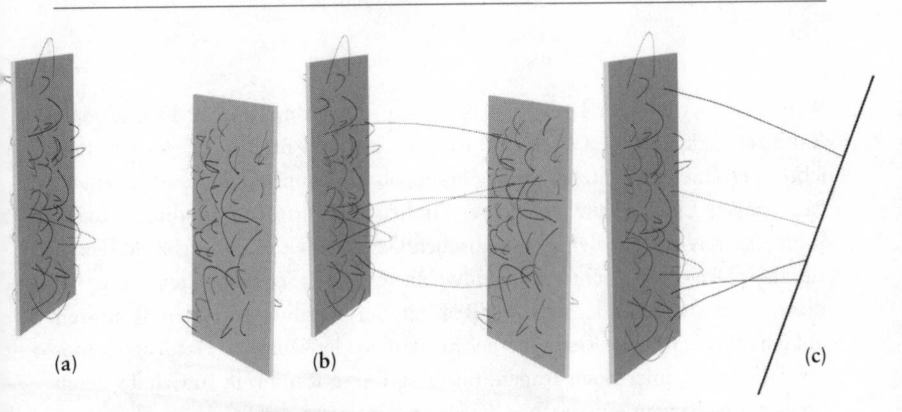

Abbildung 13.2 (**a**) Offene Strings mit Endpunkten, die an zweidimensionalen Branen oder Zwei-Branen haften. (**b**) Strings, die sich von einer Zwei-Bran zur anderen erstrecken. (**c**) Strings, die sich von einer Zwei-Bran zu einer Ein-Bran erstrecken.

kalischen Eigenschaften im Einzelnen untersuchen, die diese neuen Objekte haben mussten. Die Eigenschaften einer Bran werden laut Polchinski weitgehend von den Eigenschaften der schwingenden offenen Strings bestimmt, deren Endpunkte sie enthält. So, wie Sie viel über einen Teppich erfahren können, indem Sie mit der Hand über seinen Flor fahren – die Wollfäden, deren Enden an der Rückseite des Teppichs befestigt sind –, so lassen sich viele Eigenschaften einer Bran bestimmen, indem man die Strings untersucht, deren Enden sie festhält.

Das war ein Ergebnis von überragender Bedeutung, zeigte es doch, dass die exakten mathematischen Methoden, die in Jahrzehnten entwickelt wurden, um eindimensionale Objekte – Strings – zu untersuchen, auch für die Analyse höherdimensionaler Objekte – *p*-Branen – verwendet werden konnten. So gelangte Polchinski zu dem wunderbaren Resultat, dass sich die Untersuchung höherdimensionaler Objekte weitgehend auf die vertraute, wenn auch immer noch hypothetische Analyse von Strings reduzierte. Insofern nehmen Strings eine Sonderstellung unter Gleichen ein. Wenn Sie das Verhalten von Strings verstehen, haben Sie bereits einen großen Schritt getan, um auch das Verhalten von *p*-Branen zu begreifen.

Mit diesen Einsichten wollen wir uns nun wieder dem Branwelt-Szenario zuwenden – der Möglichkeit, dass wir alle in einer Drei-Bran leben.

Unser Universum als Bran

Wenn wir uns in einer Drei-Bran befänden – wenn unsere vierdimensionale Raumzeit lediglich die Geschichte ist, die eine Drei-Bran in der Zeit durchlebte –, erschiene die altehrwürdige Frage, ob die Raumzeit etwas ist, in einem ganz neuen Licht. Dann erwüchse nämlich die vertraute vierdimensionale Raumzeit aus einer realen physikalischen Gegebenheit in der String/M-Theorie, einer Drei-Bran, nicht aus irgendwelchen vagen oder abstrakten Ideen. Bei diesem Ansatz befände sich die Realität der vierdimensionalen Raumzeit auf einer Stufe mit der Realität eines Elektrons oder Quarks. (Natürlich könnten Sie dann immer noch fragen, ob die größere Raumzeit, innerhalb deren Strings und Branen existieren – die elf Dimensionen der String/M-Theorie –, selbst ein Etwas ist; die Realität des Raumzeitschauplatzes, den wir direkt erfahren, wäre damit jedoch offenkundig.) Wenn aber das Universum, das wir wahrnehmen, tatsächlich eine Drei-Bran ist, müsste dann nicht schon ein flüchtiger Blick offenbaren, dass wir in etwas eingebettet sind – in das Innere der Drei-Bran?

Nun, wir haben schon von anderen Dingen gehört, in die wir nach Auskunft der modernen Physik eingebettet sind. Da gibt es den Higgs-Ozean, den Raum, der mit dunkler Energie gefüllt ist, die unzähligen Quantenfeldfluktuationen – und sie alle sind mit unseren gewöhnlichen Sinnen nicht wahrzunehmen. Daher sollte es uns nicht allzu sehr schockieren, dass die String/M-Theorie mit einem weiteren Kandidaten aufwartet, um die Liste der unsichtbaren Dinge zu verlängern, die den »leeren« Raum füllen. Doch wir wollen nicht übermütig werden. Von jeder der eingangs genannten Möglichkeiten wissen wir, wie sie physikalisch wirkt und wie man beweisen könnte, dass es sie tatsächlich gibt. Bei zweien der drei – dunkler Energie und Quantenfluktuationen – wurden bereits überzeugende Belege für ihre Existenz gefunden. Nach Indizien für das Higgs-Feld wird in existierenden und geplanten Beschleunigern gesucht. Wie sieht es in diesem Zusammenhang mit dem Leben in einer Drei-Bran aus? Wenn das Branwelt-Szenario stimmt, warum sehen wir die Drei-Bran dann nicht, und wie ließe sich beweisen, dass es sie gibt?

Die Antwort macht deutlich, wie sehr sich die physikalischen Konsequenzen der String/M-Theorie im Branwelt-Kontext von denen in früheren, »branfreien«* Szenarien unterscheiden. Betrachten wir als wichtiges Beispiel die

* Im Englischen auch liebevoll »no-braner« genannt, was in der Aussprache an *no-brainer* erinnert – eigentlich »hirnlos«, meist aber in der Bedeutung von »simpel, bequem« verwendet (A.d.Ü.).

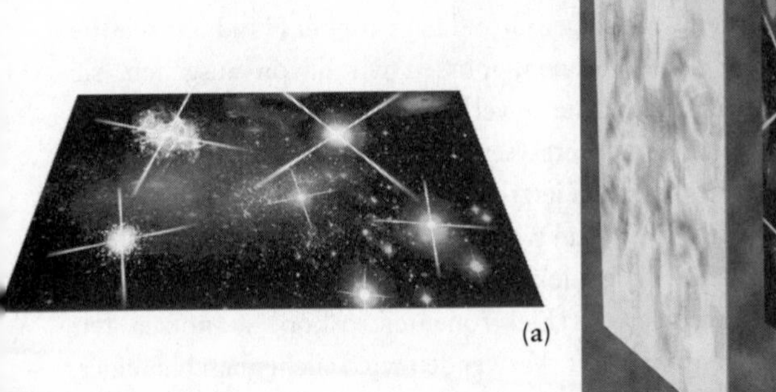

(a)

(b)

Abbildung 13.3 a) Im Branwelt-Szenario sind Photonen offene Strings mit Endpunkten, die in der Bran gefangen sind, daher können sie – das Licht – die Bran selbst nicht verlassen. (b) Unsere Branwelt könnte in einer riesigen Weite zusätzlicher Dimensionen schweben, die für uns unsichtbar bleiben, weil das Licht, das wir sehen, unsere Bran nicht verlassen kann. In unserer Nachbarschaft könnten noch weitere Branwelten schweben.

Bewegung des Lichts – die Bewegung von Photonen. In der Stringtheorie ist ein Photon, wie Sie wissen, ein bestimmtes Stringschwingungsmuster. Doch mathematische Studien haben gezeigt, dass im Branwelt-Szenario nur die Schwingungen offener und nicht die geschlossener Strings Photonen erzeugen, und das bedeutet einen Riesenunterschied. Offene Stringendpunkte sind zwar gezwungen, sich innerhalb der Drei-Bran zu bewegen, sind aber ansonsten vollkommen frei. Daraus folgt, dass sich Photonen (offene Strings, die die Schwingungsmode des Photons ausführen) ohne Einschränkung oder Hemmnis überall in unserer Drei-Bran bewegen würden. Dadurch erschiene die Bran *vollkommen durchsichtig – vollkommen unsichtbar* –, was uns hindern würde zu erkennen, dass wir darin eingebettet sind.

Genauso wichtig: Da die Endpunkte offener Strings eine Bran nicht verlassen können, sind sie nicht in der Lage, sich in die Zusatzdimensionen zu bewegen. Wie der Draht die Bewegungen seiner Holzperlen einschränkt und der Flipperapparat die seiner Kugeln, würde unsere klebrige Drei-Bran den Photonen *nur* gestatten, sich in den drei gewöhnlichen Raumdimensionen zu bewegen. Da Photonen die Botenteilchen des Elektromagnetismus sind, folgt daraus, dass die elektromagnetische Kraft – das Licht – innerhalb unserer drei Dimensionen gefangen wäre, wie (mit Hilfe der zwei Dimensionen, die wir zeichnen können) in Abbildung 13.3 abgebildet.

Das ist eine außerordentliche Erkenntnis mit wichtigen Konsequenzen. Zuvor waren wir darauf angewiesen, dass die Extradimensionen der String/M-Theorie eng aufgewickelt waren. Der Grund liegt auf der Hand: Da wir die Zusatzdimensionen nicht sehen können, müssen wir davon ausgehen, sie wären verborgen. Eine Möglichkeit, sie zu verbergen, besteht nun darin, sie so klein zu machen, dass wir oder unsere Geräte sie nicht entdecken können. Doch schauen wir uns dieses Problem jetzt im Branwelt-Szenario an. Wie entdecken wir Dinge? Ganz einfach: Wenn wir Gebrauch von unseren Augen machen, machen wir Gebrauch von der elektromagnetischen Kraft. Benutzen wir leistungsfähige Instrumente wie das Elektronenmikroskop, so nutzen wir ebenfalls die elektromagnetische Kraft. Verwenden wir Teilchenbeschleuniger, so ist eine der Kräfte, mit denen wir die ultrakleinen Dinge erforschen, wiederum die elektromagnetische Kraft. Doch wenn die elektromagnetische Kraft auf unsere Drei-Bran beschränkt ist, auf unsere drei Raumdimensionen, ist sie *unfähig*, in die Zusatzdimensionen vorzudringen, egal, wie groß sie sind. Photonen sind nicht in der Lage, unseren Dimensionen zu entkommen, sie können nicht in die Zusatzdimensionen gelangen – *selbst wenn diese so groß wie die uns vertrauten Raumdimensionen wären* – und wieder zurückkommen, um unseren Augen oder Geräten auf diese Weise die Möglichkeit zu eröffnen, die Zusatzdimensionen zu entdecken.

Wenn wir also in einer Drei-Bran leben, gibt es eine alternative Erklärung dafür, warum wir uns der Zusatzdimensionen nicht bewusst sind. Sie müssen gar nicht besonders klein sein. Sie könnten sogar groß sein. Wir sehen sie nicht, weil wir auf eine ganz bestimmte *Weise* sehen. Wir sehen mit Hilfe der elektromagnetischen Kraft, die keinen Zugang zu irgendeiner Dimension jenseits der uns bekannten drei hat. Wie eine Ameise, die auf einem Seerosenblatt spazieren geht und nichts weiß vom tiefen Wasser, das gleich unterhalb der sichtbaren Oberfläche liegt, so könnten wir in einem weiten, höherdimensionalen Raum leben (siehe Abbildung 13.3 [b]), doch die elektromagnetische Kraft würde dies – auf ewig in unseren Dimensionen gefangen – nicht enthüllen.

Na gut, so könnten Sie einwenden, aber die elektromagnetische Kraft ist doch nur eine der vier Naturkräfte. Was ist mit den anderen drei? Sind sie in der Lage, in die Zusatzdimensionen vorzudringen und uns deren Existenz zu offenbaren? Für die starke und die schwache Kernkraft ist die Frage abermals zu verneinen. Im Branwelt-Szenario zeigen Berechnungen, dass die Botenteilchen dieser Kräfte – Gluonen sowie W- und Z-Teilchen – ebenfalls aus Schwingungsmustern offener Strings erwachsen, daher sind sie genauso gefangen wie die Photonen, das heißt Prozesse, an denen die starke und die schwache Kraft beteiligt sind, erweisen sich als ebenso blind für die Extradimensionen. Gleiches gilt für Materieteilchen. Elektronen, Quarks und alle anderen Teilchenarten entstehen ebenfalls aus den Schwingungen offener Strings mit gefangenen Endpunkten. *Daher sind Sie und ich und alles, was wir jemals gesehen haben, nach dem Branwelt-Szenario dauerhaft in unserer Drei-Bran gefangen.* Berücksichtigen wir die Zeit, ist alles in unserer vierdimensionalen Raumzeitscheibe eingeschlossen.

Das heißt, fast alles. In Bezug auf die Gravitationskraft ist die Situation anders. Mathematische Analysen des Branwelt-Szenarios haben gezeigt, dass Gravitonen aus den Schwingungsmustern geschlossener Strings entstehen, ganz so, wie es in den oben erörterten bran-freien Szenarien der Fall ist. Und geschlossene Strings – Strings ohne Endpunkte – hängen nicht an Branen fest. Es steht ihnen frei, eine Bran zu verlassen, auf ihr umherzuwandern oder sich durch sie hindurchzubewegen. Würden wir also auf einer Bran leben, wären wir von den Extradimensionen nicht vollkommen abgeschnitten. Durch die Gravitationskraft könnten wir die Extradimensionen beeinflussen oder von ihnen beeinflusst werden. In einem solchen Szenario wäre die Gravitation unser einziges Mittel, über unsere drei Raumdimensionen hinaus wechselzuwirken.

Wie groß könnten die Zusatzdimensionen sein, bevor wir sie durch die Gravitationskraft wahrnehmen würden? Das ist eine interessante und wichtige Frage, betrachten wir sie also etwas näher.

Gravitation und ausgedehnte Extradimensionen

Als Newton im Jahr 1687 sein allgemeines Gravitationsgesetz vorschlug, machte er damit eine klare Aussage über die Raumdimensionen. Newton sagte nicht nur, die Anziehungskraft zwischen zwei Objekten werde schwächer, wenn sich der Abstand zwischen ihnen vergrößere, sondern schlug auch eine Formel vor, die genau beschreibt, wie sich die Gravitationsanziehung verringert, wenn der Abstand zwischen zwei Objekten anwächst. Wenn Sie den Abstand zwischen zwei Objekten verdoppeln, nimmt ihre Gravitationsanziehung nach dieser Formel um einen Faktor 4 (2^2) ab; verdreifachen Sie den Abstand, verringert sie sich um einen Faktor 9 (3^2); vervierfachen Sie den Abstand, verkleinert sie sich um einen Faktor 16 (4^2). Allgemein: Die Gravitationskraft fällt im Verhältnis zum Quadrat des Abstands. Wie sich während der letzten Jahrhunderte in unzähligen Fällen gezeigt hat, ist auf diese Formel Verlass.

Aber *warum* hängt die Formel vom Quadrat der Entfernung ab? Warum nimmt die Kraft nicht mit der dritten Potenz des Abstands ab (so dass sich die Kraft um einen Faktor 8 verringert, wenn Sie die Entfernung zwischen den Objekten verdoppeln) oder einfach direkt proportional zum Abstand (so dass die

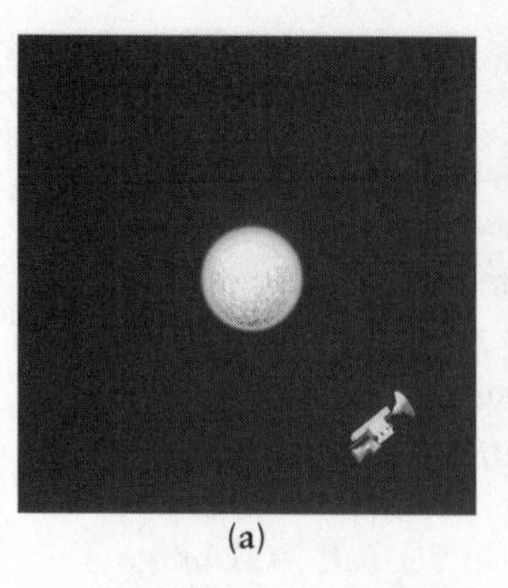

(a)

(b)

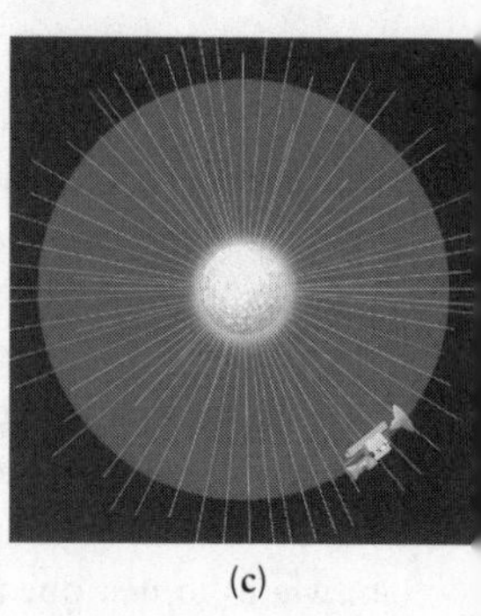

(c)

Abbildung 13.4 (**a**) Die Gravitationskraft, die von der Sonne auf ein Objekt, wie etwa einen Satelliten, ausgeübt wird, ist umgekehrt proportional zum Quadrat der Entfernung zwischen ihnen. Die Gravitationsfeldlinien der Sonne strecken sich nämlich gleichförmig in alle Richtungen aus wie in (**b**) und besitzen daher bei einer Entfernung *d* eine Dichte, die umgekehrt proportional zur Fläche einer imaginären Kugel mit dem Radius *d* ist – schematisch wiedergegeben in (**c**) –, einer Fläche, die, wie die einfache Geometrie zeigt, proportional zu d^2 ist.

Kraft sich um einen Faktor 2 verringert, wenn Sie die Entfernung verdoppeln)? Die Antwort hat unmittelbar mit der Zahl der Raumdimensionen zu tun.

Dazu können wir beispielsweise darüber nachdenken, wie die Zahl der von den beiden Objekten emittierten und absorbierten Gravitonen von ihrem Abstand abhängt oder wie die Krümmung der Raumzeit, die jedes Objekt erfährt, sich verringert, während der Abstand zwischen ihnen anwächst. Doch wir wollen einen einfacheren, altmodischeren Ansatz wählen, der uns rasch und intuitiv zur richtigen Antwort führt. Zeichnen wir ein schematisches Bild (Abbildung 13.4 [a]) von dem Gravitationsfeld, das von einem massereichen Objekt – sagen wir, der Sonne – erzeugt wird, so wie Abbildung 3.1 schematisch das magnetische Feld wiedergibt, das von einem Stabmagneten erzeugt wird. Während die magnetischen Feldlinien in Bögen vom Nordpol zum Südpol des Magneten verlaufen, strahlen die Gravitationsfeldlinien, wie deutlich zu erkennen, in alle Richtungen aus und setzen ihren Weg geradlinig fort. Die Stärke der Gravitationsanziehung, die ein anderes Objekt – sagen wir ein kreisender Satellit – erfährt, ist proportional zur Dichte der Feldlinien an diesem Ort. Je mehr Feldlinien den Satelliten durchdringen (siehe Abbildung 13.4 [b]), desto größer ist die Gravitationsanziehung, der er unterworfen ist.

Nun können wir erklären, wie Newtons Abstandsgesetz zustande kommt. Eine imaginäre Kugel, deren Mittelpunkt die Sonne ist und deren Oberfläche

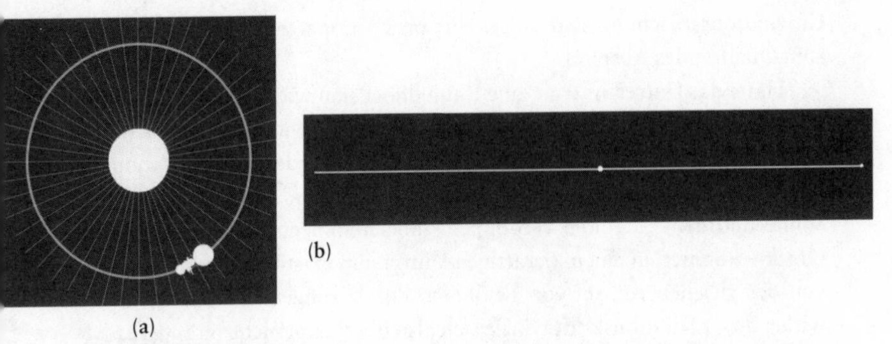

Abbildung 13.5 (a) In einem Universum mit nur zwei Raumdimensionen fällt die Gravitationskraft proportional zum Abstand, weil die Gravitationsfeldlinien gleichförmig über einen Kreis verteilt sind, dessen Umfang proportional zu seinem Radius ist. (b) In einem Universum mit nur einer Raumdimension haben Gravitationsfeldlinien keinen Platz, um sich auszubreiten, daher ist die Gravitationskraft konstant und unabhängig vom Abstand.

durch den Aufenthaltsort des Satelliten verläuft (siehe Abbildung 13.4 [c]), hat einen Oberflächeninhalt, der – wie die Oberfläche jeder Kugel im dreidimensionalen Raum – proportional zum *Quadrat* ihres Radius ist, was in diesem Falle dem *Quadrat* der Entfernung zwischen der Sonne und dem Satelliten entspricht. Das heißt, die Dichte der Feldlinien, die durch die Oberfläche der Kugel verlaufen – die Gesamtzahl der Feldlinien geteilt durch die Kugelfläche –, nimmt mit dem Quadrat des Abstands zwischen Sonne und Satelliten ab. Wenn Sie die Entfernung verdoppeln, ist jetzt dieselbe Anzahl von Feldlinien gleichförmig über eine Kugel mit vierfachem Oberflächeninhalt verteilt, daher nimmt die Gravitationsanziehung bei dieser Entfernung um einen Faktor vier ab. In Newtons Gravitationsgesetz kommt also eine geometrische Eigenschaft von Kugeln in drei Raumdimensionen zum Ausdruck.

Wie würde sich Newtons Formel verändern, wenn das Universum stattdessen zwei oder nur eine Raumdimension hätte? Abbildung 13.5 (a) zeigt eine zweidimensionale Version der Sonne und des sie umkreisenden Satelliten. Wie Sie sehen, sind die Gravitationsfeldlinien der Sonne bei jeder gegebenen Entfernung von der Sonne gleichförmig auf einem Kreis verteilt, dem Gegenstück einer Kugel in dieser Situation, in der wir es mit einer Dimension weniger zu tun haben. Da der Umfang des Kreises proportional zu seinem Radius ist (nicht zum Quadrat seines Radius), nimmt die Dichte der Feldlinien, wenn Sie den Abstand zwischen Sonne und Satelliten verdoppeln, um einen Faktor 2 (nicht 4) ab, daher geht die Anziehungskraft der Sonne nur um einen Faktor 2 (nicht 4) zurück. Hätte das Universum nur zwei Raumdimensionen, wäre die

Gravitationsanziehung also umgekehrt proportional zum Abstand und nicht zum Quadrat des Abstands.

Hätte das Universum nur eine Raumdimension wie in Abbildung 13.5 (b), wäre das Gravitationsgesetz noch einfacher. Die Gravitationsfeldlinien hätten keinen Platz, um auseinander zu laufen, daher würde die Gravitationskraft mit dem Abstand nicht abnehmen. Würden Sie den Abstand zwischen der Sonne und dem Satelliten verdoppeln (angenommen, die Versionen solcher Objekte könnten in einem derartigen Universum existieren), wäre der Satellit von der gleichen Anzahl von Feldlinien durchdrungen. Die zwischen ihnen wirkende Gravitationskraft würde sich also überhaupt nicht verändern.

Das Muster, das die Abbildungen 13.4 und 13.5 illustrieren, lässt sich, auch wenn es dann nicht mehr zu zeichnen ist, direkt auf ein Universum mit vier, fünf, sechs oder jeder beliebigen anderen Anzahl von Raumdimensionen übertragen. Je mehr Raumdimensionen es gibt, desto mehr Platz haben die Kraftlinien der Gravitation, um auseinander zu laufen. Und je mehr sie auseinander laufen, desto steiler fällt die Gravitationskraft mit wachsender Entfernung ab. Bei vier Raumdimensionen enthielte Newtons Gesetz den Kehrwert der dritten Potenz des Abstands (verdoppelt sich die Entfernung, nimmt die Kraft um einen Faktor 8 ab); bei fünf Raumdimensionen den Kehrwert der vierten Potenz (verdoppelt sich die Entfernung, nimmt die Kraft um einen Faktor 16 ab), bei sechs Raumdimensionen den der fünften Potenz (verdoppelt sich die Entfernung, nimmt die Kraft um einen Faktor 32 ab) und so fort, für immer höherdimensionale Universen.

Man könnte meinen, die Tatsache, dass Newtons Gesetz in der Version mit dem Kehrwert des Abstandsquadrats eine solche Fülle von Daten erkläre – von der Planetenbewegung bis zu den Kometenbahnen –, beweise, dass wir in einem Universum mit genau drei Raumdimensionen leben. Doch das wäre eine übereilte Schlussfolgerung. Wir wissen, dass diese Abstandsabhängigkeit auf astronomischen Größenskalen zuverlässig ist,[6] und wir wissen, dass wir ihr auf irdischen Größenskalen vertrauen können. Das verträgt sich gut mit der Tatsache, dass wir auf diesen Größenskalen genau drei Raumdimensionen sehen. Aber ist es auch auf kleineren Skalen zuverlässig? Bis in welche Bereiche des Mikrokosmos ist das Abstandsgesetz überprüft worden? Wie sich herausstellt, konnten die Experimentatoren es nur bis zu einer Größenordnung von ungefähr einem Zehntelmillimeter bestätigen. Wenn man zwischen zwei Objekten einen Abstand von etwa einem Zehntelmillimeter herstellt, bestätigen die Daten, dass die Stärke der Gravitationsanziehung proportional zum Kehrwert des Abstandsquadrats ist. Doch der Versuch, dieses Gesetz auch bei kleineren Abständen zu überprüfen, ist bislang auf vertrackte technische

Schwierigkeiten gestoßen (Quanteneffekte und die Schwäche der Gravitation erschweren die Experimente). Das ist ein Problem von eminenter Wichtigkeit, weil Abweichungen vom Abstandsgesetz ein überzeugender Hinweis auf Zusatzdimensionen wären.

Um uns das zu vergegenwärtigen, wollen wir ein vereinfachtes, niederdimensionales Beispiel betrachten, das sich leicht zeichnen und analysieren lässt. Stellen Sie sich vor, wir lebten in einem Universum mit nur einer Raumdimension – oder würden es zumindest glauben, weil nur eine Raumdimension sichtbar ist und weil unsere Experimente seit Jahrhunderten zeigen, dass sich die Gravitationskraft mit dem Abstand zwischen Objekten nicht verändert. Doch in all den Jahren konnten die Experimentatoren das Gravitationsgesetz nur bis zu Abständen von ungefähr einem Zehntelmillimeter überprüfen. Für kürzere Abstände liegen in unserem vermeintlich eindimensionalen Universum noch keine Daten vor. Nun vermutet aber niemand, abgesehen von einigen als Außenseiter verschrienen theoretischen Physikern, dass das Universum in Wirklichkeit eine zweite, aufgewickelte Raumdimension besitzt, das heißt, dass die Form des Universums in Wirklichkeit der Oberfläche von Philippe Petits Hochseil aus Abbildung 12.5 gleicht. Wie könnte das künftige, feinere Gravitationstests beeinflussen? Die Antwort zeigt uns ein Blick auf Abbildung 13.6. Führt man zwei winzige Objekte nahe genug zusammen – so nahe, dass ihr Abstand viel kürzer ist als der Umfang der aufgewickelten Dimension –, offenbart sich der zweidimensionale Charakter des Raums augenblicklich, weil die Gravitationskraftlinien auf so kleinen Skalen *genügend* Platz haben, sich auszubreiten (Abbildung 13.6 [a]). Sobald die Objekte nahe genug beieinander sind, ist die Gravitationskraft nicht mehr unabhängig von der Entfernung, sondern verändert sich proportional zum Kehrwert des Abstands.

Wären Sie ein Experimentator in diesem Universum und hätten wunderbar genaue Methoden zur Messung der Gravitationsanziehung entwickelt,

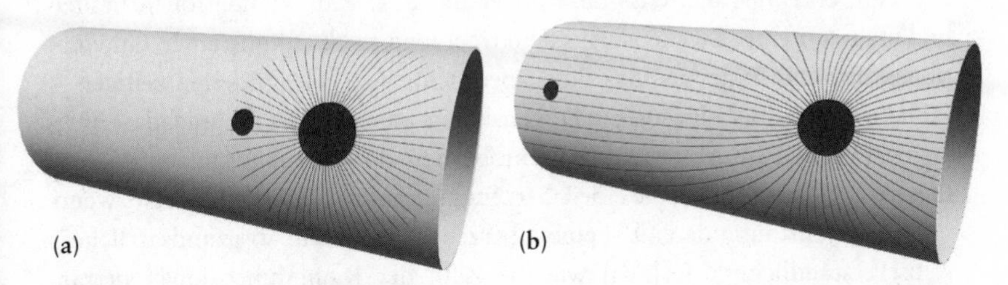

Abbildung 13.6 (**a**) Wenn sich Objekte nahe genug sind, verändert sich die Gravitationsanziehung wie in zwei Raumdimensionen. (**b**) Sind die Objekte weiter voneinander entfernt, verhält sich die Gravitationsanziehung wie in einer Raumdimension – sie bleibt konstant.

stießen Sie auf folgendes Ergebnis: Sind sich zwei Objekte außerordentlich nahe, nur noch durch einen Abstand getrennt, der weit kürzer als die aufgewickelte Raumdimension ist, verringert sich die Gravitationsanziehung in diesem vermeintlich eindimensionalen Universum proportional zum Abstand der Objekte – so wie Sie es eigentlich für ein Universum mit zwei Raumdimensionen erwarten würden. Doch sobald der Abstand zwischen den Objekten ungefähr dem Umfang der aufgewickelten Dimension entspricht, sehen die Dinge anders aus. Jenseits dieser Entfernung sind die Gravitationsfeldlinien nicht mehr in der Lage, weiter auseinander zu laufen. Sie haben sich, so weit es geht, in der zweiten, aufgewickelten Dimension ausgebreitet – sie haben diese Dimension »gesättigt« –, daher verringert sich ab dieser Entfernung die Gravitationskraft nicht mehr, wie in Abbildung 13.6 (b) dargestellt. Sie können diese Sättigung mit den Rohrleitungen in einem alten Haus vergleichen. Wenn jemand den Wasserhahn in der Küche aufdreht, während Sie sich gerade anschicken, sich das Shampoo aus dem Haar zu spülen, kann der Wasserdruck sinken, weil sich das Wasser zwischen diesen Hähnen ausbreitet. Der Druck sinkt noch weiter ab, wenn jemand den Hahn in der Waschküche öffnet, denn dann breitet sich das Wasser noch weiter aus. Doch sobald alle Wasserhähne im Haus aufgedreht sind, bleibt der Druck konstant. Zwar werden Sie vielleicht nicht die entspannende Hochdruckdusche genießen können, auf die Sie sich gefreut haben, aber immerhin wird der Wasserdruck nicht mehr fallen, sobald sich das Wasser vollständig auf alle »Zusatzhähne« verteilt hat. Ähnlich verhält es sich mit dem Gravitationsfeld: Sobald es sich vollständig in den aufgewickelten Extradimensionen verteilt hat, wird es sich bei wachsendem Abstand nicht mehr vermindern.

Aus unseren Daten leiten wir zwei Dinge ab. Erstens: Da sich in Ihrem vermeintlich eindimensionalen Universum die Gravitationskraft proportional zur Entfernung zwischen Objekten verringert, wenn diese sehr nahe beieinander sind, erkennen Sie, dass das Universum *zwei* Raumdimensionen besitzt und nicht nur eine. Zweitens: Aus dem Übergang zu einer konstanten Gravitationskraft – ein Ergebnis, das die Experimente seit Jahrhunderten zeitigen – schließen Sie, dass eine dieser Dimensionen aufgewickelt ist und dass ihre Größe in etwa dem Abstand entspricht, bei dem der Übergang stattfindet. Mit diesem Ergebnis bringen Sie eine Überzeugung zu Fall, die Jahrhunderte, wenn nicht gar Jahrtausende galt – eine Überzeugung, die ein so grundsätzliches, selbstverständliches Merkmal wie die Zahl der Raumdimensionen betraf, dass es fast fraglos akzeptiert wurde.

Obwohl ich diese Geschichte in einem Universum mit weniger Dimensionen angesiedelt habe, um Ihnen die Vorstellung zu erleichtern, könnte unsere

Situation ganz ähnlich sein. Seit Jahrhunderten bestätigen die Experimente, dass die Gravitation sich umgekehrt zum Quadrat der Entfernung verändert, was als überzeugender Hinweis auf die Existenz von drei Raumdimensionen zu werten ist. Doch bis 1998 hatte kein Experiment die Stärke der Gravitation bei Abständen von weniger als einem Millimeter erforscht (heute ist man, wie erwähnt, bis zu einem Zehntelmillimeter vorgedrungen). Das veranlasste Savas Dimopoulos von der Stanford University, Nima Arkani-Hamed, heute an der Harvard University, und Gia Dvali von der New York University zu der These, *im Branwelt-Szenario könnten die Extradimensionen eine Größe von bis zu einem Millimeter besitzen, ohne entdeckt zu werden.* Diese radikale Hypothese rief eine Reihe von Forschungsgruppen auf den Plan, welche die Gravitation bei Abständen von weniger als einem Millimeter untersuchten, in der Hoffnung, sie würden Verletzungen des Abstandsgesetzes entdecken. Bislang ist bis zu dem genannten Abstand von einem Zehntelmillimeter noch keine solche Verletzung beobachtet worden. Also können wir beim heutigen Stand der Gravitationsexperimente sagen: *Wenn wir in einer Drei-Bran leben, könnten die Extradimensionen bis zu einem Zehntelmillimeter groß sein, und wir würden es trotzdem nicht wissen.*

Das ist eine der verblüffendsten Erkenntnisse der letzten zehn Jahre. Mit Hilfe der drei nichtgravitativen Kräfte können wir Abstände von einem milliardstel milliardstel (10^{-18}) Meter erfassen. Bei diesen Experimenten wurde kein Anhaltspunkt für zusätzliche Dimensionen gefunden. Doch laut Branwelt-Szenario sind die nichtgravitativen Kräfte außerstande, die Extradimensionen zu entdecken, weil sie auf der Bran gefangen sind. Nur die Gravitation kann Aufschluss über das Wesen der Zusatzdimensionen geben. Bis heute könnten die Extradimensionen so dick wie ein menschliches Haar sein und trotzdem selbst für unsere empfindlichsten Instrumente vollkommen unsichtbar. Genau jetzt, genau neben Ihnen, genau neben mir und genau neben jedermann sonst könnte sich noch eine weitere räumliche Dimension befinden – eine Dimension jenseits von links/rechts, hinten/vorne und oben/unten, eine Dimension, die aufgewickelt ist, aber immer noch groß genug wäre, um etwas zu verschlucken, das so dick wie diese Seite wäre, eine Dimension, die unserem Zugriff entzogen ist. *

* Lisa Randall von der Harvard University und Raman Sundrum von der Johns Hopkins University haben sogar eine Hypothese vorgeschlagen, nach der auch die Gravitation eingefangen werden kann, allerdings nicht durch eine klebrige Bran, sondern durch Zusatzdimensionen, die in genau der richtigen Weise gekrümmt sind, wodurch die Einschränkungen, denen die Größe dieser Extradimensionen unterworfen sind, noch weiter gelockert würden.

Ausgedehnte Extradimensionen und große Strings

Dadurch, dass laut Branwelt-Szenario drei der vier Kräfte eingefangen sind, werden die experimentellen Bedingungen, wie groß die Zusatzdimensionen sein können, zwar erheblich gelockert, doch die Extradimensionen sind nicht das einzige Merkmal, das dank dieses Ansatzes größer ausfallen darf. Ausgehend von Ergebnissen, die Witten, Joe Lykken, Constantin Bachas und anderen zu verdanken sind, hat Ignatios Antoniadis zusammen mit Arkani-Hamed, Dimopoulos und Dvali herausgefunden, dass im Branwelt-Szenario sogar nicht angeregte, energiearme Strings *viel* größer sein können, als ursprünglich angenommen. Tatsächlich sind die beiden Skalen – Größe der Zusatzdimensionen und Größe der Strings – eng miteinander verwandt.

Wie im vorigen Kapitel dargelegt, wird die Grundgröße des Strings durch die Notwendigkeit bestimmt, dass das Schwingungsmuster, das dem Graviton entspricht, eine Gravitationskraft von der beobachteten Stärke übertragen sollte. Die Schwäche der Gravitation drückt sich in der extremen Kürze des Strings aus, die in etwa der Planck-Länge entspricht (10^{-33} Zentimeter). Dieser Schluss hängt jedoch in hohem Maße von der Größe der Zusatzdimensionen ab, und zwar deshalb, weil sich in der String/M-Theorie die Stärke der Gravitationskraft, die wir in unseren drei ausgedehnten Dimensionen beobachten, aus einer Wechselbeziehung zweier Faktoren ergibt. Ein Faktor ist die intrinsische, fundamentale Stärke der Gravitationskraft. Der zweite Faktor ist die Größe der Zusatzdimensionen. Je größer die Zusatzdimensionen, desto mehr Gravitation findet dort Platz und desto *schwächer* erscheint die Kraft in den vertrauten Dimensionen. So wie größere Rohre einen geringeren Wasserdruck bewirken, weil sie dem Wasser mehr Platz bieten, sich auszubreiten, so bewirken große Zusatzdimensionen schwächere Gravitation, weil sie der Gravitation mehr Platz bieten, sich auszubreiten.

Die ursprünglichen Berechnungen der Stringlänge gingen von winzigen Zusatzdimensionen aus, in der Größenordnung der Planck-Länge – so winzig, dass die Gravitation überhaupt keinen Platz darin fand. Bei dieser Annahme erscheint die Gravitation schwach, weil sie schwach *ist*. Aber wenn wir jetzt mit dem Branwelt-Szenario arbeiten und den Zusatzdimensionen weit mehr Größe zugestehen als früher angenommen, bedeutet die beobachtete Schwäche der Gravitation nicht mehr, dass sie auch intrinsisch schwach ist. Vielmehr könnte die Gravitation eine relativ starke Kraft sein, die nur deshalb schwach erscheint, weil die relativ großen Zusatzdimensionen ihre intrinsische Stärke – wie große Rohre – abschwächen. Wenn diese Vermutungen stimmen und die Gravitation beträchtlich stärker ist, als einst angenommen, können auch die Strings viel länger sein, als man früher glaubte.

Bis heute lässt sich die Frage, wie lang sie genau sind, noch nicht eindeutig beantworten. Angesichts der neu entdeckten Freiheit, die Größe der Strings und die Größe der Zusatzdimensionen weit stärker als bisher vermutet zu verändern, gibt es zahlreiche Möglichkeiten. Laut Dimopoulos und seinen Kollegen zeigen die vorliegenden Experimentalergebnisse aus der Teilchenphysik und Astrophysik, dass nicht angeregte Strings nicht größer als rund ein milliardstel milliardstel (10^{-18}) Meter sein können. Das ist zwar nach alltäglichem Maßstab noch klein genug, aber rund hundert Millionen Milliarden (10^{17}) Mal so groß wie die Planck-Länge – *fast hundert Millionen Milliarden Mal so groß, wie einst angenommen.* Wie wir jetzt erkennen, ist das möglicherweise groß genug, um der nächsten Generation von Teilchenbeschleunigern die Entdeckung von Stringspuren zu ermöglichen.

Die Stringtheorie auf dem experimentellen Prüfstand?

Die Möglichkeit, dass wir in einer großen Drei-Bran leben, ist natürlich nicht mehr als das: eine Möglichkeit eben. Im Rahmen des Branwelt-Szenarios ist auch die Möglichkeit, dass die Extradimensionen größer sind als einst angenommen – und damit die Möglichkeit, dass die Strings viel größer sind, als einst angenommen –, nicht mehr als das: eine Möglichkeit. *Doch es handelt sich um ungeheuer spannende Möglichkeiten.* Gewiss, selbst wenn das Branwelt-Szenario stimmt, könnten die Zusatzdimensionen und die Stringgröße noch immer Plancksche Ausmaße besitzen. Dass aber im Rahmen der String/M-Theorie die Strings und Extradimensionen vielleicht viel größer sind – nur knapp außerhalb der Reichweite der heutigen Technik –, ist fantastisch. Damit besteht zumindest die Chance, dass die String/M-Theorie in den nächsten Jahren der Beobachtung zugänglich und zu einer Experimentalwissenschaft wird.

Wie groß ist die Chance? Ich weiß es nicht, niemand weiß es. Meine Intuition sagt mir, dass es unwahrscheinlich ist, doch meine Intuition ist von fünfzehnjähriger Forschungstätigkeit im konventionellen Rahmen von Strings und Extradimensionen auf Planck-Skala geprägt. Vielleicht sind meine Instinkte altmodisch. Zum Glück wird man die Frage ohne Rücksicht auf irgendjemandes Intuition klären. Falls die Strings groß sind oder falls einige der Zusatzdimensionen es sind, hat das spektakuläre Konsequenzen für künftige Experimente.

Im nächsten Kapitel werden wir eine Vielzahl von Experimenten betrachten, mit denen sich unter anderem die Möglichkeit vergleichsweise großer Strings und großer Extradimensionen überprüfen lässt, daher möchte ich hier nur Ihr Interesse wecken. Falls Strings die Größe von einem milliardstel milliardstel (10^{-18}) Meter erreichen, haben die Teilchen, die den höheren harmonischen Schwingungen in Abbildung 12.4 entsprechen, nicht jene gewaltigen Massen – größer als die Planck-Masse –, die vom Standard-Szenario vorausgesagt werden. Vielmehr werden ihre Massen nur tausend bis einige tausend Mal so groß sein wie die des Protons und sich damit in Reichweite des Large Hadron Collider befinden, der gegenwärtig am CERN erbaut wird. Sollten diese Stringschwingungen durch Hochenergiestöße angeregt werden, würden die Detektoren des Beschleunigers aufleuchten wie die Kristallkugel auf dem Times Square zu Silvester. Eine Fülle nie zuvor beobachteter Teilchen würde erzeugt, und ihre Massen stünden in ganz ähnlicher Beziehung zueinander wie die verschiedenen Obertöne einer Cellosaite. Markant und unübersehbar würde die Stringtheorie ihre Handschrift in den Daten hinterlassen. Auch ohne Brille könnte sie kein Forscher übersehen.

Darüber hinaus wären Hochenergiestöße nach dem Branwelt-Szenario sogar in der Lage – man stelle sich das vor! –, winzige Schwarze Löcher zu erzeugen. Obwohl wir uns Schwarze Löcher normalerweise als Riesenstrukturen weit draußen im All denken, weiß man seit den frühen Tagen der Relativitätstheorie, dass Sie ein winziges Schwarzes Loch erzeugen können, wenn es Ihnen gelingt, genügend Materie auf Ihrer Handfläche zusammenzupressen. Allerdings ist der Griff keines Menschen – und keines mechanischen Gerätes – auch nur im Entferntesten in der Lage, genügend Kompressionskraft zu entfalten. Der einzige anerkannte Mechanismus für die Erzeugung Schwarzer Löcher beruht darauf, dass die Gravitationsanziehung eines außerordentlich massereichen Sterns den nach außen gerichteten Druck überwindet, der normalerweise von den Kernfusionsprozessen des Sterns ausgeübt wird, mit dem Erfolg, dass der Stern in sich selbst zusammenstürzt. Doch wenn die intrinsische Stärke der Gravitation auf kleinen Skalen weit größer ist, als ursprünglich angenommen, könnten winzige Schwarze Löcher durch erheblich geringere Kompressionskraft erzeugt werden, als bislang vermutet. Wie Berechnungen zeigen, könnte der Large Hadron Collider gerade genug Kompressionskraft besitzen, um durch die Hochenergiestöße zwischen Protonen eine Fülle mikroskopischer Schwarzer Löcher zu erzeugen.[7] Was für eine unglaubliche Vorstellung! Der Large Hadron Collider würde zu einer Fabrik zur Herstellung Schwarzer Löcher werden. Die wären zwar so klein und von so kurzer Lebensdauer, dass sie nicht die geringste Gefahr für uns bedeuteten (vor Jahren hat Stephen Hawking gezeigt, dass alle Schwarzen Löcher durch

Quantenprozesse zerfallen – große sehr langsam, winzige sehr rasch), aber ihre Existenz würde einige der seltsamsten Ideen bestätigen, die jemals entwickelt wurden.

Branwelt-Kosmologie

Ein vorrangiges Ziel der gegenwärtigen Forschung, an dem Wissenschaftler in aller Welt (darunter auch ich) intensiv arbeiten, ist die Formulierung einer Kosmologie, welche die neuen Erkenntnisse der String/M-Theorie einbezieht. Der Grund liegt auf der Hand: Nicht nur beschäftigt sich die Kosmologie mit den großen, drängenden Fragen, nicht nur sind bestimmte Aspekte unserer Alltagserfahrung – etwa der Zeitpfeil – mit Bedingungen bei der Geburt des Universums verknüpft, sondern die Kosmologie erfüllt für den theoretischen Physiker auch die gleiche Funktion, die New York für Frank Sinatra hatte – »If I can make it there, I'll make it anywhere« –, sie ist eine ideale Bewährungsprobe: Wenn eine Theorie es unter den extremen Bedingungen schafft, die für die frühesten Augenblicke des Universums charakteristisch sind, schafft sie es überall.

Heute ist die Kosmologie der String/M-Theorie zufolge ein Forschungsfeld in einer Umbruchphase, wobei die Kosmologen im Wesentlichen zwei unterschiedliche Richtungen verfolgen. Dem ersten und konventionelleren Ansatz zufolge ist die String/M-Theorie heute eine ebenso wertvolle Ergänzung für die Inflationstheorie, wie die Inflation ehedem eine wertvolle Ergänzung für das Standardmodell des Urknalls war. Man hofft, die String/M-Theorie werde den verschwommenen Fleck, durch den wir unsere Unwissenheit über die frühesten Momente des Universums zum Ausdruck gebracht haben, durch klare Konturen ersetzen, und anschließend werde sich das kosmologische Drama nach dem bemerkenswert erfolgreichen Skript der Inflationstheorie entfalten, wie wir es in früheren Kapiteln wiedergegeben haben.

Zwar hat es hinsichtlich bestimmter Einzelheiten, die diese Vision voraussetzt, Fortschritte gegeben (etwa in der Frage, warum nur drei räumliche Dimensionen des Universums einem Expansionsprozess unterworfen waren, und bei dem Bemühen, mathematische Methoden zu entwickeln, mit denen sich der raumlos-zeitlose Bereich vor der Inflation untersuchen lässt), doch die großen Aha-Erlebnisse lassen noch auf sich warten. Die intuitive Erwartung ist: Während die inflationäre Kosmologie davon ausgeht, dass das beobachtbare Universum, je weiter wir in der Zeit zurückgehen, immer kleiner wird – und damit auch immer heißer, dichter und energiereicher –, zähmt die String/M-Theorie dieses ungebändigte Verhalten (»singulär« in der Sprache der Physiker), indem sie eine minimale Längenausdehnung einführt (siehe Seite 394ff.); unterhalb dieser Grenze werden neue und weniger singuläre physikalische Größen wichtig. Diese Überlegung bildet das Herzstück der erfolgreichen Verschmelzung von allgemeiner Relativitätstheorie und Quantenmechanik durch die String/M-Theorie, und mein Gefühl sagt mir, dass wir schon bald herausfinden werden, wie sich die gleiche Überlegung auf die Kosmologie anwenden lässt. Doch derzeit sieht der verschwommene Fleck noch immer verschwommen aus, und niemand weiß, wann wir klar sehen werden.

Der zweite Ansatz geht vom Branwelt-Szenario aus und postuliert in seiner radikalsten Version eine vollkommen neue kosmologische Theorie. Es ist absolut unsicher, ob dieser Ansatz einer näheren mathematischen Überprüfung standhalten wird, dennoch ist er ein schönes Beispiel dafür, wie Fortschritte in der grundlegenden Theorie neue Wege durch längst erkundetes Gelände aufzeigen können. Die Hypothese heißt *zyklisches Modell.*

Zyklische Kosmologie

Unter dem Blickwinkel der Zeit präsentiert uns die Alltagserfahrung zwei Arten von Phänomenen: Solche, die einen eindeutigen Anfang, eine Mitte und ein Ende haben (dieses Buch, ein Baseballspiel, ein menschliches Leben), und solche, die zyklisch sind, sich also immer und immer wieder ereignen (der Wechsel der Jahreszeiten, Sonnenaufgang und -untergang, die Eheschließungen des Talkmasters Larry King). Natürlich stellt sich bei näherem Hinsehen heraus, dass auch zyklische Phänomene einen Anfang und ein Ende haben, da Zyklen in der Regel nicht ewig andauern. Seit rund fünf Milliarden Jahren geht die Sonne jeden Tag auf und wieder unter – das heißt, die Erde dreht sich um ihre Achse, während sie die Sonne umläuft. Davor aber mussten sich Sonne und Sonnensystem erst bilden. Und eines Tages in etwa fünf Milliarden Jahren wird sich die Sonne in einen Roten Riesen verwandeln, der die inneren Planeten verschlingt, unter anderem auch die Erde. Dann wird es noch nicht einmal mehr die Erinnerung an Sonnenauf- und -untergänge geben, zumindest nicht hier.

Doch das sind moderne wissenschaftliche Erkenntnisse. Den Alten erschienen zyklische Phänomene auf ewig zyklisch. Und für viele waren die zyklischen Phänomene, die ihren Verlauf nahmen und fortwährend zum Anfang zurückkehrten, die Ur-Erscheinungen schlechthin. Der Kreislauf der Tage und Jahreszeiten gab den Rhythmus von Arbeit und Leben vor, daher nimmt es nicht wunder, dass einige der ältesten überlieferten Kosmologien die Entfaltung der Welt als zyklischen Prozess betrachteten. Statt einen Anfang, eine Mitte und ein Ende festzulegen, geht eine zyklische Kosmologie davon aus, dass sich die Welt im Laufe der Zeit verändert, ganz so, wie sich der Mond im Zuge seiner Phasen verändert: Nachdem er die vollständige Sequenz durchlaufen hat, sind die Bedingungen reif dafür, einen weiteren Zyklus zu beginnen.

Seit der Entdeckung der allgemeinen Relativitätstheorie ist eine Reihe von kosmologischen Modellen vorgeschlagen worden. Das bekannteste ist eine Hypothese, die in den dreißiger Jahren von Richard Tolman am California Institute of Technology entwickelt wurde. Tolman vertrat darin die Ansicht, die beobachtete Expansion des Universums könnte sich verlangsamen, eines Tages zum Stillstand kommen, und dann würde eine Kontraktionsperiode einsetzen, in deren Verlauf das Universum immer kleiner würde. Doch statt in einem feurigen Finale unterzugehen, werde es, so Tolman, einen *Rückprall* erleben: Der Raum werde zu einer winzigen Ausdehnung schrumpfen, um dann zurückzuprallen und einen neuen Expansionszyklus einzuleiten, auf den wieder eine weitere Kontraktion folge. Ein Universum, das diesen Kreislauf ewig wiederhole – Expansion, Kontraktion, Rückprall, erneute Expansion –, ginge der schwierigen Frage nach dem Ursprung elegant aus dem Wege: In einem solchen Szenario ließe sich die Frage nach dem Ursprung nicht stellen, weil das Universum schon immer gewesen wäre und ewig sein würde.

Doch Tolman war sehr wohl klar, dass sich die Zyklen, von heute aus in der Rückschau betrachtet, zwar eine Zeit lang, aber nicht ewig wiederholen könnten. Nach dem Zweiten Hauptsatz der Thermodynamik müsste sich nämlich mit jedem Zyklus die Entropie im Schnitt erhöhen.[8] Nach der allgemeinen Relativitätstheorie bestimmt die Entropiegesamtmenge zu Beginn jedes Zyklus, wie lange der Zyklus dauern wird. Mehr Entropie bedeutet eine längere Expansionsphase, bevor die Bewegung nach außen zum Stillstand kommt und die Bewegung nach innen die Überhand gewinnt. Jeder nachfolgende Zyklus würde daher viel länger dauern als sein Vorgänger. Mit anderen Worten: Frühere Zyklen würden immer kürzer und kürzer. Die mathematische Analyse zeigt, dass sich die Zyklen angesichts ihrer ständigen Verkürzung nicht unendlich in die Vergangenheit erstrecken können. Sogar in Tolmans zyklischem Entwurf hätte das Universum einen Anfang.

Tolman ging in seinem Vorschlag von einem kugelartigen Universum aus, das, wie wir gesehen haben, von den Beobachtungen ausgeschlossen wird. Nun ist aber unlängst im Rahmen der String/M-Theorie eine radikal neue Spielart der zyklischen Kosmologie entwickelt worden, die auf einem flachen Universum beruht. Die Idee stammt von Paul Steinhardt und seinem Kollegen Neil Turok von der Cambridge University (wobei die beiden Autoren weitge-

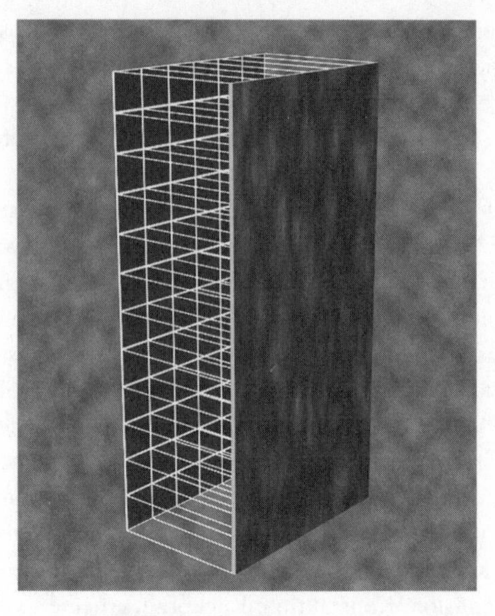

Abbildung 13.7 Zwei Drei-Branen, die durch eine kurze Zwischenstrecke getrennt sind.

hend auf Resultate zurückgriffen, die sie in Zusammenarbeit mit Burt Ovrut, Nathan Seiberg und Justin Khoury gefunden hatten) und postuliert einen neuen Mechanismus als Motor der kosmischen Entwicklung.[9] Kurz gesagt, meinen sie, wir könnten auf einer Drei-Bran leben, die in einem Abstand von einigen Billionen Jahren immer wieder mit einer benachbarten, parallel angeordneten Drei-Bran heftig zusammenstößt. Der »Urknall« aus dieser Kollision leitet jeden neuen kosmologischen Zyklus ein.

Die Grundstruktur dieser Hypothese, illustriert in Abbildung 13.7, wurde vor einigen Jahren von Hořava und Witten in einem nichtkosmologischen Kontext vorgeschlagen. Als Hořava und Witten versuchten, Wittens Vorschlag zur Vereinheitlichung aller fünf Stringtheorien zu vervollständigen, machten sie eine Entdeckung: Wenn eine der sieben Zusatzdimensionen in der M-Theorie eine sehr einfache Form aufweist – keinen Kreis bildet wie in Abbildung 12.7, sondern eine kleine Strecke wie in Abbildung 13.7 – und durch »Branen am Ende der Welt« begrenzt wird, die wie Buchstützen an ihr haften, dann ließe sich eine direkte Verbindung zwischen der E-heterotischen Stringtheorie und all den anderen Varianten herstellen. Wie sie diese Verbindung im Einzelnen konstruiert haben, ist weder leicht verständlich noch wichtig (wenn Sie interessiert sind, empfehle ich Ihnen beispielsweise *Das elegante Universum*, Kapitel 12); entscheidend ist hier, dass es sich um einen Ausgangspunkt handelt, der sich von allein aus der Theorie selbst ergibt. Steinhardt und Turok nutzten ihn für ihre kosmologische Hypothese.

Im Einzelnen gehen Steinhardt und Turok davon aus, dass jede der Branen in Abbildung 13.7 drei Raumdimensionen hat, wobei die Strecke zwischen ihnen eine vierte Raumdimension darstellt. Die übrigen sechs Raumdimensionen sind zu einem Calabi-Yau-Raum aufgewickelt (was in der Abbildung nicht wiedergegeben ist), der durch seine Form für die Stringschwingungsmuster sorgt, welche den bekannten Teilchenarten entsprechen.[10] Das Universum, das wir direkt wahrnehmen, entspricht einer dieser Drei-Branen. Wenn Sie möchten, können Sie sich die zweite Drei-Bran als ein weiteres Universum vorstellen, dessen Bewohner, so es denn welche hat, ebenfalls nur drei Raumdimensionen bemerken, vorausgesetzt, ihre Experimentaltechnik und ihre Kenntnisse sind den unseren nicht weit überlegen. Diesem Entwurf zufolge wäre also eine andere Drei-Bran – ein anderes Universum – gleich nebenan. Sie ist nicht mehr als den Bruchteil eines Millimeters entfernt (der Abstand bezieht sich auf die vierte Raumdimension, wie Abbildung 13.7 zeigt), doch da unsere Drei-Bran so klebrig und die Gravitation, die wir erfahren, so schwach ist, haben wir keine direkten Belege für ihre Existenz, noch haben ihre hypothetischen Bewohner irgendwelche Belege für unsere Existenz.

Laut dem zyklischen Kosmologiemodell von Steinhardt und Turok zeigt Abbildung 13.7 jedoch nicht den Zustand, der immer vorgelegen hat oder immer vorliegen wird. Vielmehr ziehen sich ihrem Entwurf zufolge die beiden Drei-Branen gegenseitig an – fast als wären sie durch winzige Gummibänder verbunden –, was zur Folge hat, dass jede die kosmologische Entwicklung der anderen vorantreibt: Die Branen durchlaufen einen endlosen Zyklus von Kollision, Rückprall und abermaliger Kollision – einen Zyklus, in dessen Verlauf sie ihre expandierenden dreidimensionalen Welten ewig regenerieren. Wie das vor sich geht, können Sie Abbildung 13.8 entnehmen, die einen vollständigen Zyklus Schritt für Schritt nachzeichnet.

In Stadium 1 sind die beiden Drei-Branen gerade aufeinander zugerast und zusammengekracht. Jetzt findet der Rückprall statt. Die ungeheure Energie des Zusammenstoßes erzeugt auf jeder der zurückprallenden Drei-Branen beträchtliche Mengen an heißer Strahlung und Materie, und – das ist der entscheidende Aspekt – nach den Darlegungen von Steinhardt und Turok sind Eigenschaften und Zusammensetzung *dieser Materie und Strahlung fast identisch mit dem, was im inflationären Modell entsteht.* Obwohl dieser Punkt noch etwas umstritten ist, behaupten Steinhardt und Turok daher, dass die physikalischen Bedingungen nach dem Zusammenstoß zwischen den beiden Drei-Branen außerordentliche Ähnlichkeit mit den Verhältnissen hätten, die

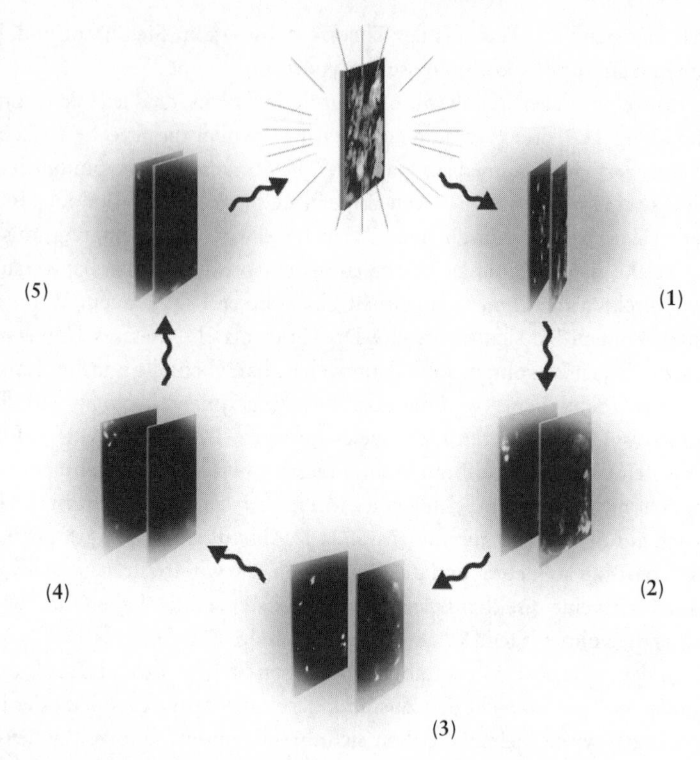

Abbildung 13.8 Verschiedene Stadien im zyklischen Modell der Branwelt-Kosmologie.

einen Augenblick nach dem in Kapitel 10 geschilderten inflationären Expansionsausbruch geherrscht hätten. Erwartungsgemäß sind die nächsten Stadien im zyklischen Modell für einen hypothetischen Beobachter in unserer Drei-Bran deshalb im Wesentlichen die gleichen wie diejenigen im Standard-Ansatz, der in Abbildung 9.2 wiedergegeben wurde (so dass diese Abbildung jetzt als eine Illustration der Entwicklung auf einer der Drei-Branen gedeutet werden kann). Beim Zurückprallen beginnt auf unserer Drei-Bran nämlich ein Prozess der Expansion und Abkühlung, woraufhin sich aus Ur-Plasma, wie in Stadium 2 zu erkennen, allmählich Sterne und Galaxien herausbilden. Unter dem Eindruck der jüngeren Supernova-Beobachtungen, von denen in Kapitel 10 die Rede war, haben Steinhardt und Turok die Parameter ihres Modells so gewählt, dass rund sieben Milliarden Jahre nach Beginn des Zyklus – Stadium 3 – die in gewöhnlicher Materie und Strahlung enthaltene Energie durch die Expansion hinreichend abgeschwächt wird, um gegenüber einer dunklen

Energiekomponente ins Hintertreffen zu geraten, woraufhin diese durch ihren negativen Druck eine Ära beschleunigter Expansion einleitet. (Dazu ist es erforderlich, die Parameter des Modells von Hand sehr genau aufeinander abzustimmen, was dem Modell aber die Übereinstimmung mit den Beobachtungen ermöglicht und daher, wie die Anhänger des Modells meinen, wohl begründet ist.) Wiederum rund sieben Milliarden Jahre später erleben wir Menschen hier auf der Erde, zumindest im gegenwärtigen Zyklus, die ersten Phasen der beschleunigten Expansion. Während etwa der nächsten *Billion* Jahre geschieht nicht viel Neues, abgesehen von der beschleunigten Expansion unserer Drei-Bran. Da sich in diesem Zeitraum unser dreidimensionaler Raum um einen ungeheuren Faktor gedehnt hat, sind Materie und Strahlung so verdünnt, dass sie fast keine Rolle mehr spielen. Die Branwelt sieht fast vollkommen leer und fast vollkommen gleichförmig aus: Stadium 4.

Zu diesem Zeitpunkt hat unsere Drei-Bran ihren Rückprall nach dem ersten Zusammenstoß abgeschlossen und begonnen, sich der zweiten Drei-Bran wieder zu nähern. Je näher wir einer zweiten Kollision kommen, desto stärker überlagern Quantenfluktuationen der Strings, die an unserer Bran befestigt sind, die gleichförmige Leere mit winzigen Kräuselungen. Das ist Stadium 5. In dem Maße, wie wir wieder an Geschwindigkeit zunehmen, beginnen die Kräuselwellen anzuwachsen. In einer katastrophalen Kollision krachen wir dann in die zweite Drei-Bran, prallen zurück, und der Zyklus beginnt von neuem. Die Quantenkräuselungen prägen der bei der Kollision erzeugten Strahlung und Materie winzige Unregelmäßigkeiten auf, ganz so, wie es im inflationären Szenario geschieht. Diese Abweichungen von der vollkommenen Gleichförmigkeit wachsen sich zu Klumpen aus, die am Ende Sterne und Galaxien erzeugen.

Das sind die wichtigsten Stadien im zyklischen Modell (auch liebevoll als »big splat«, *Urklatsch,* bezeichnet). Seine Prämisse – der Zusammenstoß von Branwelten – unterscheidet sich stark von der, die der erfolgreichen Inflationstheorie zugrunde liegt, trotzdem gibt es wichtige Berührungspunkte zwischen den beiden Ansätzen. Eine solche Übereinstimmung ist der Umstand, dass beide Quantenfluktuationen als den Ursprung anfänglicher Ungleichförmigkeiten betrachten. Tatsächlich erklären Steinhardt und Turok, die für die Quantenkräuselungen des zyklischen Modells zuständigen Gleichungen seien fast identisch mit denen im inflationären Entwurf, daher seien auch die von den beiden Theorien vorhergesagten Inhomogenitäten fast identisch.[11] Zwar gibt es im zyklischen Modell keinen inflationären Expansionsausbruch, wohl aber (ab Stadium 3) eine beschleunigte Expansion gemäßigter Form. Doch dabei geht es wirklich nur um mehr oder weniger Geduld: Was das inflationäre

Modell im Handumdrehen erledigt, bewerkstelligt das zyklische Modell in einem Zeitraum, der daneben wie eine Ewigkeit erscheint. Da der Zusammenstoß im zyklischen Modell nicht der Beginn des Universums ist, kann es sich den Luxus erlauben, kosmologische Probleme (wie das Flachheits- und Horizontproblem) langsam zu lösen – im Laufe der letzten Billion Jahre jedes *vorangehenden* Zyklus. Endlose Zeiträume einer Expansion mit gemäßigter, aber stetiger Beschleunigung dehnen unsere Drei-Bran zu ebenmäßiger, flacher Form, die, von winzigen Quantenfluktuationen abgesehen, gleichförmig ist. Auf diese Weise liefert das lange Endstadium eines jeden Zyklus, gefolgt vom Urklatsch zu Beginn des nächsten, ganz ähnliche Umweltbedingungen wie jene, die durch die kurze Expansionswelle im inflationären Ansatz erzeugt werden.

Eine kurze Wertung

Beim gegenwärtigen Stand der Forschung sind die Inflationsmodelle und das zyklische Modell zwei interessante kosmologische Erklärungsansätze, die aber beide keine vollständigen Theorien sind. Da über die Bedingungen, die während der ersten Augenblicke des Universums vorherrschten, nichts bekannt ist, sind die Vertreter der inflationären Kosmologie gezwungen, ohne theoretische Rechtfertigung einfach anzunehmen, dass die für den Beginn der Inflation erforderlichen Bedingungen irgendwie entstanden. Dies vorausgesetzt, löst die Theorie zahlreiche kosmologische Rätsel und erklärt auch die Entstehung des Zeitpfeils. Doch diese Erfolge hängen davon ab, dass die Inflation überhaupt stattgefunden hat. Hinzu kommt, dass es bislang nicht gelungen ist, die inflationäre Kosmologie nahtlos in die Stringtheorie einzubetten, daher ist sie bislang noch kein Teil der schlüssigen Vereinheitlichung von Quantenmechanik und allgemeiner Relativitätstheorie.

Auch das zyklische Modell hat seine Mängel. Wie bei Tolmans Modell ergibt sich aus der Entropiezunahme (und aus quantenmechanischen Aspekten[12]), dass die Zyklen des zyklischen Modells nicht unendlich andauern können. Vielmehr begannen die Zyklen zu einem bestimmten Zeitpunkt in der Vergangenheit, daher müssen wir, wie im inflationären Modell, den Beginn des ersten Zyklus erklären. Im weiteren Fortgang löst die Theorie, ebenfalls wie das Inflationsmodell, die entscheidenden kosmologischen Probleme und richtet den Zeitpfeil, beginnend mit jedem niederentropischen Urklatsch, so aus, dass er während der nachfolgenden Stadien der Abbildung 13.8 in die richtige Richtung zeigt. In seiner gegenwärtigen Form erklärt das zyklische Modell jedoch nicht, wie und warum das Universum in den Ausgangszustand gerät, der Abbildung 13.8 zugrunde liegt. Warum wickeln sich beispielsweise sechs Dimensionen zu einem bestimmten Calabi-Yau-Raum auf, während eine der Zusatzdimensionen brav die Form eines Raumsegments annimmt, das die beiden Drei-Branen trennt? Wie kommt es, dass die beiden »Drei-Branen am Ende der Welt« sich so perfekt anordnen und sich mit genau der Kraft anziehen, die erforderlich ist, damit die Stadien in Abbildung 13.8 wie beschrieben ablaufen können? Und, ganz wichtig, was geschieht tatsächlich, wenn die beiden Drei-Branen in der Urknallversion des zyklischen Modells zusammenstoßen?

Was diese letzte Frage angeht, so gibt es Hoffnung, dass der Urklatsch des zyklischen Modells weniger problematisch ist als die Singularität, auf die wir in den Inflationsmodellen zum Zeitpunkt null stoßen. Im zyklischen Ansatz wird nicht der gesamte Raum unendlich zusammengepresst, sondern nur die eine Dimension zwischen den Branen komprimiert. Die Branen selbst unterliegen während jedes Zyklus insgesamt einer Expansion, keiner Kontraktion. Daraus folgt laut Steinhardt, Turok und ihren Kollegen, dass auf den Branen selbst *endliche* Temperaturen und *endliche* Dichten herrschen. Allerdings ist das eine extrem spekulative Schlussfolgerung, weil es bislang noch niemandem gelungen ist, die Gleichungen in den Griff zu bekommen und herauszufinden, was geschieht, wenn Branen zusammenstoßen. Tatsächlich zeigen die bislang durchgeführten Analysen, dass der Urklatsch unter dem gleichen Problem leidet wie die Inflationstheorie zum Zeitpunkt null: Die Hilfsmittel der mathematischen Beschreibung geben ihren Geist auf. Nach wie vor fehlt der Kosmologie ein wohl definierter Ersatz für die Anfangssingularität – egal, ob es sich um den echten Anfang des Universums oder um den unseres Zyklus handelt.

Am ehesten überzeugt das zyklische Modell durch die Art und Weise, wie es die dunkle Energie und die beobachtete beschleunigte Expansion einbezieht. Als man 1998 entdeckte, dass das Universum einer beschleunigten Expansion unterliegt, war das für die meisten Physiker und Astronomen eine ziemliche Überraschung. Zwar lässt sich die beschleunigte Expansion in das kosmologische Bild der Inflationstheorie einbauen, indem man annimmt, das Universum enthalte genau die richtige Menge an dunkler Energie, trotzdem wirkt sie wie ein plumpes Anhängsel. Im zyklischen Modell spielt die dunkle Energie dagegen eine natürliche und zentrale Rolle. Die billionenjährige Phase einer langsamen, aber stetig beschleunigten Expansion ist erforderlich, damit Tabula rasa gemacht, damit das beobachtbare Universum fast zu nichts verdünnt werden kann und damit sich die Bedingungen – in Vorbereitung des nächsten Zyklus – wieder auf null setzen lassen. So gesehen, beruhen sowohl die Inflationsmodelle als auch das zyklische Modell auf beschleunigter Expansion – die Inflationsmodelle nahe des Anfangs und das zyklische Modell gegen Ende jedes seiner Zyklen –, doch nur letzteres kann sich dabei auf die Beobachtungen stützen. (Wie erwähnt, ist der zyklische Ansatz so konzipiert, dass wir gerade in die billionenjährige Phase der beschleunigten Expansion eintreten, und ein derartiger Expansionsverlauf ist vor kurzem beobachtet worden.) Das spricht für das zyklische Modell; falls jedoch künftige Beobachtungen die beschleunigte Expansion nicht bestätigen sollten, folgt daraus, dass die Inflationsmodelle überleben könnten (auch wenn sich dann wieder das Rätsel der fehlenden 70 Prozent in der Energiebilanz des Universums stellen würde), das zyklische Modell hingegen nicht.

Neue Raumzeit-Entwürfe

Das Branwelt-Szenario und das zyklische Kosmologiemodell, zu dem es geführt hat, sind beide hochspekulativ. Ich habe sie hier nicht erörtert, weil ich von ihrer Richtigkeit überzeugt bin, sondern weil ich zeigen wollte, wie neu und verblüffend die Ideen sind, die von der String/M-Theorie angeregt wurden – Ideen, die erklären sollen, wie der Raum beschaffen ist, den wir bewohnen, und welche Entwicklung er durchläuft. Falls wir in einer Drei-Bran leben, wäre die uralte Frage nach der Körperlichkeit des dreidimensionalen Raums ein für alle Mal geklärt: Der Raum wäre eine Bran und damit eindeutig ein Etwas. Möglicherweise wäre er gar nichts Besonderes, da es viele andere Branen mit verschiedenen Dimensionen gäbe, die in den höherdimensionalen Weiten der String/M-Theorie schweben würden. Und wenn die kosmologische Entwicklung auf unserer Drei-Bran von wiederholten Zusammenstößen mit einer benachbarten Bran vorangetrieben würde, umspannte die Zeit in der uns bekannten Form nur einen der vielen Zyklen des Universums. Ein Urknall würde auf den anderen folgen – immer und immer wieder.

Ich finde diese Idee aufregend und ehrfurchtgebietend zugleich. Hinter unseren Vorstellungen von Raum und Zeit könnte sich viel mehr verbergen, als wir bisher vermutet haben. Dann wäre das, was wir für »alles« halten, nur ein kleiner Baustein einer weit komplexeren Wirklichkeit.

WIRKLICHKEIT UND FANTASIE

14

IM HIMMEL UND AUF ERDEN

Experimente mit Raum und Zeit

Lang ist es her, dass Empedokles von Agrigent (Akragas) das Universum mit Hilfe von Erde, Luft, Feuer und Wasser erklärt hat. Viele Fortschritte wurden seither erzielt – von Newton über die revolutionären Entdeckungen des zwanzigsten Jahrhunderts –, indem detaillierte und exakte theoretische Vorhersagen auf eindrucksvolle Weise durch Experimente bestätigt wurden. Doch seit Mitte der achtziger Jahre sind wir die Opfer unseres eigenen Erfolgs. Unter dem unaufhörlichen Druck, die Grenzen unseres Verständnisses stetig zu erweitern, sind unsere Theorien in Bereiche vorgedrungen, die sich den technischen Möglichkeiten unserer heutigen Experimente entziehen.

Dennoch: Mit ein bisschen Fleiß und Glück wird es in den nächsten Jahrzehnten gelingen, viele avantgardistische Ideen zu überprüfen. Wie wir in diesem Kapitel erörtern werden, steckt in vielen geplanten oder bereits in Angriff genommenen Experimenten die Möglichkeit, wichtige Aufschlüsse über die Existenz von Zusatzdimensionen, die Zusammensetzung von dunkler Materie und dunkler Energie, den Ursprung von Masse und Higgs-Ozean, kosmologische Aspekte des frühen Universums, die Bedeutung der Supersymmetrie und möglicherweise die Richtigkeit der Stringtheorie selbst zu gewinnen. Und wenn wir noch weit mehr Glück haben, könnten schließlich auch einige der einfallsreichen und neuartigen Ideen über Vereinheitlichung, die Beschaffenheit von Raum und Zeit sowie unsere kosmischen Ursprünge überprüft werden.

Einstein im Taumel

Bei seinem zehn Jahre währenden Bemühen, die allgemeine Relativitätstheorie zu formulieren, hat Einstein eine Vielzahl von Quellen zu Rate gezogen. Den größten Einfluss übten dabei die mathematischen Verfahren zur Behandlung gekrümmter Formen aus, die im neunzehnten Jahrhundert von Großmeistern der Mathematik wie Carl Friedrich Gauß, János Bolyai, Nikolai Lobatschewski und Georg Bernhard Riemann entwickelt wurden; doch, wie in Kapitel 3 erläutert, auch Ernst Machs Ideen dienten Einstein als Anregung. Erinnern wir uns, dass Mach einen relationistischen Raumbegriff vertrat: Nach seiner Ansicht stellt der Raum die Sprache zur Verfügung, die wir brauchen, um den Ort eines Objektes in Bezug zu einem anderen zu bestimmen, ist aber selbst keine unabhängige Gegebenheit. Anfänglich war Einstein begeistert von Machs Sichtweise, weil sie so relativ war, wie eine um Relativität bemühte Theorie es nur sein konnte. Aber in dem Maße, wie Einstein sein Verständnis der Relativitätstheorie vertiefte, erkannte er, dass er Machs Ideen nicht vollständig übernehmen konnte. Nach der allgemeinen Relativitätstheorie würde das Wasser in Newtons Eimer, auch wenn es in einem ansonsten leeren Universum rotierte, eine konkave Form annehmen, was, da sich daraus ein absoluter Beschleunigungsbegriff ergibt, nicht mit Machs rein relationistischer Sichtweise in Einklang steht. Trotzdem sind in der allgemeinen Relativitätstheorie einige Aspekte der Machschen Auffassung enthalten. In den nächsten Jahren wird ein mehr als 500 Millionen Dollar teures Experiment, das seit fast vierzig Jahren vorbereitet wird, eine der bekanntesten Machschen Ideen testen.

Der physikalische Effekt, der dabei untersucht wird, ist seit 1918 bekannt, seit die österreichischen Forscher Joseph Lense und Hans Thirring mit Hilfe der allgemeinen Relativitätstheorie bewiesen, dass genau so, wie ein massereiches Objekt Zeit und Raum krümmt – wie eine Bowlingkugel, die auf einem Trampolin liegt –, ein rotierendes Objekt Raum (und Zeit) in seiner Umgebung mit sich zieht, wie ein rotierender Stein, der in einen Eimer Sirup eingetaucht ist. Dies wird als Lense-Thirring-Effekt bezeichnet, im Englischen etwas plastischer als »frame-dragging« (wörtlich: das »Mitziehen des Bezugsrahmens«). Ein Asteroid, der sich im freien Fall auf einen rasch rotierenden Neutronenstern oder ein rotierendes Schwarzes Loch zubewegt, gerät dennoch in einen Strudel aus rotierendem Raum, so dass er auf seinem Weg nach unten von dem Strudel herumgerissen und dadurch etwas abgelenkt wird. Aus seiner eigenen Perspektive – von seinem Bezugssystem findet freilich keinerlei Ablenkung des Asteroiden statt, sondern lediglich ein geradliniger Fall durch das Gitter des umgebenden Raums. Da aber der Raum selbst mitrotiert (siehe Abbildung 14.1), verdreht sich das Gitter, und so hat der »geradlinige Fall« hier eine andere Bedeutung, als es aus Sicht eines entfernten, nicht mitrotierenden Beobachters zu erwarten wäre.

Mach kommt ins Spiel, wenn Sie sich eine Spielart des Lense-Thirring-Effekts vorstellen, bei dem das massereiche rotierende Objekt eine riesige

Abbildung 14.1 Ein massereiches Objekt zieht Raum – die frei fallenden Bezugssysteme – mit sich im Kreis.

Hohlkugel ist. Berechnungen, die bereits 1912 von Einstein begonnen (noch bevor er die allgemeine Relativitätstheorie abgeschlossen hatte), 1965 von Dieter Brill und Jeffrey Cohen beträchtlich erweitert und 1985 schließlich von den deutschen Physikern Herbert Pfister und K. Braun abgeschlossen wurden, zeigten, dass der Raum in der Hohlkugel von der Rotationsbewegung mitgezogen und in eine strudelartige Bewegung versetzt würde.[1] Wenn ein ruhender, mit Wasser gefüllter Eimer – ruhend von einem fernen Standpunkt aus betrachtet – in das Innere einer solchen rotierenden Hohlkugel platziert würde, dann würde der rotierende Raum, wie die Berechnungen zeigen, eine Kraft auf das ruhende Wasser ausüben und es veranlassen, sich an den Eimerwänden hochzuschieben und eine konkave Form anzunehmen.

Dieses Ergebnis hätte Mach immens zugesagt. Obwohl ihm die Beschreibung unter Bezugnahme auf »rotierenden Raum« wohl nicht gefallen hätte – da der Raum durch diese Wendung als ein »Etwas« hingestellt wird –, hätte es ihn sehr gefreut, dass die *relative* Rotationsbewegung zwischen der Kugel und dem Eimer die Wasserform zu einer Veränderung veranlasst. Für eine Hohlkugel, die genügend Masse enthält, eine Menge, die der des gesamten Universums entspricht, zeigen die Berechnungen, dass es nicht die geringste Rolle spielt, ob Sie sich vorstellen, die Hohlkugel rotiere um den Eimer oder dieser rotiere innerhalb der Hohlkugel. Das Einzige, was zählt, ist, genau wie Mach behauptet hat, die relative Rotationsbewegung zwischen den beiden. Da sich die Berechnungen, auf die ich mich bezogen habe, lediglich auf die allgemeine Relativitätstheorie stützen, ist das ein explizites Beispiel für ein in Einsteins Theorie gültiges Machsches Konzept. (Trotzdem: Während nach üblicher Machscher Auffassung das Wasser flach im Eimer bliebe, wenn der Eimer in einem unendlichen, leeren Universum rotierte, sieht die allgemeine Relativitätstheorie das anders. Pfister und Braun zeigen mit ihren Ergebnissen indessen, dass eine rotierende Kugel von hinreichender Masse in der Lage ist, den gewöhnlichen Einfluss des Raums jenseits der Hohlkugel vollkommen abzuschirmen.)

1960 äußerten Leonard Schiff von der Stanford University und George Pugh vom amerikanischen Verteidigungsministerium unabhängig voneinander die Vermutung, der Lense-Thirring-Effekt lasse sich mit Hilfe der Rotationsbewegung der Erde überprüfen. Dabei gingen Schiff und Pugh davon aus, dass nach Newtons Theorie ein rotierender Kreisel – ein an einer Achse befestigtes, rotierendes Rad –, der hoch über der Erdoberfläche schwebt, in eine bestimmte und unveränderliche Richtung weisen würde. Doch nach der allgemeinen Relativitätstheorie würde seine Drehachse ganz allmählich rotieren, weil die Erde den Raum mit sich zieht. Da die Masse der Erde winzig ist im Vergleich zur Hohlkugel, die Pfister und Braun ihren Berechnungen zugrunde legten, ist auch der durch die Erdrotation bewirkte Lense-Thirring-Effekt minimal. Im Einzelnen zeigen die Berechnungen, dass die Rotationsachse des Kreisels, hätte man sie ursprünglich auf einen beliebigen Referenzstern ausgerichtet, ein Jahr später durch den langsam kreisenden Raum um ein hunderttausendstel Grad abgelenkt worden wäre. Einen solchen Winkel überstreicht der Sekundenzeiger einer Uhr in rund zwei millionstel Sekunden, daher bedeutet sein experimenteller Nachweis eine beträchtliche wissenschaftliche und technische Herausforderung.

Vierzig Jahre Entwicklungsarbeit und fast hundert Doktorarbeiten später ist eine Forschungsgruppe der Stanford University unter Leitung von Francis Everitt und gesponsert von der NASA endlich in der Lage, das Experiment in Angriff zu nehmen. In den nächsten Jahren wird ihr Satellit *Gravity Probe B* in einer Höhe von rund 650 Kilometern und mit vier der stabilsten Kreisel ausgerüstet, die je gebaut wurden, den Versuch unternehmen, den durch die Erdrotation verursachten Lense-Thirring-Effekt zu messen. Wenn das Experiment Erfolg hat, wird es eine der genauesten Bestätigungen der allgemeinen Relativitätstheorie darstellen, die je erbracht wurden, und der erste direkte Beleg für einen Machschen Effekt sein.[2] Nicht weniger spannend ist die Möglichkeit, dass die Experimentatoren eine Abweichung von den Vorhersagen der allgemeinen Relativitätstheorie entdecken. Solch ein kleiner Riss im Fundament der allgemeinen Relativitätstheorie könnte genau das sein, was wir brauchen, um einen experimentellen Blick auf bislang verborgene Merkmale der Raumzeit zu erhaschen.

Wellenfang

Ein wichtiges Resultat der allgemeinen Relativitätstheorie ist die Erkenntnis, dass Masse und Energie eine Krümmung der Raumzeit bewirken – wie in Abbildung 3.10 illustriert, die zeigt, wie sich die Raumzeit in der Umgebung der Sonne krümmt. Allerdings hat eine unbewegte Abbildung ihre Grenzen, denn sie kann nicht vor Augen führen, wie sich Krümmungen und Kurven im Raum entwickeln, wenn Masse und Energie sich bewegen oder ihre Konfiguration in irgendeiner Weise verändern.[3] Wie ein Trampolin eine fixe, gekrümmte Form annimmt, wenn Sie vollkommen still stehen, aber wogt, wenn Sie springen, so nimmt der Raum laut der allgemeinen Relativitätstheorie eine feste, gekrümmte Form an, wenn die Materie sich in vollkommener Ruhe befindet, was in der Abbildung 3.10 der Fall ist; doch wenn sich die Materie hin und her bewegt, schickt sie Kräuselwellen durch die Raumstruktur. Zu dieser Erkenntnis gelangte Einstein zwischen 1916 und 1918, als er mit den neu entdeckten Gleichungen der allgemeinen Relativitätstheorie zeigte, dass Materie, die hierhin und dorthin geschleudert wird (wie bei einer Supernova-Explosion), Gravitationswellen hervorruft – ganz ähnlich, wie elektrische Ladungen elektromagnetische Wellen erzeugen, wenn sie in einer Antenne auf und nieder laufen (so entstehen Radio- und Fernsehwellen). Da Gravitation Krümmung ist, ist eine Gravitationswelle eine Krümmungswelle. So wie ein Kieselstein, den Sie in einen Teich werfen, nach außen wandernde Wellen hervorruft, erzeugt wirbelnde Materie nach außen wandernde räumliche Wellen. Der allgemeinen Relativitätstheorie zufolge ist eine ferne Supernova-Explosion wie ein kosmischer Kieselstein, der in einen Raumzeitteich geworfen wurde (siehe Abbildung 14.2). Die Abbildung hebt eine wichtige und charakteristische Eigenschaft von Gravitationswellen hervor: Im Gegensatz zu elektromagnetischen Schall- und Wasserwellen – Wellen, die *durch* den Raum wandern – sind Gravitationswellen wandernde Verzerrungen der Raumgeometrie selbst.

Heute sind Gravitationswellen eine weithin akzeptierte Vorhersage der allgemeinen Relativitätstheorie; jahrelang aber waren sie ein steter Anlass für Verwirrung und Kontroversen, was zumindest teilweise auf ein übermäßiges Festhalten an der Machschen Philosophie zurückzuführen war. Hätte sich die allgemeine Relativitätstheorie die Machschen Ideen ganz zu Eigen gemacht, wäre die Wendung »Raumgeometrie« nur eine bequeme Ausdrucksweise für den Ort und die Bewegung eines massereichen Objekts im Verhältnis zu einem anderen. Leerer Raum wäre nach dieser Auffassung ein leerer Begriff. Wie konnte man dann sinnvoll von Schwingungen des Raums sprechen? Viele

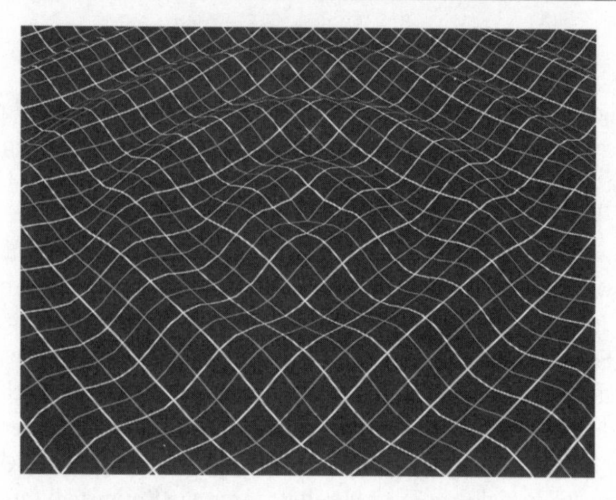

Abbildung 14.2 Gravitationswellen sind Kräuselungen des Raums.

Physiker versuchten zu beweisen, dass die vermeintlichen Wellen des Raums auf eine Fehldeutung der Gleichungen der allgemeinen Relativitätstheorie hinausliefen. Doch nach und nach gelangten die theoretischen Analysen alle zur richtigen Schlussfolgerung: Gravitationswellen sind real, und der Raum kann schwingen oder sich kräuseln.

Mit jedem vorbeiwandernden Wellenberg und Wellental dehnt die verzerrte Geometrie der Gravitationswelle den Raum – und alles, was darin enthalten ist – erst in eine Richtung und presst ihn dann – mit allem, was darin enthalten ist – in senkrechter Richtung zusammen. Stark übertrieben ist dies in Abbildung 14.3 dargestellt. Im Prinzip könnten Sie das Vorbeilaufen einer Gravitationswelle entdecken, indem Sie die Abstände zwischen einer Vielzahl von Orten wiederholt mäßen und feststellten, dass sich die Verhältnisse zwischen diesen Abständen vorübergehend veränderten.

In der Praxis hat das noch niemand vermocht, daher hat auch noch niemand eine Gravitationswelle direkt nachgewiesen. (Allerdings gibt es überzeugende indirekte Hinweise für ihre Existenz.)[4] Die Schwierigkeit liegt darin, dass der Verzerrungseffekt einer vorbeiwandernden Gravitationswelle in der Regel winzig ist. Die Atombombe, die am 16. Juli 1945 in New Mexico getestet wurde, hatte eine Sprengkraft von 20 000 Tonnen TNT und war so hell, dass man noch Kilometer entfernt die Augen schützen musste, um keine Schäden durch die elektromagnetische Strahlung der Bombe davonzutragen. Doch selbst wenn Sie direkt unter dem dreißig Meter hohen Stahlturm gestanden hätten, auf dem die Bombe lag, hätten die Gravitationswellen der

Explosion Ihren Körper in die eine oder andere Richtung nur um den winzigen Bruchteil eines Atomdurchmessers gedehnt. Dass Gravitationsstörungen so vergleichsweise winzig sind, vermittelt Ihnen vielleicht eine Ahnung davon, wie schwierig und technisch anspruchsvoll der Versuch ist, sie nachzuweisen. (Da wir uns eine Gravitationswelle auch als eine riesige Zahl von Gravitonen vorstellen können, die sich koordiniert ausbreiten – so wie eine elektromagnetische Welle aus einer riesigen Zahl von koordinierten Photonen besteht –, wird ebenso deutlich, wie schwierig es ist, ein *einzelnes* Graviton zu entdecken.)

Natürlich sind wir nicht sonderlich interessiert daran, Gravitationswellen zu entdecken, die von Kernwaffen hervorgerufen werden, doch bei astrophysikalischen Quellen ist die Situation nicht viel einfacher. Je näher und je massereicher die astrophysikalische Quelle und je energiereicher und je heftiger die beteiligte Bewegung ist, desto stärker wären die Gravitationswellen, die wir empfingen. Doch selbst wenn ein Stern in einer Entfernung von 10 000 Lichtjahren als Supernova endete, würde die daraus resultierende Gravitationswelle beim Passieren der Erde einen ein Meter langen Stab nur um einen millionstel milliardstel Zentimeter dehnen, also kaum um den hundertsten Teil eines Atomdurchmessers. Wenn also nicht ein äußerst unwahrscheinliches astrophysikalisches Ereignis von wahrhaft katastrophalen Ausmaßen in relativer Nähe zur Erde stattfinden sollte, brauchen wir zur Entdeckung einer Gravitationswelle ein Gerät, das in der Lage ist, auf unglaublich winzige Längenveränderungen zu reagieren.

Die Wissenschaftler, die das Laser Interferometer Gravitational Wave Oberservatory (LIGO) entwickelt und gebaut haben (gemeinsam betrieben vom California Institute of Technology und vom Massachusetts Institute of Technology und von der National Science Foundation finanziert), waren die-

Abbildung 14.3 Eine vorbeiwandernde Gravitationswelle dehnt ein Objekt erst in die eine und dann in die andere Richtung. (In diesem Bild ist das Ausmaß der Verzerrung im Gegensatz zur Wirkung einer typischen Gravitationswelle gewaltig übertrieben.)

ser Herausforderung gewachsen. LIGO (auf Deutsch: Laserinterferometer-Gravitationswellen-Observatorium) ist beeindruckend und die erwartete Nachweisempfindlichkeit erstaunlich. Der Detektor besteht aus zwei Röhren von je *vier Kilometern* Länge und etwas mehr als einem Meter Durchmesser, die zu einem riesigen L angeordnet sind. Mit Hilfe von Laserlicht, das gleichzeitig in Vakuumtunnel im Inneren jeder Röhre geschickt und von hochreflektierenden Spiegeln zurückgeworfen wird, misst man die relative Länge der beiden Lichtwege mit extremer Genauigkeit. Die Grundidee ist dabei, dass eine möglicherweise vorbeiwandernde Gravitationswelle den Weg, den das Licht in einer der Röhren zurücklegt, relativ zu dem anderen Lichtweg strecken würde und dass die Anlage diese Streckung entdecken könnte, falls sie groß genug wäre.

Die Röhren sind so lang, weil Streckung und Stauchung durch Gravitationswellen proportional zu ihrer Länge sind: Wenn eine Gravitationswelle ein Objekt von vier Metern Länge um, sagen wir, 10^{-20} Meter ausdehnt, streckt sie ein Objekt von vier Kilometern Länge um das Tausendfache, also 10^{-17} Meter. Je länger also das Objekt, das überwacht wird, desto leichter lässt sich eine Längenveränderung aufspüren. Um diesen Effekt zu verstärken, richten die LIGO-Experimentatoren die Laserstrahlen so aus, dass diese jeweils mehr als hundert Mal zwischen den Spiegeln an den entgegengesetzten Enden jeder Röhre hin und her geworfen werden, so dass die pro Strahl vermessene Entfernung auf rund 800 Kilometer anwächst. Bei so viel Erfindungsgeist und technischem Geschick müsste LIGO in der Lage sein, jede Veränderung der Rohrlängen zu entdecken, die den billionsten Teil der Stärke eines menschlichen Haars übertrifft – ein Hundertmillionstel der Größe eines Atoms.

Ach ja, und dann gibt es diese L-förmige Anlage auch noch in doppelter Ausführung. Die eine befindet sich in Livingston, Louisiana, die andere rund 3000 Kilometer entfernt in Hanford, Washington. Wenn eine Gravitationswelle, von einem fernen astrophysikalischen Tohuwabohu ausgelöst, über uns hinwegrauschte (oder durch uns hindurch), müsste sie in gleicher Weise auf beide Detektoren einwirken, und daher sollte sich jede Welle, die von einem Experiment registriert wird, auch im anderen zeigen. Das ist eine wichtige Überprüfungsmöglichkeit für die Messungen, da trotz aller Vorkehrungen, die getroffen wurden, um die Detektoren abzuschirmen, alltägliche Störungen (ein vorbeirumpelnder Lastwagen, eine knirschende Kettensäge, die Erschütterungen eines fallenden Baums und so weiter) den irreführenden Eindruck hervorrufen könnten, eine Gravitationswelle ziehe vorbei. Die Bedingung, dass zwischen weit entfernt liegenden Detektoren Übereinstimmung herrschen muss, hilft, solche Fehlalarme auszuschließen.

Man hat außerdem sorgfältig berechnet, welche Frequenzen von Gravitationswellen (die Zahl von Wellenbergen und -tälern, die pro Sekunde durch den Detektor laufen müssten) von verschiedenen astrophysikalischen Phänomenen zu erwarten wären – beispielsweise Supernova-Explosionen, Rotationsbewegungen von nichtkugelförmigen Neutronensternen, Zusammenstößen von Schwarzen Löchern. Ohne diese Informationen gliche das Bemühen der Forscher der Suche nach der Nadel im Heuhaufen. So aber können sie ihre Detektoren auf ein schmales Frequenzband einstellen, auf das sich das physikalische Interesse konzentriert. Merkwürdigerweise offenbaren die Berechnungen, dass einige Frequenzen von Gravitationswellen im Bereich von einigen tausend Hertz liegen müssten. Wären es Schallwellen, befänden sie sich direkt im menschlichen Hörbereich. Miteinander verschmelzende Neutronensterne würden sich anhören wie ein Zirpen mit rasch ansteigender Tonhöhe, während der Zusammenstoß zweier Schwarzer Löcher an den schrillen Triller eines Spatzen erinnerte, der einen Schlag gegen die Brust erhält. Die Gravitationswellen, die durch die Raumzeitstruktur wogen, veranstalten ein kakophonisches Dschungelkonzert, und wenn alles nach Plan geht, wird LIGO das erste Gerät sein, das diese Töne auffängt.[5]

All diese Bemühungen sind deshalb so spannend, weil Gravitationswellen aus den beiden wichtigsten Eigenschaften der Gravitation maximalen Nutzen ziehen: aus ihrer Schwäche und ihrer Allgegenwärtigkeit. Von allen vier Kräften wechselwirkt die Gravitation am schwächsten mit der Materie. Das legt nahe, dass Gravitationswellen auch lichtundurchlässiges Material durchdringen und damit den Zugang zu astrophysikalischen Bereichen eröffnen können, die uns bislang verborgen waren. Da überdies *alles* der Gravitation unterworfen ist (während die elektromagnetische Kraft beispielsweise nur Objekte beeinflusst, die eine elektrische Ladung tragen), hat auch alles die Fähigkeit, Gravitationswellen zu erzeugen und folglich eine beobachtbare Spur zu hinterlassen. Aus diesem Grund markiert LIGO einen echten Wendepunkt in unseren Methoden, den Kosmos zu untersuchen.

Es gab einmal eine Zeit, da vermochten wir nicht mehr, als unseren Blick nach oben zu wenden und den Himmel zu betrachten. Das veränderten Hans Lippershey und Galileo Galilei im siebzehnten Jahrhundert. Das Teleskop holte die ungeheuren Weiten des Kosmos ins menschliche Blickfeld. Im zwanzigsten Jahrhundert gewannen wir dem Kosmos mit Hilfe von Infrarot-, Radio-, Röntgen- und Gammastrahlenteleskopen wieder neue Seiten ab. Jenseits der Wellenlängen des Lichts, die zu sehen unser Auge von der Evolution geschaffen wurde, erschlossen sich uns weitere Wunder. Jetzt, im 21. Jahrhundert, öffnet sich der Himmel noch ein Stück weiter. Mit LIGO und seinen

Nachfolgern* werden wir den Kosmos auf vollkommen neue Art wahrnehmen. Anstelle von elektromagnetischen Wellen verwenden wir Gravitationswellen. Anstelle der elektromagnetischen Kraft benutzen wir die Gravitationskraft.

Um einen Eindruck davon zu gewinnen, wie revolutionär diese neue Technik ist, stellen Sie sich einen Planeten vor, auf dem außerirdische Wissenschaftler gerade elektromagnetische Wellen – das Licht – entdecken, und malen Sie sich aus, welche tief greifenden Veränderungen das Weltbild dieser Geschöpfe erfahren würde. Wir stehen im Begriff, erstmals Gravitationswellen nachzuweisen, und befinden uns damit möglicherweise in einer ganz ähnlichen Situation. Seit Jahrtausenden blicken wir in den Kosmos hinein. Jetzt werden wir zum ersten Mal in der Geschichte der Menschheit in ihn hineinhorchen.

Die Suche nach Extradimensionen

Vor 1996 gingen die meisten theoretischen Modelle, in denen von Extradimensionen die Rede war, davon aus, ihre räumliche Ausdehnung entspräche in etwa der Planck-Länge (10^{-33} Zentimeter). Da sie damit um siebzehn Größenordnungen kleiner ist als alles, was unsere heutigen Geräte auflösen können, wird die Physik auf Planck-Skalen auf ewig unserem Zugriff entzogen bleiben, wenn wir nicht irgendeine mysteriöse neue Technik entdecken. Doch falls die Zusatzdimensionen »groß« sind, das heißt größer als ein hundertstel milliardstel milliardstel (10^{-20}) Meter, rund ein Millionstel der Größe eines Atomkerns, besteht Hoffnung.

Falls die Extradimensionen »sehr groß« wären – nur wenige Größenordnungen kleiner als ein Millimeter –, müssten Präzisionsmessungen der Gravitationsstärke, wie in Kapitel 13 erörtert, ihre Existenz enthüllen. Derartige Experimente werden seit einigen Jahren durchgeführt und technisch ständig verfeinert. Bislang hat man noch keine Abweichungen von dem für drei Raumdimensionen charakteristischen Abstandsgesetz gefunden, daher konzentriert sich die Forschung auf immer kleinere Abstände. Ein positives Ergebnis würde, um es ganz vorsichtig auszudrücken, die Grundlagen der Physik erschüttern. Es wäre ein schlüssiger Beweis für die Existenz von Extradimen-

* Einer ist die geplante Laser Interferometer Space Antenna (LISA), eine weltraumgestützte LIGO-Version. Dabei spielen verschiedene Satelliten, die durch Millionen von Kilometern getrennt sind, die Rolle von LIGOs kilometerlangen Röhren. Außerdem gibt es weltweit eine Reihe weiterer Detektoren, die bei der Suche nach Gravitationswellen eine wichtige Rolle spielen, etwa den deutsch-britischen Detektor GEO 600, den französisch-italienischen Detektor VIRGO und den japanischen Detektor TAMA 300.

sionen, die nur der Gravitation zugänglich sind, und damit auch ein Indiz, das entschieden für das Branwelt-Szenario der String/M-Theorie spräche.

Sollten die Zusatzdimensionen groß, aber nicht sehr groß sein, werden Gravitationsexperimente wahrscheinlich nicht in der Lage sein, sie zu entdecken; es bliebe aber immer noch die Möglichkeit indirekter Nachweise. Beispielsweise würde, wie oben erläutert, aus der Existenz von großen Extradimensionen folgen, dass die intrinsische Stärke der Gravitation größer wäre als bislang angenommen. Man müsste die beobachtete Schwäche der Gravitation ihrem Entweichen in die Zusatzdimensionen zuschreiben, nicht einer ihr grundsätzlich innewohnenden Kraftlosigkeit, und bei kurzen Abständen – bevor es zu diesem Entweichen käme – wäre die Gravitationskraft recht stark. Von anderen Konsequenzen abgesehen, würde dies auch bedeuten, dass zur Erzeugung winziger Schwarzer Löcher weit weniger Masse und Energie erforderlich wäre als in einem Universum, in dem die Gravitation intrinsisch weit schwächer ist. In Kapitel 13 haben wir die Möglichkeit erörtert, dass solche mikroskopischen Schwarzen Löcher durch Hochenergiestöße zwischen Protonen im Large Hadron Collider erzeugt werden könnten, dem Teilchenbeschleuniger, der gegenwärtig in Genf gebaut wird und 2007 in Betrieb genommen werden soll. Das ist eine spannende Aussicht. Doch es gibt noch eine weitere faszinierende Möglichkeit, auf die Alfred Shapere von der University of Kentucky und Jonathan Feng von der University of California in Irvine hingewiesen haben. Sie vertreten die Auffassung, dass auch kosmische Strahlung – Elementarteilchen, die durchs All strömen und unsere Atmosphäre ständig bombardieren – zur Erzeugung mikroskopisch kleiner Schwarzer Löcher führen könnte.

Die kosmische Teilchenstrahlung wurde 1912 von dem Österreicher Victor Hess entdeckt. Mehr als neunzig Jahre später gibt sie noch immer viele Rätsel auf. Jede Sekunde prallen kosmische Strahlen auf die Atmosphäre und lassen eine Kaskade von Milliarden Teilchen herabregnen, die durch Ihren und meinen Körper hindurchgehen. Einige von ihnen werden weltweit von einer Vielzahl spezieller Instrumente nachgewiesen. Doch niemand kann mit absoluter Sicherheit sagen, aus was für Teilchen die kosmische Strahlung besteht (obwohl sich allmählich die übereinstimmende Meinung herauskristallisiert, es handle sich um Protonen). Man vermutet, dass einige dieser energiereichen Teilchen aus Supernova-Explosionen stammen, doch niemand hat eine Idee, wo die energiereichsten Teilchen der kosmischen Strahlung entstanden sein könnten. Am 15. Oktober 1991 hat Fly's Eye, ein Detektor für kosmische Strahlen, in der Wüste von Utah ein Teilchen gemessen, das mit einem Energieäquivalent von 30 Milliarden Protonenmassen über den Himmel schoss. Dieses eine subatomare Teilchen enthielt fast genauso viel Energie wie ein schnell geworfener Baseball und damit fast 100 Millionen Mal so viel Energie wie die Teilchen, die im Large Hadron Collider umlaufen sollen.[6] Verwirrend daran ist, dass kein bekannter astrophysikalischer Prozess Teilchen mit so hoher Energie erzeugen könnte; die Experimentatoren sammeln weiter Daten mit immer empfindlicheren Detektoren und hoffen, das Rätsel eines Tages lösen zu können.

Für Shapere und Feng war der Ursprung der höchstenergetischen kosmischen Strahlungsteilchen von sekundärem Interesse. Denn ganz gleich, woher diese Teilchen kommen mochten – die energiereichsten kosmischen Strahlungsteilchen hatten, wie die beiden Forscher erkannten, möglicherweise genügend Schmackes, um bei ihrem heftigen Aufprall auf die obere Atmosphäre winzige Schwarze Löcher zu erzeugen.

Was die Produktion solcher winzigen Schwarzen Löcher in Teilchenbeschleunigern angeht, so würde sie weder für die Experimentatoren noch für die Welt vor den Toren ihrer Beschleuniger die geringste Gefahr bedeuten. Nach ihrer Erzeugung würden sie rasch zerfallen und eine charakteristische Kaskade anderer, gewöhnlicherer Teilchen aussenden. Tatsächlich wären die mikroskopischen Schwarzen Löcher so kurzlebig, dass die Experimentatoren nicht direkt nach ihnen Ausschau halten, sondern sich bemühen würden, ein Schwarzes Loch durch die genaue Untersuchung der Zerfallsprodukte nachzuweisen, die auf die Teilchendetektoren treffen. Der weltweit empfindlichste Detektor für kosmische Strahlung, das Pierre-Auger-Observatorium – mit einem Nachweisbereich so groß wie Rhode Island –, wird gegenwärtig auf einem riesigen Landstrich in Westargentinien gebaut. Wenn alle Zusatzdimensionen mindestens 10^{-14} Meter groß wären, würden sich nach Schätzung von Shapere und Feng binnen eines Jahres in den Daten des Auger-Detektors die charakteristischen Teilchentrümmer zeigen, die von rund einem Dutzend winzigen Schwarzen Löchern in der oberen Atmosphäre erzeugt würden. Fände man keine Spuren eines solchen Schwarzen Loches, wäre das Fazit des Experiments, dass die Extradimensionen kleiner sind. Die Aussicht, Überreste Schwarzer Löcher zu finden, die in Zusammenstößen kosmischer Strahlungsteilchen erzeugt werden, ist sicherlich nicht groß, doch ein Erfolg würde das erste experimentelle Fenster zu Extradimensionen, Schwarzen Löchern, Stringtheorie und Quantengravitation aufstoßen.

Neben der Erzeugung Schwarzer Löcher eröffnen die Teilchenbeschleuniger den Forschern eine weitere Möglichkeit, während der nächsten zehn Jahre nach Extradimensionen zu suchen. Die Idee ist eine raffinierte Variante der »Sofaritzen-Erklärung« für die fehlenden Münzen in Ihrer Tasche.

Ein physikalisches Prinzip von zentraler Bedeutung ist die Energieerhaltung. Energie kann sich in vielen Formen manifestieren – als die Bewegungsenergie eines fliegenden Baseballs, der gerade vom Schläger getroffen wurde, als die potenzielle Energie der Gravitation, während der Ball nach oben fliegt, als Schall- und Wärmeenergie, wenn er auf dem Boden aufschlägt und alle möglichen Schwingungsbewegungen hervorruft, als die Massenenergie, die im Ball selbst eingeschlossen ist, und so fort –, aber wenn Sie alle Energieformen berücksichtigt haben, muss die Energiemenge, mit der Sie enden, immer gleich der Menge sein, mit der Sie begonnen haben.[7] Bislang hat noch kein Experiment diesem Gesetz der vollkommen ausgeglichenen Energiebilanz widersprochen.

Sollten die hypothetischen Zusatzdimensionen die richtige Größe haben, könnten die Hochenergieexperimente, die in der aufgerüsteten Anlage am Fermilab und im Large Hadron Collider geplant sind, dagegen Prozesse offenbaren, die allem Anschein nach gegen die Energieerhaltung verstoßen: Die Energie am Ende eines Stoßprozesses könnte geringer sein als die Energie zu Beginn. Wie bei Ihren verschwundenen Münzen könnte es daran liegen, dass Energie (die von Gravitonen getragen wird) in die Risse verschwindet – den winzigen zusätzlichen Raum –, die durch die Zusatzdimensionen entstehen, und daher in der herkömmlichen Energiebilanz unbeabsichtigt übersehen wird. Ein solches »Signal fehlender Energie« mag als weiterer Beleg dafür dienen, dass der Kosmos aus einem weit komplexeren Stoff besteht, als unmittelbar ersichtlich.

Kein Zweifel, in der Frage der Zusatzdimensionen bin ich voreingenommen. Seit mehr als fünfzehn Jahre arbeite ich an Aspekten der Extradimensionen, daher liegen sie mir natürlich besonders am Herzen. Doch wahrscheinlich könnte ich mir auch ohne diese besondere Vorliebe kaum etwas Aufregenderes vorstellen, als einen Beleg für jene Dimensionen zu entdecken, die sich jenseits der drei alltäglichen Raumdimensionen erstrecken. Meiner Ansicht nach gibt es gegenwärtig keine andere ernsthafte Hypothese, deren Bestätigung die Grundlagen der Physik so gründlich erschüttern würde und so nachdrücklich bewiese, dass wir bereit sein müssen, grundlegende, scheinbar selbstverständliche Elemente der Wirklichkeit in Frage zu stellen.

Higgs, Supersymmetrie und Stringtheorie

Abgesehen von dem wissenschaftlichen Reiz, der darin liegt, in unbekannte Gefilde vorzudringen, und von der Chance, Anhaltspunkte für Zusatzdimensionen zu finden, gibt es konkretere Gründe für die gegenwärtige Aufrüstung des Beschleunigers am Fermilab und für den Bau des kolossalen Large Hadron Colliders. Einer ist die Suche nach Higgs-Teilchen. Wie in Kapitel 9 erörtert, wären die unserem Zugriff bislang entzogenen Higgs-Teilchen, so es sie gibt, die kleinsten Bestandteile eines Higgs-Feldes – eines hypothetischen Feldes, das den Higgs-Ozean bilden und dadurch den anderen Elementarteilchenarten Masse verleihen soll. Gegenwärtige theoretische und experimentelle Studien lassen darauf schließen, dass die Higgs-Teilchen eine Masse haben müssten, die zwischen hundert und tausend Mal so groß ist wie die Masse des Protons. Sollte der Wert am unteren Ende dieses Spektrums angesiedelt sein, hätte Fermilab ziemlich gute Aussichten, in naher Zukunft ein Higgs-Teilchen zu entdecken. Und sollte Fermilab dazu nicht in der Lage, die geschätzte Größenordnung aber trotzdem richtig sein, dann wird der Large Hadron Collider am Ende dieses Jahrzehnts Higgs-Teilchen in rauen Menge zutage fördern. Die Entdeckung der Higgs-Teilchen wäre ein Meilenstein in der Entwicklung der Physik, würde damit doch die Existenz eines Feldes bestätigt, das theoretische Physiker und Kosmologen seit Jahrzehnten beschwören, ohne sich auf irgendwelche experimentellen Daten stützen zu können.

Ein weiteres wichtiges Ziel von Fermilab wie dem Large Hadron Collider ist die Entdeckung von Hinweisen auf die Supersymmetrie. In Kapitel 12 haben wir gesehen, dass die Supersymmetrie Teilchen zu Paaren anordnet, bei denen sich die Spins der Partnerteilchen um eine halbe Einheit unterscheiden, und dass sie eine Idee ist, die ursprünglich auf Untersuchungen der Stringtheorie Anfang der siebziger Jahre zurückgeht. Wenn die Supersymmetrie für die wirkliche Welt von Bedeutung ist, müsste es für jede bekannte Teilchenart mit Spin 1/2 eine Partner-Art mit Spin 0 geben. Für jede bekannte Teilchenart mit Spin 1 müsste es eine Partner-Art mit Spin 1/2 geben. So müsste beispielsweise das Elektron – Spin 1/2 – einen Spin-0-Partner haben, das *supersymmetrische Elektron*, kurz: *Selektron*; das Spin-1/2-Quark, das *supersymmetrische Quark oder Squark*; das Spin-1/2-Neutrino das Spin-0-*Sneutrino;* das Gluon, Photon, W- und Z-Teilchen, alle Spin 1: *Gluino, Photino, Wino* und *Zino* (ja, auch Physiker haben ihre sprachlichen Höhenflüge), alle Spin 1/2.

Niemand hat bisher einen dieser vermeintlichen Doppelgänger entdeckt, und die Erklärung, auf die die Physiker in heimlichen Stoßgebeten hoffen, ist, dass die supersymmetrischen Partnerteilchen erheblich schwerer sind als ihre bekannten Gegenstücke. Theoretische Überlegungen lassen darauf schließen, dass die supersymmetrischen Teilchen tausend Mal so schwer sein könnten wie ein Proton. In diesem Falle gäbe die Tatsache, dass sie in den Experimentaldaten nicht auftauchen, keine Rätsel mehr auf: Die existierenden Teilchenbeschleuniger entwickeln nicht genügend Energie, um sie zu erzeugen. Das wird sich in den nächsten zehn Jahren ändern. Bereits jetzt wird am aufgerüsteten Beschleuniger des Fermilab ein erster Versuch unternommen, einige supersymmetrische Teilchen zu entdecken. Wie bei den Higgs-Teilchen gilt: Sollte das Fermilab nicht in der Lage sein, Hinweise auf die Supersymmetrie zu finden, und sollten sich die Massen der supersymmetrischen Teilchen ungefähr im erwarteten Bereich bewegen, könnte der Large Hadron Collider sie mit Leichtigkeit erzeugen.

Die Bestätigung der Supersymmetrie wäre die wichtigste Entwicklung in der Teilchenphysik seit mehr als zwanzig Jahren. Sie würde unser Verständnis einen Schritt über das erfolgreiche Standardmodell der Teilchenphysik hinausführen und wäre ein Indiz dafür, dass die Stringtheorie auf dem richtigen Weg ist. Beachten wir aber, dass sie kein Beweis für die Stringtheorie selbst wäre. Zwar wurde die Supersymmetrie bei der Entwicklung der Stringtheorie entdeckt, doch haben die Physiker längst erkannt, dass die Supersymmetrie ein allgemeineres Prinzip ist, das sich leicht in traditionelle Punktteilchen-Ansätze einbauen lässt. Eindeutige Belege für die Supersymmetrie bestätigten ein wichtiges Element des stringtheoretischen Gebäudes und wären wegweisend für die weitere Forschung, aber kein unwiderleglicher Beweis für die Stringtheorie.

Wenn hingegen das Branwelt-Szenario stimmt, hätten kommende Beschleunigerexperimente *durchaus* die Möglichkeit, die Stringtheorie zu bestätigen. Sollten die Extradimensionen im Branwelt-Szenario mindestens 10^{-16} Zentimeter groß sein, wäre nicht nur die Gravitation, wie in Kapitel 13 kurz erwähnt, intrinsisch stärker, als ursprünglich angenommen, sondern auch die Strings wären erheblich länger. Da lange Strings weniger steif sind, brauchen sie zum Schwingen weniger Energie. Während Stringschwingungsmuster im Rahmen der konventionellen Stringtheorie Energien besitzen, die unsere experimentelle Reichweite Millionen Milliarden Mal überschreiten, könnten im Branwelt-Szenario die Energien der Stringschwingungsmuster bis auf das *Tausendfache* der Protonenmasse zurückgehen. Wäre das der Fall, glichen die Hochenergiestöße im Large Hadron Collider einem mit Schwung getroffenen Golfball, der als Querschläger im Inneren eines Klaviers umherschwirrt: Die Stöße hätten genügend Energie, Stringschwingungsmuster auf vielen »Oktaven« anzuregen. Die Experimentatoren hätten es mit einem Schwarm neuer, noch nie gesehener Teilchen zu tun – das heißt, neuen, noch nie gesehenen Stringschwingungsmustern –, deren Energien den harmonischen Resonanzen der Stringtheorie entsprächen.

Die Eigenschaften dieser Teilchen und die Beziehungen zwischen ihnen würden eindeutig zeigen, dass sie alle Teil derselben kosmischen Partitur, alle verschiedene, aber verwandte Noten sind, unterschiedliche Schwingungsmuster von Objekten einer einzigen Art – der Strings. In absehbarer Zukunft ist dies das wahrscheinlichste Szenario für eine direkte Bestätigung der Stringtheorie.

Kosmische Ursprünge

Wie wir in früheren Kapiteln gesehen haben, spielt die kosmische Mikrowellen-Hintergrundstrahlung seit ihrer Entdeckung Mitte der sechziger Jahre in der kosmologischen Forschung eine beherrschende Rolle. Der Grund liegt auf der Hand: In den frühen Stadien des Universums war der Raum mit einem See elektrisch geladener Teilchen – Elektronen und Protonen – gefüllt, die mittels der elektromagnetischen Kraft unablässig Photonen hierhin und dorthin stießen. Doch schon 300 000 Jahre nach dem Urknall (NDU) kühlte das Universum gerade so weit ab, dass Elektronen und Protonen sich zu elektrisch neutralen Atomen zusammenschließen konnten. Von diesem Augenblick an hat sich die Strahlung weitgehend ungestört im Raum ausgebreitet und liefert uns so eine scharfe Momentaufnahme des frühen Universums. Pro Kubikmeter strömen rund 400 Millionen dieser Mikrowellenphotonen durch das All – urzeitliche Relikte aus dem frühen Universum.

Wie erste Messungen der Mikrowellen-Hintergrundstrahlung ergaben, ist ihre Temperatur bemerkenswert gleichförmig, doch wie in Kapitel 11 dargelegt, haben nähere Untersuchungen, zuerst im Jahr 1992 vom Cosmic Background Explorer (COBE) vorgenommen und seither durch eine Anzahl von Beobachtungen verbessert, Hinweise auf kleine Temperaturschwankungen erbracht (siehe Abbildung 14.4 [a]). Die Daten sind in Grauschattierungen kodiert, wobei die hellen und dunklen Flecken Temperaturschwankungen von einigen zehntausendstel Grad anzeigen. Die Fleckigkeit der Abbildung illustriert die winzige, aber zweifellos reale Unregelmäßigkeit der Strahlungstemperatur am Himmel.

Abgesehen davon, dass das COBE-Experiment schon für sich genommen eine eindrucksvolle Entdeckung ist, setzte damit auch eine wichtige Veränderung in der kosmologischen Forschung an. Vor COBE waren die kosmologischen Daten grob, weshalb eine kosmologische Theorie als gültig betrachtet wurde, wenn sie in groben Zügen mit den astronomischen Beobachtungen übereinstimmte. Die Theoretiker konnten eine Hypothese nach der anderen aufstellen, ohne sich groß Gedanken um die detaillierte Übereinstimmung mit den Beobachtungsdaten machen zu müssen. Es gab nicht viele solcher Daten, und wenn, waren sie nicht besonders exakt. COBE markierte indes den Beginn einer neuen Ära, in der die Maßstäbe erheblich strenger wurden. Heute gibt es

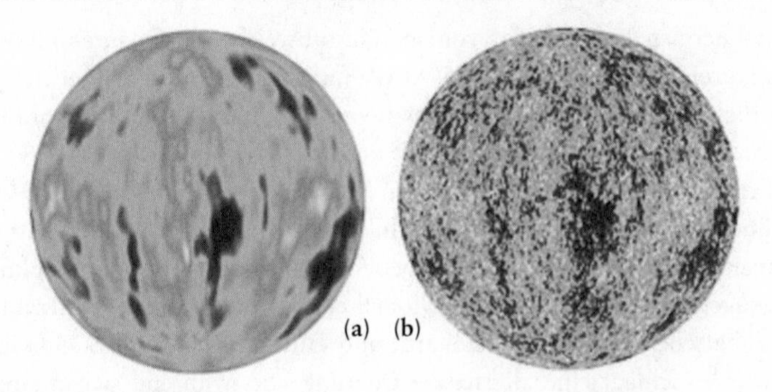

Abbildung 14.4 (**a**) Daten der kosmischen Mikrowellen-Hintergrundstrahlung, die vom COBE-Satelliten gesammelt wurden. Seit rund 300 000 Jahren NDU breitet sich die Strahlung ungehindert im Raum aus, daher gibt dieses Bild die winzigen Temperaturunterschiede wieder, die im Universum vor fast vierzehn Milliarden Jahren herrschten. (**b**) Verbesserte Daten, die vom WMAP-Satelliten stammen.

einen wachsenden Bestand an exakten Daten, dem jede Theorie gerecht werden muss, bevor sie überhaupt in Betracht gezogen wird. 2001 wurde der Satellit Wilkinson Microwave Anisotropy Probe (WMAP) ins All geschossen, ein gemeinsames Projekt der NASA und der Princeton University. Er hat die Aufgabe, die Mikrowellen-Hintergrundstrahlung mit der vierzigfachen Auflösung und Empfindlichkeit von COBE zu messen. Ein Vergleich zwischen den ersten Ergebnissen von WMAP – Abbildung 14.4 (b) – und COBEs Resultaten zeigt auf den ersten Blick, wie viel feiner und detaillierter das Bild ist, das WMAP uns liefert. Ein weiterer Satellit, *Planck*, der gegenwärtig von der Europäischen Weltraumagentur (ESA) entwickelt wird, soll 2007 ins All gebracht werden. Wenn alles nach Plan verläuft, wird er WMAPs Auflösungsvermögen um einen Faktor zehn übertreffen.

Dieser Zuwachs an exakten Daten hat auf dem Feld der kosmologischen Hypothesen die Spreu vom Weizen getrennt, mit dem Erfolg, dass das inflationäre Modell mit großem, großem Abstand der heißeste Kandidat ist. Doch wie in Kapitel 10 erwähnt, besteht die inflationäre Kosmologie nicht nur aus einer einzigen Theorie. Die Theoretiker haben *viele* verschiedene Versionen vorgeschlagen, die zwar von dem charakteristischen kurzen Ausbruch einer schnellen Expansion ausgehen, sich aber in den Einzelheiten unterscheiden (in der Zahl der Felder und den Formen ihrer potenziellen Energie, in der Frage, welche Felder auf Plateaus verharren, und so fort). Aus diesen Unterschieden ergeben sich leicht voneinander abweichende Vorhersagen für die Eigenschaften der Mikrowellen-Hintergrundstrahlung (verschiedene Felder mit verschiedenen Energien haben leicht voneinander abweichende Quantenfluktuationen). Durch den Vergleich von WMAP- mit *Planck*-Daten sollten sich viele Hypothesen aussortieren lassen, was unser Verständnis erheblich voranbringen würde.

Tatsächlich dürfte sich auf diesem Weg das Forschungsfeld noch weiter ausdünnen lassen. Obwohl Quantenfluktuationen, die durch die inflationäre Expansion gedehnt werden, die beobachteten Temperaturschwankungen überzeugend erklären, hat dieses Modell einen Konkurrenten. Das zyklische kosmologische Modell von Steinhardt und Turok, das in Kapitel 13 beschrieben wurde, schlägt eine alternative Deutung vor. Während sich die beiden Drei-Branen des zyklischen Modells langsam aufeinander zubewegen, veranlassen die Quantenfluktuationen verschiedene Teile der Branen zu unterschiedlich rascher Annäherung. Wenn sie eine Billion Jahre später zusammenstoßen, werden verschiedene Bereiche der Branen zu leicht voneinander abweichenden Zeitpunkten miteinander in Berührung kommen, ganz so, als schlüge man zwei Blätter grobes Sandpapier zusammen. Die winzigen Abweichungen von einem vollkommen gleichförmigen Zusammenprall bewirken winzige Abweichungen von einer vollkommen gleichförmigen Entwicklung auf jeder Bran. Da eine dieser Branen unserem dreidimensionalen Raum entsprechen soll, müssten wir in der Lage sein, diese Abweichungen nachzuweisen. Steinhardt, Turok und ihre Kollegen haben die Auffassung vertreten, die Inhomogenitäten würden Temperaturabweichungen von genau der Form erzeugen, wie sie sich aus der Inflationstheorie ergeben, und daher biete das zyklische Modell, wenn wir von den heutigen Daten ausgehen, eine ebenso schlüssige Erklärung der Beobachtungen.

Die genaueren Daten, die man im Laufe der nächsten zehn Jahre sammeln wird, könnten es uns jedoch ermöglichen, zwischen den beiden Erklärungsansätzen eine Unterscheidung zu treffen. Im Rahmen der Inflationstheorie werden nicht nur die Quantenfluktuationen des Inflaton-Feldes durch den Ausbruch der exponentiellen Expansion gedehnt, in der Raumstruktur werden durch die intensive Ausdehnung nach außen auch winzige Quantenkräuselungen aufgeworfen. Da Kräuselungen im Raum nichts anderes sind als Gravitationswellen (wie unsere vorstehende Erörterung im Zusammenhang mit LIGO zeigt), sagt die Inflationstheorie voraus, dass in den frühesten Augenblicken des Universums Gravitationswellen erzeugt wurden.[8] Häufig werden sie als *urzeitliche* oder *primordiale Gravitationswellen* bezeichnet, um sie von jenen zu unterscheiden, die vor viel kürzerer Zeit durch astrophysikalische Katastrophen hervorgerufen wurden. Im zyklischen Modell dagegen entsteht die Abweichung von vollkommener Gleichförmigkeit langsam, im Laufe eines fast unvorstellbar langen Zeitraums. Der Umstand, dass es in der Geometrie der Branen und in der Raumgeometrie nicht zu einer jähen und heftigen Veränderung kommt, bedeutet, dass *keine* Raumkräuselungen erzeugt werden; daher sagt das zyklische Modell das Fehlen urzeitlicher Gravitationswellen voraus. Sollten also urzeitliche kosmologische Gravitationswellen entdeckt werden, bedeutete das einen weiteren Triumph für die Inflationstheorie und das unwiderrufliche Ende des zyklischen Ansatzes.

Allerdings dürfte LIGO kaum empfindlich genug sein, um die von der Inflationstheorie vorhergesagten Gravitationswellen nachzuweisen. Es ist aber möglich, dass *Planck* oder ein anderes Satellitenexperiment, der geplante Cosmic Microwave Background Polarization-Satellit (CMBPol), sie findet. *Planck* und vor allem CMBPol werden sich nicht ausschließlich auf Temperaturschwankungen der Mikrowellen-Hintergrundstrahlung konzentrieren, sondern auch die *Polarisation* messen, die durchschnittlichen Spinrichtungen der entdeckten Mikrowellenphotonen. Aus einer Schlusskette, die zu kompliziert ist, um sie hier zu erörtern, folgt, dass die Gravitationswellen des Urknalls eine ganz bestimmte Spur in der Polarisation der Mikrowellen-Hintergrundstrahlung hinterlassen würden, eine Spur, die vielleicht groß genug ist, dass wir sie messen können.

Binnen zehn Jahren werden wir also möglicherweise Klarheit darüber gewinnen, ob der Urknall in Wirklichkeit ein Urklatsch war und ob das Universum, das wir wahrnehmen, in Wahrheit eine Drei-Bran ist. Im goldenen Zeitalter der Kosmologie lassen sich vielleicht einige der abenteuerlichsten Ideen tatsächlich überprüfen.

Dunkle Materie, dunkle Energie und die Zukunft des Universums

In Kapitel 10 sind wir die theoretischen und empirischen Hinweise durchgegangen, die mit hoher Wahrscheinlichkeit darauf deuten, dass das Universum nur fünf Prozent seiner Substanz mit den Bestandteilen der gewöhnlichen Materie bestreitet – Protonen und Neutronen (Elektronen machen weniger als 0,05 Prozent der Masse der gewöhnlichen Materie aus) –, während 25 Prozent von der dunklen Materie und 70 Prozent von der dunklen Energie gestellt werden. Aber hinsichtlich der genauen Beschaffenheit dieser dunklen Stoffe herrscht noch beträchtliche Ungewissheit. Eine nahe liegende Vermutung ist, dass die dunkle Materie ebenfalls aus Protonen und Neutronen besteht, die es allerdings irgendwie vermieden haben, zu Licht emittierenden Sternen zu verklumpen. Allerdings lässt eine andere theoretische Überlegung diese Möglichkeit höchst unwahrscheinlich erscheinen.

Eingehende Beobachtungen haben den Astronomen eine klare Vorstellung von der relativen Häufigkeit der leichten Elemente – Wasserstoff, Helium, Deuterium und Lithium – vermittelt, die sich überall im Kosmos finden. Mit einem hohen Maß an Genauigkeit stimmt die relative Häufigkeit mit den theoretischen Berechnungen jener Prozesse überein, von denen man meint, sie hätten diese Kerne während der ersten Minuten des Universums erzeugt. Diese Übereinstimmung zählt zu den großen Erfolgen der modernen theoretischen Kosmologie. Diese Berechnungen gehen jedoch davon aus, dass der überwiegende Teil der dunklen Materie *nicht* aus Protonen und Neutronen besteht. Wären Protonen und Neutronen tatsächlich die auf kosmologischen Skalen vorherrschenden Bestandteile, würde das kosmische Rezept nicht mehr funktionieren, und die Berechnungen zeitigten Ergebnisse, die von den Beobachtungen widerlegt werden.

Wenn nicht aus Protonen und Neutronen, woraus besteht die dunkle Materie dann? Bis heute weiß das niemand, allerdings herrscht kein Mangel an Hypothesen. Die Namen der Kandidaten umfassen die ganze Palette, von Axionen bis Zinos, und wer eines Tages die richtige Antwort findet, wird mit Sicherheit nach Stockholm eingeladen. Der Umstand, dass bisher noch niemand ein Teilchen der dunklen Materie gefunden hat, unterwirft jede Hypothese erheblichen Einschränkungen. Denn diese dunkle Materie befindet sich nicht nur draußen im All, sondern ist im ganzen Universum verteilt und umgibt und durchdringt uns auch hier auf der Erde. Viele Hypothesen fußen auf der Annahme, dass in diesem Augenblick und in jeder anderen Sekunde Milliarden dunkler Materieteilchen durch Ihren Körper schießen, weshalb als Kandidaten nur solche Teilchen in Frage kommen, die massive Materie durchdringen können, ohne eine nennenswerte Spur zu hinterlassen.

Neutrinos sind eine Möglichkeit. Auf Grund von Berechnungen schätzt man die Häufigkeit der im Urknall entstandenen Neutrinos auf rund 55 Millionen pro Kubikmeter Raum. Wenn also eine der drei Neutrino-Arten rund ein hundertstel Millionstel (10^{-8}) so viel wie ein Proton wiegen würde, könnte sie die dunkle Materie stellen. Nun haben zwar jüngere Experimente überzeugende Hinweise darauf geliefert, dass Neutrinos tatsächlich Masse haben, aber sie sind nach den heute vorliegenden Daten zu leicht, um die dunkle Materie erklären zu können. Hinter diesem Ziel bleiben sie um einen Faktor von mehr als hundert zurück.

Eine andere viel versprechende Hypothese betrifft supersymmetrische Teilchen, besonders *Photinos, Zinos* und *Higgsinos* (die Partner von Photonen, Z-Teilchen und Higgs-Teilchen). Das sind die diskretesten supersymmetrischen Teilchen – sie könnten, ohne im Mindesten in ihrer Bewegung beeinträchtigt zu werden, mühelos die ganze Erde durchqueren – und hätten daher bisher leicht jeder Entdeckung entgehen können.[9] Aus Berechnungen, die zeigen, wie viele dieser Teilchen im Urknall erzeugt worden wären und bis heute überlebt hätten, ergibt sich der Schluss, dass sie, um die dunkle Materie stellen zu können, eine Masse hundert bis tausend Mal so groß wie die des Protons haben müssten. Das ist eine hochinteressante Zahl, weil verschiedene Untersuchungen supersymmetrischer Teilchenmodelle und der Superstringtheorie für diese Teilchen zu Massen gleicher Größenordnung gelangen, ohne Aspekte wie dunkle Materie oder Kosmologie zu berücksichtigen. Das wäre eine verwirrende und vollkommen unerklärliche Koinzidenz, es sei denn natürlich, die dunkle Materie bestünde tatsächlich aus supersymmetrischen Teilchen. Insofern lässt sich die weltweite Suche nach supersymmetrischen Teilchen in den existierenden und geplanten Teilchenbeschleunigern auch als die Suche nach den stark favorisierten Kandidaten für dunkle Materie verstehen.

Seit längerer Zeit gibt es auch direktere Bemühungen, dunkle Materieteilchen, die die Erde durchdringen, ausfindig zu machen, allerdings sind das außerordentlich schwierige Experimente. Von den eine Million dunklen Materieteilchen, die pro Sekunde eine Fläche von gut einem halben Quadratkilometer durchqueren sollen, würde höchstens eines pro Tag eine Spur seiner Anwesenheit in den speziell entworfenen Anlagen hinterlassen. Bislang ist noch keine bestätigte Entdeckung eines dunklen Materieteilchens gelungen.[10] Angesichts des noch immer ungewissen Erfolgs intensivieren die Forscher ihre Anstrengungen. Es ist durchaus möglich, dass die Identität der dunklen Materie in den nächsten Jahren geklärt wird.

Eine endgültige Bestätigung für die Existenz der dunklen Materie und eine direkte Bestimmung ihrer Beschaffenheit wären ein großer Fortschritt. Zum ersten Mal in der Geschichte würden wir Klarheit über einen Tatbestand gewinnen, der zugleich von höchst fundamentaler Bedeutung und überraschender Unzugänglichkeit ist: den Aufbau, den der größte Teil des materiellen Inhalts unseres Universums aufweist.

Dessen ungeachtet weisen, wie wir in Kapitel 10 gesehen haben, jüngere Daten nachdrücklich darauf hin, dass es auch bei Identifikation der dunklen Materie weitere Daten von zentraler Bedeutung gibt, die einer experimentellen Überprüfung bedürfen: Die Supernova-Beobachtungen lassen auf eine die Galaxien auseinander drängende kosmologische Konstante schließen, die ungefähr 70 Prozent der Gesamtenergie im Universum ausmacht. Als aufregendste und verblüffendste Entdeckung der letzten zehn Jahre bedürfen die Belege für eine kosmologische Konstante – eine Energie, die den Raum erfüllt –

einer strengen, wasserdichten Bestätigung. Zahlreiche Studien, die diesem Zweck dienen, sind geplant oder bereits in Arbeit.

In diesem Zusammenhang spielen die Experimente, die die Mikrowellen-Hintergrundstrahlung untersuchen, ebenfalls eine wichtige Rolle. Die Größe der Flecken in Abbildung 14.4 – wo, wie gesagt, jeder Fleck für eine Region mit gleichmäßiger Temperatur steht – spiegelt die allgemeine Form der Raumgeometrie wider. Wäre der Raum wie eine Kugel geformt wie in Abbildung 8.6 (a), würde die Wölbung nach außen bewirken, dass die Flecken ein bisschen größer als in Abbildung 14.4 (b) wären. Wäre der Raum sattelförmig wie in Abbildung 8.6 (c), würde die Sattelwölbung nach innen dafür sorgen, dass die Flecken ein wenig kleiner wären. Und wäre der Raum flach wie in Abbildung 8.6 (b), läge die Fleckgröße dazwischen. Die Präzisionsmessungen, die von COBE begonnen und inzwischen von WMAP verbessert wurden, sprechen entschieden für die Annahme, dass der Raum *flach* ist. Das entspricht nicht nur den theoretischen Annahmen, die sich aus den Inflationsmodellen ergeben, sondern deckt sich auch vollkommen mit den Supernova-Ergebnissen. Wie gezeigt, setzt ein räumlich flaches Universum voraus, dass die durchschnittliche Masse/Energie-Dichte gleich der kritischen Dichte ist. Da gewöhnliche und dunkle Materie rund 30 Prozent beisteuern und die dunkle Energie etwa 70 Prozent stellt, hängt alles mit allem auf eindrucksvolle Weise zusammen.

Eine direktere Bestätigung der Supernova-Ergebnisse ist die Aufgabe von SuperNova/Acceleration Probe (SNAP). Von Wissenschaftlern am Lawrence Berkeley Laboratory vorgeschlagen, soll SNAP als satellitengestütztes Teleskop mit der Fähigkeit, mehr als zwanzig Mal so viele Supernovä nachzuweisen wie die bisherigen Beobachtungen. SNAP könnte nicht nur das bisherige Ergebnis bestätigen, dem zufolge 70 Prozent des Universums aus dunkler Energie bestehen, sondern müsste auch in der Lage sein, die Beschaffenheit der dunklen Energie genauer zu bestimmen.

Ich habe zwar oben die dunkle Energie als eine Spielart von Einsteins kosmologischer Konstante beschrieben – einer konstanten, unveränderlichen Energie, welche den Raum zur Expansion drängt –, doch es gibt noch eine zweite Variante, die allerdings eng mit der ersten verwandt ist. Wie wir im Zusammenhang mit der inflationären Kosmologie (und dem springenden Frosch) erörtert haben, kann sich ein Feld, dessen Wert über der niedrigsten Energiekonfiguration verharrt, wie eine kosmologische Konstante verhalten und eine beschleunigte Expansion des Raums vorantreiben. Allerdings wird es das in der Regel nur kurze Zeit tun. Früher oder später wird das Feld auf den Boden der Energieschüssel gelangen und damit den Druck nach außen beenden. In der inflationären Kosmologie geschieht das in einem winzigen Sekundenbruchteil. Aber indem man ein neues Feld einführt und die Form der potenziellen Energie sorgfältig wählt, kann man erreichen, dass der nach außen gerichtete Druck der beschleunigten Expansion viel geringer ist, dafür aber viel länger anhält – dass das Feld eine vergleichsweise langsame und stetige beschleunigte Phase räumlicher Ausdehnung bewirkt, die nicht einen Sekundenbruchteil, sondern Jahrmilliarden andauert, während das Feld langsam zum niedrigsten Energiewert hinabrollt. Daher besteht die Möglichkeit, dass wir in diesem Augenblick eine außerordentlich gebändigte Spielart jenes inflationären Expansionsausbruchs erleben, von dem man annimmt, er habe sich in den frühesten Augenblicken des Universums ereignet.

Der Unterschied zwischen einer echten kosmologischen Konstanten und der zweiten Möglichkeit, der so genannten *Quintessenz*, ist heute von minimaler Bedeutung, hat aber weit reichende Auswirkungen auf die langfristige Zukunft des Universums. Eine kosmologische Konstante ist *konstant* – sie sorgt für eine nie endende beschleunigte Expansion, daher wird das Universum immer rascher expandieren, so dass es immer verdünnter, leerer und öder wird. Die Quintessenz dagegen sorgt für eine beschleunigte Expansion, die irgendwann endet, und entwirft damit ein Zukunftsbild, das weit weniger trostlos und öde ist als dasjenige, das den Kosmos bei einer ewig währenden, beschleunigten Expansion erwartet. Wenn SNAP Veränderungen in der Beschleunigung des Raums über lange Zeiträume misst (durch Beobachtungen von Supernovä in verschiedenen Entfernungen und damit zu verschiedenen Zeitpunkten in der Vergangenheit), kann es vielleicht eine der beiden Möglichkeiten ausschließen. Wenn SNAP herausfindet, ob die dunkle Energie wirklich eine kosmologische Konstante ist, informiert es uns über das langfristige Schicksal des Universums.

Raum, Zeit und Spekulation

Die Entdeckungsreise, die Aufschluss über die Beschaffenheit von Raum und Zeit geben soll, währt schon lange und hat mit vielen Überraschungen aufgewartet; trotzdem befindet sie sich sicherlich noch in ihrer Anfangsphase. In den letzten Jahrhunderten haben wir erlebt, wie ein Fortschritt nach dem anderen unsere Vorstellungen von Raum und Zeit immer wieder radikal verändert hat. Die theoretischen und experimentellen Vorschläge, die wir in diesem Buch vorgestellt haben, sind der Beitrag, den unsere Generation zu diesen Ideen geleistet hat, und sie werden eines Tages sicherlich ein wesentlicher Teil unseres wissenschaftlichen Vermächtnisses sein. In Kapitel 16 werden wir einige der jüngsten und spekulativsten Entwicklungen betrachten, um Vermutungen darüber anzustellen, welches die nächsten Etappen dieser Reise sein könnten. Zunächst werden wir uns jedoch in Kapitel 15 mit Spekulationen in einer ganz anderen Richtung beschäftigen.

Obwohl wissenschaftliche Entdeckungen kein bestimmtes Muster erkennen lassen, zeigt die Geschichte, dass tieferes Verständnis oft der erste Schritt zur technischen Kontrolle war. Als man im neunzehnten Jahrhundert die elektromagnetische Kraft verstehen lernte, führte das schließlich zur Erfindung von Telegraf, Radio und Fernsehen. Sobald zu diesem Wissen das Verständnis der Quantenmechanik hinzutrat, konnten wir Computer, Laser und andere elektronische Geräte entwickeln, die zu zahlreich sind, um sie hier aufzuzählen. Das Verständnis der Kernkräfte führte zur gefährlichen Herrschaft über die fürchterlichsten Waffen, welche die Welt je gesehen hat, und zur Erfindung von Technologien, die eines Tages den Energiebedarf der Erdbevölkerung mit ein paar Fässern Salzwasser decken könnten. Ist es also denkbar, dass unser wachsendes Verständnis für Raum und Zeit der erste Schritt ähnlicher Entdeckungen und technischer Entwicklungen sein könnte? Werden wir eines Tages Raum und Zeit beherrschen und Dinge vermögen, die heute noch ins Reich der Sciencefiction gehören?

Das weiß niemand. Doch schauen wir einmal, wie weit wir gekommen sind und was noch zu tun bliebe, um Erfolg zu haben.

15

TELEPORTER UND ZEITMASCHINEN

Reise durch Raum und Zeit

Vielleicht fehlte es mir in den sechziger Jahren einfach an Fantasie, jedenfalls war für mich die unglaubwürdigste Sache an Bord des Raumschiffs *Enterprise* der Computer. Meine Grundschulansprüche verbuchten Warp-Antrieb und ein Universum, das mit fließend englisch sprechenden Außerirdischen bevölkert war, unter poetischer Freiheit, aber eine Maschine, die in der Lage war, auf Knopfdruck ein Bild von jeder historischen Figur zu liefern, die jemals gelebt hatte, die technischen Daten jedes Bauteils auszuwerfen, das jemals gebaut worden war, oder jedes Buch zugänglich zu machen, das jemals geschrieben worden war? *Das* stellte meine Gutgläubigkeit dann doch auf eine zu harte Probe. Ende der sechziger Jahre war dieser Dreikäsehoch der festen Überzeugung, dass kein technisches Gerät jemals fähig sein werde, eine derartige Fülle von Informationen zu sammeln, zu speichern und so rasch zugänglich zu machen. Und doch sitze ich keine fünfzig Jahre später mit meinem Laptop in der Küche, bin drahtlos mit dem Internet verbunden, verwende eine Spracherkennungssoftware und spiele Kirk, indem ich, ohne einen Finger zu rühren, durch einen ungeheuren Wissensvorrat navigiere, der, vom Erhabenen bis zum Lächerlichen, alles umfasst. Gewiss, die Geschwindigkeit und Leistungsfähigkeit, die der Computer im 23. Jahrhundert der Star-Trek-Welt entfaltete, sind noch immer beneidenswert, aber es ist leicht vorstellbar, dass die Menschheit, im 23. Jahrhundert angelangt, diese imaginierten technischen Errungenschaften übertreffen wird.

Dieses Beispiel ist nur eines von vielen, die die Fähigkeit der Sciencefiction, die Zukunft vorherzusagen, zum Allgemeinplatz werden ließen. Doch was ist mit der faszinierendsten Idee, die die Gattung je erfunden hat – mit der klassischen Szene, in der jemand eine Kammer betritt, einen Schalter betätigt und an einen fernen Ort oder in eine andere Zeit versetzt wird? Wird es uns eines Tages möglich sein, uns aus den beengten räumlichen und zeitlichen Verhältnissen zu befreien, in die wir bislang eingesperrt sind, und bis in die abgelegensten Regionen von Raum und Zeit vorzudringen? Oder wird die Trennlinie zwischen Sciencefiction und Wirklichkeit in diesem Fall immer so klar und eindeutig bleiben, wie sie es momentan ist? Nachdem ich Sie bereits in meine kindliche Unfähigkeit eingeweiht habe, die Informationsrevolution vorauszusehen, bezweifeln Sie möglicherweise meine Fähigkeit, künftige technische Fortschritte zu erahnen. Statt also über die Wahrscheinlichkeit möglicher Entwicklungen zu spekulieren, möchte ich in diesem Kapitel einfach beschreiben, wie nahe wir, theoretisch und praktisch, dem Ziel gekommen sind, Teleporter und Zeitmaschinen zu bauen, und was erforderlich wäre, um noch einen Schritt weiter zu gehen und Zeit und Raum wirklich unserer Kontrolle zu unterwerfen.

Teleportation in einer Quantenwelt

Nach dem Stand der Technik in der Sciencefiction-Welt ist ein *Teleporter* (oder, im Star-Trek-Jargon, ein *Transporter*) ein Gerät, das ein Objekt scannt, um seine genaue Beschaffenheit zu erfassen, und diese Informationen dann an einen fernen Ort schickt, wo das Objekt wiederhergestellt wird. Ob das Objekt dabei »entmaterialisiert« wird, ob seine Atome und Moleküle mit dem Bauplan für die Rekonstruktion versandt werden oder ob am Zielort entsprechende Atome und Moleküle organisiert werden, um eine exakte Nachbildung des Objekts herzustellen, ist von einem Sciencefiction-Autor zum anderen verschieden. Wie wir sehen werden, hat der wissenschaftliche Ansatz zur Teleportation, der in den letzten zehn Jahren entwickelt wurde, mehr Ähnlichkeit mit der zweiten Spielart, und das wirft zwei grundsätzliche Schwierigkeiten auf. Die erste ist ein bekanntes, aber höchst vertracktes philosophisches Problem: Wann, wenn überhaupt, darf eine exakte Kopie als Original erkannt, bezeichnet, betrachtet oder behandelt werden? Die zweite Schwierigkeit ist die Frage, ob es, und sei es nur im Prinzip, möglich ist, die Zusammensetzung eines Objektes mit so vollständiger Genauigkeit zu ermitteln, dass wir einen vollkommenen Bauplan zu seiner Rekonstruktion aufstellen können.

In einem von den Gesetzen der klassischen Physik bestimmten Universum könnte man die zweite Frage bejahen. Im Prinzip ließen sich die Eigenschaften – Identität, Aufenthaltsort, Geschwindigkeit und so fort – jedes Teilchens, das am Aufbau eines Objekts beteiligt ist, mit vollkommener Genauigkeit messen, an einen fernen Ort übermitteln und als Handbuch zur Nachbildung des Objekts verwenden. Zwar wäre jeder Versuch, dies mit einem Objekt zu bewerkstelligen, das aus mehr als nur einer Hand voll Elementarteilchen besteht, hoffnungslos zum Scheitern verurteilt. Doch in einem klassischen Universum wäre das Hindernis die Komplexität und nicht die Physik.

In einem von den Gesetzen der Quantenphysik bestimmten Universum – unserem Universum – ist die Situation weit schwieriger. Wie wir gesehen haben, veranlasst der Messakt eine der unzähligen Eigenschaften eines Objekts, sich aus der Wolke der Quantenunschärfe herauszukristallisieren und einen bestimmten Wert anzunehmen. Wenn wir ein Teilchen beobachten, bringen beispielsweise die bestimmten Merkmale, die wir ermitteln, im Allgemeinen nicht den verschwommenen quantenmechanischen Mischmasch von Eigenschaften zum Ausdruck, der kurz vor unserem Hinschauen vorlag.[1] Wollen wir ein Objekt kopieren, geraten wir also in eine logische Zwickmühle. Um zu kopieren, müssen wir beobachten, damit wir wissen, was es zu kopieren gilt. Doch der Beobachtungsakt bewirkt Veränderungen. Wenn wir also kopieren, was wir sehen, kopieren wir nicht, was war, bevor wir hingeschaut haben. Das legt den Schluss nahe, dass die Teleportation in einem Quantenuniversum undurchführbar ist, und zwar nicht nur wegen praktischer Probleme, die aus der Komplexität erwachsen, sondern wegen grundsätzlicher Probleme, die der Quantenphysik innewohnen. Im nächsten Abschnitt werde ich Sie allerdings mit einem einfallsreichen Weg, diese Schlussfolgerung zu umgehen, bekannt machen, den Anfang der neunziger Jahre ein internationales Team von Physikern fand.

Was die erste Frage angeht – die nach der Beziehung zwischen Kopie und Original –, so gibt die Quantenphysik eine Antwort, die sowohl exakt als auch ermutigend ist. Laut Quantenmechanik ist jedes Elektron im Universum mit jedem anderen insofern identisch, als sie alle exakt die gleiche Masse, exakt die gleiche elektrische Ladung, exakt die gleichen Eigenschaften bezüglich der schwachen und der starken Kraft und exakt den gleichen Gesamtspin haben. Mehr noch, unsere vielfach bewährte quantenmechanische Beschreibung besagt, dass damit die Eigenschaften *erschöpft* sind, die ein Elektron haben kann. Alle Elektronen sind identisch in Hinblick auf diese Merkmale. Andere Eigenschaften sind nicht zu berücksichtigen. Genauso gleicht jedes *up*-Quark jedem anderen, jedes Photon jedem anderen und so fort: Es gilt für jede andere Teilchenart. Wie Forscher auf dem Feld der Quantenmechanik schon vor vielen Jahrzehnten erkannten, können wir uns Teilchen als die kleinstmöglichen Pakete eines Feldes vorstellen (Photonen zum Beispiel als die kleinsten Pakete des elektromagnetischen Feldes), und die Quantenphysik zeigt, dass solche kleinsten Bestandteile eines Feldes immer identisch sind (oder, aus Sicht der Stringtheorie: Teilchen derselben Art haben identische Eigenschaften, weil sie identische Schwingungen einer einzigen Stringart sind).

Unterscheiden können sich zwei Teilchen derselben Art hinsichtlich der Wahrscheinlichkeiten, dass sie sich an verschiedenen Orten befinden, hinsichtlich der Wahrscheinlichkeiten, dass ihre Spins in bestimmte Richtungen zeigen, sowie hinsichtlich der Wahrscheinlichkeiten, dass sie bestimmte Geschwindigkeiten und Energien besitzen. Oder, in der prägnanteren physikalischen Ausdrucksweise: Die beiden Teilchen können sich in unterschiedlichen *Quantenzuständen* befinden. Doch wenn zwei Teilchen der gleichen Art im gleichen Quantenzustand sind – ausgenommen möglicherweise den Umstand, dass das eine Teilchen eine hohe Wahrscheinlichkeit besitzt, *hier* zu sein, während das andere eine hohe Wahrscheinlichkeit besitzt, *dort* zu sein –, sorgen die Gesetze der Quantenmechanik dafür, dass sie ununterscheidbar sind, nicht nur in der Praxis, sondern auch im Prinzip. Sie sind vollkommene Zwillinge. Würde jemand den Aufenthaltsort der beiden Teilchen austauschen (genauer: die Wahrscheinlichkeiten der beiden Teilchen, sich an einem gegebenen Ort zu befinden), gäbe es keine Möglichkeit, das zu erkennen.

Wenn wir uns also vorstellen, wir würden mit einem Teilchen hier beginnen* und ein anderes Teilchen derselben Art an einem entfernten Ort irgendwie in den gleichen Quantenzustand versetzen (es mit den gleichen Wahrscheinlichkeiten für Spinorientierung, Energie und so weiter ausstatten), wäre das resultierende Teilchen vom Original nicht zu unterscheiden, so dass man in diesem Fall zu Recht von Teleportation sprechen könnte. Sollte das Originalteilchen den Prozess unbeschadet überstehen, könnten Sie den Prozess mit einiger Berechtigung als Quantenklonen oder vielleicht auch Quantenfaxen bezeichnen. Doch wie wir sehen werden, bleibt bei der wissenschaftlichen Umsetzung dieser Ideen das Originalteilchen nicht erhalten – es wird während des Teleportationsprozesses unvermeidlich modifiziert. Dieses taxonomische Dilemma bleibt uns also erspart.

Nun ist allerdings die Frage, ob sich das, was für ein einzelnes Teilchen gilt, auf größere Zusammenschlüsse von Teilchen übertragen lässt. Wenn Sie in der Lage wären, jedes einzelne Teilchen, aus dem Ihr DeLorean – die »Zeitmaschine« aus Steven Spielbergs *Zurück in die Zukunft* – besteht, von einem

*Da die Teleportation mit etwas hier beginnt und versucht, es an einem fernen Ort auftauchen zu lassen, werde ich mich in diesem Abschnitt häufig so ausdrücken, als hätten Teilchen einen eindeutigen Aufenthaltsort. Genauer müsste es heißen: »Beginnend mit einem Teilchen, das sich mit hoher Wahrscheinlichkeit hier befindet«, oder »beginnend mit einem Teilchen, das sich mit einer Wahrscheinlichkeit von 99 Prozent hier befindet«. Ähnlich müsste der Ort beschrieben werden, an den das Teilchen teleportiert wird, doch um solche Umständlichkeiten zu vermeiden, werde ich mich der etwas ungenaueren Ausdrucksweise bedienen.

Ort zum anderen zu teleportieren, und dabei dafür sorgen könnten, dass der Quantenzustand jedes Teilchens einschließlich seiner Beziehung zu allen anderen mit hundertprozentiger Genauigkeit reproduziert würde, hätten Sie dann das Fahrzeug teleportiert? Obwohl wir keine empirischen Belege haben, an die wir uns halten können, sprechen die theoretischen Befunde entschieden dafür, dass das Auto teleportiert wurde. Die atomaren und molekularen Anordnungen bestimmen, wie ein Objekt aussieht und sich anfühlt, wie es sich anhört und riecht, sogar wie es schmeckt, daher müsste das resultierende Fahrzeug identisch mit dem ursprünglichen DeLorean sein – einschließlich Beulen, Kratzer, quietschender linker Flügeltür, dem muffigen Geruch des Familienhundes in den Polstern und allem anderen –, und das Auto sollte genau so einen Satz machen, wenn Sie das Gaspedal durchtreten, wie das Original. Die Frage, ob das Fahrzeug tatsächlich das Original ist oder nur eine exakte Nachbildung, spielt keine Rolle. Würden Sie die Spedition United Quantum Van Lines beauftragen, Ihr Auto von New York nach London zu befördern, und würde das Unternehmen das Fahrzeug – ohne Ihr Wissen – in der beschriebenen Weise teleportieren, könnten Sie den Unterschied nicht erkennen – noch nicht einmal im Prinzip.

Was aber wäre, wenn die Spedition das gleiche Verfahren bei Ihrer Katze anwenden würde oder wenn Sie, der Flugzeugmahlzeiten überdrüssig, beschlössen, sich, statt einen Transatlantikflug anzutreten, teleportieren zu lassen? Wäre die Katze oder die Person, die aus der Empfängerkammer käme, dieselbe, die in den Teleporter trat? Ich persönlich glaube es. Da uns auch hier keine einschlägigen Daten vorliegen, sind wir auf Spekulationen angewiesen. Und da ist nach meiner Auffassung ein Lebewesen, dessen konstituierende Atome und Moleküle in genau dem gleichen Quantenzustand sind wie die meinen, zweifellos *ich*. Selbst wenn es das »Original-Ich« auch dann noch gäbe, nachdem die »Kopie« angefertigt worden wäre, würde(n) ich (wir) ohne Zögern sagen, dass jedes Exemplar ich sei. Wir wären uns einig (und eins) in der Auffassung, dass keiner Vorrang gegenüber dem anderen habe. Gedanken, Erinnerungen, Gefühle und Urteile haben eine physikalische Basis in den atomaren und molekularen Eigenschaften des menschlichen Körpers. Ein identischer Quantenzustand dieser elementaren Bestandteile müsste ein identisches Lebewesen mit identischem Bewusstsein konstituieren. Im Laufe der Zeit würden wir uns auf Grund unserer Erfahrungen unterschiedlich entwickeln, aber ich bin der ehrlichen Meinung, dass es fortan zwei Ichs gäbe, nicht ein Original, das irgendwie »wirklich« ich war, und eine Kopie, die irgendwie »nicht wirklich« ich war.

Ich würde sogar noch einen Schritt weiter gehen. Unsere physische Beschaffenheit durchläuft ständig zahlreiche Transformationen – einige von geringfügiger, andere von tief greifender Art –, trotzdem bleiben wir derselbe Mensch. Vom Häagen-Dazs-Eis, das unseren Kreislauf mit Fett und Zucker überschwemmt, über die Kernspintomographie, die die Richtung der Spinachsen verschiedener Atomkerne im Gehirn verändert, bis hin zu Herztransplantation, Fettabsaugen und den Billionen Atomen, die im menschlichen Körper im Durchschnitt jede millionstel Sekunde ersetzt werden, unterliegen wir einer ständigen Verwandlung, ohne dass unsere persönliche Identität davon berührt wird. Also selbst wenn ein teleportiertes Lebewesen meinem physischen Zustand nicht hundertprozentig entspräche, könnte es trotzdem vollkommen ununterscheidbar von mir sein. Meiner Ansicht nach jedenfalls könnte es sehr gut *ich* sein.

Wenn Sie allerdings der Meinung sind, das Leben, insbesondere das bewusste Leben, sei mehr als seine materielle Basis, dann sind Ihre Maßstäbe für erfolgreiche Teleportation natürlich anspruchsvoller als meine. Diese schwierige Frage – in welchem Maße ist unsere persönliche Identität an unser physisches Sein gebunden? – ist im Laufe der Jahre in verschiedenster Form gestellt und noch nie zu jedermanns Zufriedenheit beantwortet worden. Während ich glaube, dass die Identität in der Physis beschlossen ist, sind andere unterschiedlicher Meinung, und niemand kann behaupten, er habe die allein selig machende Antwort.

Doch unabhängig von Ihrem Standpunkt zur hypothetischen Frage, was es mit der Teleportation eines Lebewesens auf sich hat, haben Wissenschaftler heute bewiesen, dass durch die Wunder der Quantenmechanik *individuelle Teilchen teleportiert werden können – und auch bereits wurden.*

Schauen wir uns das ein bisschen näher an.

Quantenverschränkung und Quantenteleportation

Zwei Forschungsgruppen gelang 1997 die erste erfolgreiche Teleportation eines einzelnen Photons: einem Team unter Leitung von Anton Zeilinger, damals an der Universität Innsbruck, und einer anderen Gruppe unter Leitung von A. Francesco De Martini an der Universität von Rom.[2] In beiden Experimenten wurde ein Originalphoton in einem bestimmten Quantenzustand über kurze Entfernung in einem Labor teleportiert, es spricht jedoch nichts gegen die Annahme, dass sich die Verfahren auch über jede andere Entfernung anwenden lassen. Beide Gruppen waren bei ihrer Technik von theoretischen, die Quantenverschränkung betreffenden Erkenntnissen (siehe Kapitel 4) ausgegangen, die 1993 von einer physikalischen Arbeitsgruppe berichtet worden waren, zu der Charles Bennett vom Watsons's Research Center (IBM), Gilles Brassard, Claude Crepeau und Richard Josza von der University of Montreal, der israelische Physiker Asher Peres sowie William Wooters vom Williams College gehörten.

Wie geschildert, haben zwei miteinander verschränkte Teilchen, sagen wir: zwei Photonen, eine seltsame, enge Beziehung. Zwar besitzt jedes eine bestimmte Wahrscheinlichkeit, in die eine oder andere Richtung zu rotieren, und jedes scheint, wenn es gemessen wird, zufällig zwischen den verschiedenen Möglichkeiten zu »wählen«; doch ganz gleich, welche »Wahl« eines trifft, das andere trifft, unabhängig davon, wie groß ihr räumlicher Abstand ist, augenblicklich die gleiche Wahl. In Kapitel 4 haben wir erklärt, dass es keine Möglichkeit gibt, mit Hilfe verschränkter Teilchen eine Botschaft mit Überlichtgeschwindigkeit von einem Ort an einen anderen zu senden. Würde man eine Folge von verschränkten Photonen an weit entfernten Orten messen, wären die Daten an jedem Detektor eine Zufallsfolge von Ergebnissen (wobei sich die Gesamthäufigkeit eines Spins in die eine oder andere Richtung nach den Vorgaben der Wahrscheinlichkeitswellen der Teilchen richten würde). Die Verschränkung träte erst zutage, wenn man die beiden Ergebnislisten vergliche und verblüfft feststellte, dass sie identisch sind. Doch dieser Vergleich würde irgendeine Art gewöhnlicher Kommunikation voraussetzen, die sich langsamer als das Licht vollzöge. Da vor dem Vergleich keine Spur von der Verschränkung zu entdecken wäre, ließe sich kein Signal mit Überlichtgeschwindigkeit übertragen.

Auch wenn sich die Verschränkung nicht für überlichtschnelle Kommunikation verwenden lässt, kann man sich des Gefühls nicht erwehren, dass sich diese so überaus seltsamen Fernkorrelationen zwischen den Teilchen irgendwie für außergewöhnliche Zwecke nutzen lassen müssen. 1993 entdeckten Bennett und seine Mitarbeiter eine solche Möglichkeit. Sie zeigten, dass man die Quantenverschränkungen zur Quantenteleportation verwenden kann. Wir sind vielleicht nicht in der Lage, eine Nachricht schneller als das Licht zu übermitteln, doch wenn wir uns bei der Teleportation mit Geschwindigkeiten unterhalb der des Lichts zufrieden geben, sind wir bei der Quantenverschränkung gut aufgehoben.

Die Überlegungen, die dieser Schlussfolgerung zugrunde liegen, sind raffiniert und einfallsreich, die Berechnungen dagegen recht einfach. Schauen wir, wie es geht.

Ich möchte ein bestimmtes Photon, nennen wir es Photon A, von meinem Haus in New York an meinen Freund Nicholas in London schicken. Aus Gründen der Einfachheit wollen wir betrachten, wie ich es anstellen kann, den exakten Quantenzustand des Photonenspins zu teleportieren – das heißt, wie ich dafür sorgen kann, dass Nicholas ein Photon erhält, dessen Wahrscheinlichkeiten, einen Spin in die eine oder die andere Richtung zu erhalten, identisch mit den Wahrscheinlichkeiten von Photon A sind.

Dabei kann ich nicht einfach den Spin von Photon A messen, Nicholas anrufen und ihn auffordern, ein Photon in London dergestalt zu manipulieren, dass dessen Spin sich mit meiner Beobachtung deckt. Das Ergebnis, das ich ermittle, wäre von der Beobachtung beeinflusst, die ich vornehme, und entspräche daher nicht dem wahren Zustand von Photon A vor meiner Beobachtung. Was kann ich also tun? Nun, laut Bennett und seinen Kollegen ist zunächst einmal sicherzustellen, dass Nicholas und ich jeweils eines von zwei zusätzlichen Photonen besitzen, nennen wir sie Photon B und C, die verschränkt sind. Wie wir in den Besitz dieser Photonen gelangen, ist ohne besondere Bedeutung. Nehmen wir einfach an, Nicholas und ich sind uns sicher, dass wir, obwohl auf verschiedenen Seiten des Atlantiks, exakt das gleiche Ergebnis erhalten, wenn ich den Spin von Photon B um eine gegebene Achse messe und er die gleiche Messung an Photon C vornimmt.

Der nächste Schritt besteht, so Bennett und seine Kollegen, *nicht* darin, Photon A – das Photon, das ich teleportieren möchte – direkt zu messen, weil sich das als zu drastische Intervention erweist. Stattdessen muss ich ein *gemeinsames* Merkmal von Photon A und dem verschränkten Photon B messen. Beispielsweise gestattet die Quantentheorie, dass ich messe, ob die Photonen A und B den gleichen Spin um eine senkrechte Achse haben, ohne ihre Spins einzeln zu ermitteln. Genauso ermöglicht die Quantentheorie, dass ich messe, ob die Photonen A und B den gleichen Spin um eine waagerechte Achse haben, ohne dass ich ihre Spins einzeln beobachten muss. Durch eine solche gemeinsame Messung bringe ich den Spin von Photon A zwar nicht in Erfahrung, aber ich finde heraus, in welcher Beziehung der Spin von Photon A zu dem von Photon B steht. Und das ist eine wichtige Information.

Das ferne Photon C ist mit Photon B verschränkt. Falls ich also weiß, wie die Beziehung von Photon A zu Photon B ist, kann ich daraus schließen, in welcher Beziehung Photon A zu Photon C steht. Wenn ich nun Nicholas diese Information telefonisch übermittle, das heißt, ihm mitteile, wie der Spin von Photon A relativ zu dem von Photon C ist, kann er bestimmen, wie Photon C manipuliert werden muss, damit dessen Quantenzustand dem von Photon A entspricht. Sobald er die erforderliche Manipulation ausgeführt hat, ist der Quantenzustand des Photons in seinem Besitz identisch mit dem von Photon A, und das ist alles, was wir brauchen, um erklären zu können, dass Photon A erfolgreich teleportiert worden ist. Nehmen wir beispielsweise den einfachsten Fall: Wenn wir messen, dass der Spin von Photon B identisch mit dem von Photon A ist, schließen wir daraus, dass der Spin von Photon C auch mit dem von Photon A identisch ist, womit die Teleportation ohne jede weitere Maßnahme vollendet ist. Photon C befindet sich, wie gewünscht, im gleichen Quantenzustand wie Photon A.

Fast jedenfalls. Das ist die grobe Idee, doch um die Quantenteleportation in überschaubaren Schritten zu erklären, habe ich bislang ein absolut notwendiges Element der Geschichte ausgelassen, eines, das ich jetzt nachliefern möchte. Wenn ich die gemeinsame Messung an den Photonen A und B vornehme, bringe ich in der Tat in Erfahrung, in welcher Beziehung der Spin von Photon A zu dem von Photon B steht. Doch wie für alle Beobachtungen gilt auch hier: Die Messung selbst wirkt sich auf die Photonen aus. Daher bringe ich *nicht* in Erfahrung, wie die Beziehung zwischen dem Spin von Photon A zu dem von Photon B vor der Messung war, sondern stelle nur fest, in welcher Beziehung sie stehen, nachdem sie beide der Störung des Messaktes unterworfen wurden. Auf den ersten Blick scheinen wir also bei dem Versuch, Photon A zu replizieren, auf eben das quantenmechanische Hindernis zu stoßen, das ich anfangs beschrieben habe: die unvermeidliche Störung, die durch den Messprozess bewirkt wird. Hier kommt Photon C zur Hilfe. Da die Photonen B und C verschränkt sind, manifestiert sich die Störung, die ich an Photon B in New York bewirke, *auch in dem Zustand von Photon C in London.* Das ist die wundersame Natur der Quantenverschränkung, wie wir sie in Kapitel 4 erörtert haben. Tatsächlich haben Bennett und seine Kollegen mathematisch nachgewiesen, dass die Störung *auf das ferne Photon* C durch seine Verschränkung mit Photon B *übertragen* wird.

Das ist außerordentlich interessant. Durch meine Messung sind wir in der Lage, in Erfahrung zu bringen, in welcher Beziehung der Spin von Photon A zu dem von Photon B steht, allerdings verbunden mit dem hässlichen Problem, dass beide Photonen durch meine Einmischung eine Störung erleiden. Durch Verschränkung ist Photon C jedoch mit meiner Messung verknüpft – obwohl es Tausende von Kilometern entfernt ist. Das gestattet uns, den Effekt der Störung zu isolieren und damit Zugang zu einer Information zu erhalten, die gewöhnlich im Messprozess verloren geht. Wenn ich jetzt Nicholas anrufe und ihm das Ergebnis meiner Messung mitteile, erfährt er, in welcher Beziehung die Spins der Photonen A und B nach der Störung stehen, und erhält durch Photon C *Zugang zur Auswirkung der Störung selbst.* Das gibt Nicholas die Möglichkeit, mit Hilfe von Photon C, vereinfacht gesagt, die durch meine Messung verursachte Störung zu subtrahieren und damit das Hindernis zu umgehen, das der Verdoppelung von Photon A im Wege steht. Wie Bennett und seine Kollegen im Einzelnen nachwiesen, kann Nicholas durch höchstens eine einfache Manipulation des Spins von Photon C (auf der Grundlage des Anrufs, in dem ich ihn über den Spin von Photon A relativ zu dem von Photon B informiert habe) dafür sorgen, dass Photon C, soweit es dessen Spin angeht, exakt den Quantenzustand von Photon A *vor meiner Messung* repliziert. Zwar ist der Spin nur ein Merkmal eines Photons, doch andere Merkmale des Quantenzustands von Photon A (etwa die Wahrscheinlichkeit, dass es die eine oder andere Energie besitzt) lassen sich in ähnlicher Weise replizieren. Mit Hilfe dieses Verfahrens können wir also Photon A von New York nach London teleportieren.[3]

Wie Sie sehen, hat die Quantenteleportation zwei Stadien, die beide entscheidende und einander ergänzende Informationen liefern. Erstens nehmen wir eine gemeinsame Messung an dem Photon vor, das wir teleportieren wollen, und an einem Mitglied eines verschränkten Photonenpaars. Die Störung, die mit der Messung verbunden ist, wird auf den fernen Partner des verschränkten Paares durch das seltsame Phänomen der quantenmechanischen Nichtlokalität übertragen. Das ist Stadium 1, der eindeutig quantenmechanische Teil des Teleportationsprozesses. In Stadium 2 wird das Ergebnis der Messung dem fernen Empfänger auf herkömmlichem Wege (Telefon, Fax, E-Mail ...) übermittelt, was man den klassischen Teil des Teleportationsprozesses nennen könnte. Zusammen ermöglichen Stadium 1 und 2, dass der exakte Quantenzustand des Photons, das wir teleportieren wollen, durch eine einfache Operation (etwa eine gewisse Drehung um bestimmte Achsen) an einem fernen Mitglied des verschränkten Paares reproduziert wird.

Zu beachten sind außerdem zwei entscheidende Merkmale der Quantenteleportation. Da der ursprüngliche Quantenzustand von Photon A durch meine Messung gestört wurde, *ist Photon C in London jetzt das einzige, das sich noch in diesem Originalzustand befindet.* Es gibt keine zwei Kopien des ursprünglichen Photons A, daher ist es in der Tat genauer, nicht von Quantenfaxen, sondern von Quantenteleportation zu sprechen.[4] Im Übrigen haben wir zwar Photon A von New York nach London teleportiert – das Photon in London ist ununterscheidbar von dem Originalphoton, das wir in New York hatten –, bringen aber den Quantenzustand von Photon A nicht in Erfahrung. Für das Photon in London besteht exakt die gleiche Wahrscheinlichkeit, einen Spin in die eine oder andere Richtung zu besitzen, wie sie für Photon A bestand, bevor ich mich einmischte, doch wir kennen diese Wahrscheinlichkeit nicht. Tatsächlich ist das der Trick, auf dem die Quantenteleportation beruht. Die durch die Messung bewirkte Störung hindert uns daran, den Quantenzustand von Photon A zu bestimmen, aber in dem beschriebenen Verfahren *müssen wir den Quantenzustand des Photons nicht kennen, um es zu teleportieren.* Uns muss nur ein Aspekt seines Quantenzustands bekannt sein – der Aspekt, den wir durch die gemeinsame Messung mit Photon B in Erfahrung bringen. Den Rest erledigt die Quantenverschränkung mit dem fernen Photon C.

Die Umsetzung dieser Strategie zur Quantenteleportation war keine geringe Leistung. Anfang der neunziger Jahre war zwar die Schaffung eines verschränkten Photonenpaars ein Standardverfahren, eine gemeinsame Messung zweier Photonen (die oben beschriebene gemeinsame Messung an den Photonen A und B, die Physiker als *Bell-Zustandsmessung* bezeichnen) war jedoch noch nie durchgeführt worden. Die Leistung der Forschungsgruppen von Zeilinger und De Martini bestand darin, raffinierte Experimentaltechniken für die gemeinsame Messung zu ersinnen und sie im Labor umzusetzen.[5] 1997 hatten sie dieses Ziel erreicht und waren damit die ersten Forschungsteams, denen die Teleportation eines einzelnen Teilchens gelang.

Realistische Teleportation

Da Sie und ich und ein DeLorean und alle anderen Dinge aus vielen Teilchen bestehen, ergibt sich daraus natürlich die Frage, ob man die Quantenteleportation auf so große Ansammlungen von Teilchen anwenden, das heißt, ob man makroskopische Objekte von einem Ort an einen anderen »beamen« kann. Doch der Sprung von der Teleportation eines einzelnen Teilchens zu derjenigen einer makroskopischen Ansammlung von Teilchen ist ungeheuerlich. Er übersteigt bei weitem die Möglichkeiten der heutigen Forschung, so weit, dass viele Experten ihn auch in ferner Zukunft für unmöglich halten. Nur so zum Spaß wollen wir uns dennoch ansehen, wie das vonstatten gehen könnte, wenn Zeilingers fantasievoller Traum in Erfüllung ginge.

Stellen wir uns vor, ich wollte meinen DeLorean von New York nach London teleportieren. Dann brauchten Nicholas und ich nicht je ein Mitglied eines verschränkten Photonenpaars (wie für die Teleportation eines einzelnen Photons), sondern eine Teilchenkammer, die genügend Protonen, Neutronen, Elektronen und so fort enthielte, um einen DeLorean zu bauen, wobei alle Teilchen in meiner Kammer mit denen in Nicholas' Kammer verschränkt sein müssten (siehe Abbildung 15.1). Außerdem benötige ich ein Gerät zur Messung der gemeinsamen Eigenschaften aller Teilchen, aus denen mein DeLorean besteht, und jener Teilchen, die in meiner Kammer hin und her schwirren (was der Messung der gemeinsamen Merkmale der Photonen A und B entspricht). Durch die Verschränkung der Teilchen in den beiden Kammern wird die Wirkung der gemeinsamen Messungen, die ich in New York ausführe, auf

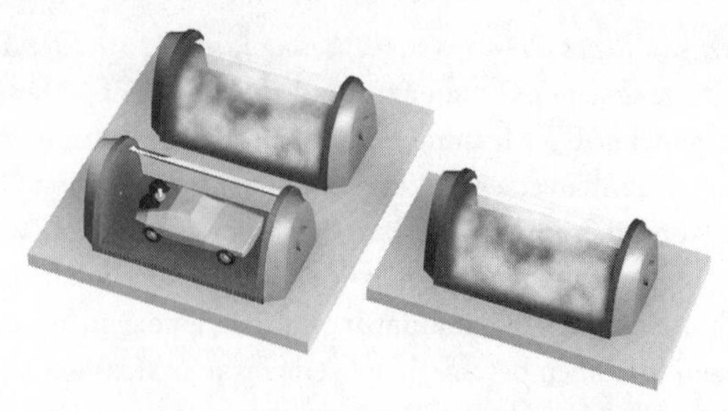

Abbildung 15.1 Ein fantasievoller Entwurf der Teleportation sieht vor, dass wir zwei Kammern mit quantenverschränkten Teilchen an zwei entfernten Orten haben und über ein Gerät verfügen, mit dem wir geeignete gemeinsame Messungen vornehmen können, und zwar an den Teilchen, aus denen das für die Teleportation vorgesehene Objekt besteht, und an den Teilchen in einer der Kammern. Die Ergebnisse dieser Messungen würden die Informationen liefern, die erforderlich sind, um die Teilchen in der zweiten Kammer so zu manipulieren, dass sie das Objekt replizieren und damit die Teleportation abschließen.

Nicholas' Teilchenkammer in London übertragen (was dem Zustand von Photon C entspricht, wenn er die gemeinsame Messung von A und B widerspiegelt). Sobald ich Nicholas anrufe und ihm die Ergebnisse meiner Messungen mitteile (ein kostspieliger Anruf, da ich Nicholas 10^{30} Resultate nennen muss), kann er den Daten entnehmen, wie er die Teilchen in seiner Kammer manipulieren muss (ganz so, wie ihn mein früherer Anruf in die Lage versetzte, Photon C zu manipulieren). Wenn er fertig ist, befindet sich jedes Teilchen in seiner Kammer in genau dem gleichen Quantenzustand wie jedes Teilchen im DeLorean (bevor es irgendwelchen Messungen unterzogen wurde), und daher *hat* Nicholas jetzt, wie oben dargelegt, den DeLorean.* Seine Teleportation von New York nach London ist damit abgeschlossen.

Es sei allerdings ausdrücklich darauf hingewiesen, dass jeder Schritt in dieser makroskopischen Version der Quantenteleportation pure Fantasie ist. Ein Objekt wie ein DeLorean hat mehr als eine Milliarde Milliarden Milliarden Teilchen. Zwar machen die Forscher bei der Verschränkung von mehr als

* Bei Teilchenansammlungen kodiert der Quantenzustand – im Gegensatz zu einzelnen Teilchen – auch die Beziehung jedes Teilchens in der Ansammlung zu jedem anderen. Durch eine genaue Reproduktion des Quantenzustands der Teilchen, aus denen der DeLorean besteht, sorgen wir also dafür, dass sie sich alle in der gleichen Beziehung zueinander befinden, die sie im Original hatten. Die einzige Veränderung, der sie unterliegen, ist die Tatsache, dass sich ihr gemeinsamer Aufenthaltsort von New York nach London verlagert hat.

einem einzelnen Teilchenpaar Fortschritte, sind aber noch durch Welten von allen Zahlen getrennt, die bei makroskopischen Objekten ins Spiel kommen.[6] Der Versuch, die beschriebenen zwei Kammern mit verschränkten Teilchen einzurichten, ist daher lächerlich unrealistisch. Schon die gemeinsame Messung *zweier* Photonen war schwierig und eine eindrucksvolle Leistung. Diese auf die gemeinsame Messung von Milliarden und Abermilliarden Teilchen zu übertragen, ist zum gegenwärtigen Zeitpunkt unvorstellbar. Bei nüchterner Einschätzung müssen wir aus unserem heutigen Blickwinkel zu dem Schluss kommen, dass die Teleportation makroskopischer Objekte, zumindest nach der bisher bei einem einzelnen Teilchen verwendeten Methode, noch viele Zeitalter – wenn nicht gar eine Ewigkeit – auf sich warten lassen wird.

Doch da eine der Konstanten in der Wissenschafts- und Technikgeschichte die Vergänglichkeit von negativen Prophezeiungen ist, will ich mich mit dem Offenkundigen zufrieden geben: Die Teleportation makroskopischer Körper erscheint unwahrscheinlich. Aber wer weiß? Vor vierzig Jahren erschien auch der Bordcomputer der *Enterprise* ziemlich unwahrscheinlich.[7]

Die Rätsel der Zeitreise

Zweifellos würde unser Leben anders aussehen, wenn die Teleportation makroskopischer Objekte so leicht wäre wie ein Anruf bei UPS oder die Benutzung der U-Bahn. Wir könnten auf Reisen gehen, die bislang zu beschwerlich oder ganz unmöglich waren. Der Begriff der Reise durch den Raum würde eine jener seltenen Umgestaltungen erleben, in deren Verlauf der qualitative Zuwachs an Bequemlichkeit und Effizienz eine grundlegende Veränderung des Weltbilds nach sich zieht.

Dennoch bliebe die Auswirkung der Teleportation für unsere Einstellung zum Universum blass und bedeutungslos im Vergleich zu der Umwälzung, die zu erwarten wäre, wenn es uns gelänge, nach Belieben durch die Zeit zu reisen. Jeder weiß, dass wir mit entsprechender Mühe und Beharrlichkeit zumindest im Prinzip von hier nach dort gelangen können. Obwohl es technische Grenzen für unsere Reisen durch den Raum gibt, können wir uns innerhalb dieser Grenzen bewegen, wie es uns gefällt. Doch wie ist es mit der Reise von Jetzt nach Dann? Nach allen unseren Erfahrungen gibt es dafür im besten Falle nur einen Weg: Wir müssen es abwarten – Sekunde muss auf Sekunde folgen, bis im Zuge dieses Zeitmaßes das Jetzt dem Dann weicht. Vorausgesetzt allerdings, das »Dann« ist später als das »Jetzt«. Geht das Dann dem Jetzt voraus, teilt uns unsere Erfahrung unwiderruflich mit, dass es überhaupt keinen Weg gibt. Die Reise in die Vergangenheit scheint unmöglich zu sein.

Anders als Reisen durch den Raum sind Reisen durch die Zeit offenbar keineswegs in unser Belieben gestellt. Was die Zeit angeht, so werden wir in eine bestimmte Richtung gezerrt, ob es uns gefällt oder nicht.

Wären wir in der Lage, uns in der Zeit so frei zu bewegen wie im Raum, würde unser Weltbild nicht nur eine Veränderung erfahren, es würde die radikalste Erschütterung in der gesamten Menschheitsgeschichte erleiden. Angesichts so ungeheuerlicher Konsequenzen bin ich immer wieder verblüfft, wie wenig Menschen sich klar machen, dass es die theoretischen Grundlagen für eine Art der Zeitreise – derjenigen in die Zukunft – schon seit Anfang des letzten Jahrhunderts gibt.

Als Einstein in der speziellen Relativitätstheorie die Beschaffenheit der Raumzeit untersuchte, entwarf er auch einen Fahrplan für die Reise in die Zukunft. Wenn Sie sehen möchten, was auf dem Planeten Erde in 1000, 10 000 oder 10 Millionen Jahren geschieht, teilen Ihnen die Gesetze der Einsteinschen Theorie mit, wie Sie es anstellen müssen. Sie bauen sich ein Fahrzeug, das, sagen wir, 99,9999999996 Prozent der Lichtgeschwindigkeit erreichen kann. Dann jagen Sie mit Höchstgeschwindigkeit einen Tag, zehn Tage oder etwas mehr als 27 Jahre (gemessen auf der Uhr Ihres Schiffes) ins All hinaus, drehen um und kehren, immer noch mit Höchstgeschwindigkeit, zur Erde zurück. Bei Ihrer Rückkehr sind 1000, 10 000 oder 10 Millionen Jahre *Erdzeit* verstrichen. Das ist eine unumstrittene und experimentell bestätigte Vorhersage der speziellen Relativitätstheorie – ein Beispiel für die Verlangsamung der Zeit bei zunehmender Geschwindigkeit, wie in Kapitel 3 beschrieben.[8] Da wir Fahrzeuge mit solchen Geschwindigkeiten nicht bauen können, hat noch niemand diese Vorhersagen buchstabengetreu überprüft. Wie oben erwähnt, haben Forscher jedoch die vorhergesagte Zeitverlangsamung für ein Verkehrsflugzeug getestet, dessen Reisegeschwindigkeit einen kleinen Bruchteil der Lichtgeschwindigkeit ausmacht, und auch für Elementarteilchen wie Myonen, die fast mit Lichtgeschwindigkeit durch Beschleuniger rasen (ruhende Myonen zerfallen in rund zwei Millionstel Sekunden, doch je schneller sie vorankommen, desto langsamer geht ihre innere Uhr, und desto länger scheinen sie daher zu leben). Es gibt allen Grund zu der Annahme – und keinen, der gegen sie spräche –, dass die spezielle Relativitätstheorie richtig ist und dass die Strategie, in die Zukunft zu gelangen, klappt, wie die Theorie es vorhersagt. Die Technik, nicht die Physik fesselt uns an unsere Epoche.*

Schwierigere Probleme ergeben sich allerdings, wenn wir an die andere Form der Zeitreise denken, die in die Vergangenheit. Sicherlich kennen Sie einige dieser Probleme. Da gibt es beispielsweise das Standardszenario, dem zufolge Sie in die Vergangenheit reisen und Ihre eigene Geburt verhindern. In vielen fiktionalen Kontexten geschieht dies durch Gewalt. Doch auch weniger dramatische Maßnahmen könnten ebenso wirksam sein – etwa wenn Sie Ihre Eltern daran hindern würden, sich kennen zu lernen. Das Paradoxon ist klar: Wie könnten Sie auf der Welt sein und insbesondere, wie könnten Sie in die Vergangenheit reisen und Ihre Eltern daran hindern, sich kennen zu lernen, wenn Sie nie geboren worden wären? Um in die Vergangenheit zu reisen und Ihre Eltern daran zu hindern, sich kennen zu lernen, müssen Sie erst einmal geboren werden, aber wenn Sie geboren werden, in die Vergangenheit reisen und verhindern, dass Ihre Eltern sich kennen lernen, werden Sie *nicht* geboren. Wir stecken mitten in einer logischen Sackgasse.

Ein ähnliches Paradoxon, das der Oxford-Philosoph Michael Dummett vorgeschlagen und sein Kollege David Deutsch bekannt gemacht hat, gibt uns ein etwas anderes und vielleicht noch verblüffenderes Rätsel auf. Es folgt eine von verschiedenen Versionen. Stellen Sie sich vor, ich würde eine Zeitmaschine bauen und zehn Jahre in die Zukunft reisen. Nach einem raschen Mittagessen bei Tofu-4-U (der Imbisskette, die McDonald's übernahm, nachdem die große Rinderwahn-Epidemie die allgemeine Begeisterung für Cheeseburger auf den Nullpunkt sinken ließ) suche ich das nächste Internetcafé auf, um zu sehen, welche Fortschritte in der Stringtheorie gemacht worden sind. Dort wartet eine wunderbare Überraschung auf mich. Ich lese, dass alle ungelösten Fragen beantwortet sind. Die Theorie ist vollständig ausgearbeitet und mit Erfolg zur Erklärung aller bekannten Teilcheneigenschaften verwendet worden. Man hat unwiderlegliche Beweise für die Existenz von Zusatzdimensionen gefunden. Die stringtheoretischen Vorhersagen über die supersymmetrischen Partnerteilchen – ihre Massen, elektrischen Ladungen und so fort – sind gerade haargenau vom Large Hadron Collider bestätigt worden. Es besteht kein Zweifel mehr daran: Die Stringtheorie ist die vereinheitlichte Theorie des Universums, die Weltformel.

* Die Zerbrechlichkeit des menschlichen Körpers ist eine weitere praktische Beschränkung: Die Beschleunigung, die erforderlich ist, um solche hohen Geschwindigkeiten innerhalb eines vernünftigen Zeitraums zu erreichen, überfordert die Widerstandskraft des menschlichen Körpers erheblich. Zu beachten ist im Übrigen auch, dass sich aus der Zeitverlangsamung im Prinzip eine Strategie zum Erreichen ferner Orte im All ergibt. Wenn eine Rakete die Erde verließe und mit 99,99999999999999999 Prozent der Lichtgeschwindigkeit zur Andromeda-Galaxie flöge, müssten wir fast sechs Millionen Jahre auf ihre Rückkehr warten. Doch bei dieser Geschwindigkeit verlangsamt sich die Zeit in der Rakete relativ zur Zeit auf der Erde so enorm, dass der Astronaut bei seiner Rückkehr nur um acht Stunden gealtert wäre (die Tatsache einmal beiseite gelassen, dass er die Beschleunigungen nicht überlebt hätte, die erforderlich gewesen wären, um ihn auf diese Geschwindigkeit zu bringen, zurückzukehren und schließlich wieder zum Stillstand zu kommen).

Als ich ein bisschen nachforsche, um festzustellen, wer für diese enormen Fortschritte verantwortlich ist, stoße ich auf eine noch größere Überraschung. Der bahnbrechende Artikel wurde ein Jahr zuvor von niemand anderem als Rita Greene geschrieben. Meiner Mutter. Ich bin wie vor den Kopf geschlagen. Damit wir uns recht verstehen: Meine Mutter ist ein wunderbarer Mensch, aber sie ist keine Wissenschaftlerin, kann nicht verstehen, dass jemand Wissenschaftler wird, hat beispielsweise mein Buch *Das elegante Universum* nach wenigen Seiten aus der Hand gelegt und erklärt, davon bekomme sie Kopfschmerzen. Also wie in aller Welt ist sie dazu gekommen, *den* Schlüsselaufsatz der Stringtheorie zu schreiben? Nun, ich lese ihren Artikel online und bin hingerissen von der einfachen und doch so scharfsinnigen und überzeugenden Gedankenführung. Am Ende lese ich dann fassungslos, dass sie *mir* für die Jahre eingehender mathematischer und physikalischer Unterweisung dankt, die ich ihr hätte zuteil werden lassen, nachdem ihr ein Seminar des Persönlichkeitstrainers Tony Robbins ihre Scheu genommen und sie veranlasst habe, ihren inneren Physiker zu entdecken. Himmel, denke ich. Sie hatte sich gerade für das Seminar angemeldet, als ich zu meiner Reise in die Zukunft aufbrach. Ich sollte besser in meine Zeit zurückkehren, um mit meinen Unterweisungen zu beginnen.

Also begebe ich mich wieder in meine Zeit und versuche, meiner Mutter die Stringtheorie nahe zu bringen. Doch es läuft nicht sehr gut. Ein Jahr vergeht. Dann zwei. Obwohl sie sich wirklich Mühe gibt, packt sie es einfach nicht. Ich fange an, mir Sorgen zu machen. Zwei weitere Jahre versuchen wir es, aber die Fortschritte sind minimal. Jetzt bin ich wirklich beunruhigt. Es bleibt nicht mehr viel Zeit bis zum Erscheinungsdatum des Artikels. Wie soll sie ihn schreiben? Schließlich raffe ich mich zu einer Entscheidung auf. Als ich ihren Artikel in der Zukunft gelesen habe, hat er einen so tiefen Eindruck auf mich gemacht, dass er mir deutlich und klar im Gedächtnis geblieben ist. Statt sie also selbst die Entdeckung machen zu lassen – etwas, was immer unwahrscheinlicher erscheint –, sage ich ihr, was sie schreiben soll, und sorge dafür, dass sie alles genau so zu Papier bringt, wie ich es von der Lektüre ihres Online-Artikels her in Erinnerung habe. Sie veröffentlicht das Papier und löst damit binnen kurzem Begeisterungsstürme in der physikalischen Gemeinschaft aus. Alles, was ich darüber in der Zukunft gelesen habe, geht in Erfüllung.

Hier das Rätsel: Wem kommt das Verdienst für den bahnbrechenden Artikel meiner Mutter zu? Ganz gewiss nicht mir. Ich habe von den Ergebnissen durch die Lektüre ihres Artikels erfahren. Aber wie kann meiner Mutter das Verdienst zukommen, wo sie doch nur geschrieben hat, was ich ihr gesagt habe? Natürlich geht es hier nicht wirklich um die Frage des Verdienstes –

sondern darum, wo das neue Wissen, die neuen Erkenntnisse und das neue Verständnis herkommen, die meine Mutter in ihrem Aufsatz darlegt. Auf wen kann ich zeigen und sagen: »Diesem Menschen oder diesem Computer verdanken wir die neuen Ergebnisse«? Ich hatte die Erkenntnisse nicht, meine Mutter hatte sie nicht, sonst war niemand beteiligt, und einen Computer haben wir auch nicht verwendet. Trotzdem stehen alle diese brillanten Gedanken in dem Aufsatz. Offenbar kann in einer Welt, die Zeitreisen in die Zukunft und Vergangenheit zulässt, Wissen aus dem Nichts entstehen. Obwohl nicht ganz so paradox wie die Verhinderung der eigenen Geburt, bleibt dies doch seltsam genug.

Was sollen wir von solchen paradoxen und seltsamen Verhältnissen halten? Sollen wir daraus schließen, dass Zeitreisen in die Zukunft von den physikalischen Gesetzen zwar erlaubt werden, aber jeder Versuch, in die Vergangenheit zurückzukehren, fehlschlagen muss? Diese Ansicht ist vertreten worden. Doch wie wir sehen werden, gibt es Auswege aus den logischen Sackgassen. Das heißt nicht, dass Reisen in die Vergangenheit möglich sind – das ist eine gesonderte Frage, mit der wir uns etwas später beschäftigten werden –, aber es zeigt, dass der Weg rückwärts in der Zeit nicht einfach dadurch ausgeschlossen werden kann, dass man sich auf die geschilderten Rätsel beruft.

Die Rätsel in neuem Licht

In Kapitel 5 haben wir das Verstreichen der Zeit aus der Perspektive der klassischen Physik erörtert und gelangten zu einem Begriff, der sich erheblich von unserer intuitiven Vorstellung unterscheidet. Bei eingehender Betrachtung erschien uns die Raumzeit wie ein Eisblock, in dem jeder Augenblick auf ewig an seinem Ort festgefroren und damit ganz anders ist als in der vertrauten Metapher, der zufolge die Zeit ein Fluss ist, der uns von einem Augenblick zum nächsten trägt. Diese gefrorenen Augenblicke werden auf je verschiedene Weise von Beobachtern, die sich in verschiedenen Bewegungszuständen befinden, zu *Jetzt-Gruppen* zusammengefasst, zu Ereignissen, die gleichzeitig geschehen. Um dem Umstand Rechnung zu tragen, dass es viele Möglichkeiten gibt, den Raumzeitblock in verschiedene Jetzt-Begriffe aufzuteilen, haben wir eine entsprechende Metapher bemüht, in der die Raumzeit als Brotlaib aufgefasst wird, den man in verschiedenen Winkeln aufschneiden kann.

Doch unabhängig von der Frage, welche Metaphern wir wählen, lautet die Lehre aus Kapitel 5, dass Augenblicke – die Ereignisse, aus denen der Raumzeitlaib besteht – lediglich *sind*. Sie sind zeitlos. Jeder Augenblick – jedes Ereignis oder Geschehnis – existiert, so wie jeder Punkt im Raum existiert.

Augenblicke erwachen nicht augenblicklich zum Leben, wenn sie vom »Scheinwerfer« eines anwesenden Beobachters erhellt werden. Das Bild deckt sich zwar weitgehend mit unserem intuitiven Eindruck, hält aber der logischen Analyse nicht stand. Vielmehr gilt: einmal erleuchtet, immer erleuchtet. Augenblicke verändern sich nicht. Augenblicke sind. Erleuchtet zu werden ist einfach eines der vielen unveränderlichen Merkmale, die einen Augenblick konstituieren. Das zeigt sich besonders deutlich aus der aufschlussreichen, aber imaginären Perspektive der Abbildung 5.1, in der sich alle Ereignisse, welche die Geschichte des Universums bilden, dem Blick darbieten. Sie sind alle vorhanden, statisch und unveränderlich. Verschiedene Beobachter sind sich nicht einig, welche Ereignisse gleichzeitig geschehen – sie zerlegen den Raumzeitlaib mit Zeitschnitten in unterschiedlichen Winkeln –, aber der Laib an sich und die ihn konstituierenden Ereignisse sind buchstäblich universell.

Die Quantenmechanik nimmt gewisse Veränderungen an diesem klassischen Bild der Zeit vor. Beispielsweise haben wir in Kapitel 12 gesehen, dass bei extrem kurzen Abständen Raum und Raumzeit zwangsläufig wellig und uneben werden. Zu einer gründlichen quantenmechanischen Analyse der Zeit ist jedoch die Lösung des Messproblems erforderlich (Kapitel 7). Einer der Vorschläge dafür, die Viele-Welten-Interpretation, ist besonders geeignet, um die Zeitreise-Paradoxa zu umgehen; damit werden wir uns im nächsten Abschnitt beschäftigen. Doch erst einmal wollen wir klassisch bleiben und das Bild der Raumzeit als Eisblock/Brotlaib für die Lösung der Rätsel nutzen.

Nehmen wir das paradoxe Beispiel, dass Sie in der Zeit zurückgegangen sind und Ihre Eltern daran gehindert haben, sich kennen zu lernen. Intuitiv wissen wir alle, was das eigentlich bedeuten müsste. Vor Ihrer Zeitreise in die Vergangenheit hatten sich Ihre Eltern auf einer Silvesterparty kennen gelernt – sagen wir am 31. Dezember 1965 um Schlag Mitternacht* –, und nach einiger Zeit kam Ihre Mutter mit Ihnen nieder. Viele Jahre später beschlossen Sie, in die Vergangenheit zu reisen – zurück zum 31. Dezember 1965 –, und dort angekommen, veränderten Sie die Dinge; vor allem sorgten Sie dafür, dass Ihre Eltern nicht zusammenkamen, und verhinderten so Ihre eigene Empfängnis und Geburt. Doch nun wollen wir dieser intuitiven Beschreibung die logische Analyse der Zeit anhand des Raumzeitlaibs entgegensetzen.

Im Wesentlichen ergibt die intuitive Beschreibung keinen Sinn, weil sie voraussetzt, Augenblicke könnten sich ändern. Nach der intuitiven Vorstel-

* Natürlich müsste ich eigentlich sagen, am 1. Januar 1966, aber mit solchen Spitzfindigkeiten wollen wir uns nicht aufhalten.

lung (nach der üblichen irdischen Methode, Zeitschnitte zu setzen) war am 31. Dezember 1965 Punkt Mitternacht »ursprünglich« der Augenblick, wo sich Ihre Eltern kennen lernten, »anschließend« hat nach dieser Auffassung Ihr Eingreifen die Dinge aber so verändert, dass Ihre Eltern am 31. Dezember 1965 Schlag Mitternacht Kilometer, wenn nicht gar Kontinente voneinander entfernt waren. Das Problem dieser Erzählweise liegt darin, dass sich Augenblicke nicht verändern, sondern, wie wir gesehen haben, einfach da sind. Der Raumzeitlaib existiert, ein für alle Mal festgelegt und unveränderlich. Die Aussage, ein Augenblick sei »ursprünglich« so gewesen und »anschließend« anders, ist bedeutungslos.

Wenn Sie sich in der Zeit rückwärts bis zum 31. Dezember 1965 begeben haben, dann waren Sie dort, waren schon immer dort, werden immer dort sein und waren niemals nicht dort. Der 31. Dezember hat sich nicht zwei Mal ereignet, etwa dergestalt, dass Sie die Premiere verpasst, aber eine spätere Vorstellung miterlebt haben. Aus der zeitlosen Perspektive der Abbildung 5.1 sind Sie – statisch und unveränderlich – an verschiedenen Orten des Raumzeitlaibs vorhanden. Wenn Sie heute die Instrumente Ihrer Zeitmaschine so einstellen, dass Sie um 23.50 Uhr am 31. Dezember 1965 landen, dann gehört dieser Augenblick zu den Orten in der Raumzeit, an denen Sie anzutreffen sind. Ihre Anwesenheit an Silvester 1965 ist ein *ewiges* und *unveränderliches* Merkmal der Raumzeit.

Diese Überlegung führt uns zu einigen merkwürdigen Schlussfolgerungen, vermeidet aber Paradoxa. Beispielsweise würden Sie am 31. Dezember 1965 um 23.50 Uhr im Raumzeitlaib auftauchen, doch vorher gäbe es keine Spur Ihrer Existenz. Das ist merkwürdig, aber nicht paradox. Sähe Sie einer der Gäste um 23.50 Uhr plötzlich Gestalt annehmen und würde erschreckt fragen, woher Sie kämen, könnten Sie immer noch seelenruhig antworten: »Aus der Zukunft.« Bei diesem Szenario sind wir zumindest bis jetzt noch nicht in einer logischen Sackgasse gefangen. Interessanter wird die Sache natürlich, wenn Sie versuchen, Ihren Auftrag auszuführen und Ihre Eltern daran zu hindern, sich kennen zu lernen. Was geschieht? Wenn wir die Perspektive des »Raumzeitblocks« sorgfältig beibehalten, kommen wir unausweichlich zu dem Schluss, dass Ihre Bemühungen zum Scheitern verurteilt sein müssen. Egal, was Sie an jenem schicksalhaften Silvestertag anstellen, Sie werden scheitern. Der Versuch, Ihre Eltern voneinander fern zu halten, führt – obwohl scheinbar im Bereich des Machbaren – ins logische Abseits. Ihre Eltern trafen sich Schlag Mitternacht. Sie waren dort. Und Sie werden »immer« dort sein. Jeder Augenblick ist. Basta. Er verändert sich nicht. Den Begriff der Veränderung auf einen Augenblick anzuwenden, ist ungefähr so sinnvoll, wie einen Stein einer Psychoanalyse zu unterziehen. Ihre Eltern lernten sich am 31. Dezember 1965 Schlag Mitternacht kennen, und *nichts* kann daran etwas ändern, weil diese Begegnung ein unwandelbares, ein für alle Mal feststehendes Ereignis ist, das seinen Ort in der Raumzeit ewig einnimmt.

Tatsächlich erinnern Sie sich jetzt, da Sie darüber nachdenken, dass Ihr Vater, als Sie ihn in Ihrer Jugend einmal fragten, wie er um Ihre Mutter angehalten habe, Ihnen erzählt hat, er habe das gar nicht vorgehabt. Er habe Ihre Mutter kaum gekannt, bevor er die alles entscheidende Frage gestellt habe. Doch auf einer Silvesterparty habe er einen Riesenschreck bekommen, als er einen Mann aus dem Nichts auftauchen sah – der zu allem Überfluss auch noch erklärte, aus der Zukunft zu kommen –, da habe er, als er Ihre Mutter kennen lernte, auf der Stelle beschlossen, um ihre Hand anzuhalten.

Entscheidend ist, dass sich der vollständige und unveränderliche Komplex von Ereignissen in der Raumzeit zwangsläufig zu einem zusammenhängenden, in sich schlüssigen Ganzen fügt. Wenn Sie sich per Zeitreise zum 31. Dezember 1965 zurückbegeben, erfüllen Sie damit in Wirklichkeit Ihr eigenes Schicksal. Im Raumzeitlaib ist am 31. Dezember 1965 jemand zugegen, der dort zu keinem früheren Zeitpunkt auftaucht. Vom imaginären, außen liegenden Standpunkt der Abbildung 5.1 betrachtet, wären wir in der Lage, es direkt zu sehen; zweifellos könnten wir auch erkennen, dass es sich bei dieser Person um *Sie* in Ihrem gegenwärtigen Alter handelt. Um diesen, Jahrzehnte zurückliegenden Ereignissen einen Sinn zu geben, *müssen* Sie in der Zeit zum Jahr 1965 zurückreisen. Aus unserem Blickwinkel von außen können wir außerdem erkennen, dass Ihnen Ihr Vater am 31. Dezember 1965 kurz nach 23.50 Uhr eine Frage stellt, ein erschrecktes Gesicht macht, davoneilt und Ihrer Mutter um Mitternacht begegnet. Ein Stück weiter den Laib hinab können wir sehen, wie Ihre Eltern heiraten, wie Sie geboren werden, wie Sie Ihre Kindheit verleben und wie Sie später in die Zeitmaschine treten. Wären Zeitreisen in die Vergangenheit möglich, würden wir Ereignisse, die sich zu einer bestimmten Zeit zugetragen haben, nicht mehr ausschließlich (aus jeder gegebenen Perspektive) durch Ereignisse erklären, die zu früheren Zeitpunkten stattgefunden haben. Vielmehr würde die Gesamtheit der Ereignisse zwangsläufig eine vernünftige, zusammenhängende, widerspruchsfreie Geschichte darstellen.

Wie im letzten Abschnitt betont, bedeutet dies auch bei großzügigster Auslegung nicht, dass Zeitreisen in die Vergangenheit möglich sind. Aber es legt nachdrücklich nahe, dass die vermeintlichen Paradoxa – wie etwa die Verhinderung der eigenen Geburt – ihrerseits aus Trugschlüssen geboren sind. Wenn Sie eine Zeitreise in die Vergangenheit antreten, können Sie diese so wenig verändern wie den Wert von Pi. Reisen Sie in die Vergangenheit, so sind

Sie ein Teil der Vergangenheit, werden es sein und sind es immer gewesen – eben jener Vergangenheit, die zu dieser Reise führt.

Von außen betrachtet, aus der Perspektive der Abbildung 5.1, ist diese Erklärung sowohl wasserdicht als auch zusammenhängend. Wenn wir die Gesamtheit der Ereignisse im Raumzeitlaib betrachten, erkennen wir, dass sie starr wie der Aufbau eines Raumzeit-Kreuzworträtsels ineinander greifen. Doch aus der Perspektive des 31. Dezembers 1965 sind die Dinge noch immer verwirrend. Oben habe ich erklärt, dass Sie, selbst wenn Sie entschlossen wären, Ihre Eltern daran zu hindern, sich kennen zu lernen, nach der klassischen Auffassung keinen Erfolg haben können. Sie können beobachten, wie Ihre Eltern sich kennen lernen. Sie können Ihnen sogar behilflich sein, sich kennen zu lernen, vielleicht unabsichtlich, wie in der Geschichte, die ich erzählt habe. Sie können wiederholt in der Zeit zurückreisen, so dass Sie mehrfach vorhanden sind – jedes Sie bemüht, die Verbindung Ihrer Eltern zu verhindern. Doch das Gelingen dieses Vorhabens hieße, etwas zu verändern, hinsichtlich dessen der Begriff der Veränderung seine Bedeutung verliert.

Aber selbst mit den Erkenntnissen aus diesen abstrakten Überlegungen können wir nicht umhin zu fragen: Was hindert Sie daran, Erfolg zu haben? Wenn Sie um 23.50 Uhr auf der Party erscheinen und Ihre junge Mutter erblicken, was hindert Sie daran, sie auf irgendeine Weise von dort fortzulocken? Oder wenn Sie Ihren jungen Vater sehen, was hindert Sie daran, ihn – ach, zum Kuckuck, sagen wir's doch einfach – niederzuschießen? Haben Sie keinen freien Willen? Hier könnte, so vermuten einige Forscher, die Quantenmechanik ins Spiel kommen.

Freier Wille, viele Welten und Zeitreise

Die Willensfreiheit ist eine komplizierte Frage, selbst wenn wir den erschwerenden Faktor der Zeitreise beiseite lassen. Die Gesetze der klassischen Physik sind deterministisch. Wie oben erläutert: Wenn Sie genau wüssten, wie die Dinge jetzt sind (den Ort und die Geschwindigkeit jedes Teilchens im Universum kennen würden), würden Ihnen die Gesetze der klassischen Physik genau mitteilen, wie die Dinge zu jedem beliebigen anderen Zeitpunkt wären. Die Gleichungen nehmen keine Rücksicht auf die vermeintliche Willensfreiheit des Menschen. Gelegentlich wird daraus geschlossen, dass der freie Wille eine Illusion sei. Dieser Ansicht zufolge bestehen Sie aus einer Ansammlung von Teilchen, daher bestimmen die Gesetze der klassischen Physik das Verhalten aller Ihrer Teilchen in jedem Augenblick – wo diese sind, wie sie sich bewegen und so fort –, folglich scheint Ihr Vermögen, kraft Ihres Willens über Ihr Handeln zu entscheiden, vollkommen außer Kraft gesetzt zu sein. Mich überzeugt diese Argumentation, aber wer glaubt, dass wir mehr als die Summe unserer Teilchen sind, wird anderer Meinung sein.

Wie dem auch sei, die Bedeutung dieser Überlegungen ist nur von begrenztem Wert, weil wir nicht in einem klassischen, sondern in einem quantenmechanischen Universum leben. In der Quantenphysik, der Physik unserer wirklichen Welt, gibt es durchaus Ähnlichkeiten mit dieser Sichtweise, aber auch potenziell tief greifende Unterschiede. Wie wir in Kapitel 7 gesehen haben, brauchen Sie nur die quantenmechanische Wellenfunktion genau jetzt für jedes Teilchen im Universum zu kennen, um der Schrödinger-Gleichung entnehmen zu können, wie die Wellenfunktion in jedem Augenblick, den Sie angeben, war oder sein wird. Dieser Teil der Quantenphysik ist vollkommen deterministisch, genau wie die klassische Physik. Doch der Beobachtungsakt kompliziert die quantenmechanische Geschichte. Wie beschrieben, hält die Debatte über das quantenmechanische Messproblem mit unverminderter Heftigkeit an. Sollte die physikalische Gemeinschaft eines Tages zu dem Schluss gelangen, dass die Schrödinger-Gleichung die ganze Quantenmechanik ist, dann wäre die Quantenphysik in ihrer Gesamtheit in jeder Hinsicht genauso deterministisch wie die klassische Physik. Wie im Falle des klassischen Determinismus würden einige daraus schließen, dass der freie Wille eine Illusion ist – andere nicht. Aber wenn uns gegenwärtig ein Teil der Quantentheorie noch fehlt – wenn für die Erklärung, wie Wahrscheinlichkeiten in exakte Ergebnisse übergehen, mehr erforderlich ist, als die Standardversion der Quantenmechanik zu bieten hat –, ist es zumindest möglich, dass sich der freie Wille doch mit den physikalischen Gesetzen in Einklang bringen lässt. Wir könnten eines Tages herausfinden, dass, wie einige Physiker vermuten, der Akt der bewussten Beobachtung ein integrales Element der Quantenmechanik ist, der Katalysator, der dafür sorgt, das sich aus dem Quantennebel ein Ergebnis herauskristallisiert.[9] Persönlich finde ich das außerordentlich unwahrscheinlich, kenne aber keine Möglichkeit, es auszuschließen.

Zusammenfassend ist festzustellen, dass der Status der Willensfreiheit und ihre Rolle in den grundlegenden physikalischen Gesetzen ungeklärt bleiben. Betrachten wir also beide Möglichkeiten – einen freien Willen, der illusorisch ist, und einen, der real ist.

Wenn der freie Wille eine Illusion ist und wenn Zeitreisen in die Vergangenheit möglich sind, dann gibt Ihre Unfähigkeit, das Zusammentreffen Ihrer Eltern zu verhindern, kein Rätsel auf. Zwar haben Sie das Gefühl, dass Sie Ihr Handeln steuern, doch in Wahrheit zieht die Physik die Strippen. Wenn Sie hingehen, um Ihre Mutter fortzulocken oder Ihren Vater zu erschießen, kommen Ihnen die physikalischen Gesetze in die Quere. Die Zeitmaschine landet auf der falschen Seite der Stadt, und Sie kommen auf die Party, nachdem Ihre Eltern sich bereits kennen gelernt haben. Oder Sie betätigen den Abzug, und die Waffe hat Ladehemmung. Oder Sie betätigen den Abzug, verfehlen Ihren Vater und erwischen stattdessen seinen einzigen Konkurrenten um die Gunst Ihrer Mutter, so dass der Verbindung der beiden nun nichts mehr im Wege steht. Vielleicht verspüren Sie auch in dem Augenblick, da Sie die Zeitmaschine verlassen, keinen Wunsch mehr, Ihre Eltern daran zu hindern, sich kennen zu lernen. Ganz gleich, mit welchen Absichten Sie in die Zeitmaschine geklettert sind, sobald Sie aussteigen, sind Ihre Handlungen Bestandteil der widerspruchsfreien Raumzeitgeschichte. Die physikalischen Gesetze machen alle Versuche, der Logik ein Schnippchen zu schlagen, zunichte. Alles, was Sie tun, fügt sich perfekt ins Gesamtbild. So war es immer und wird es immer sein. Das Unabänderliche können Sie nicht verändern.

Wenn der freie Wille keine Illusion ist und wenn Zeitreisen möglich sind, so entwirft die Quantenphysik ein anderes Bild vom möglichen Geschehen, eines, das ganz anders ist als die Formulierung der klassischen Physik. Eine besonders faszinierende Hypothese, die Deutsch vertritt, stützt sich auf die Viele-Welten-Interpretation der Quantenmechanik. In Kapitel 7 haben wir gehört, dass nach der Viele-Welten-Deutung jedes mögliche Ergebnis, das in der quantenmechanischen Wellenfunktion angelegt ist – die Tatsache, dass ein Teilchen diesen oder jenen Spin hat, ein anderes hier oder dort ist –, in einem eigenen separaten und parallelen Universum verwirklicht wird. Das Universum, dessen wir uns in jedem gegebenen Augenblick bewusst sind, ist nur eines aus einer unendlichen Zahl, in der jede mögliche Entwicklung, die gemäß der Quantenphysik erlaubt ist, gesondert verwirklicht wird. Im Rahmen dieser Interpretation ist es verlockend, davon auszugehen, dass in der Freiheit, die wir empfinden, diese oder jene Entscheidung zu treffen, die Möglichkeit zum Ausdruck kommt, dass wir im nächsten Augenblick in dieses oder jenes Paralleluniversum eintreten. Da über die Paralleluniversen unendlich viele Doppelgänger von Ihnen und von mir verstreut sind, müssen die Begriffe der persönlichen Identität und des freien Willens natürlich in diesem erweiterten Kontext neu interpretiert werden.

Was die Zeitreisen und ihre potenziellen Paradoxa angeht, so lässt sich aus der Viele-Welten-Interpretation eine neue Lösung ableiten. Wenn Sie zum 31. Dezember 1965, 23.50 Uhr, reisen, Ihre Waffe zücken, auf Ihren Vater anlegen und den Abzug betätigen, funktioniert die Waffe, und Sie treffen das vorgesehene Ziel. Doch da das nicht in dem Universum geschieht, aus dem Sie zu Ihrer Zeitodyssee aufgebrochen sind, hat Ihre Reise nicht nur durch die Zeit geführt, *sondern muss Sie auch von einem Paralleluniversum in ein anderes gebracht haben.* Das Paralleluniversum, in dem Sie sich jetzt befinden, ist eines, in dem sich Ihre Eltern nie kennen gelernt haben – ein Universum, das es laut der Viele-Welten-Interpretation irgendwo gibt (da es jedes mögliche Universum, das zu den Gesetzen der Quantenphysik nicht im Widerspruch steht, irgendwo gibt). Nach diesem Ansatz stoßen wir also auf kein logisches Paradoxon, weil es verschiedene Versionen eines gegebenen Augenblicks gibt, die alle in verschiedenen Paralleluniversen angesiedelt sind; folgt man den Viele-Welten-Interpretationen, so ist es, als gäbe es unendlich viele Raumzeitlaibe und nicht nur einen. Im Ursprungsuniversum lernten sich Ihre Eltern am 31. Dezember 1965 kennen, wurden Sie geboren, wuchsen auf, grollten Ihrem Vater und begaben sich auf eine Reise zum 31. Dezember 1965. Im Universum, in dem Sie ankommen, wird Ihr Vater am 31. Dezember 1965 umgebracht, bevor er Ihre Mutter kennen lernen kann – und zwar von einem Killer, der behauptet, sein Sohn aus der Zukunft zu sein. In diesem Universum wird nie eine Version von Ihnen geboren, aber das ist in Ordnung, weil diejenige Version Ihrer selbst, die den Abzug betätigt, *sehr wohl* Eltern hat. Sie leben halt nur in einem anderen Paralleluniversum. Ob irgendwer in diesem Universum Ihre Geschichte glaubt oder zu der Überzeugung gelangt, Sie litten unter Wahnvorstellungen, kann ich nicht sagen. Sicher ist nur, dass wir in jedem Universum – dem, das Sie verlassen, und dem, das Sie betreten haben – alle logischen Widersprüche umgehen.

Mehr noch: Selbst in diesem erweiterten Kontext verändert Ihre Zeitreise-Expedition die Vergangenheit nicht. In dem Universum, das Sie verlassen haben, ist das offenkundig, weil Sie dessen Vergangenheit ja gar nicht aufgesucht haben. In dem Universum, in das Sie gelangen, verändert Ihre Gegenwart am 31. Dezember 1965 um 23.50 Uhr den Augenblick nicht. In diesem Universum waren Sie in diesem Augenblick immer anwesend und werden es immer sein. Es sei noch einmal gesagt: Laut der Viele-Welten-Interpretation findet jede physikalisch widerspruchsfreie Ereignisfolge in einem der Paralleluniversen statt. Das Universum, das Sie betreten, ist eines, in dem die mörderischen Taten, zu denen Sie sich entschlossen haben, tatsächlich stattfinden. Ihre Gegenwart am 31. Dezember 1965 und der traurige Ruhm, zu dem Sie es dort bringen, gehören unveränderlich zur Wirklichkeitsstruktur dieses Universums.

Eine ähnliche Lösung bietet die Viele-Welten-Interpretation für das Problem des Wissens, das sich scheinbar aus dem Nichts materialisiert – wir erinnern uns an den bahnbrechenden stringtheoretischen Aufsatz aus der Feder meiner Mutter. Nach der Viele-Welten-Interpretation entwickelt sich meine Mutter in einem der unzähligen Paralleluniversen *tatsächlich* in Windeseile zu einer herausragenden Stringtheoretikerin und entdeckt aus eigener Kraft alles, was ich in ihrem Artikel gelesen habe. Bei meinem Abstecher in die Zukunft trägt mich meine Zeitmaschine in *dieses* Universum. Die Ergebnisse, die ich während meines Aufenthaltes dort im Artikel meiner Mutter las, wurden tatsächlich von der Version meiner Mutter in dieser Welt entdeckt. Als ich dann in der Zeit zurückreise, gelange ich wieder in ein anderes Paralleluniversum – eines, in dem meine Mutter Schwierigkeiten hat, physikalische Sachverhalte zu verstehen. Nach jahrelangen vergeblichen Versuchen, sie zu unterrichten, gebe ich es auf und sage ihr schließlich, was sie schreiben soll. Doch in diesem Szenario ist nicht im Mindestens rätselhaft, wer für all diese Fortschritte verantwortlich ist. Sie wurden von der Version meiner Mutter in dem Universum entdeckt, in der sie ein Physik-As ist. Meine verschiedenen Zeitreisen bewirken lediglich, dass die Entdeckungen meiner Mutter einer Version ihrer selbst in einem Paralleluniversum übermittelt werden. Angenommen, Sie finden Paralleluniversen glaubhafter als urheberlose Entdeckungen – worüber sich trefflich streiten ließe –, hätten Sie damit eine weniger schockierende Erklärung für die Wechselbeziehung zwischen Erkenntnis und Zeitreisen.

Keiner der Vorschläge, die wir in diesem oder den vorangegangenen Abschnitten erörtert haben, sind notwendigerweise *die* Lösung für die Rätsel und Paradoxa von Zeitreisen. Sie sollen lediglich zeigen, dass Rätsel und Paradoxa Zeitreisen in die Vergangenheit nicht ausschließen, da die Physik nach dem heutigen Kenntnisstand die Möglichkeit bietet, solche logischen Sackgassen zu umgehen. Doch die Unfähigkeit, etwas auszuschließen, heißt natürlich noch lange nicht, es für möglich zu halten. Also kommen wir nicht umhin, die zentrale Frage zu stellen:

Sind Zeitreisen in die Vergangenheit möglich?

Die meisten nüchternen Physiker würden die Frage verneinen. Ich würde sie verneinen. Aber anders als das entschiedene Nein auf die Frage, ob die spezielle Relativitätstheorie erlaubt, ein Objekt mit Masse erst auf Lichtgeschwindigkeit und dann darüber hinaus zu beschleunigen, oder ob es laut Maxwells Theorie möglich ist, dass ein Teilchen mit einer Einheit elektrischer Ladung in Teilchen mit zwei Einheiten elektrischer Ladung zerfällt, ist dies ein eingeschränktes Nein.

Es hat nämlich noch niemand bewiesen, dass die physikalischen Gesetze Zeitreisen, die in die Vergangenheit führen, grundsätzlich ausschließen. Ganz im Gegenteil: Einige Physiker haben sogar hypothetische Anleitungen vorgelegt, die zeigen, wie es eine Zivilisation mit unbegrenzten technischen Möglichkeiten im Rahmen der uns bekannten physikalischen Gesetze anstellen könnte, eine Zeitmaschine zu bauen (wenn hier von Zeitmaschinen die Rede ist, sind immer Geräte gemeint, mit denen man sowohl in die Zukunft als auch in die Vergangenheit reisen kann). Allerdings haben diese Vorschläge keine Ähnlichkeit mit dem rotierenden Ungetüm von H. G. Wells oder dem aufgemotzten DeLorean aus *Zurück in die Zukunft*. Da alle Konstruktionselemente dieser Vorschläge bis an die Grenzen der heute bekannten Physik gehen, wird sich nach Ansicht vieler Physiker bei genauerer Kenntnis der Naturgesetze zeigen, dass der Bau von Zeitmaschinen die Grenzen des physikalisch Möglichen doch überschreitet. Bislang stützt sich dieser Verdacht allerdings auf Instinkt und Indizien, nicht auf konkrete Beweise.

In dem Jahrzehnt intensiver Forschung, das mit der Veröffentlichung der allgemeinen Relativitätstheorie endete, hat Einstein selbst über die Frage von Reisen in die Vergangenheit nachgedacht.[10] Es wäre, ehrlich gesagt, auch seltsam gewesen, hätte er es nicht getan. Da seine radikale Neubewertung von Raum und Zeit mit altbewährten Dogmen aufräumte, stellte sich natürlich die Frage, wie weit die Umwälzung gehen würde. Welche Merkmale der vertrauten, alltäglichen, intuitiven Zeit würden, wenn überhaupt, überleben? Einstein hat nicht viel über das Thema Zeitreise geschrieben, weil er nach eigenem Bekunden keine großen Fortschritte erzielte. Doch in den Jahrzehnten nach der Veröffentlichung seines Artikels über die allgemeine Relativitätstheorie befassten sich nach und nach andere Physiker mit dem Problem.

Zu den frühesten Veröffentlichungen über Zeitmaschinen im Kontext der allgemeinen Relativitätstheorie gehörten 1937 der Aufsatz des schottischen Physikers W. J. van Stockum[11] und 1949 die Arbeit von Kurt Gödel, einem Kollegen Einsteins am Institute of Advanced Study in Princeton. Van Stockum untersuchte ein hypothetisches Problem der allgemeinen Relativitätstheorie, bei dem ein sehr dichter und unendlich langer Zylinder um seine (unendlich) lange Achse in eine Rotationsbewegung versetzt wird. Obwohl ein unendlicher Zylinder unrealistisch ist, stieß Stockum bei seiner Analyse auf eine interessante Erkenntnis. Wie in Kapitel 14 gesehen, ziehen massereiche rotierende Objekte den Raum in eine strudelartige Bewegung. In diesem Fall ist die Wirbelbewegung so erheblich, dass, wie die mathematische Analyse zeigt, nicht nur der Raum, sondern auch die Zeit in den Strudel gerät. Einfach ausgedrückt, verdreht die Rotation die Zeitrichtung dergestalt, dass Sie durch eine kreisförmige Bewegung um den Zylinder in die Vergangenheit gelangen würden. Wenn Ihr Raumschiff den Zylinder umkreist, können Sie an Ihren Ausgangspunkt im Raum zurückkehren, *bevor* Sie zu Ihrer Reise aufgebrochen sind. Natürlich ist niemand in der Lage, einen unendlich langen, rotierenden Zylinder zu bauen, dennoch lieferte diese Arbeit einen ersten Hinweis darauf, dass die allgemeine Relativitätstheorie Zeitreisen in die Vergangenheit nicht verbietet.

Auch Gödel untersuchte in seiner Arbeit eine Rotationsbewegung. Aber statt ein Objekt zu betrachten, das im Raum rotiert, fragte Gödel sich, was geschähe, wenn der Raum als Ganzes eine Rotationsbewegung ausführt. Mach hätte diese Frage für sinnlos gehalten. Würde das gesamte Universum rotieren, gäbe es nach Mach nichts, relativ zu dem die angebliche Rotation stattfände. Mach wäre zu dem Schluss gelangt, ein rotierendes Universum und ein ruhendes Universum seien ein und dasselbe – was ein weiteres Beispiel dafür ist, dass die allgemeine Relativitätstheorie sich nicht vollständig mit Machs relationistischem Raumbegriff deckt. Denn laut allgemeiner Relativitätstheorie ist es durchaus sinnvoll, von einer Rotation des gesamten Universums zu sprechen, und aus dieser Möglichkeit ergeben sich einfache Beobachtungskonsequenzen. Wenn Sie beispielsweise einen Laserstrahl in einem rotierenden Universum abfeuern, zeigt die allgemeine Relativitätstheorie, dass er den Anschein erwecken würde, sich auf einer spiralförmigen, statt auf einer geraden Bahn zu bewegen (ähnlich der Bahn, auf der Sie ein langsames Geschoss aus einer während einer Karussellfahrt abgefeuerten Spielzeugpistole sehen würden). Das Überraschende an Gödels Analyse war seine Erkenntnis, dass Sie *vor* Ihrer Abfahrt an Ihren Ausgangspunkt im Raum zurückkehren könnten, wenn Ihr Raumschiff den richtigen Bahnen in einem rotierenden Universum folgen würde. So gesehen, wäre ein rotierendes Universum selbst eine Zeitmaschine.

Einstein gratulierte Gödel zu seiner Entdeckung, wandte aber ein, künftige Untersuchungen würden möglicherweise zeigen, dass jene Lösungen für die Gleichungen der allgemeinen Relativitätstheorie, die Zeitreisen erlaubten, an anderen wichtigen physikalischen Bedingungen scheitern, so dass sie am Ende doch nicht mehr wären als mathematische Kuriositäten. Was Gödels Lösung angeht, so haben Beobachtungen von wachsender Genauigkeit die unmittelbare Bedeutung seiner Arbeit weitgehend eingeschränkt, denn die Daten zeigen, dass unser Universum nicht rotiert. Dennoch haben van Stockum und Gödel den Geist aus der Flasche gelassen. In den nächsten zwanzig Jahren fand man für Einsteins Gleichungen noch weitere Lösungen, die Zeitreisen zuließen.

In den letzten Jahrzehnten hat sich das Interesse an hypothetischen Plänen für Zeitmaschinen wieder belebt. In den siebziger Jahren überarbeitete und verbesserte Frank Tipler van Stockums Lösung, und 1991 entdeckte Richard Gott von der Princeton University eine weitere Methode zum Bau einer Zeitmaschine, die sich auf so genannte kosmische Strings stützt (hypothetische, unendlich lange Fäden, die Überreste von Phasenübergängen im frühen Universum sind). Das sind alles wichtige Beiträge, doch der Vorschlag, der am einfachsten zu beschreiben ist, weil er Konzepte verwendet, die wir in den vorstehenden Kapiteln erläutert haben, wurde von Kip Thorne und seinen Studenten am California Institute of Technology entdeckt. Er nutzt so genannte Wurmlöcher.

Bauplan für eine Wurmloch-Zeitmaschine

Zunächst will ich in großen Zügen beschreiben, wie Thornes Wurmloch-Zeitmaschine konstruiert werden könnte; im nächsten Abschnitt werde ich mich dann den Schwierigkeiten zuwenden, denen sich eine Werkstatt gegenübersähe, die von Thorne beauftragt würde, seine Pläne auszuführen.

Ein *Wurmloch* ist ein hypothetischer Tunnel durch den Raum. Tunnel, wie wir sie kennen, etwa von einer Seite eines Berges zur anderen, bieten eine Abkürzung von einem Ort zum anderen. Wurmlöcher erfüllen eine ähnliche Funktion, unterscheiden sich aber von herkömmlichen Tunneln in einer wichtigen Hinsicht. Während herkömmliche Tunnel einen neuen Weg durch den vorhandenen Raum eröffnen – den Berg und den Raum, den er einnimmt, gibt es schon vor dem Bau des Tunnels –, liefert ein Wurmloch einen Tunnel von einem Punkt im Raum zu einem anderen entlang einer neuen, vorher noch nicht vorhandenen Raumröhre. Würden Sie den Tunnel durch den Berg entfernen, wäre der Raum, den er einnahm, noch vorhanden. Würden Sie ein Wurmloch entfernen, verschwände der Raum, den es einnahm.

Abbildung 15.2 (a) zeigt ein Wurmloch, das den Kwik-E-Markt mit dem Springfielder Kernkraftwerk verbindet; die Zeichnung ist allerdings irreführend, weil sich das Wurmloch durch den Luftraum über Springfield zu erstrecken scheint. Genauer wäre die Vorstellung, dass das Wurmloch eine neue Raumregion ist, die sich mit dem gewöhnlichen, vertrauten Raum nur an ihren Enden verbindet – ihren Öffnungen. Wenn Sie auf Ihrem Weg durch die Straßen von Springfield auf der Suche nach dem Wurmloch in den Himmel schauen, werden Sie nichts entdecken. Um es zu sehen, müssen Sie schon einen Abstecher hinüber zum Kwik-E-Markt machen, wo Sie eine Öffnung im gewöhnlichen Raum finden – den Wurmlocheingang. Bei einem Blick in diese Öffnung sehen Sie das Innere des Kraftwerks, den Ort der zweiten Öffnung (siehe Abbildung 15.2 [b]). Ein weiteres irreführendes Merkmal der Abbildung 15.2 (a) ist der Eindruck, dass es sich bei dem Wurmloch nicht um eine Abkürzung handelt. Das können wir korrigieren, indem wir die Darstellung

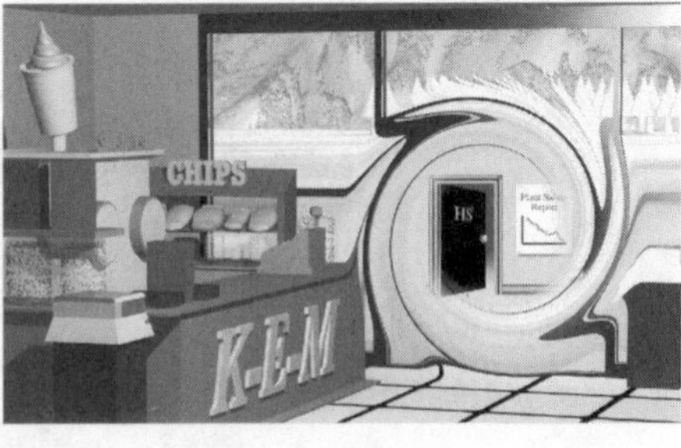

(a) (b)

Abbildung 15.2 (**a**) Ein Wurmloch, das sich vom Kwik-E-Markt bis zum Springfielder Kernkraftwerk erstreckt. (**b**) Der Blick durch das Wurmloch von der Öffnung im Kwik-E-Markt zur Öffnung im Kernkraftwerk.

wie in Abbildung 15.3 abändern. Wie Sie sehen, ist der gewöhnliche Weg vom Kraftwerk zum Kwik-E-Markt nun länger als die neue Raumpassage des Wurmlochs. Die Biegung in Abbildung 15.3 zeigt, wie schwierig es ist, die Geometrie der allgemeinen Relativitätstheorie auf ein Blatt Papier zu bannen, dennoch vermittelt die Abbildung zumindest einen intuitiven Eindruck von der neuen Verbindung, die ein Wurmloch herstellen würde.

Niemand weiß, ob es Wurmlöcher gibt, allerdings hat man schon vor Jahrzehnten bewiesen, dass die Gleichungen der allgemeinen Relativitätstheorie sie erlauben und dass sie der Forschung auf diesem Wege zugänglich sind. In den fünfziger Jahren gehörten John Wheeler und seine Kollegen zu den ersten Wissenschaftlern, die Wurmlöcher untersuchten und viele ihrer grundlegenden mathematischen Eigenschaften entdeckten. In jüngerer Zeit haben Thorne und seine Kollegen die ganze Vielfalt der Eigenschaften von Wurmlöchern enthüllt, indem sie zeigten, dass Wurmlöcher nicht nur Abkürzungen durch den Raum, sondern auch durch die Zeit eröffnen können.

Dem liegt folgende Idee zugrunde: Stellen Sie sich vor, Bart und Lisa stünden an entgegengesetzten Enden des Springfielder Wurmlochs – Bart im Kraftwerk, Lisa im Kwik-E-Markt – und unterhielten sich darüber, was sie Homer zum Geburtstag schenken könnten, als Bart beschließt, zu einer kurzen transgalaktischen Spritztour aufzubrechen (um Homer die Andromeda-Fischstäbchen zu besorgen, die dieser so gerne mag). Lisa hat keine Lust zu der Reise, aber da sie Andromeda schon immer einmal sehen wollte, überredet sie Bart, seine Wurmlochöffnung auf dem Raumschiff zu verstauen und mitzunehmen, damit sie auch einen Blick auf die Galaxie werfen kann. Nun könnten Sie meinen, Bart müsse das Wurmloch umso stärker dehnen, je länger seine Reise

Abbildung 15.3 Eine Geometrie, die deutlicher zeigt, dass das Wurmloch eine Abkürzung ist. (In Wahrheit liegen die Wurmlochöffnungen im Kwik-E-Markt und im Kernkraftwerk, doch das lässt sich auf dieser Abbildung schwer wiedergeben.)

dauert, doch das würde voraussetzen, dass das Wurmloch den Kwik-E-Markt und Barts Schiff durch den gewöhnlichen Raum verbindet. Das ist nicht der Fall. Durch die Wunder der relativistischen Geometrie kann die Länge des Wurmlochs, wie in Abbildung 15.4 wiedergegeben, während der gesamten Reise unverändert bleiben. Das ist von entscheidender Bedeutung. Obwohl Bart mit seinem Raumschiff Andromeda entgegenjagt, bleibt seine Entfernung zu Lisa durch das Wurmloch unverändert. Darin zeigt sich deutlich, dass das Wurmloch eine Abkürzung durch den Raum ist.

Sagen wir, um einen eindeutigen Wert zu nennen, dass Bart mit 99,9999999999999999 Prozent der Lichtgeschwindigkeit davonjagt, vier Stunden in Richtung Andromeda unterwegs ist und sich dabei die ganze Zeit wie vor dem Flug mit Lisa durch das Wurmloch unterhält. Als das Schiff Andromeda erreicht, fordert Lisa Bart auf, den Mund zu halten, damit sie den Anblick ungestört genießen kann. Sie ist genervt, weil er darauf besteht, sich die Fischstäbchen augenblicklich am Fly-Through zu holen und wieder nach Springfield zurückzufliegen, ist aber trotzdem bereit, bis zu seiner Rückkehr mit ihm zu plaudern; vier Stunden und zwölf Mal Schiffeversenken später setzt Bart mit seinem Raumschiff sicher auf dem Rasen vor der Springfield Highschool auf.

Doch als Bart aus dem Fenster seines Raumgefährts blickt, ist er doch ein bisschen beunruhigt. Die Gebäude sehen vollkommen anders aus, und die Anzeigetafel, die hoch über dem Rollerball-Stadion angebracht ist, nennt ein

Datum, das sechs Millionen Jahre nach seiner Abfahrt liegt. »Boah äh!«, sagt er zu sich selbst, doch einen Augenblick später ist alles klar. Wie er kürzlich in einem intensiven Meinungsaustausch mit Tingeltangel-Bob erfahren hat, sorgt die spezielle Relativitätstheorie dafür, dass seine Uhr umso langsamer geht, je schneller er unterwegs ist. Wenn er mit hoher Geschwindigkeit ins All fliegt und dann zurückkehrt, sind an Bord seines Raumschiffes vielleicht nur ein paar Stunden verstrichen, während für jemanden in Ruhe tausend, Millionen oder noch mehr Jahre vergangen sein könnten. Eine rasche Überschlagsrechnung zeigt Bart, dass bei der Geschwindigkeit, mit der er unterwegs war, acht Stunden, die an Bord seines Schiffes verstrichen sind, sechs Millionen Jahren auf der Erde entsprechen müssten. Das Datum auf der Anzeigentafel stimmt. Bart wird klar, dass er weit in die Zukunft gereist ist.

»... Bart! Hallo, Bart!«, ruft Lisa durchs Wurmloch. »Hörst du mir noch zu? Beeil dich ein bisschen! Ich möchte zum Abendessen zu Hause sein.« Bart blickt in seine Wurmlochöffnung und teilt Lisa mit, dass er bereits auf dem Rasen der Springfield Highschool gelandet ist. Als Lisa daraufhin etwas genauer durch das Wurmloch blickt, erkennt sie, dass Bart die Wahrheit gesagt hat, doch als sie vom Kwik-E-Markt zur Springfield Highschool hinüber-

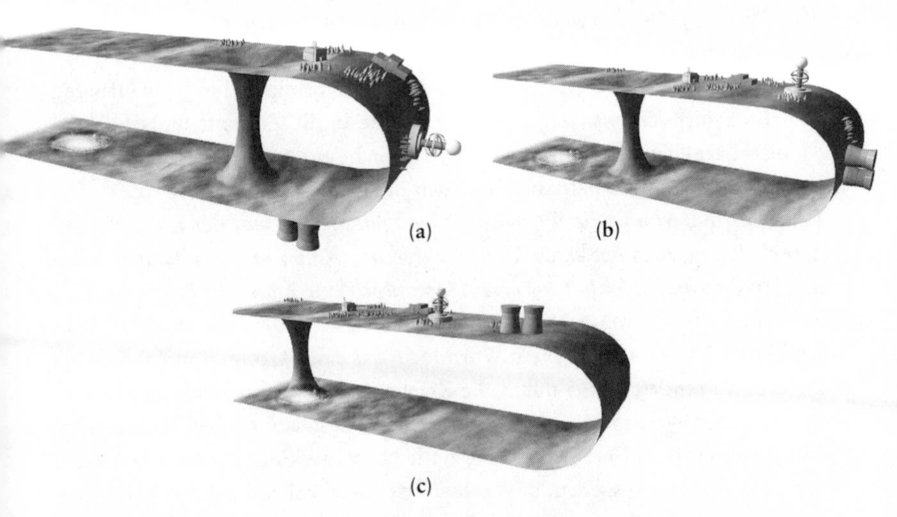

Abbildung 15.4 (**a**) Ein Wurmloch, das den Kwik-E-Markt und das Kernkraftwerk verbindet. (**b**) Die untere Wurmlochöffnung wird (vom Kernkraftwerk aus) ins All transportiert (das Raumschiff wird nicht abgebildet). Die Wurmlochlänge bleibt gleich. (**c**) Die Wurmlochöffnung gelangt zur Andromeda-Galaxie. Die andere Öffnung befindet sich noch immer im Kwik-E-Markt. Die Länge des Wurmlochs bleibt während der gesamten Reise unverändert.

schaut, sieht sie keine Spur von seinem Raumschiff auf dem Rasen. »Das kapier ich nicht«, sagt sie.

»Eigentlich ist es ganz einfach«, antwortet Bart stolz. »Ich bin vor der Highschool gelandet, aber sechs Millionen Jahre in der Zukunft. Wenn du aus dem Fenster vom Kwik-E-Markt blickst, kannst du mich nicht sehen, weil du zwar am richtigen Ort, aber nicht zur richtigen Zeit nachsiehst. Du hältst sechs Millionen Jahre zu früh Ausschau.«

»Ach ja, richtig, die Zeitdehnung der speziellen Relativitätstheorie«, stimmt ihm Lisa zu. »Beruhige dich. Ich möchte auf jeden Fall zum Abendessen zu Hause sein, also kletter durch das Wurmloch! Wir müssen uns sputen.« »Okay«, sagt Bart und kriecht durch das Wurmloch. Er kauft noch einen Butterfinger beim Inder Apu, dann eilt er mit Lisa heim.

Halten wir fest, dass Bart nur einen Augenblick brauchte, um durch das Wurmloch zu kriechen, *dass er dadurch aber sechs Millionen Jahre in der Zeit zurück gelangte.* Er war mit dem Schiff und der Wurmlochöffnung weit in der Zukunft der Erde gelandet. Wäre er ausgestiegen, hätte er mit den Menschen gesprochen und einen Blick in die Zeitungen geworfen, wäre ihm dieser Umstand vielfältig bestätigt worden. Doch als er durch das Wurmloch kroch und zu Lisa zurückkehrte, gelangte er wieder in die Gegenwart. Gleiches gilt für jeden, der Bart möglicherweise durch die Wurmlochöffnung folgt: Auch er reist sechs Millionen Jahre in der Zeit zurück. Entsprechend begibt sich jeder, der in die Öffnung im Kwik-E-Markt klettert und das Wurmloch durch die Öffnung in Barts Schiff verlässt, sechs Millionen Jahre in die Zukunft. Entscheidend ist, dass Bart einen der Wurmlocheingänge nicht nur auf eine Reise durch den Raum mitgenommen hat, sondern auch auf eine Reise durch die Zeit. *Die Reise führte Bart und die Wurmlochöffnung in die Zukunft der Erde. Mit anderen Worten, Bart hat einen Tunnel durch den Raum in einen Tunnel durch die Zeit verwandelt; er hat aus einem Wurmloch eine Zeitmaschine gemacht.*

Eine einfache Weise, uns das vorzustellen, zeigt die Abbildung 15.5. In Abbildung 15.5 (a) sehen wir ein Wurmloch, das einen Ort im Raum mit einem anderen verbindet, wobei durch die Zeichnung der Wurmlochkonfiguration unterstrichen werden soll, dass es außerhalb des gewöhnlichen Raums liegt. In Abbildung 15.5 (b) zeigen wir die zeitliche Entwicklung dieses Wurmlochs, wobei wir davon ausgehen, dass seine Öffnungen ruhend bleiben. (Die Zeitscheiben sind die eines stationären Beobachters.) In Abbildung 15.5 (c) ist zu erkennen, was geschieht, wenn eine Wurmlochöffnung auf ein Raumschiff geladen und auf eine Rundreise mitgenommen wird. Für den bewegten Eingang verlangsamt sich die Zeit genauso wie für eine bewegte Uhr, mit dem Erfolg, dass der bewegte Wurmlocheingang in die Zukunft transportiert wird. (Wenn

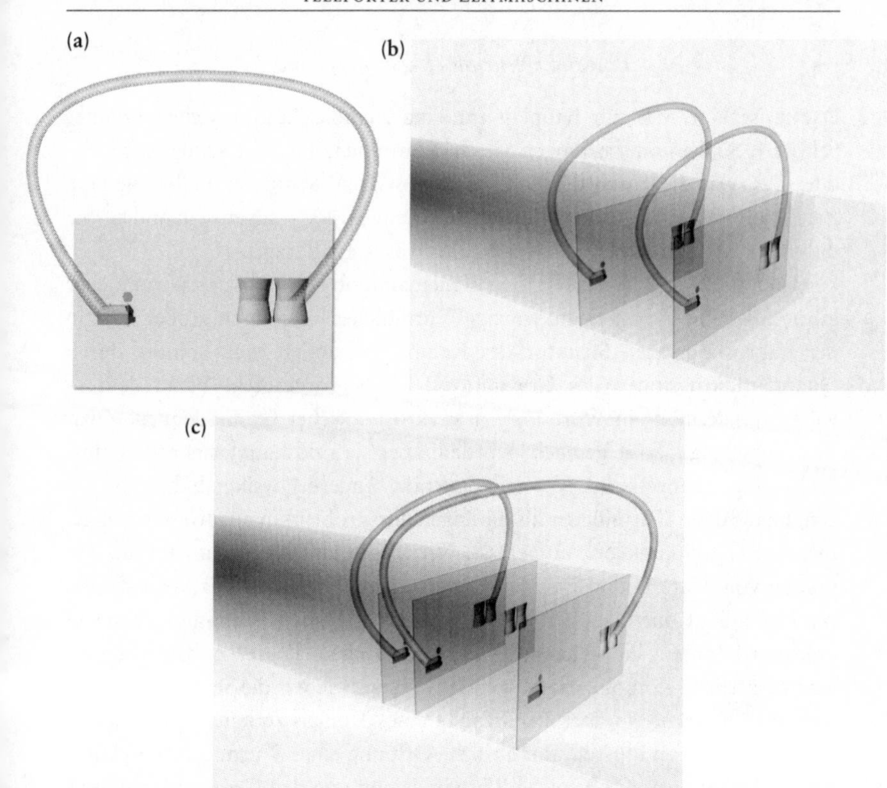

Abbildung 15.5 (**a**) Ein Wurmloch, das zu einem gegebenen Zeitpunkt geschaffen wird, verbindet einen Ort im Raum mit einem anderen. (**b**) Wenn die Wurmlochöffnungen sich nicht relativ zueinander bewegen, »gehen« sie im gleichen Tempo durch die Zeit, mit dem Erfolg, dass der Tunnel die beiden Regionen zum gleichen Zeitpunkt verbindet. (**c**) Wird eine Wurmlochöffnung auf eine Rundreise mitgenommen (nicht gezeigt), verstreicht für diese Öffnung weniger Zeit, daher verbindet der Tunnel die beiden Raumregionen zu verschiedenen Zeitpunkten. Das Wurmloch ist zur Zeitmaschine geworden.

auf einer bewegten Uhr eine Stunde verstreicht, auf ruhenden Uhren hingegen tausend Jahre vergehen, ist die bewegte Uhr in die Zukunft der ruhenden Uhren gesprungen.) Statt also die ruhende Wurmlochöffnung über den Wurmlochtunnel mit einer Öffnung auf derselben Zeitscheibe zu verbinden, verknüpft sie das Raumschiff mit einer Öffnung auf einer *künftigen* Zeitscheibe. Werden die Wurmlochöffnungen nun nicht mehr bewegt, bleibt der Zeitunterschied zwischen ihnen erhalten. Sobald Sie durch eine Öffnung hineingehen und zur anderen hinaustreten, werden Sie zum Zeitreisenden.

Bau einer Wurmloch-Zeitmaschine

Damit ist klar, wie ein Bauplan für eine Zeitmaschine aussehen könnte. Schritt 1: Suchen oder erzeugen Sie ein Wurmloch, das weit genug ist für Sie oder das, was Sie durch die Zeit schicken wollen. Schritt 2: Stellen Sie eine Zeitdifferenz zwischen den Wurmlochöffnungen her – sagen wir, indem Sie die eine relativ zur anderen bewegen. Das wär 's. Im Prinzip.

Und die Praxis? Wie gesagt, weiß niemand, ob es überhaupt Wurmlöcher gibt. Einige Physiker meinen, winzige Wurmlöcher könnten in großer Zahl in der mikroskopischen Struktur des Raums vorhanden sein, ständig durch Quantenfluktuationen des Gravitationsfelds hervorgerufen. Wenn dem so wäre, müsste man ein Wurmloch zu makroskopischer Größe dehnen. Zwar sind Vorschläge dafür gemacht worden, aber sie sind kaum mehr als kühne Höhenflüge theoretischer Vorstellungskraft. Andere Physiker haben die Erzeugung großer Wurmlöcher als ein Ingenieursproblem in angewandter allgemeiner Relativitätstheorie aufgefasst. Wir wissen, dass der Raum auf die Verteilung von Materie und Energie reagiert, daher wäre denkbar, dass wir bei hinreichender Kontrolle über Materie und Energie eine Raumregion dazu veranlassen könnten, ein Wurmloch hervorzubringen. Dieser Ansatz bedeutet eine zusätzliche Komplikation, weil wir – genau wie wir die Seite eines Berges aufreißen müssen, um dort die Öffnung eines Tunnels zu bauen – die Raumstruktur aufreißen müssen, um dort die Öffnung eines Wurmlochs einzurichten.[12] Niemand weiß, ob solche Risse im Raum von den Gesetzen der Physik zugelassen werden. Stringtheoretische Untersuchungen, mit denen ich selbst beschäftigt war (siehe Seite 434), haben gezeigt, dass bestimmte Arten von Raumrissen möglich sind, doch haben wir bislang keine Ahnung, ob diese Risse für die Erzeugung von Wurmlöchern eine Rolle spielen könnten. Abschließend lässt sich jedenfalls feststellen, dass die gezielte Herstellung eines makroskopischen Wurmlochs eine Fantasie ist, noch *sehr* weit, um es vorsichtig auszudrücken, von jeglicher Verwirklichung entfernt.

Außerdem würde es keineswegs genügen, über ein makroskopisches Wurmloch zu verfügen. Zunächst einmal haben Wheeler und Robert Fuller in den sechziger Jahren mit Hilfe der Gleichungen der Relativitätstheorie gezeigt, dass Wurmlöcher instabil sind. Ihre Wände stürzen in der Regel sekundenschnell nach innen, was sie für die Zwecke von Reisen gleich welcher Art unbrauchbar macht. In jüngerer Zeit jedoch fanden einige Forscher (darunter Thorne und Morris, auch Matt Visser) eine Möglichkeit, das Kollaps-Problem zu umgehen. Wenn das Wurmloch nicht leer ist, sondern bestimmte Materie – so genannte exotische Materie – enthält, die einen Druck nach außen auf die Wände ausüben kann, ist es möglich, das Wurmloch offen und stabil zu halten. Obwohl die exotische Materie eine ähnliche Wirkung ausübte wie eine kosmologische Konstante, würde exotische Materie die nach außen gerichtete, abstoßende Gravitation mit Hilfe negativer Energie erzeugen (nicht einfach mit dem negativen Druck, der für eine kosmologische Konstante charakteristisch ist).[13] Unter höchst spezifischen Bedingungen erlaubt die Quantenmechanik negative Energie,[14] allerdings wäre es ungeheuer schwierig, genügend exotische Materie zu erzeugen, um ein makroskopisches Wurmloch offen zu halten. (Beispielsweise hat Visser ausgerechnet, dass die Menge an negativer Energie, die erforderlich wäre, um ein ein Meter weites Wurmloch offen zu halten, ungefähr der Gesamtenergie entspricht, die von der Sonne im Laufe von rund zehn Milliarden Jahren erzeugt wird.)[15]

Und selbst wenn wir ein makroskopisches Wurmloch fänden oder schüfen, selbst wenn es uns irgendwie gelänge, seine Wände so abzustützen, dass wir einen unmittelbaren Kollaps vermieden, und selbst wenn wir in der Lage wären, eine Zeitdifferenz zwischen den Wurmlochöffnungen herzustellen (indem wir etwa eine Öffnung mit hoher Geschwindigkeit umherflögen), bliebe noch eine weitere Hürde zu überwinden, um zu einer Zeitmaschine zu gelangen. Zahlreiche Physiker, unter ihnen auch Stephen Hawking, haben auf die Möglichkeit hingewiesen, dass Vakuumfluktuationen – die Turbulenzen, die aus der Quantenunschärfe aller Felder, selbst im leeren Raum, entstehen (siehe Kapitel 12) – ein Wurmloch in dem Augenblick zerstören könnten, wo es im Begriff wäre, als Zeitmaschine zu funktionieren. Denn in dem Augenblick, da die Zeitreise durch das Wurmloch möglich wird, könnte ein verheerender Rückkopplungseffekt, ähnlich dem Quietschen, das ertönt, wenn Mikrophon und Lautsprecher nicht richtig aufeinander abgestimmt sind, zum Tragen kommen. Vakuumfluktuationen aus der Zukunft können durch das Wurmloch in die Vergangenheit wandern, von wo sie dann durch den gewöhnlichen Raum und die gewöhnliche Zeit in die Zukunft gelangten, um dort wieder in das Wurmloch einzutreten, in die Vergangenheit zu reisen und einen endlosen Kreislauf zu erzeugen, der das Wurmloch mit ständig wachsender Energie erfüllen würde. Wahrscheinlich würde eine derart umfangreiche Energiezunahme das Wurmloch zerstören. Die theoretische Forschung lässt darauf schließen, dass das eine reale Möglichkeit sein könnte, doch bei den erforderlichen Berechnungen stoßen wir an die Grenzen unseres gegenwärtigen Verständnisses der allgemeinen Relativitätstheorie und Quantenmechanik in der gekrümmten Raumzeit, daher steht ein endgültiger Beweis noch aus.

Die Schwierigkeiten beim Bau einer Wurmloch-Zeitmaschine sind zweifellos ungeheuer groß. Endgültiges wird sich aber erst sagen lassen, wenn wir unseren Umgang mit der Quantenmechanik und Gravitation weiter vervollkommnet haben, vielleicht durch Fortschritte in der Superstringtheorie. Obwohl sich Physiker im Allgemeinen intuitiv darin einig sind, dass Zeitreisen in die Vergangenheit nicht möglich sind, ist die Frage bis heute noch nicht vollständig geklärt.

Kosmisches Sightseeing

Zum Thema der Zeitreisen bringt Hawking einen interessanten Einwand vor. Wenn Zeitreisen möglich sind, so fragt er, warum sind wir dann noch nicht von Besuchern aus der Zukunft überlaufen? Vielleicht sind wir es ja, könnten Sie antworten. Sie könnten sogar noch einen Schritt weiter gehen und sagen, wir hätten schon so viele Zeitreisende in geschlossene Abteilungen gesperrt, dass die anderen sich vorsichtshalber nicht mehr zu erkennen gäben. Natürlich meint es Hawking nicht ganz ernst mit seinem Einwand, und ich genauso wenig, trotzdem spricht er damit ein ernsthaftes Problem an. Wenn Sie, wie ich, der Meinung sind, dass uns noch keine Besucher aus der Zukunft aufgesucht haben, ist das dann gleichbedeutend mit der Auffassung, dass Zeitreisen unmöglich sind? Gelänge es den Menschen in der Zukunft, Zeitmaschinen zu bauen, dann würde sicherlich irgendein Historiker jener Zeit die Forschungsmittel bekommen, um unmittelbar und persönlich den Bau der ersten Atombombe, die erste Reise zum Mond oder die ersten Versuche mit dem Reality-TV in Augenschein zu nehmen. Wenn wir also der Meinung sind, uns habe noch niemand aus der Zukunft besucht, bekennen wir uns damit möglicherweise implizit zu der Überzeugung, dass eine solche Zeitmaschine niemals gebaut werden kann.

Tatsächlich aber ist das kein zwingender Schluss. *Die Zeitmaschinen, die bislang vorgeschlagen worden sind, erlauben nur Reisen rückwärts in der Zeit bis zu dem Augenblick, wo die erste Zeitmaschine gebaut wurde.* Was die Wurmlochzeitmaschine angeht, so genügt ein Blick auf die Abbildung 15.5, um diesen Umstand zu erkennen. Obwohl es einen Zeitunterschied zwischen den Wurmlochöffnungen gibt und obwohl dieser Unterschied vorwärts und rückwärts in der Zeit reist, können Sie keinen Zeitpunkt erreichen, der vor der Herstellung des Zeitunterschieds liegt. Auf der linken Seite des Raumzeitlaibs gibt es das Wurmloch nicht, daher können Sie mit dessen Hilfe auch nicht dorthin gelangen. Wenn es den Menschen also, sagen wir, in 10 000 Jahren gelingen sollte, die erste Zeitmaschine zu bauen, werden zweifellos viele Zeitreise-Touristen diesen Augenblick aufsuchen. Doch alle Zeiten, die davor liegen, wie die unsere, werden unerreichbar bleiben.

Ich finde es merkwürdig und faszinierend zugleich, dass unser heutiges Verständnis der Naturgesetze nicht nur zeigt, wie sich die scheinbaren Paradoxa von Zeitreisen vermeiden lassen, sondern auch Strategien zur Verwirklichung solcher Reisen andeutet. Verstehen Sie mich nicht falsch: Ich rechne mich zu den nüchternen Physikern, die intuitiv davon überzeugt sind, dass wir eines Tages die Möglichkeit von Zeitreisen in die Vergangenheit ausschließen können. Doch bis zum endgültigen Beweis halte ich es für gerechtfertigt und erforderlich, der Frage unvoreingenommen zu begegnen. Im ungünstigsten Fall vertiefen die Forscher, die sich mit diesen Problemen beschäftigen, unser Verständnis von Zeit und Raum unter extremen Bedingungen. Im besten Fall unternehmen sie die ersten Schritte, um uns die Raumzeit-Autobahn zu erschließen. Denn jeder Augenblick, der verstreicht, ohne dass es uns gelingt, eine Zeitmaschine zu bauen, ist ein Augenblick, der für uns und die, die nach uns kommen, auf immer verloren ist.

16

ZUKUNFTSSPEKULATIONEN

Aussichten für Raum und Zeit

Physiker verbringen einen Großteil ihres Lebens im Zustand der Verwirrung. Das ist ihr Berufsrisiko. Um es in der Physik zu etwas zu bringen, muss man mit dem Zweifel leben, während man dem verschlungenen Pfad zur Wahrheit folgt. Die beunruhigende Wirkung der Ratlosigkeit treibt ansonsten vollkommen durchschnittliche Frauen und Männer zu ganz außergewöhnlichen Leistungen des Einfallsreichtums und der Kreativität an. Nichts schärft Geist und Sinne so, wie dissonante Einzelheiten, die auf ihre harmonische Auflösung warten. Doch auf dem Weg zu einer Erklärung – bei ihrer Suche nach neuen Hypothesen, die Antwort auf offene Fragen geben – müssen sich die Theoretiker ihren Weg durch den Dschungel der Verwirrung mit Bedacht bahnen, wobei sie sich meist von Ahnungen, Intuitionen, vagen Hinweisen und Rechnungen leiten lassen. Dabei neigen die meisten Forscher dazu, ihre Spuren zu verwischen, so dass die meisten Entdeckungen kaum erkennen lassen, welch schwieriges Gelände überwunden werden musste. Doch lassen Sie sich nicht täuschen. Die Natur gibt ihre Geheimnisse nicht so ohne weiteres preis.

In zahlreichen Kapiteln dieses Buchs haben wir erfahren, wie die Menschheit im Laufe ihrer Geschichte versucht hat, Raum und Zeit zu verstehen. Ungeachtet aller weit reichenden und erstaunlichen Einsichten, die wir gewonnen haben, steht jener höchste und letzte Augenblick der Erkenntnis noch aus, wo alle Verwirrung schwindet und sich vollkommene Klarheit einstellt. Ohne Frage befinden wir uns noch im Dschungel. Also wohin von hier aus? Natürlich weiß das niemand mit Sicherheit. In den letzten Jahren sind wir jedoch auf zahlreiche Hinweise gestoßen. Zwar müssen sie noch zu einem schlüssigen Bild zusammengefügt werden, aber viele Wissenschaftler glauben, dass sie die nächste große Umwälzung in unserem Verständnis des Kosmos vorzeichnen. Im Laufe der Zeit könnten sich Raum und Zeit, wie wir sie gegenwärtig auffassen, als bloßes Vorspiel zu komplexeren, umfassenderen und fundamentaleren Prinzipien erweisen, die der physikalischen Wirklichkeit zugrunde liegen. Im letzten Kapitel dieser Darstellung wollen wir einige dieser Hinweise betrachten und versuchen, eine Ahnung davon zu bekommen, wohin uns unser fortdauerndes Bemühen führen könnte, die Struktur des Kosmos zu verstehen.

Sind Raum und Zeit fundamentale Konzepte?

Der deutsche Philosoph Immanuel Kant meinte, es sei nicht nur schwierig, das Universum ohne die Kategorien von Raum und Zeit zu denken und zu beschreiben, sondern schlechthin unmöglich. Ehrlich gesagt, weiß ich, wie Kant darauf kommt. Immer wenn ich dasitze, die Augen schließe und versuche, mir die Dinge auszumalen, ohne dass sie Raum einnehmen und der Zeit unterworfen sind, scheitere ich. Hoffnungslos. Stets mischen Raum und Zeit sich ein – der Raum durch Kontext, die Zeit durch Veränderung. Ironischerweise kann ich meine Gedanken am leichtesten von direkten Raumzeitassoziationen freihalten, wenn ich in mathematische Berechnungen vertieft bin (die häufig mit der Raumzeit zu tun haben!), weil die Art dieser Beschäftigung meine Gedanken, wenn auch nur vorübergehend, vollkommen in eine abstrakte Welt entführt, die von Raum und Zeit frei zu sein scheint. Trotzdem bleiben die Gedanken selbst und der Körper, in dem sie gedacht werden, das, was sie immer waren: Teil des vertrauten Reichs von Raum und Zeit. Der Versuch, uns Raum und Zeit wirklich zu entziehen, wird zu dem absurden Tanz, in dem wir unserem Schatten zu entkommen trachten.

Trotzdem sind viele führende Physiker heute der Meinung, dass Raum und Zeit, obwohl allgegenwärtig, keine wirklich fundamentalen Begriffe sind. Wie die Härte einer Kanonenkugel aus den kollektiven Eigenschaften ihrer Atome erwächst, wie sich der Duft einer Rose aus den kollektiven Eigenschaften ihrer Moleküle ergibt und wie ein Gepard seine Schnelligkeit den kollektiven Eigenschaften seiner Muskeln, Nerven und Knochen verdankt, so könnten auch die Eigenschaften von Raum und Zeit – denen unser Interesse über weite Strecken dieses Buches galt – aus dem kollektiven Verhalten anderer, fundamentalerer Bestandteile erwachsen, die wir noch gar nicht kennen.

Diese Möglichkeiten bringen die Physiker manchmal durch die Aussage zum Ausdruck, dass die Raumzeit eine Illusion sein könnte – eine provozierende Behauptung, die sicherlich der Interpretation bedarf. Würden Sie von einer Kanonenkugel getroffen, den Duft einer Rose wahrnehmen oder einen jagenden Gepard sehen, kämen Sie schließlich auch nicht auf den Gedanken, deren Existenz einfach deshalb zu leugnen, weil sie aus feineren, grundlegenderen Bausteinen bestehen. Ganz im Gegenteil: Ich denke, die meisten Menschen dürften sich einig sein, dass solche Materiezusammenschlüsse existieren und dass die Untersuchung, wie ihre vertrauten Merkmale aus ihren atomaren Bestandteilen erwachsen, sehr aufschlussreich ist. Doch da sie zusammengesetzte Gebilde sind, kommt sicherlich niemand auf die Idee, eine Theorie des Universums zu entwickeln, die sich auf Kanonenkugeln, Rosen oder Geparde gründet. Sollten sich auch Raum und Zeit als zusammengesetzte Gebilde erweisen, hieße das ebenso wenig, dass ihre vertrauten Manifestationen, von Newtons Eimer bis zu Einsteins Gravitation, sich als illusorisch erwiesen. Es kann kaum ein Zweifel daran bestehen, dass Raum und Zeit ihren allgegenwärtigen Status in der Wirklichkeit unserer Erfahrung behalten werden, ganz gleich, wie unser Begriff von ihnen sich in Zukunft entwickeln wird. Der Umstand einer zusammengesetzten Raumzeit hieße lediglich, dass eine noch elementarere Beschreibung des Universums – eine, die raum- und zeitlos wäre – zu entdecken wäre. Für die Illusion wären wir also selbst verantwortlich: durch unseren irrigen Glauben, das endgültige Verständnis des Kosmos müsse an einen klaren Begriff von Raum und Zeit gebunden sein. Wie die Härte einer Kanonenkugel, der Duft der Rose und die Schnelligkeit des Gepards schwinden, wenn wir die Materie auf atomarer und subatomarer Ebene untersuchen, könnten sich auch Raum und Zeit auflösen, wenn wir bei unserer Analyse zu der fundamentalsten Formulierung der Naturgesetze vordringen.

Dass die Raumzeit möglicherweise nicht zu den fundamentalsten kosmischen Gegebenheiten gehört, mag Ihnen etwas hergeholt erscheinen. Vielleicht haben Sie damit auch Recht. Dennoch ist das Gerücht, die Raumzeit könne demnächst aus dem Kreis der elementarsten Bestandteile des Kosmos ausscheiden, nicht das Produkt närrischer Theoretisiererei. Vielmehr wird diese Idee durch einige wohl begründete Überlegungen nahe gelegt. Schauen wir uns die wichtigsten an.

Quantenmechanische Mittelung

In Kapitel 12 haben wir erläutert, dass die Raumstruktur wie alles andere in unserem Quantenuniversum den Turbulenzen der Quantenunschärfe unterworfen ist. Wie erwähnt, heben diese Fluktuationen alle Punktteilchen-Theorien aus den Angeln und hindern sie daran, eine vernünftige Quantentheorie der Gravitation zu liefern. Dadurch, dass die Stringtheorie die Punktteilchen durch Schleifen und Fadenstücke ersetzt, werden die Fluktuationen über eine Raumregion verschmiert – was ihren Einfluss beträchtlich vermindert. Auf diese Weise erreicht die Stringtheorie eine erfolgreiche Vereinheitlichung von

Quantenmechanik und allgemeiner Relativitätstheorie. Doch auch wenn die Raumzeitfluktuationen etwas von ihrer Heftigkeit einbüßen, gibt es sie natürlich noch (wie die vorletzte Vergrößerungsebene der Abbildung 12.2 zeigt); ihnen können wir wichtige Hinweise auf das Schicksal der Raumzeit entnehmen.

Erstens erfahren wir, dass Raum und Zeit in der uns vertrauten Form, die unser Denken prägt und unsere Gleichungen trägt, aus einer Art Mittelungsprozess erwachsen. Denken Sie an das in einzelne Punkte zerfallende Bild, das Sie sehen, wenn Sie Ihr Gesicht dem Fernsehschirm bis auf wenige Zentimeter nähern. Dieses Bild ist ganz anders als das, das Sie aus einer angenehmeren Entfernung wahrnehmen, denn wenn Sie die einzelnen Bildpunkte nicht auflösen können, verbinden Ihre Augen sie zu einem Durchschnitt, einem Mittel, das vollkommen glatt aussieht. Es ist aber nur dem Mittelungsprozess zu verdanken, dass die Bildpunkte ein vertrautes, kontinuierliches Bild erzeugen. Ganz ähnlich ist die mikroskopische Struktur der Raumzeit von einem wellenförmigen Auf und Ab durchzogen, was wir jedoch nicht direkt wahrnehmen, weil wir die Raumzeit auf so winzigen Größenordnungen nicht auflösen können. Vielmehr verbinden unsere Augen und selbst unsere empfindlichsten Geräte dieses wellenförmige Auf und Ab zu einem Durchschnitt – genauso wie es mit den Bildpunkten unseres Fernsehers geschieht. Da die Wellen zufällig sind, gibt es in der Regel ebenso viele »Aufs« wie »Abs«, so dass sie sich im Durchschnitt aufheben und das Bild einer friedlichen Raumzeit vermitteln. Aber wie beim Fernsehvergleich *liegt es nur am Mittelungsprozess, dass sich eine glatte und ruhige Form der Raumzeit ergibt.*

Quantenmittelung ermöglicht eine sachliche Interpretation der Behauptung, dass die vertraute Raumzeit eine Illusion sein könnte. Durchschnitte eignen sich für viele Zwecke, liefern aber definitionsgemäß kein exaktes Bild der zugrunde liegenden Einzelheiten. Obwohl die Durchschnittsfamilie in den Vereinigten Staaten 2,2 Kinder aufweist, hätten Sie ein Problem, wenn ich Sie auffordern würde, eine solche Familie aufzusuchen. Der US-Durchschnittspreis für eine Gallone (3,7853 Liter) Milch beträgt 2,783 Dollar, trotzdem dürften Sie wohl kaum ein Geschäft finden, in dem die Gallone Milch genau für diesen Preis zu haben ist. Da also die Raumzeit selbst das Ergebnis eines Mittelungsprozesses ist, beschreibt sie möglicherweise nichts, was wirklich als fundamental zu bezeichnen wäre. Unter Umständen sind Raum und Zeit nur approximative, kollektive Begriffe, außerordentlich nützlich für die Analyse des Universums auf allen Skalen – ausgenommen die ultramikroskopische, und daher so illusorisch wie eine Familie mit 2,2 Kindern.

Mit dieser Einsicht verwandt ist eine zweite Erkenntnis – dass nämlich die immer heftigeren Quantenfluktuationen, die auf abnehmenden Skalen auftreten, darauf schließen lassen, dass wir uns wahrscheinlich von der Vorstellung, wir seien in der Lage, Abstände oder Zeitintervalle in immer kleinere Einheiten zu unterteilen, verabschieden müssen, sobald wir in Bereiche vorstoßen, die etwa bei der Planck-Länge (10^{-33} Zentimeter) und der Planck-Zeit (10–$^{-43}$ Sekunden) beginnen. Dieser Idee sind wir bereits in Kapitel 12 begegnet, wo darauf hingewiesen wurde, dass die Vorstellung zwar unserer gewöhnlichen Erfahrung von Raum und Zeit widerspreche, es aber keine besondere Überraschung sei, dass eine Eigenschaft, die sich im Alltag bewähre, ihre Bedeutung einbüße, wenn sie in die Mikrowelt übertragen werde. Da die beliebige Teilbarkeit zu den vertrautesten alltäglichen Eigenschaften von Raum und Zeit gehört, liefert die Nichtanwendbarkeit dieses Begriffs auf ultrakleine Skalen einen weiteren Hinweis darauf, dass sich in den Tiefen der Mikroabstände etwas anderes verbirgt – etwas, das man als endgültiges Substrat der Raumzeit bezeichnen könnte –, jene Entität, auf die der gewöhnliche Raumzeitbegriff bei genauerer Betrachtung anspielt. Wir erwarten, dass dieser Urbestandteil, dieser elementare Raumzeitstoff, keine weitere Teilung in grundlegendere Bestandteile mehr gestattet, weil wir sonst auf zu heftige Fluktuationen stoßen würden, und dass er sich daher erheblich von der makroskopischen Raumzeit unterscheidet, die wir unmittelbar erfahren. Es steht daher zu vermuten, dass das Erscheinungsbild der fundamentalen Raumzeitbestandteile – wie immer sie beschaffen sein mögen – durch den Mittelungsprozess, der die Raumzeit der gewöhnlichen Erfahrung hervorbringt, wesentlich verändert wird.

Das Bemühen, die vertraute Raumzeit in den innersten Gesetzen der Natur zu suchen, könnte also dem Versuch gleichen, Beethovens »Neunte« in isolierten Tönen zu genießen oder Monets Heuschoberbilder in einzelne Pinselstriche zu zergliedern. Wie diese künstlerischen Meisterwerke könnte die Raumzeit in ihrer Ganzheit so verschieden von ihren Teilen sein, dass sie möglicherweise mit dem, was auf tiefster Ebene anzutreffen ist, überhaupt keine Ähnlichkeit hat.

Übersetzte Geometrie

Ein anderer Aspekt – in der Physik als *geometrische Dualität* bezeichnet – legt ebenfalls den Gedanken nahe, dass die Raumzeit möglicherweise keine fundamentale Gegebenheit ist, allerdings von einem ganz anderen Standpunkt aus. Hier geht die Beschreibung etwas weiter in die fachlichen Einzelheiten als bei der quantenmechanischen Mittelung, aber Sie können jeden Abschnitt, der

Ihnen zu schwierig erscheint, überspringen, ohne den Zusammenhang zu verlieren. Da viele Forscher diesen Ansatz jedoch zu den markantesten Eigenschaften der Stringtheorie zählen, lohnt es sich schon, die Quintessenz der Idee zu erläutern.

In Kapitel 13 sahen wir, dass die fünf vermeintlich verschiedenen Stringtheorien tatsächlich unterschiedliche Übersetzungen ein und derselben Theorie sind. Unter anderem haben wir darauf hingewiesen, wie wichtig diese Erkenntnis ist, weil äußerst schwierige Fragen in der Übersetzung manchmal viel leichter zu beantworten sind. Aber es gibt ein Merkmal des Übersetzungswörterbuchs, das ich bislang unterschlagen habe. Nicht nur der Schwierigkeitsgrad einer Frage kann sich durch die Übersetzung von einer Stringformulierung in die andere radikal verändern, sondern auch die Beschreibung der geometrischen Form der Raumzeit. Damit ist Folgendes gemeint:

Da die Stringtheorie mehr als die drei Dimensionen des Raumes und die eine der Zeit verlangt, welche die gewöhnliche Erfahrung zu bieten hat, sahen wir uns in den Kapiteln 12 und 13 veranlasst, uns mit der Frage zu beschäftigen, wo sich die Extradimensionen verbergen könnten. Unsere Antwort lautete, sie seien möglicherweise zu einer Größe aufgewickelt, die bislang der Entdeckung entging, weil sie alles unterschreitet, was wir mit unseren Experimenten erfassen können. Wir haben ferner dargelegt, dass die Physik in unseren vertrauten Dimensionen von der genauen Größe und Form der Zusatzdimensionen abhängt, weil ihre geometrischen Eigenschaften bestimmen, welche Schwingungsmuster Strings ausführen können. So weit so gut. Doch nun zu dem Teil, den ich ausgelassen habe.

Wenn das Wörterbuch Fragen, die in einer Stringtheorie gestellt worden sind, in anders lautende Fragen einer anderen Stringtheorie übersetzt, *so übersetzt das Wörterbuch außerdem auch die Geometrie der Zusatzdimensionen der ersten Theorie in eine andere extradimensionale Geometrie der zweiten Theorie.* Wenn man beispielsweise die physikalischen Konsequenzen der Stringtheorie vom, sagen wir, Typ IIA untersucht, wobei die Extradimensionen zu einer bestimmten Größe und Form aufgewickelt sind, lässt sich jede Schlussfolgerung, zu der man gelangt, zumindest im Prinzip, auch ableiten, indem man angemessen übersetzte Fragen in der Stringtheorie vom, sagen wir, Typ IIB betrachtet. Das Wörterbuch für die Übersetzung *verlangt* jedoch, dass die Extradimensionen der Stringtheorie vom Typ IIB zu einer exakten geometrischen Form aufgewickelt sind, die von der durch die Typ-IIA-Theorie gegebenen Form abhängt, *sich aber im Allgemeinen von ihr unterscheidet.* Mit anderen Worten: Eine gegebene Stringtheorie mit aufgewickelten Dimensionen in einer geometrischen Form ist äquivalent zu – ist eine Übersetzung – einer anderen Stringtheorie mit aufgewickelten Dimensionen in einer *von jener verschiedenen* geometrischen Form.

Und die Unterschiede in der Raumzeitgeometrie sind nicht notwendigerweise geringfügig. Wenn beispielsweise eine der Zusatzdimensionen der Stringtheorie vom, sagen wir, Typ IIA zu einem Kreis aufgewickelt sein sollte wie in Abbildung 12.7, zeigt das Übersetzungswörterbuch, dass dies absolut äquivalent ist zur Typ-IIB-Theorie, bei der eine der Extradimensionen ebenfalls zu einem Kreis aufgewickelt ist – allerdings zu einem, dessen Radius *umgekehrt* proportional zum Original ist. Wenn ein Kreis winzig ist, ist der andere groß, und umgekehrt – und trotzdem gibt es keine Möglichkeit, zwischen den beiden Geometrien zu unterscheiden. (Hat ein Kreis – mit Längen, die als Vielfache der Planck-Länge ausgedrückt werden – den Radius R, so zeigt das mathematische Wörterbuch, dass der andere Kreis den Radius $1/R$ besitzt.) Nun könnte man meinen, es müsse sich doch leicht und augenblicklich zwischen einer großen und einer kleinen Dimension unterscheiden lassen, doch in der Stringtheorie ist das nicht immer der Fall. Alle Beobachtungen ergeben sich aus Wechselwirkungen von Strings, und diese beiden Theorien, die vom Typ IIA mit einer großen kreisförmigen Dimension und die vom Typ IIB mit einer kleinen kreisförmigen Dimension, sind nur verschiedene Übersetzungen – verschiedene Ausdrucksweisen – derselben physikalischen Verhältnisse. Jeden Tatbestand, den Sie in einer Stringtheorie beschreiben, hat eine alternative und ebenso gültige Beschreibung in der anderen Stringtheorie, selbst wenn die Sprache jeder Theorie und die Interpretation, die sie liefert, je anders sein mag. (Das ist möglich, weil es zwei qualitativ verschiedene Konfigurationen für Strings gibt, die sich auf einer kreisförmigen Dimension bewegen: eine, in welcher der String um den Kreis gewickelt ist wie ein Gummiband um eine Konservendose, und die andere, in der sich der String auf einem Teil des Kreises befindet, sich aber nicht um ihn herumwickelt. Erstere haben Energien, die *proportional* zum Radius des Kreises sind [je größer der Radius, desto länger werden die herumgewickelten Strings gedehnt], während letztere Energien haben, die *umgekehrt proportional* zum Radius sind [je kleiner der Radius, desto eingeengter sind die Strings und daher auch, infolge der Quantenunschärfe, desto energiereicher in ihren Bewegungen]. Wenn wir den ursprünglichen Kreis durch einen mit *inversem* Radius ersetzen und gleichzeitig die »herumgewickelten« und »nicht herumgewickelten« Strings austauschen, bleiben die physikalischen Energien – und wie sich herausstellt, die physikalischen Verhältnisse im Allgemeinen – interessanterweise unbeeinträchtigt. Genau das verlangt die Wörterbuchübersetzung von der Typ-IIA-Theorie in die Typ-IIB-Theorie, und das ist auch der Grund, warum zwei scheinbar verschiedene Geometrien – eine große und eine kleine kreisförmige Dimension – äquivalent sein können.)

Ähnliches gilt, wenn die kreisförmigen Dimensionen durch die komplizierteren Calabi-Yau-Räume ersetzt werden, die in Kapitel 12 eingeführt wurden. Eine gegebene Stringtheorie mit Zusatzdimensionen, die zu einem bestimmten Calabi-Yau-Raum aufgewickelt sind, lässt sich mit Hilfe des Wörterbuchs in eine andere Stringtheorie mit Zusatzdimensionen übersetzen, die zu einem anderen Calabi-Yau-Raum aufgewickelt sind (dem *Spiegel-Calabi-Yau-Raum* des Originals). In diesen Fällen unterscheidet sich nicht nur die Größe der Calabi-Yau-Räume, sondern auch ihre Form, einschließlich der Zahl und Art ihrer Löcher. Doch die Wörterbuchübersetzung sorgt dafür, dass sie sich in genau der richtigen Weise unterscheiden, daher sind die physikalischen Verhältnisse, die sich aus jeder Theorie ergeben, absolut identisch, obwohl die Extradimensionen von verschiedener Form und Größe sind. (In einem gegebenen Calabi-Yau-Raum gibt es zwei Arten von Löchern; es zeigt sich jedoch, dass Stringschwingungsmuster – und daher die physikalischen Implikationen – nur vom *Unterschied* in der Anzahl von Löchern der verschiedenen Arten abhängen. Wenn also ein Calabi-Yau-Raum, sagen wir, zwei Löcher der ersten und fünf der zweiten Art hat, während ein anderer Calabi-Yau-Raum fünf Löcher der ersten und zwei der zweiten besitzt, dann unterscheiden sie sich zwar in ihren geometrischen Formen, können aber identische physikalische Konsequenzen haben.*)

Dies stützt aus einer anderen Perspektive den Verdacht, dass der Raum kein fundamentales Konzept ist. Beschreibt jemand das Universum mit einer der fünf Stringtheorien, so behauptet er, der Raum habe einschließlich der Zusatzdimensionen eine bestimmte Größe und Form, während jemand anders, der eine der übrigen Stringtheorien verwendet, erklärt, der Raum einschließlich der Zusatzdimensionen habe eine andere Größe und Form. Da die beiden Beobachter einfach alternative *mathematische* Beschreibungen desselben *physikalischen* Universums verwenden, lässt sich nicht sagen, der eine habe Recht und der andere Unrecht. Sie haben beide Recht, obwohl ihre Schlussfolgerungen über den Raum – seine Größe und Form – unterschiedlich ausfallen. Das liegt jedoch nicht daran, dass sie, wie in der speziellen Relativitätstheorie, die Raumzeit in unterschiedlicher, aber ebenbürtiger Weise aufteilen. Diese beiden Beobachter können sich vielmehr nicht über die Gesamtstruktur des Raums einigen. Das ist der entscheidende Punkt. Wäre die Raumzeit wirklich

* Zu den Einzelheiten der geometrischen Dualität von Kreisen und Calabi-Yau-Räumen siehe *Das elegante Universum*, Kapitel 10.

fundamental, würden die meisten Physiker erwarten, dass jeder, unabhängig von der Perspektive – unabhängig von der verwendeten Sprache oder Theorie –, in Bezug auf die geometrischen Eigenschaften zum gleichen Ergebnis käme. Der Umstand aber, dass dies, zumindest innerhalb der Stringtheorie, nicht der Fall sein muss, lässt darauf schließen, dass die Raumzeit ein sekundäres Phänomen sein könnte.

So kommen wir zu der Frage: Wenn die in den letzten beiden Abschnitten beschriebenen Hinweise in die richtige Richtung deuten und die vertraute Raumzeit lediglich die makroskopische Manifestation eines fundamentaleren Gebildes ist, worum handelt es sich dann bei diesem Gebilde, und was sind seine wichtigsten Eigenschaften? Bis heute weiß das niemand. Doch auf der Suche nach Antworten haben die Forscher noch einige weitere Hinweise entdeckt, und der wichtigste ergibt sich aus den Überlegungen zu Schwarzen Löchern.

Wozu die Entropie Schwarzer Löcher?

Schwarze Löcher haben das unergründlichste Pokerface des Universums. Von außen betrachtet, erscheinen sie denkbar einfach. Die drei entscheidenden Merkmale eines Schwarzen Lochs sind seine Masse, seine elektrische Ladung und sein Eigendrehimpuls. Das ist alles. Mehr Einzelheiten lassen sich an dem Gesicht, das ein Schwarzes Loch dem Kosmos darbietet, nicht ablesen. Physiker drücken das durch den Satz aus: »Schwarze Löcher haben keine Haare«, womit sie meinen, dass ihnen jene detaillierten Merkmale fehlen, aus denen Individualität erwächst. Wenn Sie ein Schwarzes Loch mit gegebener Masse, Ladung und Eigendrehimpuls kennen (wobei Sie diese Eigenschaften nur indirekt, durch ihren Einfluss auf das Gas und die Sterne in ihrer Umgebung in Erfahrung bringen können, da Schwarze Löcher schwarz sind), dann kennen Sie sie alle.

Und doch verbergen Schwarze Löcher hinter ihrer steinernen Miene die chaotischsten Verhältnisse, die es im Universum gibt. Von allen physikalischen Systemen einer gegebenen Größe und *beliebiger* Zusammensetzung besitzen Schwarze Löcher die größtmögliche Entropie. Wie wir in Kapitel 6 gesehen haben, ergibt sich das in vereinfachter Form aus der Definition der Entropie als Maß für die Zahl jener Umordnungen der inneren Bestandteile eines Objekts, die ohne Einfluss auf sein Erscheinungsbild bleiben. Bei Schwarzen Löchern können wir zwar nicht sagen, was sie tatsächlich für Bestandteile haben – da wir nicht wissen, was geschieht, wenn die Materie im Zentrum des Schwarzen Lochs zermalmt wird –, wir wissen aber mit Sicherheit, dass die

Umordnung dieser Bestandteile auf Masse, Ladung oder Drehimpuls eines Schwarzen Lochs nicht mehr Auswirkungen hat als die Umordnung der Seiten von *Krieg und Frieden* auf das Gewicht des Buches. Und da Masse, Ladung und Spin vollständig bestimmen, welches Gesicht ein Schwarzes Loch der Außenwelt präsentiert, bleiben alle derartigen Manipulationen unbemerkt, folglich können wir sagen, dass ein Schwarzes Loch maximale Entropie besitzt.

Vielleicht meinen Sie aber doch, dass es eine einfache Methode gibt, die Entropie eines Schwarzen Lochs zu übertreffen: Sie bilden eine Hohlkugel von der gleichen Größe wie ein gegebenes Schwarzes Loch, füllen es mit Gas (Wasserstoff, Helium, Kohlendioxid, was auch immer) und gestatten dem Gas, sich im Inneren der Kugel auszubreiten. Je mehr Gas Sie hineinpumpen, desto größer die Entropie, da mehr Bestandteile bedeuten, dass mehr Umordnungen vorgenommen werden können. Nun könnten Sie meinen, dass die Entropie des Gases stetig steigt, wenn Sie immer mehr und mehr davon in die Kugel pumpen, so dass sie irgendwann die Entropie des gegebenen Schwarzen Lochs übertrifft. So raffiniert diese Strategie auch ist, die allgemeine Relativitätstheorie zeigt, dass sie scheitert. Je mehr Gas in die Hohlkugel gepumpt wird, desto mehr Masse gewinnt ihr Inhalt. Bevor Sie die Entropie eines Schwarzen Lochs von gleicher Größe erreichen, steigt die Masse innerhalb der Kugel auf einen kritischen Wert, der die Hohlkugel und ihren Inhalt veranlasst, *ein Schwarzes Loch zu werden*. Es führt kein Weg daran vorbei: Schwarze Löcher haben ein Monopol auf maximale Unordnung.

Was wäre, wenn Sie versuchten, die Entropie in dem Raum innerhalb des neu gebildeten Schwarzen Loches zu erhöhen, indem Sie weiteres Gas hineinpumpen? Die Entropie würde in der Tat weiter anwachsen, aber Sie hätten die Spielregeln verändert. Wenn Materie durch den gefräßigen Ereignishorizont eines Schwarzen Loches fällt, wächst nicht nur seine Entropie an, *sondern auch seine Größe*. Die Größe eines Schwarzen Lochs ist proportional zu seiner Masse – wenn Sie also mehr Materie hineinfallen lassen, wird es schwerer und größer. Sobald Sie die Entropie einer Raumregion dadurch maximal erhöht haben, dass Sie ein Schwarzes Loch erzeugten, ist jeder Versuch, die Entropie dieser Region weiter zu steigern, zum Scheitern verurteilt. Die Region kann einfach keine weitere Unordnung verkraften. Sie ist entropiegesättigt. Egal, was Sie tun – ob Sie Gas hineinpumpen oder Ihren Luxus-Jeep hineinwerfen –, Sie sorgen zwangsläufig dafür, dass das Schwarze Loch anwächst und infolgedessen eine größere Raumregion umgibt. Damit informiert uns die in einem Schwarzen Loch enthaltene Entropiemenge nicht nur über ein grundlegendes Merkmal des Schwarzen Lochs, sondern auch über eine fundamentale Eigenschaft des Raums selbst: *Die maximale Entropie, die sich in einer Raumregion unterbringen lässt – irgendeiner Raumregion, irgendwo, irgendwann –, ist gleich der Entropie, die innerhalb eines Schwarzen Lochs enthalten ist, dessen Größe gleich jener der betreffenden Region ist.*

Also, wie viel Entropie enthält ein Schwarzes Loch gegebener Größe? Hier wird die Sache interessant. Um das Problem intuitiv angehen zu können, beginnen wir mit einem Objekt, das wir uns leichter vorstellen können, beispielsweise der Luft in einem Tupperware-Gefäß. Wenn Sie zwei solche Behälter miteinander verbinden und damit das Gesamtvolumen sowie die Zahl der Luftmoleküle verdoppeln, könnten Sie auf die Idee kommen, dass Sie damit auch die Entropie verdoppeln. Eingehende Berechnungen bestätigen[1] diese Schlussfolgerung und zeigen, dass bei ansonsten gleichen Bedingungen (unveränderte Temperatur, Dichte und so weiter) die Entropien vertrauter physikalischer Systeme proportional zu ihrem Volumen sind. Daher liegt die Vermutung nahe, dass die gleiche Schlussfolgerung auch für weniger vertraute Dinge gilt, etwa Schwarze Löcher. Wir würden also erwarten, dass die Entropie eines Schwarzen Lochs proportional zu seinem Volumen ist.

Doch in den siebziger Jahren entdeckten Jacob Bekenstein und Stephen Hawking, dass das nicht stimmt. Wie ihre mathematischen Analysen zeigten, ist die Entropie eines Schwarzen Lochs nicht proportional zu seinem Volumen, sondern zur *Fläche* seines Ereignishorizontes – grob gesagt, zu seinem Oberflächeninhalt. Das ist ein ganz anderes Resultat. Wenn Sie den Radius eines Schwarzen Lochs verdoppeln, erhöht sich sein Volumen um einen Faktor 8 (2^3), während seine Fläche nur um einen Faktor 4 (2^2) anwächst. Vergrößern Sie den Radius um einen Faktor 100, erhöht sich sein Volumen um einen Faktor eine Million (100^3), während sein Oberflächeninhalt nur um einen Faktor 10 000 (100^2) anwachsen würde. Große Schwarze Löcher haben viel größere Volumina als Oberflächeninhalte.[2] Obwohl Schwarze Löcher die größte Entropie von allen Dingen einer bestimmten Größe aufweisen, ist ihre Entropiemenge, wie Bekenstein und Hawking zeigten, geringer, als wir naiv annehmen würden.

Dass die Entropie sich proportional zum Oberflächeninhalt verhält, ist nicht nur ein merkwürdiger Unterschied zwischen Schwarzen Löchern und Tupperware, den wir zur Kenntnis nehmen, um uns dann wichtigeren Themen zuzuwenden. Vielmehr haben wir gesehen, dass Schwarze Löcher der Entropiemenge, die in einer Raumregion untergebracht werden kann, eine prinzipielle Grenze setzen: Nehmen Sie ein Schwarzes Loch, dessen Größe exakt jener der betreffenden Region entspricht und stellen Sie fest, wie viel Entropie das Schwarze Loch besitzt – dann haben Sie die *absolute* Grenze für die Entropiemenge, welche die Raumregion aufweisen kann. Da die Entropie, wie die Arbeiten von Bekenstein und Hawking zeigten, proportional zum Oberflächeninhalt des Schwarzen Lochs ist – der gleich dem Oberflächeninhalt der Region ist, da wir festgelegt haben, dass sie beide von gleicher Größe sind –, gelangen wir zu dem Schluss, dass die maximale Entropie, die eine gegebene Raumregion enthalten kann, zum Oberflächeninhalt der *Region* proportional ist.[3]

Der grundlegende Unterschied zwischen dieser Schlussfolgerung und derjenigen, die sich aus den Überlegungen zur Luft im Tupperware-Gefäß ergab (wo wir feststellten, dass die Entropiemenge proportional zum *Volumen* des Gefäßes ist, nicht zu seinem Oberflächeninhalt), lässt sich leicht benennen: Da wir angenommen haben, dass sich die Luft gleichmäßig ausbreitet, lässt die Tupperware-Argumentation die Gravitation außer Acht. Erinnern wir uns, wenn die Gravitation ins Spiel kommt, verklumpen die Dinge. Die Gravitation lässt sich ungestraft vernachlässigen, solange die Dichten gering sind, doch wenn wir uns mit großer Entropie beschäftigen, sind die Dichten hoch, spielt die Gravitation eine Rolle und verliert die Tupperware-Argumentation ihre Gültigkeit. Unter solchen Bedingungen sind die Berechnungen von Bekenstein und Hawking gefragt, da sie die Gravitation berücksichtigen und zu dem Ergebnis kommen, dass das maximale Entropiepotenzial für eine Raumregion zu ihrem Oberflächeninhalt und nicht zu ihrem Volumen proportional ist.

Nun gut, aber warum kümmert uns das? Aus zwei Gründen.

Erstens ist die Entropiegrenze ein weiterer Hinweis darauf, dass der ultramikroskopische Raum eine atomisierte Struktur besitzt. Im Einzelnen kamen Bekenstein und Hawking zu folgendem Ergebnis: Wenn Sie sich vorstellen, dass wir ein Schachbrettmuster auf den Ereignishorizont eines Schwarzen Loches zeichnen, wobei jedes Quadrat eine Größe von einer Planck-Länge mal einer Planck-Länge hat (mithin hat jedes »Planck-Quadrat« eine Fläche von rund 10^{-66} Quadratzentimetern), ist die Entropie des Schwarzen Lochs gleich der Zahl der Quadrate, die auf seiner Fläche Platz finden.[4] Die Schlussfolgerung, die sich bei diesem Ergebnis aufdrängt, ist kaum zu übersehen: Jedes Planck-Quadrat ist eine minimale, fundamentale Raumeinheit, und jede trägt eine minimale, einzelne Entropieeinheit. Das legt den Schluss nahe, dass nichts, noch nicht einmal im Prinzip, *innerhalb* eines Planck-Quadrats stattfinden kann, weil jede solche Aktivität die Unordnung steigern könnte, mit dem Erfolg, dass das Planck-Quadrat mehr als die einzelne Entropieeinheit enthielte, die von Bekenstein und Hawking gefunden wurde. Aus einer vollkommen anderen Perspektive gelangen wir also wiederum zum Begriff elementarer raumartiger Gebilde.[5]

Zweitens ist für einen Physiker die Obergrenze der Entropie, die in einer Raumregion vorhanden sein kann, eine entscheidende, fast sakrosankte Größe. Stellen Sie sich dazu vor, Sie würden für einen Verhaltenstherapeuten arbeiten und hätten die Aufgabe, die Interaktionen zwischen Gruppen extrem hyperaktiver Kleinkinder fortlaufend zu protokollieren. Jeden Morgen schicken Sie ein Stoßgebet zum Himmel, dass die Gruppe, die Sie heute zu beobachten haben, möglichst brav ist, denn je mehr Unruhe die Kinder verbreiten, desto schwieriger wird Ihre Aufgabe. Der Grund liegt auf der Hand, aber sprechen wir ihn im Interesse unserer Argumentation noch einmal deutlich aus: Je ungeordneter die Kinder sind, desto schwieriger ist es, sie im Auge zu behalten. Von einer fundamentalen physikalischen Theorie verlangen wir, dass sie alles beschreibt, was in einer gegebenen Raumregion vor sich geht – oder auch nur prinzipiell vor sich gehen könnte. Wie bei den Kindern gilt, dass umso mehr Dinge die Theorie berücksichtigen können muss, je mehr Unordnung die Region – auch nur im Prinzip – enthalten kann. Daher liefert die maximale Entropie, die eine Region enthalten kann, eine einfache, aber eindeutige Nagelprobe: Von einer wirklich fundamentalen Theorie erwarten Physiker, dass sie der maximalen Entropie in einer gegebenen Raumregion vollkommen entspricht. Die Theorie müsste so eng auf die Natur abgestimmt sein, dass ihre maximale Fähigkeit, Unordnung im Blick zu behalten, *exakt* gleich der maximalen Unordnung ist, die eine Region enthalten kann – nicht mehr und nicht weniger.

Wäre nun die Tupperware-Argumentation unbegrenzt gültig, müsste eine fundamentale Theorie fähig sein, die Unordnung in einer gegebenen Region zu erklären, die deren Volumen entspräche. Doch da diese Argumentation nicht mehr greift, wenn die Gravitation berücksichtigt wird – und da eine fundamentale Theorie die Gravitation einbeziehen muss –, sehen wir, dass eine fundamentale Theorie lediglich in der Lage sein muss, die Unordnung in einer gegebenen Raumregion zu erklären, die deren Oberflächeninhalt entspricht. Wie wir an einigen Zahlenbeispielen einige Absätze weiter oben erklärt haben, ist der Oberflächeninhalt für große Regionen viel kleiner als das Volumen.

So zeigt uns das Ergebnis von Bekenstein und Hawking, dass eine Theorie, welche die Gravitation einbezieht, in gewissem Sinne einfacher ist als eine, die es nicht tut. Es gibt weniger »Freiheitsgrade«, welche die Theorie beschreiben muss – weniger Dinge, die sich ändern und daher zur Unordnung beitragen können. Das ist an sich schon eine interessante Erkenntnis, aber wenn wir dieser Argumentation noch einen Schritt weiter folgen, scheint sich eine außerordentlich merkwürdige Schlussfolgerung zu ergeben. Wenn die maximale Entropie in einer gegebenen Raumregion proportional zum Oberflächeninhalt der Region und nicht zu ihrem Volumen ist, dann befinden sich vielleicht die wahren, fundamentalen Freiheitsgrade – die Eigenschaften, die die Möglichkeit haben, diese Unordnung hervorzurufen – *in Wirklichkeit auf der Oberfläche der Region und nicht in ihrem Volumen.* Das heißt, vielleicht finden die realen physikalischen Prozesse des Universums auf einer dünnen, fernen Fläche statt, die uns umgibt, während alles, was wir sehen und erfahren, nur eine Projektion dieser Prozesse ist. Mit anderen Worten: Vielleicht ähnelt das Universum eher einem Hologramm.

Das ist eine merkwürdige Idee, für die man jedoch, wie wir jetzt sehen werden, einige Belege gefunden hat.

Ist das Universum ein Hologramm?

Ein Hologramm ist ein zweidimensionales Stück Plastik mit einem eingeätzten Muster, das ein dreidimensionales Bild projiziert, wenn es in geeigneter Form mit Laserlicht beleuchtet wird.[6] Anfang der neunziger Jahre stellten der holländische Nobelpreisträger Gerard 't Hooft und Leonard Susskind, ein Mitentdecker der Stringtheorie, die These auf, das Universum sei selbst wie ein Hologramm organisiert. Demnach ist das Kommen und Gehen, das wir in den drei Dimensionen unserer Alltagwelt wahrnehmen, nur eine holographische Projektion von physikalischen Prozessen, die auf einer fernen, zweidimensionalen Fläche stattfinden. In diesem neuen und merkwürdig anmutenden Entwurf ähneln wir und alle Dinge, die wir tun oder sehen, holographischen Bildern. Während Platon die gewöhnlichen Wahrnehmungen als bloße Schatten einer höheren Wirklichkeit verstand, geht das holographische Prinzip zwar von einer ähnlichen Vorstellung aus, stellt die Metapher aber auf den Kopf. Die Schatten – die Dinge, die flach sind und daher auf einer Fläche mit weniger Dimensionen existieren – sind real, während das, was eine komplexere Struktur zu besitzen scheint, die höherdimensionalen Gegebenheiten (wir, die Welt um uns her), die flüchtigen Projektionen der Schatten zu sein scheinen.*

Obwohl es sich, wie gesagt, um eine äußerst seltsam anmutende Idee handelt, deren Rolle für unser Verständnis der Raumzeit überdies alles andere als

* Wenn es Ihnen widerstrebt, Platon zu korrigieren, so liefert Ihnen das Branwelt-Szenario eine Version der Holographie, in der die Schatten wieder an den ihnen gebührenden Platz verwiesen werden. Stellen Sie sich vor, wir lebten auf einer Drei-Bran, die eine Region mit vier Raumdimensionen umgibt (ganz so, wie die zweidimensionale Schale eines Apfels sein dreidimensionales Inneres umgibt). In dieser Situation wären unsere dreidimensionalen Wahrnehmungen nach dem holographischen Prinzip die Schatten von vierdimensionalen physikalischen Prozessen, die in der von unserer Bran umgebenen Region stattfänden.

klar ist, hatten 't Hooft und Susskind gute Gründe, ihr so genanntes *holographisches Prinzip* vorzuschlagen. Wie im letzten Abschnitt erläutert, richtet sich die maximale Entropie, die eine Raumregion enthalten kann, nach ihrem Oberflächeninhalt und nicht nach dem Volumen ihres Inneren. Da liegt die Vermutung nahe, dass sich die fundamentalsten Bestandteile des Universums, seine grundsätzlichsten Freiheitsgrade – die Entitäten, die als Substrat für die Entropie des Universums dienen wie die Seiten von *Krieg und Frieden* als Substrat für die Entropie des Buchs –, auf einer Randfläche befinden und nicht im Inneren des Universums. Danach wird, was wir im »Volumen« des Universums erfahren – im *Bulk* (der Masse, dem Hauptanteil), wie die Physiker oft sagen –, durch das bestimmt, was auf der Randfläche stattfindet, ganz so, wie das, was wir in einer holographischen Projektion sehen, von Informationen bestimmt wird, die sich auf einer »Randfläche« aus Plastik befinden. Die physikalischen Gesetze sind dabei der Laser des Universums, sie beleuchten die wirklichen Prozesse des Kosmos – die Prozesse, die auf einer dünnen, fernen Fläche stattfinden – und erzeugen so die holographischen Illusionen des Alltags.

Noch haben wir nicht herausgefunden, wie dieses holographische Prinzip in der realen Welt verwirklicht werden könnte. Eine Schwierigkeit liegt darin, dass man in den konventionellen Beschreibungen davon ausgeht, das Universum werde ewig weiterexistieren oder, wenn nicht, sich in sich selbst zurückkrümmen wie eine Kugel oder der Bildschirm eines Videospiels (siehe Kapitel 8), daher hätte es keine Ränder oder Grenzen. Wo sollte sich also die angebliche »holographische Randfläche« befinden? Außerdem haben wir doch offensichtlich die physikalischen Prozesse hier, tief im Inneren des Universums, unter Kontrolle. Es hat kaum den Anschein, als würden Ereignisse auf einer schwer zu lokalisierenden Grenze irgendwie diktieren können, was hier im Bulk geschieht. Folgt aus dem holographischen Prinzip, dass *dieses* Gefühl von Kontrolle und Autonomie illusorisch ist? Oder sollen wir uns lieber vorstellen, die Holographie bringe eine Art von Dualität zum Ausdruck, bei der wir nach Geschmack – und nicht nach der Physik – wählen können zwischen einer vertrauten Beschreibung, nach der die (mit Intuition und Wahrnehmung übereinstimmenden) fundamentalen Gesetze hier im Bulk gültig sind, und einer unvertrauten Beschreibung, nach der die fundamentalen physikalischen Prozesse auf einer Art Grenze des Universums stattfinden, wobei beide Standpunkte gleichberechtigt nebeneinander stehen? Das sind wichtige Fragen, die noch völlig offen sind.

Doch 1997 erzielte der argentinische Physiker Juan Maldacena, ausgehend von früheren Erkenntnissen zahlreicher Stringtheoretiker, einen Fortschritt, der die Überlegungen zu diesem Thema entscheidend voranbrachte. Seine Entdeckung hat nicht unmittelbar mit der Frage zu tun, welche Rolle die Holographie in unserem realen Universum spielt, doch nach altbewährter physikalischer Vorgehensweise fand er einen hypothetischen Kontext – ein hypothetisches Universum –, in dem die abstrakten Überlegungen zur Holographie mit Hilfe der Mathematik eine konkrete und exakte Form annehmen konnten. Aus technischen Gründen untersuchte Maldacena ein hypothetisches Universum mit vier großen Raumdimensionen und einer Zeitdimension, die eine gleichmäßig negative Krümmung haben – eine höherdimensionale Version des Kartoffelchips aus Abbildung 8.6 (c). Eine mathematische Standardanalyse zeigt, dass die betreffende fünfdimensionale Raumzeit einen Rand besitzt,[7] der, wie alle Ränder, eine Dimension weniger hat als das geometrische Gebilde, das er begrenzt: drei Raumdimensionen und eine Zeitdimension. (Wie stets sind höherdimensionale Räume schwer vorstellbar. Wenn Sie eine Anregung möchten, dann denken Sie an eine Dose Tomatensuppe – die dreidimensionale flüssige Suppe entspricht der fünfdimensionalen Raumzeit, während die zweidimensionale Fläche der Dose für die vierdimensionale Raumzeitgrenze steht.) Nachdem Maldacena aufgewickelte Extradimensionen hinzugefügt hatte, wie es die Stringtheorie verlangt, zeigte er schlüssig, dass sich die physikalischen Verhältnisse, die ein Beobachter im Inneren dieses Universums erlebt (ein Beobachter in der »Suppe«), vollständig durch physikalische Prozesse beschreiben lassen, die auf der Grenze des Universums (der Oberfläche der Dose) stattfinden.

Obwohl nicht realistisch, war diese Arbeit das erste konkrete und mathematisch zu bewältigende Beispiel, in dem das holographische Prinzip explizit verwirklicht war.[8] Für die Anwendung der Holographie auf ein ganzes Universum war das sehr aufschlussreich. Beispielsweise sind in Maldacenas Arbeit die Bulk-Beschreibung und die Rand-Beschreibung vollkommen gleichberechtigt. Es ist nicht so, als wäre die eine fundamental, die andere dagegen abgeleitet. Ganz im Sinne der Beziehung zwischen den fünf Stringtheorien sind die Bulk- und die Rand-Theorie Übersetzungen voneinander. Die ungewöhnliche Eigenschaft dieser Übersetzung besteht jedoch darin, dass die Bulk-Theorie mehr Dimensionen hat als die äquivalente Theorie, die auf dem Rand formuliert wird. Außerdem bezieht die Bulk-Theorie die Gravitation ein (da Maldacena sie mit Hilfe der Stringtheorie formuliert hat), die Rand-Theorie, wie die Berechnungen zeigen, dagegen nicht. Trotzdem lässt sich jede Frage, die in der einen Theorie gestellt wird, und jede Berechnung, die dort vorgenommen wird, in eine äquivalente Frage oder Rechnung in der anderen Theorie übersetzen. Jemand, der mit dem Wörterbuch nicht vertraut ist, könnte den Eindruck gewinnen, dass die korrespondierenden Fragen und Rechnungen absolut nichts miteinander zu tun haben (da beispielsweise die Rand-Theorie die Gravitation nicht einbezieht, werden Fragen, die sich in der Bulk-Theorie auf die Gravitation beziehen, bei der Übersetzung in die Rand-Theorie in ganz anders klingende, gravitationsfreie Fragen verwandelt). Dagegen erkennt jemand, der in beiden Sprachen zu Hause ist – ein Fachmann für beide Theorien –, ihre Beziehung und versteht, dass die Antworten auf korrespondierende Fragen und die Ergebnisse korrespondierender Rechnungen übereinstimmen müssen. Tatsächlich hat bisher jede Rechnung, die durchgeführt wurde – und das waren nicht wenige –, diese Behauptung bestätigt.

Um all das im Einzelnen zu verstehen, ist erhebliches Fachwissen erforderlich, das soll uns aber nicht davon abhalten, den entscheidenden Punkt zu erfassen. Maldacenas Ergebnis ist erstaunlich. Er hat eine konkrete, wenn auch hypothetische Realisierung der Holographie innerhalb der Stringtheorie entdeckt. Dabei zeigte er, dass eine bestimmte Quantentheorie ohne Gravitation die Übersetzung einer anderen Quantentheorie (ununterscheidbar von ihr) ist, welche die Gravitation einbezieht, aber mit einer Raumdimension mehr formuliert wird. Gegenwärtig wird intensiv erforscht, ob sich diese Erkenntnisse auf ein realistischeres Universum – unser Universum – anwenden lassen, allerdings gehen die Dinge langsam voran, weil die Analyse mit technischen Schwierigkeiten gespickt ist. (Maldacena hat sein besonderes hypothetisches Beispiel gewählt, weil es sich mathematisch relativ leicht untersuchen ließ; realistischere Beispiel sind sehr viel schwieriger zu behandeln.) Trotzdem wissen wir heute, dass die Stringtheorie zumindest in bestimmten Kontexten das Holographie-Konzept umsetzen kann. Wie im Falle der oben beschriebenen geometrischen Übersetzungen ist das ein weiterer Hinweis darauf, dass die Raumzeit kein fundamentales Konzept ist. Nicht nur Größe oder Form können sich ändern, wenn man eine Formulierung einer Theorie in eine andere, äquivalente Form übersetzt, sondern auch die *Zahl* der Raumdimensionen.

Immer nachdrücklicher legen diese Hinweise den Schluss nahe, dass die Form der Raumzeit ein schmückendes Beiwerk ist, das sich von einer Formulierung einer physikalischen Theorie zur nächsten verändert, und kein fundamentales Element der Wirklichkeit. So wie sich die Zahl der Buchstaben, Silben und Vokale in dem Wort *Katze* von denen in dem Wort *cat*, seiner englischen Übersetzung, unterscheiden, so verändert sich auch die Form der Raumzeit – ihre Gestalt, Größe und sogar Dimensionenzahl – im Zuge der Übersetzung. Jedem beliebigen Beobachter, der sich anhand einer Theorie Gedanken über das Universum macht, mag die Raumzeit real und unverzichtbar erscheinen. Doch sobald dieser Beobachter die Formulierung der verwendeten

Theorie in eine entsprechende, übersetzte Version verändert, wandelt sich zwangsläufig auch das, was ihm eben noch real und unverzichtbar erschien. Falls also diese Ideen richtig sind – und ich möchte betonen, dass es noch keinen strengen Beweis für ihre Richtigkeit gibt, wenn die Theoretiker auf diesem Feld auch eine Anzahl von Belegen gefunden haben, die dafür sprechen –, stellen sie den Primat von Raum und Zeit entschieden in Frage.

Ich denke, von allen hier erörterten Belegen dürfte das holographische Prinzip in der künftigen Forschung die wichtigste Rolle spielen. Es ergibt sich aus einer grundlegenden Eigenschaft von Schwarzen Löchern – ihrer Entropie –, deren Verständnis sich nach Meinung vieler Physiker auf ein solides theoretisches Fundament gründet. Selbst wenn sich die Einzelheiten unserer Theorien verändern sollten, erwarten wir, dass jede vernünftige Beschreibung der Gravitation auch weiterhin Schwarze Löcher erlauben wird. Folglich wird auch die dieser Erörterung zugrunde liegende Entropie Bestand haben und die Holographie weiterhin gelten. Dass sich das holographische Prinzip mühelos der Stringtheorie eingliedern lässt – zumindest in den Beispielen, die einer mathematischen Analyse unterzogen werden können –, ist ein weiteres Indiz für die Gültigkeit des Prinzips. Ich erwarte, dass unabhängig von der Frage, wohin uns die Suche nach den Grundlagen von Raum und Zeit noch führen wird, unabhängig von den Modifikationen an der String/M-Theorie, die in Zukunft noch erforderlich sein werden, die Holographie auch weiterhin ein Leitbegriff sein wird.

Die Bestandteile der Raumzeit

Überall in diesem Buch haben wir immer wieder auf die ultramikroskopischen Bestandteile der Raumzeit angespielt, doch obwohl wir indirekte Argumente für ihre Existenz nennen können, haben wir noch nichts über ihre tatsächliche Beschaffenheit gesagt. Und das mit guten Grund. Wir haben nämlich keine Ahnung. Oder vielleicht sollte ich lieber sagen, wenn es um die Identifizierung der elementaren Raumzeitbestandteile geht, haben wir keine Ahnung, auf welche wirklich Verlass ist. Das ist eine große Lücke in unserem Wissen, die man allerdings aus ihrem historischen Kontext verstehen muss.

Hätte man Ende des neunzehnten Jahrhunderts unter Naturwissenschaftlern eine Umfrage durchgeführt, um in Erfahrung zu bringen, was sie für die elementaren Bestandteile der Materie hielten, wäre man auf keine einhellige Meinung gestoßen. Noch vor gut hundert Jahren war die Atomhypothese umstritten. Es gab sehr bekannte Wissenschaftler – darunter Ernst Mach –, die sie für falsch hielten. Als dann die Atomhypothese Anfang des zwanzigsten

Jahrhunderts allgemeine Zustimmung fand, wurde das Bild, das sie lieferte, ständig mit Teilchen aktualisiert, die man immer wieder für die elementaren Bestandteile hielt (zum Beispiel erst Protonen und Neutronen, dann Quarks). Die Stringtheorie ist der letzte Schritt auf diesem Wege, doch da ihre experimentelle Bestätigung noch aussteht (und selbst wenn sie käme, wäre damit nicht ausgeschlossen, dass wir nicht eines Tages auf noch fundamentalere Bestandteile stoßen würden), müssen wir unumwunden zugeben, dass die Suche nach den elementaren Bestandteilen der Materie andauert.

Die Einbeziehung von Raum und Zeit in einen modernen wissenschaftlichen Kontext geht auf Newtons Wirken im siebzehnten Jahrhundert zurück; zur ernsthaften Auseinandersetzung mit ihrer mikroskopischen Beschaffenheit bedurfte es jedoch der allgemeinen Relativitätstheorie und der Quantenmechanik, die im zwanzigsten Jahrhundert entdeckt wurden. Nach historischen Maßstäben haben wir also gerade erst angefangen, die Raumzeit zu analysieren, daher ist der Mangel an einem endgültigen Vorschlag für ihre »Atome« – die elementarsten Bestandteile der Raumzeit – durchaus kein Einwand gegen unseren Gegenstand. Ganz und gar nicht. Dass wir schon so weit gekommen sind – dass wir zahlreiche Eigenschaften von Raum und Zeit entdeckt haben, die aller gewöhnlichen Erfahrung weit entzogen sind –, zeugt von Fortschritten, die vor hundert Jahren undenkbar waren. Die Suche nach den fundamentalsten Bestandteilen der Natur – der Materie wie der Raumzeit – ist eine gewaltige Aufgabe, die uns wahrscheinlich noch einige Zeit beschäftigen wird.

Bei der Raumzeit gibt es gegenwärtig zwei viel versprechende Richtungen für die Suche nach den elementaren Bestandteilen. Ein Vorschlag kommt aus der Stringtheorie, der andere aus einer Theorie, die *Schleifen-Quantengravitation* heißt.

Der stringtheoretische Vorschlag ist, je nachdem, wie gründlich Sie darüber nachdenken, entweder intuitiv ansprechend oder zutiefst verblüffend. Da wir manchmal von dem »Stoff« der Raumzeit sprechen, lautet die Hypothese, die Raumzeit könnte aus Strings gewebt sein, ganz so, wie ein Hemd aus Fäden gewebt ist. So wie man zahlreiche Fäden zu einem geeigneten Muster zusammenfügt, um den Hemdenstoff herzustellen, sind vielleicht zahlreiche Strings zu einem geeigneten Muster zusammengefügt, so dass entsteht, was wir als den Stoff, die Struktur der Raumzeit bezeichnen. Materie wie Sie und ich wären dann auf zusätzliche Ansammlungen schwingender Strings zurückzuführen – wie laute Musik, die über gedämpftem Lärm erklingt, oder eine kunstvolle Stickerei auf einem schlichten Stück Leinwand –, schwingende Strings in einem Kontext, der von den Strings der Raumzeit gebildet wird.

Ich finde diese Hypothese interessant und einleuchtend, allerdings hat bislang noch niemand diese Worte in eine exakte mathematische Aussage verwandelt. Soweit ich das entscheiden kann, sind die Hindernisse, die diesem Versuch im Wege stehen, alles andere als trivial. Wenn Sie beispielsweise Ihr Hemd vollständig auftrennen, haben Sie am Ende einen Haufen Fäden – ein Ergebnis, dass Sie je nach den Umständen peinlich oder ärgerlich finden werden, aber wahrscheinlich nicht besonders rätselhaft. Doch der Versuch, sich die entsprechende Situation mit Strings auszumalen – Raumzeitfäden in dieser Hypothese –, stellt den Verstand auf eine harte Probe (meinen zumindest): Was haben wir uns unter einem »Haufen« Strings vorzustellen, die wir nach dem Auftrennen des Raumzeitstoffs erhalten oder die, in diesem Fall vielleicht angebrachter, noch nicht zum Raumzeitstoff verflochten sind? Die Versuchung ist groß, sie uns so zu vergegenwärtigen wie die Fäden des Hemdes – als Rohmaterial, das verwebt werden muss –, dabei bleibt jedoch ein unauffälliger, aber entscheidender Aspekt unberücksichtigt. Wir stellen uns vor, dass Strings im Raum und durch die Zeit schwingen; aber ohne den Raumzeitstoff, den die Strings nach dieser Hypothese durch ihre geordnete Vereinigung erst erzeugen, *gibt es weder Raum noch Zeit.* Gemäß dieser Hypothese sind die Begriffe von Raum und Zeit ohne Bedeutung, bis sich unzählige Strings miteinander verflechten und sie hervorbringen.

Sinnvoll wäre dieser Vorschlag also nur, wenn wir einen theoretischen Rahmen hätten, mit dem wir Strings beschreiben könnten, ohne von Anfang an anzunehmen, dass sie in einer präexistenten Raumzeit schwingen. Wir brauchten eine vollkommen raum- und zeitlose Formulierung der Stringtheorie, in der sich die Raumzeit aus dem kollektiven Verhalten von Strings ergäbe.

Obwohl wir diesem Ziel schon etwas näher gekommen sind, hat noch niemand mit einer solchen raum- und zeitlosen Formulierung der Stringtheorie aufgewartet – Physiker sprechen in diesem Zusammenhang von einer *hintergrundunabhängigen* Formulierung (der Begriff leitet sich von der etwas ungenauen Vorstellung her, die Raumzeit sei gewissermaßen die Kulisse, vor der die physikalischen Phänomene stattfinden). Stattdessen gehen praktisch alle Ansätze davon aus, dass Strings sich schwingend durch eine Raumzeit bewegen, die »von Hand« in die Theorie eingefügt wird. Die Raumzeit ergibt sich nicht aus der Theorie, wie es nach Meinung der Physiker in einer hintergrundunabhängigen Formulierung der Fall wäre, sondern wird der Theorie von den Theoretikern frei Haus geliefert. Viele Experten halten die Entwicklung einer hintergrundunabhängigen Formulierung für das größte ungelöste Problem der Stringtheorie. Wir würden nicht nur Einsicht in den Ursprung der Raumzeit gewinnen, sondern wären mit einem hintergrundunabhängigen Ansatz vermutlich auch in der Lage, die entscheidende Schwäche der Theorie zu beheben, von der am Ende von Kapitel 12 die Rede war: die Unfähigkeit, die geometrische Form der Extradimensionen auszuwählen. Man meint, sobald der grundlegende mathematische Formalismus der Theorie von jeder besonderen Raumzeit gelöst sei, sollte die Stringtheorie in der Lage sein, alle Möglichkeiten zu sichten und möglicherweise eine Auswahl unter ihnen zu treffen.

Eine weitere Schwierigkeit der Hypothese »Strings-als-Raumzeitfäden« liegt darin, dass die Theorie, wie wir in Kapitel 13 gesehen haben, neben den Strings noch weitere Bestandteile hat. Welche Rolle spielen diese anderen Komponenten in der grundlegenden Beschaffenheit der Raumzeit? Besondere Bedeutung gewinnt diese Frage im Kontext des Branwelt-Szenarios. Wenn der dreidimensionale Raum, den wir erleben, eine Drei-Bran ist, ist die Bran dann unteilbar, oder entsteht sie durch Kombination von anderen Bestandteilen der Theorie? Bestehen Branen beispielsweise aus Strings, oder sind Branen und Strings elementar? Oder sollten wir die Möglichkeit in Betracht ziehen, dass Branen und Strings sich aus noch feineren Bestandteilen zusammensetzen? Diese Fragen sind an der vordersten Front der gegenwärtigen Forschung angesiedelt, aber da es in diesem letzten Kapitel um Ahnungen und Hinweise geht, möchte ich auf eine wichtige Erkenntnis hinweisen, die viel Aufmerksamkeit gefunden hat.

Oben war die Rede von den verschiedenen Branen, die man in der String/M-Theorie findet: Ein-Branen, Zwei-Branen, Drei-Branen, Vier-Branen und so fort. Was ich bisher nicht erwähnt habe: Die Theorie enthält auch *Null-Branen* – Bestandteile, die ganz ähnlich wie Punktteilchen keine räumliche Ausdehnung besitzen. Das scheint sich auf den ersten Blick nicht mit dem Geist der String/M-Theorie zu vertragen, die sich doch vom Punktteilchen-Ansatz losgesagt hatte, um die wilden Turbulenzen der Quantengravitation zu zähmen. Doch die Null-Branen sind wie ihre höherdimensionalen Kusinen in Abbildung 13.2 stets mit Strings verbunden, daher werden ihre Wechselwirkungen von Strings bestimmt. Insofern kann nicht überraschen, dass sich Null-Branen ganz anders verhalten als herkömmliche Punktteilchen. Vor allem sind sie an der Streuung und Dämpfung der ultramikroskopischen Raumzeitfluktuationen beteiligt. Null-Branen bedeuten daher nicht die Rückkehr der fatalen Schwächen, die alle Versuche beeinträchtigten, mit einem Punktteilchen-Ansatz Quantenmechanik und allgemeine Relativitätstheorie zu verschmelzen.

Tatsächlich haben Tom Banks von der Rutgers University und Willy Fischler von der University of Texas in Austin zusammen mit Leonard Susskind und Stephen Shenker, heute beide an der Stanford University, eine Version der String/M-Theorie entwickelt, in der Null-Branen *die* fundamentalen Bestandteile sind, durch deren Kombination sich Strings und die anderen, höherdimensionalen Branen erzeugen lassen. Diese Hypothese, die so genannte *Matrix-Theorie* – eine weitere mögliche Bedeutung für das »M« in der »M-Theorie« –, hat eine regelrechte Flutwelle von Nachfolgeuntersuchungen ausgelöst, doch bislang hat es wegen der schwierigen Berechnungen, die erforderlich sind, noch niemand geschafft, den Ansatz vollständig zu formulieren. Trotzdem scheinen die Berechnungen, die in diesem Rahmen bisher geleistet wurden, für die Hypothese zu sprechen. Wenn die Matrix-Theorie stimmt, könnte daraus folgen, dass alles – Strings, Branen und vielleicht sogar Raum und Zeit selbst – aus entsprechenden Zusammenschlüssen von Null-Branen besteht. Das ist eine faszinierende Aussicht, von der man mit vorsichtigem Optimismus erwartet, dass sie durch Fortschritte in den nächsten Jahren weiter erhärtet wird.

Bislang haben wir betrachtet, welchen Weg die Stringtheoretiker eingeschlagen haben, um das Rätsel der Raumzeitbestandteile zu lösen; es gibt, wie erwähnt, noch einen zweiten Weg, der auf die Hauptkonkurrentin der Stringtheorie zurückgeht, die Schleifen-Quantengravitation. Diese Theorie wurde Mitte der achtziger Jahre entwickelt und ist ein weiterer viel versprechender Vorschlag zur Vereinheitlichung von allgemeiner Relativitätstheorie und Quantenmechanik. Ich möchte hier auf eine eingehende Beschreibung verzichten (wer interessiert ist, dem sei Lee Smolins ausgezeichnetes Buch *Three Roads to Quantum Gravity*, London 2000, empfohlen) und mich stattdessen auf einige wichtige Punkte beschränken, die für unsere Überlegungen von besonderer Bedeutung sind.

Stringtheorie und Schleifen-Quantengravitation behaupten beide von sich, sie hätten das lang ersehnte Ziel einer Quantentheorie der Gravitation erreicht, allerdings schlagen sie dabei ganz unterschiedliche Wege ein. Die Stringtheorie ging aus der erfolgreichen Tradition der Teilchenphysik hervor, die seit Jahrzehnten damit beschäftigt ist, nach den elementarsten Bestandteilen der Materie zu suchen. Für die meisten frühen Stringforscher war die Gravitation ein fern liegendes, bestenfalls zweitrangiges Anliegen. Im Gegensatz dazu erwuchs die Schleifen-Quantengravitation aus einer Tradition, die fest auf die allgemeine Relativitätstheorie gegründet war. Für die meisten Vertreter dieses Ansatzes blieb die Gravitation ihr Hauptanliegen. Wollte man den Unterschied in einem Satz zusammenfassen, könnte man sagen, dass die Stringtheoretiker mit dem Kleinen (der Quantentheorie) beginnen und sich dann dem Großen (der Gravitation) zuwenden, während die Anhänger der Schleifen-Quantengravitation mit dem Großen (der Gravitation) beginnen und sich dann dem Kleinen (der Quantentheorie) zuwenden.[9] Wie in Kapitel 12 beschrieben, wurde die Stringtheorie ja ursprünglich als eine Quantentheorie der in Atomkernen wirksamen starken Kernkraft entwickelt. Erst später entdeckte man zufällig, dass die Theorie auch die Gravitation einbezieht. Die Schleifen-Quantengravitation dagegen geht von Einsteins allgemeiner Relativitätstheorie aus und versucht, die Quantenmechanik einzubeziehen.

Dieser Beginn am entgegengesetzten Ende des Spektrums drückt sich auch in den Verfahren aus, die die beiden Theorien bislang entwickelt haben. In gewissem Sinne erweisen sich die Haupterfolge beider Theorien als die Schwächen der jeweils anderen. Beispielsweise vereinigt die Stringtheorie alle Kräfte und alle Materie, einschließlich der Gravitation (eine vollständige Vereinheitlichung, die der Schleifen-Ansatz nicht erreicht), indem sie alles in der Sprache schwingender Strings beschreibt. Das Gravitationsteilchen, das Graviton, ist lediglich ein besonderes Stringschwingungsmuster, daher ergibt sich ganz natürlich, dass die Theorie quantenmechanisch beschreibt, wie sich diese elementaren Gravitationsportionen bewegen und wechselwirken. Doch wie erwähnt, liegt die Hauptschwäche der gegenwärtigen stringtheoretischen Formulierungen darin, dass sie einen Raumzeithintergrund voraussetzen, in dem sich die Strings bewegen und schwingen. Im Gegensatz dazu liegt die größte Leistung der Schleifen-Quantengravitation – eine beeindruckende Leistung – darin, dass sie *keinen* Raumzeithintergrund annimmt. Die Schleifen-Quantengravitation ist eine hintergrundunabhängige Theorie. Der Versuch jedoch, von diesem außerordentlich ungewohnten raumlos-zeitlosen Ausgangspunkt Raum und Zeit in ihrer gewöhnlichen Form abzuleiten sowie zu den vertrauten und erfolgreichen Eigenschaften der allgemeinen Relativitätstheorie zu gelangen, die sich zeigen, wenn sie auf großen Abstandsskalen angewandt wird (etwas, was sich mit den gegenwärtigen Formulierungen der Stringtheorie leicht bewerkstelligen lässt), ist wahrlich kein triviales Problem. Auch bei dem Versuch, die Dynamik der Gravitonen zu erklären, hat die Quantengravitation weniger Fortschritte erzielt als die Stringtheorie.

Eine Harmonie stiftende Möglichkeit wäre, dass die Stringenthusiasten und die Quantengravitationsfans in Wirklichkeit dieselbe Theorie entwickeln, nur von vollkommen verschiedenen Ausgangspunkten aus. Beide Theorien gehen von Schleifen aus – die Stringtheorie von Stringschleifen, die Schleifen-Quantengravitation von nichtmathematisch schwerer zu beschreibenden Gebilden, einfach ausgedrückt, von elementaren Raumschleifen –, daher liegt der Schluss einer möglichen Verbindung nahe. Dafür spricht auch der Umstand, dass die beiden Theorien bei den wenigen Problemen, die ihnen beiden zugänglich sind – etwa der Entropie Schwarzer Löcher –, vollständig übereinstimmen.[10] In der Frage der Raumzeitbestandteile gehen beide Theorien von einer Art atomisierter Struktur aus. Die entsprechenden Hinweise, die sich aus der Stringtheorie ergeben, haben wir bereits erörtert. Die Anhaltspunkte, die aus der Schleifen-Quantengravitation folgen, sind überzeugend und noch eindeutiger. Wie Forscher auf dem Feld der Schleifen-Quantengravitation gezeigt haben, können in ihrer Theorie zahlreiche Schleifen miteinander verflochten sein, etwa so, wie winzige Wollmaschen einen Pullover bilden, und rufen Strukturen hervor, die auf großen Skalen große Ähnlichkeit mit Raumregionen aufweisen. Besonders überzeugend aber sind die Ergebnisse, auf die die Schleifen-Forscher gestoßen sind, als sie die erlaubten Inhalte für solche Raumoberflächen berechneten. Genau wie wir ein Elektron oder zwei oder 202 Elektronen haben können, aber nicht 1,6 Elektronen oder eine andere nichtganzzahlige Menge, ergeben die Berechnungen, dass der Oberflächeninhalt eine Planck-Länge zum Quadrat, zwei oder 202 Planck-Längen zum Quadrat betragen kann, aber keine nichtganzzahligen Werte. Das ist wiederum ein nachdrücklicher theoretischer Hinweis darauf, dass die Raumbestandteile – wie Elektronen – nur in diskreten, unteilbaren Portionen vorkommen.[11]

Müsste ich eine Prognose über die künftigen Entwicklungen abgeben, würde ich vermuten, dass die hintergrundunabhängigen Techniken, die in der Schleifen-Quantengravitation entwickelt wurden, auf die Stringtheorie übertragen werden und den Weg zu einer Stringformulierung bahnen, die ebenfalls hintergrundunabhängig ist. Ich denke, das wird der Funke sein, der eine dritte Superstringrevolution auslösen wird, in der, wie ich zuversichtlich annehme, viele der verbliebenen Rätsel gelöst werden. Solche Entwicklungen würden auch die lange Entdeckungsgeschichte der Raumzeit endlich zu einem glücklichen Ende bringen. In früheren Kapiteln haben wir erlebt, wie das Pendel zwischen relationistischen und absolutistischen Auffassungen über Raum, Zeit und Raumzeit hin und her schwang. Wir fragten: Ist Raum etwas, oder ist er es nicht? Ist Raumzeit etwas, oder ist sie es nicht? und trafen im Verlauf weniger Jahrhunderte auf sehr unterschiedliche Auffassungen. Ich glaube, eine experimentell bestätigte, hintergrundunabhängige Vereinheitlichung von allgemeiner Relativitätstheorie und Quantenmechanik würde dieses Problem auf eine befriedigende Art und Weise lösen. Dank der Hintergrundunabhängigkeit könnten die Bestandteile in einer bestimmten Beziehung zueinander stehen, doch ohne eine von außen in die Theorie eingegebene Raumzeit gäbe es keinen Hintergrund, keinen Schauplatz, in den sie eingebettet wären. Nur die Beziehung zwischen ihnen würde eine Rolle spielen, eine Lösung, die ganz im Sinne von Relationisten wie Leibniz und Mach wäre. Wenn dann die Bestandteile der Theorie – die Strings, Branen, Schleifen oder andere von der künftigen Forschung entdeckten Ingredienzen – zu einer vertrauten, makroskopischen Raumzeit verschmölzen (entweder zu unserer realen Raumzeit oder hypothetischen Beispielen für Gedankenexperimente), würden wir wieder entdecken, dass sie »etwas« ist, ganz so, wie in unserer früheren Erörterung der allgemeinen Relativitätstheorie: In einer ansonsten leeren, flachen, unendlichen Raumzeit (einem der nützlichen hypothetischen Beispiele) würde das Wasser in Newtons rotierendem Eimer eine konkave Form annehmen. Der entscheidende Aspekt wäre, dass die Unterscheidung zwischen Raumzeit und konkreteren materiellen Gegebenheiten weitgehend aufgehoben wäre, da sie gemeinsam aus entsprechenden Zusammenschlüssen fundamentalerer Bestandteile einer Theorie hervorgingen, die auf grundlegender Ebene relational, raumlos und zeitlos wäre. Falls sich die Dinge so entwickeln sollten, gebührte ein Teil des Triumphes Leibniz, Newton, Mach und Einstein.

Innerer und äußerer Raum

Spekulationen über die Zukunft der Wissenschaft sind eine unterhaltsame und nützliche Übung. Sie stellen unser aktuelles Bemühen in einen größeren Zusammenhang und führen uns die übergreifenden Ziele, auf die wir langsam und bewusst hinarbeiten, deutlicher vor Augen. Doch wenn sich solche Spekulationen mit der Zukunft der Raumzeit befassen, bekommen sie einen fast mystischen Charakter: Dann befassen wir uns nämlich mit dem Schicksal eben jener Gegebenheit, die unser Wirklichkeitsempfinden bestimmt. Es sei noch einmal gesagt: Ohne jede Frage und unabhängig von allen künftigen Entdeckungen werden Raum und Zeit auch weiterhin unsere individuelle Erfahrung prägen. Raum und Zeit werden, soweit es die Alltagswelt angeht, bleiben, was sie sind. Was sich verändern wird, wahrscheinlich radikal verändern wird, ist unser Begriff von dem Bezugssystem, das sie liefern – das heißt, von dem Schauplatz unserer Erfahrungswirklichkeit. Nach Jahrhunderten intensiver Gedankenarbeit sind Raum und Zeit noch immer Fremde für uns – nah, aber fremd. Ungerührt gehen sie durch unser Leben und verbergen ihr wahres Wesen vor eben jener Wahrnehmung, die sie so gründlich prägen und bestimmen.

Im Laufe des letzten Jahrhunderts sind wir durch Einsteins Relativitätstheorien und die Quantenmechanik mit einigen bis dahin verborgenen Eigenschaften von Raum und Zeit bekannt geworden. Die Verlangsamung der Zeit, die Relativität der Gleichzeitigkeit, alternative Aufteilungen der Raumzeit, Gravitation als Verzerrung und Krümmung von Raum und Zeit, der Wahrscheinlichkeitscharakter der Wirklichkeit und weit reichende Quantenverschränkungen standen nicht auf der Liste der Dinge, von denen die besten physikalischen Köpfe des neunzehnten Jahrhunderts meinten, man werde sie demnächst entdecken. Und doch war es der Fall, zweifelsfrei bewiesen durch experimentelle Ergebnisse und theoretische Erklärungen.

Die Gegenwart hat ihren eigenen Schatz an unerwarteten Ideen: dunkle Materie und dunkle Energie, die offenbar – in weiter Ferne – die beherrschenden Bestandteile des Universums sind. Gravitationswellen – Kräuselungen in der Struktur der Raumzeit –, die von Einsteins allgemeiner Relativitätstheorie vorhergesagt wurden und uns eines Tages vielleicht erlauben werden, weiter in der Zeit zurückzublicken als je zuvor. Ein Higgs-Ozean, der den gesamten Raum durchdringt und der uns, falls seine Existenz bestätigt wird, begreiflich machen wird, wie Teilchen Masse erwerben. Die inflationäre Expansion, die möglicherweise die Form des Kosmos erklärt, das Rätsel löst, warum der Kosmos großräumig so gleichförmig ist, und dem Zeitpfeil seine Richtung gibt. Die Stringtheorie, die Energieschleifen und -bändsel anstelle von Punktteilchen postuliert und kühn die Erfüllung von Einsteins Traum verheißt – die Vereinheitlichung aller Teilchen und Kräfte in einer einzigen Theorie. Zusätzliche Raumdimensionen, die sich aus den Gleichungen der Stringtheorie ergeben und möglicherweise binnen zehn Jahren in Beschleunigerexperimenten entdeckt werden. Eine Branwelt, in der unsere drei Raumdimensionen vielleicht nur ein Universum unter vielen sind, die in einer höherdimensionalen Raumzeit schweben. Unter Umständen sogar eine emergente Raumzeit, in welcher der Stoff von Raum und Zeit aus noch fundamentaleren raum- und zeitlosen Bestandteilen besteht.

Im Laufe der nächsten zehn Jahre werden immer leistungsfähigere Beschleuniger den dringend erforderlichen experimentellen Input liefern. Viele Physiker erwarten zuversichtlich, dass Daten aus den geplanten hochenergetischen Teilchenzusammenstößen viele dieser zentralen theoretischen Konstrukte bestätigen werden. Bis unsere Theorien den Kontakt zu beobachtbaren und überprüfbaren Phänomenen herstellen, bleiben sie in der Schwebe – sind sie verheißungsvolle Ideensammlungen, die von Bedeutung für die wirkliche Welt sein können, aber nicht müssen. Die neuen Beschleuniger werden die Überschneidung zwischen Theorie und Experiment erheblich verstärken und, wie wir Physiker hoffen, viele dieser Ideen in den Bereich der erhärteten wissenschaftlichen Ergebnisse befördern.

Da ist jedoch noch ein anderer Ansatz, der mir, obwohl weitaus ungewisser, viel wunderbarer erscheint. In Kapitel 11 haben wir erörtert, dass die Effekte winziger Quantenfluktuationen in klaren Nächten am Himmel zu sehen sind, weil sie durch die kosmische Expansion außerordentlich gedehnt worden sind. So haben sie Klumpen gebildet, die zur Entstehung von Sternen und Galaxien führten. (Denken Sie an den Vergleich mit den winzigen Linien auf der Oberfläche eines Ballons, die sich dehnen, wenn der Ballon aufgeblasen wird.) Diese Erkenntnis eröffnet den Zugang zur Quantenphysik durch astronomische Beobachtungen. Vielleicht können wir noch einen Schritt weiter gehen. Vielleicht kann die kosmische Expansion auch die Spuren von Prozessen oder Merkmalen auf noch kleineren Skalen dehnen – von Strings, Quantengravitation oder der atomisierten Struktur der ultramikroskopischen Raumzeit selbst – und deren Zeichen unauffällig, aber beobachtbar am Himmel präsentieren. Vielleicht hat das Universum bereits die mikroskopischen Fasern des Stoffes, aus dem der Kosmos ist, auseinander gezogen und klar am Himmel ausgebreitet, so dass wir nur noch lernen müssen, das Muster zu erkennen.

Die unbändigen Kräfte der Teilchenbeschleuniger mögen erforderlich sein, um unsere kühnen Hypothesen über die fundamentalen physikalischen Gesetze zu prüfen – diese gewaltigen Anlagen, die in der Lage sind, jene entfesselten Verhältnisse zu schaffen, die es seit der Zeit kurz nach dem Urknall nicht mehr gegeben hat. Doch ich persönlich kann mir nichts Poetischeres, kein eleganteres Ergebnis, keine vollständigere Vereinheitlichung vorstellen, als die Bestätigung unserer Theorien über die allerkleinsten Dinge – unserer Theorien über die ultramikroskopische Beschaffenheit von Raum, Zeit und Materie – zu finden, indem wir unsere leistungsfähigsten Teleskope himmelwärts richten und still zu den Sternen emporschauen.

Anmerkungen

Kapitel 1

1 Albert Michelson zitierte Lord Kelvin in einer Rede 1894 anlässlich der Einweihung des Ryerson Laboratory der University of Chicago (vgl. D. Kleppner, in: *Physics Today*, November 1998).

2 Lord Kelvin, »Nineteenth Century Clouds over the Dynamical Theory of Heat and Light«, in: *Phil. Mag.*, Ii-6. Reihe, 1 (1901).

3 A. Einstein, N. Rosen und B. Podolsky, in: *Phys. Rev.* 47 (1935), S. 777.

4 Sir Arthur Eddington, *Das Weltbild der Physik – und ein Versuch seiner philosophischen Deutung*, Braunschweig 1951.

5 Wie in Anmerkung 2 von Kapitel 6 ausführlicher dargelegt, ist diese Formulierung überspitzt, denn es gibt Beispiele – relativ exotische Teilchen (wie K- und B-Mesonen) betreffend –, die zeigen, dass die so genannte schwache Kernkraft Vergangenheit und Zukunft nicht gänzlich symmetrisch behandelt. Doch nach meiner Ansicht und der vieler anderer Forscher, die sich mit dieser Frage beschäftigt haben, dürften diese Teilchen, da sie für die Eigenschaften alltäglicher Objekte praktisch ohne Bedeutung sind, aller Wahrscheinlichkeit nach bei dem Versuch, das Rätsel des Zeitpfeils zu erklären, keine Rolle spielen (wobei ich allerdings eiligst hinzufügen möchte, dass das niemand mit Sicherheit weiß). Obwohl es sich streng genommen um eine Überspitzung handelt, werde ich dennoch im Fortgang meiner Überlegungen davon ausgehen, dass der Fehler, der in der Behauptung steckt, die Naturgesetze gingen mit Vergangenheit und Zukunft vollkommen gleich um, minimal ist – zumindest sofern es um eine Erklärung für das Rätsel des Zeitpfeils geht.

6 Timothy Ferris, *Coming of Age in the Milky Way*, New York 1989 (deutsch: *Kinder der Milchstraße*, Basel 1989).

Kapitel 2

1 Isaac Newton, *Mathematische Prinzipien der Naturlehre*, unveränderter fotomechanischer Nachdruck der Ausgabe von 1872, Darmstadt 1963, S. 29f.

2 Newton, *Mathematische Prinzipien*, a. a. O., S. 25.

3 Ebenda.

4 Newton, *Mathematische Prinzipien*, a. a. O., S. 30.

5 Albert Einstein im Vorwort zu: Max Jammer, *Das Problem des Raumes. Die Entwicklung der Raumtheorien*, Darmstadt 1980, S. XIV.

6 A. Rupert Hall, *Isaac Newton: Adventurer in Thought*, Cambridge 1992, S. 27.

7 Ebenda.

8 Gottfried Wilhelm Leibniz, Samuel Clarke, *Der Leibniz-Clarke-Briefwechsel*, hrg. und übers. von Volkmar Schulter, Berlin 1991.

9 Ich beschränke mich hier auf Leibniz als den Vertreter derer, die dem Raum keine von den in ihm vorhandenen Objekten unabhängige Existenz zubilligen wollten. Doch es gab noch viele andere, die diese Auffassung nachdrücklich vertraten, unter ihnen Christiaan Huygens und Bischof Berkeley.

10 Vgl. etwa Jammer, *Das Problem des Raumes*, a. a. O., S. 125.

11 W. I. Lenin, *Materialismus und Empiriokritizismus. Kritische Bemerkungen über eine reaktionäre Philosophie*, 19. Aufl., Berlin 1989 (Originalausgabe: *Materializm i empiriokritizism*, Moskau 1909).

Kapitel 3

1 Für den mathematisch interessierten Leser sei angemerkt, dass die Gleichungen lauten:

$$\nabla \cdot E = \rho/\varepsilon_0, \nabla \cdot B = 0, \nabla \times E + \partial B/\partial t = 0, \nabla \times B - \varepsilon_0\mu_0\partial E/\partial t = \mu_0 j,$$

wobei E, B, ρ, j, ε_0, μ_0 das elektrische Feld, das magnetische Feld, die elektrische Ladungsdichte, die elektrische Stromdichte, die Influenzkonstante und die Induktionskonstante bezeichnen. Wie Sie sehen, setzen Maxwells Gleichungen die Veränderungsrate der elektromagnetischen Felder zum Vorhandensein elektrischer Ladungen und Ströme in Beziehung. Ohne Schwierigkeiten lässt sich zeigen, dass aus diesen Gleichungen eine Geschwindigkeit der elektromagnetischen Wellen folgt, die gegeben ist durch $1/\sqrt{\varepsilon_0\mu_0}$. Rechnet man den Zahlenwert aus, ergibt sich in der Tat die Lichtgeschwindigkeit.

2 Es ist strittig, welche Rolle solche Experimente tatsächlich für die Entwicklung von Einsteins spezieller Relativitätstheorie spielten. Abraham Pais, *Raffiniert ist der Herrgott … Albert Einstein: eine wissenschaftliche Biographie*, Heidelberg 2000, S. 110–115, vertritt die Ansicht, Einstein habe von den Michelson-Morley-Resultaten gewusst, wobei er sich auf Aussagen Einsteins aus späteren Jahren stützt. Auch Albrecht Fölsing, *Albert Einstein. Eine Biographie,* Frankfurt a. M. 1993, S. 246–249, meint, Einstein hätte die Ergebnisse von Michelson und Morley gekannt, genauso wie frühere Experimente, in denen man vergeblich nach Beweisen für den Äther gesucht hatte, beispielsweise von Armand Fizeau. Doch Fölsing und viele andere Wissenschaftshistoriker haben zugleich betont, dass solche Experimente bestenfalls eine sekundäre Rolle in Einsteins Denken gespielt hätten. Einstein ließ sich in erster Linie von den Prinzipien der mathematischen Symmetrie und Einfachheit sowie einer geradezu unheimlichen physikalischen Intuition leiten.

3 Isaac Newton, *Mathematische Prinzipien der Naturlehre*, unveränderter fotomechanischer Nachdruck der Ausgabe von 1872, Darmstadt 1963, S. 25.

4 Wir können nur etwas sehen, wenn Licht in unsere Augen gelangt; entsprechend können wir Licht nur sehen, wenn das Licht selbst diesen Weg zurücklegt. Wenn ich also davon spreche, dass Bart Licht sieht, welches sich entfernt, ist das etwas verkürzt ausgedrückt. Ich stelle mir vor, dass Bart eine kleine Armee von Helfern hat, die sich alle mit Barts Geschwindigkeit fortbewegen, sich aber in verschiedenen Abständen entlang dem

Weg befinden, dem er und der Lichtstrahl folgen. Diese Helfer informieren Bart immer über den aktuellen Stand, das heißt, sie teilen ihm mit, wie weit das Licht voraus ist und zu welchem Zeitpunkt es den jeweiligen Standort erreicht hat. Auf der Grundlage dieser Informationen kann Bart ausrechnen, wie rasch ihm das Licht enteilt.

5 Es gibt viele elementare mathematische Herleitungen der Einsteinschen Erkenntnisse über Raum und Zeit, die sich aus der speziellen Relativitätstheorie ergeben. Wenn es Sie interessiert, können Sie sich beispielsweise Kapitel 2 meines Buches *Das elegante Universum. Superstrings, verborgene Dimensionen und die Sache nach der Weltformel*, Berlin 2000, anschauen (zusammen mit den mathematischen Einzelheiten, die in den Endnoten dieses Kapitels erläutert sind). Eine etwas mathematischere, aber außerordentlich verständliche Darstellung findet sich in: Edwin Taylor und John Archibald Wheeler, *Physik der Raumzeit. Eine Einführung in die spezielle Relativitätstheorie*, Heidelberg 1992.

6 Der Stillstand der Zeit bei Lichtgeschwindigkeit ist eine interessante Vorstellung, in die man allerdings nicht zu viel hineinlesen darf. Die spezielle Relativitätstheorie zeigt, dass kein materielles Objekt jemals Lichtgeschwindigkeit erreichen kann: Je schneller sich ein materielles Objekt fortbewegt, desto mehr Kraft müssen wir aufwenden, um seine Geschwindigkeit weiter zu erhöhen. Knapp unterhalb der Lichtgeschwindigkeit müssten wir dem Objekt einen praktisch unendlich großen Anstoß geben, um sein Tempo weiter zu erhöhen, und dazu sind wir unter keinen Umständen in der Lage. Damit ist die »zeitlose« Photonperspektive also auf *masselose* Objekte beschränkt (zu denen das Photon natürlich gehört). Die »Zeitlosigkeit« ist damit für die meisten Arten von Elementarteilchen unerreichbar. Zwar ist es interessant und durchaus nützlich, sich vorzustellen, wie das Universum erschiene, wenn man sich mit Lichtgeschwindigkeit bewegte, doch letztlich müssen wir uns auf Perspektiven konzentrieren, die materiellen Objekten wie uns selbst zugänglich sind, wenn wir Rückschlüsse darüber gewinnen wollen, wie die spezielle Relativität unseren Erfahrungsbegriff der Zeit beeinflusst.

7 Vgl. Pais, *Raffiniert ist der Herrgott*, a.a.O., S. 108.

8 Um genauer zu sein, wir *definieren*, dass das Wasser rotiert, wenn es eine konkave Form annimmt, und dass es nicht rotiert, wenn es diese Gestalt nicht aufweist. Aus Machscher Sicht gibt es den Begriff des Rotierens in einem leeren Universum nicht, daher wäre die Wasseroberfläche immer flach (oder, um die Probleme zu vermeiden, die aus dem mangelnden Gravitationseinfluss auf das Wasser erwüchsen, können wir sagen, dass das Seil, mit dem die beiden Steine zusammengebunden sind, immer schlaff wäre). Hier dagegen lautet die Aussage, dass es nach der speziellen Relativitätstheorie selbst in einem leeren Universum den Begriff des Rotierens gibt, daher kann die Wasseroberfläche konkav (und das Seil zwischen den Steinen straff) sein. Insofern weicht die spezielle Relativitätstheorie von Machs Ideen ab.

9 Fölsing, *Albert Einstein*, a.a.O., S. 237f.

10 Der mathematisch bewanderte Leser wird bemerken: Wenn wir die Einheiten so wählen, dass die Lichtgeschwindigkeit die Form von einer Raumeinheit pro Zeiteinheit annimmt (beispielsweise ein Lichtjahr pro Jahr oder eine Lichtsekunde pro Sekunde, wobei ein Lichtjahr rund 9,5 Billionen Kilometern entspricht und eine Lichtsekunde rund 300 000 Kilometern), dann bewegt sich das Licht auf Diagonalen durch die Raumzeit (weil solche diagonalen Linien eine Raumeinheit in einer Zeiteinheit durchlaufen, zwei Raumeinheiten in zwei Zeiteinheiten usw.). Da nichts schneller als das Licht sein kann, muss jedes materielle Objekt im Raum in einem gegebenen Zeitintervall eine geringere Entfernung zurücklegen als ein Lichtstrahl, folglich muss der Weg, dem es durch die Raumzeit folgt, einen Winkel mit der Mittellinie des Diagramms bil-

den (der Linie, die in der Mitte des Brotlaibs von Knust zu Knust verläuft), der weniger als 45 Grad beträgt. Mehr noch, Einstein hat gezeigt, dass die Gleichung der Zeitscheiben für einen Beobachter, der sich mit der Geschwindigkeit v bewegt – der gesamte Raum in einem Augenblick der Zeit eines solchen Beobachters –, gegeben ist (wenn wir aus Gründen der Einfachheit nur eine Raumdimension betrachten) durch $t_{bewegt} = \gamma(t_{ruhend} - (v/c^2)x_{ruhend})$, wobei $\gamma = (1 - v^2/c^2)^{-1/2}$ und c die Lichtgeschwindigkeit ist. In Einheiten, in denen $c = 1$ ist, stellen wir fest: es gilt $v < 1$, und folglich gilt für eine Zeitscheibe eines bewegten Beobachters – überall dort, wo t_{bewegt} einen bestimmten konstanten Wert annimmt: $(t_{ruhend} - vx_{ruhend})$ = konstant. Solche Zeitscheiben bilden einen Winkel mit den ruhenden Zeitschreiben (auf denen t_{ruhend} = konstant gilt), und da $v < 1$ ist, beträgt der Winkel zwischen ihnen weniger als 45 Grad.

11 Für den mathematisch interessierten Leser: Die Aussage bedeutet, dass die Geodäten der Minkowskischen Raumzeit – die Wege extremaler »Raumzeitlänge« zwischen zwei gegebenen Punkten – geometrische Größen sind, die nicht von einer besonderen Wahl der Koordinaten oder des Bezugssystems abhängen. Sie sind intrinsische, absolute, geometrische Raumzeitmerkmale. Explizit: Nach dem Standard der Minkowski-Metrik sind die (zeitartigen) Geodäten Geraden (deren Winkel mit der Zeitachse weniger als 45 Grad beträgt, weil der beteiligte Geschwindigkeitsbetrag niedriger als der des Lichts ist).

12 Es gibt noch etwas anderes von Bedeutung, über das sich alle Beobachter unabhängig von ihrer Bewegung ebenfalls einig sind. Das steckt zwar implizit schon in dem, was wir beschrieben haben, ist aber durchaus wert, noch einmal ausgesprochen zu werden. Wenn ein Ereignis die Ursache eines anderen ist (ich schieße mit meinem Katapult einen Stein und bewirke damit, dass eine Fensterscheibe kaputt geht), sind sich alle Beobachter einig, dass die Ursache *vor* der Wirkung stattgefunden hat (alle Beobachter sind sich einig, dass ich den Stein abgeschossen hatte, *bevor* die Fensterscheibe kaputt ging). Der mathematisch interessierte Leser wird dies problemlos an unserer schematischen Darstellung der Raumzeit erkennen können. Wenn ein Ereignis A die Ursache von Ereignis B ist, schneidet eine Linie, die von A nach B gezogen wird, jede der Zeitscheiben (Zeitscheiben eines Beobachters, der sich relativ zu A in Ruhe befindet) in einem Winkel, der *größer* als 45 Grad ist (der Winkel zwischen den Raumachsen – Achsen, die auf einer gegebenen Zeitscheibe liegen – und der Verbindungslinie zwischen A und B ist größer als 45 Grad). Wenn A und B beispielsweise am selben Ort im Raum stattfinden (das Gummiband, das ich um meinen Finger [A] gewickelt habe, bewirkt, dass mein Finger weiß wird [B]), steht die Linie, die A und B verbindet, im rechten Winkel auf den Zeitscheiben. Finden A und B an verschiedenen Orten im Raum statt, bewegt sich alles, was den Einfluss ausübt (der Kieselstein, der von meinem Katapult zum Fenster fliegt), mit weniger als der Lichtgeschwindigkeit fort, woraus folgt, dass der betreffende Winkel vom rechten Winkel (dem Winkel, bei dem keine Geschwindigkeit beteiligt ist) um weniger als 45 Grad abweicht – das heißt aber auch, dass der Restwinkel relativ zu den Zeitscheiben (den Raumachsen) größer ist als 45 Grad. (Denken Sie an die Anmerkung 10 dieses Kapitels, in er es hieß, dass die Lichtgeschwindigkeit die Grenze festsetzt und dass eine solche Bewegung diagonalen Linien entspricht.) Nun bilden, wie in Anmerkung 10, die verschiedenen Zeitscheiben, die mit einem Beobachter in Bewegung verknüpft sind, Winkel mit denen eines ruhenden Beobachters, doch diese Winkel sind immer *kleiner* als 45 Grad (weil die relative Bewegung zwischen materiellen Beobachtern stets geringer als die Lichtgeschwindigkeit ist). Da der Winkel, der mit kausal in Beziehung stehenden Ereignissen verbunden ist, stets *größer* als 45 Grad ist, können die Zeitscheiben eines Beobachters, der sich zwangsläufig mit weniger als der Lichtge-

schwindigkeit bewegt, nicht zuerst der Wirkung und später der Ursache begegnen. Für alle Beobachter geht die Ursache der Wirkung voraus.

13 Unter anderem wäre der Begriff, dass die Ursache der Wirkung vorausgeht (vgl. die vorstehende Anmerkung), in Frage gestellt, wenn sich Einflüsse rascher als das Licht ausbreiten könnten.

14 Zitiert im Anhang zu: Sir Isaac Newton, *Mathematical Principles of Natural Philosophy and his System of the World,* Bd. II: *The System of the World,* Berkeley 1962, S. 634.

15 Nicht ganz. Da die Gravitationsanziehung der Erde von Ort zu Ort variiert, kann ein räumlich ausgedehnter, frei fallender Beobachter immer noch einen gravitativen Resteinfluss entdecken. Wenn nämlich der Beobachter im Fallen zwei Basebälle loslässt – den einen mit ausgestrecktem rechtem, den anderen mit ausgestrecktem linkem Arm –, fällt jeder auf einer anderen Bahn zum Mittelpunkt der Erde. Aus seiner Sicht fällt der Beobachter selbst also direkt zum Erdmittelpunkt, während sich der Ball, den er mit der rechten Hand frei gelassen hat, nach unten und etwas nach links bewegt, dagegen der Ball aus seiner linken Hand nach unten und etwas nach rechts. Bei sorgfältiger Messung sieht der Beobachter folglich, dass die Entfernung zwischen den beiden Basebällen langsam abnimmt. Sie bewegen sich aufeinander zu. Dieser Effekt tritt allerdings nur ein, wenn die Basebälle an etwas verschiedenen Orten im Raum losgelassen wurden, nur dann kann ihr Weg im freien Fall zum Erdmittelpunkt je anders verlaufen. Eine etwas genauere Formulierung der Einsteinschen Erkenntnis lautet also, dass ein Objekt durch Übergang in den freien Fall die Gravitation umso vollständiger aufheben kann, je kleiner seine räumliche Ausdehnung ist. Obwohl das im Prinzip ein wichtiger Punkt ist, können wir ihn in unserer Erörterung getrost außer Acht lassen.

16 Zu einer eingehenderen, trotzdem aber allgemein verständlichen Erklärung der Krümmung von Raum und Zeit im Rahmen der allgemeinen Relativitätstheorie vgl. beispielsweise Kapitel 2 in meinem Buch *Das elegante Universum*, a.a.O.

17 Für den mathematisch vorgebildeten Leser: Einsteins Gleichungen lauten

$$G_{\mu\nu} = (8\pi G/c^4)\, T_{\mu\nu},$$

wobei die linke Seite die Raumzeitkrümmung mit Hilfe des Einsteinschen Tensors, die rechte Seite die Verteilung von Materie und Energie im Universum mit Hilfe des Energie-Impuls-Tensors beschreibt.

18 Charles Misner, Kip Thorne und John Archibald Wheeler, *Gravitation*, San Francisco 1973, S. 544f.

19 1954 schrieb Einstein an einen Kollegen: »... von dem Machschen Prinzip sollte man eigentlich überhaupt nicht mehr sprechen.« (Zitiert in: Pais, *Raffiniert ist der Herrgott,* a.a.O., S. 292.)

20 Wie oben erwähnt, haben spätere Generationen die folgenden Ideen Mach zugeschrieben, obwohl er solche Überlegungen in seinen eigenen Schriften nicht so und nicht explizit zum Ausdruck bringt.

21 Mit einer Einschränkung allerdings: Objekte, die so fern sind, dass ihr Licht – oder Gravitationseinfluss – in der Zeit, die seit dem Anfang des Universums verstrichen ist, nicht bis zu uns gelangen konnte, sind nicht an der Gravitation beteiligt, die wir verspüren.

22 Der kundige Leser wird gemerkt haben, dass diese Aussage, mathematisch betrachtet, zu stark ist, weil es in der allgemeinen Relativitätstheorie nichttriviale (das heißt vom Minkowski-Raum abweichende) Vakuum-Lösungen gibt. Hier mache ich mir einfach die Tatsache zunutze, dass man sich die spezielle Relativitätstheorie als einen Sonderfall

der allgemeinen Relativitätstheorie vorstellen kann, in dem die Gravitation vernachlässigt wird.

23 Im Interesse der Ausgewogenheit möchte ich nicht verschweigen, dass einige Physiker und Philosophen mit dieser Schlussfolgerung nicht einverstanden sind. Obwohl Einstein selbst das Machsche Prinzip aufgab, hat es in den letzten dreißig Jahren ein Eigenleben entwickelt. Dabei hat man verschiedene Versionen und Interpretationen der Machschen Ideen vorgeschlagen. So haben einige Physiker die Auffassung vertreten, die allgemeine Relativitätstheorie würde *im Grunde* die Machschen Ideen einschließen. Nur einige besondere Formen, welche die Raumzeit annehmen könne – etwa die unendliche, flache Raumzeit eines leeren Universums –, täten es nicht. Vielleicht erfülle jede Raumzeit, die nur einigermaßen realistisch sei – das heißt von Sternen, Galaxien und ähnlichen Dingen bevölkert werde –, das Machsche Prinzip. Andere haben versucht, das Machsche Prinzip so umzuformulieren, dass es nicht mehr darum geht, wie Objekte – Steine, die mit einem Seil zusammengebunden, oder Eimer, die mit Wasser gefüllt sind – sich in einem ansonsten leeren Universum verhalten, sondern darum, wie die verschiedenen Zeitscheiben – die verschiedenen dreidimensionalen Raumgeometrien – zeitlich miteinander verbunden sind. Erhellende Einblicke in moderne Überlegungen zu diesen Ideen bieten Julian Barbour und Herbert Pfister (Hg.), *Mach's Principle: From Newton's Bucket to Quantum Gravity,* Boston 1995. In dieser Aufsatzsammlung legen rund vierzig Physiker und Philosophen ihre Ansichten zum Machschen Prinzip dar. Die meisten (mehr als 90 Prozent) sind sich einig, dass sich die allgemeine Relativitätstheorie nicht vollständig mit Machs Ideen deckt. Eine weitere hervorragende und überaus interessante Erörterung dieser Ideen aus einer entschieden pro-Machschen Perspektive und auf allgemeinverständlichem Niveau ist Julian Barbours Buch *The End of Time: The Next Revolution in Physics*, Oxford 1999.

24 Der mathematisch beschlagene Leser wird vielleicht mit Interesse hören, dass Einstein der Meinung war, seine Raumzeit existiere nicht unabhängig von ihrer Metrik (dem mathematischen Werkzeug, das Entfernungsbeziehungen in der Raumzeit angibt). Würde man also alles entfernen – einschließlich der Metrik –, wäre die Raumzeit *kein* Etwas mehr. Mit »Raumzeit« meine ich immer eine Mannigfaltigkeit zusammen mit einer Metrik, die Einsteins Gleichungen löst, daher ist die Schlussfolgerung, zu der wir gelangt sind, in mathematisch korrekter Ausdrucksweise, dass die metrische Raumzeit ein Etwas ist.

25 Max Jammer, *Das Problem des Raumes. Die Entwicklung der Raumtheorien*, Darmstadt 1980, S. XVII.

Kapitel 4

1 Genau genommen scheint das eine mittelalterliche Vorstellung zu sein, deren historische Wurzeln auf Aristoteles zurückgehen.

2 Wie wir später in diesem Buch erörtern werden, gibt es Bereiche (etwa den Urknall und Schwarze Löcher), die noch immer viele Geheimnisse bergen, was zumindest teilweise daran liegt, dass unter den extremen Verhältnissen sehr kleiner Abstände und gewaltiger Dichten sogar Einsteins verbesserte Theorie versagt. Daher gilt diese Aussage generell und verliert ihre Glaubwürdigkeit nur unter den extremen Umständen, unter denen alle bekannten Gesetze suspekt werden. Der fachlich vorbelastete Leser wird zudem bemerkt haben, dass ich die für Einstein-Gleichungen notwendigen Anfangsdaten als vollständig gegeben voraussetze, ungeachtet des Umstandes, dass für einen Beobachter nur ein sehr eingeschränktes Raumzeitgebiet direkt einsehbar ist.

3 Wie mir einer der ersten Leser dieses Buchs und überraschenderweise einer, der sich recht gut mit Wodu auskennt, mitgeteilt hat, stellt man sich auch im Wodu vor, dass etwas von einem Ort zum anderen gelangt und die Absichten des Wodu-Praktikers in die Tat umsetzt. Dieses Etwas ist ein Geist. Insofern könnte Ihnen mein ausgedachtes Beispiel eines nichtlokalen Prozesses, je nach Ihrer Einstellung zum Wodu, richtig oder falsch erscheinen.

4 Um jedes Missverständnis zu vermeiden, möchte ich gleich zu Anfang klar stellen, dass ich mit der Aussage »Das Universum ist nichtlokal« oder »Etwas, was wir hier tun, kann mit etwas dort verknüpft sein« nicht meine, wir hätten die Fähigkeit, eine instantane, vorsätzliche Kontrolle über ferne Ereignisse auszuüben. Vielmehr wird sich zeigen, dass sich der Effekt, von dem ich spreche, in Gestalt von *Korrelationen* zwischen stattfindenden Ereignissen – gewöhnlich als Korrelationen zwischen Messergebnissen – an entfernten Orten manifestiert (Orten, die so weit auseinander liegen, dass noch nicht einmal das Licht in der zur Verfügung stehenden Zeit von einem zum anderen gelangen könnte). Ich spreche also von *nichtlokalen Korrelationen*, wie man in der Physik sagt. Auf den ersten Blick mögen Ihnen die Korrelationen gar nicht so überraschend vorkommen. Wenn jemand Ihnen eine Schachtel schickt, die einen Handschuh enthält, und den anderen Handschuh des Paares über Tausende von Kilometern an Ihren Freund schickt, gibt es eine Korrelation zwischen der Form des Handschuhs, den jeder von Ihnen beim Öffnen seiner Schachtel erblickt: Wenn Sie den linken sehen, sieht Ihr Freund den rechten; erblicken Sie den rechten, sieht Ihr Freund den linken. Und natürlich ist an dieser Korrelation gar nichts geheimnisvoll. Doch wie wir nach und nach beschreiben werden, scheinen die Korrelationen, die sich in der Quantenwelt zeigen, von ganz anderer Art zu sein. Dort verhält es sich so, als hätten Sie ein Paar »Quantenhandschuhe«, von dem jeder Handschuh entweder der linke oder der rechte sein kann und sich auf eine bestimmte Form erst festlegt, wenn er Gegenstand einer angemessenen Beobachtung oder Wechselwirkung wird. Seltsam ist der Vorgang, weil jeder Handschuh seine Form zufällig zu wählen scheint, sobald er beobachtet wird, die Handschuhe aber immer paarweise agieren, selbst wenn sie weit voneinander getrennt sind: Wenn einer sich für den linken entscheidet, wählt der andere den rechten und umgekehrt.

5 Die Quantenmechanik trifft Vorhersagen über die Mikrowelt, die genau mit experimentellen Beobachtungen übereinstimmen. Darüber herrscht vollkommene Einigkeit. Doch da sich die Merkmale der Quantenmechanik, wie in diesem Kapitel erörtert, im Einzelnen erheblich von denen der gewöhnlichen Erfahrung unterscheiden und es entsprechend verschiedene mathematische Formulierungen der Theorie gibt (und verschiedene Formulierungen dafür, wie die Theorie die Lücke zwischen der Mikrowelt der Phänomene und der Makrowelt der gemessenen Ergebnisse überbrückt), gibt es keine Übereinstimmung in Hinblick auf die *Interpretation* verschiedener Merkmale der Theorie (und verschiedener verwirrender Daten, welche die Theorie allerdings mathematisch erklären kann), einschließlich der Nichtlokalitätsprobleme. In diesem Kapitel nehme ich einen bestimmten Standpunkt ein, und zwar denjenigen, den ich beim Stand der theoretischen Diskussion und der Untersuchungsergebnisse für den überzeugendsten halte. Allerdings möchte ich hier darauf hinweisen, dass nicht alle Forscher mit dieser Auffassung einverstanden sind. In einer späteren Endnote werde ich, nachdem ich diese Perspektive umfassender erklärt habe, kurz auf einige der anderen Ansichten eingehen und angeben, wo Sie Genaueres dazu nachlesen können. Lassen Sie mich also festhalten, dass die Experimente, wie im Folgenden ausgeführt, Einsteins Überzeugung widersprechen: Die Daten lassen sich nicht allein mit Teilchen erklären, die immer bestimmte, aber verborgene Eigenschaften besitzen, *ohne dass ein Rückgriff auf nicht-*

lokale Verschränkung erforderlich wäre. Allerdings schließt das Scheitern des Einsteinschen Interpretationsversuchs nur ein lokales Universum aus, nicht aber die Möglichkeit, dass Teilchen derartige bestimmte, verborgene Merkmale besitzen.

6 Für den mathematisch interessierten Leser sei angemerkt, dass diese Beschreibung einen irreführenden Aspekt aufweist. Bei Mehrteilchensystemen hat die Wahrscheinlichkeitswelle (die Wellenfunktion, nach üblicher Terminologie) im Wesentlichen die gleiche Interpretation, wie eben beschrieben, aber sie wird als Funktion des *Konfigurationsraums* der Teilchen definiert (bei einem einzelnen Teilchen ist der Konfigurationsraum isomorph zum realen Raum, aber bei einem n-Teilchen-System hat er $3n$ Dimensionen). Das muss man wissen, wenn man versucht, die Frage zu klären, ob die Wellenfunktion eine reale physikalische Gegebenheit oder nur ein mathematisches Instrument ist. Vertritt man die erste Position, muss man auch die Realität des Konfigurationsraums akzeptieren – eine interessante Variation über die Themen von Kapitel 2 und 3. In der relativistischen Quantenfeldtheorie lassen sich die Felder in den üblichen vier Raumzeitdimensionen der Alltagserfahrung definieren, aber es gibt auch seltener verwendete Formulierungen, die sich an verallgemeinerte Wellenfunktionen halten – so genannte *Wellenfunktionale*, die in Hinblick auf einen noch abstrakteren Raum, den *Raum der Felder*, definiert werden.

7 In den Experimenten, auf die ich mich hier beziehe, geht es um den *Photoeffekt,* bei dem das Licht, wenn es auf bestimmte Metalle fällt, Elektronen aus der Metalloberfläche herausschlägt. Wie Experimente gezeigt haben, nimmt die Zahl der emittierten Elektronen mit der Intensität des Lichts zu. Ferner hat sich herausgestellt, dass die Energie jedes emittierten Elektrons von der Farbe – der Frequenz – des Lichts bestimmt wird. Das lässt sich, wie Einstein darlegte, leicht verstehen, wenn man davon ausgeht, dass der Lichtstrahl aus Teilchen zusammengesetzt ist, da größere Lichtintensität mehr Lichtteilchen (mehr Photonen) im Lichtstrahl entspricht – je mehr Photonen vorhanden sind, desto mehr Elektronen werden getroffen und folglich aus der Metalloberfläche herausgeschlagen. Außerdem würde in diesem Fall die Frequenz des Lichts die Energie eines jeden Photons bestimmen und damit auch die Energie eines jeden herausgeschlagenen Photons – was genau den Daten entspreche. Endgültig bestätigt wurden die teilchenartigen Eigenschaften von Photonen im Jahr 1923 durch Arthur Compton, und zwar durch Experimente, die mit der elastischen Streuung von Elektronen und Photonen arbeiteten.

8 Institut International de Physique Solvay, *Rapport et discussions du 5ème Conseil*, Paris 1928, S. 253ff.

9 Albert Einstein, Hedwig und Max Born, *Briefwechsel, 1916–1955*, kommentiert von Max Born, München 1969, S. 298–299.

10 Henry Stapp, in: *Nuovo Cimento* 40B (1977), S. 191–204.

11 David Bohm gehörte zu den kreativsten Physikern, die sich im zwanzigsten Jahrhundert mit der Quantenmechanik beschäftigten. 1917 in Pennsylvania geboren, studierte er bei Robert Oppenheimer in Berkeley. Während er an der Princeton University lehrte, wurde er vor den Kongressausschuss zur Untersuchung unamerikanischer Umtriebe zitiert, weigerte sich aber, eine Aussage zu machen. Stattdessen verließ er die Vereinigten Staaten, wurde Professor an der Universität von São Paulo in Brasilien, dann am Technion in Israel und schließlich am Birkbeck College der University of London. Bis zu seinem Tod im Jahr 1992 lebte er in London.

12 Wenn Sie lange genug warten, kann natürlich im Prinzip das, was Sie mit dem einen Teilchen tun, auf das andere einwirken: Ein Teilchen könnte ein Signal aussenden, um

das andere zu informieren, dass es einer Messung unterzogen wurde, und dieses Signal könnte das empfangende Teilchen beeinflussen. Doch da kein Signal rascher als das Licht vorankommen kann, ist ein Einfluss dieser Art nicht instantan. Entscheidend an der gegenwärtigen Erörterung ist der Umstand, dass wir in eben dem Augenblick, da wir den Spin eines Teilchens um eine gewählte Achse messen, den Spin des anderen Teilchens um diese Achse in Erfahrung bringen. Daher ist hier jede Form von Standardkommunikation – mit Lichtgeschwindigkeit oder langsamer – ohne Belang.

13 In diesem und dem folgenden Abschnitt habe ich mich für die »Dramatisierung« der Quintessenz von Bells Entdeckung durch Davids Mermins wundervolle Artikel anregen lassen: »Quantum Mysteries for Anyone«, *Journal of Philosophy*, 78 (1981), S. 397 bis 408; »Can You Help Your Team Tonight by Watching on TV?«, in: James T. Cushing und Ernan McMullin (Hg.), *Philosophical Consequences of Quantum Theory: Reflections on Bell's Theorem*, Paris 1989, und »Spooky Action at a Distance: Mysteries of the Quantum Theory«, in: *The Great Ideas Today*, Encyclopaedia Britannica, 1988. Sie alle sind gesammelt in: N. David Mermin, *Boojums All the Way Through*, Cambridge 1990. Wer sich etwas wissenschaftlicher mit diesen Ideen beschäftigen möchte, sollte unbedingt mit Bells eigenen Aufsätzen anfangen, von denen viele in J. S. Bell, *Speakable and Unspeakable in Quantum Mechanics*, Cambridge 1997, zu finden sind.

14 Während die Lokalitätshypothese von entscheidender Bedeutung für das Argument von Einstein, Podolsky und Rosen ist, hat man versucht, andere fehlerhafte Elemente in ihrer Beweiskette zu finden, um den Schluss zu vermeiden, das Universum lasse nichtlokale Merkmale zu. Beispielsweise wird gelegentlich behauptet, die Daten zwängen uns lediglich dazu, den so genannten Realismus aufzugeben – die Idee, Objekte besäßen die gemessenen Eigenschaften unabhängig vom Messvorgang. In diesem Kontext bringt uns diese Behauptung jedoch nicht weiter. Wäre die EPR-Beweisführung von den Experimenten bestätigt worden, wäre an den weit reichenden Korrelationen der Quantenmechanik nichts Geheimnisvolles gewesen. Sie wären nicht überraschender gewesen als die weit reichenden Korrelationen der klassischen Physik – dass wir zum Beispiel sicher sein können, einen rechten Handschuh dort zu finden, wenn wir sein linkes Pendant hier haben. Doch eine derartige Argumentation lassen die Bell-Aspect-Ergebnisse nicht zu. Wenn wir also in Reaktion auf diese Widerlegung von EPR den Realismus aufgeben – wie wir es in der Standardversion der Quantenmechanik tun –, so nimmt das den weit reichenden Korrelationen zwischen entfernten *Zufallsprozessen* nichts von der verblüffenden Seltsamkeit. Bei Verzicht auf den Realismus werden die Handschuhe, wie in Endnote 4, zu »Quantenhandschuhen«. Durch die Aufgabe des Realismus werden die beobachteten nichtlokalen Korrelationen kein bisschen weniger bizarr. Wenn man angesichts der Ergebnisse von EPR, Bell und Aspect versucht, den Realismus aufrechtzuerhalten – etwa in Bohms Theorie, die wir an späterer Stelle dieses Kapitels betrachten –, scheinen wir eine radikalere Form der Nichtlokalität annehmen zu müssen, die nicht nur nichtlokale Korrelationen, sondern auch nichtlokale Wechselwirkungen einbezieht. Viele Physiker lehnen diese Möglichkeit ab und haben daher dem Realismus abgeschworen.

15 Vgl. beispielsweise Murray Gell-Mann, *Das Quark und der Jaguar. Vom Einfachen zum Komplexen: Die Suche nach einer neuen Erklärung der Welt*, München 1994; und Huw Price, *Time's Arrow and Archimedes' Point*, Oxford 1996.

16 Nach der speziellen Relativitätstheorie kann nichts, was sich jemals langsamer als das Licht bewegt hat, die Barriere der Lichtgeschwindigkeit überschreiten. Doch die Existenz von etwas, das sich *immer* schneller als das Licht bewegt, schließt die spezielle Relativitätstheorie nicht unbedingt aus. Hypothetische Teilchen dieser Art bezeichnet man

als *Tachyonen*. Die meisten Physiker glauben nicht an deren Existenz, während andere gerne mit der Möglichkeit spielen. Da diese überlichtschnellen Teilchen aber infolge der Gleichungen der speziellen Relativitätstheorie über sehr seltsame Eigenschaften verfügten, hat bislang noch niemand eine nützliche Verwendung gefunden – auch keine hypothetische. In modernen Studien geht man im Allgemeinen davon aus, dass eine Theorie, die sich auf Tachyonen stützt, unter Instabilität leidet.

17 Dem mathematisch interessierten Leser sei gesagt, dass die spezielle Relativitätstheorie im Kern behauptet, die physikalischen Gesetze müssten Lorentz-invariant sein, das heißt, invariant unter SO(3,1)-Transformationen der Koordination der Minkowski-Raumzeit. Daraus folgt, dass sich die Quantenmechanik mit der speziellen Relativitätstheorie in Einklang bringen ließe, wenn sie in einer vollständig Lorentz-invarianten Weise formuliert werden könnte. Nun sind zwar die relativistische Quantenmechanik und die relativistische Quantenfeldtheorie schon ein guten Stück auf diesem Weg vorangekommen, doch noch herrscht keine vollständige Übereinstimmung in der Frage, ob sie das quantenmechanische Messproblem wirklich in einem Lorentz-invarianten Rahmen behandeln. So bereitet es in der relativistischen Quantenfeldtheorie beispielsweise keine Schwierigkeiten, in einer vollkommen Lorentz-invarianten Weise die Wahrscheinlichkeitsamplituden und Wahrscheinlichkeiten für die Ergebnisse verschiedener Experimente zu berechnen. Doch die Standardverfahren können nicht beschreiben, wie das eine oder andere bestimmte Ergebnis aus der Fülle der Quantenmöglichkeiten hervorgeht – das heißt, was im Messprozess geschieht. Das ist von besonderer Bedeutung für die Verschränkung, da das Phänomen von der Wirkung dessen, was ein Experimentator tut, abhängt – dem Messvorgang, bei dem eine Eigenschaft des verschränkten Teilchens ermittelt wird. Zu einer eingehenderen Diskussion vgl. Tim Maudlin, *Quantum Nonlocality and Relativity*, Oxford 2002.

18 Für den mathematisch interessierten Leser beschreibe ich im Folgenden die quantenmechanische Rechnung, deren Vorhersagen mit diesen Experimenten übereinstimmen. Nehmen wir an, die Achsen, entlang denen die Detektoren den Spin messen, seien einmal die senkrechte Achse und zum anderen die Achsen, die in einem Winkel von 120 Grad im beziehungsweise gegen den Uhrzeigersinn zur Senkrechten stehen (wie zwölf, vier und acht Uhr auf zwei Uhren, eine für jeden Detektor, die einander zugewandt sind). Nehmen wir der Einfachheit halber weiter an, zwei Elektronen im so genannten Singulettzustand entweichen der Quelle und bewegen sich auf diese Detektoren zu. Das ist der Zustand, in dem der Gesamtspin null ist, das heißt, wenn der eine Elektronspin bezüglich einer Achse aufwärts zeigt, befindet sich der andere im Spin-abwärts-Zustand und umgekehrt. (Wie Sie sich bestimmt erinnern, habe ich aus Gründen der Einfachheit die Korrelation zwischen den Elektronen so beschrieben, dass entweder beide im Spin-aufwärts- oder beide im Spin-abwärts-Zustand sind; tatsächlich sorgt die Korrelation dafür, dass die Spins in entgegengesetzte Richtungen weisen. Um den Zusammenhang mit dem Haupttext nicht zu verlieren, können Sie sich immer vorstellen, die beiden Detektoren seien entgegengesetzt kalibriert, so dass der eine als Spin-aufwärts bezeichnet, was der andere Spin-abwärts nennt.) Wenn der Winkel zwischen den Achsen, entlang denen unsere beiden Detektoren die Elektronenspins messen, θ beträgt, dann ist, wie ein Standardergebnis der elementaren Quantenmechanik zeigt, die Wahrscheinlichkeit, dass sie entgegengesetzte Spinwerte messen, $\cos^2(\theta/2)$. Wenn also die Detektorachsen gleich ausgerichtet werden ($\theta = 0$), messen sie exakt entgegengesetzte Spinwerte (entsprechend den Detektoren im Haupttext, die immer den gleichen Wert messen, wenn sie auf die gleiche Richtung eingestellt werden). Werden sie auf entweder +120° oder –120° gestellt, ist die Wahrscheinlichkeit, dass sie entgegengesetzte Spins messen,

$\cos^2 (+120° \text{ oder } -120°) = 1/4$. Werden nun die Detektorachsen zufällig gewählt, zeigen sie 1/3 der Male in die gleiche Richtung und 2/3 der Male nicht. Bei allen Durchgängen sind also entgegengesetzte Spins mit einer Häufigkeit von $(1/3)(1) + (2/3)(1/4) = 1/2$ der Male zu erwarten, was sich mit den ermittelten Daten deckt.
Vielleicht finden Sie es merkwürdig, dass die Annahme der Lokalität eine höhere Spinkorrelation (über 50 Prozent) ergibt, als wir mit der Standardversion der Quantenmechanik finden (genau 50 Prozent); die weit reichende Verschränkung der Quantenmechanik müsste, so sollte man meinen, eine höhere Korrelation ergeben. Das ist auch tatsächlich der Fall, wie folgende Überlegung zeigt: Bei einer lediglich 50-prozentigen Korrelation über alle Messungen liefert die Quantenmechanik eine 100-prozentige Korrelation für Messungen, in denen die Achse im linken und rechten Detektor gleich gewählt wird. Im lokalen Universum von Einstein, Podolsky und Rosen ist eine mehr als 55-prozentige Korrelation über alle Messungen erforderlich, um bei der Wahl gleicher Achsen eine 100-prozentige Übereinstimmung zu garantieren. Daraus folgt, dass eine 50-prozentige Korrelation über alle Messungen eine Korrelation von weniger als 100 Prozent bei gleich gewählten Achsen liefern würde, das heißt eine geringere Korrelation, als wir sie in unserem nichtlokalen Universum finden.

19 Vielleicht meinen Sie, ein instantaner Kollaps müsse von Anfang an mit der Geschwindigkeitsbegrenzung in Konflikt geraten, die das Licht setzt, und daher prinzipiell unverträglich mit der speziellen Relativitätstheorie sein. Wären Wahrscheinlichkeitswellen tatsächlich wie Wasserwellen, hätten Sie damit einen unwiderlegbaren Einwand gefunden. Dann wäre der Umstand, dass der Wert einer Wahrscheinlichkeitswelle in einer riesigen Raumregion plötzlich auf null fällt, weit schockierender als ein Pazifik, der von einem Moment auf den anderen vollkommen glatt und unbewegt würde. Doch die Quantenmechaniker vertreten die Auffassung, Wahrscheinlichkeitswellen seien *nicht* wie Wasserwellen. Dennoch beschreibt eine Wahrscheinlichkeitswelle zwar Materie, ist aber selbst nicht von materieller Beschaffenheit. Die Barriere der Lichtgeschwindigkeit, so die Quantenmechaniker, gilt nur für materielle Objekte, Dinge, deren Bewegung sich direkt beobachten, fühlen, entdecken lässt. Wenn die Wahrscheinlichkeitswelle eines Elektrons in der Andromeda-Galaxie auf null gefallen ist, bedeutet das lediglich, dass ein Andromeda-Physiker das Elektron mit hundertprozentiger Gewissheit nicht entdecken wird. Nichts in den Beobachtungen des Andromedaners offenbart die plötzliche Veränderung in der Wahrscheinlichkeitswelle, die mit der erfolgreichen Entdeckung des Elektrons in, sagen wir, New York City verknüpft ist. Solange sich das Elektron selbst nicht überlichtschnell von einem Ort zu einem anderen begibt, entsteht kein Konflikt mit der speziellen Relativitätstheorie. Wie Sie sehen, ist nichts anderes geschehen, als dass das Elektron in New York City und nicht irgendwo anders gefunden wurde. Seine Geschwindigkeit hat in unseren Überlegungen keine Rolle gespielt. Der instantane Wahrscheinlichkeitskollaps ist also ein theoretischer Aspekt, der zwar Rätsel und Probleme aufgibt (ich komme in Kapitel 7 ausführlicher darauf zurück), aber nicht unbedingt einen Konflikt mit der speziellen Relativitätstheorie heraufbeschwört.

20 Einige dieser Hypothesen erörtert Maudlin, *Quantum Non-locality and Relativity*, a. a. O.

Kapitel 5

1 Für den mathematisch interessierten Leser: Wie in Anmerkung 10 von Kapitel 3 erörtert, folgt aus der Gleichung $t_{\text{bewegt}} = \gamma(t_{\text{ruhend}} - (v/c^2)\, x_{\text{ruhend}})$, dass Chewies Jetzt-Liste zu einem gegebenen Zeitpunkt Ereignisse enthält, von denen Beobachter auf der Erde

behaupten würden, sie seien $(v/c^2)x_{\text{Erde}}$ früher geschehen, wobei x_{Erde} Chewies Entfernung von der Erde ist. Für Bewegungen auf die Erde zu hat v das entgegengesetzte Vorzeichen, daher werden Beobachter auf der Erde behaupten, solche Ereignisse seien $(v/c^2)x_{\text{Erde}}$ später passiert. Wenn wir $v = 16$ Stundenkilometer und $x_{\text{Erde}} = 10^{10}$ Lichtjahre einsetzen, erhalten wir rund 150 Jahre.

2 Diese Zahl war ebenso wie eine ähnliche Zahl, die einige Absätze vorher für Chewies Bewegung in Richtung Erde genannt wurde, bei der Veröffentlichung des Buches gültig. Doch mit dem Verstreichen der Zeit hier auf der Erde werden sie etwas ungenau werden.

3 Dem mathematisch interessierten Leser sei mitgeteilt, dass es sich bei der Metapher, in der der Raumzeitlaib in verschiedenen Winkeln aufgeschnitten wird, um das übliche Konzept der *Raumzeitdiagramme* handelt, die in Kursen über die spezielle Relativitätstheorie gelehrt werden. In Raumzeitdiagrammen wird der gesamte dreidimensionale Raum, wie ihn ein als ruhend angesehener Beobachter zu einem bestimmten Zeitpunkt definiert, durch eine waagerechte Linie (oder, in komplizierteren Diagrammen, durch eine waagerechte Ebene) dargestellt, während die Zeit durch eine senkrechte Achse dargestellt wird. (In unserer Darstellung repräsentiert jede »Brotscheibe« – eine Ebene – den gesamten Raum zu einem Zeitpunkt, während die Achse, die durch die Mitte des Laibs verläuft, von Knust zu Knust, die Zeitachse ist.) Raumzeitdiagramme demonstrieren auf sehr aufschlussreiche Weise den Aspekt, den ich anhand der Jetzt-Scheiben von Ihnen und Chewie erläutert habe.

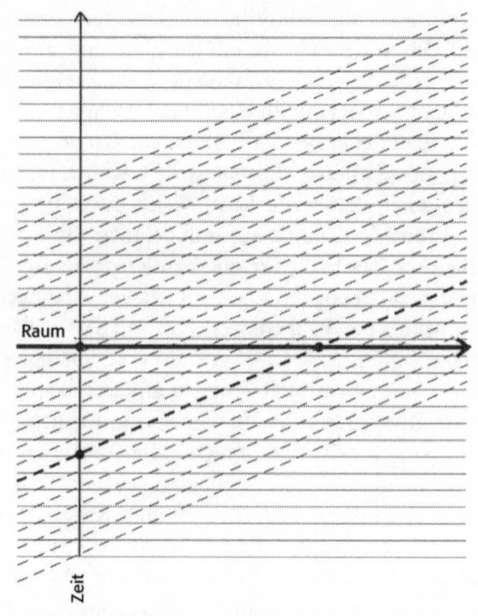

Die hellen durchgezogenen Linien sind Scheiben der Gleichzeitigkeit (Jetzt-Scheiben) für Beobachter, die sich relativ zur Erde in Ruhe befinden (aus Gründen der Einfachheit stellen wir uns vor, die Erde rotiere nicht und werde nicht beschleunigt, weil das Komplikationen sind, die für den Punkt, um den es geht, unerheblich sind). Die hellen gestrichelten Linien sind Scheiben der Gleichzeitigkeit für Beobachter, die sich mit, sagen wir, 15 Kilometern pro Stunde von der Erde fortbewegen. Wenn sich Chewie relativ zur Erde in Ruhe befindet, repräsentieren die durchgezogenen Linien seine Jetzt-Scheiben (und da Sie sich während der gesamten Ausführung ruhend auf der Erde befinden, geben diese dünnen durchgezogenen Linien auch Ihre Jetzt-Scheiben wieder). Die fette durchgezogene Linie zeigt die Jetzt-Scheibe, die Sie enthält (der linke schwarze Punkt), im 21. Jahrhundert der Erde, und ihn (der rechte schwarze Punkt) – sie beide still sitzend und lesend. Sobald Chewie sich gehend von der Erde fortbewegt, geben die gestrichelten Linien seine Jetzt-Scheiben wieder, wobei die fette gestrichelte Linie die Jetzt-Scheibe zeigt, die Chewie enthält (der gerade aufgestanden ist und sich in Bewegung gesetzt hat) und John Wilkes Booth (der schwarze Punkt unten links). Beachten Sie außerdem, dass auch eine der folgenden gestrichelten Zeit-Scheiben sowohl den gehenden Chewie enthalten wird (wenn er noch da ist!) als auch Sie, der Sie im 21. Jahrhundert der Erde sitzen und noch immer lesen. Folglich wird, was für Sie ein einziger Augenblick ist, auf zwei von Chewies Jetzt-Listen erscheinen – auf einer relevanten Liste bevor und einer relevanten Liste nachdem er zu gehen begonnen hat. Das ist ein weiterer Beleg dafür, dass der einfache intuitive Jetzt-Begriff – wenn wir ihn so auffassen, dass er für den gesamten Raum gilt – von der speziellen Relativitätstheorie in ein Konzept mit höchst ungewöhnlichen Merkmalen verwandelt wird. Im Übrigen geben diese Jetzt-Listen keinen Aufschluss über die Kausalität: Die Standardkausalität (Anmerkung 12, Kapitel 3) bleibt ungeschmälert in Kraft. Chewies Jetzt-Listen springen, weil er von einem Bezugssystem zu einem anderen springt. Doch jeder Beobachter – der eine einzige, wohl definierte Wahl für seine Raumzeit-Koordination getroffen hat – wird mit jedem anderen einig sein, welche Ereignisse sich auf welche anderen auswirken können.

4 Der kundige Leser wird erkannt haben, dass ich hier von einer Minkowski-Raumzeit ausgehe. Ein ähnliches Argument in anderen Geometrien wird nicht zwangsläufig die ganze Raumzeit ergeben.

5 Albert Einstein, Michele Besso, *Correspondance 1903–1955*, übersetzt und mit Anmerkungen und einer Einführung versehen von Pierre Speziali, Paris 1972, S. 538.

6 Diese Überlegungen sollen einen qualitativen Eindruck davon vermitteln, wie eine Erfahrung genau *jetzt*, in Verbindungen mit Erinnerungen, die Sie genau *jetzt* haben, Ihr Empfinden begründen kann, Sie hätten ein Leben mit den Erfahrungen gehabt, die den Inhalt dieser Erinnerungen bilden. Doch wenn zum Beispiel Ihr Gehirn und Ihr Körper irgendwie in den Zustand versetzt werden könnten, in dem sie sich genau jetzt befinden, hätten Sie das gleiche Empfinden, das Leben gelebt zu haben, von dem Ihre Erinnerungen zeugen (vorausgesetzt, ich habe Recht mit meiner Annahme, dass die Grundlage aller Erfahrung im physischen Zustand von Gehirn und Körper zu finden ist), selbst wenn diese Erfahrungen nie stattgefunden hätten, sondern Ihrem Gehirnzustand künstlich eingeprägt worden wären. Vereinfachen lassen sich diese Überlegungen durch die Annahme, dass wir Dinge fühlen oder erfahren können, die in einem einzigen Augenblick geschehen, während das Gehirn in Wirklichkeit eine gewisse Verarbeitungszeit braucht, um die Reize, die es empfängt, zu erkennen und zu interpretieren. Für den Punkt, um den es mir geht, ist das jedoch nicht von Bedeutung. Es ist eine interessante, aber weitgehend belanglose Komplikation, die entsteht, wenn wir die Zeit in einer Weise analysieren, die direkt mit der menschlichen Erfahrung verknüpft ist. Wie oben dargelegt, sorgen menschliche Beispiele dafür, dass unsere Erörterung farbiger und nachvollziehbarer wird, verlangen aber von uns, die Aspekte auszublenden, die eher aus biologischer als aus physikalischer Sicht von Interesse sind.

7 Vielleicht fragen Sie sich, in welcher Beziehung die Erörterung dieses Kapitels zu unserer Beschreibung in Kapitel 3 steht – den Objekten, die sich mit Lichtgeschwindigkeit durch die Raumzeit »bewegen«. Für den mathematisch interessierten Leser lautet die generelle Antwort, dass die Geschichte eines Objekts durch eine Kurve in der

Raumzeit dargestellt wird – eine Bahn durch den Raumzeitlaib, die jeden Ort erfasst, an dem das Objekt zu dem Zeitpunkt war (weitgehend so, wie es die Abbildung 5.1 zeigt). Die intuitive Vorstellung einer »Bewegung« durch die Raumzeit lässt sich also durch eine »flusslose« Sprache ausdrücken, indem wir einfach diese Bahn beschreiben (im Gegensatz zu der Vorstellung, die Bahn würde vor unseren Augen gezogen). Die »Geschwindigkeit«, die mit dieser Bahn verknüpft ist, ergibt sich dann aus der Länge der Bahn (von einem gewählten Punkt bis zu einem anderen), geteilt durch die Zeitdifferenz, aufgezeichnet auf einer Uhr, die von jemandem oder etwas zwischen den beiden gewählten Punkten auf der Bahn mitgeführt wird. Das ist wiederum ein Begriff, der keinerlei Zeitfluss einschließt: Sie lesen einfach ab, was die Uhr an den beiden betreffenden Punkten anzeigt. Es erweist sich, dass die derart gefundene Geschwindigkeit für *jede beliebige* Geschwindigkeit gleich der Lichtgeschwindigkeit ist. Dem mathematisch interessierten Leser wird der Grund dafür sofort einleuchten. In der Minkowski-Raumzeit ist die Metrik $ds^2 = c^2dt^2 - dx^2$ (wobei dx^2 die euklidische Länge $dx_1^2 + dx_2^2 + dx_3^2$ ist), während die Zeit auf einer Uhr (»Eigenzeit«) gegeben ist durch $d\tau^2 = ds^2/c^2$. Wie eben definiert, ist daher Geschwindigkeit durch die Raumzeit mathematisch gegeben durch $ds/d\tau$, was gleich c ist.

8 Rudolf Carnap, »Autobiography«, in: P. A. Schilpp (Hg.), *The Philosophy of Rudolf Carnap*, Chicago 1963, S. 37.

Kapitel 6

1 Beachten Sie, dass sich die Asymmetrie, von der hier die Rede ist – der Zeitpfeil –, aus der Reihenfolge ergibt, in der die Dinge stattfinden. Man könnte auch nach Asymmetrien in der Zeit selbst fragen, etwa danach, dass die Zeit, wie wir in späteren Kapiteln sehen werden, gemäß einigen kosmologischen Theorien möglicherweise einen Anfang hat, aber kein Ende. Das sind unterschiedliche Konzepte zeitlicher Asymmetrie, wobei wir uns in unserer Erörterung hier mit der ersteren beschäftigen. Doch auch so werden wir am Ende des Kapitels zu dem Schluss gelangen, dass die Asymmetrie der Dinge in der Zeit mit speziellen Bedingungen in der Frühgeschichte des Universums zu tun hat, dass, mit anderen Worten, der Zeitpfeil mit kosmologischen Aspekten verknüpft ist.

2 Lassen Sie mich für den mathematisch interessierten Leser etwas genauer darlegen, was unter Zeitumkehrsymmetrie zu verstehen ist, und auf eine hochinteressante Ausnahme hinweisen, deren Bedeutung für die Fragen, mit denen wir uns in diesem Kapitel beschäftigen, noch nicht vollständig geklärt ist. Der einfachste Begriff der Zeitumkehrsymmetrie kommt in der Aussage zum Ausdruck, dass ein System von physikalischen Gesetzen dann zeitumkehrsymmetrisch ist, wenn bei einer gegebenen Lösung der Gleichungen, sagen wir $S(t)$, auch $S(-t)$ eine Lösung der Gleichungen ist. Wenn beispielsweise in Newtons Mechanik bei Kräften, die von den Teilchenorten abhängen, $x(t) = (x_1(t), x_2(t) \ldots, x_{3n}(t))$ die Orte von n-Teilchen in drei Raumdimensionen sind, so ist, falls $x(t)$ die Lösung von $d^2x(t)/dt^2 = F(x(t))$ ist, $x(-t)$ ebenfalls eine Lösung der Newtonschen Gleichungen, das heißt, es ist $d^2x(-t)/dt^2 = F(x(-t))$. Dabei steht $x(-t)$ für eine Teilchenbewegung, die durch die gleichen Orte geht wie $x(t)$, nur in umgekehrter Reihenfolge und mit umgekehrten Geschwindigkeiten.

Allgemeiner: Ein System physikalischer Gesetze liefert uns einen Algorithmus, mit dem wir den Anfangszustand eines physikalischen Systems zur Zeit t_0 in einen beliebigen anderen Zustand zur Zeit $t + t_0$ überführen können. Konkret lässt sich dieser Algorithmus als eine Abbildung $U(t)$ verstehen, die den Input $S(t_0)$ erhält und damit $S(t + t_0)$ erzeugt, das heißt: $S(t + t_0) = U(t)S(t_0)$. Wir sagen, dass die Gesetze, die $U(t)$ hervorbringen, zeitumkehrsymmetrisch sind, wenn es eine Abbildung T gibt, welche die Gleichung $U(-t) = T^{-1}U(t)T$ erfüllt. Zu Deutsch: Wird der Zustand des physikalischen Systems zu einem gegebenen Zeitpunkt (durch T) entsprechend beeinflusst, so ist die Entwicklung um einen Betrag *t* vorwärts in der Zeit gemäß den Gesetzen der Theorie (bewirkt durch $U(t)$) äquivalent mit der Entwicklung des Systems um *t* Zeiteinheiten rückwärts in der Zeit (bezeichnet durch $U(-t)$). Wenn wir beispielsweise den Zustand eines Teilchensystems zu einem Zeitpunkt durch die Orte und Geschwindigkeit der Teilchen angeben würden, würde T alle Teilchenorte unverändert beibehalten und alle Geschwindigkeiten umkehren. Die Entwicklung einer solchen Teilchenkonfiguration vorwärts in der Zeit um einen Betrag *t* ist äquivalent mit der Entwicklung der ursprünglichen Teilchenkonfiguration rückwärts in der Zeit um einen Betrag *t*. (Der Faktor T^{-1} hebt die Geschwindigkeitsumkehrung auf, so dass am Ende nicht nur die Teilchenorte sind, was sie *t* Zeiteinheiten zuvor gewesen wären, sondern auch die Teilchengeschwindigkeiten.)

Bei bestimmten Gesetzen ist die T-Operation komplizierter als in der Newtonschen Mechanik. Wenn wir beispielsweise die Bewegung geladener Teilchen in Gegenwart eines elektromagnetischen Feldes untersuchen, würden die Gleichungen bei Umkehr der Teilchengeschwindigkeiten keine Entwicklung liefern, bei der die Teilchen exakt auf ihrer Bahn zurückkehren. Zusätzlich muss die Richtung des magnetischen Feldes umgekehrt werden. (Das ist erforderlich, damit der $v \times B$-Term des magnetischen Anteils der Lorentz-Kraft unverändert bleibt.) In diesem Fall umfasst die T-Operation diese beiden Transformationen. Der Umstand, dass wir mehr tun müssen, als nur alle Teilchengeschwindigkeiten umzukehren, ist ohne Bedeutung für die Erörterung, die im Haupttext folgt. Entscheidend ist nur, dass die Teilchenbewegung in die eine Richtung sich ebenso gut mit den physikalischen Gesetzen verträgt wie die Teilchenbewegung in die umgekehrte Richtung. Dass wir dazu alle magnetischen Felder umkehren müssen, die zufällig zugegen sind, ist ohne weitere Bedeutung.

Komplizierter werden die Dinge bei den schwachen Wechselwirkungen. Die schwachen Wechselwirkungen werden durch eine bestimmte Quantenfeldtheorie beschrieben (die ich in Kapitel 9 kurz erörtere). Ein allgemeines Theorem zeigt, dass Quantenfeldtheorien (solange sie lokal, unitär und Lorentz-invariant sind – die interessanten Quantenfeldtheorien sind es) immer symmetrisch sind unter den *kombinierten* Operationen der Ladungskonjugation *C* (welche die Teilchen durch ihre Antiteilchen ersetzt), der Parität *P* (welche eine Punktspiegelung der Teilchenpositionen am Koordinatenursprung vornimmt) und einer simplen Zeitumkehroperation T (die *t* durch *–t* ersetzt). Daher können wir eine T-Operation als das Produkt von *CPT* definieren, doch wenn die T-Invarianz unbedingt die Einbeziehung der *CP*-Operation verlangt, ließe sich T nicht mehr einfach dahingehend interpretieren, dass Teilchen auf ihrer Bahn zurückkehren (da durch ein solches T beispielsweise Teilchenidentitäten verändert würden – Teilchen würden durch ihre Antiteilchen ersetzt –, und folglich wären es nicht mehr die ursprünglichen Teilchen, die sich auf demselben Weg zurückbewegten). Wie sich erweist, sind wir zu diesem Vorgehen nur in einigen höchst ungewöhnlichen Experimentalsituationen gezwungen. Es gibt bestimmte Teilchenarten (K-Mesonen, B-Mesonen), deren Verhaltensrepertoire *CPT*-invariant ist, jedoch nicht invariant unter *T* allein. Das wurde 1964 indirekt von James Cronin, Val Fitch und ihren Kollegen bewiesen (wofür Cronin und Fitch 1980 den Nobelpreis erhielten), indem sie zeigten, dass die K-Mesonen die *CP*-Symmetrie verletzen (woraus sich zwangsläufig ergibt, dass sie die *T*-Symmetrie verletzen müssen, um nicht *CPT* zu verletzen). In jüngerer Zeit ist die Verletzung der *T*-Symmetrie im CPLEAR-Experiment am CERN und im KTEV-Experiment am Fermilab direkt nachgewiesen worden. Einfach gesagt, zeigen diese Experimente Folgendes: Würde man Ihnen einen Film der Prozesse zeigen, an denen diese Mesonen beteiligt sind, könnten Sie erkennen, ob der Film in der korrekten Form, das heißt vorwärts in der Zeit, vorgeführt würde oder rückwärts. Anders ausgedrückt, können diese besonderen Teilchen zwischen Vergangenheit und Zukunft unterscheiden. Unklar bleibt allerdings, ob das irgendeine Bedeutung für den Zeitpfeil hat, den wir in alltäglichen Kontexten erleben. Schließlich handelt es sich um exotische Teilchen, die durch Hochenergiestöße für die Dauer flüchtiger Augenblicke erzeugt werden, aber keine Bestandteile der uns vertrauten materiellen Gegenstände sind. Viele Physiker, darunter auch ich, halten es für unwahrscheinlich, dass uns die Verletzung der Zeitumkehr-Invarianz, von der diese Teilchen Zeugnis ablegen, dabei helfen kann, das Rätsel des Zeitpfeils zu lösen, daher werden wir diese Ausnahme nicht weiter berücksichtigen. Richtig ist allerdings, dass niemand es mit Sicherheit sagen kann.

3 Gelegentlich stoße ich auf Widerspruch, wenn es darum geht, die theoretische Behauptung zu akzeptieren, dass sich die Stücke der Eierschale tatsächlich wieder zur ursprünglichen, unversehrten Schale zusammenfügen würden. Doch die Zeitumkehrsymmetrie der Naturgesetze, wie sie ausführlicher in der letzten Anmerkung beschrieben wurde, garantiert, dass genau dies geschähe. Mikroskopisch betrachtet, ist das Zerbrechen einer Eierschale ein physikalischer Prozess, an dem verschiedene Moleküle in der Schale beteiligt sind. Risse treten auf, und die Schale zerbricht, weil Gruppen von Molekülen gezwungen sind, sich infolge des Aufpralls, den das Ei erleidet, zu trennen. Wenn diese Molekularbewegungen umgekehrt verliefen, würden die Moleküle in der Tat wieder zusammenfinden, und die Eierschale würde ihre ursprüngliche Form annehmen.

4 Da es mir in erster Linie um die moderne Auffassung dieser Ideen zu tun ist, übergehe ich einige sehr interessante geschichtliche Details. Die eigenen Gedanken über die Entropie hat Boltzmann in den siebziger und achtziger Jahren des neunzehnten Jahrhunderts erheblich überarbeitet, wobei in dieser Zeit der Kontakt und Meinungsaustausch mit Physikern wie James Clerk Maxwell, Lord Kelvin, Josef Loschmidt, Josiah Willard Gibbs, Henri Poincaré, S. H. Burbury und Ernest Zermelo von entscheidender Bedeutung waren. Tatsächlich glaubte Boltzmann anfänglich, er könne nicht nur beweisen, dass ein Entropierückgang in einem isolierten physikalischen System höchst unwahrscheinlich sei, sondern auch, dass die Entropie in einem derart isolierten physikalischen System niemals und unter keinen Umständen abnehme. Doch die Einwände der genannten und anderer Physiker veranlassten Boltzmann schließlich, den statistisch-wahrscheinlichkeitstheoretischen Ansatz stärker zu betonen, der heute noch verwendet wird.

5 Ich schlage vor, dass wir die englische Ausgabe der Modern Library Classics nehmen: *War and Peace,* übersetzt von Constance Garnett, mit 1386 Textseiten.

6 Für den mathematisch interessierten Leser sei angemerkt, dass Entropie, da die Zahlen so groß werden, in Wirklichkeit durch den Logarithmus der Zahl möglicher Anordnungen definiert wird, eine Einzelheit, die uns hier nicht zu interessieren braucht. Prinzipiell ist es aber von Bedeutung, weil es die Arbeit des Physikers sehr erleichtert. Entropie ist nämlich eine so genannte extensive Größe, das heißt: Wenn Sie zwei Systeme zusammenfügen, ist die Entropie ihrer Vereinigung die Summe ihrer einzelnen Entropien. Das gilt nur für die logarithmische Form der Entropie, weil die Zahl der Anord-

nungen in solch einer Situation durch das Produkt der Anordnungen innerhalb der einzelnen Teilsysteme gegeben ist, daher ist der Logarithmus der Zahl von Anordnungen additiv.

7 Zwar können wir *im Prinzip* vorhersagen, wo jede Seite landet, aber vielleicht befürchten Sie, dass noch ein zusätzliches Element die Reihenfolge der Seiten bestimmen könnte: wie Sie die Seiten zu einem säuberlichen Stapel schichten. Das ist zwar für die hier erörterten physikalischen Verhältnisse ohne Belang, doch falls die Frage Sie beunruhigt, können Sie sich ja vorstellen, Sie würden Seiten nacheinander aufnehmen, indem Sie mit derjenigen beginnen, die Ihnen am nächsten liegt, dann die nehmen, die dieser am nächsten liegt, und so fort. (Beispielsweise könnten wir vereinbaren, den Abstand zur nächst liegenden Ecke der betreffenden Seiten zu messen.)

8 Tatsächlich ist die Behauptung, die Bewegungen auch nur einiger weniger Seiten ließen sich mit der Genauigkeit berechnen, die erforderlich ist, um die Reihenfolge der Seiten vorherzusagen (nachdem wir sie, wie in der vorstehenden Anmerkung beschrieben, mit Hilfe irgendeines Algorithmus zu einem Stapel geschichtet haben), *außerordentlich* optimistisch. Je nach Biegsamkeit und Gewicht des Papiers überstiege selbst eine solche, vergleichsweise »einfache« Rechnung die Leistungsfähigkeit heutiger Computer.

9 Vielleicht fragen Sie sich besorgt, ob es nicht einen grundsätzlichen Unterschied zwischen der Definition des Entropiebegriffs für die Ordnungen von Buchseiten und derjenigen für eine Ansammlung von Molekülen gibt. Schließlich sind Seitenordnungen diskret – man kann sie zählen, eine um die andere, und mag auch die Gesamtzahl der Möglichkeiten groß sein, so ist sie doch endlich. Hingegen sind Bewegung und Aufenthaltsort selbst eines einzelnen Moleküls kontinuierlich – man kann sie nicht einzeln zählen, daher gibt es (zumindest gemäß der klassischen Physik) eine unendliche Zahl von Möglichkeiten. Wie lässt sich also eine genaue Zählung molekularer Umordnungen durchführen? Nun, die kurze Antwort lautet, dass das eine gute Frage ist, aber auch eine, die vollständig beantwortet ist. Falls das genügt, um Ihnen Ihre Sorge zu nehmen, können Sie die folgenden Ausführungen getrost überspringen. Für die längere Antwort ist ein bisschen Mathematik erforderlich, ohne entsprechende Vorkenntnisse wird es vielleicht schwierig, dem Gedankengang ganz zu folgen. Physiker beschreiben ein klassisches Vielteilchensystem mit Hilfe des *Phasenraums*, eines 6N-dimensionalen Raums (wobei N die Zahl der Teilchen bezeichnet), in dem jeder Punkt für alle Teilchenorte und -geschwindigkeiten steht (jeder Ort und jede Geschwindigkeit verlangt drei Zahlen, woraus sich die 6N-Dimensionalität des Phasenraums erklärt). Entscheidend ist, dass der Phasenraum dergestalt in Regionen aufgeteilt werden kann, dass alle Punkte in einer gegebenen Region Anordnungen der Geschwindigkeiten und Orte der Moleküle entsprechen, die in ihren großen Zügen das gleiche allgemeine Erscheinungsbild aufweisen. Würde man die Konfiguration der Moleküle von einem Punkt in einer gegebenen Region des Phasenraums zu einem anderen Punkt in derselben Region verändern, wären bei einer makroskopischen Bewertung die beiden Konfigurationen nicht voneinander zu unterscheiden. Statt nun die Zahl der Punkte in einer gegebenen Region zu ermitteln – dem Zählen verschiedener Seitenumordnungen sicherlich am ähnlichsten, aber ein Verfahren, das zwangsläufig zu einem unendlichen Ergebnis führen muss –, definieren Physiker die Entropie durch das *Volumen* der betreffenden Region des Phasenraums. Ein größeres Volumen bedeutet mehr Punkte und damit höhere Entropie. Und das Volumen einer Region kann, selbst in einem höherdimensionalen Raum, streng mathematisch definiert werden. (Dazu muss ein so genanntes Maß gewählt werden. Für den mathematisch interessierten Leser sei angemerkt, dass wir gewöhnlich das Maß wählen, bei dem jede mikroskopische Konfiguration, die mit ge-

gebenen makroskopischen Eigenschaften verknüpft ist, als gleich wahrscheinlich angenommen wird.)

10 Wir kennen insbesondere eine Möglichkeit, wie das geschehen *könnte*: Wenn sich einige Tage zuvor das CO_2 in der Flasche befand, wissen wir aus unseren obigen Überlegungen, dass wir nur gleichzeitig die Geschwindigkeit jedes einzelnen CO_2-Moleküls und jedes anderen Moleküls, das in irgendeiner Weise mit den CO_2-Molekülen in Wechselwirkung stand, umkehren und die gleiche Anzahl von Tagen warten müssten, um beobachten zu können, wie sich die Moleküle wieder in der Flasche *einfänden*. Doch diese Geschwindigkeitsumkehr ist in der Praxis nicht durchführbar, von der Wahrscheinlichkeit, dass sie von sich aus eintritt, gar nicht zu reden. Es ließe sich allerdings mathematisch beweisen, dass die CO_2-Moleküle, wenn wir lange genug warten, alle von sich aus *in die Flasche zurückfinden*. Mit einem Ergebnis, das im neunzehnten Jahrhundert von dem französischen Mathematiker Joseph Liouville bewiesen wurde, lässt sich der so genannte Poincarésche Wiederkehrsatz belegen. Wenn Sie diesem Satz zufolge lange genug warten, wird ein System, dessen Energie endlich ist und das auf ein endliches Raumvolumen beschränkt ist (wie die CO_2-Moleküle in einem geschlossenen Zimmer), *in einen Zustand zurückkehren, der seinem Ausgangszustand beliebig nahe kommt* (in diesem Fall der Situation, dass sich alle CO_2-Moleküle in der Colaflasche befinden). Der Haken ist die Dauer der Wartezeit. Abgesehen von Systemen mit einer kleinen Zahl von Bestandteilen, müssen Sie, wie der Satz zeigt, in der Regel weit länger warten, als das Universum alt ist, bevor sich die Bestandteile aus eigenem Antrieb wieder zu ihrer Anfangskonfiguration anordnen. Trotzdem ist, prinzipiell gesehen, die Erkenntnis faszinierend, dass wir bei unbegrenzter Geduld und Lebensdauer beobachten könnten, dass jedes räumlich begrenzte physikalische System irgendwann in den Zustand zurückkehrt, in dem es ursprünglich konfiguriert war.

11 Sie fragen sich vielleicht, warum sich Wasser dann jemals in Eis verwandelt, da dieser Prozess die H_2O-Moleküle doch in einen geordneteren Zustand überführt, das heißt eine Abnahme und keine Zunahme ihrer Entropie bewirkt. Einfach gesagt lautet die Antwort: Wenn sich flüssiges Wasser in festes Eis verwandelt, gibt es Energie an die Umwelt ab (das Gegenteil dessen, was geschieht, wenn Eis schmilzt, dann nämlich nimmt es Energie aus der Umwelt auf), und das erhöht die Umgebungsentropie. Ist die Umgebungstemperatur niedrig genug, das heißt unter null Grad Celsius, übertrifft der Zuwachs der Umgebungsentropie die Abnahme der Wasserentropie, daher wird Gefrieren entropisch begünstigt. Deshalb bildet sich im Winter Eis. Genauso verhält es sich, wenn sich Eiswürfel im Gefrierfach Ihres Eisschranks bilden: Die Entropie der Eiswürfel geht zurück, doch der Eisschrank selbst gibt Wärme an die Umgebung ab. Bezieht man diese Wärme ein, ergibt sich insgesamt ein Entropiezuwachs. Die genauere Antwort für den mathematisch interessierten Leser lautet, dass spontane Phänomene der Art, wie wir sie hier erörtern, durch die so genannte *freie Energie* bestimmt werden. Intuitiv betrachtet, ist freie Energie jener Teil der Energie eines Systems, der für die Verrichtung von Arbeit genutzt werden kann. Mathematisch ist freie Energie F definiert durch $F = U - TS$, wobei U für die Gesamtenergie, T für die Temperatur und S für die Entropie steht. Ein System erfährt eine spontane Veränderung, wenn diese eine Verminderung seiner freien Energie bewirkt. Bei niedrigen Temperaturen übertrifft die Abnahme von U, die mit der Umwandlung von flüssigem Wasser in festes Eis verknüpft ist, den Rückgang von S (das Anwachsen von $-TS$) und findet daher statt. Bei hohen Temperaturen (über null Grad Celsius) wird dagegen die Verwandlung von Eis in flüssiges Wasser oder in gasförmigen Dampf entropisch gefördert (der Zuwachs von S übertrifft Veränderungen von U) und findet daher statt.

12 Zu einer frühen Erörterung der Frage, warum eine direkte Anwendung der entropischen Argumentation uns zu dem Schluss führen würde, dass Erinnerungen und historische Aufzeichnungen keine vertrauenswürdige Auskunft über die Vergangenheit geben, vgl. C.F. von Weizsäcker, »Der Zweite Hauptsatz und der Unterschied von Vergangenheit und Zukunft«, in: ders., *Die Einheit der Natur,* München 1971, S. 172 bis S. 182 (ursprünglich erschienen in den *Annalen der Physik* 36 (1939)). Als ausgezeichnete neuere Erörterung vgl. David Albert, *Time and Chance*, Cambridge, Mass., 2000.

13 Da die Gesetze der Physik nicht zwischen vorwärts und rückwärts in der Zeit unterscheiden, wäre die Erklärung, dass eine halbe Stunde zuvor, um 22.00 Uhr, vollständig ausgebildete Eiswürfel vorhanden waren, entropisch betrachtet *ebenso* absurd wie die Vorhersage, dass sich die Eisklümpchen eine halbe Stunde später, um 23.00 Uhr, zu vollkommen ausgeformten Eiswürfeln ausgewachsen hätten. Vielmehr ist die Erklärung, der zufolge sich um 22.00 Uhr flüssiges Wasser im Glas befand, aus dem sich bis 22.30 Uhr Eisklümpchen gebildet hatten, *exakt* so vernünftig wie die Vorhersage, dass die Eisklümpchen bis 23.00 zu flüssigem Wasser geschmolzen sein werden, etwas, was vertraut und absolut im Bereich des Erwarteten liegt. Diese Erklärung ist, von der Beobachtung um 22.30 Uhr her gesehen, zeitlich vollkommen symmetrisch und deckt sich darüber hinaus mit unseren späteren Beobachtungen.

14 Ein besonders aufmerksamer Leser könnte nun meinen, ich hätte das Ergebnis der Erörterung mit dem Ausdruck »am Anfang« präjudiziert, da er eine zeitliche Asymmetrie impliziert. Genauer ausgedrückt, möchte ich damit sagen, dass wir besondere Bedingungen an (mindestens) einem Ende der zeitlichen Dimension brauchen. Wie sich zeigen wird, laufen die besonderen Bedingungen auf eine niederentropische Grenzbedingung hinaus. Als Vergangenheit werde ich eine Richtung bezeichnen, in der diese Bedingung erfüllt ist.

15 Die Vorstellung, der Zeitpfeil verlange eine niederentropische Vergangenheit, hat eine lange Geschichte, bis hin zu Boltzmann und anderen; sie wird eingehend erörtert in: Hans Reichenbach, *The Direction of Time*, Mineola, N.Y., 1984, und wurde auf eine besonders interessante quantitative Weise vertreten in: Roger Penrose, *Computerdenken. Die Debatte um künstliche Intelligenz, Bewußtsein und die Gesetze der Physik*, Heidelberg 2002, S. 310–314.

16 Vergessen Sie nicht, dass wir in der Erörterung dieses Kapitels die Quantenmechanik außer Acht lassen. Wie Stephen Hawking in den siebziger Jahren gezeigt hat, lassen bei Berücksichtigung von Quanteneffekten auch Schwarze Löcher eine gewisse Strahlenmenge entweichen, was aber nichts daran ändert, dass sie die Objekte mit der höchsten Entropie im Kosmos sind.

17 Hier ergibt sich die nahe liegende Frage, woher wir wissen, dass es nicht irgendeine künftige Bedingung gibt, die sich ebenfalls auf die Entropie auswirkt. Die schlichte Antwort lautet, dass wir es nicht wissen. Einige Physiker haben sogar Experimente vorgeschlagen, um den möglichen Einfluss einer solchen künftigen Bedingung auf heute beobachtbare Ereignisse zu entdecken. Als interessante Erörterungen der Möglichkeiten, die sich aus künftigen und vergangenen Bedingungen für die Entropie ergeben, vgl. den Artikel von Murray Gell-Mann und James Hartle, »Time Symmetry and Asymmetry in Quantum Mechanics and Quantum Cosmology«, in: J.J. Halliwell, J. Pérez-Mercader, W.H. Zurek (Hg.), *Physical Origins of Time Asymmetry*, Cambridge 1996, sowie andere Beiträge in Teil 4 und 5 dieser Aufsatzsammlung.

18 Das ganze Kapitel über haben wir von dem Zeitpfeil gesprochen und damit die scheinbare Tatsache bezeichnet, dass es eine Asymmetrie entlang der Zeitachse der Raumzeit

gibt (der Zeitachse eines beliebigen Beobachters): Eine Riesenzahl von Ereignisfolgen ist entlang der Zeitachse aufgereiht, doch die umgekehrte Reihenfolge dieser Ereignisse tritt, wenn überhaupt, nur selten ein. Im Laufe der Jahre haben Physiker und Philosophen solche Ereignisfolgen in Subkategorien eingeteilt, deren zeitliche Symmetrien im Prinzip zum Gegenstand logisch unabhängiger Erklärungen gemacht werden könnten. Beispielsweise fließt Wärme von warmen Gegenständen zu kühleren, aber nicht von kühlen zu warmen; elektromagnetische Wellen gehen von Quellen wie Sternen und Glühlampen aus, bewegen sich aber offenbar niemals perfekt koordiniert auf solche Quellen zu; das Universum scheint gleichförmig zu expandieren und sich nicht zusammenzuziehen; und wir erinnern uns an die Vergangenheit und nicht an die Zukunft (hier spricht man vom thermodynamischen, elektromagnetischen, kosmologischen beziehungsweise psychologischen Zeitpfeil). In allen Fällen handelt es sich um zeitasymmetrische Phänomene, aber sie könnten ihre Zeitasymmetrie im Prinzip aus vollkommen anderen physikalischen Prinzipien gewinnen. Nach meiner Ansicht, die viele teilen (aber andere gar nicht), sind diese zeitlich asymmetrischen Phänomene, möglicherweise mit Ausnahme des kosmologischen Pfeils, nicht grundlegend verschieden und letztlich auf die gleiche Weise zu erklären – auf diejenige, die wir in diesem Kapitel beschrieben haben. Warum bewegt sich beispielsweise elektromagnetische Strahlung in expandierenden Wellen nach außen, aber nie in kontrahierenden nach innen, obwohl beide Möglichkeiten vollkommen gültige Lösungen für Maxwells Gleichungen des Elektromagnetismus sind? Eben weil unser Universum niederentropische, kohärente, geordnete Quellen für solche nach außen wandernden Wellen besitzt – Sterne und Glühlampen, um nur zwei zu nennen – und weil die Existenz dieser geordneten Quellen sich, wie im Haupttext erläutert, von der noch geordneteren Umwelt zu Beginn des Universums herleitet. Der psychologische Zeitpfeil ist schwerer zu erklären, weil wir viele Aspekte der mikrophysikalischen Grundlage menschlichen Denkens noch nicht begreifen. Gut vorangekommen ist die Erklärung des Zeitpfeils allerdings auf dem Gebiet der Computer – eine Rechnung vorzunehmen, abzuschließen und dann aufzuzeichnen ist eine grundlegende Schrittfolge, deren entropische Eigenschaften vollständig verstanden sind (dies ist Charles Bennett, Rolf Landauer und anderen zu verdanken) und dem Zweiten Hauptsatz der Thermodynamik vollkommen genügen. Wenn man also menschliches Denken mit Rechnerprozessen vergleichen kann, lässt sich dafür vielleicht eine ähnliche thermodynamische Erklärung finden. Außerdem ist, darauf sei hingewiesen, die Asymmetrie, die mit dem Umstand verknüpft ist, dass das Universum expandiert und nicht kontrahiert, mit dem Zeitpfeil, den wir hier untersuchen, zwar verwandt, aber doch logisch verschieden von ihm. Sollte die Expansion des Universums sich verlangsamen, innehalten und sich dann in eine Kontraktion verwandeln, würde der Zeitpfeil nach wie vor in dieselbe Richtung weisen. Physikalische Prozesse (Eier, die zerbrechen, Menschen, die altern, und so fort) würden immer noch die übliche Richtung einschlagen, auch wenn sich die Expansion des Universums umgekehrt hätte.

19 Für den mathematisch interessierten Leser sei angemerkt, dass wir bei einer solchen Wahrscheinlichkeitsaussage ein bestimmtes Wahrscheinlichkeitsmaß annehmen: dasjenige, bei dem alle Mikrozustände, die mit dem, was wir genau *jetzt* sehen, kompatibel sind, gleich wahrscheinlich sind. Es gibt natürlich auch andere Maße, die wir verwenden könnten. Beispielsweise hat David Albert in *Time and Chance* ein Wahrscheinlichkeitsmaß vorgeschlagen, das allen Mikrozuständen gleiche Wahrscheinlichkeiten zuordnet, die sowohl mit dem, was wir *jetzt* sehen, kompatibel sind als auch mit dem, was er die *Vergangenheitshypothese* nennt – dem Umstand, dass das Univer-

sum anscheinend in einem niederentropischen Zustand begann. Mit Hilfe dieses Maßes klammern wir alle Geschichten mit Ausnahme derjenigen aus, die mit der niederentropischen Vergangenheit kompatibel sind, die unsere Erinnerungen, Aufzeichnungen und kosmologischen Theorien bezeugen. Bei dieser Argumentation ergibt sich kein wahrscheinlichkeitstheoretisches Rätsel in Hinblick auf ein Universum mit niedriger Entropie; kraft der Annahme begann es auf diese Weise mit der Wahrscheinlichkeit 1. Doch auch bei der Formulierung in einem Wahrscheinlichkeitskontext wird das Rätsel, *warum* es auf diese Weise begann, nicht geringer.

20 Vielleicht möchten Sie einwenden, das bekannte Universum hätte anfangs einfach deshalb eine geringe Entropie gehabt, weil es viel kleiner gewesen sei als heute und daher – wie ein Buch mit weniger Seiten – weniger Umordnungen seiner Bestandteile zugelassen habe. Doch das allein kann nicht die Erklärung sein. Selbst ein kleines Universum kann eine riesige Entropie besitzen. So ist ein mögliches (wenn auch unwahrscheinliches) Schicksal unseres Universums, dass die gegenwärtige Expansion eines Tages zum Stillstand kommt, sich umkehrt, eine Implosion herbeiführt und im so genannten Großen Endkollaps endet. Berechnungen zeigen, dass die Entropie ungeachtet der Schrumpfung des Universums während der Implosionsphase weiterhin anstiege, woraus folgt, dass geringe Größe keine geringe Entropie garantiert. In Kapitel 11 werden wir allerdings sehen, dass die geringe Anfangsgröße des Universums doch eine Rolle in unserer gegenwärtig besten Erklärung des niederentropischen Anfangs spielt.

Kapitel 7

1 Bekanntlich lassen sich die Gleichungen der klassischen Physik nicht mehr genau lösen, wenn die Bewegung von drei oder mehr wechselwirkenden Körpern untersucht wird. Selbst in der klassischen Physik ist also jede Vorhersage über die Bewegung einer großen Menge von Teilchen zwangsläufig approximativ. Entscheidend ist jedoch, dass es für die Genauigkeit dieser Näherung keine grundsätzliche Grenze gibt. Würde die Welt von der klassischen Physik regiert, würden wir der genauen Antwort desto näher kommen, je leistungsfähiger unsere Computer und je genauer unsere Anfangsdaten über Aufenthaltsorte und Geschwindigkeiten würden.

2 Wie am Ende von Kapitel 4 dargelegt, schließen die Ergebnisse von Bell, Aspect und anderen die Möglichkeit, dass Teilchen immer eindeutige Aufenthaltsorte und Geschwindigkeiten haben, nicht aus, selbst wenn wir solche Eigenschaften nicht gleichzeitig bestimmen können. In Bohms Version der Quantenmechanik ist dies sogar ein zentrales Element. Zwar ist die verbreitete Ansicht, dass ein Elektron keinen Aufenthaltsort hat, bis es gemessen wird, fester Bestandteil des konventionellen quantenmechanischen Ansatzes, als prinzipielle Aussage aber ist diese Formulierung etwas zu kühn. Behalten Sie jedoch im Gedächtnis, dass in Bohms Ansatz, den wir an späterer Stelle dieses Kapitels erörtern werden, Teilchen von Wahrscheinlichkeitswellen »begleitet« werden; das heißt, Bohm geht in seiner Theorie stets von Teilchen *und* Wellen aus, während man in der Standardversion eine Komplementarität annimmt, die sich vereinfacht als »Teilchen oder Wellen« zusammenfassen lässt. Doch die Schlussfolgerung, um die es uns geht – dass die quantenmechanische Beschreibung der Vergangenheit sehr unvollständig wäre, würden wir (wie in der klassischen Physik) nur davon sprechen, dass ein gegebenes Teilchen sich zu jedem Zeitpunkt der Vergangenheit lediglich an einem einzigen Ort im Raum befunden hätte –, trifft dennoch zu. Im kon-

ventionellen quantenmechanischen Ansatz müssen wir auch die Vielzahl anderer Orte einbeziehen, an denen sich ein Teilchen zu einem gegebenen Zeitpunkt aufhalten könnte, während wir bei Bohms Ansatz zusätzlich die »Lotsenwelle« berücksichtigen müssen, ein ausgedehntes Objekt, das ebenfalls eine Vielzahl anderer Orte überdeckt. (Der kundige Leser sei darauf hingewiesen, dass die Lotsenwelle einfach die Wellenfunktion der konventionellen Quantenmechanik ist, wenn sie in Bohms Theorie auch eine andere Rolle spielt.) Um endlose Einschränkungen und Richtigstellungen zu vermeiden, werden die folgenden Überlegungen strikt vom Standpunkt der konventionellen Quantenmechanik (dem üblichen Ansatz) aus vorgenommen. Hinweise auf Bohms Theorie und andere alternative Ansätze bleiben dem letzten Teil des Kapitels vorbehalten.

3 Als mathematische, aber didaktisch sehr gelungene Erklärung vgl. R. P. Feynman und A. R. Hibbs, *Quantum Mechanics and Path Integrals*, Burr Ridge, Ill., 1965.

4 Sie könnten versucht sein, sich auf die Erörterung in Kapitel 3 zu berufen, wo wir erfahren haben, dass die Lichtgeschwindigkeit die Zeit zum Stillstand bringt, und die Ansicht vertreten, dass aus Sicht des Photons alle Zeitpunkte derselbe Zeitpunkt seien, daher »wisse« das Photon, wie der Detektorschalter eingestellt sei, wenn es den Strahlteiler durchquere. Doch diese Experimente lassen sich auch mit anderen Teilchenarten wie Elektronen durchführen, die langsamer vorankommen als das Licht. Trotzdem bleiben die Ergebnisse dieselben. Diese Perspektive ändert also nichts an den entscheidenden physikalischen Sachverhalten.

5 Die beschriebene Versuchsanordnung wie auch die Ergebnisse, welche die konkrete Bestätigung brachten, stammen von Y. Kirn, R. Yu, S. Kulik, Y. Shih und M. Scully, vgl. *Phys. Rev. Lett.*, Bd. 84, Nr. 1, S. 1–5.

6 Die Quantenmechanik lässt sich auch auf eine äquivalente Gleichung aufbauen, die in einen anderen Formalismus gehört (den der so genannten Matrizenmechanik) und 1925 von Werner Heisenberg entwickelt wurde. Für den mathematisch interessierten Leser: Die Schrödinger-Gleichung lautet $H\,\Psi(x,t) = i\hbar\,(d\Psi(x,t)/dt)$, wobei H für den Hamilton-Operator und Ψ für die Wellenfunktion steht, während $\hbar$ das Plancksche Wirkungsquantum ist.

7 Der kundige Leser wird bemerkt haben, dass ich hier einen kleinen Aspekt unterschlage. Wir müssten nämlich das komplex Konjugierte der Wellenfunktion des Teilchens nehmen, um sicherzustellen, dass sie die Zeitumkehrversion der Schrödinger-Gleichung löst. Das heißt, die in Anmerkung 2 von Kapitel 6 beschriebene T-Operation nimmt eine Wellenfunktion $\Psi(x,t)$ und bildet sie auf $\Psi^*(x,-t)$ ab. Doch das ist ohne größere Bedeutung für die Erörterung im Text.

8 Tatsächlich hat Bohm einen Ansatz wiederentdeckt und weiterentwickelt, der auf Prinz Louis de Broglie zurückgeht, daher bezeichnet man diesen Vorschlag gelegentlich auch als De-Broglie-Bohm-Ansatz.

9 Für den mathematisch interessierten Leser sei angemerkt, dass Bohms Ansatz im *Konfigurationsraum* lokal, im realen Raum aber gewiss *nichtlokal* ist. Veränderungen der Wellenfunktion an einem Ort im realen Raum üben instantanen Einfluss auf Teilchen an anderen, fernen Orten aus.

10 Zu einer außergewöhnlich klaren Erläuterung des Ansatzes von Ghirardi, Rimini und Weber und seiner Bedeutung für das Verständnis der Quantenverschränkung vgl. J. S. Bell, »Are There Quantum Jumps?«, in: ders., *Speakable and Unspeakable in Quantum Mechanics: Collected Papers on Quantum Philosophy*, Cambridge 1993.

11 Einige Physiker halten die Fragen auf dieser Liste für unwichtige Nebeneffekte einer Verwirrung, die früher in Bezug auf die Quantenmechanik herrschte. Die Wellenfunktion sei, so diese Meinung, ein rein theoretisches Werkzeug, um (Wahrscheinlichkeits-) Vorhersagen zu treffen, besitze aber lediglich mathematische Realität (eine Auffassung, die gelegentlich der »Mund halten und losrechnen«-Ansatz genannt wird, was heißen soll, dass wir die Quantenmechanik und die Wellenfunktionen verwenden sollen, ohne weiter darüber nachzudenken, was Wellenfunktionen tatsächlich bedeuten und tun). Eine Variation dieses Themas lautet, Wellenfunktionen würden nie wirklich kollabieren, sondern durch Wechselwirkungen mit der Umgebung würde nur der *Anschein* erweckt, dass sie es täten. (Mit einer Version dieses Ansatzes werden wir uns gleich auseinander setzen.) Ich stehe diesen Ideen sehr aufgeschlossen gegenüber und bin der festen Überzeugung, dass wir irgendwann auf den Begriff des Kollapses werden verzichten können. Doch ich finde ersteren Ansatz wenig befriedigend, weil ich nicht bereit bin, auf das Verständnis dessen zu verzichten, was in der Welt geschieht, während wir »nicht schauen«. Letzterer Ansatz ist meiner Ansicht nach zwar auf dem richtigen Weg, muss aber mathematisch besser entwickelt werden. Das Fazit lautet: Der Messakt bewirkt etwas, was entweder ein Kollaps der Wellenfunktion ist, ihm *gleicht* oder ihn *vortäuscht.* Auf jeden Fall können wir diesen offenkundigen Effekt nicht einfach unter den Tisch fallen lassen, sondern müssen uns mit ihm auseinander setzen – durch ein genaueres Verständnis des Umgebungseinflusses oder durch eine andere Methode, die noch vorzuschlagen wäre.

12 Im Zusammenhang mit der Viele-Welten-Interpretation ergeben sich andere strittige Probleme, die über die offenkundige Extravaganz dieses Ansatzes hinausgehen. Beispielsweise ist es mathematisch schwierig, einen Wahrscheinlichkeitsbegriff in einem Kontext zu definieren, der eine unendliche Zahl von Kopien all jener Beobachter enthält, von denen wir annehmen, ihre Messungen unterlägen diesen Wahrscheinlichkeiten. Wenn ein gegebener Beobachter wirklich eine der vielen Kopien ist, in welchem Sinne können wir dann sagen, es liege eine bestimmte Wahrscheinlichkeit vor, dass er dieses oder jenes Ergebnis messe? Wer ist »er« wirklich? Jede Kopie des Beobachters wird – mit der Wahrscheinlichkeit 1 – genau das Ergebnis messen, das für die besondere Kopie des Universums vorgesehen ist, in dem er sich befindet. Folglich verlangt das gesamte wahrscheinlichkeitstheoretische Gerüst im Rahmen der Viele-Welten-Interpretation eine sehr sorgfältige Überprüfung (die ihm zuteil geworden ist und auch weiterhin zuteil werden wird). Es gibt noch einen technischen Aspekt: Wie der mathematisch interessierte Leser bemerkt haben wird, müssen wir, je nachdem, wie wir die Vielen Welten im Einzelnen definieren, eine bevorzugte Basis von Eigenvektoren auswählen. Aber wie soll das gehen? Über all diese Fragen ist viel diskutiert und geschrieben worden, bislang ist allerdings noch keine allgemein akzeptierte Lösung in Sicht. Der Dekohärenz-Ansatz, mit dem wir uns gleich befassen werden, hat viel Licht ins Dunkel gebracht, besonders was die Wahl der Basis angeht.

13 Der Bohm- oder De-Broglie-Bohm-Ansatz blieb ohne größere Resonanz. Wie John Bell in seinem Aufsatz »The Impossible Pilot Wave« (in: ders., *Speakable and Unspeakable in Quantum Mechanics*, a. a. O.) darlegt, waren weder de Broglie noch Bohm besonders glücklich mit dem, was er selbst entwickelt hatte. Doch nimmt der De-Broglie-Bohm-Ansatz, wie Bell darlegt, der Standardversion viel von ihrer Verschwommenheit und Subjektivität. Selbst wenn der Ansatz völlig falsch sein sollte, wäre er nützlich, weil er zeigt, dass Teilchen zu allen Zeitpunkten genaue Orte und genaue Geschwindigkeiten haben (die allerdings grundsätzlich nicht gleichzeitig zu messen sind) und sich trotzdem vollständig mit den Vorhersagen der quantenmechanischen Standardversion – der

Unschärfe und allem anderen – decken können. Ein anderer Einwand gegen Bohms Ansatz lautet, die Nichtlokalität in seinem theoretischen Rahmen wiege »schwerer« als in der Standardversion der Quantenmechanik. Damit ist gemeint, dass Bohms Ansatz nichtlokale Wechselwirkungen (zwischen Wellenfunktion und Teilchen) von Anfang an als zentrales Element der Theorie vorsieht, während in der Quantenmechanik die Nichtlokalität tiefer verborgen ist und nur durch nichtlokale Korrelationen zwischen weit getrennten Messungen entsteht. Doch wie die Anhänger des Ansatzes vorbrachten, bedeutet die Tatsache, dass etwas verborgen ist, nicht, dass es deshalb weniger real ist. Da sich die Standortinterpretation im Übrigen, so hieß es von dieser Seite weiter, nur verschwommen zum quantenmechanischen Messproblem äußere – genau jenem Aspekt, an dem sich die Nichtlokalität zeige –, werde die Nichtlokalität vielleicht gar nicht mehr so verborgen sein, sobald die Frage vollkommen geklärt sei. Andere haben die Auffassung vertreten, es sei schwierig, aus Bohms Ansatz eine relativistische Version zu entwickeln, obwohl auch in dieser Hinsicht Fortschritte erzielt worden sind (vgl. beispielsweise John Bell, »Beables for Quantum Field Theory«, in dem oben genannten Sammelband). Daher ist es sicherlich der Mühe wert, diesen alternativen Ansatz im Gedächtnis zu behalten, und wenn auch nur als Schutzmaßnahme gegen übereilte Annahmen über angeblich unvermeidliche Folgen der Quantenmechanik. Der mathematisch interessierte Leser findet eine sehr gelungene Ausführung über die Bohmsche Theorie und Probleme der Quantenverschränkung in: Tim Maudlin, *Quantum Non-locality and Relativity*, Oxford 2002.

14 Zu einer eingehenden, allerdings sehr technischen Erörterung des Zeitpfeils im Allgemeinen und der Rolle der Dekohärenz im Besonderen vgl. H. D. Zeh, *The Physical Basis of the Direction of Time*, Berlin 2001.

15 Um Ihnen einen Eindruck zu vermitteln, wie schnell Dekohärenz eintritt – wie schnell der Umgebungseinfluss die Quanteninterferenz unterdrückt und dadurch die Quantenwahrscheinlichkeiten in vertraute klassische Wahrscheinlichkeiten verwandelt –, folgen hier einige Beispiele: Die Zahlen sind Näherungen, aber sie sprechen eine deutliche Sprache. Für die Wellenfunktion eines Staubkorns, das in Ihrem Wohnzimmer schwebt und von zitternden Luftmolekülen bombardiert wird, tritt Dekohärenz in etwa einer milliardstel milliardstel milliardstel milliardstel (10^{-36}) Sekunde ein. Wenn sich das Staubkorn in einer perfekten Vakuumkammer befindet und nur den Wechselwirkungen mit dem Sonnenlicht unterliegt, dauert es mit der Dekohärenz länger, etwa eine tausendstel milliardstel milliardstel (10^{-21}) Sekunde. Und wenn das Staubkorn in den dunkelsten Tiefen des leeren Alls schwebt und nur mit den Mikrowellenphotonen wechselwirkt, die vom Urknall übrig geblieben sind, kommt es in rund einer millionstel Sekunde zur Dekohärenz. Diese Zahlen sind außerordentlich klein und zeigen, dass sich die Dekohärenz selbst für ein so winziges Objekt wie ein Staubkorn sehr rasch vollzieht. Bei größeren Objekten tritt die Dekohärenz noch schneller ein. Kein Wunder also, dass wir, obwohl wir in einem Quantenuniversum leben, eine Welt erblicken, die so aussieht, wie sie aussieht. (Vgl. beispielsweise E. Joos, »Elements of Environmental Decoherence«, in: Ph. Blanchard, D. Giulini, E. Joos, C. Kiefer, I.-O. Stamatescu (Hg.), *Decoherence: Theoretical, Experimental, and Conceptual Problems*, Heidelberg 2000.

Kapitel 8

1 Um genau zu sein, bedient sich die Symmetrie zwischen den Gesetzen in Connecticut und den Gesetzen in New York *sowohl* der Translations- *als auch* der Rotationssymmetrie. Wenn Sie zur Meisterschaft in New York antreten, müssen Sie von Connecticut aus nicht nur einen Ortswechsel vornehmen, sondern werden beim Turnen Ihrer Übungen sicherlich auch in eine etwas andere Richtung schauen als während des Trainings (vielleicht nach Osten statt nach Norden).

2 Von Newtons Bewegungsgesetzen heißt es gewöhnlich, sie träfen auf »Inertialbeobachter« zu, doch wenn wir genau hinschauen, wie diese Beobachter definiert werden, klingt es verdächtig nach einem Zirkelschluss: Inertialbeobachter sind die Beobachter, für die Newtons Gesetze gelten. Ein zutreffenderes Bild der tatsächlichen Verhältnisse erhalten wir, wenn wir davon ausgehen, dass Newtons Gesetze unsere Aufmerksamkeit auf eine große und besonders nützliche Klasse von Beobachtern lenken: die Klasse der Beobachter, deren Bewegungsbeschreibung sich vollständig und quantitativ in Newtons theoretischen Rahmen fügt. Definitionsgemäß sind das Inertialbeobachter. Operativ sind es die Beobachter, auf die keine Kräfte irgendwelcher Art einwirken – das heißt, Beobachter, die keinerlei Beschleunigung erfahren. Einsteins allgemeine Relativitätstheorie dagegen gilt für alle Beobachter, unabhängig von ihrem Bewegungszustand.

3 Würden wir in einer Zeit leben, in der *alle* Veränderung zum Stillstand käme, würden wir kein Verstreichen der Zeit mehr erleben (alle Körper- und Gehirnfunktionen wären ebenfalls erstarrt). Doch ob daraus folgt, dass der Raumzeitblock in Abbildung 5.1 ein Ende fände oder vielmehr seinen Weg ohne Veränderung entlang der Zeitachse fortsetzte, das heißt, ob die Zeit enden oder in einem formalen, übergreifenden Sinne weiter existieren würde, ist eine hypothetische Frage – schwer zu beantworten und weitgehend irrelevant für alles, was wir messen oder erfahren könnten. Man beachte, dass diese Situation sich von einem Zustand maximaler Unordnung unterscheidet, in dem die Entropie nicht mehr weiter anwachsen kann, in dem aber mikroskopische Veränderungen – etwa Gasmoleküle, die sich hierhin und dorthin bewegen – auch weiterhin stattfinden.

4 Die kosmische Mikrowellenstrahlung wurde 1964 von Arno Penzias und Robert Wilson vom Bell Laboratory entdeckt, als sie eine große Antenne testeten, die für die Satellitenkommunikation bestimmt war. Penzias und Wilson entdeckten ein Hintergrundrauschen, das sich nicht beseitigen ließ (auch nicht, als sie den Vogelkot – »weißes Rauschen« – von der Innenseite der Antenne kratzten). Dank wichtiger theoretischer Erkenntnisse von Robert Dicke an der Princeton University, seinen Studenten Peter Roll und David Wilinson sowie Jim Peebles wurde schließlich klar, dass die Antenne eine Mikrowellenstrahlung auffing, deren Ursprung der Urknall war. (Eine wichtige kosmologische Arbeit, welche die Voraussetzung für diese Entdeckung schuf, war zu einem früheren Zeitpunkt von George Gamow, Ralph Alpher und Robert Herman vorgelegt worden.) Wie sich in späteren Kapiteln zeigen wird, vermittelt uns die Strahlung ein unverfälschtes Bild des Universums im Alter von etwa 300 000 Jahren. In dieser Zeit fügten sich elektrisch geladene Teilchen wie Elektronen und Protonen, welche die Bewegung des Lichts störten, zu elektrisch neutralen Atomen zusammen, die im Großen und Ganzen eine ungehinderte Ausbreitung des Lichts zulassen. Seither fliegt dieses uralte Licht – in den frühen Stadien des Universums entstanden – ungehindert durch das Universum und erfüllt heute das gesamte All mit Mikrowellenphotonen.

5 Das physikalische Phänomen, das hier eine Rolle spielt (vgl. Kapitel 11), bezeichnet man als *Rotverschiebung*. Häufige Atome wie Wasserstoff und Sauerstoff emittieren

Licht mit Wellenlängen, die aus Laborexperimenten genau bekannt sind. Wenn solche Elemente Bestandteile von Galaxien sind, die sich von uns entfernen, wird das von ihnen ausgesandte Licht in die Länge gezogen, so wie der Sirenenton eines davonrasenden Polizeiautos in die Länge gezogen wird, was das charakteristische Absacken der Tonhöhe bewirkt. Da Rot die größte Wellenlänge des Lichts ist, die wir mit bloßem Auge erkennen können, bezeichnen wir diese Lichtstreckung als Rotverschiebungseffekt. Das Ausmaß der Rotverschiebung verstärkt sich mit wachsender Fluchtgeschwindigkeit, daher lässt sich durch Messung der Wellenlängen des empfangenen Lichts und den Vergleich mit Labordaten die Geschwindigkeit ferner kosmischer Objekte bestimmen. (Tatsächlich ist das nur eine Art von Rotverschiebung, analog zum Dopplereffekt. Rotverschiebung kann auch durch Gravitation verursacht werden: Photonen strecken sich, wenn sie aus einem Gravitationsfeld klettern.)

6 Für den mathematisch vorgebildeten Leser sei angemerkt, dass ein Teilchen oder eine Masse m, die sich auf der Oberfläche eines Balles mit dem Radius R und der Massendichte ρ befindet, eine Beschleunigung d^2R/dt^2 erfährt, gegeben durch $(4\pi/3)R^3G\rho/R^2$, so dass $(1/R)\ d^2R/dt^2 = (4\pi/3)G\rho$ ist. Identifizieren wir R mit dem Radius und ρ mit der Massendichte des Universums, erhalten wir Einsteins Gleichung, die angibt, wie sich die Größe des Universums entwickelt (angenommen, es ist kein Druck vorhanden).

7 Vgl. P. J. E. Peebles, *Principles of Physical Cosmology*, Princeton 1993, S. 81. In der Bildunterschrift heißt es: »Aber wer bläst diesen Ballon eigentlich auf? Was sorgt dafür, dass das Universum expandiert oder sich aufbläht? Ein Lambda besorgt es! Eine andere

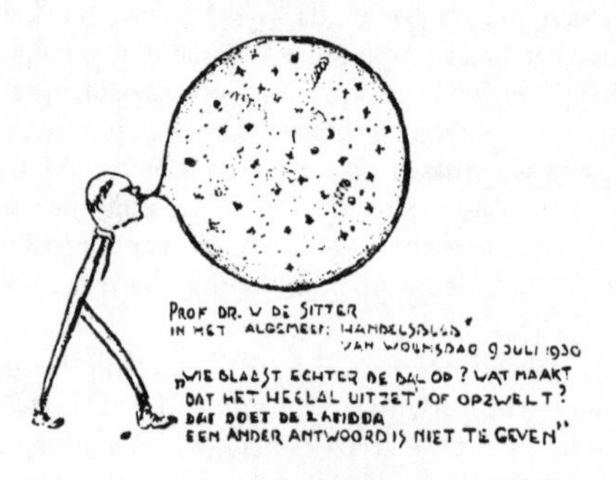

Antwort lässt sich nicht geben.« Lambda bezeichnet die so genannte kosmologische Konstante, eine Idee, mit der wir uns in Kapitel 10 beschäftigen werden.

8 Um möglichen Missverständnissen vorzubeugen, möchte ich darauf hinweisen, dass das Penny-Modell zwei Nachteile hat. Erstens ist jeder Penny im Wesentlichen mit jedem anderen identisch, während das für Galaxien ganz gewiss nicht gilt. Entscheidend aber ist, dass sich, wie allgemein angenommen, auf größten Skalen – bei Entfernungen in der Größenordnung von 100 Millionen Lichtjahren – die individuellen Unterschiede zwischen Galaxien herausmitteln; das heißt, wenn wir riesige Raumvolumina untersuchen, gleichen die als Durchschnitt ermittelten Gesamteigenschaften jedes dieser Volumina den Gesamteigenschaften jedes anderen Volumens in hohem Maße. Zweitens sind die Pennies in regelmäßiger Weise entlang einem gleichmäßigen Gitter angeordnet, und das zeichnet einige Raumrichtungen (zum Beispiel die Gitterachsen) gegenüber anderen aus. Über den Weltraum wissen wir dagegen aus Beobachtungen, dass jede Raumrichtung im Vergleich mit allen anderen Richtungen gleichberechtigt ist (in der Sprache der Kosmologen: Alles spricht dafür, dass das Weltall isotrop ist). In einem originalgetreuen,

aber auch komplizierteren Vergleichsbild wären die Pennies gegenüber dem Gitter so verschoben, dass im Mittel keine Raumrichtung vor den anderen ausgezeichnet wäre.

9 Sie könnten auch an den äußeren Rand eines Schwarzen Lochs reisen und dort bleiben, indem Sie unter Einsatz Ihrer mit Höchstenergie arbeitenden Antriebsaggregate vermeiden, hineingezogen zu werden. Das starke Gravitationsfeld des Schwarzen Lochs manifestiert sich als ausgeprägte Krümmung der Raumzeit, und die wiederum führt dazu, dass Ihre Uhr viel langsamer geht als an einem normaleren Ort der Galaxie (etwa einer relativ leeren Raumregion). Es sei noch einmal gesagt, dass an der Zeitdauer, die Ihre Uhr misst, nicht das Geringste auszusetzen ist; da Sie jedoch mit hoher Geschwindigkeit unterwegs sind, handelt es sich um eine völlig individualistische Perspektive. Bei der Analyse von Eigenschaften des gesamten Universums ist es nützlicher, auf einen weithin anwendbaren und allgemein akzeptierten Zeitbegriff zurückgreifen zu können, und genau diesen liefern uns Uhren, die mit dem kosmischen Strom der räumlichen Ausdehnung schwimmen und damit dem Einfluss eines weit schwächeren, weit durchschnittlicheren Gravitationsfeldes unterliegen.

10 Für den mathematisch interessierten Leser sei angemerkt, dass sich das Licht entlang von Nullgeodäten der Raumzeitmetrik ausbreitet. Konkret können wir die Metrik schreiben als $ds^2 = dt^2 - a^2(t)(dx^2)$, wobei $dx^2 = dx_1^2 + dx_2^2 + dx_3^2$ und die x_i mitbewegte Koordinaten sind. Für $ds^2 = 0$ gesetzt, wie es sich für eine Nullgeodäte gehört, können wir für die gesamte mitbewegte Koordinatenentfernung, die das zur Zeit t emittierte Licht bis zum Zeitpunkt t_0 zurücklegen kann, schreiben:

$$\int_t^{t_0} \frac{dt}{a(t)}.$$

Wenn wir das mit dem Wert des Skalenfaktors $a(t_0)$ zum Zeitpunkt t_0 multiplizieren, haben wir die physikalische Entfernung ausgerechnet, die das Licht in diesem Zeitintervall zurückgelegt hat. Auf diese Weise kann man ganz allgemein berechnen, wie weit das Licht in einem gegebenen Zeitintervall gelangen kann, um beispielsweise herauszufinden, ob zwei Punkte im Raum in kausalem Kontakt stehen können. Wie Sie sehen, ist das Integral für eine beschleunigte Expansion selbst bei beliebig großem t_0 nach oben hin beschränkt, woraus folgt, dass das Licht niemals beliebig entfernte mitbewegte Orte erreicht. In einem Universum mit beschleunigter Expansion gibt es also Orte, mit denen wir niemals kommunizieren können, und umgekehrt Orte, die niemals mit uns kommunizieren können. Das sind die Regionen, die jenseits unseres kosmischen Horizontes liegen.

11 Zur Beschreibung geometrischer Formen verwenden Mathematiker und Physiker eine quantitative Definition der Krümmung, die im neunzehnten Jahrhundert entwickelt wurde und heute zur mathematischen Teildisziplin der Differentialgeometrie gehört. Einen nichtmathematischen Zugang zu diesem Krümmungsmaß können Sie finden, wenn Sie Dreiecke betrachten, die auf oder in die betreffende Form gezeichnet sind. Wenn die Winkelsumme der Dreiecke 180 Grad beträgt, wie es der Fall ist, wenn sie auf eine flache Tischplatte gezeichnet werden, sagen wir, die Fläche sei flach. Doch wenn die Winkelsumme mehr oder weniger als 180 Grad beträgt, wie in Dreiecken auf der Oberfläche einer Kugel (die Wölbung einer Kugel nach außen bewirkt, dass die Winkelsumme mehr als 180 Grad ergibt) oder auf der Oberfläche eines Sattels (die Wölbung einer Sattelform sorgt dafür, dass die Winkelsumme weniger als 180 Grad beträgt), sagen wir, die Fläche sei gekrümmt. Das zeigt die Abbildung 8.6.

12 Wenn Sie die gegenüberliegenden senkrechten Ränder eines Bildschirms zusammenkleben (was vernünftig ist, weil sie miteinander identifiziert werden – das heißt, überqueren Sie einen Rand, tauchen Sie augenblicklich am anderen wieder auf), erhalten Sie einen Zy-

linder. Wenn Sie genauso mit dem oberen und dem unteren Rand verfahren (die jetzt kreisförmig wären), würde ein Doughnut herauskommen. Ein Doughnut ist also eine andere Möglichkeit, einen Torus darzustellen oder sich zu vergegenwärtigen. Eine Schwierigkeit dieser Darstellung liegt allerdings darin, dass der Doughnut nicht mehr flach aussieht! Tatsächlich aber ist er es. Wenn Sie den Krümmungsbegriff zugrunde legen, der in der letzten Endnote skizziert wurde, stellen Sie fest, dass alle Dreiecke, die Sie auf die Fläche des Doughnuts zeichnen, eine Winkelsumme von 180 Grad haben. Der Umstand, dass der Doughnut gekrümmt aussieht, ist ein Artefakt der Art und Weise, wie wir eine zweidimensionale Form in unsere dreidimensionale Welt eingebettet haben. Aus diesem Grund ist es im vorliegenden Kontext nützlicher, die offenkundig nicht gekrümmten Darstellungen der zwei- und dreidimensionalen Tori zu verwenden, wie sie im Text erörtert werden.

13 Es sei angemerkt, dass wir nicht konsequent zwischen den Begriffen der Form und der Krümmung unterschieden haben. Für einen vollkommen symmetrischen Raum gibt es drei Arten von *Krümmungen*: positiv, null und negativ. Aber zwei Flächen können die gleiche Krümmung haben und doch eine unterschiedliche Form: beispielsweise der flache Videoschirm und die flache unendliche Tischplatte. Also sind wir dank der Symmetrie zwar in der Lage, die Raumkrümmung auf drei Möglichkeiten einzuschränken, aber mit diesen drei Krümmungen des Raums lassen sich immer noch mehr als drei Raumformen finden (die betreffenden Räume unterscheiden sich in ihren globalen Eigenschaften, wie die Mathematiker sagen).

14 Bisher haben wir uns ausschließlich mit der Krümmung des dreidimensionalen Raums beschäftigt – der Krümmung der Raumscheiben des Raumzeitlaibs. Doch so schwer es sich auch vorstellen lässt, in allen drei Fällen von Raumkrümmung (positiv, null, negativ) ist auch die Gesamtheit der vierdimensionalen Raumzeit gekrümmt, wobei der Krümmungsgrad umso größer wird, je näher wir bei der Untersuchung des Universums dem Urknall kommen. Tatsächlich wird die vierdimensionale Raumzeitkrümmung in unmittelbarer Nähe des Urknalls so groß, dass Einsteins Gleichungen zusammenbrechen. Das werden wir in späteren Kapiteln erörtern.

Kapitel 9

1 Würden Sie die Temperatur extrem erhöhen, stießen Sie auf einen vierten Aggregatzustand der Materie, der als *Plasma* bezeichnet wird, ein Zustand, in dem die Atome in ihre Bestandteile zerlegt sind.

2 Es gibt seltsame Stoffe, wie zum Beispiel Rochellesalze (Kaliumnatriumtartrat), die bei hohen Temperaturen an Ordnung verlieren und bei niedrigeren Temperaturen an Ordnung gewinnen – sich also entgegen unseren normalen Erwartungen verhalten.

3 Ein Unterschied zwischen Kraft- und Materiefeldern kommt in dem nach Wolfgang Pauli benannten Ausschließungsprinzip zum Ausdruck. Danach können sich zwar eine große Zahl von Kraftteilchen (wie Photonen) zusammentun und Felder hervorbringen, die Vorquanten-Physikern wie Maxwell zugänglich waren, Felder, die Sie jedes Mal erblicken, wenn Sie ein dunkles Zimmer betreten und das Licht einschalten, aber Materieteilchen ist im Allgemeinen eine derart kohärente und organisierte Kooperation nicht möglich. (Genauer: Nach dem Pauli-Prinzip können zwei Teilchen derselben Art, wie zum Beispiel zwei Elektronen, nicht den gleichen Zustand besetzen, während diese Einschränkung für Photonen nicht gilt. Daher manifestieren sich Materiefelder in der Regel nicht makroskopisch-klassisch.)

4 Im Rahmen der Quantenfeldtheorie wird jedes bekannte Teilchen als Anregung eines zugrunde liegenden Feldes gesehen, das mit der betreffenden Teilchenart assoziiert ist. Photonen sind Anregungen des Photonenfeldes – das heißt des elektromagnetischen Feldes –, ein *up*-Quark ist eine Anregung des *up*-Quark-Feldes, ein Elektron die Anregung eines Elektronenfeldes und so fort. Auf diese Weise werden alle Materie und alle Kräfte in einer einheitlichen quantenmechanischen Sprache beschrieben. Als Schlüsselproblem hat sich allerdings herausgestellt, dass es schwierig ist, in dieser Sprache alle Quantenmerkmale der Gravitation zu beschreiben, eine Frage, mit der wir uns in Kapitel 12 beschäftigen werden.

5 Zwar wurde das Higgs-Feld nach Peter Higgs benannt, doch an seiner Einführung in die Physik und seiner theoretischen Weiterentwicklung haben noch zahlreiche andere Physiker mitgewirkt – unter anderem Thomas Kibble, Philip Anderson, R. Brout und Francois Englert.

6 Behalten Sie im Gedächtnis, dass der *Wert* des Feldes durch seinen Abstand von der Schüsselmitte gegeben ist; obwohl also das Feld null *Energie* besitzt, wenn sein Wert sich im Tal der Schüssel befindet (da die Höhe über dem Tal die Energie des Feldes bezeichnet), ist sein Wert nicht null.

7 In der alltagssprachlichen Beschreibung ist der Wert des Higgs-Feldes durch den Abstand zur Schüsselmitte gegeben, daher fragen Sie sich vielleicht, wie Punkte im kreisförmigen Tal der Schüssel – die alle den gleichen Abstand von der Schüsselmitte aufweisen – etwas anderes als den gleichen Higgs-Wert haben können. Für den mathematisch interessierten Leser sei angemerkt, dass verschiedene Punkte im Tal komplexen Zahlenwerten des Higgs-Feldes entsprechen, deren Betrag derselbe ist, deren Phase dagegen variiert.

8 Im Prinzip kennt die Physik zwei verschiedene Massekonzepte. Das eine ist das im Text beschriebene: Masse als diejenige Eigenschaft eines Objekts, die seinen Widerstand gegen Beschleunigung beschreibt. Manchmal wird dies die *träge Masse* genannt. Das zweite Massekonzept ist für die Gravitation von Bedeutung: Masse als Eigenschaft eines Objekts, die festlegt, wie stark das Objekt von einem Gravitationsfeld bestimmter Stärke (etwa dem der Erde) angezogen wird. Gelegentlich wird dies als *schwere Masse* bezeichnet. Auf den ersten Blick scheint das Higgs-Feld nur für die Erklärung der trägen Masse zuständig zu sein. Doch nach dem Äquivalenzprinzip der allgemeinen Relativitätstheorie sind die Kräfte, die wir einerseits durch beschleunigte Bewegung und andererseits durch ein Gravitationsfeld erfahren, ununterscheidbar – das heißt äquivalent. Daraus ergibt sich ebenfalls eine Äquivalenz zwischen den Begriffen der trägen und der schweren Masse. Folglich ist das Higgs-Feld für die beiden erwähnten Massearten von Bedeutung, da sie ja laut Einstein gleich sind.

9 Ich danke Raphael Kasper für den Hinweis, dass diese Beschreibung eine Abwandlung jener Metapher ist, mit der David Miller 1993 eine Ausschreibung des britischen Bildungsministers William Waldegrave gewonnen hat. Damals wurde die physikalische Gemeinschaft Großbritanniens aufgefordert, dem englischen Steuerzahler zu erklären, warum er Geld für die Suche nach dem Higgs-Teilchen ausgeben sollte.

10 Für den mathematisch interessierten Leser sei angemerkt, dass gemäß der Beschreibung der elektroschwachen Theorie die Photonen wie die W- und Z-Bosonen in der adjungierten Darstellung der Gruppe $SU(2) \times U(1)$ liegen und daher durch die Wirkung dieser Gruppe miteinander vertauschbar sind. Mehr noch, die Gleichungen der elektroschwachen Theorie sind vollkommen symmetrisch unter der Wirkung dieser Gruppe, und die Gesamtheit dieser Transformationen bestimmt, wie die Kraftteilchen miteinander zusammenhängen. Genauer: In der elektroschwachen Theorie ist das Photon eine

bestimmte Mischung aus dem Eichboson der manifesten U(1)-Symmetrie und der U(1)-Untergruppe von SU(2). Infolgedessen steht es in enger Beziehung zu den schwachen Eichbosonen. Doch auf Grund der Produktstruktur der Symmetriegruppe ist die »Durchmischung« der vier Bosonen (tatsächlich gibt es zwei W-Bosonen mit entgegengesetzten elektrischen Ladungen) durch die Wirkung der Gruppe nicht vollständig. In gewissem Sinne sind die schwachen und die elektromagnetischen Wechselwirkungen Teil eines einzigen mathematischen Rahmens, der allerdings nicht so vollständig vereinheitlicht ist, wie er sein könnte. Wenn man die starken Wechselwirkungen berücksichtigt, wird die Gruppe dadurch erweitert, dass man einen SU(3)-Faktor – eine SU(3) der »Farbe« – einbezieht. Der Umstand, dass diese Gruppe *drei* unabhängige Faktoren besitzt, SU(3) × SU(2) × U(1), unterstreicht nur noch deutlicher den Mangel an vollständiger Einheitlichkeit. Das ist ein Grund für den Wunsch nach der großen Vereinheitlichung, von der im nächsten Abschnitt die Rede sein wird: Die große Vereinheitlichung sucht nach einer einzigen halbeinfachen (Lie) Gruppe – einer Gruppe mit einem einzigen Faktor –, die die Kräfte auf höheren Energieskalen beschreibt.

11 Für den mathematisch interessierten Leser sei angemerkt, dass Georgis und Glashows große vereinheitlichte Theorie auf der Gruppe SU(5) basierte, die einerseits SU(3) einschließt, die Gruppe, die mit der starken Kernkraft verknüpft ist, und andererseits SU(2) × U(1), die Gruppe, die mit der elektroschwachen Kraft verknüpft ist. Seither haben Physiker die Implikationen anderer möglicher Gruppen der großen Vereinheitlichung untersucht, etwa SO(10) und E_6.

Kapitel 10

1 Wie gezeigt, ist der Knall des Urknalls keine Explosion, die an einem bestimmten Ort in einem präexistenten Raum stattgefunden hat, daher haben wir nicht gefragt, *wo* es geknallt hat. Die lockere Aufzählung der Urknallmängel stammt von Alan Guth; vgl. beispielsweise das Vorwort zu seinem Buch *Die Geburt des Kosmos aus dem Nichts. Die Theorie des inflationären Universums,* München 1999.

2 Manchmal wird mit dem Begriff »Urknall« das Ereignis bezeichnet, das zum Zeitpunkt null stattfand und das Universum erschuf. Doch da die Gleichungen der allgemeinen Relativitätstheorie zum Zeitpunkt null ihre Gültigkeit verlieren, weiß niemand das Geringste über dieses Ereignis. Diese beklagenswerte Wissenslücke ist gemeint, wenn wir sagen, die Urknalltheorie spare den Knall aus. Im vorliegenden Kapitel bewegen wir uns allerdings in Bereichen, in denen die Gleichungen ihre Gültigkeit behalten. Die Inflationsmodelle stützen sich auf Gleichungen von erwiesener Zuverlässigkeit, um eine kurze, explosive Aufblähung des Raumes zu beschreiben, die in der Regel als der von der Urknalltheorie ausgesparte Knall verstanden wird. Natürlich lässt dieser Ansatz die Frage unbeantwortet, was im ersten Schöpfungsaugenblick des Universums geschah – wenn es denn einen solchen Augenblick überhaupt gegeben hat.

3 Abraham Pais, *Raffiniert ist der Herrgott … Albert Einstein: eine wissenschaftliche Biographie*, Heidelberg 2000, S. 256.

4 Für den mathematisch interessierten Leser sei angemerkt: Einstein ersetzte die ursprüngliche Gleichung $G_{\mu\nu} = (8\pi G/c^4)T_{\mu\nu}$ durch $G_{\mu\nu} + \Lambda g_{\mu} = (8\pi G/c^4)T_{\mu\nu}$, wobei Λ eine Zahl ist, welche die Größe der kosmologischen Konstanten angibt.

5 Besonders aufmerksame Leser werden noch einen weiteren Effekt bemerkt haben: Wenn wir den Goldwürfel erhitzen, dehnt er sich aus, und der Abstand zwischen seinem Schwerpunkt und den Würfelflächen nimmt ein wenig zu. Auf eine Waagschale gelegt,

wird sein Schwerpunkt daher ein wenig weiter vom Erdmittelpunkt entfernt und die auf ihn wirkende Gewichtskraft ein wenig geringer sein – ein Effekt, dessen sich auch Newton bewusst wäre. Um diese nicht-relativistische Komplikation unserer Geschichte zu vermeiden, können wir annehmen, die Würfel lägen nicht auf Waagschalen, sondern würden von Zangen gehalten, die genau auf der Höhe des Würfelschwerpunkts ansetzen. Die Waage würde dann die Kraft bestimmen, mit der die Zangen nach unten gezogen werden.

6 Wenn ich in diesem Zusammenhang von der Masse eines Objekts spreche, meine ich damit die Gesamtsumme der Massen sämtlicher Teilchen, aus denen das Objekt besteht. Bestünde ein Würfel aus, sagen wir, 1000 Goldatomen, würde ich von der 1000fachen Masse eines solchen Atoms sprechen. Diese Definition deckt sich mit Newtons Auffassung. Dessen Gesetze besagen, dass ein solcher Würfel eine Masse hätte, die 1000 Mal so groß wäre wie die eines einzelnen Goldatoms und dass er 1000 Mal so viel wiegen würde wie ein einzelnes Goldatom. Laut Einstein hängt das Gewicht des Würfels jedoch auch von der Bewegungsenergie der Atome ab (und von weiteren Beiträgen zur Energie des Würfels). Das folgt aus $E = mc^2$: Mehr Energie *(E)* entspricht, unabhängig von der Quelle, mehr Masse *(m)*. Mit anderen Worten, da Newton $E = mc^2$ nicht kannte, beruht sein Gravitationsgesetz auf einer Massedefinition, die verschiedene Beiträge zur Gesamtenergie außer Acht lässt, beispielsweise die Energie, die mit einer Bewegung verknüpft ist.

7 Diese Erörterung legt nahe, warum der Druck eine Rolle spielt, liefert aber nicht die ganze Begründung. Der Druck, den die zusammengepresste Feder ausübt, hat tatsächlich Auswirkungen darauf, wie stark die Schachtel zur Erde gezogen wird. Die komprimierte Feder trägt zur Gesamtenergie der Schachtel bei, und laut allgemeiner Relativitätstheorie ist diese Gesamtenergie, wie im vorigen Abschnitt dargelegt, der entscheidende Aspekt. Im Text erkläre ich jedoch, dass der Druck selbst – und nicht nur durch den Beitrag, den er zur Gesamtenergie leistet – Gravitation erzeugt, so wie es Masse und Energie tun. Nach der Relativitätstheorie trägt Druck zur Gravitation bei. Angemerkt sei auch, dass die abstoßende Gravitation, von der hier die Rede ist, das *innere* Gravitationsfeld einer Raumregion ist, die von negativem und nicht positivem Druck bestimmt wird. In einer solchen Situation steuert negativer Druck ein abstoßendes Gravitationsfeld bei, das *innerhalb* der Region wirkt.

8 Mathematisch wird die Stärke der kosmologischen Konstante durch den Wert einer meist als Λ bezeichneten Variablen wiedergegeben (vgl. Anmerkung 4). Einstein stellte fest, dass diese Gleichungen sinnvoll waren, egal, ob er für Λ eine positive oder negative Zahl wählte. Die Erörterung im Text beschränkt sich auf den Fall, der für die moderne Kosmologie (und moderne Beobachtungen, wie wir gleich zeigen werden) von besonderem Interesse ist: Dort ist Λ positiv, weil dadurch negativer Druck und abstoßende Gravitation entsteht. Ein negativer Wert für Λ ergibt gewöhnliche, anziehend wirkende Gravitation. Noch etwas: Da der auf die kosmologische Konstante zurückgehende Druck gleichförmig ist, übt dieser Druck keine direkte Kraft aus: Nur Druckunterschiede, wie Sie sie spüren, wenn Sie tauchen, führen zu einer druckbedingten Kraft. Stattdessen ist die Kraft, die von der kosmologischen Konstanten ausgeübt wird, eine reine Gravitationskraft.

9 Die uns vertrauten Magneten haben immer sowohl einen Nord- als auch einen Südpol. Dagegen legen große vereinheitlichte Theorien die Existenz von Teilchen nahe, die wie reine magnetische Nord- oder wie reine magnetische Südpole sind. Solche Teilchen heißen Monopole und könnten von großer Bedeutung für das Standardmodell der Urknallkosmologie sein. Allerdings sind sie noch nicht beobachtet worden.

10 Die Erkenntnis von Guth und Tye, dass ein unterkühltes Higgs-Feld wie eine kosmologische Konstante wirken würde, hatten schon zuvor Martinus Veltman und andere gewonnen. Tye hat mir sogar einmal erzählt, nur wegen des Seitenlimits in den *Physical Review Letters,* bei denen Guth und er ihren Artikel einreichten, hätten sie einen ursprünglich vorgesehenen Schlusssatz wieder gestrichen, in dem sie erklärt hatten, ihr Modell enthalte eine Periode exponenziellen Wachstums. Tye weist aber auch darauf hin, Guths Verdienst sei es gewesen, die wichtigen kosmologischen Konsequenzen einer Periode exponenzieller Expansion erkannt (wir kommen an späterer Stelle dieses Kapitels und im nächsten Kapitel noch darauf zu sprechen) und auf diese Weise die Inflation in den Vordergrund des kosmologischen Interesses gerückt zu haben.
Auf den manchmal verschlungenen Wegen der Entdeckungsgeschichte hatte der russische Physiker Alexei Starobinsky einige Jahre zuvor eine andere Möglichkeit gefunden, eine Expansion jener Art zu erzeugen, die wir heute inflationär nennen. Diese Arbeit hatte er in einem Artikel beschrieben, der westlichen Wissenschaftlern kaum zur Kenntnis gelangt ist. Allerdings wies Starobinsky nicht darauf hin, dass eine solche Periode rascher Expansion einige kosmologische Schlüsselprobleme lösen würde (etwa das Horizont- und das Flachheitsproblem, mit dem wir uns in Kürze beschäftigen werden), was teilweise erklärt, warum seine Arbeit nicht so begeistert aufgenommen wurde wie Guths. 1981 entwickelte auch der japanische Physiker Katsuhiko Sato eine Version der inflationären Kosmologie. Sogar noch etwas früher (1978) waren die russischen Physiker Gennady Chibisov and Andrei Linde auf das Inflationskonzept gestoßen, hatten aber bei eingehender Untersuchung festgestellt, dass es an einem entscheidenden Problem krankte (vgl. Anmerkung 12), und ihre Arbeit deshalb nicht veröffentlicht.
Für den mathematisch interessierten Leser sei angemerkt, dass der Grund für die Entstehung der beschleunigten Expansion nicht schwer zu erkennen ist. Eine von Einsteins Gleichungen ist $(1/a)(d^2a/dt^2) = -4\pi/3(\rho + 3p)$, wobei a, ρ und p für den Skalenfaktor (die »Größe«) des Universums, die Energiedichte beziehungsweise die Druckdichte stehen. Wenn die rechte Seite dieser Gleichung positiv ist, wächst der Skalenfaktor beschleunigt an: Die Wachstumsrate des Universums nimmt mit der Zeit zu. Bei einem Higgs-Feld, das auf einem Plateau thront, ist die Druckdichte gleich minus seiner Energiedichte (was auch für eine kosmologische Konstante gilt), daher ist die rechte Seite tatsächlich positiv.

11 Physikalisch gesehen, steckt hinter diesen Quantensprüngen die Unschärferelation, von der in Kapitel 4 die Rede war. In Kapitel 11 und 12 werden wir uns ausführlich mit der Anwendung der Unschärferelation auf Felder beschäftigen, hier sei nur Folgendes angemerkt: Der Wert eines Feldes an einem gegebenen Punkt im Raum und die Veränderungsrate des Feldwerts an diesem Punkt spielen für Felder die gleiche Rolle wie Ort und Geschwindigkeit (Impuls) für Teilchen. Wie wir bei einem Teilchen nie seinen genauen Ort und seine genaue Geschwindigkeit in Erfahrung bringen können, kann ein Feld an einem beliebigen Punkt im Raum nicht zugleich einen festgelegten Wert und eine festgelegte Veränderungsrate dieses Wertes haben. Je genauer der Wert des Feldes zu einem gegebenen Zeitpunkt bekannt ist, desto ungewisser ist die Veränderungsrate des Wertes – das heißt, desto wahrscheinlicher ist es, dass sich der Wert des Feldes einen Augenblick später verändern wird. Eine derartige, durch die Quantenunschärfe hervorgerufene Veränderung meine ich, wenn ich von Quantensprüngen des Feldwertes spreche.

12 Der Beitrag von Albrecht und Steinhardt war von entscheidender Bedeutung, weil Guths ursprüngliches Modell – das heute *altes Inflationsmodell* heißt – unter einem erheblichen Mangel litt. Wir haben gehört, dass das unterkühlte Higgs-Feld (oder in der

Terminologie, die wir gleich einführen werden, das *Inflaton*-Feld) einen Wert hat, der sich auf dem Plateau seiner Potenzialschüssel befindet, und zwar *gleichförmig* überall im Raum. Während wir also einerseits gesehen haben, wie rasch das unterkühlte Inflaton-Feld auf den niedrigsten Energiewert springen kann, müssen wir uns andererseits fragen, ob dieser quantenmechanisch bedingte Sprung gleichzeitig überall im Raum stattfinden würde. Und die Antwort ist Nein. Tatsächlich findet nach Guths Darstellung der Rückgang des Inflaton-Feldes auf einen Energiewert von null mittels einer Art Blasenbildung statt: Das Inflaton fällt an einem Punkt im Raum auf den Energiewert null, und der löst eine sich nach außen ausbreitende Blase aus, deren Wände sich mit Lichtgeschwindigkeit bewegen. Erreicht die Wand einen Raumbereich, fällt der Energiewert des Inflatons an den Wandpunkten auf null – denselben Wert, den das Inflaton überall im Blaseninneren hat. Guth nahm an, dass viele solche Blasen mit zufälligen Zentren letztlich zu einem Universum verschmelzen würden, dessen Inflaton-Feld überall eine Energie von null hätte. Wie Guth selbst erkannte, lag das Problem jedoch darin, dass der die Blasen umgebende Raum noch immer von einem Inflaton-Feld von nichtverschwindender Energie durchdrungen war und dass daher solche Regionen weiterhin einer raschen inflationären Expansion unterlägen, welche die Blasen auseinander treiben würde. Daher war nicht gewährleistet, dass die wachsenden Blasen einander finden und zu einem großen, homogenen Raum verschmelzen würden. Außerdem vertrat Guth die Ansicht, die Energie des Inflaton-Feldes würde beim Rückgang auf die Energie null nicht verloren gehen, sondern sich in die gewöhnlichen Materieteilchen und Strahlung des Universums verwandeln. Damit dabei ein Modell herauskam, das sich mit den Beobachtungen in Einklang bringen ließ, musste diese Umwandlung allerdings für eine *gleichförmige* Verteilung der Materie und Energie überall im Raum sorgen. Bei dem von Guth vorgeschlagenen Mechanismus sollte sich diese Umwandlung durch die Zusammenstöße von Blasenwänden vollziehen, doch als Guth und Erick Weinberg von der Columbia University sowie Stephen Hawking, Ian Moss und John Steward von der Cambridge University diesen Entwurf durchrechneten, ergab sich eine Materie- und Energieverteilung, die *nicht* gleichförmig war. Guths ursprüngliches Inflationsmodell barg – bei näherem Hinsehen – also erhebliche Probleme.

Die Entdeckungen von Linde einerseits, Albrecht und Steinhardt andererseits – die zu den *neuen Inflationsmodellen* führten – beseitigten diese hartnäckigen Probleme. Bei etwas anders geformter Energieschüssel, wie in Abbildung 10.2 dargestellt, konnte die Inflation auf den Energiewert von null zurückgehen, indem sie vom Energiehügel ins Tal »rollte«, ein allmählicher und gleichmäßiger Prozess, der nicht auf die Quantensprünge des ursprünglichen Vorschlags angewiesen war. Wie ihre Berechnungen zeigten, verlängerte dieser etwas allmählichere Vorgang – dieses Hinabrollen vom Hügel – die inflationäre Ausweitung des Raumes dergestalt, dass eine einzige Blase groß genug anwachsen konnte, um das ganze beobachtbare Universum einzuschließen. Bei diesem Ansatz entfallen also alle Probleme, die durch verschmelzende Blasen hervorgerufen werden. Genauso wichtig: Statt die Energie des Inflaton-Feldes durch Blasenzusammenstöße in gewöhnliche Teilchen und Strahlung umzuwandeln, bewerkstelligt das Inflaton diese Energieumwandlung im gesamten Raum allmählich durch einen reibungsähnlichen Prozess. Während das Feld – gleichförmig überall im Raum – den Energiehügel hinabrollt, gibt es seine Energie ab, indem es sich an vertrauteren Feldern für Teilchen und Strahlung »reibt« (mit ihnen wechselwirkt). Auf diese Weise bewahrte das neue Inflationsmodell alle Vorzüge von Guths Ansatz und beseitigte gleichzeitig das massive Problem, unter dem diese Konzeption litt.

Ungefähr ein Jahr nach dem bedeutenden Fortschritt, den Andrei Linde mit dem neuen Inflationsmodell erzielt hatte, schlug er eine weitere bahnbrechende Verbesserung vor.

Damit die neue Inflation erfolgreich stattfinden kann, sind eine Reihe von Umständen zwingend erforderlich: Die Potenzialschüssel (die Schüssel der potenziellen Energie) muss die richtige Form haben, der Wert des Inflaton-Feldes muss hoch oben in der Schüssel beginnen (und, etwas technischer, der Wert des Inflaton-Feldes muss über einen hinreichend großen Raumbereich gleich sein). Zwar ist es möglich, dass das Universum solche Bedingungen herstellt, dennoch entdeckte Linde eine Möglichkeit, den inflationären Ausbruch durch eine einfache, weniger künstliche Situation hervorzurufen. Linde erkannte nämlich, dass die Inflation auch dann ohne äußeres Zutun stattfinden kann, wenn die Potenzialschüssel eine einfachere Form hat, wie in Abbildung 9.1 (a), und wenn der Anfangswert des Inflaton-Feldes nicht so sorgfältig gewählt wird. Dem liegt folgende Idee zugrunde: Stellen Sie sich die Dinge im sehr frühen Universum »chaotisch« vor – denken Sie sich beispielsweise ein Inflaton-Feld, dessen Wert zufällig von einer Zahl zur anderen hüpfte. An einigen Orten im Raum war der Wert vielleicht klein, an anderen mittel und an wieder anderen hoch. In den Regionen, wo der Feldwert klein oder mittel war, wäre nichts Bemerkenswertes geschehen. Doch wie Linde erkannte, hätten sich höchst interessante Dinge in Regionen ereignet, wo das Inflaton-Feld zufällig einen hohen Wert erreichte (selbst wenn die Region winzig gewesen wäre, bloße 10^{-33} Zentimeter im Durchmesser). Wenn der Wert des Inflaton-Feldes hoch ist – wenn er sich hoch oben in der Potenzialschüssel der Abbildung 9.1 (a) befindet –, setzt eine Art kosmischer Reibung ein: Der Wert des Feldes versucht, den Hügel zu einer geringeren potenziellen Energie hinabzurollen, doch sein hoher Wert trägt zu einer Reibungskraft bei, daher rollt er sehr langsam. So wäre der Wert des Inflaton-Feldes fast konstant und würde (ganz ähnlich wie ein Inflaton hoch auf dem Hügel der potenziellen Energie im neuen Inflationsmodell) einen fast konstanten Beitrag an Energie und Druck leisten. Wie wir mittlerweile zur Genüge wissen, sind diese Bedingungen erforderlich, um einen inflationären Expansionsausbruch zu bewirken. Ohne also auf eine bestimmte Potenzialschüssel und eine bestimmte Konfiguration des Inflaton-Feldes angewiesen zu sein, hätte die chaotische Umgebung des frühen Universums von sich aus die inflationäre Expansion auslösen können. Naheliegenderweise nannte Linde diesen Ansatz *chaotische Inflation*. Viele Physiker halten sie für die überzeugendste Verkörperung des inflationären Paradigmas.

13 Wer mit der Geschichte dieses Themas vertraut ist, wird wissen, dass die Aufregung über Guths Entdeckung damit zu tun hatte, dass sie zentrale kosmologische Probleme löste, etwa das Horizont- und das Flachheitsproblem, wie wir in Kürze beschreiben werden.

14 Sie fragen sich vielleicht, ob das elektroschwache Higgs-Feld oder das große vereinheitlichte Higgs-Feld nicht beides leisten kann – die Rolle zu spielen, die wir in Kapitel 9 beschrieben haben, und zugleich in früherer Zeit, vor Bildung eines Higgs-Ozeans, für die inflationäre Expansion verantwortlich gewesen zu sein. Modelle dieser Art sind vorgeschlagen worden, leiden aber in der Regel unter technischen Problemen. Die überzeugendsten Entwürfe der inflationären Expansion übertragen einem neuen Higgs-Feld die Rolle des Inflatons.

15 Vgl. die Anmerkung 12 dieses Kapitels.

16 Beispielsweise können Sie sich unseren Horizont als eine riesige, imaginäre Kugel denken. Wir befinden uns im Mittelpunkt, und die Kugel scheidet die Dinge, mit denen wir seit dem Urknall hätten kommunizieren können (die Dinge innerhalb der Kugel), von den Dingen, mit denen wir in dieser Zeit nicht hätten kommunizieren können (den Dingen außerhalb der Kugel). Heute beträgt der Radius unserer »Horizontkugel« ungefähr vierzehn Milliarden Lichtjahre; zu einem frühen Zeitpunkt in der Geschichte des Uni-

versums war der Radius viel kleiner, weil dem Licht weniger Zeit für seine Ausbreitung zur Verfügung stand. Vgl. auch Anmerkung 10, Kapitel 8.

17 Das ist zwar im Wesentlichen der Ansatz, durch den die inflationäre Kosmologie das Horizontproblem löst, doch möchte ich, um Verwirrung zu vermeiden, noch auf ein entscheidendes Element der Lösung hinweisen. Wenn Sie an einem dunklen Abend mit einem Freund auf einem großen Feld stehen und fröhlich Lichtsignale austauschen, indem Sie Ihre Taschenlampen ein- und ausschalten, können Sie noch so weit in entgegengesetzte Richtungen laufen, Sie werden *immer* in der Lage sein, auch weiterhin Lichtsignale auszutauschen. Warum? Ganz einfach: Um zu verhindern, dass die Lichtsignale Ihres Freundes Sie erreichen, müssten Sie sich schneller als das Licht voneinander entfernen, und das ist unmöglich. Wie konnten dann aber Raumregionen in der Frühgeschichte des Universums Lichtsignale austauschen (und daher beispielsweise gleiche Temperaturen annehmen), die sich jetzt aber außer Reichweite voneinander befinden, so dass sie nicht mehr in der Lage sind, miteinander zu kommunizieren? Wie aus dem Taschenlampenbeispiel hervorgeht, müssen sie sich rascher als mit Lichtgeschwindigkeit auseinander bewegt haben. Tatsächlich hat der kolossale nach außen gerichtete Druck der abstoßenden Gravitation während der inflationären Phase jede Raumregion von jeder anderen weit schneller als mit Lichtgeschwindigkeit entfernt. Wie oben gezeigt, steht das nicht im Widerspruch zur speziellen Relativitätstheorie, da die Geschwindigkeitsbegrenzung, die durch das Licht gesetzt wird, eine Bewegung durch den Raum betrifft, keine Bewegung, die durch die Aufblähung des Raums zustande kommt. Eine neue und wichtige Eigenschaft der Inflationsmodelle ist also eine kurze Periode, in der eine überlichtschnelle Expansion des Raums stattfand.

18 Es sei angemerkt, dass der Zahlenwert der kritischen Dichte abnimmt, während das Universum expandiert. Doch wenn die konkrete Masse/Energie-Dichte des Universums zu einem gegebenen Zeitpunkt gleich der kritischen Dichte ist, dann, und das ist entscheidend, nimmt sie genauso ab wie der kritische Dichtewert, so dass die Übereinstimmung mit der kritischen Dichte zu allen Zeiten bestehen bleibt.

19 Für den mathematisch interessierten Leser sei angemerkt, dass während der inflationären Phase die Größe unseres kosmischen Horizonts unverändert blieb, während der Raum außerordentlich anschwoll (wie sich leicht erkennen lässt, indem man für den Skalenfaktor in Anmerkung 10, Kapitel 8, eine exponentielle Form wählt). Das ist gemeint, wenn davon die Rede ist, dass unser beobachtbares Universum im theoretischen Rahmen der inflationären Kosmologie ein winziger Fleck in einem riesigen Kosmos ist.

20 R. Preston, *First Light: The Search for the Edge of the Universe,* New York 1996, S. 118.

21 Als ausgezeichnete und allgemein verständliche Darstellung der dunklen Materie vgl. L. Krauss, *Quintessence: The Mystery of Missing Mass in the Universe*, New York 2000.

22 Dem kundigen Leser dürfte aufgefallen sein, dass ich hier nicht zwischen den einzelnen Problemen dunkler Materie unterscheide, die sich auf verschiedenen Beobachtungsskalen (der galaktischen, der kosmischen) ergeben, da ich nur am Beitrag der dunklen Materie zur kosmischen Massendichte interessiert bin.

23 Tatsächlich ist gegenwärtig noch umstritten, ob dieser Mechanismus wirklich allen Typ-Ia-Supernovä zugrunde liegt (ich danke D. Spergel für diesen Hinweis), doch dass all diese Ereignisse in gleicher Weise ablaufen – der entscheidende Aspekt für unsere Überlegungen –, ist durch viele Beobachtungen zur Genüge belegt.

24 Interessanterweise haben Jahre vor den Supernova-Ergebnissen hellsichtige theoretische Arbeiten von Jim Peebles an der Princeton University, Lawrence Krauss an der

Case Western, Michael Turner von der University of Chicago und Gary Steigman von der Ohio State darauf schließen lassen, dass das Universum eine kleine, nichtverschwindende kosmologische Konstante besitzt. Damals nahmen die meisten Physiker diese Hypothese nicht allzu ernst, heute hat sich diese Einstellung allerdings angesichts der Supernova-Daten gründlich gewandelt. Wie wir ferner am Anfang des Kapitels sahen, kann die nach außen gerichtete Kraft einer kosmologischen Konstanten von einem Higgs-Feld nachgeahmt werden, das, wie der Frosch auf dem Plateau, oberhalb seiner minimalen Energiekonfiguration verharrt. Obwohl sich eine kosmologische Konstante gut mit den Daten verträgt, sollte es deshalb richtiger heißen, dass die Forscher zu dem Schluss gelangten, der Raum müsse mit etwas Ähnlichem *wie* einer kosmologischen Konstanten gefüllt sein, das einen nach außen wirkenden Druck produziere. (Es gibt Möglichkeiten, ein Higgs-Feld dazu zu bringen, einen lang anhaltenden Druck nach außen zu erzeugen, im Gegensatz zu dem kurzen Expansionsausbruch in den frühen Augenblicken der inflationären Kosmologie. Das werden wir in Kapitel 14 erörtern, wenn wir uns mit der Frage beschäftigen, ob zur Klärung der Daten tatsächlich eine kosmologische Konstante nötig ist oder ob ein Gebilde mit ähnlicher Gravitationswirkung in die Bresche springen könnte.) Häufig verwenden die Forscher die Bezeichnung »dunkle Energie« als Sammelbegriff für einen Bestandteil des Universums, der für das Auge unsichtbar ist, aber jede Raumregion veranlasst, auf jede andere Druck und nicht Anziehung auszuüben.

25 Dunkle Energie ist mit Abstand der Favorit unter den Erklärungen für die beobachtete beschleunigte Expansion, doch es sind auch andere Theorien vorgeschlagen worden. Beispielsweise haben einige Forscher die Hypothese aufgestellt, die Daten ließen sich erklären, wenn die Gravitationskraft bei extrem großen – kosmologischen – Abständen von der üblichen, durch die Newtonsche und Einsteinsche Physik vorhergesagten Stärke abwiche. Andere sind noch nicht davon überzeugt, dass die Daten tatsächlich auf kosmische Beschleunigung schließen lassen, und warten ab, bis genauere Messungen durchgeführt worden sind. Man sollte diese Alternativvorschläge im Gedächtnis behalten, vor allem, falls künftige Beobachtungsergebnisse die gegenwärtigen Erklärungen in Frage stellen. Zum gegenwärtigen Zeitpunkt ist man sich indes weitgehend einig, dass die im Haupttext dargelegten theoretischen Erklärungen am überzeugendsten sind.

Kapitel 11

1 Zu den ersten Forschern, die Anfang der achtziger Jahre untersuchten, wie Quantenfluktuationen Inhomogenitäten hervorrufen könnten, gehörten Stephen Hawking, Alexei Starobinsky, Alan Guth, So-Young Pi, James Bardeen, Paul Steinhardt, Michael Turner, Viatcheslav Mukhanov und Gennady Chibisov.

2 Auch nach der Lektüre des Haupttextes wird Ihnen vielleicht noch unklar sein, wie die winzigen Mengen an Masse/Energie in einem Inflaton-Klümpchen die gewaltige Menge an Masse/Energie hervorbringen können, die sich im gesamten beobachtbaren Universum manifestiert. Warum ist am Ende mehr Masse/Energie vorhanden als am Anfang? Ganz einfach: Wie im Haupttext erklärt, »zweigt« das Inflaton-Feld kraft seines negativen Drucks Energie von der Gravitation ab. Das heißt, die Energie im Inflaton-Feld nimmt zu, während die Energie des Gravitationsfeldes abnimmt. Das besondere Merkmal des Gravitationsfeldes, das seit Newtons Zeit bekannt ist, liegt darin, dass seine Energie beliebig negativ werden kann. Die Gravitation ist also wie eine Bank, die bereit

ist, unbegrenzte Geldbeträge zu verleihen: Die Gravitation verkörpert einen grenzenlosen Energievorrat, den das Inflaton-Feld während der Expansion des Raumes anzapft. Die besondere Masse und Größe des ursprünglichen Klümpchens, das von dem gleichförmigen Inflaton-Feld erfüllt ist, hängt davon ab, welche Einzelheiten das untersuchte Modell der inflationären Kosmologie aufweist (wobei besonders wichtig ist, wie die Potenzialschüssel des Inflaton-Feldes im Einzelnen aussieht). Im Text bin ich davon ausgegangen, dass die Energiedichte des ursprünglichen Inflaton-Feldes rund 10^{82} Gramm pro Kubikzentimeter betrug, so dass ein Volumen von $(10^{-26}$ Zentimetern$)^3 = 10^{-78}$ Kubikzentimetern eine Gesamtmasse von rund 10 Kilogramm hätte. Diese Werte sind typisch für eine ziemlich konventionelle Klasse von Inflationsmodellen, sollen Ihnen aber nur eine ungefähre Vorstellung von den Zahlenwerten vermitteln. Damit Sie einen Eindruck von der ganzen Bandbreite der Möglichkeiten bekommen, lassen Sie mich hinzufügen, dass in Andrei Lindes chaotischen Inflationsmodellen (vgl. Anmerkung 11, Kapitel 10) unser beobachtbares Universum aus einem noch kleineren Ausgangsklümpchen hervorgegangen wäre. Mit einem Durchmesser von 10^{-33} Zentimeter (der so genannten Planck-Länge) und einer noch höheren Energiedichte von rund 10^{94} Gramm pro Kubikzentimeter hätte das Klümpchen es auf die Gesamtmasse von etwa 10^{-5} Gramm (die so genannte Planck-Masse) gebracht. In diesen Versionen der Inflationstheorie hätte das Ausgangsklümpchen ungefähr so viel gewogen wie ein Staubkorn.

3 Vgl. Paul Davies, »Inflation and Time Asymmetry in the Universe«, in: *Nature,* Bd. 301, S. 398; Don Page, »Inflation Does Not Explain Time Asymmetry«, in: *Nature,* Bd. 304, S. 39; und Paul Davies, »Inflation in the Universe and Time Asymmetry«, in: *Nature,* Bd. 312, S. 524.

4 Um den wesentlichen Punkt zu erklären, bietet es sich an, die Entropie in einen Teil, der auf Raumzeit und Gravitation entfällt, und einen Teil, der auf alles andere zurückgeht, aufzugliedern, weil dadurch intuitiv die wichtigsten Ideen erfasst werden. Allerdings ist darauf hinzuweisen, dass es sich als äußerst schwierig erweist, ein strenges mathematisches Verfahren zu finden, um den Gravitationsbeitrag zur Entropie zu identifizieren, von den anderen Beiträgen zu trennen und sauber darüber Buch zu führen. Das beeinträchtigt jedoch die qualitativen Schlussfolgerungen nicht, zu denen wir gelangen. Falls Sie das stört, können Sie sich vielleicht damit trösten, dass die ganze Argumentation weitgehend ohne Rückgriff auf die Gravitationsentropie vorgetragen werden kann. Wie in Kapitel 6 dargelegt, stürzt Materie unter dem Einfluss gewöhnlicher, anziehender Gravitation zu Klumpen zusammen. Dabei wandelt die Materie potenzielle Gravitationsenergie in Bewegungsenergie um. Diese wird anschließend ihrerseits teilweise in Strahlung umgewandelt, die von dem Klumpen emittiert wird. Das ist eine Entropie steigernde Ereignisfolge (größere durchschnittliche Teilchengeschwindigkeiten erhöhen das relevante Phasenraumvolumen; die Strahlungserzeugung durch Wechselwirkungen erhöht die Gesamtzahl der Teilchen – zwei Vorgänge, die beide die Gesamtentropie anwachsen lassen). Insofern lässt sich das, was wir im Text als *Gravitationsentropie* bezeichnen, auch umformulieren als *Materie-Entropie, die durch die Gravitationskraft erzeugt wird.* Wenn wir sagen, die Gravitationsentropie sei niedrig, meinen wir damit, dass die Gravitationskraft die Möglichkeit besitzt, durch Materieklumpung eine beträchtliche zusätzliche Entropiemenge zu erzeugen. Wird ein solches Entropiepotenzial realisiert, dann erzeugen die Materieklumpen ein nicht gleichförmiges, nicht homogenes Gravitationsfeld – Verzerrungen und Kräuselungen in der Raumzeit, die, wie im Text beschrieben, höhere Entropie besitzen. Doch wie diese Überlegungen zeigen, können wir wirklich von der Vorstellung ausgehen, dass die klumpige Materie (und die dabei erzeugte Strahlung) eine höhere Entropie besitzt (als gleichförmig verteilte Materie).

Das ist gut so, denn der kundige Leser wird wissen, dass es, wenn wir ein klassisches Hintergrund-Gravitationsfeld (eine klassische Raumzeit) als kohärenten Gravitonenzustand ansehen, sich um einen im Wesentlichen einzigartigen Zustand handelt, der folglich geringe Entropie besitzt. Nur wenn man die Zustände mit einem gröberen Raster einteilt, lässt sich eine Entropie zuweisen. Aber das ist, wie diese Anmerkung zeigt, nicht unbedingt notwendig. Würde die Materie dagegen hinreichend klumpen, um Schwarze Löcher zu bilden, wäre eine direkte und zweifelsfreie Entropiezuweisung möglich: Die Fläche des Ereignishorizontes eines Schwarzen Lochs ist (wie in Kapitel 16 erklärt werden wird) ein Maß für die Entropie eines solchen kosmischen Objekts. Diese Entropie lässt sich eindeutig als Gravitationsentropie bezeichnen.

5 Wie ein Ei sowohl die Möglichkeit hat zu zerbrechen als auch, aus den zerbrochenen Stücken der Eierschale als unversehrtes Ei wieder aufzuerstehen, können quantenmechanisch bedingte Fluktuationen entweder (wie beschrieben) zu größeren Inhomogenitäten anwachsen, oder es können sich hinreichend korrelierte Inhomogenitäten ausbilden, die ein solches Wachstum unterdrücken. Der inflationäre Beitrag zur Lösung des Zeitpfeil-Problems benötigt deswegen Anfangsfluktuationen, die hinreichend unkorreliert sind. Wenn wir die Dinge abermals aus einer Boltzmann-Perspektive betrachten, wird sich aber unter all den Fluktuationen, die geeignete Bedingungen für eine Inflation schaffen, früher oder später eine Fluktuation befinden, die auch diese besondere Bedingung erfüllt und die Entwicklung jenes Universums ermöglicht, das wir kennen.

6 Einige Physiker würden behaupten, die Lage sei günstiger, als ich sie geschildert habe. Beispielsweise vertritt Andrei Linde die Auffassung, bei der chaotischen Inflation (vgl. Anmerkung 11, Kapitel 10) sei das beobachtbare Universum aus einem Klümpchen von Planck-Größe hervorgegangen, das ein Inflaton-Feld mit einer Energiedichte auf Planck-Skala enthalten habe. Nach dieser Auffassung war bei bestimmten Annahmen die Entropie eines *gleichförmigen* Inflaton-Feldes in solch einem winzigen Klümpchen ungefähr gleich der Entropie einer beliebigen anderen Konfiguration des Inflaton-Feldes. Daher seien die Bedingungen für die Erzeugung der Inflation gar nicht so speziell. Die Entropie des Klümpchens von Planck-Größe war gering, aber durchaus im Bereich der *Möglichkeiten*, die ein Klümpchen von dieser Größe hat. Blitzartig schuf der anschließende inflationäre Ausbruch ein riesiges Universum mit einer extrem viel höheren Entropie – das aber durch seine glatte, gleichförmige Materieverteilung ebenfalls noch weit von der Entropie entfernt war, die es hätte haben können. Der Zeitpfeil zeigt in die Richtung, in der sich diese Entropielücke verringert.

Obwohl ich dieser optimistischen Auffassung zuneige, halte ich Vorsicht für angebracht, solange wir keinen klareren Begriff von den physikalischen Voraussetzungen der Inflation haben. Beispielsweise wird der kundige Leser bemerkt haben, dass dieser Ansatz von günstigen, aber unbegründeten Annahmen über hochenergetische (jenseits der Planck-Masse) Feldmoden ausgeht – Moden, die das Einsetzen der Inflation beeinflussen und eine entscheidende Rolle für die Strukturbildung spielen können.

Kapitel 12

1 Das Indiz, an das ich denke, beruht auf der Tatsache, dass die Stärken aller drei nichtgravitativen Kräfte von der Energie und Temperatur der Umgebung abhängen, in denen sie wirken. Bei niedrigen Energien und Temperaturen, wie etwa denen unserer alltäglichen Umgebung, sind die Stärken aller drei Kräfte verschieden. Aber es gibt indirekte theoretische und experimentelle Hinweise darauf, dass bei sehr hohen Tempe-

raturen, wie sie in den frühesten Augenblicken des Universums herrschten, die Stärken aller drei Kräfte konvergieren, was, wenn auch indirekt, darauf hindeutet, dass alle drei Kräfte im Grunde eine Einheit bilden und nur bei niedrigen Energien und Temperaturen getrennt erscheinen. Zu einer eingehenderen Erörterung vgl. *Das elegante Universum. Superstrings, verborgene Dimensionen und die Suche nach der Weltformel*, Berlin 2000, Kapitel 7.

2 Sobald wir wissen, dass ein Feld, wie eines der bekannten Kraftfelder, Bestandteil des Kosmos ist, können wir davon ausgehen, dass es überall existiert – dass es in den Stoff des Kosmos hineingewebt ist. Wir können das Feld so wenig heraustrennen, wie wir den Raum selbst heraustrennen können. Die größte Annäherung an die Beseitigung des Feldes können wir daher erreichen, indem wir es veranlassen, einen Wert anzunehmen, der seine Energie minimiert. Bei Kraftfeldern wie dem der elektromagnetischen Kraft ist dieser Wert, wie im Text dargelegt, null. Bei Feldern wie dem Inflaton-Feld oder dem Higgs-Feld des Standardmodells (das wir hier aus Gründen der Einfachheit nicht betrachten) kann dieser Wert eine Zahl ungleich null werden, die, wie in den Kapiteln 9 und 10 erörtert, davon abhängt, welche Form die potenzielle Energie des Feldes im Einzelnen hat. Um die Erörterung nicht unnötig zu komplizieren, behandeln wir, wie im Text erwähnt, explizit nur Quantenfluktuationen von Feldern, die ihren niedrigsten Energiezustand erreichen, wenn ihr Wert null ist. Fluktuationen, die mit Higgs- oder Inflaton-Feldern assoziiert sind, ändern nichts an unseren Schlussfolgerungen.

3 Für den mathematisch interessierten Leser sei angemerkt, dass nach der Unschärferelation Energiefluktuationen umgekehrt proportional zum zeitlichen Auflösungsvermögen unserer Messungen sind, das heißt je feiner die Zeitauflösung, mit der wir die Energie eines Feldes untersuchen, desto stärker sind die Schwankungen des Feldes.

4 In diesem Experiment verifizierte Lamoreaux die Eigenschaft der Casimir-Kraft in einer modifizierten Versuchsanordnung, die sich die Anziehung zwischen einer kugelförmigen Linse und einer Quarzplatte zunutze machte. In jüngerer Zeit haben Gianni Carugno, Roberto Onofrio und ihre Kollegen an der Universität von Padua das schwierigere Experiment in Casimirs ursprünglicher Anordnung durchgeführt, also mit zwei parallelen Platten. (Die Platten vollkommen parallel zu halten, stellt hohe Anforderungen an die Experimentatoren.) Bisher haben sie Casimirs Vorhersagen mit einer Genauigkeit von ± 15 Prozent bestätigt.

5 In der Rückschau zeigt sich auch, dass die Quantenphysiker, hätte Einstein nicht 1917 die kosmologische Konstante eingeführt, einige Jahrzehnte später ihre eigene Version vorgeschlagen hätten. Wie geschildert, war die kosmologische Konstante eine Energie, von der Einstein meinte, sie durchdringe den gesamten Raum, über deren Ursprung er jedoch keine Angaben machte – so wenig wie die modernen Fürsprecher der kosmologischen Konstante. Heute ist klar, dass die Quantenphysik den leeren Raum mit fluktuierenden Feldern durchdringt und dass die daraus resultierenden Turbulenzen ihn mit einer Energie füllen, die wir dank Casimirs Entdeckung direkt beobachten können. Zu den wichtigsten Aufgaben, vor denen die theoretische Physik gegenwärtig steht, gehört der Nachweis, dass der Beitrag aller Feldfluktuationen eine Gesamtenergie des leeren Raums ergibt – einen Gesamtwert der kosmologischen Konstanten –, der sich in den Grenzen der Supernova-Beobachtungen (vgl. Kapitel 10) bewegt. Bislang war dazu noch niemand in der Lage; wie sich herausgestellt hat, lässt sich mit unseren heutigen Methoden keine genaue Analyse durchführen. Näherungsrechnungen sind zu Resultaten gelangt, welche den beobachteten Wert himmelweit übertreffen, was darauf schließen lässt, dass die Näherungen *völlig falsch* liegen. Den Wert der kos-

mologischen Konstanten zu erklären (ob er null ist, wie man lange glaubte, oder klein und nichtverschwindend, wie durch die Inflation und die Supernova-Daten nahe gelegt wird), gilt als eine der wichtigsten ungelösten Aufgaben in der theoretischen Physik.

6 In diesem Abschnitt beschreibe ich eine Möglichkeit, den Konflikt zwischen allgemeiner Relativitätstheorie und Quantenmechanik zu betrachten. Angesichts unserer Absicht, die wahre Natur von Raum und Zeit zu ergründen, sollte ich allerdings anmerken, dass noch andere, nicht ganz so offenkundige, aber potenziell wichtige Probleme durch den Versuch aufgeworfen werden, die allgemeine Relativitätstheorie und die Quantenmechanik miteinander zu verschmelzen. Ein besonders interessantes Problem entsteht, wenn man die einfache Anwendung des Verfahrens, zu klassischen nichtgravitativen Theorien (etwa Maxwells Elektrodynamik) entsprechende Quantentheorien zu finden, auf die klassische allgemeine Relativitätstheorie ausdehnt (was beispielsweise Bryce DeWitt in dem Ansatz gezeigt hat, der jetzt Wheeler-DeWitt-Gleichung heißt). Wie sich herausstellt, taucht in der sich ergebenden zentralen Gleichung die Zeitvariable nicht mehr auf. Statt über eine explizite mathematische Verkörperung der Zeit zu verfügen – wie es in jeder anderen fundamentalen Theorie der Fall ist –, müssen wir in diesem Ansatz zur Quantisierung der Gravitation die zeitliche Entwicklung anhand einer physikalischen Eigenschaft des Universums verfolgen (zum Beispiel seiner Dichte), von der wir erwarten, dass sie sich regelmäßig verändert. Bislang weiß niemand, ob dieses Verfahren zur Quantelung der Gravitation angemessen ist (obwohl unlängst in einem Ableger dieses Formalismus, der *Schleifen-Quantengravitation,* große Fortschritte erzielt worden sind; vgl. Kapitel 16), daher ist unklar, ob das Fehlen einer expliziten Zeitvariablen auf einen tieferen Sachverhalt verweist (Zeit als emergentes Konzept?) oder nicht. In diesem Kapitel konzentrieren wir uns auf einen anderen Ansatz zur Verschmelzung von allgemeiner Relativitätstheorie und Quantenmechanik, die *Superstringtheorie.*

7 Es ist etwas irreführend, vom »Mittelpunkt« eines Schwarzen Lochs zu sprechen, als wäre er ein Ort im Raum. Denn wenn man, einfach ausgedrückt,den Ereignishorizont eines Schwarzen Lochs durchquert – seinen äußeren Rand –, werden die Rollen von Raum und Zeit ausgetauscht. So, wie Sie nicht verhindern können, von einer Sekunde zur nächsten fortzuschreiten, können Sie nicht verhindern, in den »Mittelpunkt« des Schwarzen Lochs gezogen zu werden, sobald Sie den Ereignishorizont überschritten haben. Wie sich herausstellt, wird diese Analogie zwischen dem Fortgerissenwerden in der Zeit und demjenigen zum Mittelpunkt des Schwarzen Lochs hin durch die mathematische Beschreibung Schwarzer Löcher nachdrücklich bestätigt. Statt uns also den Mittelpunkt eines Schwarzen Lochs als Ort im Raum vorzustellen, sollten wir ihn uns besser als Position in der Zeit denken. Da wir im Übrigen nicht über den Mittelpunkt eines Schwarzen Lochs hinausgelangen können, sind Sie möglicherweise versucht, sich diesen als einen Ort in der Raumzeit vorzustellen, an dem die Zeit endet. Das könnte durchaus stimmen. Aber da die Standardgleichungen der allgemeinen Relativitätstheorie unter so extremen Bedingungen gewaltiger Dichte ihre Gültigkeit verlieren, ist unsere Fähigkeit beeinträchtigt, eindeutige Aussagen dieser Art zu machen. Natürlich folgt daraus, dass wir, hätten wir Gleichungen, die in den Tiefen eines Schwarzen Lochs nicht zusammenbrächen, möglicherweise wichtige Einsichten in das Wesen der Zeit gewinnen könnten. Das ist eines der Ziele der Superstringtheorie.

8 Wie in früheren Kapiteln verstehe ich unter »beobachtbares Universum« jenen Teil des Universums, mit dem wir, zumindest im Prinzip, während der Zeit seit dem Urknall hätten kommunizieren können. In einem Universum, das in seiner räumlichen Aus-

dehnung unendlich ist, schrumpft, wie in Kapitel 8 erläutert, *nicht* der ganze Raum im Augenblick des Urknalls in einem einzigen Punkt zusammen. Zwar wird im beobachtbaren Teil des Universums alles auf immer kleinerem Raum zusammengepresst, während wir dem Anfang entgegeneilen; doch so schwer es vorstellbar ist, da gibt es Dinge – unendlich weit entfernte Dinge –, die ewig von uns getrennt bleiben, obwohl die Dichte von Materie und Energie immer größer wird.

9 Leonard Susskind in: »The Elegant Universe«, *NOVA,* dreistündige PBS-Sendung, erstmals am 28. Oktober und 4. November 2003 ausgestrahlt.

10 Tatsächlich hat sich die Schwierigkeit, Möglichkeiten zur experimentellen Überprüfung der Superstringtheorie zu finden, als ein erhebliches Hindernis erwiesen, das sich sehr negativ auf die Akzeptanz der Theorie ausgewirkt hat. Doch wie wir in späteren Kapiteln sehen werden, sind inzwischen erhebliche Fortschritte in dieser Richtung zu verzeichnen; die Stringtheoretiker hoffen zuversichtlich, dass künftige Beschleuniger und weltraumgestützte Experimente zumindest Indizien liefern werden, welche die Theorie stützen – mit Glück vielleicht sogar mehr.

11 Da es im Haupttext nicht ausdrücklich erwähnt wird, sei angemerkt, dass jedes bekannte Teilchen ein *Antiteilchen* hat – ein Teilchen mit der gleichen Masse, aber entgegengesetzten Kraftladungen (wie das umgekehrte Vorzeichen bei der elektrischen Ladung). Das Antiteilchen des Elektrons ist das Positron; das Antiteilchen des *up*-Quarks ist, wen wundert's, das Anti-*up*-Quark und so fort.

12 Wie wir in Kapitel 13 sehen werden, lassen neueste Arbeiten in der Stringtheorie darauf schließen, dass Strings möglicherweise weit größer als die Planck-Länge sind, und das hat eine Reihe potenziell wichtiger Konsequenzen – einschließlich der Möglichkeit, für experimentelle Überprüfbarkeit zu sorgen.

13 Die Existenz von Atomen wurde ursprünglich indirekt begründet (als Erklärung für die besonderen Verhältnisse, in denen sich verschiedene chemische Stoffe kombinieren lassen, und später durch die Brownsche Bewegung); die Existenz der ersten Schwarzen Löcher wurde (zur Befriedigung vieler Physiker) dadurch bestätigt, dass man ihre Wirkung beobachtete – Gas, das von nahen Sternen auf sie zufällt –, ohne sie direkt zu »sehen«.

14 Da ein ruhig schwingender String eine *gewisse* Menge Energie besitzt, könnten Sie sich fragen, wie das Schwingungsmuster eines Strings ein masseloses Teilchen hervorbringen kann. Die Antwort hat abermals mit der Quantenunschärfe zu tun. Egal, wie ruhig ein String ist, aus der Quantenunschärfe folgt, dass er ein gewisses Maß an Turbulenz und Schwankung aufweist. Der seltsame Charakter der Quantenmechanik sorgt dafür, dass die durch die Unschärfe hervorgerufenen Fluktuationen *negative* Energie besitzen. Verbindet man diese mit der positiven Energie aus den ruhigsten der gewöhnlichen Stringschwingungen, ist die Gesamtenergie null.

15 Für den mathematisch interessierten Leser: Genauer müsste es heißen, dass das *Quadrat* der Massen von String-Schwingungsmoden durch ganzzahlige Vielfache des Quadrats der Planck-Masse gegeben ist. Noch genauer (und wichtig für jüngere Entwicklungen, von denen in Kapitel 13 die Rede sein wird), das Quadrat dieser Massen sind ganzzahlige Vielfache der *Stringskala* (die proportional zum Kehrwert des Quadrats der Stringlänge ist). In konventionellen Formulierungen der Stringtheorie liegen Stringskala und Planck-Masse eng beieinander, weshalb ich der Einfachheit halber im Haupttext nur die Planck-Masse eingeführt habe. In Kapitel 13 werden wir es jedoch mit Situationen zu tun bekommen, in denen die Stringskala sich von der Planckmasse unterscheiden kann.

16 Im Prinzip ist nicht schwer zu verstehen, wie sich die Planck-Länge in Kleins Analyse eingeschmuggelt hat. Allgemeine Relativitätstheorie und Quantenmechanik berufen sich auf drei fundamentale Naturkonstanten: c (die Lichtgeschwindigkeit), G (die grundlegende Stärke der Gravitationskraft) und $\hbar$ (die Planck-Konstante, welche die Größe der Quanteneffekte beschreibt). Diese drei Konstanten lassen sich so kombinieren, dass sie eine Größe von der Dimension einer Länge ergeben: $(\hbar G/c^3)^{1/2}$, die so genannte Planck-Länge. Setzt man die Zahlenwerte der drei Konstanten ein, hat die Planck-Länge einen Wert von ungefähr $1{,}616 \times 10^{-33}$ Zentimetern. Wenn sich also nicht eine dimensionslose Zahl mit einem Wert ergibt, der erheblich von 1 abweicht – etwas, was in einer einfachen, gut formulierten physikalischen Theorie nicht oft geschieht –, können wir erwarten, dass die Planck-Länge die charakteristische Größe von Längen wie etwa der der aufgewickelten räumlichen Dimension ist. Trotzdem schließt dies nicht die Möglichkeit aus, dass Dimensionen auch größer als die Planck-Länge sein können. Im Kapitel 13 werden wir interessante neuere Arbeiten kennen lernen, die sich eingehend mit dieser Möglichkeit auseinander gesetzt haben.

17 Die Einbeziehung eines Teilchens mit der Ladung des Elektrons und seiner relativ winzigen Masse erwies sich als Riesenproblem.

18 Die Bedingungen gleichförmiger Symmetrie, mit deren Hilfe wir in Kapitel 8 die Zahl möglicher Raumformen des Universums eingeengt haben, beruhten auf astronomischen Beobachtungen (wie etwa der Mikrowellen-Hintergrundstrahlung) in den *drei großen Dimensionen*. Diese Symmetriebedingungen haben keine Bedeutung für die Form der sechs winzigen zusätzlichen Raumdimensionen, die es möglicherweise gibt. Die Abbildung 12.9 (a) stützt sich auf eine Grafik von Andrew Hanson.

19 Sie fragen sich vielleicht, ob es möglicherweise nicht nur Extradimensionen des Raumes, sondern auch solche der Zeit gibt. Einige Forscher (beispielsweise Itzhak Bars von der University of Southern California) haben sich mit dieser Frage befasst und gezeigt, dass es zumindest möglich ist, Theorien mit einer zweiten Zeitdimension zu formulieren, die physikalisch sinnvoll erscheinen. Doch ob diese zweite Zeitdimension der gewöhnlichen Zeitdimension wirklich gleichgestellt oder nur ein mathematisches Hilfsmittel ist, konnte nie ganz geklärt werden; allgemein neigt man wohl letzterer Ansicht zu. Im Gegensatz dazu besagt die direkteste Lesart der Stringtheorie, dass die zusätzlichen Raumdimensionen in jeder Hinsicht so real sind wie die drei, die wir kennen.

20 Wie Experten der Stringtheorie (und Lesern, die Kapitel 12 des *Eleganten Universums* kennen) klar sein dürfte, muss es genauer heißen, dass bestimmte Formulierungen der Stringtheorie (von denen in Kapitel 13 die Rede sein wird) Grenzen zulassen, die elf Raumzeitdimensionen umfassen. Es ist noch umstritten, ob man sich die Stringtheorie am besten als einen Ansatz vorstellt, der prinzipiell elf Raumzeitdimensionen besitzt, oder die elfdimensionale Formulierung als einen bestimmten Grenzwert auffasst (bei dem in der Formulierung vom Typ IIA eine große String-Kopplungskonstante gewählt wird), der gleichberechtigt neben anderen Möglichkeiten der Grenzwertbildung steht. Da dieser Unterschied die allgemeinen Überlegungen nicht wesentlich beeinflusst, habe ich mich für erstere Auffassung entschieden, weitgehend aus sprachlichen Gründen, da es die Darstellung erleichtert, wenn von einer festen und einheitlichen Dimensionenzahl die Rede ist.

Kapitel 13

1 Für den mathematisch interessierten Leser: Ich spreche hier von *konformer* Symmetrie – Symmetrie unter willkürlichen winkeltreuen Transformationen, die auf dem Raumzeitvolumen gelten, das die vorgeschlagenen fundamentalen Gebilde überstreichen. Strings entsprechen dabei Flächen mit zwei Raumzeitdimensionen, und die Gleichungen der Stringtheorie sind invariant unter der zweidimensionalen konformen Gruppe, die eine *unendlichdimensionale* Symmetriegruppe ist. Im Gegensatz dazu ist bei höherdimensionalen Volumina, die mit entsprechend höherdimensionalen Objekten assoziiert sind, die konforme Gruppe endlichdimensional.

2 Dazu haben viele Physiker wesentliche Beiträge geleistet, und zwar sowohl in Hinblick auf die Grundlagen als auch auf die nachfolgenden Entdeckungen: unter anderem Michael Duff, Paul Howe, Takeo Inami, Kelley Stelle, Eric Bergshoeff, Ergin Sezgin, Paul Townsend, Chris Hull, Chris Pope, John Schwarz, Ashoke Sen, Andrew Strominger, Curtis Callan, Joe Polchinski, Petr Hořava, J. Dai, Robert Leigh, Hermann Nicolai und Bernard de Wit.

3 Tatsächlich besteht, wie in Kapitel 12 des *Eleganten Universums* ausgeführt, eine noch engere Verbindung zwischen der übersehenen zehnten Raumdimension und *p*-Branen. Wenn Sie die zehnte Raumdimension in der Formulierung vom, sagen wir, Typ IIA vergrößern, dehnen sich eindimensionale Strings zu zweidimensionalen Membranen aus, die wie die Oberfläche eines Fahrradschlauchs geformt sind. Nimmt man an, dass die zehnte Dimension sehr klein ist, wie vor diesen Entdeckungen implizit stets geschehen, sehen die Membranen aus wie Strings und verhalten sich auch so. Wie im Falle der Strings bleibt die Frage offen, ob die neu entdeckten Branen unteilbar sind oder aus noch kleineren Konstituenten bestehen. Die Forscher halten es durchaus für möglich, dass mit den bislang in der String/M-Theorie entdeckten Bestandteilen die Suche nach *den* elementaren Bestandteilen des Universums noch nicht zu Ende ist. Vielleicht aber doch. Da die folgenden Ausführungen weitgehend unabhängig von dieser Frage sind, nehmen wir den einfachsten Standpunkt ein und stellen uns vor, dass alle Bestandteile – Strings und Branen der verschiedensten Dimensionen – fundamental sind. Was wird dann aber aus der früheren Überlegung, der zufolge fundamentale höherdimensionale Objekte in einer physikalisch sinnvollen Theorie keinen Platz haben? Nun, diese Überlegung wurzelt in einem anderen quantenmechanischen Näherungsschema – einem Schema, das längst zum Standard gehört und sich vielfach bewährt hat, das jedoch wie jede Näherung seine Grenzen hat. Zwar müssen all die Vertracktheiten noch ausgearbeitet werden, die mit der Eingliederung höherdimensionaler Objekte in eine Quantentheorie verknüpft sind, doch passen diese Bestandteile so vollkommen und schlüssig in alle fünf Stringformulierungen, dass kaum einer der Beteiligten noch glaubt, es könnte zur befürchteten Verletzung der grundlegenden und geheiligten physikalischen Prinzipien kommen.

4 Tatsächlich könnten wir auch auf einer noch höherdimensionalen Bran leben (einer Vier-Bran, einer Fünf-Bran ...), die mit drei ihrer Dimensionen den gewöhnlichen Raum füllt und die darüber hinaus eine Ausdehnung in den zusammengerollten zusätzlichen Dimensionen besitzt, welche die Theorie verlangt.

5 Für den mathematisch interessierten Leser: Stringtheoretiker wissen seit vielen Jahren, dass geschlossene Strings der so genannten T-Dualität gehorchen (wie genauer in Kapitel 16 des vorliegenden Buchs und in Kapitel 10 des *Eleganten Universums* erklärt wird). Im Prinzip läuft die T-Dualität auf folgende Aussage hinaus: Wenn eine Zusatzdimension die Form eines Kreises hat, spielt es in der Stringtheorie keine Rolle, ob der

Kreis den Radius *R* oder 1/*R* besitzt. Strings können sich nämlich um den Kreis bewegen (»Impulsmoden«) und/oder um den Kreis herumwickeln (»Windungsmoden«). Als man *R* durch 1/*R* ersetzte, stellte man fest, dass diese beiden Moden ihre Rollen einfach tauschen, ohne dass sich die allgemeinen physikalischen Eigenschaften der Theorie verändern. Entscheidend für diese Überlegung ist die Bedingung, dass die Strings geschlossen sind, denn wenn sie offen sind, gibt es keine topologisch stabile Art und Weise, in der sie sich um eine kreisförmige Dimension winden können. Daher scheint es auf den ersten Blick, als würden sich offene und geschlossene Strings unter der T-Dualität vollkommen unterschiedlich verhalten. Doch bei genauerem Hinsehen und unter Anwendung der Dirichletschen Randbedingung für offene Strings (das »D« in D-Branen) haben Polchinski, Dai, Leigh sowie Hořava, Green und andere Forscher dieses Rätsel gelöst.

6 In Hypothesen, die bemüht waren, den Rückgriff auf dunkle Materie oder dunkle Energie zu vermeiden, hat man vorgeschlagen, dass sich sogar das allgemein anerkannte Verhalten der Gravitation auf großen Skalen von dem unterscheiden könnte, was Newton oder Einstein annahmen. Auf diese Weise will man die Gravitationseffekte plausibel machen, die sich allein mit der Materie, die wir sehen können, nicht erklären lassen. Bislang sind diese Hypothesen äußerst spekulativ und können sich kaum auf irgendwelche experimentellen oder theoretischen Anhaltspunkte stützen.

7 Diese Idee wurde von den Physikern S. Giddings und S. Thomas sowie S. Dimopoulos und G. Landsberg entwickelt.

8 Dabei ist zu beachten, dass die Kontraktionsphase eines solchen Rückprall-Universums keinesfalls einer umgekehrt verlaufenden Expansionsphase gliche. Physikalische Prozesse wie das Zerbrechen von Eiern oder das Schmelzen von Kerzen würden während der Expansionsphase in der üblichen »Vorwärts-Richtung« der Zeit stattfinden und in der anschließenden Kontraktionsphase ebenfalls. Daher würde die Entropie in beiden Phasen anwachsen.

9 Der kundige Leser wird bemerkt haben, dass sich das zyklische Modell in der Sprache einer vierdimensionalen effektiven Feldtheorie auf einer der Drei-Branen formulieren lässt, und in dieser Form hat es viele Züge mit den Inflationsmodellen gemein, bei denen die treibende Kraft hinter der Ausdehnung von Skalarfeldern geliefert wird. Wenn ich sage, »radikal neuer Mechanismus«, meine ich das Konzept kollidierender Branen, das eine verblüffende neue Denkweise in die Kosmologie einführt.

10 Kommen Sie beim Dimensionenzählen nicht durcheinander. Die beiden Drei-Branen haben, zusammen mit dem Zwischenraum, der sie trennt, vier Dimensionen. Die Zeit erhöht die Zahl auf fünf. Damit bleiben noch sechs weitere für den Calabi-Yau-Raum.

11 Eine wichtige Ausnahme, die am Ende dieses Kapitels erwähnt und eingehender in Kapitel 14 erörtert wird, betrifft die Inhomogenitäten im Gravitationsfeld, die so genannten primordialen Gravitationswellen. In dieser Hinsicht weichen die Inflationsmodelle vom zyklischen Modell ab. Damit bietet sich die Möglichkeit, sie experimentell zu unterscheiden.

12 Laut Quantenmechanik besteht immer eine nichtverschwindende Wahrscheinlichkeit, dass eine Zufallsfluktuation den zyklischen Prozess unterbricht (sich zum Beispiel eine Bran relativ zur anderen krümmt) und auf diese Weise das Modell zum Stillstand bringt. Auch wenn die Wahrscheinlichkeit winzig ist, so wird sich die entsprechende Fluktuation doch irgendwann ereignen, woraus folgt, dass die Zyklen nicht unendlich andauern können.

Kapitel 14

1 A. Einstein, *Vierteljahrschrift für gerichtliche Medizin und öffentliches Sanitätswesen* 44 (1912), S. 37; D. Brill und J. Cohen, *Phys. Rev.*, Bd. 143, Nr. 4 (1966), S. 1011; H. Pfister und K. Braun, *Class. Quantum Grav.* 2 (1985), S. 909.

2 In den vierzig Jahren seit der ursprünglichen Hypothese von Schiff und Pugh sind weitere Tests des Lense-Thirring-Effekts durchgeführt worden. Diese Experimente (unter anderem von Bruno Bertotti, Ignazio Ciufolini und Peter Bender sowie I. I. Shapiro, R. D. Reasenberg, J.F. Chandler und R. W. Babcock) haben die Bewegung von Mond und Erdsatelliten untersucht und überzeugende Hinweise auf Lense-Thirring-Effekte gefunden. Ein großer Vorteil von Gravity Probe B liegt darin, dass es das erste selbstständige Experiment ist, ein Experiment, das vollständig der Kontrolle der Experimentatoren unterliegt und daher die genauesten und direktesten Belege für diesen Effekt liefern müsste.

3 Obwohl die üblichen Bilder vom gekrümmten Raum geeignet sind, einen gewissen Eindruck von Einsteins Entdeckung geben zu können, haben sie den weiteren Nachteil, dass sie die Zeitverzerrung nicht wiedergeben. Das ist wichtig, weil aus der allgemeinen Relativitätstheorie hervorgeht, dass bei einem gewöhnlichen Objekt wie der Sonne, im Gegensatz zu einem extremen Phänomen wie einem Schwarzen Loch, die Zeitverzerrung (je näher Sie der Sonne kommen, desto langsamer gehen Ihre Uhren) weit ausgeprägter ist als die Raumkrümmung. Es ist komplizierter, die Zeitkrümmung grafisch darzustellen, und schwieriger zu vermitteln, wie die Zeitverzerrung zu gekrümmten räumlichen Bahnen, etwa der elliptischen Bahn der Erde um die Sonne, beiträgt, daher beschränkt sich Abbildung 3.10 (und fast jeder andere Versuch zur bildlichen Darstellung der allgemeinen Relativitätstheorie, den ich je zu Gesicht bekommen habe) ausschließlich auf den gekrümmten Raum. Man sollte darüber aber nicht vergessen, dass in vielen gewöhnlichen astrophysikalischen Umgebungen die Zeitverzerrung vorherrschend ist.

4 1974 entdeckten Russell Hulse und Joseph Taylor einen Doppelpulsar — zwei Pulsare (rasch rotierende Neutronensterne), die einander umkreisen. Da sich die Pulsare sehr schnell und in großer Nähe zueinander bewegen, sagt Einsteins allgemeine Relativitätstheorie voraus, dass sie erhebliche Mengen an Gravitationsstrahlung aussenden müssten. Zwar ist es ziemlich schwierig, diese Strahlung direkt zu entdecken, doch nach der allgemeinen Relativitätstheorie sollte sich die Strahlung indirekt offenbaren: Die durch die Strahlung emittierte Energie müsste bewirken, dass die Umlaufzeit der beiden Pulsare allmählich abnimmt. Seit ihrer Entdeckung sind die beiden Pulsare ständig beobachtet worden; ihre Umlaufzeit hat tatsächlich abgenommen – und zwar in einer Weise, die der Vorhersage der allgemeinen Relativitätstheorie mit einer Genauigkeit von eins zu tausend entspricht. Auch ohne dass die emittierte Gravitationsstrahlung direkt nachgewiesen wurde, gibt es also ein überzeugendes Indiz für ihre Existenz. 1993 wurden Hulse und Taylor für ihre Entdeckung mit dem Nobelpreis für Physik geehrt.

5 Vergessen wir allerdings nicht, was wir oben in Anmerkung 4 festgestellt haben.

6 Energetisch betrachtet, sind kosmische Strahlen daher ein natürlicher Beschleuniger, der weit leistungsfähiger ist als alle Anlagen, die wir bisher konstruiert haben oder in absehbarer Zukunft bauen werden. Der Nachteil besteht darin, dass die Teilchen in kosmischen Strahlen zwar außerordentlich hohe Energien aufweisen können, wir aber keine Kontrolle darüber haben, welches mit welchem zusammenstößt – bei den Kollisionen kosmischer Strahlen sind wir passive Beobachter. Außerdem nimmt die Zahl

kosmischer Strahlungsteilchen hin zu höheren Energien rasch ab. Während rund zehn Millionen kosmische Strahlenteilchen mit einer Energie, die der Masse eines Protons entspricht (rund ein Tausendstel der geplanten Kapazität des Large Hadron Collider), jede Sekunde auf jeden Quadratkilometer der Erdoberfläche treffen (und einige wenige auch jede Sekunde Ihren Körper durchqueren), dürfte von den energiereichsten Teilchen (rund 100 Milliarden Mal die Masse eines Protons) nur *eines* alle *hundert Jahre* auf einem gegebenen Quadratkilometer der Erdoberfläche auftreffen. Nicht zuletzt führen Beschleuniger heftige Zusammenstöße von Teilchen herbei, indem sie sie in entgegengesetzte Richtungen auf hohe Geschwindigkeiten beschleunigen und dadurch eine hohe Schwerpunktsenergie erzeugen. Kosmische Teilchen dagegen prallen auf die relativ langsamen Teilchen der Erdatmosphäre. Trotzdem sind diese Nachteile nicht unüberwindlich. Im Laufe der Jahrzehnte haben die Experimentatoren wichtige Erkenntnisse aus der Untersuchung der vielen Daten über niederenergetische kosmische Strahlung gewonnen, und um die Seltenheit von Hochenergiestößen auszugleichen, haben sie riesige Detektorenfelder angelegt, damit so viele Teilchen wie möglich erfasst werden können.

7 Dem fachkundigen Leser dürfte klar sein, dass die Energieerhaltung in einer Theorie mit dynamischer Raumzeit ein heikles Thema ist. Zwar ist der Energie-Impuls-Tensor aller Quellen für die Einstein-Gleichungen kovariant erhalten, doch das lässt sich nicht unbedingt in ein globales Energieerhaltungsgesetz übersetzen. Mit gutem Grund. Der Energie-Impuls-Tensor lässt die Gravitationsenergie unberücksichtigt – letztere ein bekanntermaßen schwieriger Begriff in der allgemeinen Relativitätstheorie. Sind die Abstands- und Zeitskalen klein genug – etwa in Beschleunigerexperimenten –, ist die lokale Energieerhaltung gültig, doch Aussagen über globale Energieerhaltung müssen mit großer Sorgfalt behandelt werden.

8 Das gilt für die einfachsten Inflationsmodelle. Wie man herausgefunden hat, können komplexere Spielarten des Inflationsmodells die Entstehung von Gravitationswellen unterdrücken.

9 Ein überzeugender Kandidat für die dunkle Materie muss ein stabiles oder sehr langlebiges Teilchen sein – eines, das nicht in andere Teilchen zerfällt. Diese Eigenschaft erwartet man von den leichtesten supersymmetrischen Partnerteilchen, daher wäre es richtiger zu sagen, das leichteste Teilchen unter den Zinos, Higgsinos oder Photinos sei ein geeigneter Kandidat für die dunkle Materie.

10 Vor nicht allzu langer Zeit verbreitete eine gemeinsame italienisch-chinesische Forschungsgruppe – das Dark Matter Experiment (DAMA) am Gran-Sasso-Labor in Italien – die sensationelle Nachricht, ihr sei der erste direkte Nachweis von dunkler Materie gelungen. Bislang war jedoch keine andere Gruppe in der Lage, die Behauptung zu bestätigen. Tatsächlich hat ein anderes Team – Cryogenic Dark Matter Search (CDMS) –, das in Stanford arbeitet und Forscher aus den Vereinigten Staaten und Russland umfasst, Daten zusammengetragen, von denen viele glauben, dass sie die DAMA-Ergebnisse mit hoher Wahrscheinlichkeit ausschließen. Neben den genannten Experimenten zur Suche nach dunkler Materie laufen noch viele andere. Über einige können Sie sich auf folgender Website informieren:
http://hepwww.rl.ac.uk/ukdmc/dark_matter/other_searches.html.

Kapitel 15

1 In dieser Aussage sind die Ansätze der versteckten Variablen, wie sie etwa von Bohm vorgeschlagen werden, nicht berücksichtigt. Doch selbst bei solchen Ansätzen müssten wir den Quantenzustand eines Objekts teleportieren, daher würde eine bloße Messung von Ort oder Geschwindigkeit nicht ausreichen.

2 Zu Zeilingers Forschungsgruppe gehörten Dick Bouwmeester, Jian-Wi Pan, Klaus Mattle, Manfred Eibi und Harald Weinfurter, zu De Martinis Team S. Giacomini, G. Milani, F. Sciarrino und E. Lombardi.

3 Für Leser, die mit dem Formalismus der Quantenmechanik vertraut sind, folgen hier die wichtigsten Schritte des Teleportations-Rezepts. Nehmen wir an, der Anfangszustand eines Photons, das ich in New York habe, ist gegeben durch $|\Psi\rangle_1 = \alpha|0\rangle_1 + \beta|1\rangle_1$, wobei $|0\rangle$ und $|1\rangle$ die beiden Polarisationszustände des Photons sind, und die Koeffizienten beliebige Werte annehmen können, solange nur die Normierungsbedingung des Gesamtzustands erfüllt ist. Ich möchte Nicholas so viel Information übermitteln, dass er in London ein Photon mit exakt demselben Quantenzustand produzieren kann. Dazu verschaffen Nicholas und ich uns zunächst ein Paar verschränkter Photonen im Zustand, sagen wir, $|\Psi\rangle_{23} = (1/\sqrt{2})|0_2 0_3\rangle - (1/\sqrt{2})|1_2 1_3\rangle$. Folglich ist der Anfangszustand des Drei-Photonen-Systems $|\Psi\rangle_{123} = (\alpha/\sqrt{2})\{|0_1 0_2 0_3\rangle - |0_1 1_2 1_3\rangle\} + (\beta/\sqrt{2})\{|1_1 0_2 0_3\rangle - |1_1 1_2 1_3\rangle\}$. Wenn ich eine Bell-Zustandsmessung an Photon 1 und 2 vornehme, projiziere ich diesen Teil des Systems auf einen der vier Zustände $|\Phi\rangle_\pm = (1/\ 2)\{|0_1 0_2\rangle \pm |1_1 1_2\rangle\}$ und $|\Omega\rangle_\pm = (1/\sqrt{2})\{|0_1 1_2\rangle \pm |1_1 0_2\rangle\}$. Wenn wir nun den Anfangszustand umformulieren, indem wir diese Basis der Eigenzustände für Teilchen 1 und 2 verwenden, finden wir: $|\Psi\rangle_{123} = 1/2\{|\Phi\rangle_+(\alpha|0_3\rangle - \beta|1_3\rangle) + |\Phi\rangle_-(\alpha|0_3\rangle + \beta|1_3\rangle) + |\Omega\rangle_-(-\alpha|1_3\rangle - \beta|0_3\rangle) + |\Omega\rangle_+(-\alpha|1_3\rangle + \beta|0_3\rangle))\}$. Nachdem ich meine Messung vorgenommen habe, kollabiert das System also zu einem dieser vier Summanden. Sobald ich Nicholas (auf gewöhnlichem Wege) mitgeteilt habe, welchen Summanden ich finde, weiß er, wie er Photon 3 zu manipulieren hat, um den ursprünglichen Zustand von Photon 1 zu reproduzieren. Wenn ich beispielsweise feststelle, dass meine Messung Zustand $|\Phi\rangle_-$ ergibt, braucht Nicholas in Bezug auf Photon 3 nichts zu unternehmen, da es sich, wie oben, bereits im ursprünglichen Zustand von Photon 1 befindet. Wenn ich ein anderes Ergebnis finde, muss Nicholas eine entsprechende Drehung vornehmen (die, wie ersichtlich, von dem Ergebnis diktiert wird, das ich ihm durchgebe), um Photon 3 in den erwünschten Zustand zu versetzen.

4 Dem mathematisch interessierten Leser wird klar sein, dass sich das so genannte *No-Quantum-Cloning-Theorem* (es ist nicht möglich, irgendeinen Quantenzustand zu klonen) leicht beweisen lässt. Nehmen wir an, wir haben einen unitären Klonoperator U, der von jedem beliebigen Inputzustand zwei Kopien als Output erzeugt (*U* bildet ab $|\alpha\rangle \Rightarrow |\alpha\rangle|\alpha\rangle$ für jeden Inputzustand $|\alpha\rangle$). Man beachte, dass *U*, wenn es auf einen Zustand wie $(|\alpha\rangle + |\beta\rangle)$ einwirkt, $(|\alpha\rangle|\alpha\rangle + |\beta\rangle|\beta\rangle)$ ergibt, was keine zweifache Kopie des ursprünglichen Zustands ist, $(|\alpha\rangle + |\beta\rangle)(|\alpha\rangle + |\beta\rangle)$, daher gibt es keinen solchen Operator *U*, der Zustände klonen kann. (Das wurde erstmals Anfang der achtziger Jahre von Wootters und Zurek gezeigt.)

5 Viele Forscher haben sowohl an der Theorie wie an der experimentellen Umsetzung der Quantenteleportation mitgewirkt. Neben denen, die im Text erwähnt werden, spielte Sandu Popescu, während er an der Cambridge University war, mit seiner Arbeit eine wichtige Rolle für die römischen Experimente, während Jeffrey Kimbles Gruppe am California Institute of Technology den Weg für die Teleportation kontinuierlicher Merkmale eines Quantenzustands bereitete – um nur einige wenige Wissenschaftler zu nennen.

6 Zu den außerordentlich interessanten Fortschritten in Hinblick auf Viele-Teilchen-Systeme vgl. beispielsweise B. Julsgaard, A. Kozhekin und E. S. Polzik, »Experimental long-lived entanglement of two macroscopic objects,« in: *Nature* 413 (September 2001), S. 400–403.

7 Ein besonders spannendes und lebhaftes Forschungsfeld, auf dem Quantenverschränkung und Quantenteleportation Verwendung finden, ist die Entwicklung von Quantencomputern. Als allgemeinverständliche Darstellungen dieses Themas vgl. Tom Siegfried, *The Bit and the Pendulum: From Quantum Computing to M Theorie – The New Physics of Information*, New York 2000, und George Johnson, A *Shortcut Through Time: The Path to a Quantum Computer*, New York 2003.

8 Ein Aspekt der Zeitverlangsamung bei wachsender Geschwindigkeit, den wir in Kapitel 3 nicht erörtert haben, der aber in diesem Kapitel eine Rolle spielt, ist das so genannte Zwillingsparadoxon. Es ist einfach zu beschreiben: Wenn Sie und ich uns mit konstanter Geschwindigkeit relativ zueinander bewegen, denke ich, dass Ihre Uhr relativ zu meiner langsam geht. Doch da Sie mit dem gleichen Recht wie ich behaupten dürfen, in Ruhe zu sein, denken Sie, dass meine Uhr die bewegte ist und daher diejenige, die langsamer geht. Dass jeder von uns denkt, die Uhr des anderen gehe langsam, mag paradox erscheinen, ist es aber nicht. Bei konstanter Geschwindigkeit entfernen sich unsere Uhren immer weiter voneinander und lassen daher keinen direkten Vergleich zu, anhand dessen wir entscheiden könnten, welche »wirklich« langsam geht. Alle anderen indirekten Vergleiche (wenn wir beispielsweise die Zeiten auf unseren Uhren per Handy vergleichen) finden zeitverschoben über räumliche Entfernungen statt, womit, wie in Kapitel 3 und 5 erörtert, zwangsläufig die unterschiedlichen Jetzt-Begriffe der Beobachter ins Spiel kommen. Ohne auf die Einzelheiten einzugehen, will ich lediglich feststellen, dass unser beider Aussage, die Uhr des jeweils anderen gehe langsam, keinen Widerspruch darstellt, wenn diese Komplikationen der speziellen Relativitätstheorie in der Untersuchung berücksichtigt werden (vgl. etwa E. Taylor und J. A. Wheeler, *Physik der Raumzeit. Eine Einführung in die spezielle Relativitätstheorie*, Heidelberg 1994, zu einer vollständigen Erörterung auf dem Niveau eines einführenden Fachbuchs). Verwirrender wird die Situation allerdings, wenn Sie beispielsweise Ihr Tempo verlangsamen, anhalten, umdrehen und zu mir zurückkommen, so dass wir unsere Uhren unmittelbar vergleichen können, da wir damit alle Probleme unterschiedlicher Jetzt-Begriffe ausschließen. Wessen Uhr wird bei unserem Treffen der des anderen voraus sein? Das ist das so genannte Zwillingsparadoxon: Wenn Sie und ich Zwillinge sind, haben wir dann bei unserem erneuten Zusammentreffen beide das gleiche Alter oder sieht einer von uns älter aus? Die Antwort lautet, dass meine Uhr der Ihren voraus ist – das heißt, wenn wir Zwillinge sind, sehe ich älter aus. Das lässt sich auf viele Arten erklären, doch die einfachste besagt: Wenn Sie Ihre Geschwindigkeit verändern und eine Beschleunigung erfahren, geht die Symmetrie zwischen unseren Perspektiven verloren – Sie können eindeutig behaupten, dass Sie sich bewegt haben (weil Sie es zum Beispiel *spürten* oder weil Ihre Reise durch die Raumzeit, gemäß den Überlegungen in Kapitel 3, im Gegensatz zu meiner nicht einer geraden Linie folgte) und dass Ihre Uhr folglich langsamer gegangen ist als meine. Für Sie ist weniger Zeit verstrichen als für mich.

9 Neben anderen Forschern hat John Wheeler beschrieben, wie die zentrale Bedeutung von Beobachtern in einem Quantenuniversum aussehen könnte, und diese Auffassung in einem seiner berühmten Aphorismen zusammengefasst: »Kein elementares Phänomen ist ein Phänomen, bis es ein beobachtetes Phänomen geworden ist.« Mehr über Wheelers faszinierendes Leben für die Physik können Sie erfahren bei John Archibald

Wheeler und Kenneth Ford, *Geons, Black Holes, and Quantum Foam: A Life in Physics*, New York 1998. Auch Roger Penrose hat die Beziehung zwischen Quantenphysik und Geist in seinen Büchern *Computerdenken. Die Debatte um künstliche Intelligenz, Bewußtsein und die Gesetze der Physik*, Heidelberg 2002, und *Schatten des Geistes. Wege zu einer neuen Physik des Bewußtseins*, Heidelberg 1995, untersucht.

10 Vgl. beispielsweise: A. Einstein, »Bemerkungen zu den in diesem Bande vereinigten Arbeiten«, in: P. A. Schilpp (Hg.), *Albert Einstein als Philosoph und Naturforscher*, Braunschweig 1979, unveränd. Nachdr. d. Ausg. Stuttgart 1955, S. 510–511.

11 W. J. van Stockum, in *Proc. R. Soc. Edin.* A 57 (1937), S. 135.

12 Der fachkundige Leser wird bemerken, dass ich vereinfache. 1966 hat Robert Geroch, ein Schüler von John Wheeler, gezeigt, dass es zumindest im Prinzip möglich ist, ein Wurmloch zu konstruieren, ohne den Raum aufzureißen. Doch im Gegensatz zu dem intuitiv zugänglicheren Ansatz, bei dem zum Bau von Wurmlöchern der Raum aufgerissen werden muss und die bloße Existenz von Wurmlöchern nicht die Möglichkeit von Zeitreisen beinhaltet, wäre es bei Gerochs Verfahren bereits in der Bauphase selbst nötig, die Zeit so zu verzerren, dass wir in ihr ungehindert vor- und zurückreisen könnten (allerdings nicht weiter zurück als bis zum Baubeginn des Wurmlochs).

13 Wenn Sie, einfach gesagt, fast mit Lichtgeschwindigkeit durch eine Region kämen, die solche exotische Materie enthielte, mehrere Messungen der entdeckten Energiedichte vornähmen und den Durchschnitt dieser Werte errechneten, wäre das Ergebnis negativ. Physiker sagen, dass derartige exotische Materie die gemittelte schwache Energiebedingung verletzt.

14 Die einfachste Spielart exotischer Materie entsteht aus den Vakuumfluktuationen des elektromagnetischen Feldes zwischen den parallelen Platten im Casimir-Experiment, das wir in Kapitel 12 erörtert haben. Berechnungen zeigen, dass die Abnahme der Quantenfluktuationen zwischen den Platten im Verhältnis zum leeren Raum eine im Durchschnitt negative Energiedichte (und einen negativen Druck) hervorruft.

15 Als didaktische Einführung in die Physik der Wurmlöcher, allerdings auf Fachbuchniveau, vgl. Matt Visser, *Lorentzian Wormholes: From Einstein to Hawking*, New York 1996.

Kapitel 16

1 Wie sich der mathematisch interessierte Leser vielleicht erinnert, haben wir in Kapitel 6 die Entropie als den *Logarithmus* der Zahl von Umordnungen (oder Zuständen) definiert. Das ist wichtig, um in diesem Beispiel die richtige Antwort zu finden. Wenn Sie zwei Tupperware-Gefäße miteinander verbinden, lassen sich die verschiedenen Zustände der Luftmoleküle dadurch beschreiben, dass Sie zunächst den Zustand der Luftmoleküle im ersten Gefäß und dann den Zustand derjenigen im zweiten angeben. Daher ist die Zahl der Anordnungen für die vereinigten Gefäße das Quadrat der Zahl von Umordnungen, die für jedes einzelne Gefäß gelten. Nachdem wir den Logarithmus genommen haben, erkennen wir, dass sich die Entropie verdoppelt hat.

2 Ihnen wird klar sein, dass es nicht besonders sinnvoll ist, ein Volumen mit einer Fläche zu vergleichen, da sie unterschiedliche Einheiten haben. Eigentlich wollte ich, wie im Text angedeutet, nur zum Ausdruck bringen, dass das Volumen viel rascher anwächst als der Oberflächeninhalt. Da die Entropie proportional zum Oberflächeninhalt und

nicht zum Volumen ist, nimmt sie mit der Größe einer Region langsamer zu, als es der Fall wäre, wenn sie proportional zum Volumen wäre.

3 Diese Argumentation fängt zwar den Geist der Entropiegrenze ein, doch der kundige Leser wird bemerkt haben, dass ich vereinfache. Die exaktere Grenze, wie von Raphael Bousso vorgeschlagen, besagt, dass der Entropiefluss durch eine Nullhyperfläche (die überall einen nichtpositiven Fokussierungsparameter Θ aufweist) durch A/4 begrenzt wird, wobei A die Fläche eines raumartigen Querschnitts der Nullhyperfläche (der »Lichtfläche«) ist.

4 Genauer, die Entropie eines Schwarzen Lochs ist die Fläche seines Ereignishorizonts, in Planck-Einheiten ausgedrückt, durch 4 geteilt und mit der Boltzmann-Konstante multipliziert.

5 Der mathematisch interessierte Leser erinnert sich vielleicht an die Anmerkungen in Kapitel 8, in denen erläutert wurde, dass es noch einen weiteren Horizontbegriff gibt – den kosmischen Horizont –, der die Trennfläche ist zwischen den Dingen, mit denen ein Beobachter in kausalem Kontakt stehen kann, und den Dingen, mit denen er nicht in kausalem Kontakt stehen kann. Auch von solchen Horizonten nimmt man an, dass sie Entropie besitzen, wiederum proportional zu ihrem Oberflächeninhalt.

6 1971 erhielt der aus Ungarn stammende Physiker Dennis Gabor den Nobelpreis für die Entdeckung eines Verfahrens, das er *Holographie* nannte. Ursprünglich von dem Wunsch geleitet, das Auflösungsvermögen von Elektronenmikroskopen zu erhöhen, suchte Gabor in den vierziger Jahren nach Möglichkeiten, mehr von den Informationen in den Lichtwellen zu erfassen, die von einem Gegenstand zurückgeworfen werden. Eine Kamera zum Beispiel zeichnet die Intensität solcher Lichtwellen auf; Orte, an denen die Intensität hoch ist, erscheinen auf der Fotografie als hellere Regionen, und Orte, an denen sie gering ist, als dunklere Regionen. Gabor und vielen anderen Forschern war jedoch klar, dass die Intensität nur ein Teil der Informationen ist, die Lichtwellen enthalten. Das haben wir beispielsweise in Abbildung 4.2 (b) gesehen: Während das Interferenzmuster von der Intensität (der Amplitude) des Lichts beeinflusst wird (Wellen mit höherer Amplitude ergeben ein insgesamt helleres Muster), entsteht das Muster selbst durch die Überlagerung von Wellen, die beim Austritt aus den beiden Spalten ihren Berg, ihr Tal und verschiedene Zwischenhöhen an unterschiedlichen Orten auf dem Detektorschirm erreichen. Diese Information heißt *Phaseninformation:* Zwei Lichtwellen bezeichnet man an einem gegebenen Punkt als *phasengleich*, wenn sie einander verstärken (sie erreichen beide gleichzeitig einen Wellenberg oder ein Wellental), als *phasenverschoben*, wenn sie einander aufheben (die eine erreicht einen Berg, während die anderen ein Tal erreicht). Allgemeiner: Sie haben zwischen diesen beiden Extremen Phasenbeziehungen, die zu einer partiellen Verstärkung und partiellen Aufhebung führen. Ein Interferenzmuster zeichnet also Phaseninformationen der Überlagerung von Lichtwellen auf.

Gabor entwickelte ein Mittel, einen Spezialfilm, um sowohl die Intensität als auch die Phaseninformation des Lichts aufzuzeichnen, das von einem Gegenstand zurückgeworfen wird. Moderner ausgedrückt, hat sein Verfahren große Ähnlichkeit mit der Experimentalanordnung der Abbildung 7.1, allerdings befindet sich einer der beiden Laserstrahlen, die von dem betreffenden Gegenstand reflektiert werden, auf dem Weg zum Detektorschirm. Wird der Schirm mit einem Film ausgestattet, der mit der richtigen fotografischen Emulsion bestrichen ist, zeichnet er – in Gestalt winziger, eingeätzter Linien auf der Oberfläche des Films – ein Interferenzmuster zwischen dem ungehinderten und dem vom Objekt reflektierten Strahl auf. In dem Interferenzmuster sind sowohl die Intensität des reflektierten Lichts als auch die Phasenbeziehungen zwischen

den beiden Lichtstrahlen verschlüsselt. Gabors Entdeckung brachte vielfältigen Nutzen für die Wissenschaft, vor allem enorme Verbesserungen für zahlreiche Messtechniken. Doch für die breite Öffentlichkeit war die auffälligste Konsequenz die künstlerische und kommerzielle Entwicklung von Hologrammen.
Gewöhnliche Fotografien sehen flach aus, weil sie nur die Lichtintensität aufzeichnen. Um Tiefenwirkung zu erzielen, braucht man Phaseninformationen. Bei ihrer Ausbreitung durchlaufen Lichtwellen nämlich Zyklen vom Berg zum Tal und wieder zum Berg. Daher verschlüsseln Phaseninformationen – oder, genauer, Phasenunterschiede zwischen Lichtstrahlen, die von benachbarten Teilen eines Gegenstands reflektiert werden – Unterschiede in Hinblick auf die Entfernungen, die die Lichtstrahlen zurückgelegt haben. Wenn Sie beispielsweise eine Katze von vorn anblicken, sind ihre Augen ein bisschen weiter entfernt als ihre Nase, und dieser Tiefenunterschied wird in dem Phasenunterschied zwischen den Lichtstrahlen verschlüsselt, die von den einzelnen Gesichtsregionen reflektiert werden. Wenn wir Laserlicht durch ein Hologramm schicken, sind wir in der Lage, dem Bild mit Hilfe der im Hologramm verschlüsselten Phaseninformationen Tiefe zu verleihen. Das Ergebnis kennen wir alle: verblüffende dreidimensionale Projektionen, die aus zweidimensionalen Plastikstücken erzeugt werden. Anzumerken ist allerdings, dass Ihre Augen keine Phaseninformationen für die Tiefenwahrnehmung verwenden. Sie bedienen sich dazu der Parallaxe: Der winzige Unterschied in den Winkeln, mit denen das Licht von einem gegebenen Punkt aus in Ihr linkes und Ihr rechtes Auge fällt, liefert Informationen, aus denen Ihr Gehirn die Entfernung des Punktes ableitet. Deshalb büßen Sie beispielsweise die Tiefenwahrnehmung ein, wenn Sie die Sehfähigkeit auf einem Auge verlieren (oder es einfach einen Augenblick geschlossen halten).

7 Für den mathematisch interessierten Leser: Die Aussage lautet hier, dass Lichtstrahlen oder, allgemeiner, masselose Teilchen von jedem Punkt im Inneren des Anti-de-Sitter-Raums in endlicher Zeit die räumliche Unendlichkeit erreichen und wieder zurückkehren können.

8 Für den mathematisch interessierten Leser: Maldacena arbeitete im Kontext von $AdS_5 \times S^5$, wobei sich die Randtheorie auf dem Rand des AdS_5 ergibt.

9 Diese Aussage ist eher soziologischer als physikalischer Natur. Die Stringtheorie erwuchs aus der Tradition der quantenmechanischen Teilchenphysik, während sich die Schleifen-Quantengravitation aus der Tradition der allgemeinen Relativitätstheorie entwickelte. Allerdings ist in diesem Zusammenhang von Bedeutung, dass bis heute nur die Stringtheorie die Verbindung zu den erfolgreichen Vorhersagen der allgemeinen Relativitätstheorie hergestellt hat, da nur der Stringtheorie bei großen Abständen die überzeugende Reduktion auf die allgemeine Relativitätstheorie gelingt. Die Schleifen-Quantengravitation bewährt sich gut im Quantenbereich, aber der Übergang zu den großräumigen Phänomenen hat sich als schwierig erwiesen.

10 Wie eingehender in Kapitel 13 des *Eleganten Universums* erörtert, wissen wir seit der Arbeit von Bekenstein und Hawking in den siebziger Jahren viel über die Entropie Schwarzer Löcher. Doch der Ansatz dieser Forscher war ziemlich indirekt. So haben sie nie die mikroskopischen Umordnungen identifiziert, die die gefundene Entropie hätten erklären können (vgl. Kapitel 6). Mitte der neunziger Jahre wurde diese Lücke scharfsinnig von den Stringtheoretikern Andrew Strominger und Cumrun Vafa geschlossen, die eine Beziehung zwischen Schwarzen Löchern und bestimmten Bran-Konfigurationen in der Stringtheorie entdeckten. Im Prinzip konnten sie beweisen, dass spezielle Schwarze Löcher genau die gleiche Zahl von Umordnungen ihrer Grundbestandteile zulassen (was immer diese sein mögen) wie spezielle Bran-Kombi-

nationen. Als sie die Zahl dieser Bran-Umordnungen zählten (und den Logarithmus nahmen), war das Ergebnis, das sie fanden, die Fläche des entsprechenden Schwarzen Lochs – in Planck-Einheiten, geteilt durch vier, und damit genau das Ergebnis für Schwarze Löcher, auf das man schon vor Jahren gekommen war. Auch in der Schleifen-Quantengravitation konnte gezeigt werden, dass die Entropie eines Schwarzen Lochs zu seinem Oberflächeninhalt proportional ist, doch das richtige Ergebnis zu erhalten (Oberfläche in Planck-Einheiten, geteilt durch vier) hat sich als sehr schwierig erwiesen. Wenn ein bestimmter Parameter, der so genannte Immirzi-Parameter, geeignet gewählt wird, ergibt sich aus den Berechnungen der Schleifen-Quantengravitation tatsächlich die exakte Entropie von Schwarzen Löchern, allerdings gibt es bislang innerhalb der Theorie selbst noch keine universell akzeptierte fundamentale Erklärung dafür, wie der korrekte Wert für diesen Parameter zustande kommt.

11 Wie überall in diesem Kapitel verzichte ich auf quantitativ wichtige, aber begrifflich unwichtige numerische Parameter.

Glossar

absolute Raumzeit
Raumbegriff, der sich aus der speziellen Relativitätstheorie ergibt; die Vorstellung, der Raum sei während der Gesamtheit der Zeit, aus jeder Perspektive unveränderlich und unabhängig von seinen Inhalten.

absoluter Raum
Newtons Raumbegriff; die Vorstellung, der Raum sei unveränderlich und unabhängig von seinen Inhalten.

absolutistisch
Die Auffassung, der Raum sei absolut.

allgemeine Relativitätstheorie
Einsteins Gravitationstheorie; basiert auf Raum- und Zeitkrümmung.

Äther, Lichtäther
Hypothetische, den Raum durchdringende Substanz, die als Medium für die Ausbreitung des Lichts dient; widerlegt.

beobachtbares Universum
Teil des Universums innerhalb unseres kosmischen Horizonts; Teil des Universums, der uns so nahe ist, dass von dort ausgesandtes Licht uns bis heute erreicht haben kann; Teil des Universums, den wir sehen können.

Beschleunigung
Bewegung, die eine Veränderung des Geschwindigkeitsbetrags und/oder der Richtung umfasst.

Botenteilchen
Kleinstes »Paket« einer Kraft, das den Einfluss der Kraft überträgt.

Branwelt-Szenario
Möglichkeit, die sich aus der String/M-Theorie ergibt, dass unsere vertrauten drei räumlichen Dimensionen eine Drei-Bran sind.

Casimir-Kraft
Quantenmechanische Kraft, die durch ein Ungleichgewicht von Vakuumfluktuationen hervorgerufen wird.

D-Branen, Dirichlet-*p*-Branen
Eine *p*-Bran, die »klebrig« ist; eine *p*-Bran, an der die Endpunkte offener Strings haften.

dunkle Energie
Hypothetische Energie und hypothetischer Druck, die gleichmäßig den Raum füllen; allgemeiner als die kosmologische Konstante, da ihre Energie und ihr Druck sich mit der Zeit verändern können.

dunkle Materie
Materie, die den Raum erfüllt, Gravitation ausübt, aber kein Licht aussendet.

elektromagnetische Kraft
Eine der vier Naturkräfte; wirkt auf Teilchen, die elektrische Ladung tragen.

elektromagnetisches Feld
Das Feld, das die elektromagnetische Kraft ausübt.

Elektronenfeld
Das Feld, dessen Elementarpaket oder kleinster Bestandteil das Elektron ist.

elektroschwache Theorie
Die Theorie, die die elektromagnetische Kraft und die schwache Kernkraft vereinheitlicht.

elektroschwaches Higgs-Feld
Feld, das in einem kalten, leeren Raum einen nichtverschwindenden Wert annimmt; gibt den fundamentalen Teilchen ihre Massen.

Entropie
Ein Maß für die Unordnung eines physikalischen Systems; die Zahl der Umordnungen der fundamentalen Bestandteile eines Systems, die sein allgemeines Erscheinungsbild unverändert lassen.

Ereignishorizont
Imaginäre Kugelfläche, die ein Schwarzes Loch umgibt und den »Punkt ohne Wiederkehr« bezeichnet; was den Ereignishorizont durchquert, kann der Gravitation des Schwarzen Lochs nicht mehr entkommen.

Feld
Ein »Nebel«, eine »Essenz«, die den Raum durchdringt; sie kann eine Kraft übermitteln oder die Gegenwart/Bewegung von Teilchen beschreiben. Mathematisch ist jedem Punkt im Raum eine Zahl oder eine Sammlung von Zahlen zugeordnet, die den Wert des Feldes bezeichnen.

flacher Raum
Mögliche Form eines räumlichen Universums, das keine Krümmung hat.

Flachheitsproblem
Schwierigkeit, die beobachtete Flachheit des Raums zu erklären; Herausforderung für kosmologische Theorien.

geschlossene Strings
Energiefäden in Schleifenform (ohne lose Enden); kleinste Bestandteile der Stringtheorie.

Geschwindigkeit
Der Geschwindigkeitsbetrag und die Bewegungsrichtung eines Objekts.

Gluonen
Botenteilchen der starken Kernkraft.

Gravitonen
Hypothetische Botenteilchen der Gravitationskraft.

Große Vereinheitlichung
Theorie, die versucht, die starke, die schwache und die elektromagnetische Kraft zu vereinheitlichen.

Großer Endkollaps
Ein mögliches Ende des Universums, entspricht einer Umkehrung des Urknalls; der Raum stürzt in sich selbst zusammen.

Higgs-Feld
Siehe *elektroschwaches Higgs-Feld.*

Higgs-Ozean
In diesem Buch verwendete Kurzbezeichnung für einen nichtverschwindenden Vakuumserwartungswert des Higgs-Feldes.

Higgs-Teilchen
Elementarste Quantenbestandteile eines Higgs-Feldes.

Hintergundunabhängigkeit
Eigenschaft einer physikalischen Theorie, in der Raum und Zeit aus einem fundamentaleren Begriff erwachsen, statt axiomatisch eingeführt zu werden.

Horizontproblem
Schwierigkeit, zu erklären, warum Raumregionen, die außerhalb ihres jeweiligen kosmologischen Horizontes liegen, fast identische Eigenschaften besitzen; Herausforderung für kosmologische Theorien.

inflationäre Kosmologie
Kosmologische Theorie, die von einem kurzen, aber kolossalen Ausbruch räumlicher Expansion im frühen Universum ausgeht.

Inflaton-Feld
Das Feld, dessen Energie und negativer Druck für die inflationäre Expansion verantwortlich sind.

Interferenz
Phänomen, bei dem einander überlagernde Wellen ein charakteristisches Muster hervorrufen; in der Quantenmechanik werden dabei Alternativen überlagert, die einander scheinbar ausschließen.

Kaluza-Klein-Theorie
Theorie des Universums, die von mehr als drei räumlichen Dimensionen ausgeht.

Kelvin
Temperaturskala, bei der die Temperaturen relativ zum absoluten Nullpunkt angegeben werden (der niedrigstmöglichen Temperatur, −273° auf der Celsius-Skala).

klassische Physik
Im vorliegenden Buch die Bezeichnung für die physikalischen Gesetze von Newton und Maxwell; oft eine Bezeichnung für alle nichtquantenmechanischen physikalischen Gesetze, also auch die spezielle und die allgemeine Relativitätstheorie.

Kollaps der Wahrscheinlichkeitswelle, Kollaps der Wellenfunktion
Hypothetischer Prozess, in dessen Verlauf eine Wahrscheinlichkeitswelle (eine Wellenfunktion) von einer breiteren Verteilung zu einer mit spitzem Maximum übergeht.

Kopenhagener Deutung
Interpretation der Quantenmechanik, nach der große Objekte den klassischen Gesetzen und kleine Objekte den quantenmechanischen Gesetzen unterworfen sind.

kosmische Hintergrundstrahlung
Elektromagnetische Strahlung (Photonen), die ein Überbleibsel aus dem frühen Universum darstellt und das gesamte All durchdringt.

kosmischer Horizont, Horizont
Grenzfläche im Raum, jenseits deren die Orte liegen, von denen aus das Licht uns seit Beginn des Universums nicht erreichen konnte, weil die Zeit nicht ausreichte.

Kosmologie
Lehre vom Ursprung und der Entwicklung des Universums.

kosmologische Konstante
Hypothetische Energie und hypothetischer Druck, die gleichförmig den Raum erfüllen; Ursprung und Beschaffenheit unbekannt.

kritische Dichte
Masse/Energie-Dichte, die erforderlich ist, damit der Raum flach ist; rund 10^{-23} Gramm pro Kubikmeter.

Lichtäther
Siehe *Äther*.

Machsches Prinzip
Prinzip, dem zufolge alle Bewegung relativ ist; was »in Ruhe« bedeutet, wird von der durchschnittlichen Masseverteilung im Universum bestimmt.

Mikrowellen-Hintergrundstrahlung
Siehe *kosmische Hintergrundstrahlung.*

M-Theorie
Gegenwärtig noch unvollständige Theorie, die alle fünf Versionen der Stringtheorie vereinheitlicht; eine gänzlich quantenmechanische Theorie aller Kräfte und aller Materie.

negative Krümmung
Form des Raums, der weniger als die kritische Dichte enthält; sattelförmig.

nichtverschwindender Vakuumserwartungswert des Higgs-Feldes
Situation, in der ein Higgs-Feld im leeren Raum einen von Null verschiedenen Wert annimmt; ein Higgs-Ozean.

offene Strings
Energiefäden in der Stringtheorie, die zwei lose Enden haben.

***p*-Bran**
Bestandteil der String/M-Theorie mit p räumlichen Dimensionen. Siehe auch *D-Bran.*

Phasenübergang
Qualitative Veränderung in einem physikalischen System, die sich ergibt, wenn seine Temperatur über einen hinreichend großen Bereich verändert wird.

Photon
Botenteilchen der elektromagnetischen Kraft; ein »Lichtpaket«.

Planck-Länge
Größe (10^{-33} Zentimeter), unterhalb deren sich der Konflikt zwischen Quantenmechanik und allgemeiner Relativitätstheorie bemerkbar macht; Größe, unterhalb deren der konventionelle Raumbegriff seine Gültigkeit verliert.

Planck-Masse
Masse (10^{-5} Gramm, Masse eines Staubkorns, zehn Milliarden Milliarden Mal so groß wie die Masse des Protons); charakteristische Masse eines schwingenden Strings.

Planck-Zeit
Zeit (10^{-43} Sekunden), die das Licht braucht, um eine Planck-Länge zurückzulegen; Zeitintervall, unterhalb dessen der konventionelle Zeitbegriff seine Gültigkeit verliert.

Potenzialschüssel
Form zur Beschreibung der Energie, die ein Feld für einen gegebenen Feldwert enthält; benannt nach der potenziellen Energie des Feldes.

potenzielle Energie
In einem Feld oder Objekt gespeicherte Energie.

Quantenchromodynamik
Quantenmechanische Theorie der starken Kernkraft.

Quantenfluktuationen
Die auf kleinen Skalen unvermeidlichen, raschen Veränderungen im Wert eines Feldes, die sich aus der Quantenunschärfe ergeben.

Quantenmechanik
Theorie, die in den zwanziger und dreißiger Jahren des zwanzigsten Jahrhunderts entwickelt wurde, um das Reich der Atome und subatomaren Teilchen zu beschreiben.

quantenmechanisches Messproblem
Schwierigkeit, zu erklären, wie die unzähligen Möglichkeiten, die in einer Wahrscheinlichkeitswelle verschlüsselt sind, bei einer Messung zu einem einzigen Ergebnis führen.

Quarks
Elementarteilchen, die der starken Kernkraft unterworfen sind; es gibt sechs Spielarten (*up, down, strange, charm, top, bottom*).

Raumzeit
Die Einheit von Raum und Zeit, die zum ersten Mal in der speziellen Relativitätstheorie artikuliert wurde.

relationistisch
Auffassung, nach der alle Bewegung relativ und der Raum nicht absolut ist.

Rotationsinvarianz, Rotationssymmetrie
Eigenschaft eines physikalischen Systems oder Gesetzes, sich bei einer Drehung nicht zu verändern.

schwache Kernkraft
Naturkraft, wirksam auf subatomaren Skalen und verantwortlich für Phänomene wie den radioaktiven Zerfall.

Schwarzes Loch
Ein Objekt, dessen immenses Gravitationsfeld alles, was ihm zu nah kommt (näher als der Ereignishorizont des Schwarzen Lochs) festhält – sogar das Licht.

Spezielle Relativitätstheorie
Einsteins Theorie, nach der Raum und Zeit nicht individuell absolut sind, sondern von relativ zueinander bewegten Beobachtern unterschiedlich wahrgenommen werden.

Spin

Quantenmechanische Eigenschaft von Elementarteilchen, gemäß deren sie, ähnlich wie ein Kreisel, einer Rotationsbewegung unterworfen sind (sie besitzen einen intrinsischen Drehimpuls).

spontane Symmetriebrechung

Fachausdruck für die Bildung eines Higgs-Ozeans; Prozess, durch den eine zuvor manifeste Symmetrie verborgen oder aufgehoben wird.

Standardkerzen

Objekte von bekannter intrinsischer Helligkeit, mit deren Hilfe sich astronomische Entfernungen messen lassen.

Standardmodell der Elementarteilchen

Quantenmechanische Theorie, die aus der Quantenchromodynamik und der elektroschwachen Theorie zusammengesetzt ist; beschreibt alle Materie und Kräfte, ausgenommen die Gravitation. Beruht auf dem Konzept von Punktteilchen.

starke Kernkraft

Naturkraft, die Quarks beeinflusst; hält die Quarks im Inneren von Protonen und Neutronen zusammen.

Stringtheorie

Theorie, die auf eindimensionalen, schwingenden Energiefäden beruht (siehe *Superstringtheorie*), die aber nicht unbedingt die Supersymmetrie einbezieht; manchmal auch die Kurzbezeichnung für Superstringtheorie.

Superstringtheorie

Theorie, deren fundamentale Bestandteile eindimensionale Schleifen (geschlossene Strings) oder Fadenstücke (offene Strings) aus schwingender Energie sind; vereinheitlicht allgemeine Relativitätstheorie und Quantenmechanik; bezieht Supersymmetrie ein.

Supersymmetrie

Eine Symmetrie, bei der die Gesetze unverändert bleiben, wenn Teilchen mit ganzzahligem Spin (Kraftteilchen) gegen Teilchen mit halbzahligem Spin (Materieteilchen) ausgetauscht werden.

Symmetrie

Transformation eines Systems, bei der das Erscheinungsbild des Systems unverändert bleibt (wie zum Beispiel eine vollkommene Kugel bei Drehung um ihren Mittelpunkt); Transformation eines physikalischen Systems ohne Auswirkung auf die Gesetze, die das System beschreiben.

Teilchenbeschleuniger

Forschungsanlage der Teilchenphysik, die Teilchen mit hohen Geschwindigkeiten zusammenstoßen lässt.

Trägheit

Eigenschaft eines Objekts, die sich seiner Beschleunigung widersetzt.

Translationsinvarianz, Translationssymmetrie

Eigenschaft der bekannten Naturgesetze, die dafür sorgt, dass die Gesetze an jedem Ort im Raum anwendbar sind.

Unschärferelation

Eigenschaft der Quantenmechanik, die dafür verantwortlich ist, dass es eine fundamentale Grenze für die Genauigkeit gibt, mit der sich bestimmte komplementäre physikalische Merkmale messen oder bestimmen lassen.

Urknalltheorie/Standardmodell der Urknalltheorie
Theorie, die ein heißes, expandierendes Universum, beginnend mit einem Augenblick kurz nach seiner Geburt, beschreibt.

Vakuum
Zustand größter Leere, den eine Region annehmen kann; niedrigster Energiezustand.

Vakuumfluktuationen
Siehe *Quantenfluktuationen.*

Vereinheitlichte Theorie
Eine Theorie, die alle Kräfte und alle Materie in einem einzigen theoretischen Gebäude beschreibt.

Verschränkung, Quantenverschränkung
Quantenmechanisches Phänomen, bei dem räumlich getrennte Teilchen korrelierte Eigenschaften besitzen.

Viele-Welten-Interpretation
Interpretation der Quantenmechanik, nach der alle Möglichkeiten, die in einer Wahrscheinlichkeitswelle verkörpert sind, in gesonderten Universen verwirklicht werden.

W- und Z-Teilchen
Die Botenteilchen der schwachen Kernkraft.

Wahrscheinlichkeitswelle
Welle in der Quantenmechanik, welche alle Informationen über die Wahrscheinlichkeiten enthält, mit der ein Teilchen an verschiedenen Orten anzutreffen ist.

Welcher-Weg-Information
Quantenmechanische Informationen über den Weg, dem ein Teilchen von der Quelle zum Detektor folgt.

Wellenfunktion
Siehe *Wahrscheinlichkeitswelle.*

Zeitpfeil
Richtung, in die die Zeit zu zeigen scheint – von der Vergangenheit in die Zukunft.

Zeitscheibe
Der gesamte Raum zu einem gegebenen Zeitpunkt; ein einzelner Schnitt durch den Raumzeitblock oder -laib.

Zeitumkehrsymmetrie
Eigenschaft der bekannten Naturgesetze, die zur Folge hat, dass zwischen den Zeitrichtungen nicht unterschieden wird. Zu jedem gegebenen Zeitpunkt behandeln die Gesetze Vergangenheit und Zukunft absolut gleich.

Zweiter Hauptsatz der Thermodynamik
Gesetz, das besagt, dass die Entropie eines physikalischen Systems in der Regel mit der Zeit anwächst.

Literatur – eine Auswahl

Die populär- und fachwissenschaftliche Literatur über Raum und Zeit füllt Regale. Die folgenden Literaturvorschläge wenden sich überwiegend an den Laien, doch einige verlangen eine gewisse Vorbildung. Insgesamt habe ich sie als hilfreich empfunden und denke, dass sie sich gut als Ausgangspunkt eignen, wenn man sich eingehender über die einzelnen Entwicklungen informieren möchte, die in diesem Buch angesprochen werden.

Albert, David, *Quantum Mechanics and Experience*, Cambridge, Mass., 1994.

ders., *Time and Chance*, Cambridge, Mass., 2000.

Barbour, Julian, *The End of Time: The Next Revolution in Physics,* Oxford 2000.

ders. und Herbert Pfister, *Mach's Principle: From Newton's Bucket to Quantum Gravity,* Boston 1995.

Barrow, John, *The Book of Nothing: Vacuums, Voids and the Latest Ideas about the Origins of the Universe,* New York 2000.

Bartusiak, Marcia, *Einstein's Unfinished Symphony: Listening to the Sounds of Spacetime*, Washington 2000.

Bell, John, *Speakable and Unspeakable in Quantum Mechanics: Collected Papers on Quantum Philosophy*, Cambridge 1993.

Blanchard, Ph., und D. Giulini, E. Joos, C. Kiefer, I.-O. Stamatescu (Hg.), *Decoherence: Theoretical, Experimental, and Conceptual Problems,* Heidelberg 2000.

Callender, Craig, und Nick Hugget, *Physics Meets Philosophy at the Planck Scale: Contemporary Theories in Quantum Gravity,* Cambridge, Eng., 2001.

Cole, K. C. *Eine kurze Geschichte des Universums*, Berlin 2004.

Crease, Robert, und Charles Mann, *The Second Creation: Makers of the Revolution in twentieth-century Physics,* New Brunswick 1996.

Davies, Paul, *Space and Time in the Modern Universe*, Cambridge 1977.

ders., *Die Unsterblichkeit der Zeit. Die moderne Physik zwischen Rationalität und Gott,* Bern 1995.

ders., *How to Build a Time Machine*, New York 2002.

Deutsch, David, *Die Physik der Welterkenntnis. Auf dem Weg zum universellen Verstehen,* Basel 1996.

Ferris, Timothy, *Kinder der Milchstraße. Die Entwicklung des modernen Weltbildes,* Basel 1989.

ders., *Chaos und Notwendigkeit. Report zur Lage des Universums*, München 2000.

Espagnat, Bernard d', *Veiled Reality: An Analysis of present-day Quantum Mechanical Concepts*, Reading 1995.

Feynman, Richard. *QED. Die seltsame Theorie des Lichts und der Materie*, 3. korr. Aufl., München 1992.

Fölsing, Albrecht. *Albert Einstein. Eine Biographie,* Frankfurt a. M. 1993.

Gell-Mann, Murray, *Das Quark und der Jaguar. Vom Einfachen zum Komplexen: Die Suche nach einer neuen Erklärung der Welt*, München 1994.

Gleick, James, *Isaac Newton: Die Geburt des modernen Denkens*, Düsseldorf 2004.

Gott, J. Richard, *Zeitreisen in Einsteins Universum*, Reinbek 2002.

Greene, Brian, *Das elegante Universum. Superstrings, verborgene Dimensionen und die Suche nach der Weltformel*, Berlin 2000.

Gribbin, John, *Auf der Suche nach Schrödingers Katze. Quantenphysik und Wirklichkeit*, München 1987

Guth, Alan, *Die Geburt des Kosmos aus dem Nichts. Die Theorie des inflationären Universums*, München 1999.

Hall, A. Rupert, *Isaac Newton: Adventurer in Thought*, Cambridge 1992.

Halliwell, J. J., J. Perez-Mercader und W. H. Zurek, *Physical Origins of Time Asymmetry*, Cambridge 1994.

Hawking, Stephen, *Das Universum in der Nußschale*, Hamburg 2001.

ders. und Roger Penrose, *Raum und Zeit*, Reinbek 1998.

ders., Kip Thorne, Igor Novikov, Timothy Ferris und Alan Lightman, *The Future of Spacetime*, New York 2002.

Jammer, Max, *Das Problem des Raumes. Die Entwicklung der Raumtheorien,* Darmstadt 1980.

Johnson, George, *A Shortcut Through Time: The Path to a Quantum Computer*, New York 2003.

Kaku, Michio, *Im Hyperraum. Eine Reise durch Zeittunnel und Paralleluniversen,* Reinbek 1998.

Kirshner, Robert, *The Extravagant Universe: Exploding Stars, Dark Energy, and the Accelerating Cosmos,* Princeton 2002.

Krauss, Lawrence, *Quintessence: The Mystery of Missing Mass in the Universe*, New York 2000.

Leibniz, Gottfried Wilhelm, und Samuel Clarke, *Der Leibniz-Clarke-Briefwechsel,* hg. und übers. von Volkmar Schüller, Berlin 1991.

Lindley, David, *Where Does the Weirdness Go? Why Quantum Mechanics is Strange, But Not as Strange as You Think*, New York 1996.

ders., *Boltzmann's Atom: The Great Debate that Launched a Revolution in Physics,* New York 2001.

Mach, Ernst, *Die Mechanik in ihrer Entwickelung*, Leipzig 1883.

Maudlin, Tim, *Quantum Non-locality and Relativity*, Oxford 2002.

Mermin, N. David, *Boojums All the Way Through*, Cambridge 1990.

Overbye, Dennis, *Das Echo des Urknalls. Kernfragen der modernen Kosmologie*, München 1991.

Pais, Abraham, *Raffiniert ist der Herrgott … Albert Einstein: eine wissenschaftliche Biographie*, Heidelberg 2000.

Penrose, Roger, *Computerdenken. Die Debatte um künstliche Intelligenz, Bewußtsein und die Gesetze der Physik*, Heidelberg 2002.

Price, Huw, *Time's Arrow and Archimedes' Point: New Directions for the Physics of Time*, Oxford 1996.

Rees, Martin, *Vor dem Anfang. Eine Geschichte des Universums*, Frankfurt a. M. 1998.

ders., *Just Six Numbers: The Deep Forces that Shape the Universe*, New York 2000.

Reichenbach, Hans, *The Direction of Time*, Berkeley 1956.

ders., *The Philosophy of Space and Time*, New York 1958.

Savitt, Steven, *Time's Arrow Today: Recent Physical and Philosophical Work on the Direction of Time*, Cambridge 1995.

Schrödinger, Erwin, *Was ist Leben? Die lebende Zelle mit den Augen des Physikers betrachtet*, Bern 1946.

Siegfried, Tom, *The Bit and the Pendulum: From Quantum Computing to M Theory – The New Physics of Information*, New York 2000.

Sklar, Lawrence, *Space, Time, and Spacetime*, Berkeley 1977.

Smolin, Lee, *Three Roads to Quantum Gravity*, London 2000.

Stenger, Victor, *Timeless Reality: Symmetry, Simplicity, and Multiple Universes*, Amherst 2000.

Thorne, Kip, *Gekrümmter Raum und verbogene Zeit: Einsteins Vermächtnis*, München 1994.

Weinberg, Steven, *Die ersten drei Minuten. Der Ursprung des Universums*, München 1977.

ders., *Der Traum von der Einheit des Universums*, München 1993.

Weizsäcker, Carl Friedrich von, *Die Einheit der Natur*, München 1971.

Wilczek, Frank, und Betsy Devine, *Longing for the Harmonies: Themes and Variations from Modern Physics*, New York 1988.

Zeh, H. D., *The Physical Basis of the Direction of Time*, Berlin 2001.

Register

Die *kursiven Ziffern* verweisen auf Bildlegenden.